PASJE
UTAJONE

Irving Stone

PASJE
UTAJONE

przełożył
Henryk Krzeczkowski

MUZA

WARSZAWSKIE WYDAWNICTWO LITERACKIE

Tytuł oryginału: *The Passions of the Mind*
A Novel of Sigmund Freud
Projekt serii i okładki: *Wojciech Jankowski*
Redaktor prowadzący: *Ewa Orzeszek-Szmytko*
Redakcja techniczna: *Robert Fritzkowski*
Korekta: *Redaktornia.com*

Zdjęcie wykorzystane na okładce:
Zygmunt Freud © adoc-photos/Corbis via Getty Images

ISBN 978-83-287-1404-5

Warszawskie Wydawnictwo Literackie
MUZA SA
Wydanie V
Warszawa 2020

Księga pierwsza

„Wieża Szaleńców"

1

Dwie smukłe młodzieńcze postacie energicznie, w rytmicznej kadencji wspinały się stromą ścieżką. Łąka po obu stronach ścieżki usiana była żółtym kwieciem. Sasanki o jedwabistych płatkach przekwitły tuż po Wielkanocy, ale pod bukami rozpościerał się wielobarwny dywan wiosennych wrzosów, pierwiosnków i dzikich różyczek.

Mężczyzna był niewysoki; miał niespełna metr siedemdziesiąt wzrostu, ale krocząc u boku tak zgrabnej panny, uwierzył, że jest słusznej postury. Ukradkiem i nieśmiało przyglądał się profilowi Marty Bernays. Podziwiał mocno zarysowaną linię podbródka, nosa i czoła. Przed chwilą zdarzyła się rzecz niewiarygodna. Miał przecież zaledwie dwadzieścia sześć lat, zajęty był bez reszty swoimi studiami fizjologii w Instytucie profesora Brückego. Przed upływem nieskończenie długich pięciu lat nie wolno mu było nawet marzyć o miłości; przed upływem dziesięciu nie ma nawet prawa myśleć o małżeństwie. W chemii orientował się raczej średnio, ale tyle powinien był wiedzieć, że miłość i kalendarz są pierwiastkami, które nie najłatwiej się łączą.

– Nie, to niemożliwe – wyrwało mu się z ust. – To się chyba nie zdarzyło naprawdę.

Panna spojrzała na niego zdumiona. W lesie panował łagodny półmrok. Szare jak z kości słoniowej brzozy, ogołocone z niższych gałęzi, rozpinały wysoko zielony parasol liści, chroniący ich przed promieniami słońca. Być może właśnie dzięki temu delikatnemu światłu w lasach nad Mödlingiem twarz Marty wydawała mu się najpiękniejszą, jaką kiedykolwiek widział. Marta nie uważała się bynajmniej za piękność, ale w jego oczach była najbardziej uroczą kobietą na świecie. Podziwiał jej wielkie szarozielone oczy, spoglądające z czułością, a jednak niepozbawione przenikliwości, świadczącej o charakterze stanowczym i samodzielnym. Gęste brązowe włosy czesała gładko z przedziałkiem, który równą białą linią przebiegał środkiem głowy. Nos miała kształtny, lekko *retroussé*, oraz prześliczne – w jego mniemaniu

– usta o pełnych, czerwonych wargach. Może tylko zarys brody był niepokojąco stanowczy przy tak delikatnych rysach.

– Co jest niemożliwe? Co takiego nie mogło się zdarzyć?

Doszli do miejsca, w którym ścieżka skręcała, a zielony dach przepuszczał promienie słoneczne.

– Czyżbym mówił na głos? To wina tej wielkiej ciszy w lesie. Będę musiał uważać, skoro tak wyraźnie słyszy pani moje myśli.

Byli teraz w połowie drogi. Z występu skalnego roztaczał się widok na leżące w dole Mödling. Docierały tu stłumione dźwięki orkiestry grającej w Parku Zdrojowym. Mödling było czarującym, sielskim miasteczkiem, o godzinę drogi pociągiem z Wiednia. Stało się modnym celem świątecznych wycieczek wiedeńczyków. W ciepłym czerwcowym słońcu wyglądało jak małe Morze Czerwone lśniących dachówek, za którymi na horyzoncie, po stokach wzgórz, wspinały się winnice brzemienne napęczniałymi gronami. Przyszłej wiosny młode wino z tych właśnie gron będą popijali wiedeńczycy w „Heurigen Stüberln" w Grinzingu.

Marta Bernays przybyła w odwiedziny do zaprzyjaźnionej rodziny, która miała dom na Grillparzergasse. Zygmunt przyjechał rano kolejką z wiedeńskiego Dworca Południowego. Przeszli przez Kaiser-Franz-Joseph-Platz, mijając ozdobną, przeładowaną filigranowymi złoceniami Pestsäule – kolumnę upamiętniającą morową zarazę. Ulicą Główną dotarli do starego Ratusza z zegarem i cebulastą wieżą, po czym na Kanonii, za wodotryskiem, znaleźli się przed górującym nad miasteczkiem kościołem św. Otmara. Naprzeciwko kościoła wznosiła się okrągła kamienna wieża.

– Przypomina włoskie baptysterium – zauważyła Marta – ale mieszkańcy miasteczka upierają się, że jest to stara wieża, w której gromadzono kości. Jako doktor medycyny mógłby mi pan wytłumaczyć, jakim cudem wrzucali tu kości bez ciała?

– Jako początkujący lekarz, który nie ma jeszcze ani pacjentów, ani doświadczenia, przyznam, że nie mam pojęcia. Proszę napisać na ten temat pracę naukową, ja ją przedstawię na wydziale medycznym i złożę wniosek o przyznanie pani stopnia naukowego. Chciałaby pani być lekarzem?

– Nie. Chciałabym prowadzić dom, być matką i mieć pół tuzina dzieci.

– Niezbyt wygórowane ambicje. Osiągnie je pani bez większego kłopotu.

Kiedy się zamyślała, jej oczy przybierały szafirowy odcień.

– Ale mnie chodzi o to, by nie mieć kłopotów potem, kiedy już te moje ambicje będą spełnione. Bo ja jestem romantyczką. Chciałabym kochać mego męża i żyć z nim w zgodzie przez pół wieku.

– Ma pani jednak wygórowane ambicje, Marto. Pamięta pani wierszyk Heinego:

„Bodaj to być kawalerem!"
Pluton w piekle wzdycha wciąż.
„Teraz, udręczony mąż,
Widzę, że bez kobiet nawet
Piekło nie jest piekłem szczerym.

Bodaj to być kawalerem!
Odkąd z babą wziąłem ślub,
Dzień w dzień jął mnie nęcić grób!"[*]

– Ale pan w to nie wierzy? – uniosła wysoko brwi.

– Ja? Oczywiście, że nie wierzę. Małżeństwo zostało wynalezione dla takich właśnie prostaczków jak ja. Natychmiast po ceremonii ślubnej wejdzie mi w nałóg.

– Czy to nie Goethe powiedział, że przenośniami posługują się ludzie, którzy chcą ukryć swe prawdziwe uczucia?

– Nie, miła panno Bernays, to pani wymyśliła ten cytat.

Za krótko ją znał, by spamiętać wszystkie jej uroki, ale był oczarowany jej głosem. Miała dwadzieścia jeden lat. Pochodziła z Hamburga, najdumniejszego miasta Ligi Hanzeatyckiej. Mówiła *Hochdeutsch*, językiem czystym, ścisłym, tak niepodobnym do szybkiej, niefrasobliwej *Schlamperei* wiedeńczyków. Wyjaśniła mu, dlaczego zachowała tę klarowność wymowy, mimo że narażała się przez to na docinki swych młodych koleżanek szkolnych, które uważały ją za dziewczynę wyniosłą, dumną, arogancką – zarzuty często stawiane przez wiedeńczyków zamożnym, strasznie zazdrosnym o swą niezależność i surowo przestrzegającym zasad mieszczańskich mieszkańcom Hamburga. Ojciec Marty, Berman Bernays, był przez dziesięć lat, do swej śmierci przed dwu i pół rokiem, w roku 1879, niezastąpionym asystentem Lorenza von Steina, słynnego profesora ekonomii na Uniwersytecie Wiedeńskim.

– Miałam zaledwie osiem lat – opowiadała Marta Zygmuntowi – kiedy zaczęłam chodzić do szkoły w Wiedniu. Oczywiście podchwyciłam wymowę moich koleżanek. Mówiłam *Sch-tadt* zamiast *Stadt*. *Sch-tein* zamiast *Stein*. Ojciec wezwał mnie do swego gabinetu i powiedział: „Słuchaj, córeczko, język, którym mówisz, to nie jest niemiecki, lecz jakiś żargon. My nie mówimy *Sscchtadt* – *Sscchtein*. My mówimy *S-tadt* i *S-tein*. Tak brzmi poprawna niemczyzna". Następnego dnia powiedziałam rodzicom, że jadłam jakieś nowe ciasto, nazywające się *Schtrudel*. Ojciec powiedział na to, że nie wie, co to takiego *Schtrudel*, ale bez względu na to, o jakie ciasto chodzi, będziemy je nazywali *Strudel*. W szkole koleżanki doszły ostatecznie do wniosku, że moja wymowa jest jakimś upośledzeniem. Jak jąkanie.

---

[*] Przełożył Robert Stiller.

Szli dalej ścieżką znakowaną kolorowymi paskami malowanymi na drzewach, by spacerowicze nie zabłądzili we wspaniałych, gęstych lasach rozciągających się na południe od Wiednia. Droga zasypana igłami sosen była śliska, Zygmunt nie widział więc nic niewłaściwego w tym, że trzymał Martę za łokieć, by się nie pośliznęła. Słońce zaczęło prażyć, parasol liści był nieszczelny, ale gęste igliwie i żywica pachniały rozkosznie.

Gdzieś wysoko nad nimi rozległ się głos:

– Hej! Maruderzy!

To Eli, brat Marty, starszy od niej o półtora roku, pobiegł przed nimi na górę, starając się zachować dyskrecję i nie przeszkadzać zakochanej parze.

Do szczytu mieli jeszcze jakieś piętnaście minut wspinaczki, ale widok, który ich oczekiwał, zapierał dech w piersi. Rozległą panoramę zamykała sylwetka Kahlenbergu, „lokalnej" góry Wiednia, trzymającej straż nad miastem.

Wśród wysokich drzew skryła się mała kawiarenka. Przed domkiem, na prostych ławach przy wiejskich stołach, rozsiadły się całe rodziny, które wybrały się na sobotnią wycieczkę. Raczono się kawą lub piwem. Zygmunt znalazł na boku stolik z marmurowym blatem i wyplatane krzesła. Zamówił trzy butelki malinowej lemoniady. Eli dwoma głębokimi haustami opróżnił swoją i już się zerwał, by szukać nowych ścieżek. Młodej parze zapowiedział, że po nich wróci.

2

Siedzieli z twarzami zwróconymi ku łaskawemu słońcu. Przez całą surową zimę wiedeńską czekano na to błogie ciepło. Chociaż Toskania już przed dwudziestu dwu laty uwolniła się od kurateli cesarstwa austro-węgierskiego, niebo było w Mödlingu tak samo błękitne jak na wiosnę nad Florencją.

Zygmunt wyciągnął rękę i dłonią zwróconą ku górze położył ją na środku stolika. Marta lekko przykryła ją swoją dłonią. Chłodną w dotknięciu, spokojną, wyczekującą, zwilgotniałą w jego uścisku. Po raz pierwszy przyjrzała mu się dokładnie, patrząc mu prosto w oczy. Chociaż ich rodziny znały się od dawna, spotkali się po raz pierwszy przed niespełna dwoma miesiącami. Miał nieco kościsty nos, władczo wyrastający z wgłębienia między oczami, lśniące czarne włosy, które sczesywał na czoło ku prawemu uchu, skąpą bródkę i wąsy. Pod wysokim czołem lśniły dominujące nad całą twarzą trochę rozmarzone, duże oczy.

– Proszę mi opowiedzieć o swojej pracy. Nie jestem wścibska, ale wiem o panu tylko tyle, że jest pan „demonstratorem" w laboratorium fizjologicznym profesora Brückego.

– Tak. Przygotowuję materiały do wykładów profesora Brückego.

Przysunął bliżej swe krzesło, szurając nim po żwirze.

– Mam zacząć od początku czy od końca?

– Od początku. Zawsze tak się powinno zaczynać.

– Pierwsze cztery lata studiów medycznych nie były zbyt pasjonujące, z jednym bodaj wyjątkiem: kiedy miałem lat dwadzieścia, profesor zoologii, pan Carl Claus, posłał mnie dwukrotnie do Triestu, gdzie powstała zoologiczna stacja badawcza. Pracowałem wówczas nad strukturą gonad węgorzy.

– Co to jest „gonada"?

Nadbiegł Eli, wołając, że czas wracać, i znów znikł w cieniu lasu. Marta i Zygmunt niechętnie ruszyli za nim zieloną ścieżką. Po kilku chwilach dotarli do olbrzymiego drzewa, które padając, zatarasowało drogę. Zygmunt musiał pomóc dziewczynie przejść przez pień; teraz nie miał już siły powstrzymać się od zwrócenia uwagi na jej zgrabne kostki u nóg. Droga skręciła ostro i ujrzeli przed sobą polanę i zalany słońcem parów. Drwale z matematyczną precyzją układali bierwiona w stosy wysokie na cztery stopy.

– Czyż nie byłoby przyjemnie – mruczał pod nosem – gdybyśmy mogli tak porządnie układać nasze dni i osiągnięcia życiowe jak ci drwale swoje drewno?

– A czy nie możemy?

– Możemy. To jest wykonalne. Tak mi się przynajmniej zdaje. W każdym razie, Marto, mam nadzieję, że mi się to uda. Lubię porządek i stronię od bałaganu. Taką już mam naturę.

Przez chwilę szli w milczeniu. Wciąż jeszcze wisiało nad nimi pytanie, na które nie udzielił odpowiedzi. Jeśli nie odpowie, Marta drugi raz nie zapyta. A jeśli nie odpowie jej jak równemu sobie, Marta będzie wiedziała, że w myślach uważa ją za istotę niższą. Zaczął więc mówić tym spokojnym akademickim tonem, którego używał, zwracając się na seminariach do młodszych studentów medycyny.

– Słownik określa „gonadę" jako „niezróżnicowany gruczoł rozrodczy służący jednocześnie za jajnik i jądro". Moim zadaniem było odnalezienie jąder węgorza. Tylko jednemu człowiekowi, doktorowi Syrskiemu, udało się znaleźć jakiś słaby ich ślad. Ja miałem potwierdzić lub obalić jego stwierdzenia.

Marta omal się nie potknęła, gdy wypowiedział słowo „jądro", ale udało się jej zachować równowagę. Zapytała tylko:

– Czy odnalezienie gonad węgorza ma jakieś znaczenie? Dlaczego nie wykryto tego już przed tysiącem lat?

– Dobrze postawione pytanie. – Delikatnie wziął ją pod rękę. – Gruczoł męski jest rozpoznawany tylko w okresie godowym. Węgorze jednak przed tym okresem wypływają do morza. Nikt nie zdołał ich zaobserwować w tym czasie. Nikomu jeszcze nie udało się złowić dojrzałego węgorza płci męskiej. A może nikt dotąd się tym nie interesował.

– A pan to sprawdził?

– Tak przynajmniej uważam. Doktor Syrski miał rację, ja zaś pomogłem udokumentować jego teorię. Profesor Claus odczytał mój referat na posiedzeniu Akademii Nauk. Potem był opublikowany w Biuletynie Akademii. To było przed pięcioma laty. Nikt dotąd nie zakwestionował mego odkrycia.

W jego głosie brzmiała duma, tak jakby sumienna praca była największym osiągnięciem człowieka. Dostrzegł w oczach dziewczyny aprobatę i to zachęciło go do mówienia. Nigdy jeszcze nie zwierzał się kobiecie ze swych myśli – ani młodej, ani starej.

– Chodzi nie tylko o praktyczne zastosowanie teorii profesora Clausa o hermafrodytyzmie u zwierząt, chociaż wygląda na to, że węgorz do tej kategorii pasuje. Problem jest znacznie szerszy. Nie można ograniczać badań naukowych nakazami konwencjonalnej moralności. W nauce wszelka ignorancja jest zła, wszelka wiedza jest dobra. Pojawiliśmy się na tym świecie bardzo dawno, przed milionami lat; tak uważa Karol Darwin. Początkowo nic nie wiedzieliśmy o otaczających nas żywiołach. Ale przez miliony lat umysł ludzki kruszył ignorancję, gromadząc z trudem zdobywaną wiedzę. Największą przygodą ludzkości jest odkrycie czegoś, co dotąd było nieznane; zrozumienie czegoś, co dotąd było niezrozumiałe. Więc każdy nowy szczegół wzbogacający naszą wiedzę musi mieć jakieś konkretne znaczenie, musi czemuś służyć. To naprawdę wielki triumf, gdy uda się coś wydobyć z mroków niewiedzy i doświadczalnie odkrycie takie udowodnić.

Teraz ona ujęła jego rękę, ciepłą, kościstą, drżącą z podniecenia, gdyż przejęty był wizją, którą próbował przekazać swej niedawno pozyskanej przyjaciółce.

– Jestem panu bardzo wdzięczna. W taki sposób nikt jeszcze dotąd ze mną nie rozmawiał. Czuję się jak... człowiek. Jak istota dorosła. Nie mógł mi pan sprawić wspanialszego prezentu. W najelegantszych magazynach nie znalazłby pan lepszego.

Do domu na Grillparzergasse zdążyli na podwieczorek. Pili kawę w ogrodzie, a Eli został w domu z gospodarzami. Otoczony murem ogródek za domem był mały, ale kwitły w nim lipy, wypełniając powietrze ciężkim zapachem. Marta przyniosła do altanki talerz z jagodami w cieście. Usiadła koło niego na ławeczce. Patrzał, jak zgrabnie zarysowują się jej ramiona i plecy pod brązową muślinową sukienką, przybraną białym kołnierzykiem, kiedy równocześnie z dwóch parujących dzbanków nalewała do wielkich filiżanek kawę i mleko. Ze srebrnej czaszy wybierali orzechy.

– Proszę spojrzeć! – zawołała. – *Vielliebchen,* podwójny migdał. Musimy teraz wymienić prezenty.

– Przepadam za takimi znakami, szczególnie jeśli są dla mnie korzystne. Niech pani siądzie bliżej, zrobi mi pani w ten sposób najpiękniejszy prezent.

Siedziała tak blisko, że pochylając się, mógł prawie niedostrzegalnie dotykać jej ramion. W oczach jego iskrzyła się radość. Kochał tę dziewczynę, choć dotąd raz tylko miał zaledwie przeczucie tego, co oznacza miłość. Kiedy był szesnastoletnim chłopcem, rodzice wysłali go na wakacje do Freibergu. Mieszkał u zaprzyjaźnionej od dawna rodziny Flussów. I wtedy właśnie zakochał się w ich piętnastoletniej córce Gizeli. Spacerował z nią po romantycznych lasach, snując fantastyczne marzenia o tym, jak będą oboje szczęśliwi, kiedy się pobiorą. Ale nigdy o tym nie powiedział Gizeli i po powrocie do Wiednia zapomniał o pięknej dziewczynce, pochłonięty bez reszty przejściem do przedostatniej klasy gimnazjum Sperla. Uczył się wtedy z jednym z kolegów hiszpańskiego, by czytać w oryginale *Don Kichota* Cervantesa.

Nie śmiał wyznać Marcie swej miłości; na to było jeszcze za wcześnie. Znali się dopiero od siedmiu tygodni. Mogłaby pomyśleć, że jest lekkomyślny i frywolny. A poza tym nie ośmieliła go żadnym wyraźnym znakiem.

– „Mój kielich jest przepełniony" – szepnął.

– To z Psalmów.

– Ojciec czytał mi je, kiedy byłem dzieckiem. „Stół dla mnie zastawiasz na oczach mych przeciwników; namaszczasz mi głowę olejkiem..."

– Ma pan wrogów?

– Sam sobie jestem wrogiem.

Jej srebrzysty śmiech zabrzmiał mu w uszach jak dzwony u św. Stefana. Nie panował już nad wzbierającym uczuciem.

– Powiem pani, jaki jest znak prawdziwy. Czy pamięta pani ów wieczór, kiedy zobaczyłem panią po raz pierwszy? Wróciłem do domu objuczony książkami, chciałem jak najprędzej znaleźć się u siebie w pokoju. Miałem przed sobą cztery godziny lektury. A w jadalni pani siedziała z moimi siostrami przy stole. Jak zgrabnie obierała pani wtedy jabłko swymi delikatnymi paluszkami. Tak się speszyłem, że zmieniłem postanowienie i usiadłem z wami.

– Jabłko to sprawiło. Od przygody w raju stale się to powtarza.

– Nawet nie wiedziała pani, że wtedy po raz pierwszy jakaś przyjaciółka moich sióstr zasłużyła sobie u mnie na więcej niż skinienie głowy. Pomyślałem wtedy, że jak u księżniczki z bajki, róże i perły sypią się z pani warg.

I nie potrafiłbym powiedzieć, co zrobiło na mnie większe wrażenie: pani dobroć czy inteligencja.

Każda inna panna potraktowałaby jego słowa jako zwyczajne romantyczne uniesienie – nie był przygotowany na jej reakcję. Policzki Marty okryły się rumieńcem, po czym nagle zbladła i w oczach jej zabłysły łzy. Odwróciła głowę. A kiedy znowu spojrzała na niego, w oczach była już tylko powaga.

– Od jak dawna jest pan na uniwersytecie?

– Od dziewięciu prawie lat.

– Czy pamięta pan ten dzień, kiedy spacerowałam z mamą po Praterze? Po powrocie do domu zapytałam moją siostrę Minnę: „Dlaczego pan doktor Freud tak bardzo o mnie wypytywał?". Teraz kolej na mnie. Jest pan doktorem medycyny, ale nie praktykuje pan. Dlaczego?

Zerwał się i zaczął chodzić po ogródku. To była dla niego bardzo ważna sprawa. Pragnął, by Marta Bernays zrozumiała jego plan i zaaprobowała podjętą decyzję. Siedziała spokojnie z rękami złożonymi na kolanach, przyglądając mu się z powagą i czekając na odpowiedź.

– To prawda, że mam dyplom lekarza. I prawdą jest, że zdobyłem go z opóźnieniem i że trwało to trzy lata dłużej, niż trzeba. Zresztą mam go tylko dlatego, że koledzy uniwersyteccy zaczęli rozpowiadać, iż jestem leniwy i nie umiem się zdobyć na wytrwałość.

– Mnie się zdaje, że jest pan bardzo wytrwały.

– Tylko wtedy, gdy robię to, co mi odpowiada. Przez pięć lat studiowałem na wydziale medycznym, ponieważ był to najlepszy sposób narzucenia sobie dyscypliny niezbędnej w pracy naukowej. Nasz wydział medyczny jest bodaj najlepszy w Europie. W ostatnich latach pracuję w pełnym zakresie godzin w Instytucie Fizjologii profesora Brückego. Jest on, obok Helmholtza, Du Bois i Ludwiga, jednym z twórców współczesnej fizjologii. Pod jego kierownictwem zrobiłem cztery samodzielne prace naukowe i opublikowałem wygłoszone wówczas referaty. W roku 1877, zanim skończyłem dwadzieścia jeden lat, napisałem pracę o pochodzeniu tylnych korzonków nerwowych rdzenia kręgowego ślepic. W rok potem w „Zentralblatt für die medizinische Wissenschaften" wydrukowałem swoje notatki o metodzie anatomicznego preparowania systemu nerwowego.

Marta uśmiechała się, słysząc tę mieszaninę młodzieńczego entuzjazmu i dokładnej naukowej terminologii.

– Zakończyłem również badania nad budową włókien i komórek nerwowych u raków słodkowodnych. W tego rodzaju pracach jestem najsprawniejszy. Dla mnie jest to najwspanialsza robota na świecie, pełna niespodzianek i dająca ogromne zadowolenie. Codziennie dowiadujemy się czegoś nowego o żywych organizmach. Nigdy nie miałem zamiaru zajmować się leczeniem. Wiem, że przynoszenie ulgi cierpiącemu jest rzeczą chwalebną, ale tylko dzięki pracy badawczej w laboratoriach i wzbogacaniu wiedzy o funkcjonowaniu ludzkiego organizmu oraz o tym, co mu funkcjonować przeszkadza, możemy znaleźć sposoby skutecznego zwalczania chorób.

– Może mi pan dać jakiś przykład?

– Proszę. Nie dalej jak w tym roku profesor Robert Koch z wydziału medycznego w Berlinie dowiódł, że odkrył bakterię powodującą gruźlicę. A na paryskiej Sorbonie profesor Ludwik Pasteur przed dwoma laty izolował mikroba, który wywołuje pomór drobiu. Szczepi on także owce przed wąglikiem, a jest to choroba śmiertelna. Pracując dalej nad tą formułą szczepienia, z czasem zapewne uda nam się zwalczyć cholerę u ludzi. Albo taki Węgier, profesor Ignacy Semmelweis, który ukończył naszą Akademię Medyczną w 1844 roku. Sam, bez niczyjej pomocy, odkrył przyczyny gorączki połogowej, która powodowała w naszych szpitalach tyle zgonów wśród matek w połogu. Nasi lekarze szpitalni, związani z Akademią Medyczną, znęcali się nad nim, uważając go za maniaka, ale tysiące matek na całym świecie zawdzięcza życie temu, że Ignacy Semmelweis nie dał się odwieść od swych badań naukowych.

Głos jego huczał po całym ogródku, twarz miał rozgorączkowaną, oczy płonęły podnieceniem. Marta odezwała się cicho:

– Zaczynam rozumieć, o czym pan mówi. Wierzy pan, że dzięki swej pracy w laboratorium potrafi pan zlikwidować inne choroby.

– Jest wiele chorób, których źródłem nie są wcale znane nam zarazki. W takich wypadkach lekarze mogą się opiekować chorym, współczuć mu, i tyle. Ale proszę nie zrozumieć mnie źle. Nie wyobrażam sobie wcale, żebym miał być jakimś Kochem, Pasteurem czy Semmelweisem. Mam znacznie skromniejsze ambicje. Wyleczenie bywa najczęściej wynikiem pracy setek badaczy, z których każdy wnosi swój mały wkład. Bez tych odkryć, bez nagromadzenia tych drobnych osiągnięć uczony, który w końcu odkrywa lek, nie doszedłby do swoich wyników. Ja chcę zostać jednym z tych badaczy.

W drzwiach prowadzących z domu do ogródka stanął Eli.

– Słońce już zachodzi. Trzeba się zbierać, pożegnać i ruszyć na dworzec.

Zaczęli się krzątać. Marta zatrzymała się przed gankiem, by odłamać gałązkę lipy i zabrać ją ze sobą do domu. Stali blisko siebie. Marta uniosła ramiona. Zygmunt spojrzał ku domowi, chcąc się upewnić, czy są sami w ogródku. Marta oderwała już gałązkę, lecz nie opuszczała ramion. Oczy miała szeroko otwarte, była jeszcze pod wrażeniem tego, co usłyszała. Oddychała głęboko, wargi miała lekko rozchylone.

Powoli, tak by bez zakłopotania móc zatrzymać się w ostatniej chwili, nie ujawniając swych zamiarów, objął ją i przyciągnął do siebie. Gdy wargi jego zbliżyły się na odległość oddechu, Marta łagodnie opuściła ramiona, otaczając nimi jego szyję. Ich usta spotkały się, pulsując słodyczą życia.

3

W poniedziałek wyszedł z mieszkania rodziców parę minut po siódmej rano. Był w tak radosnym nastroju, że drzwi za sobą zamknął nie najciszej. Dozorca nie zgasił jeszcze lamp gazowych na klatce schodowej, dzięki czemu Zygmunt bezpieczniej pokonywał schody po trzy stopnie naraz, nie trzymając się nawet kutej żelaznej poręczy. Jednym susem przebiegł hall wejściowy, bogato zdobiony stiukami, i znalazł się na jasnej, dopiero co rozbudowanej ulicy. W Drugim Obwodzie, gdzie Freudowie mieszkali od przyjazdu z Fryburga na Morawach w 1860 roku, kiedy Zygmunt miał cztery lata – było to przed dwudziestoma dwoma laty – domy były przeważnie drewniane, jednopiętrowe. Był to już ich czwarty z kolei dom, a także kolejny szczebel wydobywania się z opresji, w jakich znalazła się rodzina po tym, jak Jakub Freud stracił na Morawach swój dość znaczny majątek. Dom był jednym z najsolidniejszych i najładniejszych w kwartale. Stał przy szerokiej, wysadzanej drzewami Kaiser-Joseph-Strasse, łączącej Ogród Francuski Augartenu z promenadami i malowniczymi łąkami Prateru. Była to ulubiona trasa dworu cesarskiego. Zygmunt często widywał cesarza Franciszka Józefa i jego świtę, jak we wspaniałych mundurach przejeżdżali konno tą ulicą lub odbywali krótką przejażdżkę w wytwornych kremowo-złotych karetach.

Żwawym krokiem ruszył na swą godzinną przechadzkę, wdychając wiosenne powietrze niby jakiś eliksir. Minął aptekę Pod Świętym Józefem z ozdobnymi flakonami w oknach wystawowych, po czym skręcił w lewo, na Taborstrasse. Piękne sklepy, kawiarnie i restauracje wybudowane przy tej ulicy z okazji Wystawy Światowej w 1873 roku nadal znakomicie prosperowały. Na rogu Obere Augartenstrasse widział między drzewami francuskie pawilony parku. Dalej, na rogu Grosse Pfargasse, stała czteropiętrowa kamienica, której najwyższe piętro podtrzymywały z dwóch stron dwie kariatydy o klasycznych fryzurach starożytnych Greczynek.

Nie zwalniając kroku, Zygmunt złożył w tym miejscu ceremonialny ukłon, mrucząc pod nosem: „Całuję rączki". Zachichotał, bo przypomniała mu się kamienica na Gonzagagasse, w której mieszkał jego przyjaciel doktor Adam Politzer. I tam również dwie rozłożyste i piersiaste figury wiedenek uczesanych na podobieństwo dam dworu Cezara pełniły funkcje kolumn. Studenci na uniwersytecie żartowali, że więcej dowiadują się o anatomii z architektury wiedeńskiej niż z podręczników.

Przyśpieszył kroku, aż doszedł do Haidgasse, gdzie stał jego ulubiony budynek w tej dzielnicy, zwieńczony cebulastą czerwoną wieżą, utrzymaną, jak sądził, w stylu orientalnym. Minął szpital dziecięcy, po czym skręcił na zachód, ku Tandelmarktgasse, przy której stłoczyły się warsztaty rzemieślnicze i magazyny. Wczesny ruch uliczny dopiero się zaczynał. Po jezdni płynął strumień furmanek i tanich jednokonnych fiakrów. Zamiatacze ulic wielkimi ryżowymi miotłami zamiatali jezdnie i polewali je wodą z białych beczułek ustawionych na wózkach zaprzężonych w białe konie. Między nimi krążyli *Dienstmänner*, młodzi posłańcy, gładko ogoleni, w spiczastych czapkach, płaszczach z epoletami i wielkimi numerami, popychając wózki naładowane towarami dla sklepów. Byli to posłańcy posiadający specjalne koncesje od magistratu. Dyżurowali zazwyczaj na rogach ulic. Podejmowali się dostarczania wszystkiego: od listów począwszy, na ręcznych wózkach wyładowanych pudłami skończywszy, pobierając opłatę w wysokości czterech grajcarów za kilometr; dostawali zazwyczaj dziesięć grajcarów za odniesienie czegokolwiek w mieście. Mijał rzekę ludzi idących do pracy i oto już był na środku drewnianego starego mostu, strzeżonego przez dwie rogatki. Tutaj zazwyczaj, w połowie drogi między domem a Instytutem Fizjologii, przez chwilę odpoczywał. To były te nieliczne chwile kontemplacji, na jakie sobie mógł pozwolić, i dobrze mu się rozmyślało, gdy stał wpatrzony w szybko płynące wody Dunaju, a raczej Kanału Dunajskiego, którego brzegi wysadzone były topolami i wierzbami.

Czekała go dziś rano decydująca rozmowa z profesorem Ernestem Wilhelmem von Brücke. Sam zadawał sobie pytanie, dlaczego tak długo z nią zwlekał. Ale przecież znał odpowiedź. Decyzję powziął dawno. Pozostać na miejscu i wspinać się po uniwersyteckiej drabinie: wydział medyczny, klinika. Asystentura u Brückego, docentura i prawo wykładania; potem nominacja na profesora nadzwyczajnego i w końcu tytuł ekscelencji i radcy dworu, profesora zwyczajnego. Aż wreszcie objęcie Instytutu, jak Brücke, który kierował Instytutem Fizjologii, czy jak słynny Teodor Meynert, kierownik Drugiej Kliniki Psychiatrycznej. Obaj profesorowie zachęcali go, a rodzice nadal pomagali mu finansowo, uzupełniając skromną pensję demonstratora i asystenta.

W pracowni poszczęściło mu się; jego dwaj dawni nauczyciele, Zygmunt Exner von Erwarten i Ernest Fleischl von Marxow, choć starsi od niego zaledwie o lat dziesięć, byli najznakomitszymi współpracownikami, o jakich mógł marzyć.

Pogwizdując trochę fałszywie wesołą wiedeńską balladę – sam zresztą z humorem przyznawał się do braku słuchu – przemierzał drugą połowę mostu. Przed jego oczami roztaczał się przyjemny widok na Ruprechst-kirche, najstarszy kościół Wiednia, otoczony wysokimi topolami. Na lewo widniały wieże św. Stefana, zwężające się coraz bardziej ku górze, aż docierały do jakiegoś punktu w nieskończoności błękitu nieba. Czytał gdzieś, że Paryż jest najpiękniejszym z wszystkich miast, ale i tak pewny był, że nic nie dorówna spacerowi po Wiedniu. Co parę kroków, tak jak teraz właśnie, gdy dochodził do Schottenringu, oko natrafiało na widoki tak piękne, że zapierały dech w piersi.

Instytut Fizjologii, wchodzący w skład wydziału medycznego Uniwersytetu Wiedeńskiego, mieścił się w dawnej zbrojowni na rogu Währinger Strasse, niedaleko rozległego kompleksu Szpitala Powszechnego i naprzeciwko Votivkirche oraz samego Uniwersytetu. Mury jednopiętrowego Instytutu były tak samo szare jak działa, które niegdyś w tym budynku robiono. Na drugim końcu długiego gmachu znajdowało się prosektorium, w którym Zygmunt preparował trupy przez pierwsze dwa lata studiów. Skręcił za róg Schwarzpanierstrasse, przeszedł pod sklepionym łukiem i przez krótki ciemny tunel dotarł do wewnętrznego dziedzińca. Po prawej stronie było audytorium, gdzie codziennie od jedenastej do południa miał wykłady profesor Brücke. W ścianach audytorium były małe nisze zastawione biurkami i stołami laboratoryjnymi, a na nich piętrzyły się elektryczne baterie, preparaty, książki, zeszyty i różne przyrządy; pracowali tu studenci pochyleni nad mikroskopami. Kiedy profesor zjawił się na wykład, studenci musieli na godzinę szukać sobie innego miejsca, choć w tym nie bardzo nadającym się do użytku budynku absolutnie miejsc już nie było. Przez trzy lata studiów u Brückego Zygmunt pracował kolejno we wszystkich audytoryjnych niszach.

Tak samo żywo, jak zbiegał po schodach w domu, teraz wbiegał na piętro. Do ósmej brakowało jeszcze kilku minut, lecz w laboratoriach już się krzątano. Idąc korytarzem, minął pokój, który dzielił z pewnym chemikiem i dwoma fizjologami z Niemiec. Następne pomieszczenie było wspólną pracownią jego dwóch kolegów, Ernesta Fleischla i Zygmunta Exnera. Obaj pochodzili z utytułowanych austriackich rodzin. Na samym końcu znajdował się centralny punkt systemu nerwowego Instytutu, pokój służący za gabinet, biuro, laboratorium i bibliotekę profesora Brückego.

Wszystkie drzwi były uchylone. Kiedy zajrzał do pokoju Exnera i Fleischla, w nosie kręciło od zapachu, jaki wydzielały utleniające się baterie elektryczne, i woni chemikaliów używanych do preparatów anatomicznych. Jeszcze do przedwczoraj, do chwili kiedy w ogrodzie w Mödlingu zanurzył twarz we włosach Marty, zapach ten wydawał mu się najwspanialszy na świecie. Pokój był dokładnie podzielony na dwie połowy. Stoły robocze obu panów zajmowały całą długość jednej ściany. Exner, choć miał zaledwie trzydzieści sześć lat, zaczynał już łysieć, a niepielęgnowana broda robiła nie najlepsze wrażenie. Ale to były jego jedyne mankamenty, chyba żeby dodać do nich jeszcze brak poczucia humoru. Na uniwersytecie powiadano, że każdy męski potomek rodu Exnerów musi być profesorem, a jakiś dowcipniś zareplikował parafrazą: „Każdy profesor uniwersytetu musi być potomkiem rodu Exnerów".

W pokoju dominowały dwie skomplikowane maszyny. Jedną był „neuroamoebimetr" zbudowany przez Exnera i składający się z metalowego pasa, który wykonywał sto obrotów na sekundę i służył do pomiarów czasu reakcji psychicznej mózgu ludzkiego. Drugą maszynę wynalazł Fleischl dla swych pionierskich badań nad lokalizacją mózgową.

Zygmunt ze wzruszeniem przypatrywał się tym dwóm pracującym w skupieniu ludziom. Exner był jego profesorem fizjologii medycznej i fizjologii organów zmysłowych, Fleischl uczył go fizjologii i wyższej matematyki. Trudno byłoby znaleźć dwóch innych mężczyzn tak bardzo różniących się temperamentami. Exner, potomek bogatej rodziny od dawna już wrośniętej w życie dworskie Austro-Węgier, był świetnym technikiem i administratorem. Postanowił sobie, że po przejściu profesora Brückego na emeryturę obejmie po nim katedrę, zostanie profesorem zwyczajnym i dyrektorem Instytutu Fizjologii. Zygmunt uważał, że Exner jest bardzo przystojnym mężczyzną, któremu dodają uroku pełne skupienia szare oczy, ciężkie powieki i gęste brwi.

Ernest Fleischl pochodził z równie starej i bogatej rodziny co Exner, ale Fleischlowie tkwili głębiej w artystycznym i muzycznym świecie Wiednia, najbardziej ożywionym w owych czasach w Europie, szczycącym się swą Hofoperą, Operą Cesarską na Kärntnerton, Filharmonią, orkiestrami symfonicznymi oraz znakomitymi teatrami. W Wiedniu mieszkało wielu kompozytorów i dramaturgów. Sale koncertowe i teatralne stale były pełne. Fleischl był urodziwym mężczyzną o pięknej, gęstej, czarnej czuprynie, starannie przystrzyżonej brodzie, wysokim czole, kształtnym nosie, zmysłowych i zawsze żywych ustach, z których nieustannie sypały się żarty w sześciu językach. Był też niewątpliwie najlepiej ubranym spacerowiczem podczas niedzielnych promenad przed Operą. Miał umysł żywy, ale pracy administracyjnej nie lubił i nie miał do niej talentu, nie stanowił więc konkurencji dla Exnera, jeśli idzie o dyrektorskie stanowisko. Drwił bezlitośnie z habsburskiej pompy dworskiej i osobliwego charakteru wiedeńczyków. Zapytał kiedyś Zygmunta:

– Znasz dykteryjkę o trzech dziewczynach? Pierwsza stała w Berlinie na moście nad Szprewą. Kiedy podszedł do niej policjant i zapytał, co tu robi, odpowiedziała: „Chcę skoczyć do wody i się utopić". Policjant zawahał się, ale po chwili rzekł: „W porządku. Ale czy pani uregulowała już wszystkie podatki?". Druga dziewczyna skoczyła w Pradze z mostu do Wełtawy, ale gdy znalazła się w wodzie, zaczęła wołać po niemiecku: „Ratunku! Ratunku!". Policjant podszedł do bariery, spojrzał w dół i powiedział: „Zamiast się uczyć niemieckiego, trzeba się było nauczyć pływać". Trzecia chciała w Wiedniu skoczyć do Dunaju. Policjant na to rzecze: „Kochana, woda jest bardzo zimna. Jeśli pani skoczy, będę musiał i ja skoczyć. To należy do moich obowiązków. Oboje się przeziębimy. Może lepiej będzie, jeśli pani wróci do domu i tam się powiesi?"

Przed dziesięciu laty Fleischla spotkało nieszczęście. Podczas sekcji zwłok tak silnie zainfekował sobie palec, że trzeba było amputować część prawego kciuka. Na ranie utworzyło się „dzikie mięso", ziarnista tkanka, skóra po bokach nie odrastała, a cienka warstwa nieustannie pękała i ropiała. Profesor Billroth operował go co najmniej dwa razy na rok, ale dalsze podcinanie nerwów jedynie pogarszało stan. Fleischl całymi nocami wił się z bólu, w dzień jednak nie dawał nic poznać po sobie, kiedy eksperymentował ze swymi kilkunastoma woskowymi modelami mózgów ludzkich uszkodzonych w wypadkach i próbował odnaleźć związek między miejscem uszkodzenia a kalectwem: afazją, ślepotą, porażeniem mięśni twarzy.

Fleischl pierwszy zauważył Zygmunta stojącego w drzwiach. Na twarzy jego rozkwitł uśmiech. Młodszego od siebie Zygmunta uważał za swego najbliższego przyjaciela. Zygmunt niejedną noc spędził przy cierpiącym Fleischlu, starając się go zabawić i oderwać jego myśli od straszliwego bólu.

– Panie Freud, cóż pan sobie wyobraża, przychodząc do pracy tak późno?

Rozbawiony Exner uniósł oczy.

– Fleischl jest dziś przygnębiony, bo do szpitala nie przywieziono ani jednej rozbitej głowy niedzielnych alpinistów.

Fleischl z udaną powagą zwrócił się do Zygmunta:

– W jaki sposób mam ustalić, która część mózgu profesora Exnera produkuje te kiepskie żarty, skoro nie mogę obejrzeć uszkodzonej czaszki naszego ponurego dowcipnisia?

– Pociesz się, Ernest – odpowiedział mu Zygmunt. – Mam właśnie zamiar poprosić profesora Brückego o powzięcie decyzji, która będzie dla mnie miała rozstrzygające znaczenie. Jeśli mi się nie powiedzie, skoczę głową w dół z Góry Leopolda... w kieszeni będzie karteczka z twoim nazwiskiem i adresem.

4

Zygmunt zapukał do drzwi i wszedł do pokoju.

– *Grüss Gott* – powitał go profesor.

– *Grüss Gott*. Panie profesorze, czy mogę prosić o kilka minut rozmowy na osobności?

– Ależ oczywiście, panie kolego.

Zygmunt był uszczęśliwiony. Profesor tytułował go „panem kolegą", co dotąd zdarzyło się tylko jeden raz, kiedy Brücke był pod wrażeniem jego pracy nad odsłonięciem centralnego układu nerwowego u kręgowców wyższych. Większym komplementem nie mógł obdarzyć szef Instytutu niepozornego pracownika naukowego, zarabiającego kilka grajcarów dziennie.

Dwaj studenci pracujący po obu końcach stołu profesora zebrali swoje papiery. Józef Paneth, którego biurko stało przy oknie z widokiem na wąwóz Berggasse – Zygmunt przez rok pracował przy tym biurku – mrugnął porozumiewawczo i opuścił pokój. Dwudziestopięcioletni, o rok młodszy od Zygmunta Paneth zrobił doktorat przed dwoma laty. Przepadał za Zygmuntem, był to bowiem w ich gronie jedyny kolega, który zdawał się nie wiedzieć o tym, że Paneth odziedziczył już znaczną część rodzinnej fortuny. Paneth czuł się tym skrępowany, w towarzystwie ubogich studentów starał się ubierać jeszcze nędzniej niż oni, a w kawiarni zamawiał najtańsze i najmniejsze piwo.

Paneth zamknął drzwi za sobą. Pokój przesiąknięty był dobrze znaną wonią alkoholu i formaliny. Zygmunt patrzał na człowieka, którego podziwiał jak nikogo innego na świecie. Ernest Wilhelm von Brücke miał sześćdziesiąt trzy lata, pochodził z pruskiej rodziny, szczycącej się plejadą malarzy, którzy ukończyli Akademię Sztuk Pięknych. Ojciec Brückego nakłaniał syna do podtrzymania tradycji rodzinnej. Młody Ernest studiował malarstwo, podróżował po Włoszech, zbierał obrazy, miał w swojej kolekcji między innymi Mantegnę, Bassana, Lucę Giordana, Riberę, holenderskie pejzaże i niemieckie malarstwo średniowieczne. Niektóre z tych obrazów wisiały od lat w pracowni profesora i stały się już częścią wyposażenia wespół z preparatami anatomicznymi i mikroskopowymi preparatami histologicznymi. Decyzję o poświęceniu się studiom medycznym podjął Brücke bynajmniej nie dlatego, że brakło mu talentów malarskich. W salonie wielkiego mieszkania profesora na Mariannengasse widział Zygmunt autoportret, który Brücke namalował, mając lat dwadzieścia sześć. Kreska była zdecydowana, koloryt rudych włosów i jasnej cery trafny, kształt głowy modelowany przez wnikliwego realistę. Brücke nie rzucił całkowicie sztuki. Jego prace *Teoria sztuki malarskiej*, *Fizjologia koloru w sztuce stosowanej* i *Przedstawienie ruchu w sztuce* uczyniły go autorytetem w tej dziedzinie.

Kiedy w roku 1849 Uniwersytet Wiedeński ściągnął Brückego z Królewca, przyznano mu niewiarygodną na owe czasy pensję dwóch tysięcy guldenów rocznie, ponieważ walczyła o niego cała Europa, a na gabinet i pracownie przeznaczono kilka wielkich sal we wspaniałym Josephinum, z pięknym widokiem na miasto. Ale profesor Brücke nie po to przybył do Wiednia, by zapewnić sobie komfort i oglądać piękne widoki. Zrezygnował z luksusowego pomieszczenia, przeniósł się do starej zbrojowni na rogu, bez wody bieżącej i gazu – jeden służący przynosił wodę w wiadrach i opiekował się zwierzętami doświadczalnymi – po czym olbrzymim wysiłkiem umysłu i woli przekształcił stary walący się budynek w najgłośniejszy Instytut Fizjologii w środkowej Europie. Wodociąg i gaz do palników bunsenowskich pojawiły się zaledwie trzy lata przed rozpoczęciem studiów przez Zygmunta.

Profesor Brücke siedział za stołem i przypatrywał się Zygmuntowi swymi niebieskimi oczami, o których mówiono, że są najzimniejszymi oczami na uniwersytecie i że jedno spojrzenie profesora może zamrozić wszystkie ryby w Dunaju. Na głowie miał jak zwykle czarny jedwabny beret, kolana opatulone w szkocki kraciasty pled, a w rogu pokoju stał olbrzymi pruski parasol, z którym profesor nie rozstawał się podczas swych porannych przechadzek nawet w najpogodniejszy letni dzień. Trasa tych spacerów wiodła obok powstających w tym czasie gmachów Wiednia: Parlamentu w greckim stylu, wzorowanego na ateńskich budowlach, Ratusza w stylu flamandzkim, naśladującego ratusz brukselski, gmachu Muzeum Sztuki i stawianego naprzeciwko Muzeum Techniki, obu w stylu renesansowym. Profesor Brücke cieszył się sławą niezwykle odważnego uczonego, niewzdragającego się przed niczym. Obawiał się tylko dyfterii, która zabiła mu matkę i młodego syna, reumatyzmu, który z jego żony zrobił kalekę, oraz gruźlicy, choroby dziedzicznej w jego rodzinie.

Zygmunt nigdy nie doświadczył chłodnego przyjęcia ze strony Ernesta Brückego. Przez te wszystkie lata raz jeden lub dwa zdarzyło się, że profesor go upomniał. Kiedyś spóźnił się do pracowni o minutę i usłyszał uwagę Brückego:

– Kto choć trochę spóźnia się do pracy, ten ze swą pracą nie zdąży.

Zygmunt zapłonił się ze wstydu.

Innym razem, kiedy dokonawszy odkrycia przy barwieniu tkanki nerwowej, Zygmunt powiedział, że nie będzie kontynuował swych badań, profesor zawołał:

– Nie będzie pan kontynuował! To przecież tylko eufemizm oznaczający wykręt.

Były to jednak reprymendy łagodne w porównaniu z tymi, których wysłuchiwał sąsiad Zygmunta w niszy audytorium. Student ten napisał w swym sprawozdaniu: „Powierzchowna obserwacja dowodzi...". Brücke opatrzył to gniewną uwagą w poprzek stronicy: „Nie należy obserwować powierzchownie!".

Zygmunt wiedział, że musi sam zacząć rozmowę. Jeszcze w młodości profesor skończył z rozmowami towarzyskimi i już nigdy potem nie umiał ich prowadzić.

– Ekscelencjo, w moim życiu zaszła zmiana. Ubiegłej soboty kobieta, którą kocham, dała mi do zrozumienia, że mogę żywić pewne nadzieje... To zdarzyło się tak nagle; byłem całkowicie zaskoczony. Oczywiście nie jesteśmy jeszcze zaręczeni... o małżeństwie chwilowo nie marzymy... ale wiem, że jest to osoba, od której zależy cała moja szczęśliwa przyszłość.

– Gratuluję panu doktorowi.

– Ekscelencjo, wiem, że nie potraktuje pan tego jako pochlebstwa, kiedy powiem, że w pracowni pana profesora znalazłem pracę, która mi dawała pełne zadowolenie, i że tu poznałem ludzi, których darzę szacunkiem, pana, profesorze, doktora Fleischla i Exnera...

Brücke zsunął beret trochę niżej na czoło, jak to zwykle czynił, kiedy nie wiedział, co odpowiedzieć swemu rozmówcy. Zygmunt wciągnął powietrze i brnął dalej:

– Po to, bym mógł się zaręczyć, bym mógł poważnie myśleć o małżeństwie, muszę mieć stanowisko i szanse dalszej kariery uniwersyteckiej. Czy zechce pan profesor udzielić mi poparcia w staraniach o stanowisko asystenta pana profesora? Wiem, że początki muszą być skromne, lecz jestem przekonany, że tu właśnie będę miał szansę wnieść wkład godny nauki pobieranej u pana, godny zaufania, którym mnie pan profesor darzy.

Brücke milczał. Zygmunt czuł, że w myślach formułuje on fragmenty zdań i rezygnuje z ich wypowiedzenia. Studiował uważnie ogoloną twarz profesora, jego wysokie kości policzkowe, pełne wargi i oczy, które w sześćdziesiątym trzecim roku życia nie straciły jeszcze blasku. Zygmunt odnosił niekiedy wrażenie, że ma przed sobą człowieka nieustannie walczącego ze sobą, starającego się utrzymać w ryzach swe uczucia.

– Zacznijmy od początku, panie doktorze. Czy chciałbym, żeby pan był moim asystentem? Niewątpliwie. Czy mogę pana na to stanowisko zaangażować? Nie mogę.

Coś się jak gdyby obsunęło w piersi Zygmunta. Jako fizjolog powinien był wiedzieć co, ale nie wiedział.

– Dlaczego pan profesor nie może udzielić mi rekomendacji? – zapytał.

– Nie zezwalają mi na to przepisy obowiązujące na wydziale medycznym. Instytut ma tylko dwa etaty asystenckie. Zdobycie trzeciego wymagałoby lat walki z Ministerstwem Oświaty.

Zygmunt poczuł, że słabnie. Czyżby przez cały czas nie wiedział o tym? Czyżby się tylko oszukiwał?

– A więc tu nie ma dla mnie miejsca?

– Ani Fleischl, ani Exner nie odejdą z Instytutu. Póki ja żyję, nikt nie może zająć mego miejsca, oni więc będą musieli pozostać na stanowiskach asystentów... z tą żebraczą pensją, jaka im będzie przysługiwała.

– Ale oni mogą przecież otrzymać propozycje objęcia stanowisk kierowników wydziałów w Heidelbergu, Berlinie lub Bonn?

Brücke wstał, wyszedł zza stołu i zatrzymał się przed swym ulubionym uczniem.

– Przyjacielu, powiedzmy sobie szczerze, czyż nie jest to problem znacznie głębszy niż możliwość otrzymania asystentury tutaj? Przy obecnej strukturze naszego uniwersytetu praca naukowa jest tylko dla bogatych. Rodziny Exnerów i Fleischlów mają pieniądze od wielu pokoleń. Oni nie potrzebują pensji. Przecież sam mi pan powiedział, z jakim trudem ojciec utrzymywał pana przez te wszystkie lata uniwersyteckie. Czyżby się sytuacja poprawiła?

– Nie. Jest jeszcze trudniejsza. Ojcu przybywa lat. Muszę zacząć pomagać rodzicom i siostrom.

– A czyż to nie oznacza, że musi pan obrać inną drogę? Nawet gdyby udało mi się nacisnąć ministerstwo, będzie pan musiał przez pierwsze pięć lat pracować za grosze. Ale i potem, w sile męskiego wieku, niewiele więcej będzie pan zarabiał, chyba że Exner i Fleischl obaj umrą, a wydział medyczny, nie szukając jakiejś sławy z zewnątrz, pana mianuje profesorem.

Zygmuntowi pociemniało przed oczami. Profesor Brücke pracował na Uniwersytecie Wiedeńskim od trzydziestu trzech lat i od razu zorientował się w uczuciach swego rozmówcy.

– Nie, panie kolego! Tu nie chodzi o antysemityzm. Na wydziale medycznym mamy wielu Żydów. To dobre dla studenckich korporacji, ale nie można budować dobrej szkoły medycznej na śmietniku przesądów wyznaniowych. Niefortunny atak profesora Billrotha był wypadkiem wyjątkowym i bardzo mi z tego powodu przykro.

Zygmunt przypomniał sobie publikację Billrotha *Nauki medyczne na uniwersytetach niemieckich* i rozdział, w którym autor atakował studentów Żydów, Brücke zaś, bardziej niż kiedykolwiek podniecony, ciągnął:

– Ja sam reprezentuję trzy rzeczy, które są najbardziej znienawidzone w katolickiej Austrii: jestem protestantem, Niemcem i Prusakiem. Ale po roku zostałem członkiem Akademii Umiejętności. Po raz pierwszy w historii Austrii Niemiec został dziekanem wydziału medycznego, a potem rektorem uniwersytetu. Jest pan zbyt mądrym człowiekiem, by uciekać się do argumentu antysemityzmu.

– Dziękuję, ekscelencjo. Cóż jednak mam począć, skoro tu nie mogę zarobić na utrzymanie? Przecież nie przeniosę się na inny wydział?

Brücke potrząsnął głową, zdjął beret i otarł spocone czoło. Dopiero wtedy Zygmunt zorientował się, że jego mentor z trudem opanowywał wzburzenie. Profesor podszedł do okna i odwrócony plecami do swego ucznia patrzał przez chwilę na róg Berggasse, gdzie szeroka ulica spływała w dół do bulwarów i ku kanałowi. Przez okno dochodziło śpiewne wołanie wieśniaczki opatulonej w szal: „Lawenda, świeża lawenda. Lawendę sprzedaję!". Kiedy Brücke znów spojrzał na Zygmunta, w jego oczach malował się już spokój.

– Będzie pan musiał postąpić tak jak wszyscy młodzi doktorzy, którzy nie mają pieniędzy. Otworzy pan praktykę prywatną! Zajmie się pan pacjentami.

– Ja nie chcę uprawiać prywatnej praktyki! Nigdy nie miałem takiego zamiaru. Poszedłem na medycynę, by pracować naukowo. Do zajmowania się chorymi trzeba mieć specjalny talent, odpowiednie usposobienie...

Brücke usiadł na krześle i owinął nogi pledem, choć w pokoju było gorąco.

– Jakie inne wyjście pan widzi, jeśli pan myśli o żeniaczce? Młoda osoba nie ma posagu?

– Nie sądzę.

– Musi pan wrócić do kliniki i uzupełnić swą wiedzę w innych dyscyplinach. Stanie się pan w ten sposób nie tylko zdolnym, ale i wziętym lekarzem. Jest pan jeszcze młody, przystosuje się pan. Najdalej za cztery lata będzie pan docentem, będzie pan mógł umieścić ten tytuł na tabliczce... Wiedeń potrzebuje dobrych lekarzy.

– Dziękuję, ekscelencjo – odpowiedział półgłosem Zygmunt. – *Grüss Gott.*

– *Servus.*

5

Szedł jak ślepiec przez Währing Strasse, mijając boczne wejście na teren zabudowań szpitalnych, używane przez studentów, lekarzy i personel. Za sklepioną bramą widać było pięciopiętrowy okrągły budynek „Wieży Szaleńców".

– Oto gdzie moje miejsce – szepnął do siebie. – Powinienem znaleźć się w jednej z tych cel, przykuty do ściany. Wariaci nie powinni przebywać na wolności.

Spacer ulicami Wiednia przestał go cieszyć. Każda płyta chodnika, każdy kamień bruku ranił mu stopy, a równocześnie chaotyczne myśli raziły boleśnie centralny układ nerwowy, który tak umiejętnie obnażał, przeprowadzając sekcje zwierząt.

Wiemy, że wzrok kontrolowany jest przez płat potyliczny, a słuch przez płat skroniowy – formułował zdania w myśli. – Któż bardziej ode mnie jest powołany do stwierdzenia, który płat przedniej części mózgu zapobiega głupocie!

Jak nieprzytomny pędził przez Hirschengasse i Grinziger Alee, kierując się ku Laskowi Wiedeńskiemu. W tym Lasku pokolenia wiedeńczyków dawały upust swym radościom i smutkom. Wioska Grinzing wspinała się kręto ku dolnym skrajom winnic, w których rosły również drzewa brzoskwiniowe i morelowe. Na uliczkach Grinzingu pełno było gospodyń z koszykami przewieszonymi przez ramię. Nad wejściami do małych winiarni wisiały zielone wieńce, znak, że w ogródkach, w cieniu kasztanów, czeka gościa młode wino z latorośli rosnących na zboczach Wienerwaldu od dwóch tysięcy lat, na długo przedtem, nim jeszcze rzymscy legioniści zdobyli osiedle zwane podówczas Vindobona. Nie zatrzymał się jednak.

Cień gęstych gałęzi osłaniał wijącą się serpentynami ścieżkę, po której wspinał się Zygmunt, lecz jego trawiły płomienie straszliwej zgryzoty. Uczucia wstydu, wściekłości, klęski, dezorientacji, strachu, jedno po drugim, każde z osobna opanowywały go, pozostawiając po sobie niezmiennie smak goryczy.

Skręcił ze ścieżki używanej przez mieszkańców wioski i dalej już piął się w górę między stuletnimi brzozami i sosnami. Panował tu zupełny spokój i cisza, przerywana tylko z rzadka pojedynczym głosem ptaka lub dochodzącym z oddali echem stukającego dzięcioła. Chlorofil gęstwiny liści jest tak chłonny, że zieleń ich ostanie się najbardziej stężonemu smutkowi ludzkiemu. Ale Zygmuntowi nic nie mogło przynieść ulgi. Nawet ta głębia zielonego łona, w której od lat chronił się przed wrogim światem, w której dusza jego odradzała się, tym razem zawiodła. Fale gniewu i wściekłości powracały nieustannie.

Dotarł na szczyt, do restauracji ogrodowej na Kahlenbergu. Przy stołach pożywiali się ludzie, wyciągając z plecaków zapasy i popijając piwo roznoszone przez kelnerów na olbrzymich tacach. Był zmęczony, spragniony, ale nie zatrzymując się po blisko trzynastokilometrowej wędrówce, ruszył dalej tropem prowadzącym wzdłuż grzbietu góry ku ruinom zamku na Leopoldsbergu. U jego stóp leżał Wiedeń wciśnięty między Lasek Wiedeński a Dunaj. Na południu rysowały się alpejskie szczyty ciągnące się do Włoch, na wschodzie nizina opadała ku Węgrom. Tą drogą przybywali pod cesarskie miasto najeźdźcy z Azji – Hunowie, Awarowie, Madziarowie i Turcy, oblegając gród i niekiedy go zdobywając. On jednak myślał tylko o swym nieszczęściu, zatopiony w sargassowym morzu litości nad sobą.

Jakże ma teraz, kiedy przyszłość jego rysuje się w tak ponurych barwach, zaproponować narzeczeństwo Marcie? Jak jej wytłumaczy te nieprzewidziane porażki i załamanie się planów kariery naukowej? W jaki sposób utrzyma siebie, nie mówiąc już o pomocy rodzinie, przez najbliższe lata? Jak zniesie cztery lata praktyki szpitalnej; jak da sobie radę z chirurgią, nie mając do niej żadnych zdolności, dermatologią, która go nudziła, interną, skoro brak mu daru diagnostyki, z chorobami nerwowymi; wie o nich przecież tylko tyle, ile go nauczył jego przyjaciel doktor Józef Breuer? Psychiatria, pod kierunkiem profesora Meynerta sprowadzająca się właściwie do anatomii mózgu, będzie interesująca. Studiował już u niego psychiatrię kliniczną, profesor go lubił, od niego więc będzie mógł się dowiedzieć wszystkiego, co jest wiadome o „lokalizacji". Na cóż jednak zda się cała ta nauka, skoro pacjenci, którzy ewentualnie się do niego zgłoszą po poradę, nie zgodzą się przecież na to, by otworzył im czaszki i studiował bruzdy mózgu.

Wracając na Kahlenberg, skręcił w połowie drogi i poszedł wąską ścieżką prowadzącą do Klosterneuburg. U stóp góry, obolały ze zmęczenia, minął drogę prowadzącą do klasztoru i ruszył do domu wzdłuż brzegów kanału, przystając co pewien czas, by spryskać wodą rozpaloną twarz. Miał jeszcze przed sobą kilka godzin marszu. Opanował się. Dość zadręczania się i rozpaczania. Dość już krytykowania uniwersytetu, wydziału medycznego, Allgemeines Krankenhaus i Ministerstwa Oświaty. Prawdziwy mężczyzna zaciska zęby i nie skarży się, nawet gdy dostaje cięgi batem po gołych plecach. Jutro życie zaczyna się od nowa. Przecież innego wyboru nie ma.

Otępiały ze zmęczenia dotarł późnym popołudniem do domu doktora Józefa Breuera, swego powiernika i najbliższego przyjaciela. Józef znany w Wiedniu jako „Breuer Złota Ręka" leczył większość pracowników wydziału medycznego Uniwersytetu Wiedeńskiego. Był też jednym z najpopularniejszych lekarzy całego cesarstwa. Słynął ze swych talentów diagnostycznych. Często udawało mu się wyleczyć chorego, gdy innym lekarzom się nie powiodło. W Akademii Medycznej mówiono, że „odgaduje" przyczyny ukrytych chorób. Mieszczuchy po prostu przypisywały wiedzę doktora Breuera siłom nadprzyrodzonym, nie mogły tylko pojąć, dlaczego katolicki Pan Bóg zdradza tajemnicę ich chorób Żydowi, ale nie chciały dopuścić, żeby teologia stawała na drodze do ich leczenia się u doktora Breuera.

Józef Breuer był naprawdę skromnym człowiekiem. Kiedy chwalono go, że jest jasnowidzem, odpowiadał:

– Bzdura. Wszystkiego, co umiem, nauczyłem się od mego szefa na internie, profesora Oppolzera.

To prawda, że nauczył się wiele od Oppolzera, który zabrał go do swojej kliniki, kiedy Józef był jeszcze dwudziestoletnim studentem. Po pięciu latach mianował go asystentem, przygotowując w ten sposób do objęcia z czasem stanowiska po nim. Kiedy jednak Oppolzer umarł w 1871 roku, Breuer miał zaledwie dwadzieścia dziewięć lat. Rada Wydziału wybrała kandydata starszego i bardziej znanego, profesora Bambergera z Pragi i Würzburga. Breuer nigdy nikomu nie powiedział, co właściwie potem nastąpiło. Albo, zawiedziony, sam ustąpił, albo też Bamberger zwolnił go z pracy, mając własnego kandydata na stanowisko asystenta. Breuer otworzył praktykę prywatną, nadal jednak prowadził w pracowni profesora Brückego badania naukowe nad kanałami półkolistymi, które jego zdaniem odgrywały decydującą rolę w ruchach głowy. W tej właśnie pracowni dokonał doniosłych odkryć dotyczących narządu słuchu jako organu zmysłu równowagi i tu właśnie zaprzyjaźnił się z Fleischlem i Exnerem oraz poznał młodszego o czternaście lat Zygmunta Freuda, podówczas jeszcze niemającego doktoratu. Breuer zaczął zapraszać Zygmunta do siebie na obiady. Serdecznie przyjmowała go żona Breuera, Matylda, i ich dzieci. Stał się jakby członkiem rodziny. Zastąpił Adolfa, zmarłego przed kilku laty młodszego brata Józefa.

Breuerowie mieszkali w śródmieściu, przy Brandstätt pod numerem ósmym, niedaleko placu św. Stefana i modnych sklepów na Kärntnerstrasse i Rotenturmstrasse. Z okien swego mieszkania oglądali wysmukłą iglicę katedry św. Stefana, jej dwie romańskie wieże, spadzisty dach pokryty kolorową glazurowaną dachówką i olbrzymi dzwon Pummerin, który powiadamiał mieszkańców miasta zarówno o pożarach, jak i o nabożeństwach. Katedra, której budowę rozpoczęto w 1144 roku, podówczas jeszcze za średniowiecznymi murami grodu, fascynowała, podobnie jak stolica, której służyła, mieszaniną architektonicznych stylów siedmiu wieków. Wnętrze świątyni pełne było przepychu, na zewnątrz dominowały względy praktyczne, umieszczono tu bowiem kazalnicę pod gołym niebem, skąd duchowieństwo nawoływało oblężoną ludność do przepędzania niewiernych Turków, a także figurę ukrzyżowanego Chrystusa z tak zbolałym wyrazem twarzy, że przechodzący obok niego i żegnający się znakiem krzyża, z natury jednak pozbawieni szacunku wiedeńczycy nazywali go „Chrystusem od bólu zębów", klęcznik dla tych, którzy chcieli szybko odmówić modlitwę, śpiesząc się do swojego stolika w pobliskiej kawiarni, a poza tym najważniejsze pod względem ekonomicznym urządzenie – wycięty w kamiennym bloku krąg, gdzie sprawdzano wielkość dopiero co nabytego bochna chleba, oraz głęboko wyryty w kamieniu wzorzec metra; tu można się było przekonać, czy kawał sukna został uczciwie odmierzony przez kupca.

Urzędujący na parterze kamienicy portier przepuścił Zygmunta skinieniem ręki. Na pierwszym piętrze Zygmunt nacisnął guzik dzwonka znajdujący się nad elegancką grawerowaną tabliczką z napisem „Dr Józef Breuer". Drzwi otworzyła mu pokojówka. Zdumiał się, widząc w przedpokoju walizki i kufer. Matylda Breuer, usłyszawszy jego głos, wybiegła, by się przywitać. Miała lat trzydzieści sześć, pogodną twarz, jasną cerę, popielatoszare oczy i włosy splecione w dwa długie warkocze i upięte na czubku głowy. Przed pięcioma miesiącami urodziła swe piąte dziecko, nie znać tego jednak było po jej smukłej figurze.

Nie odzyskała natomiast pogody ducha, tak szybko udzielającej się wszystkim, którzy się z nią stykali. Zygmunt już dawniej zauważył, że Matylda stała się małomówna i zasępiona. W domu panowała atmosfera pewnego przygnębienia. Przypisywał to skutkom jakiejś fizycznej dolegliwości, która mogła ją trapić po piątym porodzie, i ograniczył swe wizyty u Breuerów. Zarówno Józef, jak i Matylda robili mu z tego powodu wyrzuty, dawali do zrozumienia, że nie powinien ich porzucać w ciężkich chwilach. A teraz wszystko zdawało się odmienione. Matylda witała go jak dawniej, rozradowana, pełna energii. Oczy jej się iskrzyły.

– Zygmusiu, jedziemy do Wenecji. Józef zabiera mnie na cały miesiąc na wakacje. Czy to nie cudowne?

– Tak się cieszę ze względu na ciebie. Kiedy wyjeżdżacie?

– Za kilka dni... – Przerwała nagle. – Co ci się stało? Ubranie zakurzone, twarz spocona. Mina, jakbyś umierał z pragnienia.

– Urządziłem sobie pokutę. To jest mój Sądny Dzień.

– Za jakie to grzechy pokutujesz?

– Za oszukiwanie samego siebie.

– Józef poradziłby ci przede wszystkim, żebyś się wykąpał. Łazienka jest idealnym miejscem do zmywania grzechów. Gorącej wody u nas nie brak.

Niska przysadzista wanna stała na czterech nóżkach w kształcie kocich łap. Służąca zaczęła wnosić ceberki z gorącą wodą, ustawiając je na podłodze koło mechanicznej pompy. Po jej wyjściu Zygmunt przymocował pompę do pierwszego ceberka i w czasie gdy woda napływała do wanny, on zrzucał z siebie ubranie i przepoconą bieliznę, którą położył na krześle przed drzwiami. Na jej miejsce pojawi się świeża czysta bielizna Józefa. Przeniósł pompę do ostatniego ceberka i położył się na wznak w wannie, tak żeby woda spływała mu na głowę. Potem wyszorował się gruntownie.

Gorąca woda nie tylko rozluźniła mięśnie nóg i całego ciała, lecz podziałała również uspokajająco na jego myśli. Przyszło mu do głowy, że być może gorąca kąpiel to najlepszy sposób na rozwiązanie większości problemów dręczących ludzkość. Freudowie nie mieli w swym mieszkaniu łazienki. Kiedy brat Zygmunta, Aleksander, i jego pięć sióstr byli jeszcze dziećmi, co drugi piątek po południu dwóch krzepkich mężczyzn z pobliskich zakładów kąpielowych przynosiło dużą drewnianą wannę oraz kubły gorącej i zimnej wody i ustawiało to wszystko na kamiennej posadzce w kuchni. Matka namydlała każde z dzieci, po czym spłukiwała je w wannie. Następnego dnia kąpielowi zabierali wannę i otrzymywali zapłatę. W lecie Zygmunt kąpał się z kolegami w Dunaju. W zimie chodził do niedawno wybudowanej łaźni, Tröpferlbad, gdzie za pięć grajcarów brał prysznic, podczas gdy jego matka wynajmowała obok kabinę z wanną i piecykiem, w którym buzował ogień. Siostrzyczki Zygmunta przynosiły ze sobą jabłka i piekły je na piecyku podczas kąpieli.

Ktoś zapukał do drzwi łazienki.

– Zygmunt, wyłaź – rozległ się głos Breuera. – Matylda poda nam kolację w moim gabinecie na górze. Mówi, że możemy zasiąść do stołu bez marynarek.

6

Wytarł się i ubrał. Bielizna pachniała lawendą, którą Matylda wkładała w małych saszetkach do szuflad komody Józefa.

Breuer czekał w gabinecie. Duża czarna broda, jedna z największych w Wiedniu, stanowiła być może rekompensatę za przedwczesną łysinę.

– Matylda mi powiedziała, że masz zgnębioną minę. „On jest rozbity", wyraziła się. Ale co cię tak stuknęło? Zamieniam się w słuch.

Po raz pierwszy tego dnia Zygmunt się uśmiechnął. Józef rzeczywiście cały zamienił się w słuch. Uszy odstawały mu od głowy jak ucha dzbana. Trudno byłoby go nazwać przystojnym mężczyzną, ale w jego wzroku osobliwie łączyła się stanowczość z czułością.

Gabinet na górze był maleńki, znajdował się tuż obok pracowni i mieściło się w nim jedynie biurko Józefa. Pokojówka przykryła je białym obrusem i postawiła półmisek z zimnym kurczęciem, które pozostało z obiadu. Znalazło się też trochę zimnych jarzyn, ochłodzona butelka giesshüblera, woda mineralna i połowa *Guglhupf*, ciasta posypanego cukrem. Po spałaszowaniu dwóch kawałków piersi i drugiego udka kury Zygmunt, rozparty w fotelu, zaczął się uważnie wpatrywać w brwi i orli nos Józefa. Rozpoznawał najmniejszą zmianę w wyrazie tej twarzy; znał ją doskonale. Z Józefem Breuerem spędził setki godzin w fiakrze, jeżdżąc po ulicach Wiednia i okolicach, kiedy doktor odwiedzał swych pacjentów.

– Cieszę się, że Matylda jest znowu szczęśliwa.

– Urządzamy sobie miodowy miesiąc w Wenecji.

– Najlepsze lekarstwo. Ale co to była za choroba? Może nie powinienem o to pytać?

– Teraz, kiedy jest już po wszystkim, mogę ci powiedzieć. Chodziło o Bertę Pappenheim, tę, którą nazywałem Anną O. Leczyłem ją przez dwa lata. Najbardziej zdumiewający przypadek w całej mojej karierze, w każdym razie w mojej pracy jako neurologa.

– To ten przypadek, który nazwałeś „kuracją mówioną"?

– Tak. Albo, jak to nazwała panna Pappenheim, „czyszczeniem kominów". Od kilku miesięcy Matylda uważała, że zbyt wiele czasu spędzam z panną Bertą. Oczywiście nie miała racji. Pacjentka potrzebowała mnie. Widocznie jednak za często o niej mówiłem. Ale nie mogłem się powstrzymać. Hipnotyzowanie dziewczyny dawało tak niezwykłe wyniki. Objawy paraliżu ustępowały. No, ale z tym już koniec. Dziś rano powiedziałem jej, że jest wyleczona, wróciłem prosto do domu i kazałem Matyldzie spakować walizki. Ale teraz chcę usłyszeć, co ty masz do powiedzenia.

Zygmunt spokojnie zrelacjonował swoje sprawy. Mówił o tym, jak panna Bernays „dała mu do zrozumienia", że go kocha. Jak on zdecydował się prosić profesora Brückego o asystenturę. Jak profesor oświadczył mu, że na uniwersytecie nie ma dla niego przyszłości, że musi pogłębić swą wiedzę internistyczną w Allgemeines Krankenhaus i zająć się prywatną praktyką.

– Marta Bernays z Hamburga? Córka Bermana Bernaysa, sekretarza osobistego profesora von Steina?

– Tak. Zmarł przed dwoma laty.

– Wiem. Studiowałem u von Steina historię gospodarczą.

– Józefie, teraz mogę ci wyznać, że to był najcięższy dzień w moim życiu. Znalazłem się w sytuacji bez wyjścia.

Breuer zachował zdumiewający spokój.

– Rzeczywiście. Z tej sytuacji nie ma wyjścia. Natomiast jest wejście. Powiedziałeś mi kiedyś, że bardziej cię interesuje ogólna walka z chorobami niż przynoszenie ulgi cierpieniom jednostek. Zawsze uważałem, że takie ambicje zalatują mesjanizmem.

– A cóż w tym złego, jeśli mesjanizm pobudza do działania?

– Nic. Ale to, o czym mówisz, to są wyniki, a nie początki. Wiesz, Zygmuncie, już dawno doszedłem do wniosku, że za pozorami nieśmiałości jesteś człowiekiem śmiałym, nieznającym strachu.

Zygmunt gapił się na przyjaciela z otwartymi ustami.

– Mnie też przychodziło to do głowy, ale co mi z tego w obecnych tarapatach? Dotąd wierzyłem, że praca na uniwersytecie wypełni mi życie. Chciałem poświęcić się bez reszty badaniom naukowym i wykładom. Czuję się dobrze w środowisku, w którym nieustannie rodzą się nowe idee. Konkurencyjna walka o byt nie jest w moim stylu.

– Wolisz klasztor?

– Tak. Tyle tylko, że uniwersytet jest klasztorem, w którym ludzie szukają wiedzy o przyszłości miast odgrzebywać przeszłość. I mówiąc szczerze, ja naprawdę nie lubię pieniędzy.

– Nie lubisz pieniędzy czy nie lubisz myśleć o zarabianiu pieniędzy?

Zygmunt się zaczerwienił. Breuer bowiem często ratował go, gdy nie miał grosza w kieszeni, stale powtarzając, że ma prawo przychodzić mu z pomocą, ponieważ jest dobrze sytuowany, a Zygmunt nie zaczął jeszcze zarabiać. Zygmunt skrupulatnie zapisywał wszystkie otrzymane od Breuera sumy. Nazbierało się tego już kilkaset guldenów, ale wiele lat upłynie, zanim będzie mógł spłacić dług.

– Bardzo to ładne, co powiedziałeś o uniwersytecie, tylko wiedz, że wkrótce poczułbyś się nieszczęśliwy. Przekonałbyś się, że brak ci swobody. Musiałbyś się stać konformistą. Radykalizm jest tam dopuszczalny jedynie w ściśle zakreślonych ramach. Nie obeszłoby się bez jakiegoś przełożonego, który kazałby ci zmienić punkt widzenia, przyśpieszyć jakąś publikację, którą on aprobuje, lub zniszczyć inną, która mogła stać się dla niego niewygodna.

Józef wstał od stołu i zaczął chodzić po pokoju.

– Cała ta historia pomoże ci stanąć na własnych nogach. Podstawą wiedzy medycznej jest zajmowanie się pacjentami, opiekowanie się nimi. To jest podstawowa praca, którą powinien wykonywać każdy lekarz. Daje ona większe możliwości dokonywania odkryć niż ślęczenie nad mikroskopem. Chodź do pracowni.

Przed kilku laty Breuer wyburzył ścianę i połączył dwa pokoje na poddaszu. Pod oknami wychodzącymi na ogród za domem stał długi stół laboratoryjny, a pod ścianami klatki z gołębiami, królikami i białymi myszkami, służącymi mu do doświadczeń, oraz akwarium z rybkami. Pokój był zawalony bateriami elektrycznymi, przyrządami do elektroterapii, słoikami chemikaliów, pudłami z kliszami i odbitkami publikacji naukowych Breuera.

– Józefie, to ty przez cały ten czas pracowałeś?

– A co ty sobie wyobrażasz? Moje laboratorium jest trójkierunkową siłownią. Pieniądze z honorariów inwestuję w przyrządy i doświadczenia. Wiedzę, którą zdobywam podczas doświadczeń, wykorzystuję przy leczeniu pacjentów. Mam już za sobą dwadzieścia lat badań nad kanałami półkolistymi samych tylko gołębi. Ale ja chciałem ci zakomunikować rzecz szczególnie dla ciebie ważną: Mam pełną swobodę prowadzenia badań i eksperymentów. Muszę zajmować się swoimi pacjentami, ale reszta czasu należy do mnie.

Ktoś ostro zapukał do drzwi. Matylda weszła z zapieczętowaną kopertą w ręce.

– Służący Pappenheimów przyniósł to przed chwilą.

Breuer rozerwał kopertę, przeczytał i zbladł.

– Znowu panna Berta. Dostała gwałtownego ataku bólów brzucha. Muszę natychmiast tam jechać.

– Józefie, obiecałeś mi, że ta historia jest już raz na zawsze zakończona. – Matylda miała łzy w oczach.

– Póki jestem w mieście... nie.

Matylda powoli schodziła po schodach. Breuer sprawdził zawartość swej czarnej walizeczki.

– Zygmusiu, poczekaj tu na mnie. I postaraj się wytłumaczyć Matyldzie...

Ale Matylda zamknęła się w sypialni. Zygmunt poszedł do biblioteki, usiadł w fotelu Józefa i odczytywał tytuły kompendiów opartych o mosiężną barierkę biurka Józefa. Był to piękny pokój z ozdobnym sufitem. Stał tu czarny fortepian z orzechowego drewna i osiemnastowieczna jaskrawo malowana chłopska skrzynia, a na niej srebrny świecznik. Na półkach leżały łupy z niedawnych wypraw archeologicznych.

Zygmunt zdawał sobie sprawę, że w tej chwili rozmowa z Matyldą na nic się nie zda. Była w rozpaczy. Józefowi jednak nie pozostawało nic innego, jak wykonywać swe obowiązki. Dziadek jego był lekarzem w pobliżu Wiener Neustadt. Opiekował się do śmierci chorymi z tej wioski i okolicy. Umarł młodo. Ojciec Józefa zdobywał wykształcenie, pracując zarobkowo. Jako trzynastoletni chłopak wyruszył do oddalonego o osiemdziesiąt kilometrów Fresburga, by tam pobierać nauki w seminarium teologicznym. Miał lat szesnaście, gdy znów pieszo pomaszerował trzysta kilometrów do Pragi, żeby tam ukończyć studia. Został znakomitym wykładowcą języka hebrajskiego, historii i kultury w Pradze, Budapeszcie i Wiedniu. Breuer z dumą opowiadał Zygmuntowi o swym ojcu, który, jego zdaniem, przyczynił się do tego, że „żydowski żargon zastąpiony został literackim językiem niemieckim, a niechlujstwo getta ogładą zachodniego świata", i który wychował syna na Talmudzie. Józef do końca życia pozostanie już człowiekiem z niezłomnymi zasadami moralnymi.

Myśli Zygmunta skierowały się teraz ku Annie O. Wiedział już, że jest to panna Pappenheim. Była szkolną przyjaciółką Marty. Jej rodzina pochodziła z Frankfurtu. Przypadek był zaiste dziwny i fascynujący. Od dwóch lat Józef notował skrupulatnie historię choroby. Berta była szczupłą dwudziestotrzyletnią pięknością. Ta niezwykle inteligentna dziewczyna o żywych intelektualnych zainteresowaniach, córka zamożnych i purytańskich rodziców, ukończyła w szesnastym roku życia gimnazjum, ale nie pozwolono jej się uczyć dalej. W domu uważano, że książki i teatr mogą tylko zaszkodzić jej dziewiczej niewinności. Łagodna z usposobienia Berta dawała upust swemu buntowi przeciw jałowości i monotonii życia, tworząc sobie własny

„prywatny teatr", w którym jej wyobraźnia odgrywała sztuki oparte na baśniach Andersena.

W lipcu 1880 roku zachorował ojciec Berty. Pielęgnowała go z całym poświęceniem, nie dbając o sen i wypoczynek, nikt więc nie był zaskoczony, gdy z kolei i jej zdrowie przestało dopisywać. Pierwszymi oznakami były osłabienie, anemia, wstręt do jedzenia. Choroba przykuła ją do łóżka. Wezwano Breuera, który był lekarzem domowym Pappenheimów, by poradził coś na męczący Bertę ostry kaszel, ale Breuer stwierdził, że choroba jest poważniejsza. Panna Berta miała napady „absencji", nie panowała nad swoimi myślami. Równocześnie wystąpiły halucynacje. Widziała w swym pokoju trupie czaszki i szkielety. Wstążki do włosów zamieniały się w węże. Przeżywała gwałtowne zmiany nastrojów. W ciągu jednej chwili wesołość ustępowała miejsca głębokiej trwodze. Skarżyła się, że w głowie jej panuje głęboki mrok. Bała się, że traci wzrok i słuch. Po silnych bólach głowy nastąpił niedowład jednej strony twarzy, a potem jednej ręki i nogi. Mówiła z trudem i nieskładnie, połykała słowa. Po pewnym czasie nie można już było zrozumieć, o co jej chodzi, i w końcu całkowicie zaniemówiła.

Ojciec zmarł po kilkuletniej chorobie. Panna Berta przestała rozpoznawać ludzi, zapadła w głęboką melancholię, odrywała guziki od nocnych koszul, przestała niemal całkowicie przyjmować jedzenie. Doktor Breuer był zrozpaczony. Robił sobie wyrzuty. Zawiodła jego „złota ręka", nie potrafi stwierdzić żadnej fizycznej przyczyny choroby. Bezsilnie musiał się przyglądać, jak umiera inteligentna, subtelna, piękna panna.

Aż wreszcie wpadł na pierwszy trop. Berta zaczęła chorować nie w czerwcu lub lipcu owego 1881 roku, lecz rok wcześniej, kiedy pielęgnowała jeszcze chorego ojca. Breuer doszedł do wniosku, że choroba musi być skutkiem autohipnozy. Dziennik prowadzony przez panią Pappenheim potwierdzał chronologię, którą odtworzył z wypowiedzi Berty. I wtedy właśnie Breuer doszedł do wniosku, że choroba Berty ma podłoże histeryczne. Skoro potrafiła się sama zahipnotyzować, to i on spróbuje ją zahipnotyzować. A gdy uda mu się skłonić ją do powiązania pierwszych symptomów z przyczynami, wówczas potrafi też porozumieć się z nią i zaproponować leczenie.

Metoda okazała się skuteczna, tyle tylko, że panna Berta odpowiadała na pytania Breuera wyłącznie po angielsku. W hipnotycznym śnie pamiętała kolejność narastania problemów. Breuer dyskutował z nią na ten temat i „sugerował", że może powinna zacząć jeść, że jej wzrok i słuch są w najlepszym porządku i że jeśli tylko zechce, zniknie również paraliż. Tłumaczył jej, że śmierć ojca nie jest czymś wyjątkowym, bo wszyscy rodzice umierają, i że powinna wyrwać się ze stanu melancholii i przestać zadręczać się w snach w ciągu tych nielicznych godzin, kiedy udawało jej się zasnąć.

Symptomy choroby stopniowo zaczęły ustępować. Po pewnym czasie można już się było obejść bez hipnozy. Berta chętniej „wypowiadała się" bez niej. Wstała z łóżka, zaczęła chodzić na spacery, znowu mówiła i czytała po niemiecku. Co prawda zdarzały się regresje, lecz pod koniec drugiego roku Breuer był już przekonany, że pacjentka potrafi prowadzić normalne życie.

Kiedy Breuer opowiadał o dziwnym przypadku Anny O., Zygmunt pytał go kilkakrotnie:

– Poznałeś histeryczne tło objawów, ale czy potrafisz coś powiedzieć o przyczynach histerii?

– Chodzi ci o to, czy jest w tym coś poza przejęciem się chorobą ojca – Breuer kręcił głową zrezygnowany – lub wyrzutami sumienia, że nie dość poświęca mu czasu i uwagi? Któż to może wiedzieć? Te obszary umysłu ludzkiego są zamknięte. Nikt nie może ich przeniknąć. I nie trzeba. Wystarczy, że uda nam się usunąć objawy i przywrócić zdrowie pacjentowi.

Breuer wrócił szybciej, niż Zygmunt się spodziewał. Twarz mu poszarzała, dłoń lewej ręki zacisnął w pięść, jakby chciał powstrzymać drżenie całego ciała. Zygmunt był przerażony.

– Zmarła?

Breuer nalał sobie szklankę wina, wychylił ją jednym haustem, po czym opadł w fotel, wyjął z pudła cygaro i zapalił. Podsunął pudło Zygmuntowi i zaciągnąwszy się kilka razy dymem, uspokoił się. Pochylony nad biurkiem powiedział:

– Kiedy dotarłem do ich domu, Berta wiła się z bólu. Nie poznała mnie. Zapytałem ją, gdzie zaczęły się bóle, a ona mi na to odpowiedziała: „Rodzę dziecko doktora Breuera".

– Co takiego?

Breuer wyjął chustkę z kieszeni i otarł krople potu, które wystąpiły mu na czoło. Kołnierzyk koszuli był przepocony. Zygmunt patrzył na przyjaciela z niedowierzaniem. Józef z trudem wydobywał z siebie słowa.

– Ona jest dziewicą. Nawet nie wie, w jaki sposób kobiety zachodzą w ciążę.

– Ciąża histeryczna. Czy rodzina już o tym wie?

– Na szczęście nie. Zahipnotyzowałem ją i pozostawiłem w głębokim śnie. Jutro, po obudzeniu się, nic już nie będzie pamiętała z całej tej sceny. – Breuera przeszył dreszcz. – Na litość boską, Zygmuncie, jak mogło dojść do tego? Znam dokładnie wszystkie jej myśli, jak przeczytaną książkę. Nie było w tym przypadku śladu erotyzmu...

Do biblioteki weszła Matylda. Twarz miała obrzmiałą. Józef zerwał się i wziął ją w ramiona.

– Kochanie, co powiesz na to, żebyśmy wyjechali do Wenecji jutro rano?

Matylda się ożywiła.

– Mówisz poważnie? Ależ oczywiście. Widzę to po twojej minie. Pociąg odchodzi wcześnie, ale zdążę wszystko załatwić.

Zygmunt sam zamknął za sobą drzwi i klucz wrzucił do skrzynki na listy. Nie myślał już o swoich kłopotach. Zastanawiał się nad Bertą Pappenheim. Jasne, że pannie Bercie daleko jeszcze do wyzdrowienia. Jeśli to prawda, co mówił Józef, że w jej chorobie nie ma ani śladu erotyzmu, to dlaczego z wszelkich możliwych halucynacji wybrała właśnie pomysł, że rodzi dziecko spłodzone przez jej lekarza? I jak to się stało, że nie poznała doktora Breuera? Czy nie dlatego właśnie, że inaczej nie mogłaby mu powiedzieć: „Rodzę dziecko doktora Breuera"? Skąd się brały te wszystkie przywidzenia, jeśli łono, które ściskała, było płaskie jak bochen chleba, który nie urósł, bo nie dodano drożdży?

Przechodził właśnie przez Kaiser Joseph-Strasse, gdy nagle z jego ust wyrwał się krótki chichot. Było już dobrze po dziesiątej. Musiał dać dziesięć grajcarów dozorcy, który mu otworzył bramę. Na podwórzu kamienicy powiedział do siebie półgłosem:

– Widocznie praktyka prywatna pociąga za sobą większe ryzyko niż to, o którym wspominał Józef.

7

Nazajutrz w południe nalał gorącej wody z dzbanka do miski stojącej na umywalce w sypialni, prychając, umył twarz mydłem, po czym wyszorował sobie piersi i ramiona. Wytarł się ręcznikiem kąpielowym, aż skóra się zaczerwieniła, z maleńkiej komody wyjął świeżą, nakrochmaloną białą koszulę i z uznaniem pomyślał o praczce z pobliskiej pralni, której dziełem była ta świeżość i biel. Zawiązał swój jedyny przyzwoity czarny krawat na niskim kołnierzyku odsłaniającym jego mocną szyję i spojrzał w lustro nad umywalką, by sprawdzić, czy osiągnął zamierzony efekt.

Lustro było dostatecznie duże, by mógł zobaczyć nie tylko twarz, ale i kołnierzyk koszuli oraz krawat. Surdut z ciemnymi klapami już się w nim nie mieścił. Był zadowolony ze swego odbicia. Fryzjer ostrzygł go przyzwoicie; włosy gładko sczesane od czoła, wygolone wokół uszu, były lśniąco czarne. Broda ledwie ocieniała policzki. Szykownie podkręcił do góry wąsy. Aż się dziwił, że wygląda tak dobrze mimo niedawnych przejść.

Zabrał się do porządków. Na wieczór zaprosił przyjaciół. Po kolacji miał zamiar pokazać Marcie książki i miejsce pracy. Był to długi, wąski „gabinet" na samym końcu mieszkania, który przylegał do ściany sąsiedniego budynku, ale miał okno wychodzące na Kaiser-Joseph-Strasse. Pokój robił takie wrażenie, jakby wykrojono go przypadkowo, już po zaplanowaniu całego mieszkania. Zygmunt jednak uważał, że jest to idealne miejsce. Mógł się tu schronić przed dorastającymi siostrami, a ponadto, kiedy wieczorami prowadził ożywione dyskusje z kolegami, nie przeszkadzało to pozostałym członkom rodziny. W jednym kącie złożył książki i narzędzia, które przyniósł z Instytutu Brückego.

Freudowie mieszkali tu od sześciu lat. Były to dobre lata dla Zygmunta. Powoli wzbogacił swą biblioteczkę podręczną naukowymi pracami z dziedziny medycyny, a półki nad biurkiem wypełnił dziełami literackimi w sześciu językach, a także łacińskimi i greckimi tekstami, które zachował z czasów gimnazjum. Rzędem stały dzieła Goethego, Szekspira, Schillera, Balzaka, Dickensa, Heinego, Marka Twaina, Byrona, Scotta, Zoli, Calderona, Rankego, Grillparzera, Fieldinga, Disraelego, Nestroya, George Eliot, Fritza Reutera. Na honorowym miejscu między dwiema srebrnymi podpórkami stało niemieckie wydanie *Esejów* Johna Stuarta Milla. Jeden z tomów on sam tłumaczył. Pracę tę załatwił mu profesor Brentano, u którego Zygmunt studiował filozofię. Tłumaczył te eseje, mając lat dwadzieścia trzy, kiedy odbywał jednoroczną służbę wojskową w szpitalu garnizonowym, naprzeciw Allgemeines Krankenhaus.

Przeszedł do kuchni znajdującej się w tylnej części mieszkania, z oknami wychodzącymi na podwórze. Amelia Freud stała przy żelaznym piecyku, to polewając tłuszczem piekącą się w piekarniku gęś, to znów wycierając plamy tłuszczu z białych kafelków, którymi piecyk był wyłożony. Biały fartuch ochraniał jej wizytową suknię. Obok niej stała najstarsza córka, dwudziestotrzyletnia Anna, doglądając gotujących się szparagów. Przy kredensie dwudziestodwuletnia Róża przygotowywała owoce na deser.

Kiedy Amelia zobaczyła stojącego w drzwiach kuchni Zygmunta, odłożyła chochlę i podeszła do niego z czułym uśmiechem. Był jej ulubieńcem, najukochańszą istotą na świecie. Urodził się w czepku, a stara chłopka powiedziała wtedy Amelii:

– Pani pierworodny będzie wielkim człowiekiem.

Amelia nie miała co do tego żadnych wątpliwości. Chociaż włosy miał ciemne i ciemne oczy, nazywała go swym „złotym Zygmusiem".

Teraz stała przed nim, poprawiając mu krawat, wygładzając klapy surduta, choć było to całkowicie zbyteczne. Zygmunt bardzo kochał matkę, ale nie była to miłość ślepa. Amelia pochodziła z Galicji Wschodniej. Tę część monarchii austro-węgierskiej zamieszkiwali ludzie bardzo szczególni, niepodobni do innych ludów europejskich. Odznaczali się gwałtownością

35

uczuć i z byle powodu się unosili. Słynęli również z odwagi i chyba naprawdę nie było na nich sposobu.

– Synku, jesteś niezwykle przystojny. Dla której ze swoich panienek włożyłeś najlepszą koszulę i krawat?

Amelia ubóstwiała syna, ale nie była zazdrosna. Ciągle marzyła o tym dniu, kiedy Zygmunt się ożeni i obdaruje ją „najpiękniejszymi wnukami na świecie". Miała co prawda pięć dzielnych córek, którym natura z pewnością nie poskąpi potomstwa, ale o tym, że to właśnie one mogą mieć dzieci, jeszcze nie pomyślała.

– Dla ciebie, mamo.

Amelia Freud, zadowolona, że rytuałowi stało się zadość, uniosła się na palcach, by pocałować syna w policzek. Córki przyglądały się tej scenie z rozbawieniem. Nie było tajemnicą, że ich matka nie widzi świata poza swym najstarszym, tak samo jak wszyscy wiedzieli, że Jakub Freud, choć mu już stuknęło sześćdziesiąt sześć lat, wciąż jest straszliwie zakochany w swej żonie. W tej dziewięcioosobowej rodzinie był niemal nadmiar wzajemnej życzliwości i nim Amelia wróciła do stołu, na którym przygotowała długi wałek z ciasta. Zaczęła teraz odrywać z niego kawałki, toczyć z nich kulki w dłoniach i gotowe już kluski wrzucać do garnka. Potem zajrzała do piekarnika. Zygmunt, Anna i Róża przyglądali się, jak dolewa gorącej wody z czajnika do wielkiej brytfanny, w której piekła się gęś. „Obdarowała wszystkie siedmioro dzieci swą niespożytą energią życiową" – pomyślał Zygmunt.

We Freibergu, gdzie Freudom powodziło się lepiej, stać ich było na bonę do dwóch najmłodszych latorośli, ale od chwili przyjazdu do Wiednia zaczęły się dłuższe okresy niepowodzeń finansowych Jakuba Freuda. Amelia sama zajmowała się dzieciarnią, musiała zadowolić się służącą na przychodne, która od czasu do czasu robiła generalne sprzątanie. Bieliznę odnoszono do pralni w sąsiedztwie. Amelia nie oszczędzała siebie. Gdy brakło mąki na chałę, wydobywała ją chyba spod ziemi, tak jak potrafiła własną pracą wyczarować batyst na suknie dla córek.

Zygmunt przeszedł do salonu. Nie lubił tego pokoju, niemal zawsze tonącego w mroku. Solidne mahoniowe krzesła i kanapa, podwójne zasłony w oknach, welurowe draperie po obu bokach i zniszczony dywan z czasów pierwszego małżeństwa Jakuba zdobiły wnętrze. Ale było tu też kilka jego ulubionych przedmiotów. Stolik, na którym leżał Talmud, odziedziczony po rodzinie ojca; biblioteczka w rogu pokoju, o półeczkach podpartych bambusowymi prętami, i wreszcie biurko z opuszczaną klapą, na którym stały największe skarby Amelii: trzy fotografie rodzinne robione w ciągu ostatnich osiemnastu lat w tych rzadkich okresach, kiedy nagły uśmiech fortuny pozwalał rodzinie Freudów na wyprawy do krawców i do dobrego fotografa.

Pierwsze zdjęcie przedstawiało obu mężczyzn rodziny – Aleksandra nie było jeszcze na świecie, urodził się dopiero dwa lata później. Zygmunt miał wtedy osiem lat i ojciec przygotowywał go do egzaminu wstępnego do gimnazjum. Zygmunt był w ślicznej kurtce, zapiętej wysoko, tuż pod miękkim kołnierzem koszuli, w długich spodniach z lampasami. Jakub miał na sobie długi ciemny żakiet, szerokie niezaprasowane spodnie i krawat w niebieskie groszki. W ręce trzymał książkę, z czułością i ufnością.

– Byłeś diabelnie przystojnym mężczyzną, tatusiu – powiedział Zygmunt na głos i roześmiał się ze swej próżności. Nawet na tej dawnej fotografii był zdumiewająco podobny do ojca.

Drugie zdjęcie zrobiono osiem lat później, kiedy Zygmunt miał już szesnaście lat i od pięciu lat był prymusem w szkole. Kamizelkę przecinał w poprzek złoty łańcuszek. Sypał mu się już wąs. Stał wsparty o bogato rzeźbione biurko. Jedną nogą dotykał skraju czarnej taftowej krynoliny matki. Ona również trzymała w ręce książkę, ale nie tuż przy sobie, lecz opuszczoną na kolana, jakby chciała uczciwie się przyznać, że niezbyt często bierze ją do ręki i że nie jest to dla niej najzwyklejsze zajęcie.

Matka, o dziesięć lat wtedy młodsza, była w pięknej sukni. Twarz miała szczupłą, subtelną. Zygmunt lubił jej złote kolczyki zwisające na delikatnych uchwytach, złoty łańcuszek z wisiorkiem opadający na czarną suknię poniżej białego koronkowego kołnierzyka. Ale najwspanialszą ozdobą Amelii były lśniące czarne włosy splecione w warkocze i upięte nad karkiem. W Wiedniu mawiano, że kobiety z Galicji „nie odznaczały się wykwintnymi manierami", ale on, patrząc na zdjęcie swej matki, widział przed sobą prawdziwą damę.

Trzecia, największa i najświeższa, fotografia pochodziła zaledwie sprzed sześciu lat. Na niej widniało sześcioro dzieci Freudów oraz młodszy brat Amelii, porucznik Simon Nathansohn, który odznaczał się krępą budową i miał krótkie nogi, ale za to mógł się poszczycić wyjątkowo długimi wąsami. Szabla u boku jeszcze bardziej go pomniejszała, a mimo to w swym świetnie skrojonym mundurze, w kurtce ozdobionej świecącymi guzikami, był w każdym calu oficerem monarchii austro-węgierskiej. Dwudziestoletni Zygmunt, student medycyny z pierwszym lekkim zarysem brody na twarzy, stał w środku grupy. Przed nim siedziała matka, opierając się o jego ramię, a na podłodze dziesięcioletni Aleksander, najmłodsze dziecko rodziny. Po prawej stronie Zygmunta stała Anna, duża, mocno zbudowana panna, która po matce odziedziczyła czarne włosy, wydatny biust i cienką kibić.

Obok Anny stała Pauli, najmłodsza córka państwa Freudów, licząca wówczas dwanaście lat. Nad wiek rosła, z noskiem jak guziczek i krągłą, pucołowatą twarzyczką, była brzydsza od swych sióstr. Pojętna i łatwo przyswajająca sobie wszystko, czego ją uczył brat, nie słuchała się go zupełnie. Po jego drugiej stronie stała Maria, zwana w domu Mitzi, piętnastoletnia podówczas panna z jednym warkoczem przerzuconym do przodu przez lewe ramię, nieśmiało wpatrzona w świat za aparatem fotograficznym. W pierwszym rzędzie, obok matki, z jednej strony stała czternastoletnia Dolfi, z drugiej Jakub, nieco pochylony do przodu, ze wzrokiem wbitym w obiektyw, jakby chciał w ten sposób dać *imprimatur* portretowi rodzinnemu.

Jakub Freud wszedł do pokoju. Był wyższy od swego syna, barczysty. Włosy na głowie i broda zaczęły już siwieć, ale wąs miał młodzieńczo czarny. Zygmunt uważał, że ojciec staje się coraz bardziej podobny do biblijnego proroka. Jakub miał zapas anegdot na każdą sytuację.

– Widzę, Zygmusiu – przywitał go – żeś się wystroił na naszą małą uroczystość.

– Obchodzę uroczyście wstąpienie do zawodu lekarskiego.

Jakub zamrugał powiekami. Minęło kilka chwil, zanim pojął, o czym mówi jego syn. Trzydziestego pierwszego marca 1881 roku cała rodzina Freudów zebrała się w auli uniwersyteckiej, kiedy Zygmunt otrzymywał dyplom i został panem doktorem Freudem. Jakub wiedział również, że jego syn nie miał bynajmniej zamiaru zająć się praktyką lekarską.

– Dobra wiadomość, synu.

– Nie całkiem. Minie jeszcze kilka lat, zanim zacznę zarabiać. Wiem, że ci nie będzie lekko.

– Damy sobie radę.

Była to dewiza domowa Freudów. Dawali sobie radę. Jakub przez osiem lat nauki syna w gimnazjum i sześć lat studiów medycznych zdobywał pieniądze na czesne dla Zygmunta. Ale kiedy tak stali obaj, ojciec i syn, naprzeciw siebie w ciemnym pokoju, wiedzieli, że ostatnio coraz trudniej było o pieniądze.

Lata dawały znać o sobie; Jakubowi nie zawsze już dopisywało zdrowie. Ożenił się z Salą Kanner z Tyśmienicy, mając lat zaledwie siedemnaście. Zajął się handlem wełną i materiałami sukiennymi. Zaczął nieźle zarabiać. Stał się miejscowym przedstawicielem praskich i wiedeńskich firm. W ciągu jednego tylko roku sprzedał tysiąc trzysta bel wełny czesankowej. Oznaczało to poważne obroty i niemałe zyski. Potem Jakub i Sala przenieśli się do Freibergu. Jakub dostał koncesję, płacił duże podatki i był szanowanym obywatelem. Do szkół, głównie religijnych, uczęszczał zaledwie kilka lat, ale znał klasyków niemieckich. Sala też chyba nie była pozbawiona talentów, bo gdy Jakub przebywał poza domem, często podróżując w interesach po Morawach, Galicji i Austrii, handlując bydłem, mięsem, skórami, woskiem, konopiami i miodem, ona wychowywała dwóch synów, prowadziła buchalterię i pilnowała magazynów w pobliskim Klagsdorfie.

Sala umarła w trzydziestym piątym roku życia. Zygmunt nigdy się nie dowiedział, jaka była przyczyna jej przedwczesnej śmierci. W domu Amelii nie mówiono o pierwszej żonie Jakuba. W Wiedniu Jakub poznał bliżej rodzinę Nathansohnów, z którymi łączyły go interesy. Nathansohnowie też przybyli z Galicji, ale osiedli już dawno w stolicy i zdobyli sobie solidną pozycję w austriackim handlu wełną. Amelię znał Jakub od dziecka i bardzo ją lubił. Pięć lat po śmierci Sali ożenił się z dwudziestoletnią podówczas Amelią, ładną panną z pokaźnym posagiem, i zabrał ją ze sobą do Freibergu. Amelia nie musiała wcale wychodzić za mąż za czterdziestoletniego wdowca z dwoma synami, gdyby tego nie chciała, ale Jakub Freud był przystojnym mężczyzną o łagodnym usposobieniu i wzorowych manierach i znakomicie sobie radził w życiu. Zygmunt wierzył, że było to małżeństwo z miłości, a nie interesowny związek matrymonialny.

Kiedy Jakub przywiózł Amelię do Freibergu, jego najstarszy syn z pierwszego małżeństwa, Emanuel, był już żonaty. Drugi syn Sali, Filip, miał lat dziewiętnaście i mieszkał z Freudami. Opiekował się, jak na starszego brata przystało, najpierw Zygmuntem, potem drugim synem Amelii, Juliuszem, który zmarł w sześć miesięcy po przyjściu na świat, i wreszcie Anną, urodzoną w osiem miesięcy później. Do trzeciego roku życia Zygmunt nie mógł zorientować się w rodzinnych powiązaniach, bo Filip był prawie w tym samym wieku co Amelia. Czasami zdawało mu się, że jest synem Filipa i wnukiem Jakuba. Jeszcze trudniej było zorientować się w więzach rodzinnych łączących go z Janem, synem Emanuela, o rok od niego starszym, i z jego rówieśnicą, Pauliną, córką Emanuela. Kłopoty minęły, gdy Amelia i Jakub przenieśli się z Zygmuntem i Anną na rok do Lipska, po czym, kiedy tam im się nie powiodło, z kolei do Wiednia. W tym czasie Emanuel zabrał swoją rodzinę i brata Filipa do Manchesteru, gdzie założył firmę tekstylną. Zygmunt zobaczył się z nimi ponownie, kiedy miał już lat dziewiętnaście, i w nagrodę za zdaną maturę i przyjęcie na Uniwersytet Wiedeński rodzice wysłali go na wakacje do Anglii.

Po drugim ożenku interesy Jakuba Freuda się popsuły. Nowa północna linia kolejowa z Wiednia omijała Freiberg. Inflacja i kryzys ekonomiczny lat pięćdziesiątych zaskoczyły go, podobnie jak i wielu innych. Nie był na to przygotowany. Nie udało mu się spłacić długów wynikających z poważnych zobowiązań. Kiedy przybył ze swym czteroletnim synem i półtoraroczną córeczką bez własnego kapitału do Wiednia, nie mógł konkurować z firmami od dawna istniejącymi w stolicy i dysponującymi poważnymi rezerwami. Co prawda w aktach Zygmunta w Sperlgymnasium Jakub figuruje jako „kupiec w branży wełnianej", smutna prawda jednak wyglądała inaczej, nigdy już bowiem nie było mu dane prowadzić samodzielnych interesów. Nie dostał koncesji, nie płacił podatków i po prostu pracował w różnych firmach handlujących wełną i tekstyliami. Z okresów, w których lepiej mu się powodziło, pochodziły takie nabytki, jak fortepian dla Anny, nowa lampa naftowa na łańcuchach zawieszona nad stołem w jadalni, którą można było opuszczać i podciągać, ubrania dla rodziny i fotografie. Wtedy też zwiększały się zakupy Zygmunta w księgarni Deutickego. Kiedy jednak Jakub bywał bez pracy, a zdarzało się to coraz częściej, Freudowie wegetowali bez pieniędzy, wysłuchując nieustannych wyrzekań Amelii, że w domu nie ma już ani grajcara.

Mimo to do niedawna Jakub zachował, choć z trudem, swą pozycję społeczną w *Mittelstand,* warstwie obejmującej nauczycieli, urzędników administracji państwowej, muzyków, ludzi zarabiających od trzystu do pięciuset guldenów miesięcznie, co stanowiło dochód skromny, ale wystarczający.

O pewnym aspekcie sytuacji materialnej Freudów wiedział tylko Zygmunt. Podczas wakacji spędzonych u swych braci przyrodnich w Anglii, którym świetnie się powiodło w Manchesterze, słyszał niejednokrotnie, że Sala miała dobrą głowę do interesów. Emanuel i Filip nieraz wysyłali pieniądze do Wiednia, gdy sytuacja w domu Freudów stawała się krytyczna, ale nigdy nie krytykowali Amelii. Wspominano tylko, że gdyby Sala żyła, nie dopuściłaby do tego, by Jakub popadł w takie tarapaty.

Gdyby jednak Sala żyła w roku 1855, dopowiadał sobie Zygmunt w myślach, patrząc z uśmiechem na swego ojca, on nie ożeniłby się z moją matką. I ja, doktor Zygmunt Freud, nie stałbym teraz w tym mieszkaniu na Kaiser-Joseph-Strasse w ten pogodny czerwcowy wieczór i nie czekałbym na swoją ukochaną.

8

Kołatka z brązu na drzwiach wejściowych trzykrotnie uderzyła w metalową płytkę. Zygmunt wybiegł z salonu, ale Anna i Róża go uprzedziły i już witały się ze swoimi kawalerami. Anna w tajemnicy zaręczyła się z Elim Bernaysem, Róża zaś chodziła z jednym ze szkolnych kolegów Zygmunta, którego wszyscy nazywali Brustem. Za Brustem postępowała Minna, młodsza siostra Marty, z Ignacym Schönbergiem; ich również łączyło sekretne narzeczeństwo. Minna była wysoką panną o szerokich ramionach i tęgich biodrach, lecz zupełnie płaskim biuście, jakby natura chciała w jakimś miejscu dokonać oszczędności. Ignacy, kolega uniwersytecki Zygmunta, chudy jak szczapa, podobnie jak wielu młodych wiedeńczyków, od lat chorował na gruźlicę.

Uchodził na uczelni za jednego z najświetniejszych znawców sanskrytu i już teraz tłumaczył i opracowywał tom sanskryckich opowieści, *Hitopadesa*, które miały się ukazać w języku niemieckim. Pochód zamykał Eli Bernays ze swą siostrą Martą.

Eli był młodzieńcem zwracającym na siebie uwagę. Krępy, o wydatnym orlim nosie i bardzo bystrych oczach, ubrany w modny garnitur, na nogach miał wysokie, czarne giemzowe buciki. Ojciec odumarł go, gdy miał lat dziewiętnaście i właśnie przygotowywał się do wstąpienia na uniwersytet. Zaopiekował się nim wówczas profesor von Stein. Eli bez chwili namysłu przejął po ojcu posadę sekretarza profesora von Steina i zaczął utrzymywać rodzinę. Miał dwie manie: wyszukiwanie samotnych ścieżek w lesie i przypinanie skarpetek do bielizny agrafkami. Co wieczór, rozbierając się, skrupulatnie układał sześć agrafek zawsze na tym samym miejscu na dywanie, a rano skrupulatnie przypinał nimi skarpetki.

– Z czego wynika, że Eli równie skrupulatnie zrealizuje wszystkie swoje plany życiowe – stwierdzał Zygmunt.

Nareszcie mógł się przywitać z Martą. Czy ona naumyślnie weszła ostatnia? Gdy wziął ją za rękę, obdarzyła go uśmiechem tak promiennym, że czuł, jak nogi się pod nim uginają. Młodzież przywitała się, po czym zwróciła się do Amelii i Jakuba Freudów:

– *Grüss Gott! Grüss Gott! Guten Abend, gnädige Frau, Guten Abend, Herr Freud!*

Eli i Ignacy przynieśli bukieciki kwiatów.

Stół w jadalnym rozsunięto na całą długość i przykryto białym obrusem z duńskiego płótna. Przy każdym nakryciu stały zwinięte serwetki zatknięte w srebrne uchwyty. Wszystko to należało do wyprawy Amelii. Nakrycie składało się z dużego talerza na drugie danie, głębokiego talerza na zupę oraz szklanki na giesshüblera. Najmłodsza córka wniosła okrągły bochen domowego chleba pokrojonego na trójkątne kawałki. Chleb okrążył stół. Anna podała z kolei wazę z zupą, którą pani Freudowa nalewała do podawanych jej talerzy. Następnie Róża wniosła półmisek z gęsią, Mitzi półmisek ze szparagami, a Dolfi czerwoną kapustę. Teraz następowała najważniejsza chwila wieczoru: krajanie gęsi. Pani Freudowa nie zawierzyłaby w tym przypadku mężowi, chodziło bowiem o podzielenie gęsi na trzynaście części, co wymagało sprawiedliwego i misternego odmierzenia każdej porcji.

Owalne miśnieńskie podstawki z wizytówkami rozstawiła Anna w taki sposób, że sekretnie zaręczone pary siedziały razem. „Sekretne zaręczyny" oznaczały, że wszyscy wiedzą o tym, iż młodzi ludzie się kochają, ale za wcześnie jeszcze na to, by nawet myśleć o małżeństwie, tym bardziej że narzeczeni nie mieli pieniędzy. Wizytówkę Zygmunta umieściła Anna obok miejsca Marty, za co w duszy ją błogosławił, po chwili jednak stało się widoczne, że Brust, kawaler Róży, bynajmniej nie był uszczęśliwiony wyznaczonym sobie miejscem. Siedział na skraju krzesła, jakby lada chwila miał się zerwać i uciec. Róża była rodzinną pięknością. Przyjaciele porównywali ją do Eleonory Duse. Miała szeroko rozstawione oczy, rysy i kolor cery przypominające Sybillę Delficką z Kaplicy Sykstyńskiej. Była czarująca i zgrabna. Przechylała nieco głowę na jedną stronę, jakby przyglądając się światu z lekkim rozbawieniem. Brust nie mógł oderwać oczu od Róży, a jednak robił wrażenie, że czegoś się obawia. Zygmunta bardzo to intrygowało.

Nisko zawieszona lampa naftowa rzucała na stół ciepły krąg światła. Na ścianie, nad kredensem połyskującym tacami i srebrną zastawą, wisiały w ramkach fotografie „mieszczańskiego rządu", Herbsta, Giskry, Ungera, Bergera i innych absolwentów uniwersytetu. Jednym z triumfów powstania i walk ulicznych w Wiedniu w 1848 roku było dopuszczenie przedstawicieli mieszczaństwa i kupiectwa do wysokich stanowisk państwowych. Znaleźli się wśród nich również i Żydzi. Codziennie podczas obiadu miał Zygmunt przed sobą te wspaniałe portrety; tak wielkie robiły na nim wrażenie, że nawet przez krótki czas rozważał możliwość studiowania prawa. Zmienił jednak zdanie po przeczytaniu *Fragmentu o przyrodzie* Goethego:

> Natura! Otacza nas, obejmuje – nie można się od niej uwolnić i nie można głębiej w nią wniknąć. Tworzy coraz to nowe kształty; to, co istnieje, nie istniało nigdy przedtem; co istniało, nigdy nie powraca. Wszystko jest nowe, a jednak zawsze stare. Żyjemy w niej, lecz mimo to pozostajemy jej obcy. Stale z nami rozmawia, ale nie zdradza nam swych tajemnic. Stale ją kształtujemy, a przecież nie mamy nad nią żadnej władzy... Ona nieustannie buduje i nieustannie burzy, lecz nie wiemy, gdzie mieści się jej warsztat... Natura, jedyny artysta...

A Eli tymczasem perorował:

– Zwalnia się stanowisko redaktora czasopisma ekonomicznego. Profesor von Stein powiedział, że zarekomenduje mnie pod koniec roku. Rozmawiałem kilka razy z austriackim ministrem handlu. Jeden z urzędników ministerstwa odchodzi na emeryturę i biorą pod uwagę moją kandydaturę. Ale równocześnie słyszałem o posadzie w prywatnej firmie turystycznej. Na turystyce można nieźle zarobić. Jak myślicie, którą z posad mam wziąć?

– Wszystkie trzy – przekornie podpowiedziała Anna. – Starczy ci energii na wszystkie.

– A może powinienem się wybrać do Ameryki? Tam cenią takich ludzi, którzy potrafią robić trzy różne rzeczy naraz.

Zaczęli teraz dyskutować, w jakim kraju żyje się najlepiej. Z nich wszystkich tylko Zygmunt był już za granicą i on też stwierdził stanowczo:

– W Anglii. I powiem wam dlaczego. W Anglii dozwolone jest wszystko z wyjątkiem tego, co jest wyraźnie zakazane. W Niemczech wszystko jest zakazane poza tym, co jest wyraźnie dozwolone.

– A w Wiedniu? – zapytał Ignacy.

– W Wiedniu wszystko, co jest zakazane, jest dozwolone – odpowiedział mu z miejsca Jakub Freud. I dodał: – Słyszałem dziś w kawiarni dobry kawał.

Oczy mu rozbłysły. Jakub, jak przystało na wiedeńczyka, miał w kawiarni swój stolik, przy którym codziennie o tej samej porze spotykało się stałe grono przyjaciół. W obitych skórą lożach, w salach, których ściany obwieszone były gazetami, spotykał się cały Wiedeń.

– Pewna pani podarowała swemu synowi na urodziny dwa krawaty. Następnego dnia syn, pragnąc pokazać, jak jest zadowolony z prezentu, włożył jeden z krawatów. Na to matka: „A drugi ci się nie podoba?"

Roześmieli się wszyscy oprócz Amelii, która nie lubiła, gdy robiono dowcipy jej kosztem. Jakub przesłał jej nad stołem pocałunek.

Zygmunt stracił nagle apetyt. Odłożył widelec. Już tydzień minął od sobotniego spaceru po lesie w Mödlingu, od ich pocałunku, od kiedy widział się po raz ostatni z Martą. W niedzielę przypomniał sobie o czterolistnej koniczynie, którą znaleźli, i posłał jej *Dawida Copperfielda,* ona zaś przysłała mu tort własnej roboty. Posłańcem przenoszącym tajne prezenty z domu Bernaysów do Freudów i odwrotnie był Eli. Marta nie wiedziała jeszcze o rozczarowaniu, które mu sprawił profesor Brücke. Nie mógł jej okłamywać. Zbyt stanowczo deklarował przed nią swe przywiązanie do pracy badawczej. Ale nie mógł też zdradzić tajemnicy, że poświęciłby wszystko, by zaręczyć się przed jej powrotem do Hamburga, a w przyszłą sobotę wyjeżdżała tam na całe lato. Co jednak pocznie, jeśli ona nagle go zapyta, dlaczego zmienił postanowienie? A jeśli dojdzie do wniosku, że nie jest wytrwały w swoich decyzjach?

– Eli, nie ty jeden zmieniasz posadę... – Słowa zabrzmiały nieco głośniej, niż Zygmunt zamierzał je wypowiedzieć. – W sierpniu, po rozpoczęciu wykładów, wracam do szpitala. Za kilka lat będę mógł cię wyleczyć z każdej choroby poza chronicznym alkoholizmem.

Marta spojrzała mu w oczy, jakby dopytując się o sens wypowiedzianych słów. Czuł, że próbuje odgadnąć jego myśli.

– A więc jednak zostanie pan lekarzem?

– Oczywiście, że będzie lekarzem – wtrąciła się Amelia. – Po to przecież studiował medycynę.

Marta uścisnęła mu rękę pod stołem. Zygmunt odzyskał pewność siebie; kiedy wszyscy patrzyli na Ignacego, opowiadającego coś o bajce sanskryckiej, którą przetłumaczył poprzedniego dnia, pochylił się ku Marcie pod pretekstem, że poprawia jej wizytówkę na stole, i powiedział szeptem:

– Ludy pierwotne wierzą, że posiadając jakiś przedmiot należący do innej osoby, zdobywa się nad nią władzę. Magia. Można wtedy zmusić drugą osobę do zrobienia czegoś, na co nie ma ona ochoty, i ofiara nie będzie mogła się oprzeć.

– Skoro ma już pan mnie w swej władzy, co mi pan teraz każe zrobić?

– Jeśli powiem, będzie pani mogła złamać czary.

– Tak łatwo? – Przepiękna była, uśmiechając się do niego przekornie i czule. – A nie udało się panu w laboratoriach alchemicznych odkryć silniejszych środków magicznych na zawładnięcie drugim człowiekiem?

To nie jabłko obierałaś, kiedy się pierwszy raz spotkaliśmy – pomyślał. – To ze mnie zdejmowałaś swymi długimi delikatnymi palcami osłaniające mnie warstwy jedną po drugiej, aż dotarłaś do samego środka.

9

W dwa dni później wpadł na chwilę Eli. Wyszli razem i Zygmunt zaproponował, że go odprowadzi.

Jak można się było tego spodziewać, Eli zaprosił go do domu na filiżankę kawy. Pani Emmelina Bernays przyjęła ich uprzejmie. Przyjaźniła się z Amelią Freudową, ale mimo to nie mogła się pogodzić z myślą, że jej syn zakochał się w Annie Freud. Pani Bernays nawet lubiła Annę, ale było czystym szaleństwem, by Eli, któremu swatano panny z pięćdziesięciotysięcznymi posagami, ożenił się z dziewczyną bez grosza. Pani Bernays osiwiałaby pod peruką, gdyby na domiar złego dowiedziała się, że Minna poważnie myśli o Ignacym Schönbergu, a Marta interesuje się Zygmuntem Freudem; to przecież chłopcy z jeszybotu, niemający ani grajcara przy duszy.

Philippsowie, rodzina pani Bernays, przybyli ze Szwecji. W rodzinie jej męża byli solidni hamburscy kupcy i profesorowie. Isaak, ojciec Bermana Bernaysa, był głównym rabinem żydowskiej gminy zreformowanej. Jego brat Jakub przeniósł się do Bonn, gdzie został profesorem uniwersytetu i dyrektorem biblioteki. Drugiego brata, Michała, ściągnął na uniwersytet monachijski król Ludwik II Bawarski, tworząc dla niego specjalną katedrę. Rodzina Philippsów nie ustępowała Bernaysom pod względem zamożności i pozycji społecznej.

Emmelina Bernays liczyła sobie lat pięćdziesiąt dwa, co podówczas powszechnie uchodziło za wiek podeszły. Nie miała jednak najmniejszego zamiaru usuwać się w cień, uważając, że jest na to za młoda i zbyt energiczna. Uporczywie pretendowała do roli głowy rodziny Bernaysów, co było źródłem konfliktów z synem, który utrzymywał, że jemu ten tytuł się należy jako jedynemu mężczyźnie w domu i żywicielowi rodziny. Marta podawała kawę i ciasteczka, a pani Bernays rozwodziła się nad swoim ulubionym tematem, powrotem do Hamburga, do domu w czarującej podmiejskiej dzielnicy Wandsbek. Na ten temat spierała się nieustannie z Elim. Była kobietą inteligentną, wykształconą i opanowaną, ale jej główną namiętnością była pogarda dla Wiednia.

– Od czasów Kongresu Wiedeńskiego w 1815 roku to miasto cieszy się reputacją beztroskiej, wesołej stolicy, w której obowiązuje zasada: „żyjmy, póki czas, za sto lat nie będzie nas" – snuła swe rozważania. – Ale to wszystko można między bajki włożyć. Wiedeńczycy w gruncie rzeczy trwają w nieustannej rozpaczy. Muzyka, pieśni, walce, wymuszony, bezmyślny śmiech to tylko wytarty płaszcz, którym chcą osłonić swą nagość przed światem. To prawda, że „w Berlinie sytuacja jest poważna, ale nie beznadziejna, natomiast w Wiedniu beznadziejna, ale nie poważna". W Hamburgu nie zwykliśmy udawać wesołości, kiedy jesteśmy smutni albo kiedy mamy powody do niepokoju. U nas nie kończy się każdego zdania głupimi trelami, tak jak tu, kiedy nawet z piosenką na ustach oznajmiają, że im matka umarła. Jeśli kogoś nie lubimy, to nie przymilamy się do niego, by mu skrycie wbić nóż w plecy i go oczernić. Nie mam zamiaru reszty mego życia spędzać na udawaniu. Jestem Szwedką, Niemką z północy i nie zamierzam roztrwonić na głupstwa czasu, który mi jeszcze został. Nie powinniśmy byli nigdy wyjeżdżać z Hamburga. – Nagle zwróciła się do syna: – Eli, czy ty zostajesz w domu? W takim razie ja wybieram się z wizytą do pani Popp.

Eli przez chwilę podtrzymywał rozmowę, po czym uważając, że zadośćuczynił obowiązkom towarzyskim, przeprosił Zygmunta, mówiąc, że musi jeszcze sporządzić kilka notatek dla profesora von Steina.

Marta siedziała w swoim ulubionym brązowym fotelu. Zygmunt przesiadł się na podnóżek. Bernaysowie zajmowali wygodne mieszkanie przy Matthäusgasse w Trzecim Obwodzie, w pobliżu Wien Fluss i parku miejskiego. Pokoje były trochę przeładowane meblami przywiezionymi z Hamburga. Na ścianach wisiały obrazy wczesnej szkoły hamburskiej przedstawiające sceny leśne i morskie.

– Dlaczego pani wyjeżdża do Wandsbek? – zapytał. Marta zbladła.

– To już było zaplanowane... od dawna... Jadę z wizytą do rodziny i spędzę wakacje na wsi. Lasy tam są śliczne, spodobałyby się panu prawie tak samo jak Lasek Wiedeński.

– Czy mam to uważać za zaproszenie?

Szeroko rozwarła oczy, a kąciki jej ust zadrgały. Na twarzy pojawił się przewrotny uśmiech. Każdym nerwem swego ciała marzył o tym, by ją objąć, by wykorzystać te kilka chwil, które im Eli zostawił, ale powstrzymało go dobre wychowanie. Rykoszetem powracała w głowie myśl, że byłoby to naruszenie zasad gościnności.

Eli wrócił do pokoju i zaproponował, by wybrali się razem do Prateru.

Zapadł jasny czerwcowy zmierzch. Niebo na zachodzie było różowolawendowe. Eli gubił się co chwila, ale nigdy właściwie nie tracił ich z oczu. Weszli do Prateru przez Praterstern, po czym wziąwszy się pod ramię, szli główną aleją. Między podwójnymi rzędami kasztanów biegła droga, po której toczyły się piękne powozy. Siedziały w nich panie w marszczonych spódnicach i wielkich kapeluszach oraz panowie w ciemnych ubraniach i cylindrach. Woźnice wystrojeni byli w krótkie, brązowe liberyjne kurtki i dopasowane do nich brązowe kapelusze.

Skręcili na ścieżkę, która przecinała Kaisergarten ze starannie strzyżonymi trawnikami, drzewami i krzewami. Znaleźli się po chwili w Volks Prater, w rozrywkowej części ogrodu, po której krążył tłum przybyszów ze wszystkich stron cesarstwa. Mężczyźni z Kroacji sprzedający drewniane łyżki i koszyki, kobiety ze Słowacji w niezgrabnych, ciężkich trzewikach, z plecionymi słomianymi tacami, na których leżały rzeźbione zabawki i zwierzątka; chłopi z Czech i Moraw, którzy tak wyglądali, jakby tu przyszli pieszo; Polacy sprzedający kaszankę; Ślązacy i Bośniacy oferujący fajansowe filiżanki i różne wyroby ze szkła. Czeskie kucharki pod ramię z poznanymi przed chwilą żołnierzami zmierzały do Pawilonu. Po lewej stronie damska kapela przygrywała w drogiej restauracji „Eisvogel". Po prawej stronie dzieci bawiły się na huśtawkach. I tak dotarli przed słynny Fürststheater. Na afiszu był duży napis: „Die Harbe Poldi".

– A dlaczego ta Poldi nie jest zbyt miła?

– To tylko eufemizm. Chodzi o to, że jest niezbyt skłonna do wyświadczania usług.

Marta uważnie czytała cennik biletów.

– Komu też chce się płacić osiem guldenów za oglądanie dziewczyny, która jest niezbyt skłonna do usług?

Zygmunt aż się potknął.

– Panie doktorze, zdaje mi się, że moje słowa pana zaszokowały?

Zygmunt objął ramieniem kibić Marty i przytulił ją do siebie.

Dotarli do Ronda. Przed Calafati, olbrzymią kręcącą się statuą Chińczyka, zebrał się tłum zachwyconych dzieci. Znajdowali się teraz w samym centrum lunaparku z jego karuzelami, strzelnicami, gdzie żołnierze, trafiając w gliniane gołębie, zdobywali róże dla swych dziewcząt, budami, w których można było obejrzeć syjamskie bliźniaki, grubą dziewczynę, kobietę z brodą. Wszystko to poprzetykane piwiarniami w ogródkach i restauracjami.

Zawrócili na Grosse Zufahrtstrasse, a gdy nagle zmaterializował się przed nimi Eli, przystanęli przed browarem Lisiengera, przysłuchując się orkiestrom grającym w dwóch słynnych restauracjach znajdujących się naprzeciwko siebie: „Zum Weissen Rossl" i „Schweizerhaus". Na ulicy kłębił się tłum. Kobiety z Bawarii w swych *Dirndlkleid*, szerokich niebieskich spódnicach, fartuchach i chustach, sprzedawcy oferujący smażoną rybę, kawę, cytryny, czekoladę, owoce, rzodkiewki, wodę sodową. Zygmunt kupił dla całej trójki po porcji smażonego karpia i rogaliki z makiem, Eli natomiast zamówił kufle piwa. Pili piwo, mrucząc pod nosem: „*Prosit*".

Przyglądając się siedzącej naprzeciw Marcie, Zygmunt poczuł nagły przypływ radości i wzruszenia. Wpatrywał się w delikatny owal twarzy i pełne wyrazu oczy, poważne i uczciwe. Obudziły się w nim opiekuńcze uczucia. A przecież jeszcze nie otrzymał od Marty pozwolenia na zwracanie się do niej per ty. W niedzielę wyjeżdżała na całe lato; pozostawały mu wszystkiego dwa dni. Drżał na myśl, że nie zdąży się jej oświadczyć i zanim ją po raz drugi zobaczy, ktoś mu ją odbierze. Marta przerwała milczenie.

– Panie Zygmuncie, czy będzie pan szczęśliwy, porzucając ulubioną pracę i rozpoczynając prywatną praktykę? Przecież nie takie miał pan plany?

Wiedział, że dziewczyna przywiązuje do jego odpowiedzi wielką wagę.

– Tak. „Miłość jest płomieniem, praca paliwem".

Przemilczała jego uwagę i ściągając brwi, pochyliła się ku niemu. Nie wiedział, czy to woda kolońska, czy też zapach jej włosów, w których przez chwilę ukrył twarz w Mödlingu; jej bliskość zapierała mu dech w piersi.

– Jest więc pan zmuszony do tego wyboru? Tak musiało się stać wcześniej czy później?

– Muszę jak najszybciej zacząć pomagać rodzicom i siostrom. I Aleksandrowi, którego czekają jeszcze dwa lata nauki w gimnazjum. A to jest najważniejsze.

Uważnie studiowała wyraz jego twarzy, zanim ponownie się odezwała.

– Nie robi pan wrażenia... człowieka nieszczęśliwego... zawiedzionego. Nie wiem, co spowodowało tę nagłą zmianę, ale wygląda na to, że pogodził się pan z losem.

– I tak, i nie. Będę się starał wykorzystać tę praktykę jak najlepiej. Prawdopodobnie zajmę się chorobami nerwowymi. To jest specjalność Józefa Breuera, a on mi pomoże. Ale równocześnie nie mam zamiaru porzucić pracy badawczej. Część mego życia zawsze będę poświęcał na badania naukowe. Stać mnie na to, jestem przecież energiczny. Jestem stanowczy.

Przykryła ręką jego dłoń; był to gest wiernego przyjaciela. A on wiedział, że już wkrótce, choć jeszcze nie w tej chwili, gdy otaczał ich rozbawiony, jedzący i popijający tłum, ale już bardzo niedługo, będzie musiał wypowiedzieć słowa, od których zależy jego szczęście.

Powróciwszy do domu, zamknął się w swym maleńkim pokoiku. Wiedział, że potrafi jasno i stanowczo formułować w języku niemieckim swe naukowe rozważania. Teraz stwierdził, że pisząc o miłości, odnajduje w tym języku poezję i czułość:

„Droga Panno Marto,

zmieniła Pani całkowicie moje życie. Tak cudownie było mi dziś w Pani domu, przy Pani... Gdybyż ten wieczór, ta przechadzka mogła trwać bez końca. Nie śmiem pisać o tym, co mnie wzruszyło. Nie chciało mi się wierzyć, że przez cztery miesiące nie będę oglądał drogich Pani rysów; nie potrafię uwierzyć, że nic mi nie grozi, gdy Martę czekają nowe wrażenia. Tyle nadziei, wątpliwości, szczęścia i utrapienia zawarły w sobie te dwa krótkie tygodnie. Ale ja nie obawiam się niczego. Gdybym miał choćby najmniejsze wątpliwości, nigdy bym nie ujawnił Pani moich uczuć...

Brak mi słów. Nie umiem w tym liście wyrazić tego wszystkiego, co mam jeszcze do powiedzenia. Nie śmiem dokończyć zdania, wiersza, na który spojrzenie dziewczęce może zezwolić lub którego może wzbronić. Powiem tylko tyle: kiedy zobaczymy się po raz ostatni przed wyjazdem, pragnąłbym zwrócić się do mojej ukochanej, mojej uwielbianej, mówiąc do niej Ty i być pewnym, że związek, który zapewne przez długi czas musi pozostać tajemnicą, będzie trwały".

10

Eli powiedział, że przemyci list tak, żeby pani Bernays o niczym się nie dowiedziała. Przez cały piątek Zygmunt martwił się, czy nie postąpił zbyt pochopnie. A może ona wcale nie odwzajemnia jego uczuć? Wyjedzie w niedzielę, bez słowa, pozostawiając go na całe lato w niepewności. Nie umiał też wymyślić pretekstu, by w tak krótkim czasie znów złożyć wizytę Bernaysom. Pani Bernays zstąpi z „wyżyn hamburskiej arogancji" i zakończy ich romans.

Sobota składała się z minut płynących jak powolna rzeka. Przełykał każdą kroplę, krążył po mieszkaniu, chodził po ulicach, gubił się w myślach napływających bez ładu i składu. O piątej, kiedy przemierzał wąski pasek podłogi między biurkiem i regałami na książki a tapczanem i komodą, uważając, by nie uderzać o meble, usłyszał głosy w hallu. Wybiegł na spotkanie Ignacego, Minny, Eliego i Anny. Była z nimi i Marta.

Popołudniowa kawa to dla wiedeńczyka najprzyjemniejsza chwila dnia. Obiad w południe jest sprawą poważną; spożywa się wówczas główny posiłek. Na kolację zjada się to, co zostało z obiadu, i omawia wydarzenia całego dnia. Co innego kawa. Pora prawdziwie towarzyska. Pogodna, ożywiona rozmowa płynie swobodnie, tak jak kawa z dzbanka, i taką samą ma konsystencję. Dominuje aromat prażonych ziaren, atmosfera odprężenia i *Gemütlichkeit*. Każdy wie, że ma swe miejsce na świecie, choćby najskromniejsze; oto sprawy, o których warto posłuchać i warto opowiedzieć; może niezbyt ważne, ale i niezbyt błahe. Człowiek czuje się potrzebny. Śmiech oznacza tylko dobry humor. Jedyna godzina w ciągu dnia, której nikt nie może popsuć, nikt nikomu odebrać.

Aleksander opowiadał o sztuce Nestroya, którą niedawno widział w Volkstheater. Anna sięgnęła po Sachertorte, ostatnimi czasy rzadki przysmak w domu Freudów, częstując wszystkich po kolei cienkimi kawałkami czekoladowego tortu przekładanego konfiturami malinowymi i pokrytego twardym lśniącym czekoladowym lukrem. Z rąk do rąk przechodził talerz z górą bitej śmietany, którą nakładano na ciasto. Tort Sachera to przecież kwintesencja wiedeńskości.

Zygmunt spoglądał ukradkiem na Martę siedzącą przy drugim końcu stołu. Zdawał sobie sprawę, że już od dłuższej chwili siedzi jak bałwan i że zaraz jego milczenie zacznie zwracać uwagę.

– Przypomniałem sobie historię sporu między Sacherem a Demelem o to, który z nich jest twórcą oryginalnego Sachertorte – powiedział głośno, ściągając na siebie spojrzenia. – Obie strony tak się rozindyczyły, że postanowiono poprosić o arbitraż samego cesarza Franciszka Józefa. Pewnej niedzieli cały Wiedeń zleciał się do ogrodów za Schönbrunnem, gdy w pałacu cesarz i cały rząd próbowali wpierw jednego tortu, a potem drugiego. O zmierzchu wyszli na balkon. Cesarz oznajmił zebranym tłumom: „Po uważnym wypróbowaniu i porównaniu podjęliśmy decyzję. Oba torty są oryginalne".

Zygmuntowi zdawało się, że Marta jakby ze zdziwieniem uniosła brew. Wstał i przeszedł do salonu. Kotary były rozsunięte, ale w pokoju panował chłód, przed słońcem bowiem chroniły pokój białe koronkowe firanki. Czekał na środku pokoju. Weszła Marta. Nikt im tu nie będzie przeszkadzał, mogli rozmawiać spokojnie, jakby siedzieli na łąkach Prateru, szukając pierwszych wiosennych fiołków.

– Marto, dostałaś mój list?

– Tak, Zygmusiu, dopiero dziś rano.

Po raz pierwszy użyła zdrobnienia. Przeszył go dreszcz. Zły był na siebie, że jest taki nieśmiały, że brak mu odwagi. Czyż jednak nie oświadczył się w liście? Teraz wszystko od niej zależało.

– Wczoraj w Baden myślałam o tobie. Przywiozłam ci tę gałązkę kwitnącej lipy.

Sięgnął po gałązkę i pochylił nad nią twarz, by wchłonąć cierpki zapach kwiatów... ale natrafił na coś twardego. Przyjrzał się bliżej, zobaczył między białymi kwiatami jakby złoty błysk i oto w jego palcach znalazł się pierścień z perłą.

– Marto... nie rozumiem... Co to za pierścień?

– Nosił go mój ojciec. Chcę, żebyś ty go teraz miał.

Włożył pierścień na mały palec, tylko na ten palec pasował, odłożył gałązkę i objął Martę.

– Cóż za cudowna odpowiedź na mój list. Marto! Nawet nie wiesz, jak bardzo cię kocham.

– I ja ciebie kocham, Zygmusiu.

Trzymał ją mocno w objęciach, jakby już nigdy nie miał jej wypuścić. Ona splotła ramiona na jego szyi. Pocałował ją w usta. Usta Marty nie były już tak chłodne jak za pierwszym razem w ogrodzie, ale ciepłe, lekko rozwarte, jakby chłonęły bez reszty miłość i życie.

Usiedli na kanapie, trzymając się za ręce. Nigdy dotąd nie czuł się jeszcze tak szczęśliwy. Kiedy wreszcie oderwał swe wargi od jej ust, powiedział:

– Nie mam dla ciebie żadnego prezentu. Ale zamówię dokładną kopię tego pierścionka; będziesz mogła go nosić i matka nie będzie o niczym wiedziała. Nasze narzeczeństwo musimy utrzymać w tajemnicy i potrwa ono długo.

– A jak długo ma trwać to „długo"?

– Nasi przodkowie orzekli, że siedem lat.

– Będę czekała.

Marta wstała i podeszła do stolika, na którym przedtem położyła małe pudełko z tekowego drewna. Podała mu je.

– Pamiętasz, coś mi powiedział przy kolacji, kiedy wziąłeś do ręki moją wizytówkę? O pierwotnych wierzeniach we władanie? Przyniosłam lepszy zastaw.

Była to zrobiona niedawno fotografia. Trzymał ją przed sobą na długość wyciągniętej ręki. Ze zdjęcia patrzyła na niego Marta. Szeroko rozstawione oczy, trochę za duże na szczupłej twarzy. Usta nieco zbyt pełne, stanowczy nos i podbródek.

50

– W sumie – stwierdził – najpiękniejsza dama, jaką mi się zdarzyło widzieć w życiu.

Z trudem odrywał wzrok od fotografii, by patrzeć na model. Marta śledziła malujące się na jego twarzy uczucia, których nie potrafił ukryć.

– Jak sądzisz, Zygmusiu? Czy Ewa, kusząc Adama, przerwała na chwilę, by obrać jabłko?

– Wątpię. Zbyt spieszno im było wydostać się z raju na grzeszny świat.

– Czy świat naprawdę jest grzeszny?

– Tyle chyba o tym wiem co ty. Póki nie padłem ofiarą magicznych sztuczek Marty, tkwiłem w moim laboratorium jak w celi.

– Wierzysz w magię?

– W miłości? Ponad wszelką wątpliwość. Kochanie, będziemy musieli się ukrywać. Jak mam pisać do ciebie? Potok listów adresowanych męską ręką wyda się podejrzany w domu twego wujka. Czy mogłabyś swoim pismem zaadresować kilka kopert?

– Oczywiście.

– Jesteś aniołem. Być może to, co najbardziej w tobie kocham, to twoja dobroć.

Wyrwała mu się z objęć.

– Nie myl dobroci ze słabością. Strzeż się ludzi naprawdę dobrych. Mają żelazną wolę.

Bardziej był rozbawiony niż zastraszony tymi słowami.

– Wiem, że jesteś silna. Ale we właściwy sposób. Nie mogę się dopatrzyć w twoim charakterze cech ukrytych lub ukrywanych. Wierzę, że jesteś taka, jaką chcesz być. To ja jestem skomplikowany i pełen sprzeczności. Moi przyjaciele zawsze uważali mnie za cynika. A ja, mając za sobą studiowanie nauk ścisłych, nigdy nie uważałem siebie za człowieka sentymentalnego. Bawiły mnie klasyczne opowieści miłosne, nauczyły mnie wiele, nie mogłem jednak sobie wyobrazić siebie w roli zakochanego. Oczywiście wiedziałem, że pewnego dnia miłość się pojawi, powoli, ostrożnie... Ale żeby napadła mnie jak pantera w lesie! Niewiarygodne! Nie sądziłem, że jestem aż tak bezbronny. Mam już przecież dwadzieścia sześć lat. Na wierszach miłosnych literatury światowej przeprowadzałem sekcję jak na zwłokach. Jakie mam prawo, ja, który widzę, jak to misterium rozgrywa się na moich oczach, odrzucać tak stanowczo tajemnice Płonącego Krzaka, któremu anioł kazał płonąć przed Mojżeszem? Jakże mogę wątpić w cud nakarmienia rzeszy ludzkiej przez Chrystusa?

Marta oparła głowę o jego pierś i unosząc ku niemu oczy, zapytała:

– Czy wiesz, co chciałabym otrzymać jako prezent zaręczynowy? Te wiersze miłosne, o których wspominałeś.

– Heinego czy Szekspira?

– Jednego i drugiego.

– Więc wpierw Heine:

> Tylko raz jeszcze cię ujrzeć
> I klęknąć, sam na sam,
> I umierając, powiedzieć:
> „Ja kocham panią, madame!"[*]

– To zbyt smutne. Nikt nie umiera. Czy Szekspir jest pogodniejszy?

– Posłuchaj, co mówi Błazen w *Wieczorze Trzech Króli:*

> Miłość, o droga, jutra nie czeka,
> Bo śmiech i radość dzisiaj ucieka,
> Kto wie, co jutro urodzi.
> Kto wciąż odwleka, umiera z głodu,
> Więc daj mi, droga, ust twoich miodu,
> Bo młodość jak kwiat przechodzi[**].

Spojrzała na niego z powagą.

– To nie będzie takie proste? Prawda, kochanie?

– Nie, Marto. Czekają nas trudności, których nawet domyślać się nie możemy. Zapamiętamy sobie jednak ostatnie słowa Błazna: „Bo młodość jak kwiat przechodzi".

---

[*] Przełożył Robert Stiller.
[**] Przełożył Leon Ulrich.

Księga druga

Dusza tęskniąca

1

Das Allgemeines Krankenhaus, szpital, w którym Zygmunt miał spędzić następne trzy lub cztery lata, wznoszono powoli. W roku 1693, przed stu dziewięćdziesięciu laty, wystawiono w tym miejscu przytułek dla ubogich, nazwany od Pierwszego Pawilonu, wokół którego powstał, Der Grosse Hof (Wielki Pawilon). W roku 1726 zakończono budowę nowego budynku koło Drugiego Pawilonu, przeznaczonego dla małżeństw i ludzi owdowiałych. Przez następne półwiecze wybudowano kolejne gmachy: „Pawilon Chorych", „Pawilon Gospodarczy", „Pawilon Rzemieślników", „Pawilon Studentów"... Cesarz Józef II, idealista i wizjoner, powróciwszy z podróży po Europie, którą odbył incognito, ogłosił w roku 1783, że „Das Grossarmenhaus", Wielki Przytułek dla Ubogich, przekształcony zostaje na Szpital Powszechny na wzór Hôtel de Dieu w Paryżu. Szpital miał być wyposażony zgodnie z najnowszymi osiągnięciami nauki i techniki. Przebudowano i unowocześniono budynki, zainstalowano wodociągi i kanalizację, usunięto piece stojące dotąd na środku pokojów, postawiono kuchnie, poszerzono okna i przestrzeń przeznaczoną na każde łóżko powiększono do półtora metra. Naprzeciwko szpitala, po drugiej stronie ulicy, wyznaczono specjalne miejsce, gdzie palono śmiecie, zabroniono wrzucać martwe zwierzęta do strumyka Alser, który płynął tuż obok. Chorym odbywającym kwarantannę siostry podawały jedzenie tylko przez okna.

Wspaniała kariera Szpitala Powszechnego rozpoczęła się, kiedy na jego teren przeniesiono wydział medyczny Uniwersytetu Wiedeńskiego. Stał się on z czasem jednym z największych ośrodków badawczych na świecie. Profesorowie tej uczelni zaliczali się do najbardziej szanowanych obywateli monarchii austro-węgierskiej, a prowadzone w szpitalu prace badawcze przysparzały mu olbrzymiej sławy.

Stał się więc szpital państwem w państwie. W kilkunastu rozległych czworobocznych gmachach pomieściło się dwadzieścia wydziałów oraz czternaście instytutów i klinik. Gmachy te, z których każdy miał swój własny dziedziniec z pięknie utrzymanym ogrodem, połączono sklepionymi korytarzami, cały zaś teren o powierzchni dwustu pięćdziesięciu akrów oddzielono od zewnętrznego świata wysokimi murami. Wodę doprowadzano specjalnymi rurami z Semmeringu położonego wysoko na wzgórzach. Na każdym piętrze była woda bieżąca. Produkty dostarczano z zewnątrz, ale posiłki przygotowywano w kuchniach szpitalnych. Lekarze mieli swoją czytelnię, a dla dwudziestu pięciu tysięcy chorych, którzy przewijali się przez dwa tysiące łóżek szpitalnych w ciągu roku, była osobna biblioteka. Pawilony miały oświetlenie gazowe. Elektryczności i telefonów, wynalazków świeżej daty, używano jedynie eksperymentalnie. W zimie sale ogrzewano piecami koksowymi, w lecie można było otworzyć górne połowy okien, by wpuścić świeże powietrze. Szpital miał swą kaplicę katolicką, a w obrębie Szóstego Pawilonu znajdowała się ośmiokątna synagoga dla pacjentów i lekarzy Żydów. W Piątym Pawilonie zainstalowano łaźnię z oddzielnymi kabinami wyposażonymi w wanny i łaźnię parową. Przy każdej sali w małych pomieszczeniach zainstalowano kuchenki do przygotowywania herbaty, w należytej zaś odległości, zabezpieczającej przed nieprzyjemnymi zapachami, znajdowały się klozety z wodą bieżącą. Dawne niehigieniczne materace wypełniane słomą zastąpiono nowymi, trzyczęściowymi, z włosia, w których wymieniano każdy segment z osobna, tak by pacjent zawsze leżał na twardym i równym posłaniu. Śmiertelność była niska, zaledwie czternaście procent. Opłaty stosowano zróżnicowane, od czterech guldenów dla pacjentów pierwszej kategorii do sześciu grajcarów dziennie dla niezamożnych wiedeńczyków. Ubodzy otrzymywali opiekę lekarską za darmo. Zawsze pełny oddział położniczy, na którym kształcili się zarówno ginekolodzy, jak i akuszerki, pobierał opłatę w wysokości trzydziestu sześciu grajcarów dziennie za pokój, jedzenie i opiekę lekarską przy porodzie.

2

W sali operacyjnej doktora Teodora Billrotha na drugim piętrze kliniki chirurgicznej, której okna wychodziły na Pierwszy Pawilon, panowało napięcie. Wysoki grecki fryz dzielił stół operacyjny od stromego amfiteatru. Kiedy Zygmunt tam dotarł, wstąpiwszy uprzednio do kancelarii, by się zapisać na kurs, zastał już wszystkie miejsca zajęte. Chirurdzy wiedeńscy stawili się tłumnie, by obserwować przeprowadzaną po raz drugi przez profesora Billrotha, odkrytą przez niego „resekcję". Od dawna już wiadomo było, że człowiek może przeżyć utratę nogi lub ręki, wojna nie skąpiła przykładów. Nie wiedziano jednak, że można usunąć fragment trzewi ludzkich, na których utworzył się guz, i potem zszyć końce jelita lub żołądka.

Zygmunt przyłączył się do grupy około dwudziestu lekarzy siedzących na parapecie okna lub stojących na schodach za fryzem. Na trzydziestogodzinnym kursie chirurgii klinicznej u Billrotha wiele się nauczył z patologii, mało jednak dowiedział o chirurgii. Po części była to jego własna wina; nie zamierzał nigdy operować pacjentów. Część jednak winy spadała na Billrotha, który oświadczył: „Daremne jest prowadzenie specjalnych kursów operowania dla studentów. Operacje typowe omawiane są i demonstrowane studentom na trupach; mogą je również obejrzeć sobie w klinice".

Billroth był znakomitym wykładowcą i miał licznych wielbicieli stawiających się tłumnie na jego wykłady. Zygmunt jednak nigdy osobiście nie zetknął się z profesorem. Teraz, kiedy przygotowywał się do praktyki ogólnej, musiał nauczyć się zabiegów chirurgicznych. W nagłym wypadku życie pacjenta mogło zależeć od jego umiejętności posługiwania się skalpelem. Bez tych umiejętności nie byłby dobrym lekarzem, a przecież nie miał najmniejszego zamiaru zostać lekarzem przeciętnym lub kiepskim.

Profesor Billroth był jednym z tych, którzy przekształcili chirurgię z prymitywnego rzemiosła uprawianego przez cyrulików w sztukę ścisłą i udokumentowaną. On też pierwszy ośmielił się publikować sprawozdania z przeprowadzanych operacji; była to lektura makabryczna, ponieważ znacznie więcej wykonywano zabiegów nieudanych niż udanych. Billroth jednak nie ustępował: „Niepowodzenia muszą być podawane do ogólnej wiadomości natychmiast, bez tuszowania naszych błędów. Jest rzeczą znacznie ważniejszą wiedzieć wszystko o jednym zabiegu nieudanym niż o kilkunastu udanych operacjach".

Przed sześciu laty, w roku 1876, opublikował książkę stanowiącą zjadliwy atak na średniowieczne metody, wciąż jeszcze stosowane w szkołach medycznych. Proponował reorganizację szkół. Na pięciu stronicach zadał straszliwy cios osiągniętej z takim trudem harmonii, jaka panowała na wydziale medycznym uniwersytetu. W rozdziale zatytułowanym „Typy studentów, Żydzi w Wiedniu" Billroth pisał:

„Słusznie powiada się, że w Wiedniu jest więcej ubogich studentów niż gdziekolwiek indziej i że należy im pomagać, ponieważ życie w Wiedniu jest bardzo drogie. Gdybyż to jednak była tylko kwestia ubóstwa... Młodzi ludzie, przeważnie Żydzi, absolutnie bez grosza, przybywają do Wiednia z obłędną ideą, że tu będą mogli zarobić pieniądze, udzielając lekcji, znajdując jakieś drobne zajęcia na giełdzie, sprzedając zapałki czy pracując na poczcie lub w telegrafie... a równocześnie studiując medycynę... Jakiś kupiec żydowski z Galicji lub z Węgier... który zarabia w sam raz tyle, by uchronić siebie i swoją rodzinę od śmierci głodowej, ma bardzo przeciętnie uzdolnionego syna. Próżność matki domaga się, by w rodzinie był uczony, talmudysta. Za cenę strasznego wysiłku posyła się go do szkoły i chłopak z największym trudem robi maturę. Potem przyjeżdża do Wiednia, nie mając ze sobą nic poza ubraniem. Tego rodzaju ludzie żadną miarą nie powinni wybierać kariery naukowej...".

Na to właśnie oświadczenie zareagował tak gwałtownie profesor Brücke. Do tej pory antysemityzm, jeśli nawet istniał w uśpionej postaci, skrzętnie ukrywano. Co prawda nie na płaszczyźnie towarzyskiej, ale na intelektualnej, artystycznej i naukowej Żydzi swobodnie obcowali z nie-Żydami. Publiczny atak Billrotha był pierwszym takim wystąpieniem od czasów cesarza Leopolda I, który w latach 1669–1670 zmusił Żydów do opuszczenia Starego Miasta i osiedlenia się na drugim brzegu Dunaju, na terenach przyszłego Drugiego Obwodu. Przesąd został ponownie usankcjonowany.

Teodor Billroth chciał zostać muzykiem, lecz rodzice nakłonili go do pójścia na medycynę. Jego najserdeczniejszy przyjaciel, Jan Brahms, wiele swych utworów wykonał po raz pierwszy w domu Billrotha. Obaj panowie profesorowie, Billroth i Brüke, byli melomanami; na wpół naukowcami, na wpół artystami.

A teraz siedmiu asystentów i profesorów nadzwyczajnych otaczało chorego, czekając na przybycie szefa. Zamknięte okna chroniły przed sierpniową spiekotą, w sali panowała cisza pełna szacunku, wszystkie oczy zwrócone były ku drzwiom. Już w okresie studiów Zygmunt przestał reagować na szpitalne odory.

Wszedł doktor Billroth, przystojny mężczyzna w wieku pięćdziesięciu trzech lat. Twarz jego zdobiła krótka szpakowata broda; binokle nisko zsunęły się na nosie. Asystenci stanęli na baczność, studenci i zaproszeni chirurdzy wstali. Billroth, który operował cesarzy, królów i różnych potentatów z Turcji, Rosji i ze Wschodu, ubierał się wytwornie. Zygmunt słyszał, że zarobki jego sięgały stu tysięcy guldenów rocznie. Oddano mu bezpłatnie do dyspozycji szpital, sale operacyjne, wyposażenie, asystentów i młodych profesorów. Miał poza tym swą własną klinikę prywatną. Asystenci Billrotha w szpitalu otrzymywali trzydzieści sześć guldenów miesięcznie, profesorowie nadzwyczajni zaś, choć wielu z nich było już panami w średnim wieku, mającymi rodziny na utrzymaniu, zarabiali sto sześćdziesiąt. Bez zgody Billrotha nie wolno im było mieć praktyki prywatnej. Każdemu z nich pozwalał jednak Billroth od czasu do czasu na przeprowadzenie operacji za honorarium, co, jak sądził Zygmunt, umożliwiało im przetrwanie.

Billroth odwinął rękawy swego surduta z angielskiego sukna. Nie zezwalał na białe fartuchy w salach, w których operował, uważając, że chirurdzy wyglądają w nich jak fryzjerzy. Nikt nie wkładał rękawiczek. Pielęgniarki nie były dopuszczane na salę. Skinął głową szefowi swego personelu, doktorowi Antoniemu Wölfflerowi, który uniósł trzymany w ręku raport, i zaczął go odczytywać bezbarwnym głosem:

„Pacjent nazywa się Józef Mirbeth. Lat czterdzieści trzy. Wydaje się, że napił się kwasu azotowego w przekonaniu, że jest to lemoniada. Objawy: może spożywać tylko płyny, wymiotuje wszystko, co przełknie, silny ucisk na brzuch i bóle w plecach. Diagnoza: guz żołądka".

Jeden z asystentów przykrył twarz pacjenta sześcioma warstwami gazy, którą skrapiano chloroformem. Billroth zrobił równe nacięcia, jedno równoległe do żeber, długości trzydziestu centymetrów, i drugie na dwa centymetry poniżej pępka. Przeciął naczynia krwionośne między żołądkiem i jelitem grubym. Uwolnił w ten sposób żołądek. Asystenci założyli klamry na naczynia krwionośne i metalowe haki rozwierające ranę. Inni tamponowali krew. Zygmunt zdziwił się, że tej krwi nie było dużo. Operując, Billroth szczegółowo opisywał swe czynności, a jeden z asystentów notował jego słowa w karcie chorego, pod dokładnym rysunkiem nacięcia.

Podtrzymując ręką żołądek i dwunastnicę, Billroth mógł już teraz bez trudu naciąć je skalpelem. Po nacięciu ukazała się biała tkanka na kształt taśmy, kończąca się promieniście po zewnętrznej stronie odźwiernika. Billroth natychmiast przerwał zabieg.

– Byliśmy w błędzie – powiedział. – To nie jest ani guz, ani wrzód. Ściany dwunastnicy zgrubiały do tego stopnia, że przejdzie przez nią tylko szpilka. Musimy usunąć dziesięć centymetrów dwunastnicy i żołądka.

Asystent nadal skrapiał gazę chloroformem. Billroth zaś przystąpił do usuwania przeszkody. Ponieważ otwór dwunastnicy był o połowę węższy od otworu żołądka, zaszył połowę żołądka, zanim dopasował do siebie oba otwory. Następnie zszył je ze sobą, upewniwszy się, że połączenie jest całkowicie szczelne i uniemożliwia przedostanie się stałego pokarmu lub płynów. Następnie zacisnął nacięcie jedwabną ligaturą.

Operacja była skończona. Trwała godzinę i kwadrans. Usunięte części żołądka umieszczono w słoju przeznaczonym dla laboratorium patologicznego. Billroth umył ręce w roztworze dwuchlorku. Najmłodszy asystent podał mu ręcznik. Profesor wytarł ręce, odwinął niezabrudzone rękawy żakietu, złożył ceremonialny ukłon swemu personelowi i audytorium, po czym majestatycznym krokiem opuścił salę.

W ślad za profesorem wyszli studenci i część lekarzy. Rozmawiali ze sobą półgłosem, ale szmerek podziwu docierał do wszystkich na sali. Pozostał już tylko personel Billrotha i kilkunastu studentów chirurgii, wśród nich Zygmunt. Ciasnym kręgiem otoczyli stół operacyjny. Główny asystent Billrotha, doktor Wölffler, przygotowywał się do przeprowadzenia operacji na następnym pacjencie, który miał wrzody na głowie, odczuwał ból w biodrze i stracił władzę w jednej nodze.

– Nie wiem – mówił Wölffler – czy istnieje jakiś związek między wrzodami na głowie a bezwładną nogą. Zrobimy punkcję chorego stawu kolanowego i wyciągniemy ropę.

Żółty płyn został wyciągnięty, rana skauteryzowana, po czym kolano zabandażowano. Wracając do domu na obiad przez Joseph-Strasse, Zygmunt myślał z żalem o tym, że przez najbliższych kilka miesięcy nie będzie oglądał pokazów magii Billrotha, który wyjeżdżał na wakacje do Włoch, gdzie miał się spotkać ze swym przyjacielem Brahmsem.

Obowiązki aspiranta na chirurgii zmuszały doktora Zygmunta Freuda do przebywania w szpitalu od ósmej do dziesiątej rano i od czwartej do szóstej po południu. Do jego powinności należało skrupulatne prowadzenie kart ewidencyjnych pacjentów. Od dziesiątej wieczór do północy czytał. Czas między dyżurami na sali również poświęcał na studiowanie literatury chirurgicznej, prasy medycznej i w miarę możliwości na oglądanie operacji. Sala operacyjna stała się jego kwaterą główną. Było to duże, przyjemne, wybielone pomieszczenie, pełne światła słonecznego wpadającego przez wysokie okna. Okna te wychodziły na dziedziniec Pierwszego Pawilonu, gdzie w cieniu lip spacerowali rekonwalescenci w niebieskich pasiastych szlafrokach.

Powróciwszy pewnego razu na dyżur popołudniowy, Zygmunt stwierdził, że pacjent Billrotha Józef Mirbeth skarży się co prawda na mdłości, ale oświadczył, że bóle mu przeszły. Zygmunta zdumiał tak szybki powrót do zdrowia, a także brak gorączki.

Następna pacjentka, pięćdziesięcioletnia Maria Gehring, była po operacji raka piersi. Potem odwiedził siedmioletnią Lenassę Anton. Po pierwszej operacji miała krótszą nogę, którą musiano jeszcze raz łamać i oczyścić. Czterdziestopięcioletni Jakub Kipflinger miał opuchnięte i zainfekowane ramię. U dwóch pacjentów stwierdzono stan nienadający się do operowania. Odesłano ich do domu, by tam czekali na śmierć.

Zygmuntowi nie wolno było brać lancetu do ręki. Pomagał przy drenowaniu ran, zakładaniu haków, bandażowaniu. Pod nieobecność Billrotha dyscyplina stawała się luźniejsza; każdy z asystentów mógł podejść bliżej do operowanego i przypatrywać się, jak należy się posługiwać narzędziami chirurgicznymi. Na sali panowała atmosfera koleżeńska, szczególnie wśród młodych kawalerów, którzy już mieli swój stały stolik w pobliskiej kawiarni, gdzie mogli spożyć późną kolację.

Pacjenci, którymi opiekował się Zygmunt, czuli się dobrze. Wypisywano jednego po drugim, tylko u Mirbetha na czwarty dzień po operacji pojawiły się komplikacje. Całemu oddziałowi bardzo zależało na tym pacjencie, i Zygmunt otaczał go specjalną opieką, lecz na szósty dzień chory zaczął tracić przytomność. Kaszlał od kilku dni, tym jednak nikt się nie przejmował, ale teraz temperatura wzrosła gwałtownie i puls był przyśpieszony. Sprawdzając historię choroby, Zygmunt zobaczył świeżą notatkę o tym, że Mirbeth poczuł ostatnio ostre bóle w żołądku.

Była już północ, ale Zygmunt nie mógł odejść od chorego. Towarzyszyło mu dwóch asystentów Billrotha. Próbowali prostych środków, zimnych okładów, pacjenta jednak szybko opuszczały siły. Umarł o trzeciej nad ranem. Zygmunt bardzo się tym przejął.

Następnego dnia przyszedł do szpitala przed ósmą. Chciał porozmawiać z doktorem Wölfflerem. Ten trzydziestodwuletni mężczyzna z pięknie utrzymanymi wąsami i brodą był zdolnym chirurgiem, o czym Zygmunt miał okazję przekonać się, gdy obserwował go przy operacji zajęczej wargi niemowlęcia, przy usuwaniu rakowatego oka i podczas operacji ginekologicznej, kiedy zdawało się, że usuwa pacjentce połowę brzucha.

– Panie doktorze – zapytał Wölfflera – czy zbadana zostanie przyczyna śmierci Mirbetha?

– Nie mamy takiego polecenia, panie kolego. Ciało zostanie przesłane do prosektorium, ale nie będziemy prosili o wynik sekcji.

– A więc nie dowiemy się, czy umarł na zapalenie otrzewnej, czy na zapalenie płuc, czy też wskutek ponownego zablokowania żołądka...

– Panie doktorze. U nas w szpitalu śmierć nie jest mile widziana. Zawiera zbyt wiele niewiadomych, jak sam pan widział. Mirbeth i tak do tej pory umarłby już z głodu. Tyle przynajmniej skorzystaliśmy, że operacja wzbogaciła nasze doświadczenia w dziedzinie operowania żołądka i dwunastnicy. Prawdopodobnie nie powiedzie się nam w pierwszych stu przypadkach. Z czasem jednak technika zostanie udoskonalona i chirurdzy na całym świecie będą mogli przeprowadzać udane operacje.

Zygmunt opuścił głowę.

– Dziękuję za okazaną mi cierpliwość – powiedział, rozstając się z Wölfflerem. Kiedy jednak przechodził obok pustego łóżka Mirbetha, pomyślał sobie: „Jakże więc opublikuje Billroth wyniki operacji, nie przemilczając niepowodzenia, by użyć jego własnych słów, skoro nie usiłujemy dowiedzieć się, jaki popełniliśmy błąd. Czego nauczyliśmy się z przypadku Mirbetha? Mamy szczegółowe wykresy operacji i historię choroby, ale jaka była faktycznie przyczyna śmierci?".

3

Człowiek, który nigdy nie kochał, wie o krajobrazie zazdrości tyle, co o ciemnej stronie księżyca. Zygmunt był strapiony po kilku atakach zaborczości, do jakiej nie podejrzewał, że jest zdolny. Pierwszy raz zdarzyło mu się coś takiego na dwa dni przed wycieczką do Mödlinga. Przyszedł z wizytą do Bernaysów i zastał Martę przy pracy nad albumem muzycznym dla Maksa Mayera, starszego kuzyna, którego bardzo lubiła. Widząc, z jakim zadowoleniem siedzi nad arkuszami papieru nutowego, poczuł przypływ zazdrości: „Za późno, ona kocha Maksa. Nie ma dla mnie żadnej nadziei..." Opamiętał się jednak. „Przecież ona tylko przygotowuje prezent dla kuzyna w Hamburgu. Jeszcze nikogo nie kocha. Ciebie wybierze; tylko nie śpiesz się, nie unoś. Nie ośmieszaj się w jej oczach".

Drugiego epizodu nie dało się ukryć. O zaręczynach Zygmunta z Martą wiedzieli oczywiście wszyscy ich młodzi przyjaciele. Malarz Fritz Wahle, z którym Zygmunt od lat się przyjaźnił, przyniósł Marcie kilka książek z dziedziny historii sztuki, o których chciał z nią porozmawiać. Chociaż Fritz był zaręczony z kuzynką Marty, Elizą, Zygmunt się zaniepokoił.

– Fritz – powiedział do Wahlego – artyści i naukowcy z natury rzeczy są antagonistami. Wam sztuka daje klucz do serc niewieścich, gdy my stajemy bezbronni przed tą twierdzą.

Odtąd unikał Fritza i przestał z nim rozmawiać. Do spotkania między nimi doprowadził Ignacy Schönberg. Siedzieli przy stoliku w kawiarni Kurzweila. Wahle mieszał łyżeczką swą dużą czarną, jakby to była gęsta grochówka. W końcu spojrzał w oczy Zygmuntowi.

– Zygmuncie, jeśli nie uszczęśliwisz Marty, zastrzelę pierw ciebie, a potem siebie.

Zygmunt był zakłopotany, roześmiał się sztucznie, ale to wystarczyło, by Wahle wpadł we wściekłość.

– Śmiejesz się? Wystarczy, bym napisał do Marty, żeby cię rzuciła, a zrobi tak, jak ja jej każę.

– Uspokój się, Fritz. Nie jesteś już jej nauczycielem i nie możesz jej pouczać.

– Zobaczymy! Panie ober, papier i pióro!

Doprowadzony do pasji, Wahle zaczął pisać. Zygmunt wyrwał mu arkusik papieru i zobaczył, że Fritz pisze do Marty w tym samym namiętnym tonie, którego on sam używał w swych listach. A więc Fritz kochał się w Marcie, a nie w kuzynce Elizie! Porwał list na kawałki.

Fritz wybiegł z kawiarni. Tej nocy Zygmunt niewiele spał. Czyżby Marta robiła jakieś nadzieje Fritzowi? Napisał do niej:

„Jestem od niego twardszy i gdy się zmierzymy, sam się o tym przekona". Fritz był zaręczony z Elizą, ale „tylko w logice sprzeczności nie dają się pogodzić; w uczuciach mogą spokojnie istnieć obok siebie... A już z pewnością nie wolno przekreślać możliwości takich sprzecznych uczuć u artystów, ludzi, którzy nie poddają swego życia duchowego ścisłej kontroli rozumu...".

Posługując się swą własną „ścisłą kontrolą rozumu", tłumaczył Marcie, że będzie musiała zerwać z Fritzem. Na żadne inne rozwiązanie nie przystanie. Marta odmówiła. Odpowiedziała mu, że łączy ją z Fritzem prawdziwa przyjaźń i że okrucieństwem byłoby ją zniszczyć. Miała prawo do niewinnej przyjaźni i napisze do Fritza, by upewnić go, że między nimi wszystko zostanie po staremu.

Zygmunt wiedział, że Marta nie jest uległa. Uprzedzała go przecież, że nawet czarujący ludzie mogą mieć niezłomną wolę. Bardzo mu się ta myśl spodobała, ale teraz, kiedy ich charaktery się starły, przeżywał katusze niepewności i gniewu. Czy Marta naprawdę go kocha, jeśli nie chce go posłuchać w tak zasadniczej sprawie?

Przemierzał ulice, starając się wyładować swe uczucia na kamiennych płytach chodników. Nawet o tej późnej popołudniowej godzinie miasto rozgrzane letnim upałem przypominało rozpalony piec. Pot spływał mu po twarzy, gdy tak pędził przez opustoszałe aleje. Powróciwszy do domu, zasiadł do listu, w którym dał upust uczuciom szalejącym w jego niedoświadczonym sercu. Nie szczędził siebie i swej narzeczonej. Przecież nie powinien niczego ukrywać przed Martą. Na czym mają budować swój trwały związek? Oboje zgodzili się, że muszą być wobec siebie całkowicie szczerzy, nie ukrywać swych myśli i uczuć, dzielić się nimi nie jak kochankowie, lecz jak przyjaciele. Ale przypomniał sobie, że to przecież on nalegał na takie postawienie sprawy, że to on nie potrafi żyć inaczej. Czy zdawał sobie sprawę, jakie cierpienia to za sobą pociąga?

Marcie wyznawał bez skrępowania: „Nie umiem panować nad sobą... Gdybym był władny zniszczyć świat cały, z nami włącznie, by wszystko zacząć od nowa – nawet ryzykując, że nie będzie w nim Marty i mnie – zrobiłbym to bez wahania".

Najbardziej denerwowało go, że trzeba będzie czterech dni na wymianę listów. Kiedy jemu już atak przejdzie, Marta będzie czytała jego najrozpaczliwsze wyznania. Wybaczał sobie jednak te wyskoki, ponieważ przyznawał w duchu, choć nie śmiał jeszcze tego powiedzieć Marcie, że on i jego siostra Róża mają „wyraźne skłonności do neurastenii".

Wrócił do szpitala, do codziennej procesji chorych, do kalekich, zdeformowanych ciał, które przywożono na stół operacyjny. Niektóre przypadki były nieskomplikowane, takie jak włożenie w gips zniekształconej nogi osiemnastoletniego Johanna Smejkala. Inne były trudne i wymagały długich zabiegów, cztero- lub pięciogodzinnych: wycięcie ropnia w odbytnicy u Rudolfa Hipfela, usunięcie wola u Walburgi Gorig, operowanie kawałka szczęki u Johanna Denka.

W czasie codziennych dwóch dyżurów Zygmunt miał pod opieką kilka sal. „Chociaż po prawdzie – rozmyślał – niewiele mam tu do roboty. Utrzymanie ran w czystości, mierzenie temperatury, nakazywanie zmiany bandaży lub leków, zapisywanie przebiegu leczenia w karcie choroby". Jego nauczycielami byli sprawni chirurdzy, lecz im bliżej poznawał ich pracę, tym bardziej utwierdzał się w przekonaniu, że nie nadaje się na chirurga. Jeszcze co najmniej dwa lata będzie musiał pracować w prosektorium, zanim wolno mu będzie operować. A przecież ma zostać internistą. Od sześciu już lat trapiła go myśl, że przecież byłoby lepiej, gdyby jako internista kierował w razie potrzeby chorych do chirurga posiadającego właściwe kwalifikacje.

Aspiranci, jako osoby niepobierające poborów, nie mieli w szpitalu ustalonego programu zajęć. Młody lekarz mógł wybrać sobie dowolną specjalizację i przebywać na poszczególnych oddziałach tyle czasu, ile uważał za potrzebne. Nikt mu nie dyktował, dokąd ma się następnie przenieść. W zasadzie przewidywano, że przejdzie przez wszystkie oddziały i w ten sposób będzie przygotowany do każdego zajęcia, od asystowania przy połogu do zwalczania epidemii. Nikt go nie kontrolował i nikt się nim nie interesował. Lekarz był panem swojej osoby.

Zygmunt postanowił spędzić na oddziale chirurgii pełne dwa miesiące. Gdyby odszedł wcześniej, oznaczałoby to przyznanie się do porażki i równocześnie zostałoby potraktowane przez profesora Billrotha i jego personel jako afront. Z chwilą gdy decyzję tę podjął, więcej już się nad nią nie zastanawiał. Podobnie postąpił w czasie studiów, kiedy doszedł do wniosku, że nie ma zdolności do chemii. Człowiek powinien znać swoje słabe strony i zajmować się sprawami, które potrafi opanować.

Niemniej nie był pewny siebie.

Przeżywał depresję. Pisał do Marty, że widzi swą przyszłość w ciemnych barwach. Czekają go długie lata żmudnej pracy, z której niewiele przecież będzie miał pożytku, niekończące się lata czekania. Znalazł się w skostniałym układzie. Tylko jeden z pracowników naukowych miał szansę zdobycia kierowniczego stanowiska w klinice, w instytucie, na wydziale. Reszta do końca życia tkwić będzie w jarzmie, chodzić w kieracie. Jest tylko jeden sposób, by wyrwać się z tego więzienia uniwersyteckiej i administracyjnej hierarchii – porzucić je, wyjechać, zacząć od nowa w jakimś innym kraju. Pytał, czy Marta zechce po ślubie wyjechać z nim do Anglii. Był tam na wakacjach u rodziny i odniósł wrażenie, że w angielskiej medycynie panują swobodniejsze stosunki, że nie jest ona tak „feudalna". Zaimponowali mu jego przyrodni bracia, Filip i Emanuel. Mieszkali, jak angielskim dżentelmenom przystało, w domach z epoki elżbietańskiej, nabrali manier angielskich dżentelmenów i naśladowali ich gościnność. Czyż nie mógłby i on zostać angielskim dżentelmenem, noszącym dobrze skrojone ubranie zamiast tej bezkształtnej szarej kurtki i pomiętych spodni? Brytyjski świat lekarski chętnie przyjmował młodych lekarzy i naukowców, byle tylko wykazali się rzetelną wiedzą, w Anglii zaś, podobnie jak w całej Europie, osiągnięcia wiedeńskiej medycyny ceniono wysoko.

„Będziemy niezależni. Anglia to kraj, w którym rozumie się, co to znaczy niezależność. Jest idealnym państwem dla silnych indywidualności, stara się, przynajmniej pod tym względem, naśladować Grecję".

Marta już przywykła do tych zmiennych nastrojów, do wzlotów nadziei w jednym liście i upadków ducha w następnym. W odpowiedzi pocieszała, słała serdeczne słowa, zachowując równowagę ducha mimo niemal codziennej dawki wielostronicowych listów pisanych nierównym charakterem pisma i podpisanych „Twój wierny Zygmunt". Dawno już wyczerpał się zapas kopert, które mu zawczasu przygotowała i zaadresowała.

Pod koniec sierpnia zaczęło go boleć gardło. Kiedy już prawie nie mógł mówić i przełykać jedzenia, poprosił asystenta Billrotha, by go zbadał.

– Nic dziwnego, że pana boli. To ostra angina. W następstwie infekcji w okolicy migdałków zaczyna tworzyć się wrzód. Lepiej będzie, jeśli go przetnę już teraz, zanim rozszerzy się na podniebienie.

Przeszli do sali operacyjnej. Kolega wziął kauteryzowany lancet i sprawnym ruchem przeciął wrzód. Ból był tak straszliwy, że Zygmunt, nie mogąc wydobyć z siebie głosu, walił pięścią w stół. Z pierścionka Marty wypadła perła i potoczyła się pod szafę stojącą w drugim kącie sali. To było gorsze od noża chirurga. Zygmunt zerwał się i na kolanach zaczął szukać perły.

– Widzę, że za jednym zamachem usunąłem dwa drobiazgi – powiedział chirurg.

Zygmunt uśmiechnął się żałośnie, wypluł ropę i ściskając perłę w dłoni, ruszył do domu. Położył się do łóżka z wysoką gorączką, w stanie głębokiego przygnębienia.

Po kilku dniach był już na nogach, ale pogody ducha nie odzyskał. Coś nie dawało mu spokoju. Perła. Pisał do Marty:

„Napisz mi szczerze, klnąc się na swój honor i sumienie, czy w ubiegły wtorek o jedenastej przed południem mniej mnie kochałaś, bardziej byłaś mną znudzona, czy może byłaś mi «niewierna», jak to mówi piosenka? Zdziwisz się, skąd te niesmaczne, nadęte zaklęcia. Ale jest znakomita sposobność, by wyzbyć się pewnego przesądu". Przy okazji donosił, jak się czuje pod jej nieobecność: „...tęsknota straszliwa, straszliwa – nie jest to dość mocne określenie – raczej niesamowita, monstrualna, upiorna, gigantyczna; jednym słowem: nieopisanie tęsknię za Tobą".

4

Marta wróciła po trzech miesiącach, na początku września. Wydoroślała w ciągu tego lata; niemała rola w tej przemianie przypadła burzliwym listom Zygmunta. Na gładkiej, czystej powierzchni miłosnej idylli pierwszego okresu ich narzeczeństwa zaczęły pojawiać się rysy. Zygmunt sam musiał przyznać, że z jego winy. Kiedy ostatnie guldeny wydał na prezent dla niej, zmyła mu głowę w liście, przypominając, że nie stać go na ekstrawagancje. Odpisał jak obrażony małżonek:

„Musisz raz na zawsze zrezygnować z kategorycznego tonu". Po czym z właściwą sobie zaborczością pouczał ją, że nie jest już ani córką, ani siostrą, lecz przede wszystkim jego ukochaną.

„Pamiętaj o tym, że wrócisz już do mnie, i tylko do mnie, jeśli nawet jako dobra córka będziesz się buntowała przeciw takiemu postawieniu sprawy. Postanowione bowiem to zostało w czasach niepamiętnych, że kobieta musi opuścić swego ojca i swoją matkę i pójść za obranym mężczyzną. Martusiu, nie gniewaj się na mnie za bardzo... czyjąż miłość można porównać z moją?"

Postawił sprawę jasno, on będzie głową rodziny, ona zaś potulną *Hausfrau*. Nie docenił jednak swojej wybranki. Marta odpisała oschle i zgryźliwie. Na tyle przynajmniej stać go było, że przyznał, iż na to zasłużył.

Kiedy w dzień po jej powrocie wybrali się razem podziwiać zmiany, jakie zaszły na wspaniale rozbudowanej Ringstrasse, przekonał się, że te wszystkie nieporozumienia nie zaszkodziły ich miłości. Szli pod rękę, a za nimi, w charakterze przyzwoitek, kroczyli Eli, Minna i Ignacy. Idąc wzdłuż Verbindungs Eisenbahn, dotarli do Parku Miejskiego. Między wysokimi wiązami i jesionami wiła się w gęstych krzakach ścieżka prowadząca na zieloną polanę, gdzie wiedeńczycy zwykle w niedzielę przychodzili napić się kawy i posłuchać muzyki. Z parku wyszli na Parkring.

W tym miejscu, gdzie obecnie jest Ringstrasse, przed czterystu laty mury obronne opasywały śródmieście. Za murami ciągnęły się rozległe błonia, na których żołnierze ćwiczyli musztrę. Póki stały mury, Wiedeń był jakby uwięziony, a śródmieście pozostało średniowiecznym miastem otoczonym pierścieniem fortyfikacji. Armia austriacka uważała, że mury są potrzebne, by chronić warstwy zamożne przed robotniczymi przedmieściami.

Cesarz Franciszek Józef był innego zdania. W grudniu 1857 roku nakazał usunięcie „murów i fortyfikacji śródmieścia, jak też i otaczających je fos". W ciągu długich pięciu lat burzono mury obronne, zasypywano fosy i zabudowywano błonia. W roku 1865 powstała Ringstrasse, dzięki której Wiedeń stał się jednym z najbardziej nowoczesnych i najpiękniejszych miast na świecie. Ulica miała kształt podkowy opartej na kanale Dunaju, nad którym stały rzędem okazałe kamienice. Pyszniła się wspaniałym gmachem Opery, szerokimi bulwarami z białym akropolem Parlamentu, neogotyckim Ratuszem, nowym gmachem uniwersytetu i otwartymi dla publiczności ogrodami, w których w czerwcu kwitły lipy, rozsiewając swój aromat, latem zaś, do późnej jesieni, róże. Ringstrasse stała się symbolem monarchii austro-węgierskiej, równie znakomitym jak Pola Elizejskie w Paryżu, symbolem cesarstwa, które zawsze będzie władało znaczną częścią zachodniego świata.

Zapadał zmrok. Latarnicy zapalali wysokie lampy gazowe za pomocą palników osadzonych na długich tykach, sprawnie wykonując swe złożone czynności. Najpierw specjalnym haczykiem otwierali szklane drzwiczki, następnie odkręcali kurek, syczący płomyk palnika przytykali do otworu, równocześnie regulując dopływ gazu, po czym zamykali drzwiczki i ruszali ku następnej latarni.

– Wiesz, Zygmusiu – zawołała Marta – po kilku miesiącach pobytu w moim rodzinnym mieście stęskniłam się za Wiedniem!

– A może i za mną? – Pocałował ją czule. – Trochę poplączę przenośnie, ale mam takie uczucie, że miłość staje się mocniejszym okrętem, kiedy przetrzyma kilka burz. Wtedy marynarze wiedzą, że nie zatonie przy pierwszym szkwale.

Marta oparła się o pień kasztana.

– Przy złej pogodzie dostaję choroby morskiej. Czy nie byłoby lepiej, gdybyśmy zachowali siły na zmaganie się z przeciwnikiem? Kłótnie między ludźmi, którzy się kochają, są niepotrzebnym trwonieniem energii. Ty zostań na mostku kapitańskim i zajmij się nawigacją, a mnie pozwól pełnić obowiązki mechanika. Obaj oficerowie mają równe prawa na pokładzie, ale różne funkcje.

Jej szczerość zaskoczyła go i trochę zasmuciła.

– Nawet nie wiem, ku jakiemu portowi zmierzam.

Objęła go ramieniem.

– Dlaczego jesteś taki niezadowolony ze swej pracy tego lata?

– Ponieważ nie wydaje mi się, by to, co zrobiłem w ciągu tych dwóch miesięcy, przyśpieszało nasze małżeństwo.

– A więc myśl o naszym ślubie zaczyna cię dręczyć. Nie myśl o niczym innym, tylko o zakończeniu studiów.

– Mnie chyba martwi to, że nie wiem, na jaki wydział się przenieść. Dla praktyki ogólnej dermatologia jest bardzo ważna; ale to niezbyt apetyczna dziedzina. Najwięcej przyjemności sprawiała mi psychologia kliniczna, anatomia mózgu u profesora Meynerta. Cenił moją pracę, kiedy byłem studentem, i mam dla niego głęboki szacunek. Mówi, że mogę zacząć u niego praktykę choćby jutro. Ale równocześnie krążą pogłoski, że został do nas zaproszony profesor Herman Nothnagel z Uniwersytetu Jenejskiego i że przejmie naszą klinikę chorób wewnętrznych. Jeśli to prawda, będzie potrzebował asystentów...

Eli dał znak, że czas wracać.

– Powiedziałam mamie – szepnęła Marta Zygmuntowi – że będziesz u nas na kolacji.

– Czy ona już coś wie?

– Podejrzewa.

– No i co?

– Powtarza bez przerwy: „Dlaczego wszystkie moje dzieci musiały wyszukać sobie partnerów bez grosza? Czyżby ubóstwo było cnotą?".

Kiedy Zygmunt dowiedział się, że Nothnagel został oficjalnie zaproszony do Wiednia, napisał do Breuerów z zapytaniem, czy może przyjść do nich z Martą na podwieczorek. Postanowili, że powiedzą pani Bernays, dokąd idą, i dzięki temu obejdzie się bez przyzwoitki. Marta była w niebieskiej jedwabnej sukni z koronkowym kołnierzykiem i takimiż mankietami. Wiedziała, że Breuerowie imponują Zygmuntowi i że chciałby tak właśnie ułożyć sobie życie rodzinne. Zdawała sobie również sprawę, że znajdzie się na cenzurowanym.

Matyldzie Breuer taka myśl nawet do głowy nie przyszła. Wprowadziła Martę i Zygmunta do jadalni, gdzie już czekał stół nakryty świeżym białym obrusem i zastawiony talerzykami z *Guglhupf* i ciastkami czekoladowymi. Kiedy Józef przyszedł ze swej pracowni, na stole pojawiła się waza z parówkami, które nakładano po parze; w Wiedniu nie do pomyślenia było podanie jednej lub trzech parówek. Matylda położyła jeszcze na każdym talerzu bułeczkę, po czym przecięła nitkę łączącą jej parę parówek. Był to znak do rozpoczęcia podwieczorku.

Matylda Breuer wyglądała ślicznie. Miesiąc w Wenecji zaleczył wszelkie rany. Marta prawie nie tknęła jedzenia. Siedziała cicho, przysłuchując się przeplatanej wesołymi docinkami rozmowie trojga przyjaciół; Matylda wiedziała, jak trudno jest włączyć się nowej osobie, szczególnie młodej pannie, do rozmowy prowadzonej przez starych przyjaciół, starała się więc poświęcać Marcie jak najwięcej uwagi.

Zygmunt opowiedział Józefowi o nominacji Nothnagela i o nadziejach, jakie wiązał z możliwością otrzymania asystentury. Józef słuchał, przechyliwszy głowę i uśmiechając się pobłażliwie.

- Jak na młodego człowieka, który już się pogodził z trudami praktyki prywatnej, bardzo szybko zwijasz żagle.

- Tylko na początku.

Roześmieli się wszyscy i napięcie przy stole zniknęło.

- Ale słusznie robisz, zmierzając w tym kierunku – powiedział Józef.

- Pomyślmy. Poza *Podręcznikiem farmakologii* najsłynniejsze prace Nothnagla to *Diagnoza lokalizacji chorób mózgu* i *Badania doświadczalne nad funkcjami mózgu*. Najbardziej szanowanym przez niego w Wiedniu człowiekiem będzie Teodor Meynert. Musisz natychmiast zdobyć list polecający od Meynerta.

Profesor Nothnagel nie zdążył urządzić się na dobre w swym nowym wiedeńskim mieszkaniu, gdy zjawił się u niego Zygmunt z listem polecającym od profesora Teodora Meynerta. W liście były pochwały „cennych prac histologicznych" Zygmunta i prośba o udzielenie mu posłuchania. W mieszkaniu unosił się jeszcze zapach farby, ale poczekalnia, do której zaprowadziła go pokojówka, była już pięknie umeblowana w najlepszym turyńskim stylu. Profesorowi Nothnagelowi, podobnie jak Billrothowi, powiodło się, bo został dyrektorem kliniki uniwersyteckiej. Mógł dzięki temu mieć praktykę prywatną. Profesor Brücke, jako dyrektor Instytutu, musiał z prywatnej praktyki zrezygnować. O Nothnagelu mówiono, że rzadko się zdarza, by po powrocie do domu nie zastał czekających na niego dziesięciu pacjentów, którzy płacili po dziesięć guldenów za wizytę.

Na ścianach wisiały portrety czworga dzieci profesora, na sztalugach stał portret pani profesorowej, która zmarła przed dwoma laty. Przed portretem znajdował się wazon ze świeżymi kwiatami. Po śmierci żony profesor Nothnagel powiedział: „Kiedy człowiek traci swą miłość, nie pozostaje mu już nic, tylko praca". Wychowany na poezji Schillera, uważał, że kobiety należy uwielbiać i czcić, że należy je chronić przed światem, dbając o to, by zachowały swą wrażliwość i delikatność. Był zaciekłym przeciwnikiem dopuszczania kobiet na studia medyczne we wszystkich uczelniach, na których wykładał.

Herman Nothnagel był idealistą. Swym studentom powtarzał: „Tylko dobry człowiek może być lekarzem". Na półkach stały rzędami dzieła zebrane klasyków niemieckich, greckie i łacińskie dramaty, angielskie powieści i niezwykły komplet Biblii aramejskich i greckich. Literatura była dla Nothnagela taką namiętnością, jak dla Brückego malarstwo czy dla Billrotha muzyka. Zygmunt zastanawiał się, czy tak głębokie zamiłowanie do sztuki związane jest z uniwersalnością umysłu. Czy ten sam dar, któremu zawdzięczają wyobraźnię i śmiałe wzloty intelektualne, umożliwiające im dokonywanie doniosłych odkryć naukowych, otwiera przed nimi tajemnice sztuki?

W drzwiach pokoju stanął profesor Nothnagel. Był w ciemnym garniturze i jedwabnej kamizelce. Czarny krawat przesłaniał prawie cały gors koszuli. Włosy i brodę miał jasne, z piaskowym odcieniem, takim samym, jaki zabarwiał jego cerę. Dwie duże brodawki, jedna wysoko na prawym policzku, druga na nosie, między spokojnie spoglądającymi oczami, szpeciły jego twarz; mimo to robił sympatyczne wrażenie. Budził zaufanie.

– Panie profesorze, pan profesor Meynert prosił, żebym przekazał panu profesorowi pozdrowienia i bilet.

Nothnagel wskazał Zygmuntowi obitą skórą ławę.

– Bardzo wysoko cenię sobie rekomendację mego kolegi Meynerta. Czym mogę panu służyć?

– Doszło do mej wiadomości, że pan profesor zamierza zaangażować asystenta. Wiem, że pan profesor ceni pracę badawczą. Mam za sobą pewne badania naukowe, nie mam jednak możliwości kontynuowania ich w chwili obecnej. Postanowiłem więc przedstawić panu profesorowi moją kandydaturę.

– Czy ma pan przy sobie jakieś odbitki swych prac?

Zygmunt wyjął je z kieszeni surduta. Nothnagel przeczytał tytuły i pierwsze zdania każdej pracy. Zygmunt tymczasem mówił dalej:

– Studiowałem początkowo zoologię, potem zająłem się fizjologią i jak pisze profesor Meynert, prowadziłem badania w dziedzinie histologii. Kiedy profesor Brücke powiedział mi, że nie ma wolnej asystentury, i radził, żebym ze względu na moją trudną sytuację materialną nie pozostawał w jego pracowni, posłuchałem tej rady.

Nothnagel spojrzał na swego młodego gościa.

– Nie będę ukrywał przed panem, że już kilka osób zgłosiło swoje kandydatury. Nie mogę robić panu żadnych nadziei. Zapiszę pańskie nazwisko na wypadek, gdyby otwierały się jakieś nowe możliwości. *Qui vivra verra.* Jeśli jednak pan pozwoli, zatrzymam pańskie publikacje.

Zygmunt z trudem przełknął ślinę.

– Jestem obecnie aspirantem w Allgemeines Krankenhaus. Jeśli pan profesor może zaofiarować mi chociażby perspektywę pracy u siebie, gotów jestem pracować u pana profesora jako aspirant.

– A czym właściwie jest aspirant?

Zygmunt wyjaśnił, że w strukturze Allgemeines Krankenhaus aspirant to człowiek, który mając już doktorat, pragnie uzupełnić swe wiadomości specjalistyczne. Odpowiadając na dalsze pytanie Nothnagela, starał się nakreślić zwięźle schemat organizacyjny szesnastu klinik i dziesięciu instytutów wchodzących w skład Uniwersytetu Wiedeńskiego i zajmujących się głównie pracą dydaktyczną i badawczą. Wydział medyczny ma profesorów pobierających pobory z budżetu cesarskiego rządu i Ministerstwa Oświaty. Dwadzieścia katedr tworzy „szpital". Na czele każdej stoi prymariusz, który nie ma żadnych powiązań z kliniką i administracyjnie oraz budżetowo podlega władzom Dolnej Austrii. Kariera naukowa w pionie podlegającym rządowi cesarskiemu to coś całkowicie odrębnego od kariery w pionie poszczególnych wydziałów i nie ma możliwości przechodzenia z jednego pionu do drugiego.

Profesor Nothnagel uniósł brwi. Zygmunt uśmiechnął się.

– Allgemeines Krankenhaus powstawał stopniowo i rozrastał się w ciągu stulecia. Jego organizacji brakuje jakiegoś logicznego planu i służy ona przede wszystkim temu, by poszczególni profesorowie byli zadowoleni.

– Bardzo to dziwne, panie doktorze. Radzę panu kontynuować pracę naukową, ale człowiek musi przede wszystkim z czegoś żyć. No cóż, będę o panu pamiętał. *Qui vivra verra*.

„Kto przeżyje, zobaczy", jak to powiada profesor Nothnagel, powtarzał sobie w myślach Zygmunt, opuszczając jego mieszkanie. „Mam zamiar przeżyć i zobaczyć. Trochę optymizmu na pewno mi nie zaszkodzi".

5

Oddział chorób wewnętrznych mieścił się na pierwszym piętrze budynku, jego okna wychodziły na jeden z dziewięciu dziedzińców szpitala. W dużych, jasnych salach o pobielonych ścianach i wysokich pod sam sufit oknach stało dwadzieścia łóżek, po dziesięć z każdej strony.

Pierwszego dnia, kiedy Nothnagel urządzał kliniczną demonstrację dla swych aspirantów i studentów, Zygmunt zjawił się w szpitalu przed ósmą. Znał dobrze te sale, ponieważ miał za sobą trzydzieści godzin praktyki u profesora Bambergera. Wchodził na piętro krętymi schodami, tak wąskimi, że pielęgniarze wnoszący chorych z trudem przeciskali się z noszami. Za gabinetem Nothnagla znajdowały się małe pokoje dla pacjentów pierwszej kategorii płacących za leczenie. Separatkami dysponowali profesorowie. Za zgodą Nothnagela mogli tam również kierować swych pacjentów jego asystenci, ale wysokość ich honorariów była z góry ustalona.

Profesor Nothnagel czekał już u siebie w gabinecie. Otaczali go świeżo mianowani asystenci. Zygmunt przywitał się z profesorem i z zazdrością pomyślał, że każdy z tych asystentów pobiera trzydzieści sześć guldenów miesięcznie. Niektórych znał, pracował z nimi w laboratoriach. Profesor ruszył ku pierwszej sali, świta podążyła za nim. Obowiązywał ścisły system kastowy. Kiedy profesor stawał przy łóżku pacjenta, by postawić diagnozę, tylko dwóch starszych lekarzy lub kolegów wizytujących mogło być u jego boku. W drugim rzędzie ustawiali się asystenci, w trzecim aspiranci, dalej zaś, możliwie jak najdalej, tłoczyło się kilkunastu studentów. Ci na samym końcu prawie nie widzieli chorego.

Salę obsługiwały dwie pielęgniarki. Były to z reguły tęgie wiejskie dziewuchy, które przyjeżdżały do Wiednia, szukając nie tylko pracy, ale i mężów. Niewielu z nich udawało się zrealizować plany matrymonialne. Dziewczęta umiały jedynie szorować podłogi, nic więc dziwnego, że Allgemeines Krankenhaus należał do najlepiej wyszorowanych na świecie. Szkolenie sprowadzało się głównie do robót fizycznych i lata mijały, zanim dopuszczano je do chorych. Gładko uczesane, w haftowanych bluzkach, w długich do kostek spódnicach i białych fartuchach pracowały od świtu do nocy. Dwa niedzielne popołudnia w miesiącu miały wolne. Ciężkie to było życie.

Profesor Nothnagel raz tylko spojrzał na bluzki z krótkimi rękawami i zakazał ich noszenia na salach.

– Nie pozwolę, by na moim oddziale kobiety pokazywały nagie ciało! – zawołał. – Proszę nosić długie rękawy!

Zygmunt zaniemówił.

Nothnagel zwrócił się do zebranych i cichym, surowym głosem oznajmił:

– Pozwalam sobie zwrócić uwagę panów, że w czasie badania pacjentów, zarówno mężczyzn, jak i kobiet, odsłonięta może być jedynie ta część ciała, która ma być badana.

Podszedł do kobiety leżącej na pierwszym łóżku. Miała lat osiemnaście i cerę o zielonkawym odcieniu. Na karcie choroby widniało rozpoznanie: blednica i anemia. Chora grymasiła przy jedzeniu, miała apetyt na przedziwne „smakołyki". Zachciewało się jej gliny, kamyków i innych niestrawnych rzeczy. Uważano, że choroba ma tło psychiczne, ale Nothnagel zapewniał swych słuchaczy, że to problem dietetyczny. Teraz, kiedy przemawiał do nich, był innym człowiekiem. Twarz jego promieniała, a oczy lśniły ciepłym i jasnym blaskiem. Zwracał się do nich nauczyciel kochający swój zawód.

– Muszę przede wszystkim przestrzec panów, że przy stawianiu diagnozy należy zachować jak największą ostrożność. Nie wystarczy ograniczać się do badania narządu, na który skarży się pacjent. Sumienny lekarz bada chorego od stóp do głowy i dopiero po szczegółowej analizie łączy poszczególne elementy w jednolitą diagnozę. Proszę zawsze pamiętać o tym, że ciało człowieka to skomplikowany organizm, organizm żywy, w którym najdrobniejszy element może wywierać wpływ na pozostałe organy. Ból głowy może być spowodowany tym, że coś się popsuło u podstawy kręgosłupa. W internie jedynym niewybaczalnym grzechem jest brak tego poczucia obowiązku, które nakazuje poświęcać pacjentowi całkowitą uwagę i które wymaga od was jak najbardziej wytężonej obserwacji. – Patrząc na chorą, dodał: – Sądzimy, że blednica może być związana z pokwitaniem, ale w tej chwili nie jesteśmy jeszcze pewni, jaki jest to związek. Chorej należy dawać piwo słodowe, musi zażywać więcej ruchu...

Zygmunt zastanawiał się nad słowami Nothnagela. Na tym więc polegało podejście, znane jako „Nothnagelowska rewolucja"; po raz pierwszy był świadkiem zastosowania tej metody w internie.

Podeszli do następnego łóżka, na którym leżała kobieta w średnim wieku chora na dur brzuszny. Załatwiała potrzeby fizjologiczne w łóżku i stąd brał się odór panujący na sali. Zygmunt przypomniał sobie: „Każdy przypadek duru brzusznego oznacza krótką drogę od odbytnicy jednego człowieka do ust drugiego".

Nothnagel zwrócił uwagę, że chora ma czterdzieści stopni gorączki i zwolniony puls. Jej ciało pokryte było czerwonymi plamami. Profesor ostrożnie zademonstrował te plamy.

– Wydaje mi się, że mamy w tym przypadku krwawienie jelitowe spowodowane pęknięciem wrzodów. Może to doprowadzić do śmierci. Pacjentka może także umrzeć w następstwie zapalenia płuc lub zapalenia otrzewnej. Należy obniżyć gorączkę za pomocą zimnych kompresów, podawać płyny w wielkiej ilości i zalecić dłuższy odpoczynek. Chorobę tę powoduje pasożyt, którego nie znamy.

W następnym łóżku znajdowała się trzydziestoczteroletnia kobieta cierpiąca na zapalenie nerek, chorobę Brighta. Nothnagel analizował objawy.

– Panowie, w przypadku choroby Brighta stosujemy następujące leczenie: ograniczenie soli w diecie, eliminowanie mięsa, przy jednoczesnym podawaniu małych dawek dwuchlorku rtęci. Mamy nadzieję, że to poprawi stan nerek chorej. Pacjentce w żadnym wypadku nie wolno już nigdy zajść w ciążę. Ten stan może trwać od miesiąca do dziesięciu lat.

Kolejną pacjentką była dwudziestoośmioletnia kobieta z wolem toksycznym. Skarżyła się, że na sali panuje upał, na co Nothnagel odpowiedział, że temperatura jest całkiem niska. Chora zrzuciła wtedy kołdrę i obnażyła się. Profesor zacisnął usta i szybkim ruchem przykrył ją z powrotem. Kazał jej pokazać język i zwrócił uwagę na jego „delikatne drżenie". Następnie dokonał pomiarów wola; nie było duże.

– Tego rodzaju wole toksyczne rzadko powoduje śmierć, lecz osłabia serce. Już teraz serce chorej jest przeciążone, tętno wynosi sto dwadzieścia do stu czterdziestu na minutę. Niemal dwukrotnie więcej niż normalnie. Wciąż jeszcze nie wiemy, dlaczego wole tak działa na serce. Trzeba zakazać chorej picia kawy i herbaty oraz wszelkich podniet umysłowych. Należy jej podawać wywar z tojadu; to trucizna, ale w małych dawkach nie jest niebezpieczna. Możemy się tylko spodziewać, że choroba ustąpi, zanim serce skapituluje.

Zygmunt zadał sobie w myślach pytanie: „Ale co ma zrobić lekarz, żeby serce pacjenta wytrzymało?". Diagnozy profesora Nothnagela były z pewnością dokładne, ale nie ulegało wątpliwości, że choć internista może postawić ścisłą diagnozę objawów, nie dysponuje on dostateczną wiedzą, by przepisać leczenie.

Nothnagel, jakby odczytując myśli Zygmunta, zatrzymał się przy następnym łóżku, na którym leżała kobieta w wieku lat trzydziestu czterech, cierpiąca na skrzepy i embolię.

– Najskuteczniejszym lekarzem jest przyroda. Ona zna wszystkie tajemnice swych leków. Nasze zadanie, koledzy, to wyrwanie jej tych tajemnic. Gdy tego dokonamy, będziemy mogli zastosować je w naszej pracy. Jeśli jednak zaczniemy postępować wbrew prawom natury, możemy tylko zaszkodzić choremu. Słyszałem na przykład o przeprowadzonej niedawno w tym szpitalu operacji, podczas której usunięto część żołądka i dwunastnicę. Moim zdaniem jest to sprzeczne z naturą. Musimy leczyć, nie uciekając się do krajania pacjenta.

Już wkrótce Zygmunt Freud dowiedział się, co miał na myśli Nothnagel, mówiąc, że „kiedy człowiek traci swą miłość, nie pozostaje mu już nic, tylko praca". Dla Nothnagela poza pracą nic nie miało znaczenia. To on właśnie powiedział, że medycyną nie powinien zajmować się człowiek, który potrzebuje więcej niż pięć godzin snu. Codziennie przed południem Zygmunt towarzyszył profesorowi podczas obchodu trwającego od dwóch do czterech godzin. Każda godzina była cenna. „Demonstracje przy łożu chorego" wzbogacały jego wiedzę diagnostyczną. Nothnagel zachwycał się bogactwem „materiału klinicznego". Mężczyzna w wieku lat dwudziestu czterech z reumatyzmem serca; sześćdziesięciodwuletni mężczyzna umierający na odwodnienie spowodowane przez raka żołądka; marynarz, który z jakiegoś portu afrykańskiego powrócił z malarią; przypadek przewlekłego rzeżączkowego stanu zapalnego z licznymi przetokami między odbytnicą a narządem moczopłciowym, powodującymi stałe wyciekanie moczu w okolicy krocza, ponieważ mocz przenikał przez skórę; chory na cukrzycę; przypadek afazji, w której człowiek zupełnie stracił mowę; niekończący się potok nowych pacjentów, poddawanych na oczach Zygmunta skrupulatnym badaniom z natychmiast stawianymi diagnozami; pellagra i szkorbut, zapalenia płuc, anemie, leukemie, żółtaczki, angina pectoris, guzy, paroksyzmy... Wszystkie choroby trapiące ludzkie ciało, niemal pełny zestaw przypadków, z jakimi w przyszłości będzie się mógł zetknąć w swym gabinecie doktor Zygmunt Freud. Zafascynowany był poetyckimi obrazami i bogactwem słownika zaczerpniętego z dzieł literatury światowej, którymi profesor Nothnagel się posługiwał, mówiąc na takie tematy, jak kamienie żółciowe lub uszkodzenie zastawek.

Wszystkie wolne godziny spędzał Nothnagel w laboratorium, gdzie kontynuował prace nad fizjologią i patologią przewodu pokarmowego, przeprowadzając doświadczenia na żywych zwierzętach. Zygmunt jako aspirant nie miał prawa prowadzić badań naukowych. Regularnie jednak bywał na pokazach i do późnych godzin nocnych czytał literaturę medyczną.

Mijały miesiące i wciąż nie było żadnych widoków na stanowisko asystenta. Pod koniec października nie ulegało już wątpliwości, że brak mu tej intuicji diagnostycznej, która cechowała Nothnagela. Nigdy nie potrafi „odgadnąć" natury lub przyczyny choroby. Zdoła rozpoznać symptomy na podstawie zdobytej wiedzy, ale choroby wewnętrzne nigdy nie będą głównym ośrodkiem jego zainteresowań.

Marta nie umiała sobie tego wszystkiego wytłumaczyć.

– Po cóż więc tak ciężko pracowałeś, jeśli to nie jest twoja specjalność? Widywaliśmy się zaledwie raz w tygodniu!

Zygmunt uśmiechał się z zakłopotaniem.

– W medycynie trudno się zorientować, czy się ma w jakiejś dziedzinie przyszłość, póki człowiek nie zdobędzie odpowiedniej wiedzy. Nie można powiedzieć o książce, że jest bezużyteczna, póki się jej nie przeczytało. Posuwam się naprzód powoli, jak rak. Nie mam możliwości prowadzenia badań naukowych, nie mogę nic publikować, wykładać... – Głos jego powoli cichł.

Minęli właśnie Joseph-Platz z pomnikiem Józefa II na koniu i majestatyczną Bibliotekę Zamkową. Za pośrednictwem dziekanatu Zygmunt uzyskał pisemne zezwolenie na zwiedzanie Burgu. Było to miasto w mieście, serce cesarskiego Wiednia. Każdy z panujących dodawał jakieś skrzydło, place, fasady, fontanny, kaplice. Stanęli przed pozłacaną Bramą Szwajcarską, za którą mogli zobaczyć pierwszy gmach wystawiony w 1220 roku, wyposażony w każdym z czterech rogów w wieżę obronną. Podobnie jak samo miasto, Hofburg był mieszaniną stylów architektonicznych i dekoracyjnych. Kaplica z połowy piętnastego wieku nie miała nic wspólnego ze stylem Amalienhofu, pochodzącego z szesnastego wieku, który z kolei kłócił się z apartamentami cesarza Leopolda I z siedemnastego stulecia, a jeszcze bardziej z Nowym

Zamkiem, którego budowę zaledwie przed dwoma laty rozpoczął Franciszek Józef. Mimo to całość zachowała jakąś historyczną ciągłość. Nie było wiedeńczyka, który nie szukałby jakiegoś pretekstu, by przejść przez ciąg monumentalnych placów między handlową dzielnicą Michaeler-Platz a imponującym Burgringiem, z długą perspektywą ogrodów między dwoma bliźniaczymi gmachami muzeów.

Przysiedli na chwilę na ławce w parku miejskim, wystawiając twarze na słabe kwietniowe słońce. Marta nawiązała do uwagi Zygmunta o tym, że porusza się wolno jak rak...

– No cóż – wskazał ręką na otaczające ich gmachy Hofburgu – nie należę do ludzi, których zadręcza myśl, że umrą, nim zdążą wyryć swe imiona w marmurze.

– Skoro o tym mówisz, to znaczy, że takie myśli ci dokuczają. Wystarczy, byś sobie wyobraził, że nie masz przed sobą przyszłości, a już myślisz o sobie z lekceważeniem.

6

Sytuacja materialna Freudów stale się pogarszała. Jakubowi trafiały się już tylko dorywcze zarobki. Zygmunt zastanawiał się, czy jego ojciec częściej chorował, ponieważ miał mniej zajęć, czy też mniej pracował, ponieważ częściej bywał podenerwowany. Pięć córek państwa Freudów – wszystkie już ukończyły osiemnasty rok życia – panny wykształcone i miłe, nie mogło pomóc rodzinie, bo nikt przecież nie zatrudniłby kobiety, chyba w charakterze wychowawczyni do dzieci, pielęgniarki lub osoby do towarzystwa dla starszej osoby. Anna miała zamiar wkrótce wyjść za mąż, Róża natomiast zerwała z Brustem. Cztery siostry, które nie miały narzeczonych, chciały wziąć jakąś pracę, i w ten sposób poprawić trochę sytuację finansową rodziny, ale Jakub i Amelia zgodnie stwierdzali, że praca tego rodzaju dobra jest dla dziewcząt z ludu, z dzielnic robotniczych, dla takich, co przyjechały ze wsi. Tylko sobie zaszkodzą, utrudni im to znalezienie narzeczonych, cały świat dowie się, że Freudowie są w sytuacji bez wyjścia. Już lepiej pogodzić się z niedostatkiem.

Wszystkie nadzieje wiązano teraz z Aleksandrem. Chłopak nie był co prawda zbyt skory do nauki, teorie i abstrakcje nie bawiły go, ale zdał maturę. Po egzaminie, wracając do domu z Zygmuntem, powiedział:

– Jestem z natury praktyczny. Mam żyłkę do interesów i wiem, że dam sobie radę. Chcę natychmiast znaleźć sobie pracę, taką, przy której się czegoś nauczę. I chcę zarabiać, by pomóc w domu.

Aleksander nie tylko zdobył świadectwo dojrzałości, ale stał się naprawdę dojrzałym człowiekiem. Niższy od Zygmunta, golił brodę, włosy strzygł krótko, ale poza tym podobieństwo między braćmi było zdumiewające; jakby po dziesięciu latach i pięciu zupełnie odmiennie wyglądających córkach rodzice powrócili do pierwowzoru. Imię otrzymał po Aleksandrze Wielkim, cieszącym się reputacją obrońcy Żydów. Z usposobienia skłonny był do entuzjazmu i równie łatwego popadania w przygnębienie. Nie wiedział, że jego starszy brat, którego ubóstwiał, ma podobny charakter, Zygmunt bowiem ukrywał przed bliskimi swe depresyjne nastroje, nie chcąc przysparzać im zmartwienia. Aleksander miał, podobnie jak Zygmunt, wysokie czoło, kształtny nos i podbródek i otwarty wyraz twarzy, ale zaczynała się już między nimi zarysowywać różnica temperamentów. Jeśli filozofia życiowa Zygmunta opierała się na przekonaniu, że „wszystko się w końcu ułoży", maksymą Aleksandra było, że „wszystko się w końcu musi zawalić". To on właśnie już od dawna zajmował się w domu wszelkimi reperacjami, począwszy od naprawienia połamanego krzesła po wymianę kranu przy umywalce.

– A czym chciałbyś się zająć? – zapytał go Zygmunt.

– Lubię pociągi. Pamiętasz, jak zabierałeś mnie na Dworzec Północny, bym mógł popatrzeć na pociągi? Potem szliśmy do remizy, gdzie olbrzymie zielone i brązowe lokomotywy przygotowywały się do dalekich podróży po Europie. Nie chcę być inżynierem, ale chciałbym zajmować się transportem towarów i pasażerów. Znasz może kogoś, kto znalazłby mi tego rodzaju pracę?

Zygmunt zastanawiał się.

– Po tylu latach zajmowania się medycyną znam już tylko lekarzy. Trzeba będzie zapytać się Elego.

Eli Bernays namówił profesora von Steina, by zatrudnił Aleksandra w urzędzie, w którym prowadził swe badania ekonomiczne i publikował czasopismo. Jeden był tylko szkopuł. Aleksander zaczynał jako praktykant bez poborów. Eli jednak obiecał, że uzyska dla Aleksandra wynagrodzenie, gdy uda mu się przekonać profesora, że jest on w biurze przydatny. Twierdził, że nie potrwa to dłużej niż kilka miesięcy.

Aleksander stawił się do pracy w czarnym surducie zapiętym tak wysoko, że widoczna była tylko górna połowa białego gorsu i węzeł krawata z wpiętą weń dużą perłą. Był szczęśliwy i podniecony, nie okazywał jednak najmniejszego zdenerwowania.

Ale w tej pracy nie znalazł pola do popisu. Miała zbyt teoretyczny charakter. Kiedy po trzech miesiącach Zygmunt powiedział mu, że powinien zażądać wynagrodzenia, Aleksander z właściwą sobie rzetelnością zapytał:

– A co zrobię, jeśli mi odmówią? Przecież wcale nie okazałem się niezbędny.

Eli też nie mógł załatwić tej sprawy i obiecywał, że wystara się o pobory dla Aleksandra z początkiem nowego roku.

Aleksander znalazł jednak małą firmę specjalizującą się w transporcie kolejowym i przewozach. Właścicielem tego biura był starszy bezdzietny człowiek, niejaki Maurycy Muenz, który szukał właśnie młodego zdolnego pracownika. Kiedy Aleksander zjawił się u niego rozpromieniony i wyraźnie zakochany w kolejach, Muenz zaofiarował mu bardzo dobrą jak na szesnastoletniego młodzieńca pensję, sześć guldenów tygodniowo. Wręczając matce swe pierwsze pobory, Aleksander czuł, jak go rozpiera duma.

Śnieg zaczął padać w początku listopada. Zygmunt śledził przez okno drobne, nie większe od kropel deszczu płatki wirujące w powietrzu gęstą kurzawą, ale topniejące, zanim dotknęły ziemi. Chodniki były mokre jak po deszczu. Pod niebem krążyły jaskółki w małych stadkach, nigdy więcej niż po dziesięć w jednym, jakby nie umiały znaleźć drogi na południe. Następna śnieżyca była już solidniejsza. Kiedy szedł do szpitala, budynki okryła jakby zasłona z białego jedwabiu. Ale te wielkie płatki śniegu topniały, dotykając dachów i liści, które nie zdążyły spaść z drzew. Z okien znikły wietrzące się tam zazwyczaj wczesnymi rankami poduszki. Przechodnie włożyli już zimowe palta; ci, którzy chodzili z otwartymi parasolami, zmagali się z wiatrem.

Najdłużej opierały się kasztany. Mimo śniegu i wczesnych mrozów zachowały zielone liście, ale pod koniec drugiego tygodnia listopada wiatr dał sobie i z nimi radę – zerwał liście, pędząc je po ulicy, unosząc na wysokość dachów, jak stada zielonych ptaków.

Zygmunt znał dobrze te wściekłe, kapryśne wiedeńskie wiatry; pamiętał je z wieloletnich wędrówek do szkoły. Można było odnieść wrażenie, że kierują się kompasem. W pewne dni wiały tylko przez wschodnie i zachodnie ulice, w inne przez południowe i północne. Na jednej ulicy było stosunkowo ciepło, ale już za rogiem czuło się mroźne tchnienie lodowatego wichru, który niemal spychał przechodnia na jezdnię. Wiedeńczycy nauczyli się od marynarzy sprawdzać kierunek wiatru, unosząc pośliniony palec w górę.

W ciągu tych wypełnionych ciężką pracą miesięcy spotkania z Martą stały się dla Zygmunta jedyną przyjemnością. Jego pieszczoty były tak gorące, że Marta miała podkrążone oczy. Robił sobie z tego powodu wyrzuty, ale uczucia były silniejsze i po dniu rozstania nie mogli się powstrzymać od pocałunków i uścisków.

– Martuś, powiedzmy twojej mamie, że jesteśmy zaręczeni. Będziemy wtedy mogli oznajmić to przed całym światem i poczujemy się lepiej. Mnie w każdym razie sprawi to ulgę.

Ustąpiła, wiedziała bowiem, jak bardzo Zygmunt się przejmuje niejasną sytuacją.

– Eli zawiadomi mamę o swoich zaręczynach z Anną w dzień wigilijny – powiedziała. – Możemy się do nich przyłączyć.

– Cudownie. – W jednej chwili minęło bez śladu jego przygnębienie. – Kupimy jej prezent. Jak sądzisz? Książkę? Cóż to będzie dla nas za cudowny dzień!

Trzy pary stawiły się przed panią Bernays z prezentami. Minna i Ignacy, Eli i Anna, Zygmunt i Marta. Zygmunt przyniósł *Dzwon* Schillera. Pani Bernays łaskawie przyjęła wiadomość o zaręczynach. Pociągała nosem, jakby w kuchni się coś przypaliło. Najcięższe gromy spadły na Elego. Po tygodniu Eli zjawił się w domu Freudów. Zawstydzony, z płonącymi policzkami oznajmił, że musi przestać się widywać z Anną. Anna przyjęła to spokojnie do wiadomości, ale Zygmunt był oburzony. Kiedy Eli wyszedł, zawołał:

– Cóż z niego za mężczyzna, jeśli matka może go zmusić do niehonorowego zachowania się? On przecież wie, że cię kocha i że jesteś dla niego idealną dziewczyną!

– Okaż mu trochę cierpliwości – odpowiedziała statecznie Anna.

Nie udało mu się też przekonać Marty.

– Nie mogę występować przeciw własnej rodzinie – powtarzała z uporem. – Kobieta, która mówi źle o swojej matce i swoim bracie, po pewnym czasie i w sposobnej chwili wystąpi przeciw własnemu mężowi.

W kilka tygodni potem Eli przeprosił Annę, objął ją i ucałował gorąco... po czym oświadczył jej, że ślub ich odbędzie się w październiku przyszłego roku. Zygmunt wciąż jednak nie mógł mu wybaczyć. Pani Bernays wycofała się z walki. Wściekła na Elego, przeszła na stronę Freudów i zapewniała Annę, że chciała tylko opóźnić małżeństwo, a nie przeszkodzić ich związkowi. Oświadczyła potem, że przenosi się na stałe do Hamburga i Wandsbek i że Marta z Minną tam przy niej zamieszkają. Jeśli młode pary chcą utrzymać zaręczyny, mogą wytrwać w swym postanowieniu nawet na odległość pięciuset mil.

– A ja nie będę się przejmował tym, co twoja matka ma zamiar zrobić za pół roku – stwierdził Zygmunt.

– Oto pan doktor Freud, taki, jakiego kocham – uśmiechnęła się Marta, ściskając mu dłoń.

– Kiepskie będzie to nasze małżeństwo, jeśli będziesz mnie kochać tylko wtedy, gdy będę się mądrze zachowywał.

Ignacy Schönberg nie czuł się dość dobrze, by spokojnie przyjąć porażkę. Kiedy pani Bernays, której stale okazywał tyle czułości, oznajmiła, że ma zamiar zabrać Minnę do Wandsbek, dostał krwotoku i rozchorował się. Zygmunt wstąpił do apteki po butelkę mikstury wzmacniającej i poszedł do Ignacego. Zastał go w łóżku bladego i bez sił. Zimna lutowa pogoda pogorszyła jego kaszel.

Ignacy miał dwóch braci, którym się dobrze powodziło. Matce pomagali, ale jemu nie dawali ani grosza. Twierdzili, że powinien sam zarabiać na siebie. Z sanskrytu jednak nikt jeszcze nie wyżył.

Pani Bernays też prześladowała Ignacego. Nie z powodu sanskrytu. Mąż wpoił jej szacunek dla świata uniwersyteckiego i akademickich tytułów. Ale uważała, że Ignacy jest próżniakiem. Powinien natychmiast zrobić dyplom, żeby mógł prowadzić wykłady.

– Potrzebuję jeszcze kilku lat studiów – przekonywał ją Ignacy. – To rozległa dziedzina wiedzy, powinienem ją opanować przed zrobieniem dyplomu.

– A mnie się zdawało, że uczony pracuje przez całe życie, by zostać specjalistą. Dlaczego chcesz zakończyć swą pracę, zanim się do niej zabierzesz? – pytała pani Bernays.

Te same zarzuty słyszał Zygmunt, zanim zmusił się do zdawania egzaminów doktorskich, współczuł więc Ignacemu. Dał mu podwójną porcję syropu.

Dopiero na początku kwietnia, kiedy już puszczono fontanny w parku miejskim, Zygmunt wygrał swój wielki los na loterii. Jego znajomy, doktor Bela Harmath, oświadczył mu, że zamierza zrezygnować z pracy na wydziale psychiatrycznym Teodora Meynerta. Harmath miał stanowisko sekundariusza, co odpowiadało mniej więcej asystenturze, praca była jednak bardziej związana ze szpitalem niż z uniwersytetem. Nie prowadził wykładów ani zajęć dydaktycznych, lecz zajmował się chorymi i mieszkał w szpitalu. Był lekarzem rezydentem. Zygmunt wiedział, że podanie o tę pracę będzie musiał złożyć do władz lokalnych Dolnej Austrii.

Mimo iż przepisy wyraźnie zabraniały piastowania równocześnie godności prymariusza w szpitalu i profesora na uniwersytecie, jako że oznaczałoby to równoczesne pobieranie pensji od rządu cesarskiego i władz lokalnych, zrobiono wyjątek dla profesora Teodora Meynerta, pragnąc umożliwić mu prowadzenie badań nad mózgiem w klinice uniwersyteckiej i opiekowanie się chorymi psychicznie pacjentami szpitala. Dla Zygmunta powstała szansa pracy w szpitalu. W jakim jednak stopniu umożliwi mu to prowadzenie badań?

Poszedł natychmiast do swojego przyjaciela i nauczyciela urzędującego na parterze Trzeciego Pawilonu. Przez duże okna gabinetu widać było rosnące na dziedzińcu kasztany, ale światło wpadało jeszcze przez małe okienka głęboko osadzone w sklepionym suficie i nadające pomieszczeniu wygląd kaplicy. Dla Teodora Meynerta to pomieszczenie i prace, które w nim prowadzono, stanowiły zaiste świętość.

Był to mężczyzna krępej budowy, o potężnej klatce piersiowej i bujnej czuprynie na olbrzymiej głowie. Natura starała się wynagrodzić rozmiarami czaszki to, czego poskąpiła we wzroście. Meynert, człowiek wojowniczy, indywidualista, ekscentryk obdarzony olbrzymią inteligencją, urodził się w Dreźnie, w rodzinie krytyka teatralnego; matka była śpiewaczką w Operze Królewskiej. Parał się poezją, historią, krytyką teatralną, śpiewaniem ballad. Znał pół tuzina języków, choć w żadnym nie potrafił sklecić poprawnego zdania. Swym osiągnięciom naukowym w dziedzinie neuroanatomii zawdzięczał tytuł „ojca architektury mózgu".

Nie twierdził bynajmniej, że badania anatomiczne mózgu to wyłącznie jego pomysł, wymieniał z szacunkiem długą linię poprzedników: Arnolda, Stillinga, Koellikera, Foville'a, a w szczególności swego nauczyciela, mentora i sojusznika w najzaciekłejszych bataliach, profesora Carla Rokitanskiego, kierownika oddziału anatomii patologicznej. Podkreślał natomiast stale, że jest „głównym kultywatorem lokalizacji anatomicznej". Badania swe rozpoczął od kretów i nietoperzy, kontynuował na setkach różnych gatunków, starając się ustalić, jakie obszary mózgu kierują poszczególnymi częściami ciała, zwracając uwagę na korę mózgową jako „tę część mózgu, w której umieszczone są funkcje tworzące osobowość". Wykładał psychiatrię. Termin ten powstał przed czterdziestu laty, ale Meynert nie posługiwał się nim, twierdząc, że „wszystkie zaburzenia emocjonalne i umysłowe spowodowane są przez choroby fizyczne, i to wyłącznie".

Jego kariera miała burzliwy przebieg. Pracując przez wiele lat w Szpitalu dla Umysłowo Chorych Dolnej Austrii, poświęcał dużo czasu na badania mikroskopowe mózgu i rdzenia kręgowego, traktując chorych psychicznie jako znakomity materiał do badań naukowych nad korą mózgową, w szczególności nad jej ośrodkami czuciowymi i ruchowymi. Krytycy, których nie brakło i którzy atakowali go zaciekle, twierdzili, że „dla Meynerta dobry wariat to tylko wariat nieżywy. Nie może się doczekać, kiedy pacjent umrze, umożliwiając mu przeprowadzenie sekcji mózgu".

Tu właśnie po raz pierwszy wszedł w konflikt z niemieckimi lekarzami walczącymi o humanitarne traktowanie chorych psychicznie, uważającymi za swe zadanie obserwowanie pacjentów, klasyfikowanie symptomów, ustalanie powiązań rodzinnych, ponieważ wszelki obłęd uznawali za dziedziczny, i wreszcie zabiegającymi o ulżenie doli chorych. Przełożonym Meynerta w klinice psychiatrycznej był doktor Ludwik Schlager. Przez dziesięć lat walczył on o poprawę losu umysłowo chorych, o ochronę ich praw majątkowych i ludzkich; doprowadził do tego, że zdjęto im kajdany, w które ich zakuwano, uwolnił z lochów i kazamatów, w których dotąd przebywali, otoczył opieką, poprawił wyżywienie i warunki mieszkaniowe, nakazał traktowanie ich po ludzku, tak samo jak innych chorych, twierdził stanowczo, że tylko badania prowadzone w jego klinice mają wartość naukową, co zresztą Meynert głośno za nim powtarzał. Meynert nie był człowiekiem okrutnym czy pozbawionym uczuć, ale głosił wszem wobec, że nigdy jeszcze nie udało mu się zobaczyć wyleczonego wariata. Jedyna nadzieja to, jego zdaniem, specjaliści od anatomii mózgu. Kiedy już będą wiedzieli wszystko o funkcjonowaniu mózgu i o tym, co powoduje zakłócenia, wyeliminują choroby umysłowe przez zlikwidowanie przyczyn ich powstawania.

Walka nabrała takiego nasilenia, że Meynerta zwolniono z pracy. Kontynuował więc badania naukowe w samotności, w swym prywatnym laboratorium. Klinika uniwersytecka również zrezygnowała z jego usług; uważano, że zaraził się obłędem podczas pracy w domu wariatów. Wytrwały przy nim tylko dwie osoby, jego żona i uniwersytecki delegat do spraw dyscyplinarnych, doktor Rokitansky, który wiedział, że Meynert jest geniuszem. W końcu opinia Rokitanskiego zwyciężyła. W 1875 roku, na dwa lata przedtem, zanim Zygmunt został jego uczniem, utworzono w Allgemeines Krankenhaus Drugą Klinikę Psychiatryczną i Meynertowi powierzono kierownictwo. Odtąd laboratorium anatomii mózgu miało się stać jedyną kuźnią nowych metod leczenia chorób umysłowych.

Zygmunt był zwolennikiem Meynerta. Wiedział, że profesor ma całkowitą rację. Marzył teraz o powrocie do jego pracowni.

– Panie profesorze, dowiedziałem się właśnie, że Bela Harmath chce odejść. Przybiegłem natychmiast. Jeśli nie jestem zadyszany, to tylko dlatego, że tak znakomicie potrafię udawać.

Meynert się roześmiał. Lubił tego gorliwego, zdolnego młodego człowieka. Obaj znali się dobrze, chociaż Zygmunt od czterech lat, od zakończenia intensywnego kursu psychiatrii klinicznej, nie pracował pod jego kierownictwem. Podobnie jak wielu uczonych wiedeńskich, Teodor Meynert miał zainteresowania artystyczne i prowadził salon, w którym bywali pisarze, muzycy, malarze, aktorzy, jak też ich mecenasi należący do socjety austriackiej. Zygmunta jako pupilka profesora często zapraszano na te wieczory. Pojął, że świat artystyczny odgrywa w życiu Meynerta nie mniejszą rolę niż pracownia. Goście oczywiście podejrzewali, że gospodarz obserwuje ich czaszki, starając się ustalić, w której części mózgu kryją się ich talenty dramatyczne czy rzeźbiarskie.

– A więc chce pan zostać u mnie sekundariuszem? Chce pan wrócić do psychiatrii? Nie dziwię się panu.

– Panie profesorze, mam pomysł, który się panu profesorowi spodoba.

– Aha, pan mnie kusi? No więc proszę mi wyłożyć swą genialną ideę.

– Chciałbym rozpocząć anatomiczne badanie mózgu noworodków i płodów najwcześniej, jak to będzie możliwe. Są szanse, że studia porównawcze dostarczą pewnych analogii z mózgiem dorosłych.

Meynert uśmiechnął się pod wąsem.

– Czy wie pan, panie kolego, że prymariusz wydziału takiego jak mój nie ma prawa mianować swego sekundariusza?

– Oczywiście, panie profesorze. Dawno już o tym słyszałem.

– I zdaje pan sobie sprawę, że podanie o posadę należy skierować do władz Dolnej Austrii?

– Już napisałem podanie.

– I że nawet gdybym chciał panu dać tę pracę, musi pan być mianowany przez dyrektora Allgemeines Krankenhaus?

– O ile mi wiadomo, pan nie może interweniować na moją korzyść.

– Mowy nie ma. Proszę się przygotować do przystąpienia do pracy od pierwszego maja.

Wstał, podał Zygmuntowi rękę i pożegnał go z ojcowskim uśmiechem.

– Cieszę się, że pan będzie pracował ze mną, panie doktorze. Ma pan wrodzone zdolności do anatomii mózgu. Ale ani słowa, słyszy pan? Sprawę trzeba będzie załatwić delikatnie.

7

Pierwszego maja Zygmunt wyprowadził się z domu rodzicielskiego. Dla rodziny było to wydarzenie radosne, oznaczało zrobienie następnego kroku na czekającej go długiej drodze. Rozstanie ułatwiło to, że Freudowie uprzednio przenieśli się do mniejszego mieszkania przy Kaiser-Joseph--Strasse pod numerem 33.

Do pokojów zajmowanych przez lekarzy kobiety miały wstęp wzbroniony, lecz Zygmunt uzyskał od dyrekcji szpitala pozwolenie, by Marta pomogła mu urządzić się na nowym miejscu. Dopilnował najętego na rogu ulicy posłańca, który załadował na swój wózek walizkę z bielizną i rzeczami osobistymi oraz pudła z książkami medycznymi, po czym wziął Martę pod ramię i ruszyli w kierunku szpitala.

Błękitnego nieba nie przysłaniała ani jedna chmurka. W ten dzień wiosenny powietrze docierające do miasta prosto z winnic i z Lasku Wiedeńskiego orzeźwiało i podniecało. Stolica wracała do życia po mokrych i chłodnych zimowych dniach. Wszyscy wylegli na ulice, śpieszyli do sklepów, kawiarni, załatwiali odkładane dotąd sprawy. A skrajem chodników podążały barwne postacie, dla których ulica była miejscem pracy: grupy wędrownych muzykantów z gitarami, klarnetami i skrzypcami, lodziarze z dwukołowymi udekorowanymi wózkami, sprzedawcy pomarańcz, domokrążca oferujący garnki noszone w koszu na głowie, chłopki z Kroacji w wysokich bucikach, sprzedające drewniane zabawki, przystojni wąsaci mężczyźni oferujący sery z jednej skórzanej torby przewieszonej przez ramię oraz salami z drugiej, roznosiciel pieczywa z drewnianym cebrzykiem na plecach, druciarze, kataryniarz, pucybut, śliczne młode praczki w kwiecistych sukienkach z bufiastymi rękawami i czarną tasiemką przewiązaną wokół szyi, odnoszące pranie do pobliskich koszar, chłopcy od rzeźnika w fartuchach do kostek, roznoszący mięso, sprzedawca gorących kiełbasek i bułeczek, przed którego straganem stali obok zasmolonych robotników eleganccy panicze. Dziewczynki w słomkowych kapeluszach, w fartuszkach na sukienkach wracały ze szkół objuczone książkami. Zasmoleni kominiarze w czarnych skórzanych czapkach i kurtkach przemykali się w tłumie ze zwojami drutu na plecach i czarnymi szczotkami w rękach. Szlifierze noży rozstawiali swe przenośne warsztaty. Chłop z kroackiej wsi oferował ręcznie robione drewniane wiadra i łyżki, dźwigając swój towar, plon całej zimy, przed sobą, jak brzemienna kobieta wystający brzuch. Mężczyźni, stojąc na drabinach, rozlepiali na słupach afisze zapowiadające nowe sztuki teatralne, opery, koncerty symfoniczne. I wszędzie słychać było wołanie chłopek z wydatnymi biustami: „Lawenda, świeża lawenda! Kto kupi lawendę!".

– Jak to cudownie być w taki dzień w Wiedniu – westchnął Zygmunt.

– Jak to cudownie być w taki dzień gdziekolwiek na świecie – odpowiedziała Marta, głęboko wdychając powietrze.

Weszli w bramę szpitala. Zygmunt otrzymał pokój w Szóstym Pawilonie. Jako sekundariusz oficjalnie nie będzie miał wolnego czasu. Regulamin przewidywał, że powinien być na każde zawołanie. Ale młodzi lekarze umawiali się na zastępstwa. W ten sposób będzie mógł raz i drugi w tygodniu wybrać się do domu na obiad.

Pokój, który zajmował na pierwszym piętrze, był dwa razy większy od jego „gabinetu" w domu: miał cztery metry szerokości i siedem długości, pomalowane na biało ściany, wysokie sklepione okno niemal do samego sufitu, wychodzące na południe, i głęboką niszę, w której można było wygodnie się rozsiąść. Mieszkanie było bardzo jasne, a pieczołowicie wyszorowana podłoga z desek przykryta chodnikiem dodawała ciepła.

– Jak tu przyjemnie! – zawołała Marta. – Jestem pewna, że będziesz tu szczęśliwy.

– Nie mam wyboru. Przez dobre kilka lat będzie to mój gabinet lekarski, pokój do pracy, sypialnia i jadalnia.

Marta uważnie rozglądała się po pokoju opuszczonym przez doktora Belę Harmatha. Na środku prawej ściany były drzwi, za którymi znajdowała się wnęka służąca za umywalnię, wyposażona w porcelanową miednicę i dzbanek, ustawione na marmurowej półce. Nad półką umocowano lustro, a po obu jego stronach wieszaki na ręczniki. Oprócz tego był jeszcze wieszak na biały fartuch Zygmunta. Obok umywalni stał piec z zapasem drewna po jednej stronie i kubełkiem węgla po drugiej.

– Czy nie należałoby przestawić łóżka na koniec pokoju, pod okno? – zapytała. – Na ścianie można zawiesić makatę; zobaczysz, jak będzie wesoło. Jeśli postawisz na środku okrągły stół, a na nim paterę z owocami i orzechami, zostanie jeszcze dużo miejsca na książki i pisma. Twoja mama przysłała biały obrus, a ja przyniosłam trochę kwiatów. Później postawimy biurko po drugiej stronie okna. Tam jest najwięcej światła, a przy tym najzaciszniej. Przecież drzwi muszą być cały czas otwarte. A regały zmieszczą się pod drugą ścianą, koło biurka.

– Wiesz co? – Zygmunt był pełen entuzjazmu. – Zabierzmy się od razu do roboty!

Szybko przemeblowali pokój, książki medyczne ustawili na półkach, po czym Marta rozpakowała przyniesioną paczkę: pięć kolorowych poduszek na jego kawalerskie łóżko. Oparła je o ścianę i stanąwszy pod oknem, oglądała pokój.

– Powiem twojej mamie, żeby ci przysłała jakąś weselszą kapę na łóżko. Nad biurkiem powiesimy portrety Goethego i Aleksandra Wielkiego, te, które masz w swoim pokoju w domu, a tymczasem na środku zawieszę swój portret. Gotowe. Teraz już ten pokój wygląda jak twój własny.

Objął ją czule.

– Będziesz znakomitą gospodynią.

– Już nią jestem. Tyle tylko, że nie mam jeszcze domu, który mogłabym prowadzić.

Z pobliskiej kawiarni kelner przyniósł dzbanki z kawą i mlekiem oraz talerze z ciasteczkami. Tuż po nim weszli młodzi lekarze, których chciał przedstawić Marcie: Natan Weiss, sekundariusz pierwszej grupy, specjalizujący się na Czwartym Oddziale w chorobach nerwowych. Zapowiadał się na najlepszego neurologa Wiednia i był, jak to wszyscy jednogłośnie stwierdzili, największym na świecie egocentrykiem; Aleksander Holländer, asystent profesora Meynerta, elegant szpitalny; Józef Pollak, oftalmolog pracujący równocześnie na wydziale chorób nerwowych profesora Scholza, stary przyjaciel Karol Koller, który był internistą na oftalmologii, i Józef Paneth z pracowni fizjologicznej Brückego.

Marta nalewała kawę i mleko. Zygmunt nie mógł oderwać od niej oczu. Snuł swoje ulubione marzenia: są już po ślubie, u siebie, w przemiłym mieszkaniu, na kolację przyszli przyjaciele, toczy się rozmowa...

– Panno Bernays, proszę się nie martwić o doktora Freuda – żartował Weiss – wszystkie pacjentki przejdą przez naszą kontrolę i jemu przypadną tylko najbrzydsze.

– Dopilnujemy – dodał Holländer – żeby jego pokój sprzątały jedynie stare wiedźmy.

– Bardzo to miło z panów strony – odpowiadała zarumieniona po uszy Marta.

Raz jeszcze podano kawę, wszystkie ciasteczka zostały zjedzone. Koledzy Zygmunta się pożegnali. Minęła już szósta i Marta musiała iść do domu. Ale trudno im się było rozstać.

– Usiądź, Martusiu, w dużym fotelu. O tak! Odtąd zawsze, kiedy będę tu wracał, będę cię widział w tym miejscu. – Ukląkł przed nią i dodał szeptem: – Pewien zakochany poeta powiedział: „Jesteśmy z ciała ulepieni, ale żyć musimy, jakbyśmy byli z żelaza".

W oczach dziewczyny zabłysły łzy. Zygmunt objął ją i przytulił mocno.

Lubił ścisły rozkład dnia szpitalnego. Z łóżka zrywał się o szóstej rano, zbiegał do sutereny, brał gorący prysznic lub kąpiel, wracał do swojego pokoju, golił się – sprzątaczka zostawiała mu dzban z gorącą wodą – wkładał biały fartuch. Szybki obchód po salach, zbadanie nagłych wypadków, które przywieziono w nocy, i powrót do pokoju na śniadanie składające się z białej kawy z cykorii zaprawionej kilkoma kropelkami kawy prawdziwej, bułeczek z masłem i marmoladą. Następnie „BZ" – *Beobachtungszimmer* – pokój obserwacyjny, dokąd kierowano chorych z głównej izby przyjęć szpitala. Tu sporządzano kartę choroby. Obiady przynoszono z pobliskiej restauracji. Każdy z lekarzy jadał u siebie w pokoju. To, czego pacjenci nie zjedli na obiad, podawano na kolację. Pensja wynosiła trzydzieści guldenów miesięcznie, a za wyżywienie trzeba było płacić o dwa i pół guldena więcej. Dawał jednak teraz korepetycje studentom medycyny, za które pobierał trzy guldeny za godzinę. Jako sekundariusz, co prawda tylko drugiego stopnia, miał prawo przyjmować prywatnych pacjentów w godzinach wolnych od pracy w szpitalu. Mógł nawet odwiedzać swych pacjentów w domu, ale musiał wtedy prosić innego lekarza, by pełnił za niego dyżur. Dotąd co prawda nie miał prywatnych pacjentów, doktor Breuer obiecał mu jednak, że przyśle do niego kilku.

Nowa posada przyniosła duże zmiany w jego zajęciach. Pracując pod kierunkiem Billrotha i Nothnagla, był aspirantem. U Meynerta stał się lekarzem i spędzał osiem do dziesięciu godzin dziennie – jego zdaniem „konieczne minimum" – lecząc i wypisując recepty chorym, których nie demonstrowano studentom i aspirantom. U Meynerta asystenci uczyli i wykładali, resztę zaś czasu poświęcali pracy w laboratorium. Sekundariusz nie miał prawa wstępu do laboratoriów, ale Meynert nie przejmował się przepisami. Już w drugim tygodniu Zygmunt spędzał bite dwie godziny w laboratorium. Po siódmej wieczór, kiedy pacjenci już ułożyli się do snu, pracował przy świetle lampy wśród słojów z preparatami ludzkich mózgów.

Wszedł w swą rolę niemal niepostrzeżenie. Starał się ulżyć cierpiącym na zaburzenia emocjonalne i choroby umysłowe. Przez męskie i kobiece sale kliniki przewijało się rocznie od tysiąca czterystu do tysiąca sześciuset pacjentów, miał więc pełną panoramę tych schorzeń. W rozmowach z Zygmuntem profesor Meynert nazywał swą klinikę psychiatryczną „jedynym w Austrii" państwowym zakładem dla umysłowo chorych, ale nie było to ścisłe. Istniał ponadto duży zakład na Lazarettgasse, gdzie Meynert początkowo pracował. Sale kliniki nie stanowiły prawdziwych cel domów dla wariatów, gdzie chorzy pozostawali do śmierci. Klinika Meynerta zajmowała się klasyfikacją, diagnostyką i nauczaniem. Pacjentów odsyłano stamtąd do domu lub do innych zakładów, czasami zresztą bardzo niedaleko, do Zakładu dla Umysłowo Chorych Dolnej Austrii, który znajdował się o kilka domów dalej, przy Spitalgasse, za pagórkiem pokrytym trawnikami, kwietnikami i kępami drzew.

Całą wiedzę, jaką Zygmunt Freud posiadał o chorobach umysłowych, zawdzięczał Meynertowi. Profesor wygłaszał swe wykłady na salach, stojąc obok łóżka chorego. Klasyfikował pacjenta, określając jego chorobę, opowiadał o jego rodzinie, starając się wykazać, po którym ze swych przodków odziedziczył chorobę; demonstrował chorych w czasie ataków i w przypadkach nawrotów choroby, by studenci mogli zobaczyć objawy i nauczyć się je rozpoznawać.

– Ten oto człowiek cierpi na otępienie wczesne, tamten na otępienie wrodzone, czyli niedorozwój umysłowy. Ta kobieta jest katatoniczką. U tego młodego człowieka wystąpiła psychoza alkoholowa, tu mamy przypadek kretynizmu, tam otępienie paralityczne. Tu leży chora z psychozą maniakalno-depresyjną, tu znów z uwiądem starczym, tam z paranoją, a tu z nerwicą pourazową.

Prowadzono pełną dokumentację każdego przypadku. Uczyniono pewne postępy: młody Emil Kraepelin, pracownik Uniwersytetu Lipskiego, opublikował właśnie wyczerpujące dzieło *Psychiatria kliniczna*. Krafft-Ebing, profesor uniwersytetu w Grazu i ordynator Zakładu dla Obłąkanych w Feldhof, opracowywał kolejne poszerzone wydania swej *Psychiatrii*, dodając za każdym razem dziesiątki szczegółowo opisanych przypadków.

Nikt nie znał przyczyny tych schorzeń. Zdaniem Meynerta, Kraffta-Ebinga i Kraepelina były one dziedziczone, tak jak kolor oczu czy sposób poruszania się, po rodzicach lub dziadkach. Nie znano też na nie lekarstwa. Tego, co zostało odziedziczone, nie można wyeliminować. Istniały na szczęście pewne metody łagodzenia symptomów, masaże elektryczne, ciepłe lub zimne kąpiele, bromowe leki uspokajające. Poza tym nie pozostawało nic innego, jak tylko czekać, aż natura przywróci umysł do stanu normalnego.

Kiedy Zygmunt zjawił się po raz pierwszy w gabinecie Meynerta, zobaczył na jego biurku rękopis zatytułowany *Psychiatria*. Meynert wciąż jeszcze prowadził badania niezbędne do napisania ostatniego rozdziału zatytułowanego „Waga części mózgu i wpływ kory na ośrodki naczynioworuchowe". Zygmunt oglądał nowe rysunki śródmózgowia i nerwu twarzowego.

– Pańskie dzieło jest już właściwie ukończone! – zawołał z dumą.

– Zajęło mi siedem lat – odpowiedział Meynert. – Udało mi się dowieść w sposób ostateczny, że zmiany w przodomózgowiu nigdy nie mogą wywoływać halucynacji, tak jak i wspomnienia, nawet jeżeli jest w nich choć ślad właściwości zmysłowych.

– Nie ma więc duszy, panie profesorze?

Meynert uśmiechał się trochę niewyraźnie. Zygmunt się przekomarzał, Meynert był bowiem głównym przeciwnikiem tezy o istnieniu duszy ludzkiej. Utrzymywał, że cała praca psychologów poszukujących miejsca, w którym się znajduje dusza w ludzkim ciele, i usiłujących stworzyć naukową etykę postępowania człowieka jest nie tylko daremnym wysiłkiem, lecz wręcz nieporozumieniem. Prawdziwe badania nad mózgiem ludzkim prowadzi się w laboratoriach.

8

Profesor Meynert skierował doktora Freuda na oddział męski. Zygmunt zaczął pracę z mieszanymi uczuciami. W odróżnieniu od wielu lekarzy nie czuł uprzedzenia do swoich pacjentów. To przecież ludzie chorzy, a on powinien zdobywać wiedzę i nauczyć się opiekować chorymi, bez względu na to, czy cierpieli na infekcję w nodze, czy na halucynacje. Ale nie przejmował się zbytnio chorobami swoich pacjentów. Obszedł pierwszą salę, by się zorientować, z czym będzie miał do czynienia. Niektóre przypadki były lżejsze, inne bardziej skomplikowane. Chroniczni alkoholicy powoli pozbywali się nadmiaru alkoholu; gdy *delirium tremens* minęło, odsyłano ich do domu, do następnego kryzysu. Do innej kategorii należeli chorzy, którzy znaleźli się tu w następstwie jakiegoś wypadku, cierpiący na psychozę maniakalno-depresyjną, na manie prześladowcze, halucynacje oraz zdumiewająco liczna grupa pacjentów, którzy słyszeli „głosy". Przebywał tu między innymi stolarz, który spadł z rusztowania, z wysokości drugiego piętra. Miał uszkodzony wzrok, widział wszystko podwójnie i mówił tak niewyraźnie, że nie można się było zorientować, czy w ogóle potrafi składnie myśleć.

Dalej następowały przypadki paraliżu, tików nerwowych i niedowładów, świadczące o uszkodzeniu mózgu lub innych części układu nerwowego spowodowanym przez guzy, stany zapalne, gruźlicze zapalenie mózgu, syfilis. Chociaż lekarz nie miał sposobu ustalenia przyczyny choroby i mógł ją poznać dopiero po przeprowadzeniu sekcji zwłok, istniała szansa, że leczenie przywróci w jakiejś mierze władze umysłowe. Wiele z tych przypadków nie powinno było w ogóle znaleźć się na psychiatrii, lecz u prymariusza Scholza na Czwartym Oddziale, gdzie specjalizowano się w chorobach nerwowych. Trudno jednak było wymagać od początkujących lekarzy, którzy mieli nocne i niedzielne dyżury na izbie przyjęć (taki dyżur czekał raz w tygodniu Zygmunta), by zawsze trafnie określili, co właściwie dolega pacjentowi z niedomogą słuchu, wzroku lub motoryki.

Pięćdziesięcioletni Teodor Meynert miał jedną ambicję: chciał mieć na swym koncie trzydzieści tysięcy opisanych badań mózgu. Krążąc po sali, oglądając każdy przejaw choroby cielesnej połączony z zakłóceniem władz umysłu, Zygmunt próbował zrozumieć, na jakiej zasadzie Meynert, kiedy już uda mu się poznać wszystkie uszkodzenia w mózgu, decyduje, które z nich powodują poszczególne złożone choroby psychofizyczne.

– Stosunkowo prosta sprawa – zapewniał go Meynert. – Weźmy ten oto przypadek na środkowym łóżku. On już umiera. Kiedy dobiorę się do jego mózgu, znajdę tam guz wielkości dużego kartofla.

Na łóżku w kącie leżał stary mnich benedyktyn. Diagnoza brzmiała: pomieszanie zmysłów. Kiedy przyjmowano go do szpitala, twierdził, że jest w bunkrze i że trwa wojna. Jeśli sam wstał, nie umiał trafić z powrotem do łóżka. Nie poznawał lekarzy i pielęgniarzy. Na pytanie Zygmunta, jak się czuje, wyrecytował dokładnie swój życiorys od szkoły powszechnej, poprzez gimnazjum, różne klasztory. Ostatnie osiem lat zupełnie wypadło mu z pamięci, objęte było całkowitą amnezją. Nieustannie popijał wodę, każde zdanie kończąc łykiem, i co kilka minut domagał się świeżej karafki.

– Byłem w Hütteldorf. Tam miałem mniej swobody niż tu. W Hütteldorf... nie wiem, o Boże! nie wiem! jestem największym kłamcą na świecie. Wiem o tym. Co oni zrobili w Hütteldorf? Przysięgam, że nie wiem. Od kiedy przeszedłem tyfus brzuszny, nie jestem w stanie niczego zapamiętać. Może jestem teraz w szpitalu dla wariatów. A pan co tu robi? O Boże! Nie wiem, nic nie wiem! Wszystko mi się miesza. Jaki teraz mamy miesiąc?...

Zygmunt, odchodząc od łóżka chorego, pomyślał sobie, że to przecież oczywisty przypadek zaawansowanej starczej sklerozy. W następnym łóżku leżał młody wieśniak; diagnoza brzmiała: „Mania”. Jeszcze będąc w domu, stał się niekomunikatywny. Nie słyszał, co się do niego mówi, nie odpowiadał na pytania. W nocy rozbierał się do naga i biegał po podwórzu, po czym wracał do domu, darł spodnie na strzępy, ciął na kawałki kurtkę, buty. Komisja wojskowa orzekła, że jest niezdolny do służby, a jego jedyną ambicją było wojsko. Nie chciał w ogóle rozmawiać z Zygmuntem, póki ten nie trafił na właściwe pytanie:

– A co ty właściwie chcesz robić w wojsku?

Pytanie rozwiązało choremu język, posypały się wyjaśnienia.

– Chcę odebrać ubranie. Przyjechałem do Wiednia z wójtem z naszej wsi; powołano mnie do wojska. Wójt obiecał, że przyjdzie tu po mnie. Nie jestem chory. Zawsze byłem zdrowy, tylko w młodości miałem gorączkę. Muszę wrócić do domu. Tyle jest roboty w gospodarstwie. Jeśli nie oddacie mi ubrania, siekierą zabiję wszystkich w sądzie powiatowym. Kilka razy pokłuto mnie nożem, strzelano do mnie. Co pan tam pisze? Niepotrzebne panu nazwisko mego ojca, mój ojciec nic mnie nie obchodzi. Aresztowano mnie za kłusownictwo. Bili mnie po głowie rewolwerem. Sąd skazał mnie za podpalanie. Stałem się smutny. Nie chcę już więcej rozmawiać z ludźmi, chcę być w wojsku.

W następnym łóżku leżał nieżonaty pięćdziesięciodwuletni mężczyzna, z zawodu szewc. Był to drobny człowiek o bladej, opuchniętej twarzy i zwiotczałych mięśniach.

– Nie jestem wariatem. Nie zamykajcie mnie w „Wieży Szaleńców”. Prześladują mnie ludzie. Ja panu podam ich nazwiska. Moi bracia i siostry znęcali się nade mną, bo zabawiałem się z kozą. Wiem, że muszę pokutować za to przestępstwo. Mój starszy brat jest umysłowo chory.

– A wiesz, Fritz, dlaczego się tu znalazłeś?

– Bo w domu wyśmiewali się ze mnie. W nocy słyszę, jak stoją pod oknem i wygrażają mi. Krzyczą: „Pijaku! My ciebie pobijemy!” Dlatego się ukryłem. Przed pięciu laty zabawiałem się z kozą i z małymi dziećmi. Powinni mnie zamknąć w kryminale. Przez dwa lata piłem. Mój ojciec też był pijakiem. Zapił się na śmierć.

Pielęgniarz zawołał Zygmunta do jednego z pacjentów w izolatce, domagającego się lekarza. Był to żonaty właściciel winnicy, który poprzedniej nocy dostał ataku furii. Zygmunt wszedł do jego pokoju, zamykając za sobą żelazne drzwi. Z karty choroby wynikało, że chory cierpi na obłęd, majaczenia alkoholowe, lęki, podniecenie, słuchowe i wzrokowe halucynacje oraz na niedorozwój umysłowy. Przed niespełna miesiącem wpadł nagle w furię, uciekł z domu, a po powrocie modlił się na klęczkach, niekiedy po pięć godzin bez przerwy. Utrzymywał, że zgłosił się do szpitala, bo jest chory na gardło.

– Jak tam z pańskim gardłem?

– Zawsze byłem zdrów. Od dwóch lat kaszlę. Sąsiedzi mnie zamknęli; mówią, że szczekam. A ja tylko chrząkam. Wywaliłem okno i uciekłem.

– Karolu, wczoraj nic nie jadłeś.

– Bo jedzenie jest zatrute. Nie dam się zabić. Kupiłem w Haugsdorf dom za sześćset guldenów. Nie możecie trzymać pod kluczem bogatego człowieka.

Profesor Meynert wyznaczył doktorowi Freudowi przedpołudniowy dyżur na izbie przyjęć. Zygmunt zdążył już przeczytać kilkaset „skierowań" i wiedział dokładnie, jakie są obowiązki lekarza przyjmującego, który przeprowadza pierwsze badanie. Każdego ranka napływały świeże przypadki. Pacjentów przywoziła policja, rodziny, niekiedy zgłaszali się sami. Niektórzy mówili bez związku, mamrotali jakieś urywane słowa. Z ust innych płynął nieustanny potok nieskładnych zdań. Pierwszym dostarczonym na dyżur chorym był dwudziestopięcioletni absolwent prawa, katolik. „Wzrostu średniego, średnio odżywiony, cera blada" – notował Zygmunt w księdze przyjęć. „Włosy brązowe, broda rudawa, oczy niebieskie; usta w lewym rogu opuszczone, może na skutek zasklepionej szramy po ranie. Płuca i serce w normie". Chory opowiedział doktorowi Freudowi taką oto historię:

Był dzieckiem słabowitym, miał defekt wymowy. Przeszedł odrę, szkarlatynę, dyfteryt. Od szóstego roku życia bywał często karany za drobne kradzieże, choć się ich zapierał. Gdy miał dziesięć lat, rzucił krzesłem w swego brata. Ukończywszy siódmą klasę, musiał przerwać naukę w gimnazjum. Wysłano go do krewnych w Krems. Wydawał dużo pieniędzy na stroje; lubił imponować. Maturę zdał średnio. Zapisał się na prawo w Wiedniu. Obracał się wśród arystokracji, jeździł tylko fiakrem, miał kochanki, jako dwudziestoletni młodzieniec zdefraudował pieniądze kolegów. Uważał, że jest chory na gruźlicę, i zdarzało się, że w ciągu jednego dnia pięć razy chodził do lekarza. Przez rok był aplikantem w sądzie powiatowym, narobił jednak długów i musiał się zwolnić z pracy. Postanowił wyjechać z rodziną do Ameryki, ale uciekł z domu, sprzedał bilet za połowę ceny i włóczył się po Europie, utrzymując się z kradzieży i oszustw.

Zygmunt zapisał: „Megalomania, obłęd i niedorozwój umysłowy. Przypadek raczej nieuleczalny".

– Przecież nie mogę pracować, jeśli mnie tu zatrzymacie. Mój brat chce zrujnować moją karierę. W życiu nie zrobiłem nic złego. Wszyscy są przeciw mnie. Nie mogę pracować systematycznie, bo mam syfilis i gruźlicę.

– Bardzo wątpię, czy pan ma syfilis i gruźlicę.

– Odczuwam przeszywający ból w lewym płucu. Wypuścicie mnie stąd, jeśli będę się dobrze sprawował?

Zygmunt wyznaczył mu łóżko i przepisał jodek potasu.

Wezwano go z kolei do młodego żonatego mężczyzny, którego przyjęto do szpitala w nocy. Diagnoza opiewała „Zaburzenia umysłowe". Chory nie przyjmował jedzenia i napojów.

– Wie pan, doktorze, dlaczego nie chcę jeść ani pić? Bo tyle już mam w sobie śluzu, że muszę od tego umrzeć. Jestem całkiem wysuszony, ale nie mogę pić wody, bo mam za dużo śluzu w gardle.

Zygmunt spojrzał na kartę choroby. Pacjent nigdy nie cierpiał na żadne dolegliwości fizyczne. Pierwszymi objawami nienormalności umysłowej był maniakalny strach przed otruciem. Nie chciał jadać w domu, ponieważ uważał, że żona zamierza go otruć. Chodził do restauracji. Stał się bardzo pobudliwy, nie sypiał, a rano nie chciał się ubierać i iść do pracy, tłumacząc, że ma „za dużo śluzu".

Zygmunt zbadał go dokładnie. Pacjent był fizycznie wycieńczony, przeszywały go raz po raz dreszcze, ruchy miał niespokojne. Teraz krzyczał:

– Jestem mistrzem świata w pluciu! W domu przez trzy tygodnie leżałem na kanapie i plułem. Moja żona jest kurwą!

– Albercie, czy wiesz, gdzie się znajdujesz?

– Nie. Wiem tylko, że wkrótce umrę.

Zygmunt obserwował twarz chorego. Reakcje obu źrenic zwolnione, skóra zimna, bardzo duże osłabienie. Prawdopodobnie umrze, bo coś mu się popsuło w głowie, jakaś choroba opanowała mózg. Ale jaka choroba może sprawić, by człowiek godzinami pluł bez przerwy, by uwierzył, że ma za dużo śluzu?

O dziesiątej wieczór zgłosił się do szpitala stolarz, który za dwa lub trzy dni miał być zwolniony z pracy. Domagał się widzenia z lekarzem. Żądał przyjęcia na leczenie, ponieważ odczuwa silne bóle w nogach, ale w drodze do szpitala upił się i został skierowany na oddział psychiatryczny. Był to człowiek żonaty, z trojgiem dzieci, fizycznie zdrowy. Kiedy otrzeźwiał, twierdził, że pozostali pacjenci biegają za nim po sali i chcą mu wydłubać oczy.

– Karney, zdajesz sobie sprawę, że to halucynacje? – pytał go Zygmunt.

– Chyba tak. Chcę wrócić do domu, do pracy. Ale tak mnie męczy bezsenność i strach. I wtedy zaczynam pić.

Zygmunt patrzał przez okno. Światło lamp z trudem rozpraszało mrok panujący na dziedzińcu.

– Dlaczego właśnie wydłubać oczy? Jaka choroba jest źródłem tych zwidów? Jedno tylko przychodzi mi na myśl, słowa z Ewangelii według Mateusza: „A jeśli oko twoje gorszy cię, wyłup je i zarzuć za siebie".

9

Wyjazd Marty do Wandsbek w połowie czerwca okazał się dla obojga przeżyciem bardziej bolesnym, niż przypuszczali. Eli dawał do zrozumienia, że gotów jest zatrzymać obie siostry u siebie, ale ich czekały jeszcze lata rozstania. Zygmunt obawiał się tego. Równocześnie jednak przyznawał, że jeśli miłość nie potrafi przetrwać rozłąki, wówczas w ogóle nie można wrócić jej trwałości.

Objął Martę i ucałował.

– Skoro twoja matka zaczęła działać, nic na to nie poradzimy. Nie mamy wyboru. Musimy wierzyć w moją pracę, bo tylko ona może nas połączyć.

Następnego dnia spotkali się na chwilę na rogu Alserstrasse. Przez spiekłe od zgryzoty wargi nie przeszły mu nawet słowa „do widzenia". Był zbyt przybity, by wracać do szpitala. Poszedł do Ernesta Fleischla. Józef Breuer i Zygmunt na przemian opiekowali się Fleischlem w okresach między operacjami, które kilka razy do roku robił Billroth. Niewiele mogli mu pomóc. Zmieniali opatrunki na palcu i dawali zastrzyki morfiny przeciw bólowi.

Piękną kamienicę, w której mieszkał Fleischl, wybudował jeszcze jego dziadek. Zdobiły ją olbrzymie nagie postacie mężczyzn i kobiet, portyki, greckie kolumny, arabeski i stiukowe aniołki. Starsi państwo Fleischlowie zajmowali całe pierwsze piętro. Ernest urządził sobie oddzielne mieszkanie, przebijając dodatkowe drzwi na klatkę schodową. Miał dużą narożną sypialnię, za nią mniejszą jadalnię, a na drugim końcu korytarza pokój, który służył równocześnie za bibliotekę, pracownię, gabinet i salon. Tam spędzał bezsenne noce, cierpiąc straszliwie.

Służący Ernesta otworzył Zygmuntowi drzwi. Jedna ściana gabinetu była całkowicie zabudowana regałami. Na drugiej wisiały obrazy włoskich malarzy, które dziadek Fleischla kupował, podróżując powozem z Mediolanu do Neapolu. Na stolikach, stołach i etażerkach stały fragmenty marmurowych rzeźb z Azji Mniejszej, kobiece popiersia, głowy rzymskich wodzów, fryzy i etruski Bachus ze świątyni w Wejach.

– Cieszę się, Zygmuncie, że cię widzę. Przed chwilą powiedziałem kucharce, że nie będę jadł kolacji, ale skoro tu jesteś, urządzimy sobie prawdziwą ucztę.

Uniósł znajdującą się za aksamitną kotarą tubkę i dmuchnął w nią, a gdy zjawił się służący, kazał podać obfity posiłek. Zygmunt zdjął Fleischlowi opatrunek z palca, by zobaczyć, jak wygląda rana. Zaledwie przed dwoma miesiącami Billroth dokonał dalszej amputacji. Zygmunt oczyścił ranę, zmienił bandaż, prowadząc przez cały czas ożywioną rozmowę. Fleischl właśnie postanowił uczyć się sanskrytu, by móc czytać Wedy w oryginale. Zygmunt podsunął mu myśl, żeby skorzystał z pomocy Ignacego Schönberga.

Kiedy wniesiono kolację, okazało się, że na dużym stole, zawalonym archeologicznymi zabytkami, które ojciec Fleischla przywiózł z Egiptu i Ziemi Świętej, starczyło miejsca zaledwie na dwa talerze zupy. Ernest tłumaczył się:

– Kiedy jadam sam, pocieszam się widokiem pięknych rzeczy. To tak, jakbym je pochłaniał zamiast pierogów. Po śmierci zabiorę te skarby ze sobą.

Zygmunt nie lubił, kiedy liczący zaledwie trzydzieści siedem lat Fleischl mówił o śmierci, nawet żartem, ale trzeba było patrzeć gorzkiej prawdzie w oczy. Palec Fleischla nigdy się nie zagoi, a Billroth, odcinając za każdym razem kawałek, odbierał choremu kilka lat życia. Rana była bardzo bolesna i Ernest wytrzymywał ból tylko dzięki morfinie. Czy to nie drwina ze sprawiedliwości? – zadawał sobie Zygmunt w myślach pytanie. Fleischl miał przecież wszystko, co czyniło życie cennym – jego znakomity umysł wzbijał się w regiony niedostępne całej reszcie świata medycznego Wiednia.

– Wiesz, Ernest, gdybym cię nie kochał, byłbym straszliwie zazdrosny – żartował. – Ostatnim człowiekiem, który wiedział wszystko, co można wiedzieć, był Leibniz w 1716 roku. Jeśli nie zwolnisz tempa, prześcigniesz go.

Piękną twarz Fleischla przeszył bezwiednie grymas bólu. Zygmunt dał mu zastrzyk morfiny. W dzień pochłaniała Fleischla praca w laboratorium Brückego, ale noce dłużyły się straszliwie. Zygmunt siedział do pierwszej, grali w japońską grę go. Martwił się; około czwartej nad ranem Fleischl nie będzie mógł wytrzymać bólu i sam zaaplikuje sobie kolejną dawkę morfiny. Stał się już narkomanem, ale o tym nikt poza Zygmuntem i Breuerem nie wiedział. Wracając przez opustoszałe ulice do szpitala, myślał o tym, że muszą odzwyczaić Ernesta od morfiny. Ona go zabije szybciej niż palec. Nikt nie zniósłby takiego bólu bez jakiegoś środka przynoszącego ulgę, ale przecież musi być coś mniej groźnego od morfiny.

Już wkrótce Zygmunt zorientował się, że szpitalem kierują właściwie sekundariusze. Dziesięciu spośród nich miało pierwszy stopień, trzydziestu zaś, podobnie jak on sam, drugi. Prymariuszami byli lekarze w średnim wieku, mający własną praktykę i znaczne dochody. W szpitalu przebywali oni tylko kilka godzin dziennie. Tak więc czterdziestu lekarzy opiekowało się dwudziestoma oddziałami rozmieszczonymi w poszczególnych pawilonach. Lekarze spotykali się na rozmowy w pomieszczeniach rejestracji, izby przyjęć i centralnej czytelni. Młodzież zbierała się także na pogawędki przy kawie obok ustawionych we wnękach kuchenek. Wszyscy narzekali na brak pieniędzy. Powstała „masoneria potrzebujących", wzajemnie wyręczających się w potrzebie. Jeden z lekarzy pracujących na dermatologii zawiesił nad swym biurkiem makatkę z wyhaftowanym cytatem ewangelii według św. Jana: „«Ubogich zawsze z sobą macie». – To o NAS". Lekarze pierwszego stopnia zarabiali więcej, osiemdziesiąt guldenów miesięcznie, i mieli też trochę prywatnych pacjentów, ale byli starsi i spoczywały na nich większe obowiązki. Każdy walczył o dodatkowego guldena, udzielając korepetycji, recenzując teksty medyczne, wyszukując pacjentów. Wszyscy byli zadłużeni u krewnych, przyjaciół, księgarzy, w sklepach papierniczych, u krawców i w kawiarniach.

Pewnego ranka Zygmunt potrzebował pięciu guldenów dla Amelii. Zagadnął dwóch przyjaciół – pokazali mu puste kieszenie. Po obiedzie nadbiegł Józef Paneth, jak zwykle niestarannie ubrany, a z jego niebieskich oczu można było nie tylko wyczytać wrażliwość i nieśmiałość, lecz także rozpoznać objawy gruźlicy, która w Wiedniu atakowała bogatych i biednych, bez różnicy. Paneth trapił się swoją zamożnością, bał się, że biedniejsi koledzy będą go unikać. Toteż kiedy tylko nadarzała się okazja, wydawał przyjęcia. Każdy pretekst był dobry: urodziny, awans, publikacja jakiejś pracy. Przychodził pierwszy do restauracji, zamawiał kolację, dawał napiwki kelnerom, płacił z góry rachunek, po czym zasiadał szczęśliwy do stołu.

– Zygmunt, słyszałem przed chwilą, że potrzebujesz kilku guldenów.

– Nie mogę od ciebie pożyczać. Takie jest niepisane prawo.

– Dlaczego ja jestem wyłączony?

– Bo jest rzeczą niewłaściwą pożyczać od człowieka, któremu nie musi się zwracać. To pachnie żebraniną.

– Jesteście bandą snobów! Dlaczego biedni mogą udzielać pożyczki, a bogaci nie?

– Stary, kiedy będziemy potrzebowali pieniędzy na luksusy i grzeszki, będziemy je pożyczać tylko od ciebie.

Paneth podszedł do biurka Zygmunta i wziął do ręki fotografię Marty.

– Jak znosisz rozstanie?

– Jakoś znoszę, to najwłaściwsze określenie – odpowiedział Zygmunt, zmuszając się do uśmiechu. – A jak się ma panna Zofia Schwab? Przecież ją kochasz i powinieneś się z nią ożenić. Tak długo szukałeś ubogiej panny.

– Masz rację. Zamierzamy się pobrać latem.

Zygmunt bardzo lubił towarzystwo kolegów. Robert Steiner Freiherr von Pfungen został niedawno docentem na neuropatologii. U Meynerta on głównie prowadził wykłady w salach szpitalnych. Zygmunt musiał chodzić na te wykłady i asystować przy demonstracjach, ponieważ był odpowiedzialny za pacjentów, których demonstrowano. Von Pfungen studiował u najznakomitszych profesorów wiedeńskich: Brückego, Wedla, Strickera, Redtenbachera i Bartha. Zdobył solidną wiedzę w dziedzinie medycyny, chemii, fizjologii nerek i z zakresu korowych zaburzeń mowy. Bardzo go lubiano, ponieważ nigdy nie kwestionował zapotrzebowań na materiały. Był w sympatyczny sposób opętany manią leczenia. Teraz zwrócił się do Zygmunta:

– Wiesz, że próbujemy dociec, dlaczego chorzy przechodzą kolejno przez okresy przytomności i obłędu. Znalazłem odpowiedź: cykl perystaltyczny; ruchy, dzięki którym przesuwa się zawartość przewodu pokarmowego.

– Czy pan doktor nie mógłby wyrazić jaśniej swej myśli?

– Otóż chciałbym, panie kolego, żeby prowadził pan rejestr wypróżnień pacjentów, zapisując dokładnie czas rozpoczęcia ruchów robaczkowych. Potem proszę to zestawić z okresami jasności umysłowej i pomieszania u chorych. Uważam, że zachodzi tu stosunek odwrotny. Kiedy perystaltyka pracuje, umysły pacjentów są pomieszane. Z chwilą zakończenia wypróżnienia myśli ich się rozjaśniają i ten stan rzeczy trwa do rozpoczęcia następnych ruchów robaczkowych. I co ty na to?

Zygmuntowi tylko jedno słowo przychodziło na myśl: *Scheisse!* Ale von Pfungen był zbyt miłym człowiekiem, by go obrażać. Obiecał więc, że będzie obserwować pacjentów zgodnie z poleceniem.

W kilka tygodni później von Pfungen odkrył nową teorię. Tym razem odnośnie do kataru oskrzeli.

– To jest związane z myciem pleców – tłumaczył, kiedy razem obchodzili sale. – Mam wystarczające dowody na potwierdzenie mego spostrzeżenia, że prawa strona oskrzeli rzadziej ulega zakażeniom, ponieważ lewa ręka, czyli słabsza i leniwsza, nie myje tak silnie prawej strony jak prawa ręka lewą. Nie sądzisz, że to jest ciekawe podejście?...

Najczęściej jednak, choć nie zawsze chętnie, widywał Zygmunt doktora Natana Weissa, który miał zaledwie trzydzieści dwa lata, ale mieszkał w szpitalu już od lat czternastu, a przez ostatnie cztery był starszym docentem na Czwartym Oddziale. Weissa nazywano „Pan Allgemeines Krankenhaus". Kiedy Józef Breuer dowiedział się, że Zygmunt został kolejnym powiernikiem Weissa, powiedział mu:

– Natan zawsze przypomina mi anegdotę o człowieku, który zapytał swego syna, kim chciałby zostać, a ten mu odpowiedział, że witriolem, bo wszystko przeżera.

Zarozumiałość Natana dorównywała tylko jego zapałowi do pracy, umiejętności „zaczepiania się" o temat i trzymania się go kurczowo. Zawsze był w ruchu, wygłaszał dowcipne monologi, wiedział o wszystkim po trochu. Skoncentrował się na chorobach nerwowych i stał się w tej dziedzinie prawdziwym autorytetem.

W latach studenckich zakochał się, dostał kosza i od tego czasu wystrzegał się miłości. Jedyną jego namiętnością było kierowanie Czwartym Oddziałem.

Doktor Natan zaczął wpadać na przyjacielskie pogawędki, zapraszając niekiedy Zygmunta na kawę lub kolację. Początkowo Zygmunt myślał, że jest tylko nowym słuchaczem dla niewyczerpanego gawędziarza, ale już wkrótce przekonał się, że krzywdził Weissa.

– Freud, czy nie miałby pan ochoty przejść do mnie po studiach u Meynerta? Będę wtedy prymariuszem, a pana mianuję starszym sekundariuszem. Moja w tym głowa, żeby pan został drugim po mnie neurologiem wiedeńskim.

– Po panu? A jak wielka będzie między nami odległość?

– Między mną a najlepszym poza mną neurologiem zawsze będzie istniała nieprzebyta przepaść. Po studiach na moim oddziale chorób nerwowych zachowa pan na zawsze znamię Natana Weissa.

– „Dał też Jahwe znamię Kainowi... Po czym Kain odszedł od Jahwe. A potem osiadł w kraju Nod".

– Znam to. Księga Rodzaju 4,15–16. Mój ojciec wytatuował mi cały Stary Testament, wiersz po wierszu, na skórze. – Stojąc już w drzwiach, Weiss dodał: – Zdaje się, że pan ma kilka sióstr, czy mógłbym je poznać? Chciałbym ożenić się z siostrą lekarza. Gdy tylko zostanę prymariuszem, założę własną rodzinę. Pora na żeniaczkę... czas najwyższy...

10

Wszystkie laboratoria miały te same wymiary: trzy metry na trzy i pół metra. Profesor Meynert zajmował jedną pracownię, gdzie wydzielone zostało miejsce dla młodych asystentów demonstrujących swe osiągnięcia. Sąsiednie laboratorium zajmowali wspólnie von Pfungen i Rosjanin Darkszewicz, którego ambicją było stworzenie nowoczesnej neuropatologii w Moskwie. Zygmunt zajmował następną pracownię z doktorem Holländerem, w ostatniej zaś pracował Bernand Sachs, pierwszy Amerykanin, z którym się zetknął w pracy. Miał lat dwadzieścia cztery, magisterium zrobił na Uniwersytecie Harvarda, a doktorat przed rokiem na Uniwersytecie Sztrasburskim. Obecnie studiował anatomię mózgu u Meynerta. Zygmunt chętnie rozmawiał z nim po angielsku i polubił tego sympatycznego i inteligentnego młodzieńca. Na doktora Sachsa czekało już stanowisko wykładowcy chorób umysłowych i systemu nerwowego w poliklinice nowojorskiej. Raz tylko pospierali się o słowo „umysł". Sachs stale mówił o chorobach „umysłowych", na co Zygmunt odpowiedział:

– Berni, preparat, który oglądasz pod mikroskopem, nie jest wycinkiem ludzkiego umysłu. To wycinek mózgu.

– Jak możesz oddzielać mózg od umysłu?

– Mózg jest narządem, fizyczną strukturą dla pomieszczenia pewnej zawartości. Zawartością jest umysł: słowa, myśli, obrazy, przekonania...

– Ale to jest nierozdzielne, mój drogi!

Zygmunt wchodził do swej pracowni przez narożne drzwi. Pod ścianami ciągnął się długi stół do pracy, który kończył się koło drzwi, w miejscu, gdzie był zlew, a pod nim duży kosz na odpadki: kawałki mózgu, połamane klisze. Na wysokich półkach stały słoje z przysłanymi z prosektorium mózgami; pływały w formalinie zawinięte w muślin i zawieszone na sznurku, by nie opadły na dno słoja i nie uległy spłaszczeniu.

Zygmunt zdjął płaszcz i zawiesił go na haku za drzwiami. Z jednego ze słojów wyjął mózg, rozwinął z muślinowej osłony i ważył go w obu dłoniach. Był miękki, tajemniczy, niepokojący. Zawsze kiedy miał do czynienia z mózgami ludzi dorosłych, nie mógł się opędzić od myśli, że jeszcze przed kilkoma godzinami czy dniami tętniło w nich życie.

Mózg był śliski, przypominał kremowoszarobiałą galaretkę. Zygmunt zmył drobiny krwi i ułożył mózg na stole przy zlewie. Następnie dwudziestocentymetrowym niezbyt ostrym nożem pokrajał go na kawałki półcentymetrowej grubości. W pewnej chwili natrafił na opór. W pokoju unosił się teraz odór formaliny, alkoholu i mózgu; szczególny odór śmierci, stęchły, zjadliwy, nieprzyjemny.

Kawałki mózgu przeniósł na stół roboczy, z którego musiał uprzątnąć preparaty znajdujące się w pudełkach z otworami; tych pudełek poprzedzielanych zapiskami Zygmunta zebrała się cała góra. Bardzo cienkie kawałki mózgu mierzył mikrotomem. Na stole stały rzędem butelki z roztworami i z barwnikami w kolejności, w jakiej zanurzał w nich swe preparaty. Z każdego kawałka mózgu pobierał następnie wycinek najbardziej typowy dla badanych zmian chorobowych.

Posłaniec z prosektorium przyniósł paczkę zawierającą mózg niemowlęcia, które urodziło się martwe ubiegłej nocy. Mózg nie był jeszcze w formalinie. Trzymając w ręku tę miękką, śliską i wilgotną masę, Zygmunt z trudem opanował ogarniające go uczucia. Kiedy pokroił mózg i obejrzał próbki pod mikroskopem, zrozumiał, dlaczego niemowlę nie mogło żyć: miało wrodzoną anomalię, wodogłowie.

– Gdybyśmy mogli dowiedzieć się, dlaczego komory mózgu zawierają zbyt wiele płynu, co spowodowało zatkanie otworów, uniemożliwiając przepływ, bylibyśmy już na drodze do zapobieżenia chorobie – powiedział do siebie.

Czekało teraz na niego zadanie znalezienia metody barwienia próbek w taki sposób, by pewne strefy nerwów, dróg nerwowych i komórek, których nigdy dotąd nie udało się dokładnie zbadać, ponieważ nie występowały wyraźnie na tle otaczającej je szarej masy, stały się bardziej widoczne. Tego rodzaju praca należała do histologa. Wszystkie jednak próby kończyły się zabarwieniem całego preparatu. Ze zdumieniem stwierdził, jak szybko mijają mu godziny spędzone samotnie w laboratorium, gdzie przesiadywał niekiedy aż do północy, poszukując właściwej kombinacji chemikaliów, która nie spowoduje kruszenia się, marszczenia i kurczenia się preparatów.

Pracę Zygmunta śledził uważnie doktor Aleksander Holländer, już od siedmiu lat zatrudniony w klinice. Był synem lekarza węgierskiego, znał języki, miał rozległe wiadomości z literatury i filozofii, ale przede wszystkim słynął jako znakomity diagnosta i specjalista od anatomii mózgu. Pod nieobecność Meynerta często prowadził wykłady dla studentów. Jego praca *Teoria niedorozwoju moralnego* przyjęta została z dużym uznaniem. Holländer był sympatycznym bogatym młodzieńcem. Ubierał się wytwornie, palił drogie cygara i miał wielkopański stosunek do swej pracy. Meynert twierdził, że jest niezrównany, jeśli idzie o wykorzystywanie wyników cudzych prac badawczych. Przygotowywanie i barwienie preparatów nudziło go śmiertelnie, ale z największą cierpliwością obserwował nieustanne próby Zygmunta odnalezienia właściwego rozwiązania tej kwadratury koła, w nadziei że uda mu się natrafić na właściwą mieszaninę.

– Muszę przyznać, że nie zrażasz się niepowodzeniami. Chciałbym mieć twoją wytrwałość.

– A ja chciałbym mieć twoją wiedzę. Zresztą wiesz przecież, że po tysiącu niepowodzeń uchodzisz za pechowca, ale wystarczy, że powiedzie się za tysiąc pierwszym razem, a już obwołają cię geniuszem.

– W takim razie bliski jesteś genialności.

– Nie wziąłbyś się razem ze mną do roboty? Mam takie uczucie, że już jestem na tropie czegoś, co nadawałoby się do preparowania embrionu i mózgów noworodków. Razem doprowadzimy do końca doświadczenie i razem opublikujemy artykuł w „Zentralblatt für die medizinischen Wissenschaften”.

– Masz rację, już dawno nic nie publikowałem. Kiedy zabieramy się do roboty?

– Już się zabraliśmy. Zdejmij swój elegancki angielski żakiet i zgaś cygaro. Zobacz, co się dzieje, kiedy usztywniam kawałki tkanki narządowej w dwuchromianie potasu... albo tu, w płynie Erlicha...

Holländer był znakomitym pedagogiem. Wystarczyło najprostsze pytanie Zygmunta, by odpowiedział całym wykładem na temat bruzd mózgowych. Był również interesującym gawędziarzem, mającym na podorędziu dykteryjki o najnowszych premierach teatralnych, operowych, o towarzystwie wiedeńskim. Jedynym jego mankamentem było to, że wychodził z pracowni wcześnie po południu, by przygotować się do swych wieczornych rozrywek. Czasami wpadał około północy zobaczyć, jak Zygmuntowi idzie praca. Kiedy ten domagał się, żeby mu pomógł, słyszał w odpowiedzi:

– Kiepskie światło. Poza tym metoda jest trudna...

– Chwała Bogu, że trudna, inaczej każdy dałby sobie z tym radę. Dlaczego nie spróbujesz czasem popracować poważnie?

Holländer śmiał się dobrodusznie.

– Nie uwierzysz mi, ale na studiach byłem najpracowitszym studentem na moim roku. Postanowiłem opanować anatomię mózgu, i to mi się udało.

– Nikt w to nie wątpi.

– No więc cóż, mój drogi. Zdobyłem specjalność i po co jeszcze się męczyć? Ja już moją skończyłem. Wkrótce otworzę własne sanatorium i będę niezależny. Zdziwiłbyś się, gdybyś się dowiedział, w ilu bogatych rodzinach jest jakiś skrzętnie ukrywany wariat. Ślęczenie nad mikroskopem to zajęcie dla takich fanatyków jak ty.

Po jego wyjściu Zygmunt zamyślił się i opuścił głowę. „Chciałeś powiedzieć: dla takich jak ja biedaków, którzy potrzebują odkryć i publikacji, docentur i pacjentów, żony i domu...”

Ostatnim etapem szkolenia był oddział kobiecy. Ranki spędzał Zygmunt w izbie przyjęć, badając nowe pacjentki. Na początku lipca panowały straszliwe upały; przez szeroko otwarte okna nie wpadał najlżejszy powiew. Drzewa na dziedzińcach stały osowiałe w białym żarze słonecznych promieni. Zygmunt, który nie miał letniego ubrania, w ciężkim zimowym garniturze czuł się jak ugotowany.

Pierwsza pacjentka miała lat trzydzieści pięć. Pochodziła z Galicji. Mówiła tylko po polsku. Aresztowano ją w Schönbrunnie, gdzie rozlepiała święte obrazki na drzewach i murach. Tak jej nakazał Pan Bóg, obiecując, że w nagrodę ona jedna tylko znajdzie się w niebie. Nie pozwoliła się zbadać, a kiedy wprowadzono ją na salę, chwyciła krzesło i rzuciła się na drugą pacjentkę. Zygmunt natychmiast kazał ją zamknąć w izolatce. Kiedy rzuciła się na posługaczy, którzy próbowali zrobić porządek w celi, przeniesiono ją do domu wariatów w Gugging.

Następną pacjentką była starszawa żona właściciela ziemskiego z Weissenbach, drobna kobieta o szarych oczach, prawie bezzębna – zostały jej tylko siekacze. Stwierdził, że cierpi na różę; zmianami chorobowymi objęte były brzuch, narządy płciowe i wewnętrzna strona ud niemal po kolana. Przepisał okłady z karbolu, lodu i chininę. Chora opowiedziała, że mąż bił ją po głowie do utraty przytomności, innym razem wyrywał jej włosy z głowy i wyrzucił ją na podwórze, gdzie przez godzinę leżała na śniegu, a kiedy wróciła do domu, powitał ją okrzykiem: „Bydlę, jeszcześ nie zdechła!".

Kobieta odsłoniła piersi. Zygmunt wezwał pielęgniarkę. Chora jeszcze bardziej się podnieciła, uniosła spódnicę, zachowywała się gorsząco, po czym na środku pokoju załatwiła czynności fizjologiczne. Pielęgniarka ją wyprowadziła.

Czekała już następna pacjentka, służąca w średnim wieku, niezamężna. Znajdowała się w stanie głębokiej depresji. Sama udała się na policję, skarżąc się na swój stan, i prosiła, by skierowano ją do szpitala.

– Dlaczego jest pani tak przygnębiona?

– Przez osiem lat byłam służącą u wysokiego urzędnika państwowego. Zostałam zwolniona z pracy ze świetnymi rekomendacjami, i to mnie właśnie zgubiło. Gdziekolwiek się zgłaszam, obawiają się, że skromniejsza praca nie będzie mi odpowiadała. Trzy miesiące temu próbowałam popełnić samobójstwo, napiłam się witriolu, ale w szpitalu mnie odratowano. Dwa i pół roku jestem bez pracy. Boję się wrócić do siebie, bo na świecie jest dużo ludzi, ale nie ma ludzkich uczuć. Na ulicy wszyscy mi się dziwnie przypatrują. Kiedy pokazuję świadectwo, mówią, że mnie jakieś złe rzeczy łączyły z moim pracodawcą. Ja już chcę umrzeć. Panie doktorze, jeśli tu zostanę, wystara mi się pan o truciznę?

Zbadał też młodą żonę właściciela winnicy z Lanzendorf. Była drobna, o delikatnej budowie. Chodziła tam i z powrotem po pokoju, zwiesiwszy głowę na piersi. Nazwisko podała poprawnie, ale na żadne inne pytania nie chciała odpowiadać. Zapytał ją, kiedy wyszła za mąż.

– Nie wiem – odpowiedziała. – Czasami nic nie mogę sobie przypomnieć. Już dawniej miałam złą pamięć.

– Czy chciałaby pani tu zostać na pewien czas?

– Nie. Nie wolno mi mieszkać w tak pięknym gmachu. Mam zbyt wiele grzechów na sumieniu.

– A może mi pani powiedzieć, jakie to grzechy?

– Nie zasługuję na to, by mi dawano jeść. Byłam złym człowiekiem i staję się coraz gorsza. Trzeba mnie wyrzucić lub zabić. Moi rodzice głupio postąpili, że się pobrali. Nie przyszłabym na ten koszmarny świat. Moich rodziców trzeba było utopić w studni natychmiast po ich urodzeniu. Wyszłam za mąż za chłopa, którego nie kochałam, tylko po to, żeby się wydostać z domu. W domu wszystko jest na opak. Tu panuje porządek.

Pielęgniarka wezwała go na salę, by zajął się młodą hafciarką z Węgier. Przyjął ją do szpitala doktor Meynert, wpisując jako diagnozę obłęd, ponieważ miała halucynacje i cierpiała na nadmierną pobudliwość. Godzinami przesiadywała przy oknie, szukała okazji, by wyskoczyć na bruk. Z historii choroby wynikało, że uskarżała się na bóle w tyle głowy. Zaczepiali ją mężczyźni, ona zaś godziła się na te zaczepki, ponieważ zmuszały ją do tego jakieś głosy. Od razu pierwszej nocy trzeba ją było związać i umieścić w specjalnym łóżku.

Zygmunt kazał otworzyć siatkę otaczającą łóżko. Kobieta zerwała się i próbowała go objąć. Płakała i skarżyła się na złe traktowanie. Uspokoił ją i zapytał, kiedy zaczęły się bóle.

– Przed dziesięcioma miesiącami. Zaczęło się od bólów brzucha. Zawsze trzymałam się z daleka od mężczyzn, ale teraz wbiłam sobie do głowy, że tylko mężczyzna może mnie wyleczyć. Zaczęłam się uganiać za każdym napotkanym mężczyzną, całowałam go i obejmowałam. Moja rodzina zamknęła mnie w domu. Próbowałam wyskoczyć oknem, i dlatego przywieźli mnie tutaj.

– A skąd krew na ramieniu?

– Ugryzłam się. W moim łóżku jest mężczyzna, który chce mnie spalić.

Wyskoczyła z łóżka, urwała kawałek sukni, owinęła go wokół szyi i próbowała się udusić. Zygmunt przepisał dwa gramy wodzianu chloralu. Po chwili już spała.

I tak ciągnęła się ta defilada żałosnych dusz: trzydziestosiedmioletnia stara panna, wieśniaczka, przed laty urodziła martwe dziecko i wciąż usiłowała przekonać ludzi, że to nie ona je zabiła; zatrzymano ją, kiedy biegła nago przez las i spotykanym po drodze ludziom opowiadała, że w domu jej rodziców codziennie kogoś mordują, a zwłoki wieszają na strychu. Przystojna wiedeńska mężatka stale widywała duchy i diabła, a ponadto otwierał się nad nią sufit i ludzie pokazywali jej język; pięćdziesięciosiedmioletnia hafciarka słyszała głosy i huk strzałów, a potem widziała na łóżku zakrwawione i poćwiartowane zwłoki swej córki, którą zabił mąż. Kobieta ponad czterdziestkę, niemogąca zasnąć, bo w pobliżu krążyło ciało jej kochanka Aleksandra z głową jej męża na karku, żądała, by wstawiono do sali kanapę, ponieważ oczekuje Ducha Świętego, który ma się z nią przespać. Stara panna słyszała głosy policjantów i szczekanie psów; uważała, że ludzie się za nią oglądają i oskarżają ją o zwabianie psów, z którymi utrzymuje stosunki miłosne. Czterdziestoletnia żona kasjera z banku, osoba wykształcona i dobrze ułożona, była przekonana, że całe miasto nienawidzi jej i unika, ponieważ miała pozamałżeński stosunek, zaraziła się chorobą weneryczną (nie była chora) i potem zaraziła nią swego męża, który z tego powodu ją porzucił.

Bywały jeszcze trudniejsze pacjentki; takie, które wymagały stałej opieki. Niezdolne do składnego mówienia, do uporządkowania myśli, żyjące w czasach o dziesięć, dwadzieścia, czterdzieści lat odległych, niezdające sobie sprawy z tego, że są chore i że znajdują się w szpitalu. Codziennie czytał Zygmunt godzinami opisy przypadków nadsyłane z Grazu, Zurychu, Pragi, Paryża, Mediolanu, Moskwy, Londynu i Nowego Jorku. Prowadzono skrupulatne studia nad halucynacjami i przywidzeniami, fantazjami, strachami i maniami prześladowczymi. Wszystkie te przypadki były ściśle zaklasyfikowane i lekarze mogli stwierdzić, co zresztą potwierdzały monografie i książki na biurku Zygmunta, że choroby te nie były związane z jakimś określonym miejscem, czasem lub specjalnymi okolicznościami. Występowały powszechnie. W szpitalach, sanatoriach, domach wariatów całej Europy Zachodniej przebywały setki tysięcy takich nieszczęśliwców.

Diagnozy brzmiały zazwyczaj: obłęd, szaleństwo, otępienie wczesne. Leczenie było proste. Chorym dawano środki uspokajające, nakazywano odpoczynek, próbowano doprowadzić do stanu pozwalającego dostrzegać różnicę między rzeczywistością i złudzeniami, kąpano ich na przemian w gorącej i zimnej wodzie, stosowano elektroterapię i masaże. Ale wszystkie te zabiegi nie dawały trwalszych rezultatów. Niekiedy, jeśli choroba nie była jeszcze zaawansowana, poprawiano samopoczucie pacjenta i odsyłano go do domu, ale historie chorób nie skłaniały do optymizmu. U większości ataki się ponawiały; wracali do szpitali lub więzień albo wreszcie ginęli śmiercią samobójczą.

W ciągu tych miesięcy Zygmunt skierował trzech pacjentów do Zakładu dla Umysłowo Chorych Dolnej Austrii, odprowadzając ich do budynku na szczycie wzgórza; tyluż odesłał tam von Pfungen. Holländer miał siedmiu nieuleczalnie chorych, najwięcej zaś, bo aż trzynastu, miał ich profesor Meynert, którego wzywano do przypadków najtrudniejszych.

Czas spędzony w salach „z zaburzeniami psychicznymi" wyczerpał Zygmunta emocjonalnie i fizycznie. Jadł mało, źle sypiał, stracił kilka kilogramów wagi, choć nie mógł sobie na to pozwolić przy swej szczupłej konstytucji. Panujące upały, zatłoczone sale i nieustanne ataki szału i manie prześladowcze, których był świadkiem, pozostawiły na nim widoczny ślad. Miał głęboko zapadnięte oczy, a na twarzy pojawiły się dwie podłużne wąskie zmarszczki. Był internistą, cierpienia psychiczne tych chorych nie powinny go były bardziej absorbować niż cierpienia fizyczne, a przecież istniała pewna subtelna różnica. Lekarz zazwyczaj współczuł pacjentom, którzy cierpieli na wole czy kamienie żółciowe; tych, którym dolegały manie prześladowcze, lekarz po prostu się bał. Była to reakcja instynktowna. Nie przypuszczał, że się tak bardzo przejmie tym wszystkim, bo przecież nie miał zamiaru specjalizować się w chorobach psychicznych, ale teraz zaczęła go niepokoić niejasna myśl, że tych nieszczęśników za późno tu przyprowadzono.

Przed patologiem otwierały się niezmiernie bogate dziedziny badań. Budowa i funkcjonowanie mózgu ludzkiego wymagały szczegółowego poznania. Cóż jednak mógł zdziałać lekarz asystujący, mając niewielkie możliwości niesienia pomocy? A co począć z pacjentami, którzy zdawali się już skazani? Próbując podsumować doświadczenia tych miesięcy, przeglądając w pamięci setki przypadków, z którymi się zetknął, Zygmunt stwierdzał z przygnębieniem: cała ta psychiatria to jałowe zajęcie.

Księga trzecia

Chodzenie po linie

1

Dwa razy w tygodniu przychodził do Zygmunta na skromną kolację Ignacy Schönberg. Przyjaciele czytali i studiowali razem przy świetle lampy naftowej. Ignacy był przeciążony pracą, chciał bowiem jak najszybciej ożenić się z Minną. Pewnego wieczora, kiedy przyszedł bardziej niż zazwyczaj blady i wyczerpany, Zygmunt zbadał go za pomocą stetoskopu i opukał klatkę piersiową.

– Mój drogi, musisz wypocząć.

– Jeszcze nie w tym roku – odpowiedział Ignacy znużonym głosem.

– Właśnie teraz.

Zygmunt postanowił zobaczyć się z braćmi przyjaciela, których często widywał w ciągu tych długich lat przyjaźni z Ignacym. Alois był nieuchwytny, ale Geza zaprosił go na kolację. Był to mężczyzna krępy, o wyrazistych rysach, ciężko pracujący, który już we wczesnej młodości doszedł do wniosku, iż książki są wrogiem człowieka. Zygmunt uważał go za głupca i zarozumialca, nie marnował więc czasu na wstępne uprzejmości.

– Geza, stan Ignacego pogarsza się.

– Czego chcesz ode mnie?

– Pieniędzy. Tyle, żeby mu wystarczyło na kilka tygodni w górach.

– A dlaczego ja miałbym za niego płacić? Muszę solidnie się namęczyć, by zarobić guldena.

– Wszyscy musimy zarabiać na siebie. – Zygmunt zmienił ton i mówił już łagodniej. – Ale Ignacy jest cennym człowiekiem.

– Na czym ta jego cenność polega? Na tym, że czyta wiersze w sanskrycie? Za pomocą sanskrytu nie zarobi na jedzenie.

– Jeśli namówię Aloisa, by wyasygnował pewną sumę, dorzucisz coś? Ja z nim pojadę. Nie chcę, by podróżował sam.

– No, dobrze – burczał Geza. – Dam. Przecież ja zawsze daję!

Zygmunt odwiózł Ignacego do Stein-am-Anger na Węgrzech i zostawił mu ścisłe wskazówki, jak ma się leczyć. Ledwie wrócił do domu, a już

Breuer wezwał go do Fleischla. Cienka warstwa skóry w miejscu ostatniej amputacji znowu pękła. Fleischl był zrozpaczony. Breuer dał mu już zastrzyk morfiny, którą przyniósł ze sobą. Wracali potem razem w parny wieczór lipcowy; nawet z kamieni bruku i ścian domów buchał żar. W pewnej chwili podszedł do nich jakiś człowiek; chciał rozmawiać z Breuerem. Zygmunt pozostał kilka kroków w tyle.

– To był mąż jednej z moich pacjentek – wyjaśnił Breuer, pożegnawszy się ze swym rozmówcą. – Jego żona tak dziwnie zachowywała się w towarzystwie, że przyprowadził ją do mnie, podejrzewając chorobę nerwową. Ale ja niewiele mogę jej pomóc. Te przypadki zawsze są związane z tajemnicami alkowy.

– O czym ty mówisz? – dopytywał się zdumiony Zygmunt.

– O alkowie, w której stoi łoże małżeńskie, gdzie przypadki neurotyczne się zaczynają i kończą.

Zygmunt zamyślił się.

– Nie zdajesz sobie sprawy, jak ważny problem poruszyłeś.

Breuer milczał. Zygmunt szedł u jego boku, próbując uporządkować myśli. Nie miał żadnego doświadczenia, jeśli idzie o „tajemnice alkowy". Podświadomie czuł, że jest to problem obfitujący w niebezpieczne pułapki dla mężczyzny, który musi jeszcze kilka lat czekać na własną sypialnię. Niełatwo mu było zrozumieć nieporozumienia, jakie niekiedy powstawały na tle pożycia małżeńskiego. Między nim a Martą na pewno nie będzie żadnych nieporozumień.

A jednak... A jednak... Przecież wychował się w Wiedniu, w mieście, które słynęło z największej swobody erotycznej w Europie. Wiedział, że istnieją specjalne domy z ładnymi młodymi prostytutkami, słyszał o paniach z półświatka, gotowych na każde wezwanie. Jego zamożniejsi i bardziej lekkomyślni koledzy, wstępując na uniwersytet, szybko znajdowali sobie przyjaciółki ze wsi lub z robotniczych dzielnic, utrzymywali je do ukończenia studiów, porzucali, po czym „panienki" przelewały kilka łez i zaczynały rozglądać się za następnymi studentami. Można też było zawierać znajomości z mężatkami. Kiedyś zauważył jakąś elegancką damę, która przyszła po południu na ciastka do Demela, „robiącą oko" do któregoś z gości; innym razem podsłuchał szepcącą do siebie parę i już wiedział, że był to wstęp do pełnej podniecających przygód schadzki. Mężczyźnie przyłapanemu in flagranti z reguły groził pojedynek ze zdradzonym mężem, ale w Wiedniu pojedynki rzadko kończyły się tragicznie.

Zygmunt i jego przyjaciele jeszcze w gimnazjum nasłuchali się dużo o erotycznej swobodzie panującej w stolicy. Nie stać ich jednak było na takie rozrywki, a poza tym, wychowani w surowych starozakonnych obyczajach, stronili od tego rodzaju pokus. Wierzyli w romantyczną miłość, a kiedy zdarzało się, że mieli w kieszeni guldena, to wydawali go na swe ukochane książki. Przede wszystkim jednak szkoda im było czasu i sił, które przecież potrzebne były na studia, dyskusje, ostre polemiki na tematy filozoficzne i społeczne. Doktor Zygmunt Freud przeprowadził już kilkanaście sekcji zwłok kobiecych, ale wciąż jeszcze był niewinny. Żywe kobiety pozostawały dla niego tajemnicą.

Wracając od Fleischla, wstąpił do Breuera. W gabinecie przyjaciela zjedli kiełbasę z kapustą, którą im podała Matylda. Musieli się posilić po ciężkim wieczorze.

– Gdyby niektórzy z moich pacjentów nie pochodzili z bogatych rodzin – mówił Józef – z pewnością trafiliby i do twego szpitala, zamiast do mego gabinetu. W każdym wielkim mieście jest pewna liczba niespokojnych neurotyków, którzy biegają do każdego nowego lekarza, spodziewając się cudownego wyleczenia ze swych nieistniejących chorób. Ach, ci wędrujący chorzy z ich wiecznie wędrującymi po całym organizmie chorobami! Dziś głowa, jutro płuca, a za tydzień kolano. Ledwie człowiek przepędzi ból z pleców lub brzucha, a już hydrze odrasta ucięta głowa i lekarz może zaczynać od początku. Wiedzą o tym wszyscy lekarze, na wszystkich spadały już podobne kłopoty. Ale dlaczego? Jaka tego przyczyna? Tysiące inteligentnych zdrowych mężczyzn i kobiet nie mogą się obyć bez choroby, bez bólu. Nie dalej jak wczoraj zjawił się u mnie nowy pacjent, mężczyzna w średnim wieku, gruba ryba z wiedeńskiej finansjery. Kiedy chodzi ulicą, widzi wokół siebie potwory, karły, nietoperze. Krążą wokół niego, latają wokół jego głowy. Na konferencjach zamiast twarzy swoich partnerów widzi diabły i straszne piekielne kreatury. Znakomicie mu się powodzi, żona i dzieci są zdrowe. Mimo to żyje w nieustannym lęku. Wiem, na czym polegają jego cierpienia, ale skąd się biorą? – Józef kręcił głową. – Dziwne to wszystko i ręce opadają. Ale powiedz mi, co nowego w twoim szpitalu.

– Bardzo proszę. Jest więc taki Johann, kawaler, lat trzydzieści dziewięć, były urzędnik Banku Francusko-Austriackiego. Trafił do nas przed kilkoma tygodniami. Rosnące roztargnienie, nieprzyzwoite zachowanie się w domu i w miejscach publicznych, paniczny niepokój, który każe mu zrywać się o czwartej rano i wybiegać na miasto. Robił zakupy bez sensu, kradł bez powodu. Dziś wybił kilka szyb na sali szpitalnej. Kiedy go zapytałem, dlaczego to zrobił, odpowiedział: „Mam brata szklarza, trzeba mu dać zajęcie. Mój ojciec był szklarzem, umarł, licząc sobie lat siedemdziesiąt jeden. Matka moja żyje i dobrze się czuje. Biega po mieście przez osiemnaście godzin na dobę. Ja tu przyszedłem tylko po to, żeby obejrzeć sobie obrazy. Przecież tu w ogóle nie ma wariatów; to są bardzo mili ludzie. Jedzenie i służba – znakomite. Napiszę o tym do gazety. Władam pięcioma językami. Jestem straszliwie bogaty. Powieszę się, jeśli mnie stąd szybko nie zabiorą. Dam panu milion guldenów. Pójdzie pan do maklera giełdowego i kupi akcje".

– Klasyczne symptomy. Obłęd rozwijający się w kierunku zidiocenia.

– Następny przypadek. Pacjent, którego badałem wczoraj na izbie przyjęć. Podczas badania zachowywał się spokojnie, ale kiedy kazano mu się położyć do łóżka, wskoczył na parapet i groził, że wyskoczy z okna. Musiałem go umieścić w izolatce. Powiedział do mnie: „Nie wiem, dlaczego się tu znalazłem. Czuję się znakomicie. Przez osiem nocy nie mogłem spać. Stale mi się śni Madonna. Widziałem Ją u siebie w łóżku. Część świata już zginęła, małpy stały się ludźmi i rządzą. Czy pan nie czuje, że słońce wysysa panu mózg? Czuję przecież, jak ono wysysa mój...".

Breuer przez chwilę zastanawiał się nad tymi przypadkami.

– Klinika psychiatryczna była zawsze pasem transmisyjnym do domu wariatów. Ale i tak nie masz przypadków najgorszych. Naprawdę ciężkimi przypadkami zajmuje się policja, a ofiary idą do więzienia. Z paragrafu „niedorozwój moralny".

– Czy to są takie przypadki jak te, których Krafft-Ebing usiłował bronić przed sądami niemieckimi?

– Tak. Sadyści atakujący nożami kobiety na ulicy, zazwyczaj w ramię lub pośladki, i mający wtedy wytrysk. Fetyszyści tnący na kawałki suknie kobiecie, kradnący chusteczki, by posługiwać się nimi przy onanizowaniu się; mężczyźni wykopujący trupy, by dokonać na nich aktu seksualnego, pederaści zaczepiający młodych chłopców, schwytani w ustępach publicznych na gorszących uczynkach, zboczeńcy przebierający się w stroje kobiece i usiłujący uwodzić mężczyzn, ekshibicjoniści odsłaniający genitalia w parkach i teatrach, flagelanci biczujący się wzajemnie, lesbijki denuncjowane przez dziewczęta, z którymi utrzymywały stosunki... Masz szczęście, że nie musisz zajmować się tymi przypadkami.

Zygmunt, zasępiony, potrząsał głową:

– Ciepłe kąpiele, leki uspokajające, wypoczynek w uzdrowisku. Dajemy im kilka dni albo kilka tygodni absolucji. Ale nie możemy operować czaszki, tak jak Billroth operuje wnętrzności, nie możemy usunąć schorzałego organu. Na tę gorączkę nie mamy chininy. Nie możemy zakazać im cukru, jak to czynimy z diabetykami, nie możemy zakazać poruszania nogą, póki nie ustąpi zapalenie. Anatomia mózgu nie zna jeszcze żadnego przypadku wyleczenia chorego.

Józef zerwał się z krzesła i zaczął chodzić po pokoju.

– Nie bez powodu pytałem cię o przypadki, które masz na swoim oddziale psychiatrycznym. Nie zarobisz na życie, zajmując się anatomią mózgu, choć z pewnością sprawia ci przyjemność praca w laboratorium. Nie utrzymasz się z wariatów, chyba że zostaniesz wspólnikiem swego przyjaciela Holländera, który ma zamiar otworzyć prywatne sanatorium dla umysłowo chorych. Musisz przenieść się na Czwarty Oddział do Scholza i zająć chorobami nerwowymi.

2

Najlepsze godziny następowały zazwyczaj późno, kiedy w szpitalu panowała już cisza i kończyły się powszednie obowiązki. Zygmunt mógł się wtedy odprężyć. Fotografia Marty wprawiała go w dobry nastrój, wyobrażał sobie, że narzeczona jest obok niego, widział, jak daje mu znak ręką i zbliża się do niego po ścieżkach parku Belvedere albo jak razem spacerują po Beethovengang w Grinzingu i ona nagle zatrzymuje się, by poprawić przekręcony szew pończochy. Kiedy czytał po raz nie wiadomo który listy nadchodzące od niej niemal codziennie, zdawało mu się, że słyszy jej głos, cichy, kulturalny głos i wyraźnie wypowiadane słowa, i że widzi jej miły uśmiech.

Odpowiadał długimi listami, pełnymi czułości. Nie skrywał przed nią niczego ważnego. Donosił o swojej pracy w szpitalu i w laboratorium, o tym, jak dobrze się czuje w towarzystwie swoich kolegów lekarzy. Opowiadał, jak zaproponował Fleischlowi stosowanie metody barwienia złotem w badaniach siatkówki oka, i o tym, jak Fleischl wyraził zgodę. „Ku mojej wielkiej radości bowiem uczenie swego starego nauczyciela daje czystą i niczym niezamąconą satysfakcję". Powtarzał jej rozmowę z Breuerem, który radził mu przenieść się na oddział chorób nerwowych. Opisywał, jak ryczał ze śmiechu, czytając *Don Kichota,* jak tęsknił za nią, czytając Byrona.

Lubił pisać; ożywiał się, kiedy miał pióro w dłoni. Pisał w sposób naturalny, bez wysiłku, pisanie ułatwiało mu formułowanie myśli, było wypoczynkiem. Od chwili kiedy dostał stopień celujący za wypracowanie maturalne z niemieckiego, uważał się za stylistę. „Styl pański – powiedział mu jego profesor – to jest coś, co Herder, poeta i filozof niemiecki, określił jako «styl idiomatyczny», ścisły i równocześnie osobisty". Siedemnastoletni Zygmunt poważnie potraktował ten komplement i napisał do przyjaciela: „Radzę Ci zachować moje listy, daj je oprawić, dbaj o nie troskliwie – nie wiadomo, jaką będą miały kiedyś wartość!".

Poczucie obecności Marty w pokoju nigdy nie słabło. Zapach jej pokonywał zapachy laboratorium, które ze sobą przynosił, choćby nie wiadomo jak skrupulatnie wyszorował się szarym mydłem. Kiedy wchodził do pokoju, spojrzenie natychmiast padało na jej portret. To jednak wcale nie przeszkadzało, by gdy tylko odzywał się ischias lub był zmęczony, zniechęcony, zdeprymowany, urządzał jej listowne awantury. Nie mógł pogodzić się z faktem, że pani Bernays zabrała swe córki z Wiednia. Marta winna jest wierność przede wszystkim jemu! Zarzucał jej brak woli i tchórzostwo, ułatwianie sobie życia i niezdolność stawiania czoła trudnym sytuacjom. Na wszystkie te kłótliwe listy odpowiedziała Marta lakonicznie:

„Kocham Ciebie i kocham rodzinę. Nie zrezygnuję ani z Ciebie, ani z rodziny. Oba te uczucia będę skutecznie chronić".

Zmiany nastroju następowały u Zygmunta szybko. Wystarczyło, by kilka dni odpoczął, wybrał się na długi spacer po lesie, usłyszał jakieś słowo zachęty do pracy. Uświadomił sobie, że dzięki tym listom przeżywa swoistą *katharsis*. Wyładowywał w nich swą niecierpliwość i frustrację, którą odczuwał na myśl o tym, jak powoli posuwa się do przodu i ile jeszcze ponurych lat czekania ma przed sobą. Doceniał pogodę ducha, z jaką Marta znosiła trudną sytuację jego narzeczonej. Zasiadał wówczas przed fotografią, wdzięczny, że go nie krytykuje, i zapełniał kolejne arkusze papieru słowami skruchy, przeprosin i miłosnych wyznań. Ponieważ zawsze udawało mu się wysyłać te listy tak, by docierały do niej przed siedemnastym dniem miesiąca, kolejną rocznicową datą ich zaręczyn, wyczuwał podświadomie, że jego nastroje zmieniają się zgodnie z ich własnym określonym cyklem, nad którym nie potrafi panować. Z Martą czuł się pewny; nie wolno mu zniszczyć tej miłości. Czyżby dlatego właśnie dawał upust swoim zmiennym humorom?

Pod koniec lipca Breuerowie wyjechali na wakacje do swego domku w Salzkammergut. Józef poprosił Zygmunta, by zajął się jednym z jego pacjentów, niejakim panem Krellem, który mieszkał w Pötzleinsdorf. Zaproponował, żeby go razem odwiedzili.

– A co mu jest?

– Stwardnienie rdzenia, boczne, zanikowe. Pacjent ma pięćdziesiąt kilka lat. Mniej więcej przed rokiem zaczęły się pewne kłopoty z chodzeniem. Przed sześciu miesiącami doszedł do tego stopniowy zanik mięśni ud. Od dwóch miesięcy ma coraz większe trudności z przełykaniem płynów. Dusi się i dławi, płyny częściowo zwraca przez nos.

– Co to jest?

– Nie wiemy.

– Prognoza?

– Możemy złagodzić objawy, ale nie widzę szans wyleczenia. Pacjent w najlepszym wypadku ma przed sobą dwa lub trzy lata życia. Może tylko rok.

– Jakie zabiegi stosujesz?

– Zobaczysz.

Dom państwa Krell był dostatnim mieszczańskim domem z dobrze utrzymanym ogrodem, wnętrzem urządzonym w najlepszym biedermeierowskim stylu. Krzesła i oparcie kanapy, nogi mebli i wsporniki były kunsztownie powyginane; kredensy i szafy bogato zdobione.

Breuer przedstawił doktora Freuda jako swego kolegę. Pani Krell podała kawę. Z jej słów wynikało, że ośrodkowe zaburzenie równowagi u pacjenta pogorszyło się od ostatniej wizyty lekarza. Zygmunt natychmiast zauważył, że chory porusza się z wielkim trudem. Breuer zbadał jego uda, po czym poprosił o szklankę wody, w której rozpuścił sproszkowany brom.

– Mam nadzieję, że w sierpniu będzie się pan czuł dobrze. Proszę jak najwięcej przebywać w ogrodzie. Może pan chodzić do woli. Pani nie powinna się niepokoić. Doktora Freuda można zawsze, w dzień czy w nocy, zastać w szpitalu. Będzie na każde wezwanie.

Po powrocie do szpitala Zygmunt zastał w swoim pokoju Natana Weissa, który czekał na niego podniecony i z płonącymi policzkami.

– Słuchaj, podjąłem decyzję! Pamiętasz tę matkę i dwie córki, o których ci opowiadałem? Postanowiłem ożenić się ze starszą. Wiem, że nie będzie to łatwe, więc jako doświadczony zdobywca serc kobiecych musisz mi pomóc!

Przeszkody były rzeczywiście niemałe. Panna miała dwadzieścia sześć lat, odtrąciła już wielu starających się o jej rękę bardzo atrakcyjnych młodzieńców, Weissowi zaś oświadczyła bez ogródek, że miłość w ogóle jej nie interesuje. Krytykowała jego maniery, gadatliwość, egocentryzm.

Żądała, by się zmienił, i to radykalnie. Natan pokazał Zygmuntowi dwa listy, które od niej dostał, i zapytał go, co myśli o charakterze panny.

– Z listów odnoszę wrażenie, że to osoba roztropna, rozumna i zasługująca na szacunek. Ale charakter pisma i styl nie świadczą, że jest istotą bardzo kobiecą i delikatną.

– No wiesz! Nie wyobrażasz sobie, jak bardzo jest kobieca. Wystarczy, by moja miłość obudziła jej temperament.

– Przecież tłumaczyła ci, że miłość jej nie interesuje.

– A cóż ona wie o miłości, skoro się jeszcze nie kochała? To tylko takie teoretyczne gadanie. Ale kiedy spotka właściwego mężczyznę...

– A jesteś pewny – zapytał Zygmunt cicho – że właśnie ty będziesz właściwym mężczyzną dla tej Brunhildy? Robi na mnie wrażenie kobiety chłodnej, wymagającej i niezbyt ustępliwej.

Niedługo potem Natan znowu przyszedł do Zygmunta.

– Jestem w rozpaczy. Wpadła w melancholię, płacze bez powodu, nie chce mnie widzieć. Ustaliłem już bliską datę ślubu; rodzina jest zachwycona...

– Natanie, ona wie, co robi. Nie nalegaj zbytnio!

Ale Weiss nie należał do ludzi, którzy słuchają dobrych rad. Wydał tysiąc guldenów na prezenty dla narzeczonej, całe oszczędności poszły na urządzenie mieszkania. Wreszcie całkowicie załamany przybiegł do Zygmunta:

– Wyobraź sobie, że kiedy zabrałem ją, by obejrzała nasze wspaniałe mieszkanie, powiedziała: „A może ożeniłbyś się z moją siostrą?"

– Błagam cię – nalegał Zygmunt – postaraj się zrozumieć, że ona ciebie nie kocha. Wybierz się w jakąś dłuższą podróż. Po powrocie będziesz bardziej obiektywny...

– Nie chcę być bardziej obiektywny. Chcę być jak najbardziej subiektywny. Nie zniosę myśli, że ona mnie odtrąci. Przyznaję, jest chłodna i pruderyjna; po ślubie wywalczę sobie jej miłość. Tak jak wywalczyłem sobie sukcesy w innych dziedzinach.

Ślub się odbył. Natan wybierał się w podróż poślubną i czule się żegnał z Zygmuntem.

– Zobaczymy się za dwa tygodnie. Zaplanowałem cudowną podróż.

Doktor Freud zajął się tymczasem pacjentem Breuera. Pierwszy raz wezwano go do Pötzleinsdorf bez specjalnego powodu. Chodziło tylko o to, by poprawić samopoczucie pacjenta: stan chorego nie pogorszył się. Ciasne uliczki dusiły się w straszliwym upale. Nie było czym oddychać. Pacjenci zamknięci w murach szpitala ocierali spocone ciała kurtkami pidżam. Na ulicach panowała pustka; z rzadka widywało się jakiegoś *Dienstmanna,* który ciągnął wózek z bagażami jeszcze jednej rodziny uciekającej na wieś, do Lasku Wiedeńskiego. Miasto opustoszało. W jeden z takich właśnie piekielnych dni wezwano Zygmunta. Myślał, że znowu niepotrzebnie się fatyguje. Wybrał się fiakrem, Breuer bowiem przestrzegał go, że lekarzowi nie wolno jechać jednokonną dorożką, gdyż taki widok może pogorszyć stan chorego. Kiedy jednak znalazł się w mieszkaniu, od razu zobaczył, że tym razem sprawa jest poważna. Zaburzenie równowagi osiągnęło stan krytyczny. Pan Krell wstał rano z łóżka, stracił równowagę i upadł.

Po raz pierwszy doktor Zygmunt Freud miał okazję przekonać się, jak potrzebny może okazać się lekarz wezwany do domu. Zapomniał o swojej apatii. Zaaplikował panu Krellowi na uspokojenie wodzian chloralu, a kiedy chory z trudem przełknął płyn, ułożył go w łóżku i zastosował zimne kompresy na uda oraz masaż. Gdy Krell wreszcie zasnął, Zygmunt zajął się uspokajaniem małżonki; tłumaczył jej, że to tylko skutek upałów i że za dzień lub dwa stan chorego znacznie się poprawi. Pani Krell dziękowała mu wylewnie za to, że przyjechał mimo tak straszliwej spiekoty.

Wracając do rozgrzanego jak piec miasta, Zygmunt skonstatował, że przeświadczenie, iż może być ludziom potrzebny, sprawia mu radość. Kiedy przybył do Krellów, panowała tam panika, odjeżdżał zaś, pozostawiając ich pełnych otuchy.

„A biedak – pomyślał – za rok o tej porze z pewnością już nie będzie żył. Właściwie nic mu nie pomogłem. Przez kilka godzin będzie czuł pewną ulgę. Z czego więc tak się cieszę? Skąd to przekonanie, że faktycznie jestem do czegoś potrzebny?" Niemniej teraz już wiedział, dlaczego lekarze lubią swój zawód i tak często przywiązują się do pacjentów.

Przed powrotem Breuera dwanaście razy był wzywany do Krella. Przysłano mu honorarium: sześćdziesiąt guldenów. Po raz pierwszy w życiu zarobił taką sumę. Czterdzieści guldenów oddał matce, kilka guldenów wpłacił na konto swego rachunku u księgarza Deutickego, uregulował kilka drobnych długów i wystarczyło mu jeszcze na słownik dla Marty, o który prosiła. Była to mała pociecha po nieprzespanych nocach, kiedy tęsknota za narzeczoną kazała mu wyskakiwać z łóżka, ubierać się i krążyć do świtu po ulicach Wiednia.

Niedziele w izbie przyjęć były spokojne; zgłaszało się niewielu chorych, miał więc trochę czasu na lekturę. Przychodzili do niego po radę młodsi asystenci. Kiedy między lekarzami asystującymi a administracją wynikły jakieś tarcia, wybrano Zygmunta, by przedstawił pretensje lekarzy. Zreferował w logiczny sposób potrzebę wprowadzenia pewnych usprawnień i dyrektor szpitala przyznał, że regulamin należy w wielu punktach zrewidować.

Natan Weiss wrócił do pracy, ale do Zygmunta nie zachodził. Spotkali się dopiero na jakimś zebraniu.

– Jak ci leci w małżeństwie?

– Znałem większe przyjemności – odpowiedział Natan, nie patrząc Zygmuntowi w oczy.

W tydzień potem ponownie się spotkali. Natan ograniczył się tylko do jednego zdania:

– Kompletna klapa.

Pewnego ranka do pokoju Zygmunta wpadł doktor Lustgarten. Zygmunt leżał jeszcze w łóżku. Gość, blady jak ściana, zawołał od progu:

– Słyszałeś? Natan Weiss się powiesił. W łaźni na Landstrasse!

Cały szpital był wstrząśnięty. Nikt się nie spodziewał, że Natan Weiss popełni samobójstwo. Krążyły rozmaite domysły, co było tego przyczyną. Jedni twierdzili, że go oszukano i nie wypłacono mu posagu. Inni, że wydał wszystkie swe oszczędności po to tylko, by się przekonać, że całe to jego małżeństwo było bez sensu, bo żona go nie kochała... Zygmunt nie wierzył w te wszystkie tłumaczenia. Nie mógł rozmawiać o tej tragedii z kolegami. W liście do Marty, który pisał przez kilka godzin, zrelacjonował całą sprawę. Potem poszedł do Breuera i przedyskutował z nim to samobójstwo.

– To najbardziej tajemnicza choroba, jaką znam – mówił Józef. – Niemal nie poddaje się diagnozie.

– Przecież Natan był wręcz obsesyjnie przywiązany do życia...

– Ale widzisz, to były tylko pozory. W przeciwnym razie nie załamałby się przy pierwszym niepowodzeniu.

– Nie mogę opędzić się od niejasnej myśli, że Natan cały czas wiedział, czym to się skończy. Romans z tą nieszczęsną dziewczyną był tylko pretekstem; on nie chciał żyć.

3

Odkrył wreszcie skuteczny barwnik do wycinków mózgu, chociaż zajęło mu to kilka miesięcy pracy do późnych godzin nocnych. Wytrwał przy pierwotnej koncepcji, którą przedstawił w swoim czasie Holländerowi, mieszaniu dwuchromianu potasu z miedzią i wodą. Poczynił też pewne postępy w procesie utrwalania preparatów, umieszczając wycinki mózgu w alkoholu. Cieniutkie płatki mył w wodzie destylowanej, następnie wkładał do wodnego roztworu chlorku złota. Po kilku godzinach wyjmował je z roztworu drewnianą pałeczką, mył i wkładał do skoncentrowanego roztworu sody kaustycznej, dzięki czemu preparat stawał się przezroczysty i śliski. Po dwóch lub trzech minutach wykałaczką wyjmował płatki mózgu z sody i czekał, aż zbyteczna ilość płynu wyparuje, po czym wkładał wycinki do dziesięcioprocentowego roztworu jodku potasu, w którym natychmiast zabarwiały się na delikatny różowy kolor, przechodzący w czasie od pięciu do piętnastu minut w głęboką czerwień.

Preparat z mózgu dorosłego człowieka przenosił do alkoholu i przygotowywał jak zwykle. Próbki z mózgu lub rdzenia kręgowego noworodka albo embrionu umieszczał delikatnie na płytce szklanej za pomocą pędzla z wielbłądziego włosa, suszył je bez dotykania, a następnie przykrywał bibułką. Dzięki tej żmudnej i czasochłonnej procedurze udawało mu się zachować nawet najdelikatniejsze wycinki.

Zaprosił kilku przyjaciół, by pokazać im swoją technikę. Meynert i von Pfungen nie ukrywali zdumienia i radości. Lustgarten prosił, by pozwolił mu zastosować tę metodę przy badaniu skóry, Horowitz chciał ją wypróbować przy swych doświadczeniach z pęcherzem, a Ehrlichmann – w studiach nad gruczołami nadnerczy. Jeszcze tego samego wieczoru, podniesiony na duchu entuzjastyczną reakcją przyjaciół, zaczął pisać swą pracę *Nowa metoda studiów nad przebiegiem włókien nerwowych w centralnym systemie nerwowym*, którą później opublikował w „Zentralblatt für die medizinischen Wissenschaften", jak to w swoim czasie zapowiedział Holländerowi.

Donosił o tym triumfująco Marcie. Każdy sukces był krokiem naprzód, przybliżającym ich do upragnionego celu – do ślubu.

W ciągu następnych dwóch tygodni odkrył utrwalacz, którego szukał. Teraz już można było płytki szklane przechowywać w skatalogowanych szufladkach i używać ich do przyszłych badań. Czuł się, jakby go kto wsadził na sto koni. Zaniósł swoje preparaty do pracowni fizjologii, by je pokazać Fleischlowi i Exnerowi. I wtedy właśnie wszedł profesor Brücke.

– Ma pan coś do pokazania, doktorze? – zapytał.

– Tak, panie profesorze, barwienie złotem preparatów mózgowych.

– O, to bardzo ciekawe. Powszechnie uważa się, że złoto nie jest przydatne do takich celów.

– Ekscelencjo, to jest nowa metoda.

Brücke patrzał w skupieniu przez mikroskop.

– No tak, no tak – mruczał pod nosem.

Po przejrzeniu całej serii preparatów wyprostował się. W jego błękitnych oczach malowały się zadowolenie i duma.

– Wystarczy ta jedna metoda, by zdobył pan sławę!

Po udoskonaleniu swojej techniki Zygmunt Freud napisał rozszerzoną wersję rozprawy dla „Archiv für Anatomie und Physiologie", po czym przygotował angielską wersję dla brytyjskiego czasopisma „Brain: A Journal of Neurology". Barney Sachs poprawił tłumaczenie angielskie. Sachs był pupilkiem pracowni. Tłumaczył ukończone wreszcie dzieło profesora Meynerta, *Psychiatria,* które miało ukazać się w Londynie i Nowym Jorku. Darkszewicz zwrócił się o pozwolenie przetłumaczenia artykułu Freuda na rosyjski i opublikowania go w rosyjskich pismach poświęconych neurologii.

Tej nocy Zygmunt pisał do Marty:

„Moje odkrycie ma dla mnie znaczenie nie tylko praktyczne, lecz i uczuciowe. Udało mi się coś, nad czym pracowałem przez wiele lat... Zdaję sobie sprawę, że w moim życiu jest to pewien postęp. Tak długo marzyłem o kochanej dziewczynie, która byłaby dla mnie wszystkim, a teraz ją zdobyłem. Ludzie, których dotąd podziwiałem z daleka i uważałem za nieosiągalnych, rozmawiają teraz ze mną jak z równym i okazują mi przyjaźń. Nie straciłem zdrowia i nie zrobiłem niczego zdrożnego; i chociaż nadal jestem biedny... nie grozi mi najgorsze: samotność. Jeśli więc będę dalej pracował, mogę spodziewać się, że osiągnę to, czego mi jeszcze brak, i będę miał moją Martę, która teraz jest tak daleko, i jak wynika z jej listów, czuje się tak samotna. Będę miał Martusię przy sobie, tylko dla siebie i w jej objęciach z ufnością będę spoglądał w przyszłość. Dzieliłaś moje smutki, więc dziś, Ukochana, podziel się ze mną moją radością". Już po zalepieniu koperty dopisał po angielsku: „Radość i nadzieja".

Stanowiska, które się zwolniło po śmierci Natana Weissa, nie przydzielono Zygmuntowi. Profesor Franciszek Scholz zawiadomił go, że do nowego roku nie będzie wolnych miejsc na Czwartym Oddziale. Zygmunt przeniósł się więc natychmiast na dermatologię i nadal praktykował jako sekundariusz. Gdy zjawił się tam pierwszego października, powitał go Maksymilian von Zeissl, którego ojciec był kierownikiem oddziału do ubiegłego roku.

Von Zeissl był rówieśnikiem Zygmunta, blondynem o małej puszystej bródce i oczach koloru agatu. Jego ojciec, profesor Zeissl, zabierał chłopca do szpitala od szóstego roku życia. W salach chorych na kiłę roztaczały się najstraszliwsze widoki, jakie można było w ogóle spotkać w szpitalu: zżarte nosy, oczy toczone przez gangrenę, owrzodzone zielone policzki, szankry przeżerające uszy, usta, podbródki... Nie odstraszyło to chłopca; był wyraźnie zafascynowany. Po ukończeniu uniwersytetu i zrobieniu doktoratu wybrał bez najmniejszego wahania dermatologię. Niedawno został sekundariuszem i za przykładem ojca zamierzał z czasem objąć oddział.

W jego gabinecie zobaczył Zygmunt ustawioną w idealnym porządku na półkach całą światową literaturę o kile.

– Wezmę pana pod swoje skrzydła – powitał go młody von Zeissl. – Lubię uczyć, a teraz po raz pierwszy nadarza mi się okazja współpracować z kimś, kto ma przygotowanie z histologii i patologii.

– Panie doktorze, proszę traktować mnie jak studenta. W pańskiej dziedzinie nic nie umiem.

– Szybko to naprawimy. Naszym skarbem na tym wydziale jest rtęć. Modląc się, dziękujemy Bogu za jej lecznicze właściwości. Czy pan wie, że Arabowie posługiwali się rtęcią już przed pięciuset laty? Mimo to jest jeszcze wiele szpitali i lekarzy w Europie wzbraniających się przed stosowaniem rtęci. Oczywiście doskonale znam jej mankamenty. Wiem, że nie wszystkie przypadki syfilisu można wyleczyć rtęcią. Wiem, że kuracja nie może być stosowana we wszystkich stadiach choroby. Ale przekonałem się, jak bardzo pomaga ona nawet tym chorym, u których zaczął się już rozkład umysłowy... – Roześmiał się. – Jak pan widzi, doktorze, jestem na tym punkcie fanatykiem. Ale pan chyba nie ma nic przeciw fanatykom.

Zygmunt roześmiał się również.

– Jeśli rozumie pan przez to upór. Czyż można dokonać wielkiego odkrycia bez uporu?

– Słyszałem o odkryciach, które były wynikiem czystego przypadku! Ale przejdźmy się po salach. Nasi pacjenci podzieleni są według kategorii Fourniera. Stosujemy kolejno cztery metody. Najpierw metoda dermiczna, kiedy nakładamy maść na te części skóry, w których jest najwięcej gruczołów potowych: pachy, pachwina, stopy. – Wskazał pacjenta we wczesnym stadium choroby. – Ograniczamy się do smarowania ran jodyną lub roztworem van Swietena. W drugim stadium używamy rtęci. Po kilku miesiącach kuracji odsyłamy pacjenta do domu na dwa miesiące, by wypoczął po skutkach leczenia. Następnie ściągamy go z powrotem, lecząc tylko za pomocą jodku potasu.

Następnie von Zeissl zademonstrował Zygmuntowi metodę hipodermiczną, w której zaczynano od podskórnego wstrzykiwania chloroformu.

– W uda, bezpośrednio we właściwe miejsce. Jest to zabieg zawsze bolesny dla mężczyzn, dla kobiet prawie nie do zniesienia.

W salach panował nieznośny odór karbolu. Przez następne tygodnie Zygmunt pilnie wysłuchiwał swego preceptora. Nie miał zamiaru zostać dermatologiem, ale potrzebny był mu podstawowy zasób wiadomości, by mógł sobie poradzić z chorymi, którzy do niego trafią.

– Poważniejsze przypadki mamy zamiar leczyć przez trzy lub cztery lata – wyjaśniał von Zeissl. – W ciągu pierwszych dwóch lat pacjentowi będzie aplikowana rtęć tylko przez dziesięć miesięcy. Pod koniec drugiego roku równolegle do rtęci będziemy stosować jodek potasu. W trzecim i czwartym roku całkowicie zrezygnujemy z rtęci i ograniczymy się tylko do jodku potasu. Niekiedy wzywani jesteśmy zbyt późno, czasem nie potrafimy zatrzymać rozwoju choroby i pacjent umiera. Niemniej udało nam się w dużym stopniu powstrzymać rozwój syfilisu. Działanie fizjologiczne rtęci nie jest jasne. Nad tym właśnie pracuję. Próbuję również wyizolować zarazek syfilisu.

Zygmunt nauczył się, w jakich proporcjach stosować rtęć w kąpielach. Poznał metodę oddechową, czyli dermopulmonarną; pacjenta ustawiano w skrzyni, zamykano wieko i palono wewnątrz tabletki zawierające związki rtęci, by zniszczyć zarazki w płucach. Stosując leczenie doustne, podawano pacjentowi czystą rtęć, niebieskie pigułki chlorku rtęci lub jodku potasu w syropie ze skórek pomarańczowych. Wiedział już, kiedy należy zacząć przeczyszczającą dietę mleczną. Przypatrywał się, jak von Zeissl przygotowywał roztwory złota, srebra lub nawet miedzi w nadziei, że uda mu się znaleźć szybszy sposób powstrzymania rozwoju choroby.

Jednym z powodów, dla których Zygmunt nie opuszczał w ogóle szpitala w pierwszych tygodniach nowych studiów, było to, że nie mógł się pozbyć zapachu dwusiarczku węgla, którym przesiąkło jego ubranie. Nie pojawił się nawet na ślubie swojej siostry z Elim Bernaysem, z którym zresztą jeszcze się nie pogodził. Robił obchody sal szpitalnych, miał dyżury w izbie przyjęć. W chwilach wolnych od dyżurów na salach nadal pracował w laboratorium Meynerta, a wieczorami czytywał periodyki naukowe.

Syfilis, jako nazwa choroby wenerycznej, uchodził za nieprzyzwoite słowo. Nie można się przecież było nabawić go w sposób niewinny, tak jak gruźlicy lub anginy pectoris, chociaż na salach kobiecych było wiele Bogu ducha winnych pacjentek, które zarażone zostały przez mężów w mniej niewinny sposób obdarzonych tą chorobą przez wiedeńskie prostytutki. Żołnierzy, wśród których syfilis zdarzał się najczęściej, kierowano do szpitala wojskowego, wszystkich natomiast innych przysyłano do Allgemeines Krankenhaus, niezwykle bowiem rzadko się zdarzało, by inny szpital przyjmował tak zaraźliwe przypadki. Z syfilitykami było podobnie jak z chorymi umysłowo, którzy nie trafiali do kliniki Meynerta. Wielu z nich ukrywały rodziny, nie mogąc pogodzić się z hańbą, która na nie spadła. I ci, podobnie jak chorzy umysłowo, stali się pariasami. Zygmunt żywił dla swych chorych mieszane uczucia: odrazy i litości.

4

Czwarty Oddział stanowił punkt docelowy wszystkich chorób nierozpoznanych, szczególnie chorób nerwowych, z którymi centralna izba przyjęć nie umiała dać sobie rady. Finansowany był przez władze Dolnej Austrii i władze komunalne Wiednia, musiano więc tu przyjmować wszystkich chorych wymagających leczenia szpitalnego z Wiednia i okolicznych miejscowości. Prymariusz oddziału, doktor Franciszek Scholz, wpadł na kilka pomysłowych sposobów omijania tej klauzuli, o czym Zygmunt przekonał się w dzień noworoczny 1884 roku, kiedy oprowadzano go po pięciu salach Czwartego Oddziału. W sumie było tam sto trzynaście łóżek. Scholz uważał za swój obowiązek jak najszybciej wypisywać pacjentów z kliniki. Niekiedy nawet przed ustaleniem pełnej diagnozy czy opanowaniem choroby.

– Sale od osiemdziesiątej siódmej do dziewięćdziesiątej są salami przejściowymi – wyjaśniał doktor Scholz nowemu młodszemu sekundariuszowi. – To nie jest pensjonat. Proszę zbadać pacjentów, spisać historię choroby i wypisywać ich ze szpitala.

Doktor Scholz, liczący podówczas lat sześćdziesiąt cztery, zdobył przed dwudziestu laty rozgłos w kręgach lekarskich dzięki udoskonaleniu metody podskórnych zastrzyków robionych za pomocą specjalnej strzykawki. Początkowo studiował filozofię na uniwersytecie praskim, po czym przeniósł się do Wiednia na medycynę. Od szesnastu mniej więcej lat miał bardzo silną pozycję w Allgemeines Krankenhaus, najpierw jako naczelny chirurg, potem zaś jako kierownik badań medycznych. Zygmunt wiedział, jak świetną opinią cieszył się Scholz. W młodości uważano go za odważnego nowatora. Publikował swe prace w wiedeńskich pismach medycznych, był autorem poważnych przyczynków do badań nad epidemiologią kiły, napisał pracę *Choroby umysłowe więźniów przebywających w izolacji*. Ale po przekroczeniu czterdziestego roku życia, kiedy już miał za sobą odkrycie metody zastrzyków podskórnych, która przyjęła się w świecie medycznym i zdobyła mu sławę, przeszedł mu zupełnie zapał do oryginalnych prac badawczych. Uplasował się wygodnie w roli administratora.

Scholz był tęgim mężczyzną. Chodził w surdutach i kamizelkach szytych z solidnego grubego sukna i szczycił się brodą oraz wąsami, które nawet w „brodatym" Wiedniu się wyróżniały. Łysinę nad czołem wynagradzał sobie, nosząc długie włosy opadające na kołnierz z tyłu. Duży kościsty rzymski nos i bystre oczy nadawały mu imponujący wygląd, co wszyscy zgodnie przyznawali. Zygmunt uważał za tragiczne nieporozumienie fakt, że Scholz zrezygnował z badań naukowych i poświęcił się bez reszty pilnowaniu budżetu oddziału. Lekarzom nie pozwalano stosować kosztownych lekarstw, aparatów elektrycznych i innego wyposażenia, nawet jeśli ich zdaniem mogło to pomóc chorym. Natychmiast po przybyciu na oddział Zygmunt dowiedział się też, że Scholz maniakalnie domaga się przestrzegania przepisowej odległości między łóżkami w salach.

– Ale przekonasz się, że na tym oddziale można się czegoś nauczyć – powiedział mu starszy sekundariusz Józef Pollak, o sześć lat starszy od Zygmunta. – Jak długo będziesz stosował metody, które nic nie kosztują, Scholz zostawi ci pełną swobodę. Ale będziesz musiał naprawdę rozwinąć całą swoją pomysłowość, jeśli zechcesz zatrzymać pacjenta w szpitalu przez dodatkowych kilka dni.

Nareszcie był na oddziale chorób nerwowych. Breuer uważał, że tu otwierają się dla Zygmunta największe możliwości. Nastąpiła radykalna zmiana w dotychczasowym trybie jego studiów. Żadnych wykładów ani demonstracji, żadnych pracowni. Pollak pracował z Exnerem w laboratorium Brückego. Półgłosem tłumaczył:

– Chcę się wyspecjalizować w chorobach uszu. Dość już mam chorób nerwowych. Czuję się tak, jakbym sam miał niedługo zachorować. Przy okazji dam ci dobrą radę: wszyscy młodzi lekarze pracujący u Scholza powinni być solidarni. Tylko w ten sposób poradzimy sobie z prymariuszem.

Zygmunt zwrócił się do Meynerta o pozwolenie kontynuowania zajęć w pracowni anatomii mózgu.

Chorzy na Czwartym Oddziale stanowili bardzo różnorodną grupę. Był to po części wynik metody „wzrokowej" stosowanej na izbie przyjęć. Profesor Scholz się wściekał. Łóżka zajmowali mu pacjenci, którzy powinni byli znaleźć się na innych oddziałach. Przenosił ich bez najmniejszej zwłoki. Pozostali prymariusze nie obrażali się; wszystkie oddziały interesowały się chorobami nerwowymi, bo przecież system nerwowy wpływał na stan zdrowia całego organizmu.

Wstając wcześnie, mógł Zygmunt zakończyć obchód swoich sal przed dziewiątą trzydzieści i na dziesiątą zdążyć do pracowni Meynerta. Po obiedzie, który wydawano w południe, robił drugi obchód, kończący się o piątej. Potem czytał i uczył się do kolacji, by raz jeszcze wrócić do pracowni Meynerta, gdzie zostawał zazwyczaj do północy. W salach Meynerta i Scholza było tyle przypadków paraliżu twarzy, że zdecydował się zająć takimi porażeniami, jak też tikami nerwowymi.

Już na początku pierwszego tygodnia znalazł się na oddziale ubogi czeladnik krawiecki z ostrym przypadkiem szkorbutu. Całe ciało miał pokryte czarnymi i niebieskimi plamami spowodowanymi przez krwotoki podskórne. Chory był apatyczny: żadnych innych symptomów podczas badania nie stwierdzono. Następnego dnia rano młody człowiek stracił przytomność. Wszystko wskazywało na wylew krwi do mózgu. Po zakończeniu obchodu Zygmunt wrócił do chorego i pozostał przy nim przez całe przed- i popołudnie, zapisując przebieg choroby. Nie mógł mu nic pomóc, ale pragnął się dowiedzieć, jak się rozwija ta choroba. O siódmej wieczór wystąpił obustronny paraliż. Po godzinie chory już nie żył. Jeszcze tej samej nocy Zygmunt zaczął spisywać swoje spostrzeżenia i wnioski odnoszące się do ewentualnego umiejscowienia paraliżu w mózgu. Skończył następnego ranka. Sprawozdanie liczyło osiemnaście stron. Sekcja potwierdziła jego przypuszczenia, wysłał więc sprawozdanie do „Tygodnika Medycznego". Honorarium w wysokości dziesięciu guldenów bardzo mu się przydało, a poza tym umocniło jego pozycję wśród kolegów z neurologii.

Na oddziale była izba obserwacyjna, którą prowadził doktor Pollak. Dzięki niemu Zygmunt poszerzył i pogłębił swe umiejętności diagnostyczne. Pierwszym pacjentem, z którym się zetknął, była kobieta w wieku lat czterdziestu dwóch, cierpiąca na akromegalię. W ciągu ostatnich pięciu lat zauważyła, że potrzebuje obuwia o coraz większych rozmiarach, równocześnie powiększały się ręce. Mąż zaobserwował na jej twarzy postępujące zgrubienie rysów. Nic jej nie dolegało poza ogólnym osłabieniem. Zygmunt postawił diagnozę: guz przysadki. Zapytał Pollaka, jaka jest jego geneza i czy można go wyleczyć.

Starszy sekundariusz wzruszył ramionami:

– Nie wiadomo, skąd się guz bierze, i nie ma na niego lekarstwa. W układzie kostnym tworzą się zgrubienia. Rokowanie? Może jeszcze pożyć pięć lat. Zgrubienie powiększy się do płaskiego wzniesienia, po czym się wyrówna.

– Jak długo ją tu zatrzymamy? Przecież przypadek jest beznadziejny.

– Pozostanie w klinice tyle czasu, ile potrzeba będzie na przestudiowanie objawów.

Z kolei Zygmunt zbadał dwudziestopięcioletniego mężczyznę, któremu od pewnego czasu dokuczały silne bóle głowy podczas stosunku płciowego. Twierdził, że zaczynają się w tylnej części głowy, wywołując wrażenie, „jakby mu po karku spływała gorąca woda". Obaj lekarze gubili się w domysłach, ale byli całkowicie bezradni. Odesłali go do domu. Po dziesięciu dniach pacjent podczas wypróżniania dostał ponownie ostrego bólu głowy i zemdlał. Kiedy przywieziono go do szpitala, był już nieprzytomny. Wezwano prymariusza Scholza. Stwierdził apopleksję. Pollak zbadał za pomocą oftalmoskopu dno oka chorego i dostrzegł wylew krwi. Na stronie powiedział do Zygmunta:

– To tętniak. Na ściance arterii jest balonik, który powiększa się i zwęża ściankę, a w końcu pęka. To wrodzona anomalia. Ten człowiek przyszedł z tym na świat.

Pacjent zmarł w nocy. Podczas sekcji stwierdzono pęknięty tętniak. Wysiłek chorego podczas stosunku i wypróżniania powodował ataki. Ciśnienie krwi wzrastało i doprowadziło do pęknięcia balonika. Diagnoza Józefa Pollaka została potwierdzona.

Następnego ranka Pollak zabrał Zygmunta do sali nr 89.

– Chcę zrobić pewien eksperyment. Leży tu przystojna trzydziestoośmioletnia niewiasta. Jest od kilku miesięcy w szpitalu i nie może odzyskać władzy w nogach. Cierpi również na odrętwienie tułowia. Nie stwierdzono u niej żadnych symptomów chorobowych. Wszystkie odruchy ma normalne.

Pollak stanął przy łóżku pacjentki i powiedział poważnie:

– Szanowna pani! Wczoraj wieczór zakończyliśmy próby z nowym lekiem. Może on przywrócić pani władzę w nogach w ciągu jednej minuty. Ale może także panią zabić. Lekarstwo jest bardzo niebezpieczne. Gdybym był w pani sytuacji, podjąłbym to ryzyko. Musi pani sama zadecydować. Tu, w strzykawce, mam dawkę tego lekarstwa.

Pacjentkę przeszył dreszcz.

– Panie doktorze, a więc to lekarstwo może mnie zabić? – wyszeptała.
– W jakim czasie?

– W ciągu tygodnia mniej więcej. Ale też może panią wyleczyć z paraliżu w ciągu sześćdziesięciu sekund. Co pani woli: paraliż do końca życia czy śmierć?

Chora zamknęła oczy. Tak jasne postawienie sprawy wstrząsnęło nią. Po chwili otworzyła oczy.

– Panie doktorze, proszę zrobić zastrzyk.

Pollak zrobił zastrzyk wysoko w ramię. Zygmunt wiedział, że żadnego takiego lekarstwa nie ma, i z przerażeniem wypatrywał reakcji pacjentki, która mogła przecież umrzeć na ich oczach. Przed upływem trzydziestu sekund zobaczył, jak nogi chorej zaczynają drżeć pod szlafrokiem; nim upłynęła minuta, uniosła jedną nogę. Nagle zawołała:

– Poruszam się! Odzyskałam władzę w nogach! Nie jestem już sparaliżowana.

Pollak poklepał ją po ramieniu, po czym otarł pot z czoła.

– Jest pani odważną kobietą. Uratowała pani swoje życie. Teraz już szybko wróci pani do zdrowia.

Po wyjściu z sali Zygmunt zapytał Pollaka:

– Cóż to było za cudowne nowe lekarstwo? H_2O?

– Zgadłeś. To był przypadek histerii. Wątpię, żeby symulowała.

– Dlaczego tak przestraszyłeś tę nieszczęsną kobietę?

– Ponieważ w takim wypadku poczucie grożącego niebezpieczeństwa jest niezbędne. Bywa tak, że człowiek musi się pogodzić ze śmiercią, by odzyskać odwagę do życia.

Zygmunt patrzył na swego kolegę z niedowierzaniem.

– Panie doktorze, pan powinien grać w teatrze. W życiu nie widziałem tak sugestywnego aktorstwa.

– A skąd wiesz, czy lekarz nie powinien być także aktorem? Przecież my stale gramy. Uśmiechamy się do nieuleczalnie chorego, by dodać mu odwagi, i mówimy, że silny organizm może przezwyciężyć chorobę. Kiedy znerwicowana kobieta tłumaczy nam, że żaden lekarz nie był dotąd w stanie jej pomóc, robimy poważną minę i wyjaśniamy, że jej przypadek jest niezwykle rzadko spotykany, po czym aplikujemy cukier w pigułkach. I to jej pomaga... co najmniej przez trzydzieści dni. A kiedy już naprawdę nie wiemy, co oznaczają symptomy choroby, robimy najinteligentniejsze miny, na jakie nas stać, i mruczymy: „No tak, teraz już wiadomo, o co chodzi, i można się spodziewać, że już wkrótce osiągniemy pewne wyniki".

Zygmunt przez chwilę zatęsknił do stosunkowo uczciwej pracy w laboratorium. Mikroskop nie kłamał i nie zwodził.

5

Chwilami się zdawało, że gwiazdy się sprzysięgły przeciw niemu. Siedemdziesiąt guldenów pensji w szpitalu to był cały jego zarobek. Skończyły się wszelkie dodatkowe dochody. Nie miał pacjentów, nie miał korepetycji, nie zamawiano u niego recenzji. Ubrania się przecierały; nie stać go było nawet na fryzjera. Niekiedy kilka dni z rzędu chodził bez guldena w kieszeni.

Trzeba było wtedy zapomnieć o kawiarni i o kolacyjkach z kolegami. Brak pieniędzy onieśmielał go do tego stopnia, że nawet nie wstępował do księgarni, by rzucić okiem na nowości. Oczywiście o teatrze mowy nie było, ale czasami cała ich uniwersytecka paczka ustawiała się o szóstej rano w kolejce po bilety, dzięki czemu mogli stanąć powtórnie o piątej po południu w nowej kolejce po wejściówki do opery lub „Theater an der Wien". Kiedy drzwi się otwierały, wbiegali pędem na galerię, by zdobyć miejsca w pierwszym rzędzie, gdzie można było przynajmniej oprzeć się o balustradę. Od piątej po południu do północy był na nogach, chcąc wybrać się na *Czarodziejski flet*, *Figara* lub *Don Giovanniego*. W gimnazjum nauczył się tygodniami odkładać „kieszonkowe", by zobaczyć w teatrze najwspanialsze dzieła literatury niemieckiej. Dzięki takim oszczędnościom widział *Fausta* Goethego, *Wilhelma Tella* Schillera i *Die Ahnfrau* Grillparzera. Największymi jednak przeżyciami były przedstawienia *Hamleta*, *Makbeta* lub *Wieczoru Trzech Króli*, na które zabierali go z okazji urodzin rodzice lub przyjaciele. Umiał na pamięć całe fragmenty tych sztuk. Latem chodził do ogrodowych teatrzyków w Praterze, do „Fürsta" albo „Thalii", gdzie wystawiano zabawne komedyjki i sprośne farsy. Teatry wiedeńskie funkcjonowały również jako znakomite biura pośrednictwa małżeństw. Podczas długich przerw młodzież przechadzała się, kokietowała. Zawierano znajomości, flirtowano, „salonowe rozmówki" kończyły się zaproszeniami, narzeczeństwami, ślubami. Zygmunt i jego przyjaciele jeszcze się na tym rynku nie liczyli; byli zbyt biedni, czekały ich lata studiów, ale dla wystrojonej i ufryzowanej młodzieży ściągającej do Wiednia z całego cesarstwa były to wygodne tereny łowieckie. Widowisko w kuluarach bywało często zabawniejsze od tego, które rozgrywało się na scenie.

Orkiestra Filharmonii grała w gmachu „Musikberein". Tam właśnie n a - l e ż a ł o być w niedzielę o pierwszej. Zygmunt kilka razy dostał się na te koncerty. Abonament bywał często najcenniejszym skarbem rodzinnym, przekazywanym z pokolenia na pokolenie. Odsprzedanie go byłoby dla rodziny, która przez wiele sezonów z rzędu siadała na tych samych miejscach, większą plamą na honorze niż jakiś nieuczciwy postępek. Prawdziwi miłośnicy muzyki, którzy nie mogli się dostać na koncerty, twierdzili, że co najmniej połowę miejsc zajmują przysłowiowe *Frauen* wiedeńskie, owe straszne babsztyle zasypiające dziewięć razy podczas *Dziewiątej symfonii* Beethovena.

Ale w Wiedniu nie brakło muzyki. Rozbrzmiewała ona wszędzie. Grzmiały orkiestry wojskowe. Z teatru Ronachera dochodziły dźwięki popularnych marszów w wykonaniu słynnej orkiestry pułku Deutschmeistrów. W „Pawilonie Zdrojowym" parku miejskiego orkiestra grywała romantyczne melodie. W Volksgarten można było usłyszeć Mozarta i Beethovena. W restauracji

„Gartenbau" – czarujące walce wiedeńskie. Wieczorami w piwiarniach i winiarniach, w altankach osłoniętych drzewami ludowi pieśniarze zabawiali publiczność.

„Jakże możemy nie kochać muzyki? – zapytywali wiedeńczycy. – Przecież to my ją wynaleźliśmy. Tu właśnie, w otaczających naszą stolicę miejscowościach, powstały największe dzieła muzyki światowej; tu tworzyli Mozart, Beethoven, Schubert, Haydn... Jakież inne miasto na świecie może nam dorównać?"

Toteż Wiedeń kochał swą muzykę. Tylko szydercy tłumaczyli to na swój sposób: „Cóż w tym dziwnego. Muzyka najbardziej sprzyja bezmyślności".

W końcu doszło do tego, że Zygmunt nie miał nawet grajcara na znaczki do listów do Marty. W domu bywał rzadko. Wyglądał mizernie i nie chciał się pokazywać rodzicom. I oni byli w ciężkiej sytuacji. Kredens świecił pustką. Amelia budziła się codziennie z modlitwą o mannę, która by spadła z sufitu w kuchni. Zygmunta dręczyło poczucie winy. Miał już prawie dwadzieścia osiem lat, był rutynowanym lekarzem, ale w niczym nie mógł pomóc swoim bliskim. Żyli przez cały tydzień za sześć guldenów, które zarabiał Aleksander. Mitzi miała obiecaną posadę w Paryżu jako panna do dzieci, ale dopiero latem. Dolfi i Pauli szukały pracy. Jakuba namówił kuzyn z Rumunii, by wybrał się do Odessy, gdzie rzekomo można zrobić dobry interes. Wrócił załamany, z pustymi rękami.

Był chłodny kwietniowy dzień. Zygmunt szedł właśnie przez Franzesring, między Rathaus Park a budującym się od dziesięciu lat i wciąż jeszcze niegotowym gmachem Hofburgtheater, kiedy nagle spostrzegł ojca. Jakub szedł, lekko powłócząc nogami i chowając podbródek w kołnierzu grubego palta. Zygmunt bardzo kochał ojca, nigdy nie usłyszał od niego złego słowa. Od chwili przyjścia na świat ojciec darzył go miłością i troskliwie się nim opiekował. Zygmunt przystanął, zmusił się do pogodnego uśmiechu i czekał, aż ojciec znajdzie się w jego ramionach. Ucałował go w oba policzki, po czym zdobył się na największą blagę, na jaką go było stać.

– Papo, jak to cudownie, że cię spotykam. Właśnie wybierałem się do domu na podwieczorek, żeby ci powiedzieć nowinę. Wyobraź sobie, że lada dzień mam dostać pokaźną sumę pieniędzy.

W oczach Jakuba pojawił się figlarny uśmieszek.

– Masz więcej rozumu w małym palcu niż ja w głowie – powiedział – ale trzymaj się medycyny. Do bajek nie masz talentu.

– Tatusiu, masz coś na widoku?

– Jasne. Mam świetne pomysły i wielkie nadzieje.

Zygmunt pobiegł do swego pokoju w szpitalu. Natychmiast napisał do braci przyrodnich w Manchesterze. Zażądał, żeby regularnie wysyłali Jakubowi miesięczny zasiłek, który pozwoli mu zachować zdrowie i godność. Sam weźmie na siebie utrzymanie ojca, gdy tylko stanie na nogach, ale tymczasem oni muszą pomóc. Filip i Emanuel nie zawiedli.

W kilka dni później Zygmunt odwiedził swego dawnego profesora gimnazjalnego, Hammerschlaga. Po pięćdziesięciu latach pracy staruszek był już na emeryturze. Pobierał skromną, ale wystarczającą pensję. Hammerschlag darzył Zygmunta ojcowskimi uczuciami. W latach studiów uniwersyteckich pożyczał mu drobne sumy. Początkowo Zygmunt krępował się przyjmować pieniądze od człowieka żyjącego w tak skromnych warunkach, ale Hammerschlag mu powiedział:

– Sam zaznałem biedy w młodości. Należy przyjmować pomoc od ludzi, których stać na to. Nie ma w tym nic złego.

Tego samego zdania był Józef Breuer, który także pomagał Zygmuntowi. „No cóż – pomyślał sobie Zygmunt – chyba wolno mi być dłużnikiem ludzi dobrych i moich współwyznawców. Tego przecież nie powinienem się wstydzić".

I to właśnie powiedział Fleischlowi, który namawiał go, by pożyczył od niego kilka guldenów. Fleischl wybuchnął:

– Cóż to za parafiańszczyzna! Od „ludzi dobrych i współwyznawców" gotów jesteś pożyczać! Od kiedy to pieniądze mają wyznanie? Jaka jest różnica między długami żydowskimi a katolickimi? A jak już będziesz wziętym lekarzem, czy odmówisz pożyczki studentowi medycyny tylko dlatego, że jest chrześcijaninem? Oczywiście, że nie! Spośród wszystkich moich współpracowników Żydów, a pracowałem z najlepszymi, w tobie najmniej zostało śladów getta. Pamiętaj, że przesądy są kajdanami. Nie przestrzegasz żadnych kanonów swojej religii, a mimo to głęboko w duszy wciąż jeszcze dokonujesz ubliżających rozróżnień. Musisz za wszelką cenę zburzyć resztki tych murów.

– Masz rację – odpowiedział Zygmunt po namyśle. – Będę się starał. I dziękuję ci za pożyczkę.

Bardzo już skąpe siwe włosy sczesywał Hammerschlag na czoło. Ale miał za to sumiaste wąsy i siwą gęstą brodę osłaniającą twarz tak szczelnie, że widać było tylko jego łagodne oczy i krótki nos.

– Mój drogi – powitał Zygmunta – mój syn Albert studiuje medycynę. Ma teraz pewne trudności. Czy mógłbyś mu pomóc?

– Oczywiście. Proszę mu powiedzieć, by wpadł do mnie między piątą a szóstą. W ciągu jednego tygodnia go podciągnę.

– Wiedziałem, że tak odpowiesz. Ale nie po to cię zaprosiłem. Dostałem od bogatego krewnego pięćdziesiąt guldenów na zasiłek dla porządnego młodzieńca w trudnej sytuacji. Wspomniałem mu o tobie i on się zgodził.

Zygmunt przemierzył pokój i niewidzącymi oczami błądził po zniszczonych meblach. Jakim cudem Hammerschlag dowiedział się o jego rozpaczliwej sytuacji? I jak zdołał ze swej skromnej emerytury wykroić dla niego pięćdziesiąt guldenów? Cóż za niezwykła dobroć!

– Panie profesorze, nie będę przed panem skrywał, że pieniądze są mi potrzebne, ale po prostu nie mogę ich przyjąć.

Hammerschlag wcisnął mu banknoty do dłoni.

– Weź je. Są ci potrzebne.

– Panie profesorze – Zygmunt przełknął ślinę – przecież pan wie, że muszę je oddać rodzinie.

– Nie. Temu jestem przeciwny. Pracujesz ciężko i w tej chwili nie stać cię na pomaganie innym. – Po chwili jednak Hammerschlag zmiękł. – No dobrze, oddaj połowę.

W takich chwilach Zygmunt w najskrytszych zakątkach swego mózgu dopuszczał myśl, że astrologowie mają chyba rację. Są takie okresy, kiedy gwiazdy stają na drodze i nic się nie udaje, po czym, bez żadnego zrozumiałego powodu, wszystko zaczyna iść jak po maśle. Wkrótce zgłosił się student medycyny z prośbą o przerobienie z nim całego kursu anatomii mózgu, proponował szczodre wynagrodzenie, jeśli doktor Freud w ciągu czterech tygodni całą tę wiedzę mu wyłoży. Przyjaciel przysłał mu pacjentkę, sprzedawczynię owoców spod „Trzech Kruków” na rogu Seitenstettengasse. Dolegało jej nieustanne dzwonienie w uchu. Zygmunt posłał ją na przebadanie do doktora Pollaka, by upewnić się, czy nie ma żadnych uszkodzeń organicznych, po czym zastosował elektroterapię. Widocznie hałas maszyny zagłuszył dzwonienie, bo wyszła od niego zdrowa. Następnego ranka wróciła z koszem owoców dla pana doktora. Józef Paneth przysłał bilecik z Instytutu Fizjologii; pisał, że chciałby wpaść do niego na podwieczorek z Zofią, którą poślubił przed pół rokiem. Przyniósł ciasteczka i kanapki, prosząc jedynie o zaparzenie kawy. Piękne było wesele Panethów. Po ceremonii religijnej zaprosili na obiad do restauracji prawie sto osób. Orkiestra grała walce. Przez całe popołudnie gości zabawiali najlepsi śpiewacy, tancerze i akrobaci, jakich Józefowi udało się znaleźć. Nie musiał już udawać nędzarza. Miał teraz *gemütlich* żonę, która prowadziła dom otwarty. Jego przyjaciele przynajmniej raz na tydzień mogli zaznać rozkoszy dobrego jadła, wina i cygar. Pani Paneth zadbała o to, by Józef szył garnitury z najlepszego sukna, miał najwytworniejsze koszule i krawaty. Skończyło się bezpowrotnie pustelnicze życie. Zygmunt powitał przyjaciela stwierdzeniem, że znakomicie wygląda.

– Z największą przyjemnością się przekonałem – oznajmił Józef – że moja żona jest mądrzejsza ode mnie. Zobacz, na jaki wspaniały pomysł wpadła.

Zofio, pokaż Zygmuntowi książeczkę czekową. „Fundacja Zygmunta Freuda". Zdeponowaliśmy w banku na twoje nazwisko tysiąc pięćset guldenów. Procenty będą wynosiły osiemdziesiąt cztery guldeny miesięcznie. Będziesz teraz mógł odwiedzać swoją Martę.

Zygmunt patrzał na przyjaciela, nic nie rozumiejąc.

– Józefie, Zofio! O czym wy mówicie? Tysiąc pięćset guldenów w banku dla mnie? Żebym mógł z procentów jeździć do Wandsbek?...

– No, bez przesady – Józef się roześmiał. – Takiej surowej klauzuli nie ma. Pieniądze są twoje i możesz je wydać, jak ci się spodoba. Chcesz się ożenić natychmiast? Proszę bardzo. Chcesz otworzyć praktykę tu, w Wiedniu, albo uciec do Ameryki – twoja sprawa.

– To brzmi jak bajka Andersena! – Zygmuntowi drżały ręce i rozlał trochę kawy z dzbanka na obrus. Zofia wyjęła mu dzbanek z rąk. Półgłosem ciągnął dalej: – Zdarzało mi się otrzymywać dowody przyjaźni, kilka razy, być może, udało mi się skromnie za nie zrewanżować. Ale to przekracza wszelkie wyobrażenia! Kochani! Moi potomkowie do siódmego pokolenia będą was błogosławili.

Po wyjściu Panethów Zygmunt wziął do ręki książeczkę czekową, pierwszą, jaką miał w życiu, i ustawił ją na biurku obok fotografii Marty. Tych pieniędzy nie roztrwoni na bieżące potrzeby, choćby najpilniejsze. Procenty będzie podejmował tak często, jak na to zezwolą przepisy banku, i przekazywał rodzicom. Kapitał zachowa i przeznaczy na najważniejszy cel, na ślub, jak doradzała Zofia, lub na otwarcie własnej praktyki, jak doradzał Józef.

Planety znalazły się widocznie na pomyślnych orbitach. Ignacy Schönberg również otrzymał dobre wiadomości. Profesor Monier Williams zapraszał go do Oksfordu, do współpracy nad nowym słownikiem sanskrytu. Proponował mu pobory w wysokości stu pięćdziesięciu funtów i umieszczenie jego nazwiska na karcie tytułowej, jako współautora. To mu utoruje drogę do katedry uniwersyteckiej. Obie siostry Bernays otrzymają wkrótce radosne wiadomości.

Na oddział chorób nerwowych Scholza pacjenci napływali równie licznie jak na chirurgię Billrotha, internę Nothnagela, psychiatrię Meynerta i dermatologię von Zeissla. Trzydziestoletnia kobieta spadła z drabiny i tyłem głowy uderzyła o kamień. Do szpitala przywieziono ją nieprzytomną. Po dwóch godzinach znalazła się przed Zygmuntem. Z lewego ucha ciekła krew. Rozpoznał wstrząs mózgu z pęknięciem podstawy czaszki, pęknięcie kości skroniowej i uszkodzenie błony bębenkowej. Nic tu już nie da się zrobić. Prawdopodobnie wieczorem odzyska przytomność, trzeba ją tylko chronić przed infekcyjnym zapaleniem opon mózgowych. Za cztery dni będzie można ją wypisać ze szpitala. Tak też postąpił, chociaż pacjentka nadal uskarżała się na ból głowy i na to, że nie słyszy na lewe ucho.

Następny pacjent wymagał konsultacji doktora Karola Kollera z oftalmologii. Był nim buchalter, który cierpiał na bóle głowy oraz skarżył się, że nie widzi cyfr po prawej stronie swych ksiąg. Poza tym, kiedy patrzał wprost przed siebie, obraz z prawej strony był niewyraźny. Koller przyłożył dłonie do boków i do tyłu głowy pacjenta, potem powoli przesuwał je do przodu. Najpierw w polu widzenia pacjenta znalazła się prawa ręka lekarza, a potem lewa. Wiadomości nabyte podczas sekcji mózgu pozwoliły Zygmuntowi zlokalizować guz. Był w rejonie przysadki i uciskał nerwy wzrokowe. Najpóźniej za pięć dni chory oślepnie. Sprawa beznadziejna i nie warto go zatrzymywać w szpitalu. Chyba tylko po to, by doprowadzić do końca historię choroby. Poradzono pacjentowi, by poszukał sobie pracy, w której wzrok nie będzie mu tak potrzebny.

Chorzy przybywali dzień po dniu. Były ich setki. W różnym wieku, o różnym wyglądzie, w różnych stadiach choroby. Miał pacjentów z bocznym zanikowym stwardnieniem rdzenia, którzy z trudem chodzili i cierpieli na ataksję. I innych, z zakrzepami naczyń mózgowych, z paraliżem jednej lub drugiej strony. Chorych z ataksją ruchową, postępującym zanikiem mięśni; przypadki stwardnienia rozsianego, któremu towarzyszyły drgawki, guzy mózgu, zapalenie opon; pacjentów podrygujących, drżących i przewracających się; z rwą kulszową, przepukliną międzykręgową i splątaniem umysłu.

Najcięższym zadaniem dla lekarza na oddziale chorób nerwowych było łagodzenie bólu. Doktor Freud miał do dyspozycji wodny roztwór bromu, chloroform i morfinę. Przewertował na własną rękę *Materia medica,* studiując historię narkotyków, ich właściwości farmakologiczne, dozowanie i stosowanie lecznicze.

Trafiały się też przypadki histerii. Cierpiały na nią tylko kobiety, ponieważ słowo „histeria" pochodzi od greckiego *hystera,* czyli macica. Mężczyźni macicy nie mają, nie mogą więc być histerykami. Pierwsze podręczniki medycyny utrzymywały, że macica wędruje w ciele kobiety, powodując różnego rodzaju choroby; leczenie polegało więc na sprowadzeniu jej na miejsce. Zygmunt przypomniał sobie kobietę, której doktor Pollak zrobił zastrzyk z wody. Stwierdził jednak, że łatwo można się pomylić. W jednym przypadku postawił diagnozę, że pacjentka cierpi na histerię, a kiedy zmarła po kilku dniach, sekcja zwłok wykazała, że miała raka. Histeria występowała równolegle obok chorób śmiertelnych. Wyciągnął z tego dla siebie nauczkę, by nigdy zbytnio nie upraszczać sprawy. Za jedną chorobą może kryć się druga, a za nią jeszcze cały szereg innych skomplikowanych zaburzeń. Oto otwierała się przed nim dziedzina badań nie mniej ważnych i ciekawych niż doświadczenia w laboratorium Meynerta.

6

Na ten problem natrafił przypadkowo, czytając w grudniowym numerze „Deutsche medizinische Wochenschrift" artykuł doktora Teodora Aschenbrandta o doświadczeniach przeprowadzonych na żołnierzach bawarskich podczas manewrów jesiennych. Tytuł rozprawki brzmiał: *Fizjologiczne znaczenie i skutki kokainy.* Niektóre sformułowania zwróciły jego uwagę: „...stłumienie głodu... zwiększenie zdolności wytrzymywania napięcia... wzrost sprawności umysłowej". Doktor Aschenbrandt opisywał sześć przypadków. Zygmunt zaczął czytać z olbrzymim zainteresowaniem.

„Drugiego dnia marszu, w dzień bardzo upalny, żołnierz T. zemdlał z wyczerpania. Dałem mu łyżkę wody z dwudziestoma kroplami chlorowodorku kokainy (0,5:10). Mniej więcej po pięciu minutach T. podniósł się o własnych siłach i maszerował jeszcze pięć kilometrów do miejsca przeznaczenia. Mimo ciężkiego plecaka i upału dotarł na miejsce rześki i w dobrej formie".

Zygmunt przeczytał opis dalszych pięciu przypadków. Starał się formułować najistotniejsze pytania i szukał na nie odpowiedzi. Czy żołnierze czerpali tę świeżą energię z własnych zasobów siły? Czy też owe dwadzieścia kropel kokainy wytwarzało nową siłę? Jakim właściwościom kokainy należy przypisać tę wytrzymałość?

Nagle przypomniał sobie artykuł na ten sam temat, który przed miesiącem bodaj przeczytał w „Detroit Therapeutic Gazette". W czytelni znalazł na półce ten właśnie numer „Gazette" i zabrał go do swego pokoju, by raz jeszcze dokładnie przeczytać ów artykuł. Rzucił okiem na zegar stojący przed nim na biurku i stwierdził, że wystarczy mu jeszcze czasu, by zajść do biblioteki w biurze naczelnego chirurga. W katalogu szczegółowym znalazł artykuł zatytułowany *Erythroxylum coca,* zawierający bibliografię prac o tym narkotyku. Potem wrócił do pracowni fizjologicznej. Ernest Fleischl dał mu list polecający do Towarzystwa Medycznego, które miało dobrą bibliotekę naukową, i karteczkę, w której zawiadamiał, że bierze na siebie odpowiedzialność za wszelkie książki, jakie doktor Freud wypożyczy.

Zebrane z kilkunastu źródeł wiadomości okazały się zdumiewające. „Właściwie niewiarygodne" – pomyślał Zygmunt. W kilku sprawozdaniach z Limy i Peru stwierdzono, że Indianie od wczesnej młodości przez całe

127

życie zażywają kokę (*coca*) bez jakichkolwiek zauważalnych szkodliwych następstw. Brali kokę, kiedy wybierali się na jakąś trudną wyprawę, a także przed stosunkiem z kobietą. Zwiększali normalną dawkę, kiedy czekał ich jakiś wielki i długotrwały wysiłek. Valdez y Palacios twierdził, że „dzięki zażywaniu koki Indianie potrafią odbywać marsze trwające setki godzin i biegną szybciej niż konie, nie zdradzając oznak zmęczenia". W artykułach Tschudiego opisany był przypadek półkrwi Indianina, który przez pięć dni pracował ciężko przy wykopaliskach, nie śpiąc więcej jak dwie godziny w nocy i nie spożywając niczego poza koką. Humbold donosił, że podczas swych podróży do krajów podzwrotnikowych stwierdził, iż jest to powszechnie znany fakt. W niektórych sprawozdaniach twierdzono, że kokaina w nadmiernych dawkach może spowodować zakłócenia w trawieniu, wycieńczenie i apatię. Istotnie, u osób zażywających kokainę zauważono wiele objawów podobnych do tych, które występują przy alkoholizmie albo nałogowym używaniu morfiny. Zjawiska takie nie występowały jednak, kiedy narkotyk stosowano z umiarem.

Jeszcze bardziej jednak zafascynowały Zygmunta dane, sięgające wstecz aż do roku 1787, o dobroczynnym wpływie kokainy na chorych psychicznie. Jezuita Antonio Julian opisywał przypadek uczonego misjonarza, który dzięki kokainie wyleczył się z ciężkiej hipochondrii. Mantegazza twierdził, że koka działa wszechstronnie przy leczeniu funkcjonalnych zaburzeń wywołanych neurastenią. Fliessburg pisał, że przynosi znaczną ulgę w przypadkach nerwowego załamania, Caldwell zaś w „Detroit Therapeutic Gazette" zaświadczał, że działa ona skutecznie jako środek tonizujący w przypadku histerii. Włosi Morselli i Buccola wypróbowali działanie narkotyku na grupie melancholików, stosując zastrzyki podskórne, i stwierdzali „u swych pacjentów poprawę... lepszy humor i apetyt".

Zygmunt zaczął się więc zastanawiać, czy kokaina nie wypełniłaby luki w zestawie leków psychiatrycznych używanych w szpitalu. Kiedy jeszcze zajmował się pacjentami u Meynerta, miał do dyspozycji przyzwoity zapas leków zmniejszających pobudzenie ośrodków nerwowych, ale ani on, ani nikt inny nie dysponował takim lekiem, który mógłby usprawnić osłabione działanie ośrodków nerwowych. Czytając artykuły w bibliotece Towarzystwa Lekarskiego, zbierał informacje świadczące o tym, że kokaina okazała się skuteczna nie tylko w przypadkach histerii i melancholii, lecz również hipochondrii, manii prześladowczych, otępienia, lęków i strachu.

Jeśli to wszystko jest prawdą, to chyba nie ulega wątpliwości, że ten cenny lek musi mieć jeszcze inne, dotąd niewypróbowane zastosowania. Czy profesor Meynert pozwoli mu wypróbować go na oddziale psychiatrycznym, a profesor Scholz zgodzi się na podawanie go chorym nerwowo? W aptece Haubnera „Pod Aniołem", koło Burgu, dowiedział się, że lek jest bardzo drogi.

Profesor Meynert nie pozwoli mu go wypróbować na pacjentach. Profesor Scholz nie wyda na to ani grajcara. Sprawa była jasna; jeśli chce kontynuować doświadczenia, musi je przeprowadzać na swoich pacjentach, we własnych probówkach i za własne pieniądze. Napisał więc do Mercka w Darmstadcie, który dostarczał Aschenbrandtowi kokainę do doświadczeń, i zamówił próbki. Pieniądze zarobione na dwóch korepetycjach ledwie pokryły koszty. Otrzymane pocztą lekarstwo schował. Sam je zażyje, kiedy zauważy u siebie lekką depresję wywołaną przepracowaniem.

Rozpuścił 0,05 grama kokainy w jednoprocentowym roztworze wody i wypił. Potem położył się w ubraniu na łóżku, czekając na skutek. Po kilku minutach poczuł wielkie ożywienie, jakąś lekkość i swobodę. Wstał i podszedł do biurka. Zauważył nieznaczne zdrętwienie warg i podniebienia, które ustąpiło z kolei uczuciu ciepła. Napił się wody; wydała się mu ciepła na wargach, ale zimna w gardle. Zanotował:

„Nastrój wywołany przez kokainę w takich dawkach wynika nie tyle z bezpośredniego pobudzenia, ile z zaniknięcia w ogólnym samopoczuciu człowieka tych elementów, które powodują przygnębienie".

W ciągu następnych kilku godzin był tak podniecony, że nie mógł zasnąć. Nie czuł ani głodu, ani zmęczenia, tylko potrzebę intensywnego wysiłku intelektualnego. Zaczął przeglądać kilka specjalistycznych prac i analizować ich treść. Pracował przez wiele godzin z jasnym umysłem i w świetnym usposobieniu. Potem działanie narkotyku zaczęło słabnąć. Spojrzał na zegarek; była druga w nocy. Rozebrał się, umył ręce i twarz. Ledwie się położył do łóżka, zmorzył go sen. Zbudził się punktualnie o siódmej i od razu podszedł do biurka, by zobaczyć, ile zdążył przeczytać i ile stron notatek sporządził. Czy to był naprawdę efekt kokainy? A może wykonałby tę samą pracę, nie zażywając jej? Tylko że przed zażyciem kokainy czuł się tak wyczerpany, że w ogóle nie zabrałby się do pracy.

W ciągu następnych kilku tygodni wypróbowywał wielokrotnie tę samą dawkę. Nigdy go nie zawodziła. Pisał, że dzięki kokainie osiągał „odprężenie i trwałą euforię, w niczym nieróżniącą się od euforii zdrowego człowieka". Czuł, że lepiej panuje nad sobą, jest ożywiony i więcej potrafi zrobić. Nie chciało mu się wierzyć, że to wpływ narkotyku. Nie odczuwał zmęczenia po bardzo intensywnym wysiłku intelektualnym, jadł z apetytem, ale wyraźnie miał świadomość, że mógłby się obejść bez jedzenia. I nie czuł żadnego pociągu do zażywania kokainy, wręcz przeciwnie, budziła w nim jakąś nieuzasadnioną odrazę.

Po kilkunastu eksperymentach postanowił powiedzieć o nich Józefowi Breuerowi. Zaszedł do niego do pracowni. Kiedy Breuer usłyszał, czym się Zygmunt ostatnio zajmował, przerwał pracę. Zygmunt dokończył relacji, po czym zapytał:

– Nie sądzisz, Józefie, że moglibyśmy wypróbować kokainę na Fleischlu? Mam ze sobą opisy wielu przypadków, kiedy ludzie dzięki kokainie zrywali z morfiną.

– A mówiłeś już o tym Fleischlowi?

– Ani słowa. Wie o moich lekturach, bo dał mi list polecający do Towarzystwa Lekarskiego, ale nie mówiłem mu o swoich doświadczeniach.

Józef zmrużył oczy, jakby próbował przejrzeć prawdę, po czym pokręcił głową z pewnym powątpiewaniem.

– A jeśli przyzwyczai się do kokainy?

– Peruwiańscy Indianie używają jej przez całe życie. Jest to niewątpliwie nałóg, nie stwierdzono jednak, by im kokaina szkodziła. Ernest nieustannie zwiększa dawki morfiny, czy nie warto więc spróbować?

Zastali Fleischla zwijającego się z bólu. Oczy miał przekrwione, skurcze ręki świadczyły o cierpieniach. Zygmunt opowiedział o swych doświadczeniach z kokainą. Fleischl zapalił się do nich. Podał mu więc 0,05 grama w szklance wody i Ernest natychmiast wypił. Po kilku minutach poczuł znaczną ulgę. Oczy mu się rozjaśniły, uniósł głowę i zaczął chodzić po pokoju.

– Miałeś świetny pomysł. Czuję, że to będzie skutkowało. Wiem przecież, że biorę zbyt dużo morfiny, ale nie mogę się opanować, gdy rana zaczyna się jątrzyć.

– My też wiemy, jak bardzo cierpisz – powiedział Breuer – ale nie znamy jeszcze dokładnie wszystkich właściwości kokainy. Musimy zachować ostrożność.

– Zrobię wszystko, co każesz, Józefie. Ale czy Zygmunt ją dla mnie dostanie?

– Już rozmawiałem z kierownikiem apteki Haubnera. Będzie odrobinę droższa, niż gdyby ją sprowadzać od Mercka.

Raz na dzień Zygmunt, Breuer albo jeszcze jeden z przyjaciół Fleischla, doktor Obersteiner, kierownik zakładu dla umysłowo chorych w Oberdöbling, podawał Ernestowi dawkę kokainy, utrzymując ją stale na poziomie 0,05 grama. Niechętnie dawali mu ją jednak po zachodzie słońca, ponieważ potem nie mógł usnąć, ale Fleischl domagał się leku, tłumacząc, że to przecież nie ma żadnego znaczenia. Kiedy czuje się dobrze, może robić swe doświadczenia i trochę pisać. A kiedy nie może pracować, czuje się nieszczęśliwy, a wtedy i tak nie zaśnie.

Po tygodniu nastąpiła katastrofa. Pewnego popołudnia, kiedy Zygmunt zapukał do drzwi Fleischla, nie usłyszał odpowiedzi. Dobijał się, słyszał jakieś odgłosy z mieszkania, ale nie mógł ich rozpoznać. Pobiegł do pracowni fizjologicznej, szukając pomocy. Wrócił z Exnerem, wezwali jeszcze Breuera i Obersteinera. Kiedy włamali się do pokoju, Fleischl leżał półprzytomny na podłodze. Rozebrali go i włożyli do ciepłej kąpieli. Powoli odzyskiwał przytomność. Był to wielki wstrząs dla wszystkich. Zygmunt zażądał stanowczo, by jeden z przyjaciół otrzymał zapasowy klucz do mieszkania Fleischla. Klucz wziął Obersteiner. Obiecał, że codziennie, wracając ze szpitala, będzie zachodził do Ernesta.

Dopiero nad ranem Zygmunt i Breuer zdecydowali, że mogą iść do domu. Na ulicy poczuli głód. Uświadomili sobie, że byli bez kolacji. Od ulicznego sprzedawcy kupili bułki i parówki. Przed nimi szedł latarnik w swym wysokim, stożkowatym kapeluszu. Długim kijem otwierał drzwiczki latarni gazowych i gasił płomyk. Na targu koło Burgu panował już ruch. Pojawili się pierwsi klienci, amatorzy najlepszych produktów. Chłopki, które je sprzedawały, popijały gorącą herbatę. Wyminął ich mężczyzna popychający przed sobą wózek, na którym leżała drabina i stał kubeł z farbą. Widocznie miał gdzieś malować szyldy. Konne beczkowozy polewały jezdnię. Z kawiarni jarzących się światłami wychodzili ostatni wytworni goście. Panowie w cylindrach żegnali się kordialnie, uśmiechem pokrywając ziewanie.

– Jestem niespokojny – powracał do sprawy Breuer. – Przecież nie mógł zemdleć z samego tylko bólu... A może zdobył gdzieś kokainę na własną rękę? Może dostał u Haubnera?

– Wstąpię i zapytam, jak tylko otworzą aptekę.

Zygmunt przyniósł niedobre wiadomości. Fleischl kupował większe ilości kokainy i zażywał ją nierozważnie. A więc kokaina nie jest takim niewinnym środkiem, jakby to wynikało z literatury medycznej. Jaka jest dopuszczalna dawka? Niebezpieczeństwo było oczywiste.

Nie ukrywał doświadczeń. Opowiadał o swych odkryciach kolegom; niektórzy sami wypróbowywali narkotyk i donosili, że zastępuje obfity posiłek, usuwa uczucie skrajnego zmęczenia, umożliwiając nawet długi spacer. Józef Pollak opisywał pomyślnie zastosowanie leku przy kontroli stanu śluzówki i mięśni żołądka.

Fleischl się zląkł; ograniczył dawki kokainy. Zygmunt nadal zażywał ją w ustalonej ilości, gdy odczuwał potrzebę. Zaaplikował ją swojej siostrze Róży i posłał Marcie, która stwierdziła, że kokaina przynosi jej ulgę w okresach napięcia. Breuer nadal nakazywał ostrożność, ale Zygmunt coraz bardziej wierzył w skuteczność kokainy. Uważał, że może ona powstrzymać wymioty, katar żołądka i stłumić ból przy jaglicy i infekcjach skórnych. Dał trochę kokainy swym przyjaciołom, Karolowi Kollerowi i doktorowi König-steinowi, radząc im, by ją zastosowali dla zmniejszenia bólu przy chorobach oczu, których nie można było leczyć operacyjnie.

Kiedy już zebrał wszystkie materiały, napisał pracę *O kokainie;* miała dwadzieścia sześć stron. Opublikował ją w „Zentralblatt für die gesamte Therapie". Omówił odnalezione przez siebie publikacje w pięciu językach na ten temat, powoływał się na różne autorytety, po czym występował z entuzjastyczną obroną zastosowania leku przy zaburzeniach gastrycznych, niestrawności, anemii, gorączkach, syfilisie, zwalczaniu morfinizmu, alkoholizmu, impotencji... Gdyby połowa bodaj z tych potencjalnych możliwości okazała się prawdziwa, zyskałby sławę. Do Marty pisał:

„Teraz potrzebny nam tylko łut szczęścia, by założyć rodzinę".

Kiedy matka Ignacego Schönberga zachorowała ciężko na serce, Zygmunt zrezygnował z godzin nadliczbowych i w szpitalu się nią opiekował. Odzyskała zdrowie, ale Ignacy wyjechał do Anglii bez pożegnania. Wstydził się, że jego bracia nie uregulowali honorarium doktorowi Freudowi. W końcu Zygmunt otrzymał pieniądze, sześćdziesiąt guldenów, i kupił za nie aparat do masażu. Będzie mu potrzebny w prywatnej praktyce. Dziesięć guldenów posłał Marcie na żakiet z jerseyu, o którym marzyła.

7

Upalne lato 1884 roku zmogło Wiedeń. Mieszkańcy opuszczali stolicę, ulice opustoszały. Zygmunt wybrał się do fryzjera, ostrzygł krótko brodę, wygolił tak, że została tylko cienka smuga zarostu. Zdobył się nawet na zamówienie letniego ubrania u Tischera, który szył dla prawie wszystkich młodych lekarzy szpitala. Już rok mijał od czasu, kiedy pani Bernays zabrała swe dwie córki do Niemiec.

Breuer zaproponował Zygmuntowi, by zajął się jednym z jego pacjentów cierpiących na nerwicę. Za towarzyszenie choremu w podróżach w lecie otrzymałby tysiąc guldenów. Zygmunt odmówił, chociaż koledzy bardzo go namawiali. Nie uśmiechała mu się rola pielęgniarza opiekującego się wariatem. A zresztą w lecie miał zamiar zakończyć w pracowni Meynerta swe badania nad kokainą.

Prymariusz Scholz wyjechał na wakacje. Oddział zostawił doktorom Pollakowi i Ullmannowi. Obaj zostali przyjęci tuż przed przybyciem Zygmunta. Niespodziewanie nadeszły wiadomości o poważnej epidemii cholery w Czarnogórze. Potrzebowano lekarzy. Pollak i Ullmann natychmiast zgłosili się na ochotnika, po czym udali się do pokoju Zygmunta. Zastali go przy sporządzaniu sprawozdania z badań nad wpływem kokainy na reakcje mięśni. Pisał zapamiętale. Pollak był poważny i solidny w obecności pacjentów; w życiu prywatnym przepadał za kawałami. Stanął przed Zygmuntem, stuknął obcasami, skłonił się uroczyście i zameldował:

– Przyszliśmy złożyć gratulacje panu prymariuszowi profesorowi doktorowi Freudowi, którego minister oświaty mianował superintendentem Czwartego Oddziału.

Zygmunt patrzył na nich trochę nieprzytomnym wzrokiem. Był przyzwyczajony do żartów Pollaka, ale tym razem nie mógł zrozumieć dowcipu.

– A kiedyż to spotkał mnie ten wielki zaszczyt, moi panowie?

Ullmann roześmiał się.

– Przed dziesięcioma minutami. I nam go właśnie zawdzięczasz.

– Powiedzcie wreszcie, błazny, o co chodzi.

– Tym razem nie są to błazeństwa, Ullmann i ja zgłosiliśmy się ochotniczo do Czarnogóry. Wybuchła tam epidemia cholery. Potrzebny jest każdy lekarz, którego Wiedeń może przysłać.

– Znakomicie, jadę z wami.

– Nie może pan, panie radco! – zawołał Pollak. – Musi pan pilnować interesu. Nie ma absolutnie nikogo, kto mógłby zająć pańskie miejsce. Przywieziemy ci upominki.

Pełniąc obowiązki szefa Czwartego Oddziału, Zygmunt szybko nabywał doświadczenia. Dawniej zajmował się pacjentami, ale odpowiedzialność spadała w końcu na Scholza lub Pollaka. Teraz on odpowiadał za wszystko. Przyjmował pacjentów, stawiał diagnozy, przepisywał leczenie, a także dysponował funduszami, lekarstwami i wyposażeniem szpitalnym. Obchodząc sale w roli prymariusza, stwierdzał, że teraz dopiero wie, kim jest lekarz w szpitalu.

Co kilka minut podejmował decyzje mogące oznaczać śmierć lub życie. Jednego pacjenta trzeba było przyjąć, innego odesłać. Jeszcze innego musiał wypisać, bo kto inny wymagał hospitalizacji. Miał do dyspozycji sto trzynaście łóżek, ale zdarzało się, że pięciuset chorych czekało na miejsce... Chorych z przeróżnymi chorobami. Łóżka nie stały już w przepisowej odległości od siebie.

Zdarzało się, że kładł się dopiero nad ranem. Jako młodszy sekundariusz mógł spać do siódmej. Jako prymariusz wstawał o szóstej. Ale nawet w chwilach kompletnego wyczerpania przychodziła mu do głowy myśl, że Józef Breuer i Natan Weiss mieli rację. Doktor Freud nareszcie stawał się neurologiem.

Prymariusz Scholz wrócił pod koniec sierpnia. Zygmunt był wolny i mógł wreszcie wybrać się na od dawna wymarzone wakacje z Martą. Oczekiwała go na stacji kolejowej w Hamburgu. Biegła ku niemu przez cały peron, wymachując ręką, a on postawił walizkę na ziemi i czekał, aż Marta znajdzie się w jego ramionach. Objął ją i szepnął do ucha:

– Napisałem ci, żebyś nie czekała na mnie na dworcu, jeśli nie chcesz, żebym cię pocałował na oczach ludzi.

– Ale ja nie mogłam pozwolić na to, by nikt cię nie powitał w Hamburgu.

– Marto, Marto, jak to dobrze znowu słyszeć twój głos!

Zamówiła już dorożkę, która miała ich zawieźć do Wandsbek, odległego o pięć mil od Hamburga. Dorożkarz czekał przed dworcem. Siedzieli przytuleni do siebie. Czternaście miesięcy to bardzo długi okres w życiu dwojga młodych ludzi. Odsunął dziewczynę od siebie, by przyjrzeć się dobrze jej twarzy. Trochę zeszczuplała, oczy błyszczały radością ze spotkania. Wciąż jeszcze czesała się z przedziałkiem na środku i posłusznie spełniając jego polecenie, odbywała codzienne spacery. Miała na sobie letnią jedwabną sukienkę. Jego stare popielate ubranie było wymięte po podróży, a biała koszula wybrudzona sadzą z olbrzymiej lokomotywy.

– Dobrą miałeś podróż? Liczyłam godziny od twego wyjazdu z Wiednia.

– Wiesz przecież, że mam bzika na punkcie pociągów, tak jak Aleksander. Znalazłaś mi pokój?

– Tak. Ale nie poddasze, jak prosiłeś. Nasi znajomi na Kedenburgstrasse mieli wolny pokój frontowy. Spodoba ci się, bo okna wychodzą na Eichtalpark. I nie jest drogi.

– Moja panna jest bardzo bystra.

Podmiejskie Wandsbek było uroczą miejscowością. Zygmunt dostał pokój oklejony kremowymi tapetami w żółte bratki. Marta czekała w salonie, a on tymczasem umył się, zmienił koszulę i włożył nowe ubranie. Potem poszli do domu, który wynajęła pani Bernays na Steinpilzweg. Był to skromny domek w ogrodzie przy cichej uliczce. Meble Zygmunt pamiętał z wiedeńskiego mieszkania. Nie cieszył się specjalnie na spotkanie z panią Bernays, kiedy jednak wszedł do pokoju i zobaczył, jak schudła i zmizerniała po długiej chorobie, niechęć w mgnieniu oka ustąpiła miejsca współczuciu. Podszedł i pocałował ją w rękę.

– *Grüss Gott*. Tak się cieszę, że znowu mamę widzę. – Zapytał o jej zdrowie. – Musi mama zażywać specjalny tonik, który przepiszę. Już ja się teraz mamą zajmę. Bo ja już jestem wcale niezłym lekarzem.

Pani Bernays również przygotowana była na chłodne spotkanie, ale życzliwość Zygmunta, jego troska o jej zdrowie przełamały wszelkie opory.

– Nigdy w to nie wątpiłam – odpowiedziała z większą czułością w głosie, niż mógł się spodziewać. – Martwię się tylko, jak długo jeszcze będziesz musiał czekać. Przecież twój przyjaciel, doktor Ernest Fleischl, jest zaręczo-

134

ny ze swoją panną od dziesięciu czy nawet dwunastu lat. Trudno. Wiem, że Marta bardzo cię kocha. Zygmuncie, zostańmy przyjaciółmi.

Kiedy wyszła z pokoju, Marta pocałowała Zygmunta w czoło.

– Dziękuję ci. Teraz widzisz, że miałam rację, dbając o spokój w rodzinie? Zapobiec kłótni to tyle, co wygrać wojnę.

– Masz rację, mój Arystotelesie. Cóż za bezbłędna logika!

Do pokoju weszła Minna. Uśmiech rozkwitł na jej szerokiej twarzy, kiedy niedźwiedzim uściskiem objęła Zygmunta.

– Tak się cieszę, że cię widzę. Wyglądasz cudownie. Mów szybko o Ignacym. Czy pisał do ciebie z Oksfordu? Do mnie nigdy nie pisze o swoim zdrowiu. Jak mu idzie praca?

– Wolnego, siostrzyczko! Nie popędzaj mnie jak dorożkarską szkapę. Zaraz ci opowiem o twoim Ignacym. Praca nad słownikiem idzie mu dobrze. Wkrótce będzie zarabiał trzy tysiące guldenów rocznie i będziecie mogli się pobrać.

Minna zaczęła wirować po pokoju, po czym objęła Zygmunta i Martę i ucałowała ich oboje w policzki...

Rankami spacerowali po lasach otaczających Wandsbek. Rosa błyszczała jeszcze na trawie, ciepłe promienie wrześniowego słońca przenikały przez listowie. Marta miała na sobie luźny brązowy kostium spacerowy i wielki kapelusz. Zygmunt deklamował, że na tle soczystej jeszcze zieleni jej oczy błyszczą jak szmaragdy. Prater był rajem, ale tam zawsze otaczały ich setki spacerowiczów. Tu, w lasach Wandsbek, jest znacznie piękniej, ponieważ są sami, jak Adam i Ewa w raju...

Snuli plany na przyszłość. O jedenastej wstępowali do małej gospody na drugie śniadanie. Kelnerka nie przynosiła wprawdzie gulaszu, jak w Wiedniu, ale na stoliku ustawionym pod drzwiami był świeży chleb, masło, ciastka i mleko. Potem wracali powoli do domu, zrywając po drodze ostatnie polne kwiaty. Czekał ich obiad przygotowany przez panią Bernays i Minnę, która oznajmiła stanowczo, że we wrześniu, „jak długo tu jest Zygmunt, Marta nie będzie się zajmowała gospodarstwem". Późnym popołudniem wybierali się tramwajem konnym do Hamburga. Robili zakupy (Jakub twierdził, że koszule są tu lepsze niż w Wiedniu) albo oglądali na wystawach sklepów z meblami mahoniowe komplety stołowe, fotele, kanapy do salonu, sypialnie z wysokimi, rzeźbionymi łóżkami. Hamburskie meble były solidniejsze od wiedeńskich.

– Wyglądają tak, jakby przeznaczono je dla kilku pokoleń – zauważył Zygmunt.

– Bo też tak jest – odpowiedziała z naciskiem. – Kiedy hamburska rodzina kupuje dom, to urządza go tak, by meble przetrwały sto lat.

– W zeszłym roku widziałem na wystawie sprzętu elektrycznego w Wiedniu kilka pokoi, oczywiście z elektrycznym oświetleniem, umeblowanych przez firmę Jaray. Cały czas myślałem o tym, jak ty byś się tym zachwycała. Ale potem uprzytomniłem sobie, że moglibyśmy być nieszczęśliwi na ślicznej kanapie od Jaraya, a bardzo szczęśliwi na starym, połamanym fotelu. Najpiękniejszą ozdobą domu winna być żona.

Marta patrzyła na jego sylwetkę odbitą w szybie wystawowej.

– Tobie się zdaje, że jesteś uczonym do szpiku kości, który wierzy tylko w to, co może zmierzyć i obliczyć. Nic podobnego, ty jesteś poetą!

W połowie miesiąca przez dwa dni padało. Siedzieli w salonie i czytali na głos wiersze Heinego, *Natana Mędrca* Lessinga, *targowisko próżności* Thackeraya. Zygmunt odpoczywał po ciężkim roku pracy w szpitalu. Każda chwila z Martą, z rodziną Bernaysów była radością. Jeden dzień poświęcili na zwiedzanie ruchliwych doków i kanałów Hamburga. Opowiedział jej o propozycji Breuera.

– Tysiąc guldenów to duże pieniądze. Mógłbyś je wydać na różne cele.

– To prawda, ale taka podróż opóźniłaby moją pracę i nasz ślub o trzy miesiące.

– Ja ci przeszkadzam... – szepnęła. Chwycił ją za ramiona i potrząsnął nią.

– Dziewczyno moja najdroższa. Wybij sobie z głowy takie ponure myśli. Wiesz przecież, że ty jesteś dla mnie wszystkim. Tylko wtedy mogę pracować, kiedy żyję wielkimi nadziejami. Do chwili gdy cię poznałem, nie wiedziałem, co to radość życia, ale teraz, kiedy „w zasadzie” jesteś moja, jedyny warunek, który stawiam życiu, to żebyś została moją bez reszty; poza tym niewiele mnie ono obchodzi. Jestem bardzo uparty, bardzo lekkomyślny. Potrzebuję wielkich bodźców. Wielokrotnie postępowałem tak, że osoba rozumna nazwałaby to postępowanie pochopnym. Zająłem się na przykład pracą naukową, nie mając pieniędzy. Nie mając pieniędzy, postanowiłem ożenić się z biedną panną. Ale tak już musi być w moim życiu: dużo ryzyka, dużo pracy. Zwykły mieszczański rozsądek dawno już straciłem.

Miała łzy w oczach.

W końcu opowiedział jej o stypendium, które przyznaje wydział medyczny. Ustanowili je rektor i senat uniwersytecki w 1866 roku. Wynosi sześćset guldenów i przyznawane jest temu sekundariuszowi kliniki, który, zdaniem wydziału, najlepiej potrafi je wykorzystać. Umożliwia ono wyjazd za granicę i kontynuowanie studiów u jakiegoś wybitnego specjalisty w danej dziedzinie. Zdobycie stypendium to taki sam zaszczyt jak tytuł honorowy.

– Sądzisz, że masz jakąś szansę?

– Tymczasem są to tylko pogłoski. Jeśli dostanę stypendium, pojadę do Paryża i będę pracował w Salpêtrière u profesora Charcota. To właśnie on, bez niczyjej pomocy, stworzył nowoczesną neurologię. – Zygmunt niespokojnie spojrzał na Martę. – Ale to oznaczałoby jeszcze jeden rok praktyki w szpitalu. Potem przyjechałbym tu do ciebie na wakacje, a dopiero potem do Paryża.

Marta zamknęła oczy i oparła podbródek na splecionych w modlitewnym geście dłoniach.

– Cóż za cudowny sen! Oby się tylko spełnił.

8

Pierwszą osobą, którą Zygmunt spotkał na dziedzińcu Czwartego Oddziału po powrocie z Wandsbek, był doktor Karol Koller. Miał dwadzieścia siedem lat i był na dobrą sprawę jedynym gładko wygolonym lekarzem w szpitalu. Strzygł też krótko włosy. Ustępstwem na rzecz konwenansu był tylko długi, wąski wąs, którego końce sterczały krzaczasto w górę. Miał dobrą, otwartą twarz o regularnych rysach, która nie pozostawała jednak w zgodzie z jego opryskliwym charakterem. Unosił się łatwo, nie przebierał w słowach i zawsze szukał dziury w całym.

– Karolu, cóż ty tu robisz na moim terenie? Czyżbyśmy nagle przejęli okulistykę?

– Nie – zawołał Koller – okulistyka przejęła ciebie! Wszystko ci zawdzięczam. Pamiętasz, jak zademonstrowałeś nam działanie kokainy i każdemu podarowałeś trochę leku? Mówiłeś, że wywołuje ona drętwienie w jamie ustnej. Otóż znalazłem się przypadkowo w pracowni profesora Strickera. Miałem przy sobie buteleczkę z odrobiną białego proszku. Pokazałem ją profesorowi i jego asystentowi, doktorowi Gärtnerowi, i powiedziałem im, że mam nadzieję, wręcz spodziewam się, iż proszek znieczuli oko. Stricker zapytał: „Kiedy?" Odpowiedziałem, że w każdej chwili, gdy tylko zechce zrobić doświadczenie. A on na to: dlaczego nie zrobić tego od razu? Znalazł dużą ruchliwą żabę i trzymał ją mocno, podczas gdy ja wkraplałem roztwór kokainy do jednego z jej wypukłych oczu. Wypróbowaliśmy odruch rogówki igłą. Daję ci słowo, po sekundzie nastąpiła wielka chwila: żaba w ogóle nie reagowała na dotykanie, a nawet zranienie rogówki; ani śladu odruchu. Nawet nie próbowała się bronić. Możesz sobie wyobrazić, jak byliśmy podnieceni. Natychmiast zdobyliśmy królika i psa i powtórzyliśmy eksperyment. Można było robić, co się tylko chciało, igłą, nożem; zwierzęta nie odczuwały bólu.

Zygmunt bez słowa przypatrywał się koledze.

– Ależ oczywiście! Jeśli kokaina znieczula język, to znieczuli i oko!

– Następnym krokiem było wypróbowanie kokainy na człowieku. Nie śmieliśmy próbować na żadnym z pacjentów na oddziale, więc wkropliliśmy sobie wzajemnie kokainę do oczu, pod powiekę. Potem przed lustrem dotknęliśmy rogówki igłą. Niemal równocześnie wszyscy zawołali: „Nic nie czuję!" Nie uwierzysz. Mogliśmy sobie wydłubać dziurę w rogówce, nie czując w ogóle dotknięcia. Wyobrażasz sobie, co to znaczy? Teraz będziemy mogli operować jaskrę i katarakty, nie zadając bólu pacjentowi, który będzie leżał spokojnie do końca zabiegu.

Zygmunt zerwał się i objął Kollera.

– Dokonałeś przełomowego odkrycia. Natychmiast opisz wyniki, wygłoś referat w Towarzystwie Medycznym i opublikuj to w piśmie.

– Jeden z moich przyjaciół złożył już wstępne sprawozdanie na konferencji okulistycznej w Heidelbergu. Sam chciałem pojechać, ale nie udało mi się zdobyć pieniędzy. – Łzy pojawiły się w oczach Kollera. – Wiesz, co to znaczy? Będę mógł awansować. Pierwszy krok na drodze do własnej prywatnej praktyki. Otworzę niedużą klinikę i być może już wkrótce otrzymam tu jeden z oddziałów. Zawsze o tym marzyłem.

– Wszyscy marzymy o tym samym. – Zygmunt uśmiechnął się kątem ust. – Tak jak każdy żołnierz marzy o tym, by przygruchać sobie ładną dziewczynę w Praterze i pójść z nią do lasu.

Następnego ranka przyszedł do Zygmunta Leopold Königstein. On też był okulistą. Nie należał do ludzi, którzy zdradzają swe uczucia, ale w jego głosie wyczuwało się podniecenie.

– Bardzo się cieszę, że wróciłeś. Pamiętasz nasze dyskusje o kokainie i o jej działaniu znieczulającym? Podsuwałeś mi myśl, żebym wypróbował je na oku. Zrobiłem to. Zygmuncie, zdaje się, że znalazłem środek znieczulający, którego szukaliśmy przez całe lata.

– Leopoldzie! – To był prawie jęk. – Rozmawiałeś już o tym z Karolem Kollerem?

Königstein przez chwilę stał w milczeniu. Widać było, że pytanie go nie ucieszyło.

– Dlaczego pytasz?

– Obaj dokonaliście tego samego odkrycia.

– Skąd wiesz? – Königstein zbladł.

– Spotkałem go wczoraj wieczorem. Wypróbował kokainę na zwierzętach i na sobie. Ale dotąd jeszcze nie operował oka ludzkiego.

– Ja też nie, ale z pewnością to zrobię.

– Naprawdę się cieszę. Wiem, jakie to ważne. Ale obaj zrobiliście odkrycie równocześnie i musicie równocześnie przedstawić swe referaty w Towarzystwie Medycznym. Karol i ty musicie podzielić się tym odkryciem.

Obaj byli strasznie rozgoryczeni. Zygmunt próbował ich przekonać. Kiedy zorientował się, że niewiele wskóra, poprosił o pomoc potężnego, krępego doktora Wagnera-Jauregga, który pracował po drugiej stronie ulicy, w Zakładzie dla Obłąkanych Dolnej Austrii. Wpadał on często do laboratorium Strickera i przypatrywał się doświadczeniom. We dwóch przekonali Kollera i Königsteina, by wygłosili swe referaty kolejno, dzień po dniu, i żeby oświadczyli, że do wyników doszli równocześnie.

Niedługo potem przyszedł do Zygmunta do szpitala jego ojciec. Skarżył się, że bolą go oczy. Zygmunt zaprowadził go do Kollera, który stwierdził u Jakuba jaskrę. Doradził natychmiastową operację. Königstein był tego samego zdania. W kilka dni później w sali operacyjnej oddziału okulistycznego Zygmunt asystował Kollerowi przy znieczulaniu kokainą. Operował Königstein. Po operacji Koller powiedział z nieśmiałym uśmiechem:

– To jest wielka chwila. Oto my trzej umożliwiliśmy taką operację, pracujemy razem.

Ale świeżo zdobyta sława Kollera niespodziewanie okazała się zagrożona. Pogłoski dotarły do wszystkich przyjaciół, którzy tak cieszyli się jego sukcesem. Zdarzył się wypadek, jaki, w tak drastycznej formie, od lat nie zdarzył się w szpitalu. Zygmunt skończył obchód, gdy wezwano go do pokoju Kollera. Zastał już tam kilku przyjaciół. Wszyscy byli bardzo rozgoryczeni.

Koller siedział załamany w fotelu i opowiadał:

– Miałem dyżur w izbie przyjęć z doktorem Zinnerem, internistą od Billrotha. Wprowadzono człowieka z poważnie uszkodzonym palcem. Badając go, zobaczyłem, iż bandaż gumowy jest tak mocno zaciśnięty, że wstrzymuje obieg krwi. Trzeba było zdjąć bandaż, gdyż groziła gangrena. Zinner powiedział, żeby pacjenta natychmiast posłać do kliniki Billrotha. Zgodziłem się, zapisałem jego polecenie i zacząłem rozluźniać bandaż. Zinner się sprzeciwiał. Mówił, żeby nic nie ruszać i natychmiast posłać chorego do Billrotha. Nie chciałem ryzykować i szybko przeciąłem bandaż. A wtedy Zinner zaczął wrzeszczeć: „Bezczelny Żydzie! Ty żydowska świnio!". Byłem tak wściekły, że straciłem panowanie nad sobą. Zamierzyłem się i z całej siły trzasnąłem go pięścią w ucho. Zinner zawołał tylko: „Jutro stawią się u pana moi sekundanci".

Zygmunt był głęboko wstrząśnięty. Administracja szpitalna energicznie broniła reputacji zarówno swego wydziału medycznego, jak i szpitala. Antysemityzm istniał, ale subtelnie ukrywany, rzadko dawał o sobie znać jawnie, choć Zygmunt i jego przyjaciel, wyczuleni na tym punkcie, dostrzegali jego objawy. Praca Billrotha została natychmiast potępiona, ale przez szpital przebiegała teraz niewidzialna linia podziału. Chrześcijanie i żydzi nie spotykali się po godzinach pracy i nie utrzymywali ze sobą stosunków towarzyskich. Obie grupy stanowiły zamknięte kliki, a „kliki są wygodne"

- powiadał Juliusz Wagner-Jauregg. Był synem urzędnika państwowego z Górnej Austrii, katolikiem, i zachował „wsiowy" wygląd, jak to mawiali wiedeńczycy. Golił policzki, pozostawiając jasny wąs. Włosy strzygł krótko, na wojskową modłę. Podbródek i czoło miał ostro zarysowane, jakby wykute w granicie. Potężne ramiona i tors przypominały sylwetkę drwala; lubił zresztą wybierać się w stroju drwala na górskie wspinaczki. Wagner-Jauregg bynajmniej nie próbował straszyć ludzi swą siłą fizyczną. Nie potrzebował; dostrzegało się ją gołym okiem. Pracował z Kollerem i Königsteinem nad metodą znieczulania skóry kokainą.

- Freud, ja lubię lekarzy Żydów w szpitalu – tłumaczył. – Bywają wśród nich ludzie znakomici i uczciwi. Wiele się od nich nauczyłem. Mogę pracować u ich boku w klinice i w pracowniach od szóstej rano do szóstej wieczór i nawet do głowy mi nie przyjdzie, że są odmiennego wyznania. Takie rzeczy nie mają nic wspólnego z nauką. Ale kiedy zapada zmrok i wychodzę, by spotkać się z moimi przyjaciółmi, chcę być wśród swoich. Nie są wcale lepsi, ale wyrośliśmy razem i znamy się dobrze. Powiedz mi uczciwie: czy to jest antysemityzm?

Powszechnie było wiadomo, że Żydom trudniej awansować na Wydziale Medycznym. Trwało to dłużej i wymagało większych zdolności. Nie zdarzyło się jednak, by Żyd mający odpowiednie kwalifikacje nie został przyjęty na Akademię Medyczną, a w szpitalach zawsze pracowała znaczna liczba lekarzy żydowskich.

- Karolu, kiedy miałeś ostatni raz szablę w ręku? – zapytał półgłosem ktoś z obecnych.

- Kilka razy, kiedy odbywałem jednoroczną służbę wojskową.

- Zinner może cię zabić. Pojedynkuje się od czasów studenckich.

- Ja też o tym myślałem. Ale jeśli odmówię, zhańbię nas wszystkich.

Sekundanci Zinnera zjawili się, by wręczyć formalne wyzwanie. Pojedynek na szpady miał się odbyć w koszarach kawaleryjskich w Josephstadt. Bandaży nie będzie. Sekundantom nie wolno było ingerować ani parować ciosów. Walka miała trwać do chwili, gdy jedna ze stron będzie całkowicie niezdolna do obrony.

Ku ogólnemu zdumieniu Koller ranił Zinnera w głowę i prawe ramię.

- Mówię szczerze, nie wiem, jakim cudem go zadrasnąłem. Trzy razy nacierał, a ja stałem i wymachiwałem szablą, usiłując się bronić.

Koller i Zinner zostali wezwani przez prokuratora. Koller odmówił powtórzenia obraźliwych słów, jakich wobec niego użyto. Zinner nie krępował się i twierdził, że musiał wyzwać Kollera na pojedynek, ponieważ tego wymagała od niego ranga oficera rezerwy służby zdrowia. Nie tłumaczył się ze swego wybuchu i nie próbował podważyć rozpowszechnionej teraz opinii, że Koller słusznie postąpił, usuwając bandaż. „Neue Wiener Abendblatt" chwaliła doktora Kollera za stanowcze spełnienie swego obowiązku i potępiała doktora Zinnera za „rzucanie obelg".

Ale szpital nie mógł się pogodzić ze zwycięstwem Kollera. Wygrywając pojedynek, w jakiś sposób popełnił taki sam występek jak Zinner, który go obraził. Koller przyszedł do Zygmunta zgnębiony. Nie spał po nocach.

– Poradź mi, co mam robić.

– Zrób sobie kawę. Ja też nie śpię.

Koller zaparzył kawę dla obu.

– Zdaje się, że chcą mnie wykurzyć. Nie życzą sobie, żebym tu pracował.

– Robią ci jakieś trudności?

– Nie. Tego nigdy nie można zarzucić szpitalowi. Ale dają mi to do zrozumienia na sto różnych sposobów.

– A nie mógłbyś zamknąć się w sobie i przeczekać, aż cała ta sprawa ucichnie?

– Już nieraz sobie to powtarzałem. Próbuję. Ale okazuje się, że moja praca mniej mnie obchodzi niż to, co inni o mnie myślą. Wciąż zastanawiam się tylko nad tym, jak by im dopiec.

– Czyli jest gorzej, niż myślałem...

– Uważasz, że to są tylko moje przywidzenia?

– Skądże! Sam to wyczułem.

– Wygląda na to, że będę musiał się wynieść. Poszukam pracy w Zurychu, Berlinie, może nawet w Ameryce. Ostatnio dużo myślałem o Ameryce.

– Ziemia obiecana? – Zygmunt się uśmiechnął. – Wiesz przecież, dlaczego jest to ziemia obiecana? Wystarczy, by nam się na chwilę zepsuł humor, i od razu postanawiamy spakować manatki i wyjechać do Ameryki. Nic z tego nie wychodzi, ale faktem jest, że w najgorszych chwilach sama możliwość pomaga. Przez ostatnie dwa lata co najmniej kilkanaście razy zastanawiałem się nad wyjazdem do Ameryki.

– Zygmuncie, skoro chcą się mnie pozbyć, to ja tu nie zostanę. A przecież uniwersytet i szpital to całe moje życie. Tu właśnie chcę wykładać, pracować, leczyć, operować...

– Ja bym ci poradził co innego. Weź urlop. Tylko nie od razu. To wyglądałoby jak ucieczka. Poczekaj i na wiosnę wybierz się do Salzburga albo do jakiejś innej pięknej miejscowości. Posiedź tam kilka miesięcy. Uspokój się. Jesteś już znanym lekarzem. Masz swoje osiągnięcia. Jesteś potrzebny w Wiedniu. Zrozumieją to, kiedy cię tu nie będzie przez pewien czas.

Łatwiej dawać rady przyjacielowi, niż radzić sobie samemu. Po miesiącu spędzonym z Martą wrócił ze świeżymi siłami. Nadal pracował intensywnie, ale bez entuzjazmu. Humor trochę mu się poprawił, kiedy kilku amerykańskich lekarzy, panowie Campbell, Darling, Giles, Green, Leslie i Montgomery, zaproponowało, by przerobił z nimi kurs neurologii klinicznej... po angielsku. Doktor Leslie w zamian za naukę objął funkcję skarbnika i protokolanta. Godzinne wykłady odbywały się codziennie przez pięć tygodni. Zygmunt mówił niezbyt biegle po angielsku, lecz Amerykanie byli zadowoleni, bo nareszcie rozumieli wszystko, a nie tylko pojedyncze słowa i zdania, którymi musieli się zadowalać, słuchając długich wykładów w języku niemieckim.

Każdy z lekarzy zapłacił po dwadzieścia guldenów; miał więc sto guldenów. Schował je w szkatułce, którą dostał w prezencie od Marty. Znaczną część pieniędzy przeznaczył na pomoc dla rodziny. Kilka guldenów przesłał do Wandsbek i nareszcie sprawił sobie od dawna już bardzo potrzebne zimowe spodnie.

Wykłady cieszyły się wielkim powodzeniem. Zaproponowano mu powtórzenie cyklu. Tym razem zgłosiło się jedenastu lekarzy. Dla młodego człowieka, który nie miał jeszcze tytułu docenta, był to niemały sukces. Amerykanie nie mieli szczególnego daru do nauki języków, ale neurologię studiowali rzetelnie i zdarzało im się przyłapywać swego „nauczyciela" na diagnostycznych gafach. Kiedyś na przykład uznał, że przyczyną uporczywych bólów głowy pacjenta było przewlekłe miejscowe zapalenie mózgu, a tymczasem przypadek okazał się zupełnie błahy. Chory miał najzwyczajniejszą nerwicę! Te pierwsze porażki Zygmunt przyjmował z uśmiechem.

Nadal miał obchód sal na oddziale Scholza. Zainteresował się obecnie dwoma przypadkami. Pierwszym był piekarz, którego Zygmunt przyjął na oddział, stwierdzając zapalenie osierdzia i płuc oraz ostre podrażnienie rdzenia i mózgu. Nikt nie wiedział, jak pomóc pacjentowi. Zygmunt prowadził skrupulatnie historię choroby. Gdy piekarz umarł w połowie grudnia, a sekcja zwłok potwierdziła diagnozę, opublikował szczegółowe sprawozdanie. Recenzent w „Neurologisches Zentralblatt" stwierdził, że „jest to cenny wkład do naszej wiedzy o ostrym zapaleniu wielonerwowym".

Drugim pacjentem był tkacz. Zygmunt stwierdził jamistość rdzenia, rzadką chorobę rdzenia kręgowego, i opiekował się nim troskliwie przez sześć tygodni. Pacjent nie reagował na leczenie i został wypisany. Ten przypadek Zygmunt opisał w „Wiener medizinische Wochenschrift", a po kilku miesiącach artykuł został przedrukowany w „Neurologisches Zentralblatt".

Ale nawet te sukcesy w pracy nie potrafiły go uwolnić od dokuczliwego uczucia, że znalazł się w impasie. Nie był z siebie zadowolony, a przyczynę tego niezadowolenia uświadomił sobie pewnego niedzielnego przedpołudnia, kiedy poszedł na drugie śniadanie do Breuerów. Opowiadał Józefowi, że coraz trudniej mu dojść do ładu ze sobą. Nie czuje się dobrze w szpitalu.

– Wiem, że nie potrafię odebrać porodu i na pewno są takie choroby kości i krwi, o których nie mam pojęcia. Ale jestem pewny, że skończył się mój okres czeladniczy. Nie wiem, co ze sobą począć.

Józef uśmiechał się, Zygmunt jednak nie zmieniał tematu.

– Nie mogę wciąż być młodszym sekundariuszem, jestem już na to za stary. Od złożenia papierów do zatwierdzenia tytułu docenta może upłynąć nawet rok, ale ten tytuł jest mi naprawdę niezbędny. Jako docent będę mógł zacząć praktykować, gdzie tylko zechcę.

Tytuł prywatnego docenta był dla lekarza w Austrii warunkiem powodzenia. Łączył się z tym przywilej prowadzenia wykładów na uniwersytecie, z tym tylko zastrzeżeniem, że temat wykładów nie mógł być objęty programem studiów. Stanowisko nie było płatne, docenci nie uczestniczyli w obradach Rady Wydziału, ale posiadanie tego tytułu oznaczało oficjalną aprobatę ze strony wydziału medycznego uniwersytetu i budziło powszechne zaufanie. Wiedeńczyk nigdy nie mówił, że idzie do lekarza, lecz że udaje się do profesora.

– Utknąłeś na „administracyjnej mieliźnie" – tłumaczył mu Józef. – Teraz musisz przekonać Radę Wydziału, że już dojrzałeś do awansu i że należy ci się stypendium na wyjazd.

Matylda wtrąciła się do rozmowy:

– Ja już nawet mam gotowy projekt tabliczki Zygmunta. Od ulicy szkło na czarnym tle i złote litery, na drzwiach klatki schodowej – porcelanowa.

Zygmunt wniósł podanie dwudziestego pierwszego stycznia 1885 roku.

„Zwracam się do Wysokiej Rady Wydziału z prośbą o przyznanie mi prawa prowadzenia wykładów o chorobach nerwowych. Umożliwi mi to rozbudowanie powyższej dyscypliny w dwóch kierunkach..."

Wydział powołał komisję, która miała rozpatrzyć podanie doktora Freuda, ocenić jego kwalifikacje i stwierdzić, czy zasługuje na tytuł docenta neuropatologii. W skład komisji wchodzili profesorowie: Brücke, Nothnagel i Meynert.

Profesor Brücke zobowiązał się, że przeczyta prace doktora Freuda i napisze wniosek w sprawie nominacji. W związku z tym musiał się zaznajomić z pracami histologicznymi Zygmunta. Ocenił ten dorobek jako „bardzo cenny". Poza tym musiał się wypowiedzieć o metodach stosowanych przez kandydata.

Profesor Brücke pisał: „Referaty doktora Freuda z mikroanatomii były dobrze opracowane; wyniki spotkały się z powszechnym uznaniem... Kandydat ma dobre przygotowanie ogólne, jest człowiekiem spokojnym i poważnym, znakomitym pracownikiem w dziedzinie neuroanatomii, bardzo sprawnym, myślącym logicznie. Zna dobrze literaturę przedmiotu, ostrożnie formułuje wnioski i ma dar jasnego wypowiadania się na piśmie...".

Profesorowie Nothnagel i Meynert poparli entuzjastycznie opinię Brückego.

O stypendium ubiegało się trzech kandydatów: doktor Zygmunt Freud, asystent z Drugiej Kliniki Okulistycznej prywatny docent doktor Fryderyk Dimmer oraz doktor Juliusz Hochenegg z Kliniki Chirurgicznej.

Zdumiewająco szybko mijały tygodnie, Zygmunt niewiele pracował, cały niemal czas poświęcając zabiegom o swoją sprawę i pozyskanie członków Rady Wydziału. Jego profesorowie przyjmowali go ciepło: pisali listy do kolegów i nakłaniali przyjaciół lub przyjaciół swoich przyjaciół, by wstawili się za Zygmuntem. On sam chodził z wizytami, sporządził wykres podziału głosów i wpadł w skrajną depresję, gdy przy powitaniu jakiś profesor obojętnie wymamrotał: „Servus" i nie dodał przy tym jakiegoś życzliwego słowa.

Jego przyjaciele opracowali własną „strategię". Józef Breuer zobowiązał się, że namówi profesora Billrotha, by poparł Zygmunta, i postawił na swoim. Doktor Zygmunt Lustgarten miał porozmawiać z profesorem Ludwigiem. Ojciec młodego doktora Henryka Obersteinera prowadził z profesorem Leidesdorfem własne sanatorium psychiatryczne w Oberdöbling. Obersteiner obiecał za pośrednictwem Leidesdorfa pozyskać głos profesora Politzera.

Pod koniec kwietnia Zygmunt i jego przyjaciele uważali, że mogą liczyć na osiem głosów. Kilka głosów padnie przeciw niemu, bo jest Żydem. Jeśli jednak obaj pozostali kandydaci, katolicy, podzielą głosy między siebie, wówczas Zygmunt odniesie zwycięstwo. I wtedy właśnie doktor Hochenegg wycofał się, twierdząc, że jest za młody. Sprawa miała się więc rozegrać między zwolennikami doktora Freuda i stronnikami doktora Dimmera. Zygmunt pisał do Marty: „To był zły, jałowy miesiąc... całymi dniami nic nie robię".

Przeszedł lekką ospę wietrzną. Profesor zdecydował, że przypadek nie jest na tyle poważny, by trzeba było pacjenta izolować na oddziale chorób zakaźnych, ale przyjaciół do niego nie dopuszczano. Opiekowały się nim siostry szpitalne. Przynosiły jedzenie i świeżą bieliznę.

Kiedy wyzdrowiał, odwiedził rodziców. Zbliżając się do domu, zobaczył, że do bramy wchodzi Eli. Szybko zawrócił i wstąpił do siostry Anny, by pogratulować jej dziecka i zobaczyć swoją małą siostrzenicę. Anna tak się ucieszyła, że zapomniała o urazie, jaką czuła do niego za to, że ich nie odwiedzał. A Zygmuntowi coraz trudniej było sobie przypomnieć, o co właściwie pokłócił się z Elim.

Trzynastego maja zebrała się Rada Wydziału, by przyznać stypendium. Głosowanie skończyło się impasem.

Zygmunt był w złym humorze. I wtedy właśnie młody doktor Obersteiner zapytał go, czy nie pojechałby na kilka tygodni do Oberdöbling, by popracować w klinice jego ojca. Jeden z lekarzy wybierał się na wakacje i potrzebny był zastępca. Zygmunt przyjął propozycję z radością; oto okazja wyrwania się ze szpitala i zarobienia kilku reńskich.

Do sanatorium w Oberdöbling jechało się z Wiednia godzinę. Mieściło się ono w parku przy Hirschengasse, przy drodze prowadzącej do Grinzingu, w dużym piętrowym budynku stojącym na pagórku i otoczonym mniejszymi domkami. Po przeciwnej stronie ulicy zbudowano klinikę dla cięższych przypadków. Cała ta podmiejska miejscowość była jeszcze skąpo zamieszkana. Zygmunt miał uczucie, że czekają go wakacje na wsi.

Współwłaściciel sanatorium, profesor Leidesdorf, był nauczycielem Meynerta. Jako superintendent Szpitala dla Obłąkanych Dolnej Austrii miał teraz tytuł zastępcy profesora psychiatrii. Poruszał się sztywno, cierpiał bowiem na ischias, i nosił perukę. Już wkrótce Zygmunt zorientował się, że Leidesdorf świetnie zna się na chorobach psychicznych. Córka jego wyszła za mąż za młodego Obersteinera, ucznia Brückego, młodzieńca chudego i nieciekawego, ale niewątpliwie przyzwoitego. Obersteiner oprowadził Zygmunta po sanatorium. Pokoje były duże, wesołe, ładnie urządzone, pełne słońca, a za oknami rozciągały się piękne widoki. Pacjentów było sześćdziesięciu. Stanowili pełny zestaw przypadków: od lekkiego kretynizmu do ciężkich przypadków otępienia wczesnego. Wszyscy pochodzili z bogatych rodzin. Liczba arystokratycznych tytułów zdumiała Zygmunta. Co drugi był baronem lub hrabią. Dwóch pacjentów miało książęce tytuły. Jeden z nich był synem Marii Luizy, żony Napoleona. Ci arystokraci, pomyślał sobie Zygmunt, prezentują się raczej żałośnie; oczywiście to nie jest kwestia ubioru, bo wielu z nich pozwala sobie na „malownicze" stroje, lecz wyrazu twarzy i sposobu bycia. Niektórzy do końca jego pobytu w Oberdöbling pozostali dla niego zagadką: nie wiedział, do jakiego stopnia ich zachowanie tłumaczyło się ekscentrycznością, a do jakiego zaburzeniami psychicznymi. Ale to nie jego sprawa. On miał dbać o ich wygody i starać się ulżyć tym dolegliwościom fizycznym, na jakie narzekali.

Zaskoczony był, jak przyjemnie się żyło w tym sanatorium. Jedzenie podawano znakomite. O jedenastej trzydzieści otrzymywał obfite drugie śniadanie, o trzeciej po południu bardzo dobry obiad. Młody Obersteiner oddał mu do dyspozycji swoją bibliotekę, pracował więc w ślicznym, chłodnym pokoju z pięknym widokiem na wzgórza otaczające Wiedeń. Na podoręździu miał mikroskop Obersteinera i bogatą literaturę o systemie nerwowym, gromadzoną przez dwa pokolenia.

Obchód trwał od ósmej trzydzieści do dziesiątej rano. Potem Zygmunt szedł do gabinetu, gdzie dyżurował do trzeciej po południu. Stosunki z pacjentami układały się bardzo dobrze. Mając za sobą praktykę na oddziale Meynerta, bez trudu rozpoznawał symptomy. Zewnętrzne formy schorzeń zmieniały się zależnie od majątku i szlachectwa, ale wszystko inne znał doskonale z praktyki szpitalnej. Pacjenci zadowoleni byli widocznie z miejsca pobytu. Jedli i spali dobrze, niekiedy tylko domagali się środków uspokajających, przeczyszczających lub elektrycznego masażu. Między trzecią a siódmą Zygmunt powtórnie obchodził wszystkie sale.

Nastrój jeszcze bardziej mu się poprawił, kiedy podczas pierwszych obchodów z doktorem Obersteinerem postawił kilka trafnych diagnoz. Od tej chwili dowierzano mu i miał więcej czasu na lekturę i naukę. Profesor Leidesdorf doradzał usilnie, żeby się specjalizował w chorobach nerwowych u dzieci, była to bowiem dziedzina bardzo mało znana.

– Panie profesorze – powiedział mu Zygmunt – gdybym tylko mógł otrzymać oficjalne skierowanie.

Zastanawiał się jednak nad tym, czy nie powinien napisać do Marty. Warunki w sanatorium były idylliczne. Mógł się tu znakomicie urządzić z żoną i dzieckiem. Jeśli nie otrzyma docentury i stypendium na wyjazd, zaproponuje jej, by się tu przenieśli.

Na dwudziesty czerwca wyznaczono ponowne zebranie Rady Wydziału, na którym miano definitywnie rozstrzygnąć sprawę stypendium i nominacji na docenta. Ostatni tydzień wlókł się bez końca. Czas dłużył się uparcie; im więcej dokładał starań, by skrócić każdą minutę oczekiwania, tym wolniej one przemijały.

Na domiar złego pojawiły się nowe zmartwienia. Dowiedział się, że Ignacy Schönberg porzucił pracę w Oksfordzie i przybył do Wandsbek wychudzony, z zapadniętymi policzkami. Gorączkował. Pani Bernays i Minna kazały mu się położyć do łóżka. Marta wezwała lekarza. Nie robił większych nadziei. Jedno płuco było całkowicie zniszczone, drugie prawdopodobnie częściowo już porażone chorobą. Z resztkami jednego płuca mógł żyć chyba tylko na Saharze. Ignacy stracił wszelką nadzieję. Mimo wysokiej gorączki wstał z łóżka. Minnie oświadczył, że zrywa narzeczeństwo, spakował walizki i wyjechał do Wiednia. Zygmunt postanowił, że gdy tylko Ignacy dotrze do domu, załatwi mu wizytę u doktora Müllera, doświadczonego lekarza chorób płucnych. Siedząc u siebie w pokoju i czekając na wiadomość z uniwersytetu, która miała zadecydować o jego przyszłości, wspominał lata przyjaźni z Ignacym w gimnazjum. Jeśli powołaniem człowieka jest praca – rozmyślał – nikt nie zrobi z niego osobnika, który obywa się bez pracy i dba tylko o swoje zdrowie. Nieuleczalność chorób to sprawa drugorzędna, gdy pozycja społeczna człowieka i jego obowiązki stają się nieuleczalną chorobą.

Późnym popołudniem posłaniec przyniósł dobre wiadomości. Pan doktor Freud otrzymał docenturę dziewiętnastoma głosami przeciw trzem. Trzynastoma głosami przeciw dziewięciu przyznano mu stypendium na wyjazd.

Profesor Leidesdorf i obaj Obersteinerowie gratulowali mu serdecznie. Napisał do Marty, wsiadł do dorożki i pojechał do Wiednia. Najpierw udał się na pocztę, by wysłać list do Marty i do domu, zawiadomić rodzinę. Z domu pojechał do Breuerów, którym podziękował za pomoc, resztę zaś wieczoru spędził z Ernestem Fleischlem, który z tej okazji otworzył butelkę szampana.

– Znam przebieg zebrania – mówił Fleischl. – Nie miałeś żadnego konkurenta do docentury. Jest dla mnie tajemnicą, dlaczego padły trzy głosy przeciw. Ale o stypendium toczyła się zacięta walka. Profesor von Stellwag znakomicie bronił Dimmera. Zdobyłeś je dzięki żarliwej interwencji profesora Brückego. Przedstawił cię jako najświetniejszego od lat młodego naukowca na uniwersytecie. Wywołał ogólną sensację. Nikt jeszcze nie widział Brückego tak podnieconego, tak przekonanego o swojej absolutnej słuszności, powtarzającego, że wydział musi przyznać ci stypendium, ponieważ twoja praca u Charcota przyniesie wyniki niezwykłej wagi.

Zygmunt przez dłuższy czas milczał. Wypił łyk szampana: w kieliszku widział odbicie jasnych, surowych niebieskich oczu Brückego.

– Jak można się odwdzięczyć za taką przysługę? – zapytał półgłosem.

– Tylko pracą – odpowiedział Fleischl. – Wynikami, które ci przepowiedział profesor Brücke. Próbą ogniową będzie twój wykład dwudziestego siódmego czerwca o dwunastej trzydzieści w audytorium Brückego. Musisz mieć cylinder...

Zygmunt dopiero teraz naprawdę zrozumiał, co się stało.

– Erneście! To nie do wiary! Będę mógł wyjechać do Paryża! Będę mógł zostać wielkim uczonym! Wrócę do Wiednia po zdobyciu olbrzymiej sławy, będę mógł ożenić się z Martą! Będę leczył, wyleczę nieuleczalnie chorych.

– *Prosit!* – zawołał Fleischl, unosząc kieliszek.

Księga czwarta

Młodzieniec z prowincji w Paryżu

1

Doktor Freud przybył do Paryża w pierwszym tygodniu października 1885 roku i znalazł przyjemny pokój na drugim piętrze w Hôtel de la Paix, którego okno frontowe wychodziło na Impasse Royer-Collard i ogrody kamienicy zamykającej uliczkę. Był to cichy zaułek w pobliżu Ogrodu Luksemburskiego, pół godziny drogi piechotą od Salpêtrière. Hotel mieścił się w wąskiej kamieniczce, której fronton na każdym piętrze miał zaledwie trzy okna. Po obu jego stronach panoszyły się bardziej pretensjonalne rezydencje prywatne. Przed łóżkiem na podłodze z desek leżał dywanik. Pod ścianą duża szafa żenująco podkreślała skromność garderoby Zygmunta. Tapety zdobiły czerwone róże na złotym tle. Pod ścianą naprzeciwko łóżka stał sosnowy stół, na którym Zygmunt rozłożył swe książki i postawił fotografię Marty.

Fotografia Marty... Wpatrywał się w nią, kiedy zgasiwszy lampę, otworzył okno, wpuszczając do pokoju chłodne jesienne powietrze i stłumione odgłosy docierające z Boulevard St. Michel. Cóż za cudowny miesiąc spędzili razem w Wandsbek! Zasypiając, czuł się spokojny, wypoczęty, pewny swej miłości, szczęśliwy.

Wstał wcześnie i poszedł do kawiarni naprzeciw bramy Ogrodu Luksemburskiego. Stoliki były już zajęte przez mężczyzn śpieszących do pracy i studentów wybierających się na pobliską Sorbonę. Kiedy kelner w białym fartuchu podał mu dzbanuszki z kawą i mlekiem, Zygmunt poprosił swą staranną francuszczyzną, której uczył się przed wyjazdem z Wiednia, płacąc guldena za godzinę konwersacji:

– *Du pain, s'il vous plaît.*

– *Comment?* – *Garçon* kręcił głową, jakby nie zrozumiał, o co chodzi.

Zygmunt był zły na siebie. Czyż to możliwe, żeby nie umiał nawet zamówić porcji chleba, chociaż uczył się francuskiego od pierwszych lat gimnazjalnych? Nie pozostawało mu nic innego, jak wskazać palcem na koszyk z pieczywem stojący na sąsiednim stoliku. Nagle przypomniał sobie, jak się nazywają bułeczki w kształcie półksiężyca. Z triumfem w głosie wypowiedział właściwe słowo, a *garçon* odetchnął z ulgą i podał mu croissanty.

Pijąc kawę, usiłował przysłuchiwać się rozmowom przy sąsiednich stolikach. Nie tylko nie udawało mu się zrozumieć całych zdań, ale nawet pojedyncze słowa brzmiały obco. Ogarnęło go przygnębienie. Skoro nie rozumie tych przeklętych dźwięków, to cóż dopiero będzie z ich wymawianiem? I co się stało z jego wspaniałą wymową, którą tak się popisywał, czytając na głos Moliera i Wiktora Hugo? Francuzi połykali słowa szybciej jeszcze niż aromatyczną kawę.

Wyszedł na rześkie październikowe powietrze. Trzeba piechotą przemierzyć Paryż. Tylko w ten sposób zdobywa się miasto, tylko tak można nim zawładnąć. Postanowił wchłaniać Paryż z jego ulicami, sklepami, tłumami przechodniów, jak pochłania się nową książkę. Czuł się jak zwycięzca wkraczający do oblężonego miasta.

Dotarł do Sekwany. Idąc wzdłuż brzegu rzeki, zatrzymywał się przy wózkach bukinistów, podziwiał architekturę rządowych gmachów na Quai d'Orsay, przeszedł na drugi brzeg przez most Aleksandra III i znalazł się na szerokich, wysadzanych drzewami Polach Elizejskich. Bulwar tonął w słońcu, purpura liści z wolna ustępowała miejsca delikatnym odcieniom złota i brązu.

Wiedział, że Paryż jest dwa albo i trzy razy większy od Wiednia, a jednak zdumiały go ciągnące się w nieskończoność ulice. Minął najwyższy punkt Pól Elizejskich, plac Gwiazdy, i zaczął schodzić ku Laskowi Bulońskiemu. W powozach przejeżdżały wytwornie ubrane damy, w parku, po drodze do ogrodu zoologicznego w Jardin d'Acclimatation, mijał niańki z niemowlętami, starsze dzieci powożące wózkami zaprzężonymi w kozy albo przypatrujące się przedstawieniom teatrów kukiełkowych oraz bony zażegnujące dziecięce kłótnie.

Dopiero późnym popołudniem wracał na Boulevard St. Michel. Podziwiał miasto skąpane w bursztynowym świetle. Wszystko w Paryżu było dla niego nowe, inne, zaskakujące i w osobliwy sposób jednolite. W odróżnieniu od Wiednia, starającego się naśladować wszystkie kultury i cywilizacje, Paryż, jak to stwierdzał ze zdumieniem, pozostał przede wszystkim sobą, pozostał francuski. Teraz zrozumiał, dlaczego wiedeńczycy mówili, że tu „czują się w Europie". Austro-Węgry były monarchią posiadającą własną dynastię, kulturę we własnym, niepowtarzalnym stylu, ale Paryż był „matką miast". Zmęczony, ale triumfujący Zygmunt wracał z poczuciem, że zawładnął każdym gmachem, który udało mu się dokładnie obejrzeć, Sekwaną i jej mostami, parkami, ulicami.

Dotarł do skrzyżowania Rue de Médicis z Boulevard St. Michel, naprzeciw wejścia do Ogrodu Luksemburskiego. Jakiż tu panował ruch. Dziesiątki kawiarni wyległo swymi ogródkami na ulicę. Przy ciasno zastawionych stolikach rozsiedli się mężowie, którzy umówili się z żonami na aperitif, kawalerowie ze swymi pannami, studenci po wykładach, malarze w beretach i aksamitnych kurtkach, którzy opuścili swe pracownie. Szykowne dziewczęta wracały do domu całymi grupami, w towarzystwie kawalerów, rozmawiając i gestykulując z ożywieniem, wszyscy zakochani w Paryżu, w życiu, w sobie. Zygmunt zdumiony patrzał, jak ni stąd, ni zowąd zaczynają się posuwać tanecznymi krokami, jakby to był dzień wiosenny, a oni znaleźli się sami na Polach Elizejskich i nie stanowili wcale cząstki śpieszącego gdzieś tłumu. W Wiedniu byłoby to nie do pomyślenia. Czyż to nie cudownie tańczyć na ulicy tylko dlatego, że się jest młodym i w Paryżu?

Nagle jakby dostał pałką po łbie, uświadomił sobie, że jest przecież całkiem samotny. Cudzoziemiec w obcym kraju, w którym nikogo nie zna, z nikim nie potrafi się dogadać. Rozpaczliwie tęsknił do Marty, do jej jasnych oczu, czułego uśmiechu i kochających warg. Jakże da sobie radę przez te pięć dni, które wciąż jeszcze dzieliły go od pójścia do Salpêtrière i wręczenia listów polecających profesorowi Charcotowi?

Wrócił do swego pokoju hotelowego, zamknął okiennice, zaciągnął firanki, zdjął surdut i rzucił się na łóżko. Był obolały i zrozpaczony. Obudziła się w nim straszliwa tęsknota za domem, za miłością. Stracił wszelką nadzieję. Nic nie osiągnie. Dlaczego właściwie profesor Charcot miałby go przyjąć? Dlaczego miałby mu pomóc? Na czym opierał przypuszczenie, że koledzy w Salpêtrière zechcą mu wszystko ułatwić? Po co tu w ogóle przyjeżdżał?

Stypendium było zaszczytem; na wyjazd nie mógł sobie pozwolić człowiek ubogi! Zaczął rachować w myślach, jak to już robił setki razy. Wydział medyczny przyznał mu tylko pół stypendium, trzysta guldenów; drugą połowę otrzyma po powrocie do Wiednia i po złożeniu sprawozdania. Przed wyjazdem musiał spłacić długi: sto guldenów u krawca, siedemdziesiąt pięć u księgarza, trzydzieści guldenów za kufer i walizkę, osiem guldenów sprzątaczce w szpitalu, siedem dla szewca, pięć nauczycielowi francuskiego, trzy na policji za wypełnienie kwestionariusza przed otrzymaniem dyplomu docenta. Dwadzieścia złotych guldenów włożył Amelii do puszki w kredensie kuchennym, trzydzieści guldenów wydał na bilet do Hamburga. Dwieście odłożył na wizytę w Wandsbeck, trzydzieści pięć na podróż z Hamburga do Paryża... Tonął w długach, zanim zdążył dotrzeć do Salpêtrière.

„Trzeba było zostać buchalterem, a nie lekarzem!" – jęczał, wierząc się na łóżku. Lekarze ze szpitala, którzy kiedyś studiowali w Paryżu, zapewniali go, że będzie potrzebował co najmniej stu guldenów miesięcznie na życie, czyli w sumie co najmniej pięciuset guldenów. Potrzebował ponadto stu guldenów miesięcznie na studia w szpitalach berlińskich, kiedy wróci do domu, i sześćdziesięciu pięciu guldenów na bilet kolejowy z Paryża do Hamburga i potem z Berlina do Wiednia.

Uświadomił sobie, że znalazł się w sytuacji bez wyjścia. Uratować go mogło jedynie półtora tysiąca guldenów, które dostał od Panethów. Pieniędzy tych nie ruszał, podejmując jedynie procenty, by pomagać rodzinie i opłacić podróż do Marty. Wybrał się więc na niedzielę do Panethów, którzy wynajmowali willę w chłodnym lasku brzozowym u stóp Semmeringu. Zofia i Józef przyznali, że najwłaściwszym sposobem spożytkowania tych pieniędzy będzie wydanie ich na studia u profesora Charcota.

Zerwał się z łóżka, wyjął portfel z kieszeni i wyłożył pieniądze na stół. Liczył i liczył, ale za każdym razem konstatował, że ma tylko tysiąc franków. Tyle mu zostało z „fundacji" Panethów. Zaczął więc rachować na papierze. Ponad czterysta guldenów, którymi dysponował, pozwoli spędzić trzy miesiące za granicą, połowę potrzebnego mu czasu. Żeby w pełni wykorzystać podróż, będzie potrzebował jeszcze trzystu guldenów. Skąd je weźmie? Każda godzina studiów u Charcota była bezcenna.

Następnego ranka poczuł się lepiej, ale był zły na siebie, że uległ depresji. Przez kilka dni z sarkazmem myślał o Paryżu i Francuzach. Spacerował po Tuileriach i wybrał się do Luwru. W salach rzeźby greckiej i rzymskiej widział kobiety stojące przed posągami nagich mężczyzn z bezwstydnie wyeksponowanymi genitaliami. Był wstrząśnięty. Czyżby nie znały one uczucia wstydu?

Wrócił na plac Zgody. Na wspaniałym obelisku z Luksoru studiował uważnie cudownie rzeźbione ptaki, postacie mężczyzn i hieroglify, ale przyglądał się też gadatliwym, zapamiętale gestykulującym Francuzom i nie mógł oprzeć się myśli, że ten obelisk jest o trzy tysiące lat starszy od kręcącego się u jego stóp wulgarnego tłumu.

W Paryżu miały się odbyć wybory uzupełniające. Republikanie próbowali pokonać monarchistów. Kupował codziennie dwa dzienniki, które czytał w kawiarni. Był zadowolony, że przynajmniej rozumie słowo drukowane, ale ogłuszające krzyki gazeciarzy roznoszących cztery czy pięć wydań dzienników wydały mu się niestosowne.

Następnego wieczora wybrał się z kuzynem Marty, Janem Filipem, młodym artystą mieszkającym w Paryżu, by zobaczyć wielkiego Coquelins w sztuce Moliera. Za franka pięćdziesiąt dostał miejsce w *quatrième loge de côté*, z którego widział tylko wycinek sali, ale ani centymetra sceny. Uznał, że jest to „podły gołębnik". Stroje wieczorowe pań nie były, jego zdaniem, eleganckie. Zdumiał go brak orkiestry, do której przywykł w teatrach wiedeńskich. Raziły go także trzy prymitywne uderzenia młotkiem za kurtyną, oznajmiające początek sztuki. Przecież wystarczyłoby po prostu wygasić światła na sali! Obejrzał *Świętoszka*, potem *Le Mariage forcé* i *Pocieszne wykwintnisie*. Wszystkie te sztuki czytał nie tylko po niemiecku, ale i po francusku. Przy okazji przekonał się, że wychylając się niebezpiecznie przez barierkę, mógł nie tylko oglądać wielkiego Coquelins, ale i zrozumieć poszczególne zdania i słowa. Wściekły na aktorki, których w ogóle nie rozumiał, z irytacji dostał ostrej migreny. Po tych pierwszych wrażeniach postanowił raczej rzadko chodzić do teatru.

Denerwowała go drożyzna. Ceny w restauracjach były wysokie. A już zaniemówił kompletnie, kiedy za talk, płyn do ust i wodę kolońską zapłacił w drogerii trzy franki pięćdziesiąt.

Nie umiał sobie poradzić z Francuzami: w mijanym na ulicy tłumie dopatrywał się uczestników wielu krwawych rewolucji. Stojąc na placu Republiki przed olbrzymim pomnikiem, na którym płaskorzeźby przedstawiały ostatnie stulecie wojen domowych i rewolucji, doszedł do wniosku, że Francuzi podlegają co pewien czas epidemiom psychicznym, miewają napady masowych historycznych konwulsji. Paryż wydał mu się ogromnym, przesadnie wystrojonym Sfinksem, który pożera każdego przyjezdnego nieumiejącego odpowiedzieć na stawiane mu zagadki.

Późnym popołudniem, w przeddzień spotkania z Charcotem, wracał do swego hotelu przez Boulevard Montparnasse, gdy nagle uchwycił swoje odbicie w szybie wystawowej, wiernie oddającej każdy szczegół jego twarzy i stroju, figury i postawy. Po raz pierwszy, od kiedy stanął na Gare du Nord, spojrzał na siebie obiektywnie. Widział teraz dokładnie swój ciężki, niemal pogrzebowy garnitur o typowo austriackim kroju, melonik, przystrzyżoną na sposób wiedeński brodę, czarny jedwabny krawat, pedantycznie zawiązany pod sztywnym białym kołnierzykiem, surowy, profesorski wyraz oczu i zaciśnięte usta... Zrozumiał, że sam sobie jest winien. Jest cudzoziemcem nie tylko ze stroju, brody i akcentu, ale i dlatego, że zachował swe sztywne niemieckie zasady i oceny. Trzyma się kurczowo swej samotności, swej obcości. A zresztą czyż można czuć się paryżaninem po czterech dniach wędrówek po ulicach, nie umiejąc się dogadać, będąc niepewnym swej przyszłości, zajmując obronną postawę wobec miasta i ludzi?

Odwrócił się z uśmiechem od szyby wystawowej. „Paryżu, musisz mi wybaczyć – powiedział w myślach. – To ja okazałem się dzikusem".

2

Szpital Salpêtrière mieścił się na południowo-wschodnim krańcu Paryża, tuż za dworcem Austerlitz, dosyć daleko od jego hotelu. Przestudiował plan Paryża i zorientował się, że czeka go skomplikowany spacer. Później, kiedy już pozna swą dzielnicę, zbada, czy nie ma jakiejś krótszej drogi. Tymczasem poszedł przez Ogród Luksemburski, szeroką Rue Lhomond i skręcając kilka razy w prawo i lewo w plątaninie mniejszych ulic, dotarł do ruchliwego Boulevard St. Marcel, który prowadził już prosto do bramy szpitalnej.

W Salpêtrière poczuł się od razu jak w domu. Podobnie jak w Instytucie profesora Bruckego, w budynku tym mieściła się dawniej prochownia. Potem edyktem królewskim przekształcono gmach na Hospice Général, przytułek dla kalek i kobiet niemających dachu nad głową. Salpêtrière zaludniły paryskie prostytutki. Z czasem zaczęto tu umieszczać żebraków. Potem bramy Salpêtrière, nazywanego teraz „przytułkiem", otwarto dla ubogich, którzy tu właśnie znajdowali schronienie. Jedną część wydzielono dla starców, dobudowano nowe pomieszczenia dla kalek i nieuleczalnie chorych, dla dzieci cierpiących na jakieś nieznane choroby, dla obłąkanych kobiet. Na salach przebywali razem idioci, paralitycy i chorzy na raka, śpiąc w trójkę lub czwórkę na jednym łóżku. W osiemnastym wieku powstała izba porodowa dla niezamężnych matek. Do ich obowiązków należało karmienie własną piersią podrzutków przygarniętych przez Urząd Opiekuńczy.

W szesnastym i siedemnastym wieku w Salpêtrière prawie nie leczono. W osiemnastym wieku lekarz i chirurg z Hôpital Général odwiedzali dwa razy w tygodniu Salpêtrière, udzielając porad dwóm stale tu urzędującym medykom. Dopiero w 1862 roku, kiedy doktor Jean Martin Charcot został szefem służby zdrowia, Salpêtrière przekształcono na zwyczajny szpital.

Zygmunt przeszedł szerokim chodnikiem, po obu stronach wysadzanym drzewami, i znalazł się koło środkowego z trzech sklepionych łukowo budynków z wąskimi jak w strzelnicach oknami, zwieńczonego ośmioboczną kopułą. Poczuł się swojsko w dobrze znanym otoczeniu czworobocznych gmachów, dziedzińców z klombami, personelu szpitalnego i śpieszących się lekarzy.

Salpêtrière, podobnie jak Allgemeines Krankenhaus, stanowiło jakby odrębny świat, zajmowało siedemdziesiąt cztery akry powierzchni, otoczone było wysokim murem i składało się z czterdziestu pięciu bloków. Przebywało tu obecnie stale sześć tysięcy pacjentów. Nawet najstarsza siostra szpitalna nie pamiętała, żeby było tu kiedy wolne łóżko. Budynki dzieliły rozległe dziedzińce, przez które w cieniu starych drzew biegły żwirowane ścieżki. Niektóre pawilony miały oszklone dachy, jak szwajcarskie schroniska w górach. W odróżnieniu od szpitala wiedeńskiego cały teren Salpêtrière pocięty był ulicami i ścieżkami, które skracały drogę między poszczególnymi oddziałami.

W sekretariacie Charcota Zygmunt dowiedział się, że cały sztab lekarzy jest na cotygodniowej konsultacji ambulatoryjnej i że tam właśnie powinien się zgłosić. Bez trudu odnalazł ambulatorium, gdzie zgłaszali się chorzy na pierwsze badania. W jednym z małych pokoików wokół stołu do badań tłoczyło się kilkunastu lekarzy; za stołem stał szef kliniki, doktor Pierre Marie, młodo wyglądający, gładko wygolony mężczyzna. Zygmunt wręczył mu swój bilet wizytowy.

– Zechce pan się przyłączyć do grupy, doktorze Freud – powitał go uprzejmie doktor Marie. – Doktor Charcot zjawi się za kilka minut i rozpocznie konsultacje.

Zygmunt zajął ostatnie wolne krzesło, powitany skinieniem głowy przez obu sąsiadów. Czekały go tego ranka liczne niespodzianki. Punktualnie z wybiciem godziny dziesiątej wszedł profesor Jean Martin Charcot. Był to mężczyzna pod sześćdziesiątkę, wysoki, tęgi i barczysty. Miał na sobie dwurzędowy czarny żakiet, który sięgał do kolan, i cylinder. On też był porządnie wygolony. Czarne, lekko przyprószone siwizną na skroniach włosy zaczesywał gładko z czoła, najszerszego bodaj i najmocniej zarysowanego, jakie dotąd Zygmuntowi udało się oglądać. Głowa przypominała rzeźbę; gęste, zwisające na oczy brwi, nos duży, kościsty, ale proporcjonalny, bo osadzony na szerokiej twarzy, uszy ściśle przylegające do głowy, pełne wargi i podbródek jak wyrzezany z kamienia, oczy ciemne. Zygmunt czuł olbrzymią siłę bijącą od tej twarzy, ale siłę bez śladu arogancji lub wyższości. Charcot przywodził mu na myśl duchownego światowca, który potrafi zabłysnąć ciętym dowcipem i docenia życiowe przyjemności.

Asystenci i lekarze hospitanci wstali, gdy Charcot wszedł do pokoju. Szerokim gestem ręki, któremu towarzyszył uśmiech, poprosił, by usiedli.

Dla Zygmunta rozpoczęła się najbardziej podniecająca przygoda w jego, jak dotąd, krótkiej karierze medycznej. Kiedy pacjentów rozebrano, by pokazać zasięg choroby, Charcot rozpoczął stawianie diagnozy neurologicznej, nie zwracając uwagi na obecnych, jakby był sam u siebie w gabinecie. Było to coś w rodzaju improwizacji, na jaką nie pozwoliłby sobie żaden wiedeński profesor. Nie zajmował się zwyczajnymi przypadkami. Doktorzy Marie i Babiński badali już uprzednio chorych, tak więc do Charcota docierały tylko przypadki ciężkie i skomplikowane. Profesor wypytywał skrupulatnie pacjentów. Odsłaniał podłoże choroby, szeregował objawy według kategorii neurologicznych, stawiał diagnozę i proponował ewentualne leczenie. Zygmunt wyobrażał sobie, że posiada już dość rozległą wiedzę neurologiczną, toteż ze zdumieniem słuchał wywodów Charcota, który przedstawiał swój sposób rozumowania, analizował go, przytaczając analogiczne przypadki, sugerował oryginalne teorie przyczyn i natury chorób. Gdy Charcot dochodził do wniosku, że popełnił błąd w rozumowaniu, natychmiast się przyznawał i przedstawiał wersję poprawioną.

Najpierw wprowadzono kobietę w średnim wieku, cierpiącą na wole toksyczne; chorobę tę odkrył we Francji Charcot. Profesor wskazał na objawy: przyśpieszony puls, wytrzeszczone oczy, kołatanie serca, drżenie mięśni i powiększoną tarczycę na szyi pacjentki. Następnym pacjentem był młody robotnik cierpiący na stwardnienie rozsiane z towarzyszącym chorobie porażeniem połowiczym, drżeniem i zaburzeniami mowy. Charcot podkreślił różnice między tym przypadkiem a chorobą Parkinsona. Pragnąc jeszcze bardziej je unaocznić, kazał przyprowadzić starszą kobietę z drżączką poraźną (chorobą Parkinsona), wskazując na deformację rąk, sztywne i powolne ruchy ciała i tępy wyraz twarzy.

Następnie doktor Marie wprowadził młodą dziewczynę cierpiącą na afazję, niemożność wypowiadania słów; chora wydobywała z siebie niezrozumiałe dźwięki. Potem konsultowano przypadki mutyzmu, zaburzeń akcji serca i nietrzymania moczu.

Pod koniec doktor Marie przedstawił kobietę pięćdziesięcioletnią, dotkniętą postępującym zanikiem mięśni. Już na pierwszy rzut oka widać było, że chora umiera. Zygmunt rozpoznał objawy, które zauważył u pacjentów Scholza na Czwartym Oddziale. Po przedstawieniu wyników analizy, na podstawie której wespół z doktorem Marie opublikował niedawno klasyczny opis choroby, Charcot zwrócił się do siedzących półkolem lekarzy:

– To jedna z najstraszliwszych chorób: jest dziedziczna i przenosi się w rodzinie. Dla chorej nie ma już żadnej nadziei, nie miała jej od przyjścia na świat. – Na chwilę się odwrócił, po czym spoglądając na swych uczniów ciemnymi łagodnymi oczami, zacytował półgłosem:

> Cóż zawiniliśmy, Zeusie, że taki los nas spotyka?
> Ojcowie nasi zgrzeszyli, lecz my czym zawiniliśmy?

Zygmunta najbardziej zafascynowało to, że w toku kolejnych badań asystenci i lekarze hospitanci mieli prawo przerywać profesorowi, zadawać mu pytania, a nawet sprzeciwiać się i wyrażać odmienne zdania. W krajach niemieckiego obszaru językowego rzecz taka była nie do pomyślenia. Profesor był bóstwem, którego zdania nie mógł podważyć nawet cień wątpliwości. W pewnej chwili wtrącił się jakiś lekarz z Berlina:

– Ależ, panie profesorze, to, co pan mówi, sprzeczne jest z teorią Younga-Helmholtza!

– *La théorie, c'est bon* – odpowiedział łagodnie Charcot – *mais ça n'empêche pas d'exister*. Teoria jest piękna, lecz nie może ona przekreślić faktów.

W chwilę później jeden z asystentów wypowiedział uwagę, jak się zdaje słuszną, lecz różniącą się od opinii Charcota.

– Zaiste – odpowiedział mu Charcot – pańska uwaga jest inteligentna, ale niesłuszna. – Po czym wskazał na niejasne elementy przypadku, z lekką ironią, lecz zarazem serdecznie nakłaniając asystenta, by dokładniej przeanalizował problem.

Pewien lekarz z Belgii zapytał, w jaki sposób można ustalić szkody wyrządzone w systemie nerwowym, jeśli nie daje się rozpoznać symptomów choroby. Charcot wyszedł zza stołu i stanął tuż przy swoich słuchaczach tak blisko, że Zygmunt mógłby go dotknąć ręką.

– Największą satysfakcję sprawia człowiekowi możliwość zaobserwowania czegoś nowego. Czyli rozpoznania jakiegoś nowego zjawiska. Musimy się nauczyć patrzeć. Patrzeć i patrzeć, aż wreszcie dostrzeżemy prawdę. Proszę kolegów, przyznaję bez żadnego wstydu, że dziś potrafię dostrzec u pacjenta to, co przed trzydziestu laty uchodziło mojej uwagi w tych samych salach szpitalnych. Dlaczego tak się dzieje, że lekarze widzą tylko tyle, ile ich nauczono widzieć? W ten sposób wiedza medyczna popada w letarg. Musimy patrzeć, musimy widzieć, myśleć i medytować. Pozwólmy naszym umysłom wędrować tam, gdzie prowadzą je zaobserwowane objawy.

Pod koniec wykładu doktor Marie podał profesorowi bilet wizytowy Zygmunta. Charcot przez chwilę przyglądał się karteczce, po czym zapytał, gdzie jest monsieur Freud. Zygmunt podszedł i wręczył mu list polecający od doktora Benedikta, wiedeńskiego neurologa, który przed laty współpracował z Charcotem. Na widok tego nazwiska twarz Charcota rozjaśniła się uśmiechem zadowolenia. Przeczytawszy list, zwrócił się do Zygmunta życzliwie:

– *Charmé de vous voir!* Bardzo proszę za mną do mego gabinetu.

Zygmunt wciąż nie mógł się nadziwić, że tak niewiele formalności obowiązywało we francuskim świecie medycznym. Zaskoczony był też, że rozumiał wszystko, co do niego mówiono. Obawiał się nieco spotkania z Charcotem – w rzeczy samej był już w Salpêtrière poprzedniego dnia; przybył jednak po to, by stwierdzić z niepokojem, że, o dziwo, zapomniał zabrać ze sobą list polecający od Benedikta. Teraz od razu poczuł się swobodnie.

Gabinet Charcota był skromnych rozmiarów pokojem, w którym ściany i meble pomalowane zostały na czarno. Światło wpadało przez jedyne okno, a pokój zdobiły sztychy Rafaela i Rubensa oraz portret angielskiego neurologa doktora Johna Hughlingsa Jacksona z jego własnoręczną dedykacją.

Umeblowanie było nader skromne: szafa, mały stół i krzesło oraz kilka krzeseł dla lekarzy, których profesor wzywał na konferencje. Zygmunt już wcześniej dowiedział się, że w tym małym ciemnym pomieszczeniu Charcot dokonał wielu odkryć, dzięki którym neurologia stała się usystematyzowaną wiedzą medyczną.

Za gabinetem znajdowała się pracownia, w której z trudem mieściło się kilka stołów i minimalna liczba wyposażenia. Tu również robiono doświadczenia okulistyczne, a jeden z rogów pokoju można było zamienić na ciemnię. Charcot mówił jakby do siebie:

– Tak, tak, wiem, że to pomieszczenie wydaje się panu małe i ciasne. Dla mnie jednak zawsze było tu dość miejsca. Kiedy przed trzydziestu laty zaczynałem swoje eksperymenty laboratoryjne, miałem do dyspozycji tylko kąt w wąskim korytarzu. Ale przejdźmy na następne piętro. Pokażę panu nasze sale.

Jean Martin Charcot urodził się w Paryżu jako syn średnio zamożnego fabrykanta powozów. Ukończył wydział medyczny Sorbony i w dwudziestym trzecim roku życia został internistą. Otworzył wtedy swój pierwszy skromny gabinet w mieszkaniu przy Rue Lafitte, łącząc prywatną praktykę ze stopniowym wspinaniem się po drabinie hierarchii paryskiej medycyny uniwersyteckiej i szpitalnej. Swe powołanie uświadomił sobie, kiedy po raz pierwszy zwiedzał labirynt Salpêtrière. Patrząc na tysiące chorych, dla których nie było żadnej nadziei, wijących się w męczarniach, stłoczonych w ciasnych pomieszczeniach i udręczonych, Charcot powiedział sobie:

– *Faudrait y retourner et y rester.* Tu trzeba wrócić i pozostać.

Miał wtedy lat trzydzieści. Droga powrotna była długa i żmudna, ale już w trzydziestym siódmym roku życia otrzymał tytuł Médecin de l'Hospice de la Salpêtrière. Od nikogo nie otrzymał ani pieniędzy, ani pomocy; sam skompletował sobie prymitywne wyposażenie, urządził pracownię w ciemnym korytarzu, o którym wspominał Zygmuntowi, i tam właśnie w niedługim czasie dokonane zostały ważne odkrycia w dziedzinie anatomopatologii chorób wątroby, nerek, płuc, rdzenia kręgowego i mózgu. Kiedy rozpoczynał wykłady z neurologii, wydział medyczny nie potrafił znaleźć mu miejsca, uczył więc w pustych kuchniach lub opuszczonych magazynach aptecznych. Nie wzbudził też szczególnego zainteresowania wśród studentów medycyny. Przez pierwszy rok miał tylko jednego słuchacza.

Jean Martin Charcot nie przejmował się tym wszystkim. Zajęty był bez reszty swym rewolucyjnym dziełem przekształcenia Salpêtrière z przytułku dla nieuleczalnie chorych w szpital leczący ludzi, w naukowy ośrodek badawczy, w szkołę dla młodych lekarzy i kuźnię wiedzy o chorobach nerwowych, spowitych dotąd mrokiem tajemnicy. Ściągał pacjentów do swego gabinetu, gdzie poddawał ich skrupulatnym badaniom klinicznym, klasyfikował, dzielił na kategorie, drobiazgowo analizował różnice między tysiącami dolegliwości, rozmieszczał w salach specjalistycznych, spisując w ciągu roku setki, a potem i tysiące historii chorób, publikując artykuły i książki zawierające dokumentację przebiegu drżączki, gośćca postępującego, skurczu naczyń, zwyrodnienia stawów, raka kręgosłupa, objawów naczyniowego zapalenia stawów, zaniku mięśni, które później zostały nazwane jego nazwiskiem. Zygmunt słyszał, jak ktoś wyraził się o Charcocie, że „bada ciało ludzkie tak, jak Galileusz badał niebo, Kolumb morza, a Darwin florę i faunę globu ziemskiego".

Krocząc teraz obok Charcota przez duże, jasne sale, widząc, jak profesor przystaje przy każdym łóżku, by zamienić kilka słów z chorymi, obserwując wyraz bałwochwalczego uwielbienia na twarzach tych nieszczęsnych ludzi, zrozumiał, że pacjenci, z których wielu przebywało tu już od lat, uważali się za dzieci Charcota, widzieli w nim ojca, na którego barki spada cała odpowiedzialność za nich wszystkich. Wiele było przypadków nieuleczalnych, ale badania Charcota przynajmniej niektórym przedłużyły życie, powstrzymując rozwój choroby. Przechodząc od jednego łóżka do drugiego, Charcot półgłosem wyjaśniał charakter choroby każdego pacjenta: rozmaite niedowłady połowicze, udary mózgowe, tętniaki, niezborności ruchowe... Jakże to było podobne do sal w Allgemeines Krankenhaus. Najczęściej jednak spotykało się różne formy porażeń poszczególnych części ciała.

Wracając do gabinetu, Charcot w pewnej chwili zatrzymał się i patrząc w oczy Zygmuntowi, powiedział z powagą:

– Zapewne słyszał pan to już dawniej, monsieur Freud, ale nie uniknie pan mojego wstępnego pouczenia: Po pobycie w Salpêtrière musi pan wrócić do Wiednia jako „visuel".

– Pan profesor wybaczy mi, że tak słabo mówię po francusku, ale nieźle znam strukturę tego języka. Skoro voir znaczy „widzieć", to czyż voyant nie oznacza jasnowidza, proroka?

– Jasnowidz jest prorokiem, któremu dane jest boskie objawienie – odpowiedział Charcot, patrząc mu prosto w oczy. – Ale ja żadnego nadprzyrodzonego objawienia nie miałem, skoro w ciągu tych lat, przyglądając się niezliczonym przypadkom, nie mogłem ich zrozumieć. Przez dziesiątki lat śledziłem rozwój chorób, żmudnie zestawiając fragmentaryczne odpowiedzi pacjentów, aż wreszcie układały się one w całość. Prawdy dowiadywałem się często dopiero po sekcji zwłok. Cóż to jest, objawienie czy raczej zdobywanie wiedzy przez wytrwałego rzemieślnika?

– Uchodzi pan za cudotwórcę w dziedzinie neurologii.

Charcot w zamyśleniu gładził opadające mu na czoło pasma włosów.

– Chodzi panu o mój rzekomy szósty zmysł? Powiem panu, na czym on polega; na bardzo rzetelnym wnikaniu w problem, na surowej dyscyplinie wielu lat obserwacji i badań, na szukaniu odpowiedzi na pytania, których dotąd nikt sobie nie stawiał. – Potem, już u siebie w gabinecie, dodał: – Radziłbym panu porozmawiać z kierownikiem kliniki o warunkach pracy.

– Panie profesorze, okazał pan życzliwość przybyszowi i obcemu człowiekowi.

– W neurologii nie ma obcych; musimy wszyscy być kolegami. Tego wymaga nasza praca.

Zygmunt wpłacił trzy franki urzędnikowi administracji, otrzymał klucz do szafki w laboratorium i *tablier*, fartuch. Wychodząc przez główną bramę, wyjął z kieszeni pokwitowanie i zobaczył, że wystawiono je na nazwisko pana Freuda, *élève de medecin*. „Cóż to za wspaniały język ten francuski – pomyślał z zachwytem. – Wystarczy, by akcent znalazł się na trzecim *e* zamiast na drugim, i już zmieniam się ze studenta medycyny w uczonego, bohaterskiego, wielkiego lekarza". Ale głód dawał mu już znać o sobie, więc niewiele myśląc, Zygmunt wstąpił do najbliższej restauracji na Boulevard de l'Hôpital.

Nazajutrz wczesnym rankiem pokazał Charcotowi kilka preparatów, które przywiózł z Wiednia. Zrobiły one na profesorze duże wrażenie.

– W czym mógłbym być panu najbardziej pomocny? – zapytał.

– Potrzebuję kilku mózgów dziecięcych i trochę materiałów dotyczących wtórnego zaniku mózgu.

– Dam panu bilet do profesora, który zajmuje się sekcjami...

Zygmunt otworzył swoją szafkę, powiesił w niej płaszcz, włożył fartuch i podszedł do długiego stołu pod tylną ścianą, gdzie stał mikroskop do jego użytku. Kilku lekarzy miejscowych i zagranicznych już pracowało. Zygmunt usiadł na wysokim stołku. Było tak ciasno, że niemal dotykał łokciem sąsiada. Ustawił mikroskop, spojrzał i zobaczył... Wiedeń... pracownię Meynerta i siebie samego pochylonego nad mikroskopem. Wyprostował się.

– Przeszedłem długą drogę i znalazłem się z powrotem w domu. Przyjechałem tu studiować neurologię – szepnął. – Mózgi dzieci paryskich nie różnią się od wiedeńskich!

3

Najważniejszym dniem tygodnia był wtorek. Charcot wygłaszał wtedy swój cotygodniowy wykład w amfiteatralnym audytorium, w którym ławki dla słuchaczy wspinały się stromo w górę. Katedra wykładowcy znajdowała się na samym dole. Ścianę za katedrą zdobił obraz olejny przedstawiający Pinela, gdy w roku 1795 rozbija kajdany, w które zakuci byli umysłowo chorzy umieszczeni w Salpêtrière. Wykłady Charcota cieszyły się w Paryżu wielkim powodzeniem. Wśród słuchaczy byli nie tylko liczni studenci medycyny i lekarze, ale również laicy interesujący się poważnie badaniami naukowymi.

Zygmunt przyszedł wcześnie, by zapewnić sobie dobre miejsce. Profesor, który wszedł na salę, nie był podobny do człowieka poznanego przed kilkoma dniami. Znikła bez śladu żywość ruchów i żartobliwość. Zygmunt miał przed sobą uroczystą i pełną powagi twarz pod aksamitną czapeczką. Charcot postarzał się o lat dziesięć.

Po obu stronach podium i za nim tłoczyli się studenci medycyny. Charcot skłonił się im uroczyście, następnie złożył ukłon audytorium i zaczął wygłaszać na wpół z pamięci oficjalny, zwięzły wykład, który już uprzednio wygłosił dla swego personelu i który poprawił po szczegółowej analitycznej dyskusji. Mówił głosem ściszonym, ale z nienaganną dykcją; zdania układały się w rytmiczną kadencję francuskiej prozy. Własne spostrzeżenia wspierał cytatami z niemieckich, angielskich, włoskich i amerykańskich czasopism medycznych. Wspominając swych wiedeńskich wykładowców, którzy nie dbali zupełnie o formę tego, co mówili, Zygmunt zdumiewał się nie tylko tym, że Charcot starał się unikać banałów i wytartych zwrotów, ale i jego śmiałą koncepcją wykładu medycznego jako utworu literackiego.

Niespodzianki, jak już raz stwierdził, dopiero się zaczynały. Kiedy profesor Charcot doszedł do miejsca, którego, jego zdaniem, nawet jasne sformułowania nie wyjaśniały należycie, dał znak swym asystentom, by wprowadzili na podium kilku czekających już pacjentów; wszyscy cierpieli na tę samą chorobę. Charcot odłożył rękopis i przechodząc od jednego pacjenta do drugiego, wskazywał na identyczne deformacje biodra, nogi lub stopy, podkreślając, że chorzy, poruszając się, kuleją w taki sam sposób. Kazał pacjentom rozchylić szlafroki, by słuchacze mogli zobaczyć zniekształcenia; kazał im pochylać się, klękać, siadać, wykonywać cały szereg ruchów, aż schematyczna demonstracja kliniczna stała się jasna dla wszystkich.

Następną grupę chorych dobrano w taki sposób, by Charcot mógł zademonstrować różne typy drżączek i paraliżów, podkreślając zachodzące między nimi poważne różnice. Charcot znowu odmłodniał. Znakomicie władając sztuką pantomimy, naśladował umiejętnie tiki i paraliże twarzy, usztywnienie mięśni występujące u pacjentów cierpiących na chorobę Parkinsona, na własnej ręce demonstrował objawy porażenia nerwu, wydając przy tym przerażające, niemal zwierzęce odgłosy, jakie wydobywali z siebie porażeni afazją.

Po wyjściu ostatnich pacjentów asystenci ustawili dużą tablicę, wnieśli gipsowe odlewy i figury przedstawiające przypadki, które Charcot analizował w ciągu tygodnia; wykresy, diagramy i ryciny rozwieszono na bocznych ścianach przy podium. Kolorowymi kredkami kreślił Charcot skomplikowane partie systemu nerwowego, gdzie znajdowały się źródła chorób. Po zaciemnieniu sali pokazywał zdjęcia swych pacjentów uwidoczniające wszelkie objawy deformacji i kalectwa, o których przedtem mówił.

Po zakończeniu demonstracji rozsunięto zasłony i zabrano wszystkie używane pomoce. Profesor Charcot usiadł w fotelu na środku podium, znowu skupiony i poważny, poprawił aksamitną czapeczkę na głowie; znowu postarzał się o lat dziesięć i spokojnie odczytał końcowe stronice swego wykładu. Kiedy skończył, studenci i słuchacze wstali. Zapanowała pełna szacunku cisza, nieprzerywana najmniejszym szeptem, póki profesor Charcot nie zamknął za sobą drzwi i nie ustąpiło hipnotyczne napięcie.

Po wyjściu z Salpêtrière Zygmunt nie wiedział, czy chodzi po ziemi, czy też unosi się w powietrzu. Minął dworzec Austerlitz, przeszedł przez most na Sekwanie i dotarł aż pod Bastylię. Było południe i ulice opustoszały. W radosnym uniesieniu stwierdził, że zawdzięcza Charcotowi nowy ideał doskonałości.

Największe jednak zaskoczenie czekało go następnego wtorku, kiedy Charcot, wchodząc na salę wykładową, oznajmił, że tym razem zajmie się „męską histerią". Pan docent Zygmunt Freud z Wiednia oniemiał ze zdumienia. Uczono go przecież, że histeria przytrafia się tylko kobietom.

Na podium wprowadzono dwudziestopięcioletniego dorożkarza, przebywającego w szpitalu od kwietnia. Miał wypadek; spadł z kozła na prawy bark i ramię. Upadek był bolesny, ale żadnych obrażeń zewnętrznych nie stwierdzono. W sześć dni później po bezsennej nocy dorożkarz Porcz stwierdził, że jego prawa ręka zwisa bezwładnie i że może poruszać tylko palcami. Uniesione przez asystenta ramię opadało bezwolnie. Charcot zademonstrował ponadto, że jest ono niewrażliwe na zimno, gorąco i ból.

– Podsumowując – oznajmił – stwierdzam, że mamy do czynienia z całkowitym porażeniem ruchowym ramienia i barku, pełną utratą wrażliwości skóry. Warto jednak zwrócić uwagę, że nastąpiła tylko minimalna atrofia na skutek nieposługiwania się ramieniem i że wszystkie odruchy są normalne. Wynikałoby z tego, że należy odrzucić koncepcję uszkodzenia kory lub nerwów obwodowych. Z czym więc tu mamy do czynienia?

Zygmunt pochylił się do przodu, całkowicie zafascynowany.

– Mamy tu niewątpliwie jedno z tych nieorganicznych uszkodzeń, których nie umiemy przy obecnym stanie badań anatomicznych rozpoznać i które z braku lepszego terminu określamy jako f u n k c j o n a l n e.

Porcza wyprowadzono i na jego miejsce zjawił się inny pacjent. Zygmunt z trudem panował nad swym podnieceniem. Charcot udowodnił, że nie nastąpiło fizyczne uszkodzenie ani barku, ani ramienia, wobec czego nie ma mowy o autentycznym paraliżu. Wypadek wywołał wstrząs u pacjenta; paraliż był wynikiem tego szoku, a nie uszkodzenia ramienia. To właśnie była „męska histeria". Zygmunt wrócił myślami do kobiety na oddziale Scholza, którą Pollak wyleczył metodami psychologicznymi i małym zastrzykiem wody. A przecież setki ludzi ulegało drobnym wypadkom, rozbijali sobie kolano lub ramię, przez kilka dni odczuwali ból, po czym zapominali, że ich cokolwiek bolało. Skąd więc wziął się paraliż Porcza?

Następnym pacjentem był murarz Lyons mający lat dwadzieścia dwa. Stwierdzono, że jego matka i obie siostry cierpiały na histerię. Na trzy lata przed pierwszym atakiem chory pił wywar z kory drzewa granatowca, by wyleczyć się z tasiemca. Widok solitera w kale wstrząsnął nim do tego stopnia, że dostał ataku kolki i drżenia kończyn. W dwa lata potem ktoś w czasie sprzeczki zamierzył się na niego kamieniem. Chociaż kamień go nie trafił, dostał drżączki i koszmarnych przywidzeń tasiemca. Po piętnastu dniach przeżył pierwszy atak konwulsji, które odtąd regularnie się powtarzały. W dzień po przyjęciu do Salpêtrière miał pięć ataków jeden po drugim. Badania wykazały utratę wrażliwości i zwężenie pola widzenia oraz to, co Charcot określał jako „niemal idealne naśladowanie objawów częściowej epilepsji". Zademonstrował je, naciskając lekko jeden z dwóch ośrodków powodujących skurcze tuż pod żebrami po prawej stronie.

Murarz Lyons skarżył się na skurcze żołądka i twierdził, że dławi się, jakby miał piłkę w gardle. Język mu zesztywniał, był schowany. Stracił przytomność. Pielęgniarze położyli go na kozetce. Ramiona miał wyciągnięte, ale nogi pozostały rozluźnione. Rozpoczęły się drgawki kończyn. Miał jakieś męczące przywidzenia, bo zaczął krzyczeć: „Łobuz! Prusak!... uderzył mnie kamieniem. On chce mnie zabić!".

Potem usiadł, wciąż jeszcze nieprzytomny, i usiłował oderwać wyimaginowanego tasiemca okręcającego się rzekomo wokół jego nogi. Kiedy zaczął zbliżać się do drugiej fazy napadu epileptycznego, Charcot nacisnął ten sam punkt nadbrzusza, który wywołał napad histeryczny, i Lyons się obudził. Był oszołomiony i zaklinał się, że nic nie pamięta. Pielęgniarze odprowadzili go z powrotem na oddział. Charcot zakończył swój wykład o „histeroepilepsji", zapowiadając, że w przyszłości zademonstruje jeszcze kilka takich przypadków.

Wszyscy już wyszli z sali, lecz Zygmunt pozostał; siedział sam w amfiteatrze, pogrążony w myślach, które izolowały go od rzeczywistości. Był do głębi wstrząśnięty. Jak to się stało, że Charcot doszedł do tej niezwykłej wiedzy, o której istnieniu nie mieli nawet pojęcia znakomici lekarze austriaccy i niemieccy? Kilkaset kilometrów zaledwie dzieliło Paryż od Wiednia, a przecież jeśli idzie o problem męskiej histerii, Wiedeń mógłby z równym powodzeniem znajdować się w górach Afganistanu!

Powrócił myślami do czternastu miesięcy spędzonych na oddziale chorób nerwowych prymariusza Scholza. Tam wszystkie przypadki paraliżu, pacjentów mających dziwne ataki, cierpiących na utratę wrażliwości na ból, znaną lekarzom pod nazwą „anestezji", określano i leczono jako zakłócenia somatyczne, organiczne schorzenia ciała. Zaczął przypominać sobie niepokojące fakty: człowieka o sparaliżowanych nogach, który mógł jednak poruszać palcami u nóg; przypadek niemoty, kiedy nagle bez żadnego zrozumiałego powodu mowa wróciła; pacjent, u którego pojawiły się porażenia w zakresie głowy i ramion, a który mógł swobodnie oddychać, co nie jest możliwe z anatomicznego punktu widzenia, gdyż tego rodzaju niedowładom musiałoby towarzyszyć równoczesne porażenie przepony.

Wstał z krzesła z uczuciem całkowitej pustki w głowie. Idąc ku drzwiom, przypomniał sobie słowa Charcota wypowiedziane przed trzydziestu laty, gdy zaczynał on pokonywać bagno ówczesnej Salpêtrière: „Trzeba tu wrócić i pozostać".

4

Jego pokój w Hôtel de la Pais był skromny, lecz wygodny; typowe kawalerskie mieszkanie. Jadał w restauracjach odwiedzanych głównie przez studentów Sorbony, gdzie podawano proste, lecz obfite potrawy. Czas wolny po pracy w szpitalu spędzał w Luwrze i Notre Dame. Często wchodził na galeryjkę pod szczytem wieży katedry, skąd roztaczał się zapierający dech w piersiach widok na Sekwanę wymijającą ostrym skrętem plac Inwalidów i wpływającą do Lasku Bulońskiego, na południowo-zachodnich krańcach miasta. Poza szpitalem nie miał znajomych, ale rekompensatą był Paryż, w którym się zakochał. Chwilę szczególnej radości przeżył, kiedy mijając kościół St. Germain des Prés, myślał po niemiecku, a po przejściu na drugą stronę bulwaru stwierdził, że myśli po francusku.

Oczywiście ten stan rzeczy nie mógł trwać długo. Był w Salpêtrière zaledwie dwa tygodnie, gdy niespodziewanie zaskoczył go pewnego listopadowego ranka ulewny jesienny deszcz. Koledzy z pracowni Charcota pożyczyli mu suche ubranie i pantofle. W ambulatorium zjawił się trochę spóźniony i musiał zająć miejsce za kręgiem lekarzy. Zobaczył przed sobą wąską czaszkę pokrytą jasnymi, rzadkimi włosami. Jej właściciel odwrócił się, skinął głową i uśmiechnął się serdecznie. Był to Darkszewicz z Moskwy, z którym pracował u Meynerta i który przetłumaczył na rosyjski jego artykuł o metodzie barwienia tkanek złotem. Gdy konsultacja się skończyła, wysoki, szczupły, lekko zgarbiony, melancholijny Słowianin zaprosił Zygmunta do siebie. Jedli chleb z serem i pili znakomitą rosyjską herbatę. W Wiedniu nie łączyły ich bliższe stosunki, ale tu powitali się jak starzy przyjaciele, zwłaszcza kiedy Zygmunt usłyszał, że Darkszewicz też jest od lat zaręczony z panną, w której kocha się nieprzytomnie, ale będą mogli się pobrać, dopiero kiedy on skończy studia, napisze podręcznik i otrzyma obiecaną profesurę w Moskwie.

Darkszewicz przedstawił mu jeszcze jednego Rosjanina studiującego u Charcota. Klikowicz był asystentem nadwornego lekarza cara i znał już Paryż na tyle, że pokazał Zygmuntowi bar mleczny, gdzie można było kupić za trzydzieści centymów danie, które w restauracji kosztowało sześćdziesiąt. Wprowadził go też do kilku restauracji „familijnych", gdzie można dobrze i tanio zjeść. Klikowicz był młody, pełen energii, bystry i mówił okropną francuszczyzną. Razem wybrali się do teatru na Porte St. Martin, by zobaczyć Sarę Bernhardt w *Teodorze* Sardou. Spektakl trwał cztery i pół godziny. Kiedy w czasie przerwy stali na ulicy, jedząc pomarańcze, Zygmunt powiedział do Klikowicza:

– Ależ ta Sara umie grać! Po pierwszych słowach wypowiedzianych tym cudownym, wspaniałym głosem miałem uczucie, że znam ją od urodzenia. Dziwaczna to postać, ale w każdym calu pełna życia i fascynująca. Jak ona umie się przymilać, prosić, obejmować, owijać wokół mężczyzny, gra każdym ruchem, całym ciałem, każdym mięśniem, to wręcz nieprawdopodobne.

Klikowicz się roześmiał.

– Mówisz tak, jakbyś wygłaszał wykład z anatomii. Wszyscy kochamy się w Sarze, nawet kiedy gra w najgorszym sztuczydle.

A potem zaopiekowało się Zygmuntem starsze małżeństwo. On był Włochem z pochodzenia, neurologiem, który ukończył studia w Wiedniu. Nazywał się Richetti. Ona była Niemką urodzoną we Frankfurcie. Państwo Richetti przenieśli się z Wiednia do Wenecji, gdzie tak im się znakomicie powiodło, że dorobili się fortuny. Mieli ćwierć miliona franków. Pewne znaczenie odegrał oczywiście fakt, że pani Richetti, nieodznaczająca się szczególną urodą, otrzymała olbrzymi posag. Byli bezdzietni, sami w Paryżu i nalegali, by Zygmunt jadał z nimi codziennie obiad u Duvala. Chętnie poddawał się tej czułej opiece. W niedzielę wybrali się razem na mszę do Notre Dame. Następnego dnia Zygmunt kupił sobie *Katedrę Marii Panny w Paryżu* Wiktora Hugo. Czytał już tę powieść w Wiedniu, ale teraz wyszukiwał w niej wiadomości o Paryżu i Francuzach, których dawniej nie potrafił należycie docenić.

Praca w laboratorium anatomicznym szła mu opornie, mimo iż znakomity histolog doktor Louis Ranvier przyjął go życzliwie i bardzo pochlebnie wyrażał się o jego osiągnięciach. Zygmunt nie robił żadnych postępów w badaniach wycinków dziecięcych mózgów, być może dlatego, że wyobraźnię jego bez reszty pochłonęły wykłady Charcota, któremu zawdzięczał nie tylko bezcenne wiadomości z dziedziny neurologii i histerii męskiej, lecz ponadto delikatne korygowanie jego wciąż jeszcze nie najlepszej francuszczyzny. Charcot zezwalał mu również na studia kliniczne ciekawszych przypadków na jego oddziale. Przychodziły jednak godziny depresji. Czuł się obco, tęsknił za Martą i nieustannie martwił się o „przeklęte pieniądze". Nie zważając na swoją trudną sytuację finansową, popełnił w swoim przekonaniu straszliwe głupstwo: wstąpił do księgarni na Boulevard St. Michel, by kupić za pięć franków *Mémoire* Charcota. Nakład był już wyczerpany. Zygmunt uległ więc namowom księgarza i nabył komplet dzieł profesora Charcota za sześćdziesiąt franków. Pozwolił sobie wmówić, że to „okazja". Nie dość tego, wydał jeszcze dwadzieścia franków na subskrypcję *Archives*.

Kiedy wrócił na Impasse Royer-Collard i wspinał się po wąskich, stromych schodach do swego pokoju, zdenerwował się na myśl o tym sprawunku. Krążył wściekły między łóżkiem, biurkiem i szafą. Codziennie starał się odłożyć franka na prezent gwiazdkowy dla Marty i na upominek dla rodziny tak życzliwie się nim zajmującej, i oto ni stąd, ni zowąd wydał siedemdziesiąt pięć franków. Ale *Archives* Charcota były mu niezbędne do pracy.

Pieniądze wyczerpywały się szybciej, niż przypuszczał. Wiedział, że to tylko jego wina, bo nie żył tak oszczędnie, jak żyć powinien. Ale czy mógł, będąc w Paryżu, nie pójść do Opéra Comique i nie napisać o tym Aleksandrowi, którego drugą namiętnością po kolejach żelaznych była operetka? Czyż mógł nie pójść do Comédie Française, gdzie rozbrzmiewała najczystsza w świecie francuszczyzna? Czy mógł nie zwiedzić Wersalu? Przecież to były niepowtarzalne okazje! Westchnął ciężko. No cóż, trzeba się będzie ograniczać.

Najbardziej fascynującym przeżyciem dla Zygmunta w Salpêtrière stały się wykłady Charcota, na których demonstrowano przypadki męskiej histerii. Jednym z takich przypadków był szesnastoletni Marcel, od roku przebywający w szpitalu. Chłopiec inteligentny, pogodnego usposobienia, w paroksyzmach gniewu łamał wszystko, co miał pod ręką. Przed dwoma laty został napadnięty na ulicy przez dwóch mężczyzn. Upadł i stracił przytomność. Nie stwierdzono u niego żadnych obrażeń, a mimo to miał koszmarne halucynacje i dostawał ataków histerii. Najskrupulatniejsze badania nie wykazały śladu jakichkolwiek urazów czy schorzeń fizycznych.

Innym z kolei przypadkiem był trzydziestodwuletni Guilbert, spawacz przyjęty do szpitala przed rokiem. Ataki konwulsji powtarzały się u niego cztery, pięć razy w miesiącu. Charcot nie stwierdzał żadnych poważniejszych obrażeń, mimo to Guilbert stracił czucie powierzchniowe po jednej stronie ciała. Popełnił samobójstwo, połykając olbrzymią dawkę chloralu. Sekcja zwłok wykazała, że diagnoza stwierdzająca histeroepilepsję była słuszna, nie znaleziono bowiem żadnego uszkodzenia mózgu ani systemu nerwowego.

W pierwszym tygodniu grudnia pogoda była obrzydliwa. Ołowiane niebo zdawało się spadać na głowę czarnymi strumieniami deszczu. Potem nastąpiły tak silne mrozy, że mokre chodniki pokryły się lodem i chodzenie po nich stawało się wyczynem akrobatycznym. Zimno w obcym mieście wydawało się bardziej przenikliwe niż w domu.

Podczas pierwszych w grudniu konsultacji ambulatoryjnych, po niedzieli, którą Zygmunt spędził na rachunku sumienia, uświadomiwszy sobie, że jest to ostatni miesiąc jego pobytu w Paryżu, że na Boże Narodzenie będzie w Wandsbek i że po kilku dniach w Berlinie będzie musiał wrócić do domu, Charcot wspomniał, że od dawna już nie miał wiadomości od swego niemieckiego tłumacza. Zygmunt przypomniał sobie, że kiedy profesor Meynert ukończył swoją pracę o psychiatrii, a młody amerykański lekarz Bernard Sachs podjął się przetłumaczenia jego książki na angielski, przez kilka miesięcy nikt nie mógł dostać się do Meynerta, ponieważ profesor cały swój czas poświęcał doktorowi Sachsowi. Może i jemu w ten sposób uda się zbliżyć do Charcota? I być może honorarium za tłumaczenie pozwoli przedłużyć pobyt w Paryżu o te kilka miesięcy, które były mu potrzebne do ukończenia studiów?

Podczas obiadu podzielił się tą myślą z państwem Richetti.

– Profesor Charcot wspominał, że jego niemiecki tłumacz nagle zniknł. Zastanawiam się, czy nie warto zaproponować Charcotowi przetłumaczenia trzeciego tomu jego *Leçons*. Spróbuję go przekonać, że cierpię tylko na afazję motoryczną w języku francuskim i że znam język znacznie lepiej, niż nim mówię.

– Ależ oczywiście, że powinien pan spróbować! – Pani Richetti entuzjazmowała się pomysłem. Przez całą godzinę układali razem list do Charcota, w którym Zygmunt dowodził, jak wielką przysługę odda swym rodakom, tłumacząc dzieło profesora na język niemiecki.

W kilka dni później Charcot podszedł do Zygmunta.

– Bardzo się cieszę, że chce się pan podjąć tej pracy. Zgadzam się, by pan przetłumaczył trzeci tom na niemiecki. I nie tylko pierwszą część, która już się ukazała, ale i drugą, której jeszcze nie oddałem do drukarni. Pan zresztą już zna niektóre wykłady, które się znajdą w drugiej części. Tegoż popołudnia Zygmunt napisał do Deutickego, proponując mu wydanie przekładu. Odwrotną pocztą otrzymał umowę. Pokazał ją Charcotowi; razem przestudiowali szczegółowo każdy punkt. Charcot był wyraźnie zadowolony, że wydawca tak szybko zainteresował się jego pracą.

– Ale w umowie nie widzę wzmianki o pańskim honorarium za tłumaczenie. To chyba należy sobie zastrzec.

– Oczywiście, panie profesorze. Zażądam czterystu florenów. Dzięki temu będę mógł pozostać jeszcze kilka miesięcy w Paryżu. – Uniósł głowę znad papierów i wpatrując się z powagą w Charcota, dodał: – I jeśli pan pozwoli, z największą radością wrócę po świętach pod pańską opiekę.

– Zgoda. Chciałbym panu pomóc przy tłumaczeniu. Wiem, że lekarze niemieccy nie mogą pogodzić się z moją hipotezą o męskiej histerii. Przy okazji będzie pan mógł się zaznajomić z wieloma jeszcze przypadkami tego dziwnego zjawiska. A być może potem uda się panu przekonać swych kolegów na Uniwersytecie Wiedeńskim.

5

Zima zaczęła się przed świętami. Zygmunt kupił pudełko czekoladowych markiz dla Minny, francuski szal dla pani Gehrke, służącej Bernaysów. Podczas postoju w Kolonii kupi dla pani Bernays flakon wody kolońskiej. Marcie obiecał złotą bransoletkę w kształcie węża, „ponieważ takie właśnie noszą żony docentów, by się odróżnić od żon zwykłych lekarzy". Nie starczyło mu jednak pieniędzy na złotą. Znalazł w Hamburgu srebrną, częściowo przynajmniej spełniając obietnicę.

Na pięć dni przed Bożym Narodzeniem przeniósł się z Hôtel de Paris do państwa Richetti, którzy pożyczyli mu torbę podróżną i pled. Po powrocie czekał go już przyjemniejszy pokój, który znalazł w Hôtel de Brésil, niedaleko od Impasse Royer-Collard, kilka kroków od ruchliwego Boulevard St. Michel.

Z niecierpliwością czekał rozmowy z Martą i Minną. Od przyjazdu do Paryża jedynymi kobietami, z którymi się spotykał, były madame Richetti i żona dawnego lekarza domowego Freudów, pani doktorowa Kreislerowa, która przywiozła tu swego syna Fritza, by kształcił się na skrzypka wirtuoza. Widywał na mieście wiele dziewcząt, ale jego zdaniem nie umywały się do ślicznych wiedenek. Oczywiście nie wspominał o tym w listach do domu. Zbyt błahy był to powód do popisywania się lokalnym szowinizmem.

Pani Bernays prosiła, by zamieszkał u nich. Dostał pokój na parterze. Od pokoju Marty dzielił go tylko hall. Zrywał się codziennie wcześnie i budził Martę pocałunkami. Gdy tylko odgłosy ich rozmowy docierały do kuchni, zjawiała się Minna ze srebrnym dzbankiem kawy, mlekiem oraz tacą z rogalikami i dżemem. Po wyszczotkowaniu swych długich brązowych włosów Marta siadała w łóżku oparta na poduszkach, on zaś siadał po turecku u jej stóp, opowiadając o swoich paryskich przeżyciach. Tego rodzaju maniery odbiegały wyraźnie od przyjętych tu obyczajów i zapewne wywołałyby wielkie oburzenie w mieszczańskich domach hamburskich. Ale pani Bernays przymykała oczy na te dziwactwa, określając je krótko jako „parysko-wiedeńską moralną *Schlamperei*".

W suche, mroźne dni spacerowali po lasku; kiedy padał deszcz, siadywali przed kominkiem w jadalni, czytając na głos. W dni słoneczne wybierali się do Hamburga, gdzie gubili się w świątecznych tłumach.

Na dzień przed Gwiazdką Marta, podając na podwieczorek kawę i wysoką babkę drożdżową z rodzynkami i migdałami, zapytała cicho:

– Zygmusiu, jak długo to jeszcze potrwa? Jakie są twoje plany?

Rozsiadł się wygodnie przed kominkiem. Przybiegli do domu zdyszani, uciekając przed burzą i piorunami. Uważnie wpatrywał się w twarz Marty nalewającej gorącą kawę. Skończyła dwadzieścia cztery lata. Od trzech i pół roku byli zaręczeni. Z naiwnej dziewczyny oczekującej nie wiadomo czego od życia przemieniła się w młodą kobietę. Jej oczy stały się jakby większe, bardziej wymowne. Twarz chyba zeszczuplała. Czesała się teraz gładko. Zygmunt pochylił się, ujął twarz dziewczyny w swoje dłonie i złożył na jej ustach długi pocałunek. Odpowiedziała równie gorącym pocałunkiem, obejmując go swymi kształtnymi ramionami.

– Jak długo jeszcze? A więc posłuchaj, jakie mam plany. U Charcota pobędę jeszcze dwa miesiące. Chciałbym możliwie jak najlepiej zaznajomić się z przypadkami histerii i w tym samym czasie skończyć przekład *Leçons*. Potem spędzę miesiąc w Berlinie. W Charité zaznajomię się z tamtejszym podejściem do przypadków paraliżu histerycznego, a w Kaiser Friedrich Hospital będę obserwował leczenie neurologicznych przypadków u dzieci. Następnie wrócę do Wiednia, napiszę i oddam sprawozdanie z podróży, otworzę własny gabinet i wraz z doktorem Kassowitzem, który mi to zaproponował przed wyjazdem, założę dziecięcy oddział neurologiczny w klinice pediatrycznej – Erste Öffentliche Kinder-Kranken-Institut. Nie będę zarabiał ani grajcara, ale zbiorę materiał do pracy naukowej i publikacji. Dodatkową korzyścią jest reputacja specjalisty, którą dzięki temu się zdobywa. Postaram się jak najszybciej dojść do dwustu pięćdziesięciu guldenów dochodu miesięcznego – to minimum na prowadzenie domu i gabinetu.

– Jak długo to może potrwać?

– Prawdopodobnie do końca przyszłego roku. Najpóźniej do przyszłej wiosny. Ostatecznie praktyka lekarza zależy od jego umiejętności. Początki są kwestią szczęścia. To hazard, tak jak karty lub wyścigi kłusaków w Praterze.

Marta usiadła koło niego na dywanie i położyła dłoń na jego kolanach. Spojrzała mu w oczy. Była zatroskana.

– Należę do tej kategorii kobiet, o których Milton napisał: „i te usługują, które tylko stoją i czekają". Powiedziałeś mi kiedyś, że beztroska przystoi młodości, popełnianie zaś głupstw w średnim wieku jest bardziej aktem rozpaczy niż wiary. Ja myślę, że jako człowiek żonaty o rok wcześniej dojdziesz do tych dwustu pięćdziesięciu guldenów niż jako kawaler...

Bawił się jej bransoletką, ale nic nie odpowiedział.

Rano, w pierwszy dzień świąt, Minna poprosiła Zygmunta, by poszedł z nią na krótki spacer do małego parku naprzeciwko domu Bernaysów, na Steinpitzweg. Kościółek był wypełniony wiernymi, ale w parku stały tylko bezlistne drzewa i nikt nie chodził po zaśnieżonych ścieżkach.

– Ignacy nie pisze. Nie wiem, co się z nim dzieje od waszego spotkania w lecie. Serce mi się kraje na myśl, że nie jestem przy nim, kiedy on mnie potrzebuje...

– Minno, choroba Ignacego przeżarła jego umysł i wolę, zanim jeszcze zdążyła zniszczyć organizm. Dlatego zerwał narzeczeństwo; nie starczy mu sił nawet na myślenie o waszej miłości.

– Jeśli jest tak bardzo chory, to jakim cudem mógł wybrać się z tobą w Baden do teatru, palić cygara i być szczęśliwy?

– Taka jest już natura tej choroby. Kiedy chory na gruźlicę mówi nam w szpitalu, że chce się jutro wypisać, bo czuje się dobrze, wiemy, że następnego dnia o tej porze nie będzie już żył.

– Więc on musi umrzeć?

– Nie poprzestałem na zbadaniu go. W kilka dni później przywiozłem do Baden doktora Müllera. Musisz być przygotowana na to, że lada dzień otrzymamy wiadomość o śmierci Ignacego.

Minna odwróciła się, by Zygmunt nie zobaczył jej łez. Objął ją ramieniem, próbując pocieszyć.

– Jesteś młoda, masz zaledwie dwadzieścia lat. Los zadał wam obojgu straszny cios. Oczywiście byłoby ci łatwiej, gdybyś mogła być przy nim do końca. Opłakiwałabyś wtedy tylko jego śmierć. – Pocałował ją. – Siostrzyczko, masz jeszcze długie życie przed sobą. Przyjdzie nowa miłość. Kiedy ożenię się z Martą, przyjedziesz do nas do Wiednia i poznasz naszych przyjaciół. Przez chwilę pozostała w jego objęciach, opierając mu głowę na ramieniu. Przeszył ją dreszcz. Potem dzielnie uniosła głowę.

– Chodźmy, Marta powiedziała, że czeka na nas z grzanym winem. Rozgrzejemy przynajmniej powłokę naszych dusz.

6

Hôtel de Brésil był znacznie bardziej luksusowy niż Hôtel de la Paix. Pokój dostał Zygmunt co prawda nie większy, ale wyższy, na podłodze leżał dywan, stół, łóżko i sekretera były w lepszym gatunku. Okno zaopatrzone w czerwone kotary wychodziło na Rue de Goff. W kącie za parawanem stały umywalka i bidet. Wątpliwą wartość miała jedyna ozdoba pokoju – lustro; kiedy się zbudził pierwszego ranka, nie bardzo pamiętając, gdzie się znajduje, zobaczywszy się w lustrze, przypomniał sobie, że jest w umeblowanym pokoju, którego drzwi nie prowadziły do hallu i do pokoju ukochanej, czekającej na obudzenie pocałunkiem.

„Jestem straszliwym filistrem – pomyślał. – Na każdym rogu czyha na mnie egzotyczna i romantyczna przygoda, a ja marzę tylko o Marcie, małżeństwie, domu rodzinnym, dzieciach i pracy, które mi wypełnią życie".

Dzień noworoczny spędził na tłumaczeniu Charcota. Było to miłe zajęcie, gdyż czytając słowa profesora, słyszał jakby jego głos rozlegający się w audytorium. Wieczorem pisał do rodziców i przyjaciół życzenia z okazji nowego 1886 roku. „Będę pił za wasze zdrowie" – kończył życzenia. Kłopot był z tym, że do wzniesienia toastu miał tylko wodę.

Następnego dnia wrócił do Salpêtrière, by zbadać grupę pacjentów z nerwicami powstałymi w wyniku urazów znanymi jako „kolejowe plecy" czy „kolejowy mózg". Doktor Page z Anglii dał tę nazwę całej kategorii objawów chorobowych, które pojawiły się od niedawna w związku z rozpowszechnieniem się podróży koleją w całej Europie i Ameryce. Pisało na ten temat również pięciu lekarzy francuskich oraz Putnam i Walton w Ameryce. Wszyscy oni utrzymywali, że „kolejowe plecy" to w znakomitej większości objawy histeryczne.

W Salpêtrière przebywało obecnie dziewięciu chorych z tego rodzaju objawami. Studiując je, Zygmunt doszedł do wniosku, że w kilku przypadkach choroby, którymi się zajmował w Allgemeines Krankenhaus, były tego samego rodzaju nerwicami. Śledził uważnie u tych pacjentów przebieg powrotu do zdrowia po zakończonych sprawach sądowych i wypłaceniu im odszkodowań. Charcot oświadczył z naciskiem grupie lekarzy:

– Te ciężkie i przewlekłe stany nerwicowe, które pojawiają się po wypadkach i powodują u ofiar niezdolność do pracy, jest to nader często jedynie histeria, zwykła histeria. Ale tylko w wyjątkowych przypadkach można je uznać za próby oszukiwania czy wykręcania się od pracy.

W salach szpitalnych doktor Freud miał okazję studiować różne przypadki histerii. U osiemnastoletniego murarza nazwiskiem Pinand, który spadł z rusztowania z wysokości prawie trzech metrów, ale nie odniósł większych obrażeń, w trzy tygodnie po wypadku wystąpił zupełny bezwład lewego ramienia. Po dziesięciu miesiącach chłopaka przewieziono do Salpêtrière. Badania wykazały gwałtowne tętnienie w karku, całkowite znieczulenie skóry, ramię zaś zupełnie nie reagowało na zimno, ukłucia i intensywną kurację elektryczną. Zwisało bezwładnie, ale nie było śladu zaniku. Nie dostrzeżono też żadnych oznak uszkodzenia rdzenia, a poza tym porażenie ruchowe ramienia nie miało żadnego związku z porażeniem odpowiedniej strony twarzy. Stwierdzono histerogenne strefy pod lewą piersią i na prawym jądrze. Gdy naciskano te miejsca, Pinand tracił przytomność i dostawał bardzo gwałtownych ataków histeroepilepsji. Gryzł lewe ramię, stawał się agresywny i podburzał jakichś urojonych ludzi do morderstwa: „Stój! Chwyć nóż!... Szybko... wal!".

W ciągu następnych dni ataki kilka razy się powtarzały i nagle podczas jednego z nich ramię niespodziewanie się poruszyło. Kiedy chory wrócił do przytomności, władał już ramieniem i barkiem, od dziesięciu miesięcy całkowicie unieruchomionymi. Wyglądało na to, że jest wyleczony.

– Ale wyleczony z czego, moi panowie? – pytał Charcot. – Czy Pinand symulował? Chyba nie. Jakże więc mogły jego ramię i mięśnie barku pozostać w niemal normalnym stanie po dziesięciu miesiącach bezwładu? A może ćwiczył je potajemnie, kiedy nikt go nie widział? Być może. Oto zagadki, które musimy rozwiązać. Faktem jednak jest, że nie był to przypadek jednostronnego niedowładu ramienia, lecz histerii; sami mogliście się teraz o tym naocznie przekonać.

Mniej więcej w tym samym czasie pacjent Porcz, który spadł z kozła swej dorożki i miał sparaliżowane prawe ramię, pokłócił się z innym pacjentem przy partii domina. Wpadł w taką furię, że zerwał się z krzesła i omal nie zaatakował swego partnera. Nagle odzyskał władzę w sparaliżowanym ramieniu. Po kilku godzinach spakował się i opuścił szpital. Zygmunt, Marie i Babiński byli w gabinecie Charcota, kiedy wypisywał Porcza.

– Miał pan rację, panie profesorze – powiedział cicho Zygmunt. – Ten pacjent w ogóle nie był sparaliżowany.

– Ależ był! – zawołał Charcot rozbawiony. – Być może nastąpiło jakieś mikrouszkodzenie systemu nerwowego, wywołane wstrząsem po upadku. I wyleczył to uszkodzenie innym wstrząsem, szokiem wywołanym tak wielkim gniewem, że potrzebował obu ramion, by zaatakować swego przeciwnika.

– Panie profesorze – pytał Zygmunt strapiony – czy nie wkraczamy w ten sposób w dziedzinę psychologii, a nie chorób cielesnych? Czy choroba Porcza nie była wyimaginowana?

– Nie, nie – zaprzeczył gwałtownie Charcot. – Psychologia nie jest dziedziną medycyny. Paraliż histeryczny Porcza był somatyczny, powstał w wyniku uszkodzenia kory mózgu zlokalizowanego głównie w ośrodku zawiadującym sferą ruchową ramienia pacjenta, ale nie pociągnęło to za sobą większych zmian. Zakładamy hipotetycznie wystąpienie paraliżu, by wytłumaczyć rozwój i uporczywość niektórych symptomów histerii.

– Zakładamy hipotetycznie! Panie profesorze, czy nie znaczy to po prostu, że nie wiemy?

– Ależ oczywiście, panie Freud – odpowiedział Charcot bez zmrużenia powieki – tylko bardzo proszę, żeby to nie wyszło poza kręgi lekarskie.

Po wyjściu Charcota Zygmunt zwrócił się do szefa kliniki:

– Marie, czy robił pan kiedykolwiek sekcję zwłok histerycznego paralityka, który zmarł z innych przyczyn: na przykład takiego, u którego, „hipotetycznie zakładając", istniały jakieś zmiany patologiczne?

– Kilkakrotnie.

– Czy stwierdził pan te zmiany?

– Nie.

– Dlaczego?

– Znikają w chwili zgonu.

Zygmunt rozczarowany wzruszył ramionami.

– Dlaczego więc w niektórych przypadkach ludzie po stosunkowo nieznacznych obrażeniach stają się histerycznymi paralitykami, w innych zaś wychodzą z nich bez szkody?

Doktor Marie patrzał na niego w milczeniu, po czym odezwał się półgłosem:

– Dziedziczna słabość systemu nerwowego.

Zygmunt dowiedział się, że profesor Charcot zamierza przeprowadzić rzadko już teraz urządzaną demonstrację *grande hystérie*. Słyszał, że te pokazy hipnotyzmu były popularne w Paryżu, ale nie był przygotowany na takie tłumy, jakie ściągnęły i wypełniły amfiteatr. Modnie wystrojone damy z wielkiego świata, dawne sfery dworskie, eleganci w wysokich szarych cylindrach, z laskami, aktorzy z Comédie Française, dziennikarze, malarze i rzeźbiarze z blokami rysunkowymi. Całe to towarzystwo rozmawiało ze źle skrywaną ekscytacją, jaką Zygmunt wyczuwał tylko we francuskich teatrach przed tradycyjnymi uderzeniami młotka oznajmiającymi początek przedstawienia.

Charcot, który uczynił męską histerię przedmiotem poważnych badań, jako zakłócenie systemu nerwowego, a nie symulacja, uprawiał w latach wcześniejszych hipnozę, opisując ją jako „sztucznie powstałą nerwicę, którą można wywołać jedynie u histeryków", i ogłosił swe badania kliniczne. Doktor Antoni Mesmer, który ukończył Akademię Medyczną w Wiedniu na przeszło sto lat przed rozpoczęciem studiów przez Zygmunta, zdobył w swoim czasie fortunę, sławę i wpływy dzięki swym seansom „magnetyzmu zwierzęcego". Władze austriackie zakazały mu jednak tych praktyk, a potem paryskie środowisko medyczne napiętnowało go jako szarlatana. Jean Martin Charcot spowodował, że sprawę zaczęto znowu traktować poważnie, chociaż w Salpêtrière ograniczył się do klasyfikacji i zilustrowania natury hipnozy. Nie próbował, jak to uczynił Józef Breuer w przypadku Berty Pappenheim, stosować sugestii hipnotycznej w leczeniu.

Cztery ładne niewiasty sprowadzone ze szpitala czekały w przyległym pokoju. Asystenci Charcota pod kierownictwem doktora Babińskiego hipnotyzowali po kolei wprowadzane do audytorium pacjentki. Sadzano je na środku podium i kazano wpatrywać się w jakiś metalowy przedmiot lub szklaną kulę. Wszystkie dziewczęta szybko wpadały w trans. Asystenci przeprowadzali wstępne eksperymenty. Charcot miał wystąpić później, podczas trzech faz „wielkiej histerii".

Pierwszej pacjentce powiedziano, że rękawiczka, którą asystent rzucił jej pod nogi, to wąż. Zerwała się z okrzykiem przerażenia, podciągnęła spódnicę do kolan i chciała uciec z sali. Rękawiczkę zabrano i pacjentka oświadczyła, że już jest spokojna. Uśmiechnęła się, po czym zaczęła chichotać. Drugiej pacjentce podano butelkę amoniaku i powiedziano, że to aromatyczna woda różana. Wdychała zapach z widoczną przyjemnością. Potem odebrano jej butelkę i oświadczono, że znajduje się w kościele. Dziewczyna upadła na kolana i składając ręce, odmawiała modlitwy. Trzeciej pacjentce wręczono kawałek węgla, mówiąc, że to czekolada. Delikatnie odgryzała kawałeczki węgla i powtarzała, że je czekoladę. Czwartej powiedziano, że jest psem; stanęła na czworakach i zaczęła szczekać. Z kolei oświadczono jej, że jest gołębiem. Wstała i zaczęła energicznie wymachiwać ramionami, jakby próbowała odlecieć.

Na tym zakończyła się pierwsza demonstracja. Zygmunt obejrzał się, słysząc za plecami szmerek uznania. Uniósł się w krześle i zobaczył, że

173

Charcot wstaje z fotela i kieruje się ku podium. Profesor wyglądał dziś młodziej niż zazwyczaj, był starannie ogolony, widocznie wracał prosto od fryzjera, który ostrzygł go krótko, w modnym podówczas stylu. Miał na sobie znakomicie skrojony surdut, koszulę zdobił plastron. Na nogach lśniły czarne buty.

Wprowadzono pacjentkę. Przystojna brunetka z upiętymi w kok włosami, ubrana w luźny szlafroczek, pojawiła się w towarzystwie dwóch pielęgniarek.

Na sali zapanowała głęboka cisza. Charcot wyjaśnił, że hipnoza jest sztucznie wywołaną nerwicą, na którą podatni są jedynie ludzie nadwrażliwi i niezrównoważeni. Był pierwszym neurologiem, który zajmując się tym problemem, opisał zjawisko hipnozy i opracował teorię naukową klasyfikującą rozliczne jej stadia. Charcotowi towarzyszyli jego zaufani pomocnicy, Babiński i Richet. Doktor Marie był nieobecny. Asystent uśpił pacjentkę. Charcot tłumaczył różnicę między prawdziwym snem a śpiączką hipnotyczną, po czym świecąc ostrym światłem w oczy kobiety, wprowadził ją w drugie stadium: katalepsję. Ramiona i nogi chorej stały się sztywne, nie reagowały na żadne bodźce, nawet na ukłucie szpilką. Charcot skupił się na fizycznym stanie ciała pacjentki, demonstrując tak zwaną ikonografię Salpêtrière. Zmuszał kobietę do przybierania różnych pozycji paralitycznych, doprowadzając ją wreszcie do stanu będącego „uwieńczeniem jego teorii", kiedy ciało chorej odchyliło się tak bardzo do tyłu, że na jawie każdy w takiej pozycji musiałby się przewrócić.

Charcot wyprowadził pacjentkę ze stanu katalepsji, rozpoczynając trzecią fazę eksperymentu, rozluźniony sen. Kiedy ją zbudził, nadal trwały objawy letargu, lecz ustały wszelkie oznaki porażeń; płynnie odpowiadała na stawiane jej pytania. Zygmunt opędzał się stanowczo od pewnej, stale powracającej myśli, czuł jednak, że Charcot w toku swych doświadczeń nie próbował objaśnić zjawiska. Co było jego przyczyną? Czy te wszystkie ruchy pod hipnozą były jedynie akcją fizyczną? Czy ciało panowało nad sobą, przyjmując owe dziwaczne, kalekie postury? A może w histerycznych pacjentach tkwiła jakaś inna siła, na której tropie był Charcot?

Publiczność urządziła Charcotowi burzliwą owację. Profesor skłonił się ceremonialnie na prawo i lewo, włożył cylinder i zniknął w drzwiach. Zygmunt opuszczał salę z młodym skandynawskim lekarzem, którego kilkakrotnie widywał na wtorkowych wykładach. Nie dosłyszał wyraźnie nazwiska, a teraz krępował się o nie pytać. Wysoki, niebieskooki mężczyzna był wyraźnie zdenerwowany. Na policzkach płonęły rumieńce, oczy mu błyszczały. Zwrócił się do Zygmunta i wyraźnie wypowiadając każde słowo, powiedział:

– To jest oszustwo! Przedstawienie teatralne! Dziewczęta powtarzały tę scenę tyle razy, że mogłyby ją odegrać we śnie. Niech pan wejdzie na oddział i da im do zrozumienia, o co chodzi, a odegrają przed panem całą tę demonstrację.

– Czyżby pan... sugerował... – Zygmunt nie posiadał się ze zdumienia.

– Przecież pan oskarża profesora Charcota o oszustwo...

– Nic podobnego – odpowiedział ostro lekarz. – To robią jego asystenci. Oni przeszkolili te kobiety jak baletnice z Opery. Dziewczęta wiedzą, czego się od nich oczekuje. Przepadają za publicznością: są uprzywilejowanymi i ulubionymi pacjentkami, ponieważ robią dokładnie to, czego się po nich spodziewa Charcot. To nie jest hipnotyzm. One w ogóle nie są histeryczkami. Są wykorzystywane. Właśnie wróciłem z Nancy, gdzie przez kilka tygodni studiowałem u Liébeaulta i Bernheima. To są prawdziwi hipnotyzerzy. Mają tysiące opisanych historii chorób. Widziałem setki przypadków, kiedy dzięki sugestii złagodzono symptomy, opanowano chorobę. Charcot nie zgadza się na użycie sugestii hipnotycznej, by pomóc swym pacjentom. Uważa, że hipnoza jest tylko poddziałem neurologii, który można demonstrować jako *la grande hystérie*, ale nie wolno jej stosować do celów leczniczych. Bernheim i Liébeault są uczciwymi ludźmi. Przekona się pan kiedyś o tym, a wtedy zrozumie pan, jak niebezpieczne są tego rodzaju pokazy jak dzisiejszy nie tylko dla naszego zawodu lekarskiego, ale i dla reputacji Charcota.

– Ależ Charcot jest twórcą nowoczesnej neurologii – oponował Zygmunt półgłosem, by nie usłyszał go nikt z licznych o tej porze przechodniów na Boulevard de l'Hôpital. Jego rozmówca uspokoił się i już całkiem opanowany odpowiedział:

– Więcej nas nauczył o funkcji różnych organów ciała i o centralnym systemie nerwowym niż ktokolwiek od czasów Hipokratesa. To jest jego jedyna straszliwa pomyłka.

– Czy rozmawiał pan o tym z Charcotem?

– Wspominałem mu raz jeden nazwisko doktora Bernheima. Wpadł we wściekłość i zabronił mi kiedykolwiek w przyszłości wymieniać to nazwisko w Salpêtrière. Ale niech mi pan wierzy, szkoła Nancy ma rację w sprawie hipnotyzmu. Szkoła Salpêtrière myli się straszliwie.

Po kilku dniach Zygmunt usłyszał, że młody nonkonformista ma przykrości. Zetknął się z dość atrakcyjną wiejską dziewczyną, która przybyła do Paryża, zaczęła pracować w kuchni w Salpêtrière i okazała się niezwykle podatna na hipnozę. Teraz była na jednym z oddziałów. I oto jego młody znajomy zahipnotyzował ją i w transie kazał jej uciec ze szpitala i przyjść do niego do domu.

„Każdy może się domyślić w jakim celu" – komentował doktor Babiński, opowiadając o tym Zygmuntowi. Dziewczynę zatrzymano w dziwnym stanie, kiedy usiłowała opuścić oddział. Kiedy ją wypytywano, co ją do tego skłoniło, powiedziała, że zrobiła to na polecenie Skandynawa. Charcot wezwał młodego lekarza do siebie, oświadczył, że popełnił haniebną zbrodnię na niewinnej ofierze, i wyrzucił go ze szpitala. Jedynie ze względu na reputację Salpêtrière nie oddał go w ręce policji!

Zygmuntowi żal było kolegi. Nie bardzo mógł zrozumieć, jak doszło do tego incydentu. Po cóż młody lekarz ryzykował swą karierę, skoro po ulicach Paryża krążą tysiące znacznie ładniejszych dziewcząt marzących o randce?

7

Pewnego sobotniego przedpołudnia, kiedy rozmawiał z doktorem Richettim przed kliniką neurologiczną, podszedł do nich Charcot i zaprosił na swój wtorkowy *jour fixe*. Wieczory wtorkowe u Charcotów słynęły z tego, że bywały tam najsłynniejsze osobistości Paryża. Charcot często zapraszał swych współpracowników, ale tylko wyjątkowo hospitantów. Zwracając się do Zygmunta, dodał:

– Czy nie zaszedłby pan do nas w niedzielę o pół do drugiej? Moglibyśmy porozmawiać o pańskim tłumaczeniu.

Kiedy w niedzielę wybierał się do Charcota, słońce, jak to się niekiedy zdarzało w styczniu, usiłowało tworzyć cieplejsze wyspy wśród zimnych kamieni paryskich. Zygmunt zatrzymał się na szerokim, zamożnym Boulevard St. Germain przed numerem 217. Dom, w którym mieszkał Charcot, wydał mu się jednym z najpiękniejszych gmachów Paryża. Wybudowany w 1704 roku dla pani de Varengeville budynek i należące do niego tereny zajmowały tak duży obszar, że w sto pięćdziesiąt lat później, za Drugiego Cesarstwa, budowany na lewym brzegu Boulevard St. Germain przeciął te tereny. Charcot ożenił się z córką bogatego paryskiego krawca, a jego praktyka prywatna tak się rozszerzyła, że leczyli się u niego nawet członkowie rodzin panujących. Stać go było na kupno tego domu. Dobudował jeszcze dwa nowe skrzydła; w jednym z nich mieściła się biblioteka-gabinet, do której lokaj wprowadził Zygmunta.

Biblioteka była większa niż całe mieszkanie, jakie kiedykolwiek on i Marta mogliby mieć. Była to piętrowa sala, której część urządzona została na wzór Biblioteki Medycejskiej we Florencji. Półki sięgały po sufit. Schody prowadziły do wąskiego balkonu udostępniającego wyższe rzędy. Te tysiące wspaniale oprawnych tomów stanowiłyby zupełnie przyzwoity księgozbiór na jakiejś mniejszej uczelni. Salę przedzielono rozsuwaną ścianą. W jednej części mieścił się naukowy księgozbiór, w drugiej, gdzie znalazł się właśnie oniemiały z wrażenia Zygmunt, głębokie, wygodne fotele otaczały długi jak w refektarzu klasztornym stół, na którym leżały periodyki, a pod wychodzącymi na ogród, przypominający park, oknami, ozdobionymi fragmentami witraży, stało olbrzymie rzeźbione biurko Charcota, zastawione masywnymi kałamarzami, zasłane rękopisami i dziełami medycznymi z jego adnotacjami. Na ścianach wisiały gobeliny, włoskie renesansowe obrazy, a przed kominkiem w odległym końcu pokoju, na stołach i w gablotach wystawione były chińskie i indyjskie antyki.

Charcot przywitał go serdecznie, uścisnął mu dłoń i poprosił, by usiadł przy stole. Podał Zygmuntowi dziesięć arkuszy nieopublikowanych jeszcze wykładów.

– A teraz, monsieur Freud, proszę mi pokazać pierwsze strony pańskiego przekładu. Mówię po niemiecku słabo, ale znam dobrze język.

Zygmunt wyjaśnił, że nie dążył do tłumaczenia dosłownego, lecz usiłował w sposób możliwie jasny i wierny oddać tok wywodów naukowych pana Charcota.

– *Bien, bien.* A teraz pozwoli pan, że sobie to poczytam. Mam nadzieję, że nie ma pan nic przeciw temu, że będę pisał na pańskim tekście?

Pracowali przez godzinę. Charcot wypowiadał różne uwagi i propozycje, nie narzucając własnego zdania i nie wykorzystując swego autorytetu. Zachowywał się, jak na współpracownika przystało. Po zakończeniu pracy zaprosił Zygmunta na przechadzkę po ogrodzie.

– Opowiem panu teraz o pałacu Varengeville. Po tych dróżkach spacerowały wszystkie wybitne osobistości ostatnich dwóch stuleci, monarchowie, dyplomaci, naukowcy, pisarze i artyści...

Na wtorkowy salon pan Richetti wybrał się w nowych spodniach i nowym kapeluszu. Małżonka zmusiła go do tych zakupów. Tylko stary surdut okazał się wystarczająco elegancki. Zygmunt był w czarnym żakiecie, który szył u Tischera. Kupił nową białą koszulę i białe rękawiczki; włosy i brodę przystrzygł na modłę francuską. Oglądając się w lustrze, stwierdził, że znikł bez śladu niemiecki prowincjusz i że w nowym hamburskim krawacie jest mu do twarzy. Zrobił na sobie bardzo dobre wrażenie.

Na ulicy czekał już na niego powóz Richettich. Pani Richetti, patrząc na męża, który dosłownie drżał z przejęcia, stwierdziła z udawaną rozpaczą, że przypomina jej biednego studenta, który ma się zwrócić do Charcota z prośbą o przyjęcie do Akademii Medycznej.

Kiedy znaleźli się w głównym salonie, oświetlonym kryształowymi kandelabrami, wysłanym grubymi dywanami i ozdobionym licznymi dziełami sztuki, profesor Charcot przedstawił ich swej małżonce, synowi i córce, a potem synowi słynnego pisarza Alphonsa Daudeta, asystentowi Pasteura, panu Straussowi, który zdobył sławę dzięki swym badaniom nad cholerą, oraz wielu wybitnym francuskim lekarzom i włoskim malarzom.

Pani Charcot spodobała się Zygmuntowi. Była niska, tęga, pełna życia. Oświadczyła, że mówi prawie wszystkimi językami, po czym zapytała Zygmunta, jakimi językami on włada.

– Niemieckim, angielskim, słabo hiszpańskim, a francuskim kiepsko.

– Nic podobnego – wtrącił się do rozmowy Charcot. – Pan Freud jest bardzo skromny. Brak mu tylko osłuchania.

Zygmunt pił piwo, palił znakomite cygara gospodarza. Krążąc między gośćmi, poznał Paula Camille'a Brouardela, profesora medycyny sądowej, który zaprosił go na swe wykłady w kostnicy, a potem profesora Lépine'a, drobnego, słabowicie wyglądającego człowieczka, jednego z największych klinicystów francuskich. Lépine zaproponował mu, by przyjechał do Lyonu i pracował tam na neurologii. Pod koniec wieczoru podeszła do niego panna Charcot. Miała lat dwadzieścia, śliczną figurę, wydatny biust i była zdumiewająco podobna do swego ojca. Po matce odziedziczyła swobodę obejścia. Starała się mówić powoli i wyraźnie, bo przecież miała przed sobą cudzoziemca, a Zygmunt pomyślał sobie, jak kuszącą rzeczą byłby flirt z tą młodą osobą! Tak podobna jest przecież do wielkiego człowieka, którego podziwiał... *Mon Dieu*, będzie musiał wyznać te grzeszne myśli w najbliższym liście do Marty, opisując przyjęcie...

Tak więc *jours fixes* Charcota wprowadziły pewne urozmaicenie do jego życia, choć nie wszystkie były równie interesujące. Niezmienny był tylko tłum złożony z czterdziestu lub pięćdziesięciu osób, tłoczący się zazwyczaj w jadalni przy zastawionych obficie stołach. Zygmunt ograniczał się niekiedy do filiżanki czekolady i obiecywał sobie, że już więcej tu nie przyjdzie, ale oczywiście nigdy obietnicy nie dotrzymywał.

Na tydzień przed jego wyjazdem Charcot oznajmił, że oczekuje go u siebie wieczorem. Tym razem Zygmunt został zaproszony na obiad.

Poza czworgiem Charcotów byli jeszcze: starszy asystent Charcota, doktor Charles Richet z żoną, niejaki monsieur Mendelssohn z Warszawy, również asystent Charcota, Emanuel Arène, historyk sztuki, którego artykuły Zygmunt regularnie czytywał w gazetach, oraz włoski malarz Toffano. Po obiedzie przyszli wyjątkowo interesujący goście: Louis Ranvier, słynny histolog ze szpitala Salpêtrière, Marie Alfred Cornu, profesor fizyki znany ze swych badań nad szybkością światła, oraz niejaki monsieur Peyron, dyrektor Assistance Publique.

Zygmunt stał z profesorem Brouardelem, przysłuchując się Charcotowi, który opowiadał o swoich pacjentach. Dziś przybyła do niego z daleka na konsultację młoda para małżeńska. Żona cierpiała na cały szereg rozmaitych ostrych nerwic; mąż był albo impotentem, albo był tak nieśmiały, że właściwie równało się to impotencji.

– Panie profesorze – pytał zdumiony Brouardel – czyżby pan sugerował, że choroba żony może wynikać z dolegliwości męża?

– *Mais dans des cas pareils c'est toujours la chose genitale, toujours... toujours!...* – zawołał Charcot z wielkim ożywieniem.

Zygmunt też się zdziwił. Przypomniał sobie ów wieczór, kiedy wracał z Józefem Breuerem od Fleischla, i Breuera zatrzymał na ulicy mąż jednej z pacjentek. Opowiadając potem o dziwnym zachowaniu kobiety, przyjaciel wspomniał, że te kłopoty najczęściej są tajemnicami alkowy.

Wydarzyło się to przed trzema laty. Breuer nigdy już nie wracał do tego tematu. A teraz Charcot powtarzał niemal dokładnie to samo; jeden i drugi był doświadczonym neurologiem. O cóż im właściwie chodzi? – zastanawiał się Zygmunt, studiując twarz Charcota. Te sprawy nie należą do wiedzy medycznej, nie wspominają o nich podręczniki, nie spotykał się z nimi w szpitalach. Na jakiej podstawie obaj lekarze opierają swoje wnioski, które widocznie tak silnie ugruntowały się w ich myślach, że przy pierwszej okazji o nich wspominają, ale równocześnie są tak ulotne, że po chwili śladu po nich nie ma.

Nie mógł tej nocy zasnąć. Myślał nad zbieżnością uwag doktora Józefa Breuera i profesora Jeana Martina Charcota. Przypomniał sobie przypadek „Anny O.", o którym mówił mu Breuer. Czyżby Breuer wpadł na nową metodę leczenia, którą Berta Pappenheim nazwała „czyszczeniem kominów" – „kuracją mówioną"? Postanowił opowiedzieć o tym Charcotowi. Następnego dnia przyszedł wcześniej do gabinetu profesora i zapytał go, czy mógłby poświęcić mu trochę czasu, bo chciałby opowiedzieć o dziwnym przypadku, w którym hipnoza przyniosła choremu dużą ulgę. Charcot rozparł się w krześle, ale przyglądał się Zygmuntowi bez życzliwości.

Zygmunt w kilku słowach przedstawił sytuację rodzinną panny Berty, charakter jej obsesji na tle surowych zasad obowiązujących w jej domu, historię długiej choroby ojca. Wspomniał, że Berta pielęgnowała go przez wiele miesięcy, aż rozpoczęły się ataki, które ujawniły około trzydziestu różnych fizycznych objawów choroby: niedowład karku, silne bóle głowy, usztywnienie mięśni, halucynacje, nierozpoznawanie ludzi... Relacjonował dalej, jak Breuer, odświeżając pod hipnozą pamięć chorej, umożliwił jej dotarcie do źródeł niektórych obsesji i swobodne mówienie o nich, jak te swobodne rozmowy przyniosły pacjentce ulgę i mimo że zdarzały się nawroty choroby, w ciągu dwóch lat nastąpiła jednak częściowa poprawa. Po chwili wahania Zygmunt zapytał:

– Panie profesorze, co pan o tym myśli? Czy Józef Breuer odkrył nowy ważny kierunek badań, w którym należałoby próbować pójść dalej? Czy hipnoza może stać się narzędziem terapii, szczególnie w tych przypadkach, kiedy nie wiemy, co począć?

– Nie, nie. – Gestem lewej ręki Charcot zlekceważył sprawę. – To do niczego nie prowadzi.

Zygmunt postanowił nie zastanawiać się więcej nad przypadkiem Berty Pappenheim.

8

Charcot był tak zadowolony z jego tłumaczenia *Leçons,* że domagał się, by w czasie godzin szpitalnych Zygmunt był stale u jego boku. Poprawiał jego błędy we francuskim i równocześnie udzielał pouczeń z neurologii. Darkszewicz ze swej strony odkrył jakieś zdumiewające materiały wśród preparatów Zygmunta związanych z barwieniem tkanek złotem. Spędzili wiele godzin w pokoju Darkszewicza, pochyleni nad mikroskopem, a gdy upewnili się, że ich odkrycie jest solidnie udokumentowane, napisali artykuł o związku ciała powrózkowego z tylnym pniem i jego jądrem. Zygmunt stwierdził, że tytuł ten jest na pewno mniej chwytliwy niż *Katedra Marii Panny w Paryżu.*

Wiedeńskie czasopismo „Neurologisches Zentralblatt" przyjęło referat i miało go opublikować w numerze marcowym. Dla Zygmunta był to bodziec do napisania nowej pracy. Od wielu tygodni sporządzał notatki, na podstawie których zamierzał teraz napisać krótką książkę *Wprowadzenie do neuropatologii.* Darkszewicz skończył właśnie pisanie podręcznika medycyny dla lekarzy i studentów; on spróbuje napisać taki podręcznik w języku niemieckim. W ciągu trzech dni intensywnej pracy ukończył pierwszą część i wrócił do tłumaczenia.

W Paryżu wszystko układało się jak najlepiej, ale wiadomości z Wiednia nie były dobre. Jego siostra Róża doniosła mu o śmierci Ignacego Schönberga. Zygmunt myślał, że już pogodził się z nieuchronnością tego faktu, teraz jednak ocierał łzy napływające do oczu i zmagał się z rozpaczliwymi myślami. „Jakież to wszystko bez sensu! Znakomity naukowiec, świetny umysł, spoczął na cmentarzu, zanim zdążył cokolwiek zrobić. Jaki był prawdziwy powód tego, że właśnie tu bakcyl gruźlicy znalazł tak podatny grunt? Ciężkie warunki? Przepracowanie? Brak pieniędzy na leczenie w ciepłych krajach? Ile jeszcze czasu upłynie, nim nauka poradzi sobie z tą ohydną chorobą?" Zasiadł do biurka i napisał długi list z kondolencjami do Minny.

Wydawca zobowiązał się zapłacić za tłumaczenie wykładów Charcota czterysta guldenów, ale w umowie, którą Zygmunt otrzymał, figurowała już tylko suma trzystu guldenów. Różnica na pozór nieduża, gdyby nie to, że zaplanował swe wydatki paryskie do ostatniego franka. Czuł się upokorzony, że będzie znowu pożyczać u Breuera, był wściekły na wydawców, którzy go oszukali, zgnębiony, że będzie musiał przyznać się Marcie do braku smykałki w interesach. Chociaż nie miał ani grosza, kupił sobie dynamometr, by mierzyć swój stan nerwowy i samemu sobie aplikować kurację.

List, który w tym stanie ducha napisał do Marty, był oczywiście niewiarygodnie długi. Z wnikliwym, chwilami wręcz zabójczym sarkazmem analizował swą naturę i charakter... Jego depresja i zmęczenie są wynikiem ciężkiej pracy i zmartwień, których nie brakło w ostatnich latach. Przyznawał, że często ją krytykował i zgłaszał najróżniejsze pretensje, ale teraz wie już z pewnością, że chce, by pozostała taka, jaka jest. Dla odmiany zaczął wyliczać swoje pretensje do siebie. Od dawna już wie, że brak mu iskry bożej; właściwie nie rozumie, dlaczego dotąd tak bardzo mu zależało na talencie! Przecież właśnie dlatego, że nie miał żadnych ambicji intelektualnych, pracował w tak zdyscyplinowany sposób. W idealnych warunkach osiągnąłby mniej niż Nothnagel lub Charcot, skoro jednak warunki są kiepskie, musi się pogodzić z mniej ambitnymi celami. A przecież w gimnazjum zawsze należał do najśmielszych buntowników, bronił bez wahania najbardziej krańcowych poglądów, nawet jeśli trzeba było potem drogo płacić za tego rodzaju dziwactwa... Na szczęście przy niej jego neurastenia przechodziła bez śladu w jakiś nadprzyrodzony sposób. Niezwłocznie powinien zdobyć owe trzy tysiące guldenów rocznie, które mu umożliwią poślubienie Marty...

Pod koniec lutego, w ostatnim tygodniu pobytu w Paryżu, w umyśle Zygmunta dojrzał pomysł, który miał uwieńczyć jego pracę dokonaną w Salpêtrière. Napisze pracę poświęconą porównaniu objawów histerycznych z organicznymi. Spisując swe myśli, zdefiniował objawy „organiczne" jako „fizyczne uszkodzenie rdzenia lub mózgu", objawy „histeryczne" zaś określił jako „porażenie manifestacyjne", reprezentujące raczej ideę niż somatyczne uszkodzenie lub szkody wyrządzone przez chorobę. Celem, jaki sobie stawiał, było ustalenie, czy te dwa różne źródła paraliżu, fizyczne i umysłowe, powodują różnice w charakterze samych paraliżów.

Miał nadzieję, że uda mu się wyjaśnić trzy sprawy: po pierwsze, że paraliż histeryczny może obejmować tylko jedną część ciała, na przykład ramię, nie atakując innych, podczas gdy paraliż organiczny, wynikający z choroby mózgu, jest zazwyczaj rozległy. Po drugie, że w paraliżu histerycznym wyraźniej występują zmiany czuciowe, natomiast w paraliżu pochodzenia mózgowego bardziej zarysowują się zmiany motoryczne, ruchowe. Wreszcie po trzecie, że w paraliżu pochodzenia mózgowego rozmieszczenie zmian ruchowych można wyjaśnić i zrozumieć w kategoriach anatomicznych, podczas gdy zarówno w paraliżu histerycznym, jak i innych swych przejawach histeria objawia się tak, jakby anatomia nie istniała! Zmiany są wynikiem obserwacji i wyobrażeń. Chodziło mu o stwierdzenie, że w przypadku histerii paraliż następował zgodnie z wyobrażeniami pacjenta o jego zasięgu.

Napisał list do Charcota, przedstawiając w ogólnych zarysach swą koncepcję. Stwierdził z zadowoleniem, że jego francuszczyzna znacznie się poprawiła. Ale wahał się, czy list wysłać. Do Marty pisał: „Wiem, że wysyłając taki list, ryzykuję dużo, Charcot bowiem nie lubi ludzi, którzy przychodzą do niego z oryginalnymi pomysłami".

Nie wspominał jednak o tym, że jego rozbieżność z profesorem sprowadzała się do tego, iż Charcot był przekonany, że paraliż histeryczny jest następstwem deformacji, jakiegoś urazu w systemie nerwowym. Może to być uszkodzenie najdrobniejsze. Powrót do zdrowia następuje, jak w przypadkach Porcza i Lyonsa, wówczas, kiedy obudzone uczucie jest tak silne, że przezwycięża lub leczy uszkodzenie. Zygmunt Freud zaczął w to wątpić, nikt bowiem nie stwierdził uszkodzenia w mózgu histerycznego paralityka, żywego lub umarłego. Zdeformowane były wyobrażenia przesyłane z mózgu.

Kiedy Zygmunt omawiał ten problem z Darkszewiczem, ten zapytał go wprost:

– Jakże może zostać uszkodzona myśl, nieposiadająca przecież cech fizycznych?

– Nie wiem – odpowiedział Zygmunt. – Pamiętam, jak wróciłem pewnego razu do swego pokoju w Hôtel de Brésil późną nocą i nie miałem zapałek, żeby zapalić lampę. Rozebrałem się więc przy świetle księżyca... tylko że noc była wtedy bezksiężycowa! Ale nigdy nie przyznam Charcotowi prawa do „hipotetycznego" zakładania, iż nastąpiło jakieś uszkodzenie. Jeśli medycyna ma być nauką ścisłą, nie może godzić się z tego rodzaju hipotetycznymi założeniami. Musimy się dowiedzieć, jak to się dzieje, że umysł ludzki może tak skutecznie znieczulić pokaźną część ciała człowieka, że nie czuje on, jak wbija się mu igłę w ramię albo trzyma nogę nad zapaloną świecą aż do poparzenia. Jeśli mam rację, uważając, że te niewiarygodne wprost fakty zachodzą przy współudziale umysłu ludzkiego, wówczas umysł ludzki jest najpotężniejszym i najbardziej pomysłowym mechanizmem, jaki istnieje na świecie.

Darkszewicz zamyślił się głęboko.

– Zrozum jednak, że nie ma sposobu zobaczenia myśli. Z naszej pracy wynika niezbicie, że pacjent nigdy nic nie wie. W jaki sposób dojdziemy prawdy?

Przypomniał sobie Bertę Pappenheim i Breuera, któremu udało się wedrzeć do jej pamięci i dopomóc jej spłukać nerwicę kaskadami słów. Ale Charcot powiedział mu, że nic z tego przypadku nie wynika.

– Wiesz, stary – ciągnął Zygmunt. – Przypuszczam, że będziemy musieli zrobić z psychologii naukę ścisłą, jeśli to w ogóle jest możliwe. Czy tego rodzaju idea usprawiedliwia przedłożenie moich pomysłów Charcotowi?

– Jest to równie uzasadniona dziedzina badań jak każda inna. – Pasmo włosów opadło na oczy Darkszewicza.

Następnego dnia Zygmunt zostawił swój list na biurku Charcota. Profesor wezwał go. Ręką wskazał krzesło, kazał mu usiąść i wziął list do ręki. Zygmunt zorientował się, że czytał go już kilka razy.

– Panie doktorze, myśli przedstawione w tym liście nie są złe. Ja osobiście nie mogę przyjąć ani pańskiego rozumowania, ani wniosków; ale nie mam też zamiaru przeciw nim występować. Być może warto im poświęcić trochę czasu.

– Aprobata pana profesora sprawia mi wielką radość.

– Ależ ja wcale nie wyraziłem aprobaty! Tylko zgodę. Kiedy materiał będzie gotowy, proszę mi przysłać sprawozdanie. Opublikuję je w moich „Archives de Neurologie".

W kilka dni później zjawił się u Zygmunta Darkszewicz, by pomóc mu się spakować, ale Zygmunt już to uczynił. Miał jedną fobię, którą w pełni sobie uświadomił, i o dziwo, związana ona była z jedną z jego największych przyjemności w życiu, z podróżowaniem koleją. Na samą myśl o wejściu do pociągu zaczynał się straszliwie pocić. Przez dwadzieścia cztery godziny przed podróżą ogarniało go nerwowe podniecenie. Sypiał zazwyczaj twardo, ale każda noc przed wyjazdem stawała się męczarnią: przewracał się z boku na bok, nie mogąc zmrużyć oka, to radując się na myśl o oczekującej go podróży, to znów zadręczając ponurymi przeczuciami. Kilka dni wcześniej szedł na dworzec, by sprawdzić rozkłady jazdy i kupić bilet. W dzień wyjazdu nie mógł usiedzieć w domu. Gotowy do podróży na wiele godzin przed odejściem pociągu, z największym trudem powstrzymywał się, by nie popędzić z walizami na stację. Równocześnie prześladowało go tak silne uczucie strachu, że dostawał lekkich mdłości i marzył tylko o tym, by rozpakować z powrotem walizkę. Powtarzało się to za każdym razem, kiedy wybierał się w drogę.

Co prawda katastrofy kolejowe zdarzały się podówczas często, ale Zygmunt był przekonany, że jego niepokój nie jest bynajmniej spowodowany obawą przed fizycznym kalectwem. Jakże miał więc wytłumaczyć sobie to zdenerwowanie?

Zawsze pociągała go romantyka pociągów, które wspinają się po zboczach gór, przebijają przez tunele, przeskakują rzeki i przepaści, pędzą przez bezkresne pola... Skąd więc owa stała obawa przed wejściem do pociągu, którym miał przecież odbyć upragnioną podróż? Dlaczego chodził tam i z powrotem po peronie, położywszy walizkę na półce, wzdragając się przed wejściem do przedziału do ostatniej chwili, kiedy rozlegał się ostry gwizdek zawiadowcy i wołania konduktorów: „Proszę wsiadać"?

Zygmunt tak się przejął obietnicą Charcota, iż opublikuje jego pracę, że już nie wrócił do rękopisu *Wprowadzenie do neuropatologii*. Darkszewicz natomiast kończył już swoją książkę o anatomii mózgu. Za rok wróci do Moskwy, odda książkę do drukarni, przygotuje wykłady na semestr zimowy i poślubi narzeczoną. Obaj niemal identycznie zaplanowali najbliższą przyszłość. Skończyły się długie miesiące nauki. Teraz zajmą należne im miejsca w środowisku zawodowym i naukowym. Mimo to, jadąc dorożką na Gare du Nord, Zygmunt czuł lekki smutek.

– Dark, czyżby to nostalgia? Pokochałem Paryż, Salpêtrière, Charcota... nawet ciebie, melancholijny Słowianinie.

– Dziękuję ci za te słowa... – Darkszewicz zamrugał. – Byłeś moim jedynym bliskim przyjacielem od chwili wyjazdu z Rosji. Czy jeszcze się kiedyś spotkamy?

– Jestem tego pewny. Pomyśl tylko o tych wszystkich kongresach neurologów, na których ty i ja będziemy wygłaszali referaty i konkurowali ze sobą!

Obu rozbawiła ta perspektywa, ale siedząc potem przy oknie przedziału trzeciej klasy i patrząc na znikające kamienne domy, Zygmunt zrozumiał, że w trudnej chwili pożegnania pocieszał nie tylko Darkszewicza, ale i siebie samego. W ich życiu skończył się jeden etap. Prawdopodobnie już nigdy nie zobaczy ani Darkszewicza, ani Salpêtrière, ani Charcota. Czas trzeźwo spojrzeć w przyszłość. Za dwa miesiące będzie miał trzydzieści lat; najwyższy czas przestać wreszcie studiować.

Pociąg minął podmiejskie okolice i mknął teraz przez zielone pola Francji. Zygmunt poczuł przypływ fali radości. Przecież dobrze spisał się w Paryżu; pracował ciężko, zyskał przyjaciół w szpitalu i skończył prawie połowę przekładu wykładów Charcota. Napisał kilka dobrych prac i zapewnił sobie aprobatę – no, nie, tylko zgodę, na rozpoczęcie badań, które mogą okazać się pionierskie. I, rzecz bynajmniej nie błaha, otrzymał najlepsze wyszkolenie, jakie mógł uzyskać młody neurolog w środkowej Europie.

W oknie wagonu zobaczył odbicie swej uśmiechniętej twarzy. Czupryna mu się nieco przerzedziła. W brodzie pojawiły się delikatne pasma siwizny. Ze zdumieniem stwierdził, że w Paryżu twarz mu się zaokrągliła. Uznał, że podobają mu się gładko wygolone policzki, na których pozostał jedynie zarys brody. Ale najwyraźniej widział swe oczy szeroko rozwarte, pełne wigoru i entuzjazmu. Przyjdą nieuchronne przykrości, których nie uniknie młody lekarz rozpoczynający praktykę, ale poważniejszych trudności nie przewidywał. Z podmokłych nizin wspiął się na wyżynę, oglądał z tej perspektywy swe życie. Czuł, że wzbierają w nim siły.

Nareszcie wiek męski!

Księga piąta

Recepta pana doktora

1

Po powrocie do Wiednia, na początku kwietnia, Zygmunt znalazł szybko odpowiedni dla nieżonatego lekarza lokal. Były to dwa umeblowane pokoje z przedpokojem u bezdzietnego małżeństwa zajmującego duże mieszkanie na parterze solidnej pięciopiętrowej kamienicy przy Rathausstrasse 7, naprzeciw małego parku na zapleczu gotyckiego ratusza. Dom stał w pobliżu Rathauspark, Franzensringu i prawie skończonego Hofburgtheater, wręcz idealna lokalizacja dla początkującego lekarza. Czynsz wynosił siedemdziesiąt guldenów i obejmował usługi młodej pokojówki, która w przyszłości między dwunastą a trzecią będzie otwierała drzwi pacjentom.

Barokowy hall wejściowy miał ściany wykładane czerwonym marmurem, marmurowe kolumny i sufit bogato zdobiony złoconą sztukaterią. W przedpokoju znajdowała się trzydrzwiowa szafa z lustrem pośrodku, wieszak na płaszcze i kapelusze ze stojakiem na laski, parasole i kalosze; w poczekalni stała trzyosobowa kanapa, stolik na gazety oraz krzesła dla pacjentów. Pierwszy pokój, dość duży, miał okna wychodzące na dziedziniec. Ściany były wyłożone tapetami naśladującymi pluszowe obicia, umeblowanie składało się ze stojącego drezdeńskiego zegara, krzeseł i foteli oraz zielonego holenderskiego pieca kaflowego. W kącie za kotarą znajdowało się wąskie łóżko, nocny stolik i lampa naftowa. Tu także znalazło się miejsce na komodę, w której umieścił swe narzędzia okulistyczne. Drzwi po przeciwnej stronie prowadziły do wspólnej łazienki. Ze szpitala Zygmunt zabrał swoje biurko i regały, na których ustawił medyczne kompendia, by mieć je stale pod ręką.

Matylda Breuer dotrzymała obietnicy i przygotowała projekt tabliczek na drzwi. Późnym sobotnim popołudniem, w przeddzień Wielkanocy, państwo Breuerowie i Zygmunt wyruszyli dorożką z mieszkania Breuerów. Każdy z panów miał pod pachą tabliczkę na drzwi, a Matylda koszyk z ciastkami od Damela. Od dozorcy pożyczono śrubokręt i oto przy bramie pojawiła się czarna tabliczka ze złotymi literami. Napis głosił, że w tym domu przyjmuje prywatny docent doktor Zygmunt Freud. Na drzwiach mieszkania przytwierdzona została tabliczka porcelanowa. Zygmunt zadzwonił na pokojówkę i kazał jej przynieść kawę. Matylda ułożyła ciastka na talerzach, które przysłała Amelia Freud, ustawiła talerzyki i filiżanki, dzbanek ze śmietanką i cukiernicę. W pogodnym nastroju zasiedli do kawy.

U Breuera widoczne były początki łysiny. Włosy zaczynały się wysoko ponad czołem, przez które biegła głęboka poprzeczna zmarszczka. Łysina tworzyła półkole. Półkoliście też przystrzygł Józef swoją brodę.

– Pamiętasz, Zygmuncie, jaki byłeś zgnębiony, kiedy Brücke odmówił ci przed czterema laty asystentury?

– Wiesz, jesteś naprawdę przystojny! – zawołała Matylda. – Masz w sobie coś z francuskiego lowelasa. – Matylda była urodziwą czterdziestoletnią wiedeńską matroną. Zachowała smukłą linię, wyrzekając się pokus wiedeńskich cukierni. Warkocz kasztanowych włosów upinała starannie na głowie, a jej szare oczy zdawały się błyszczeć bardziej niż zazwyczaj. – Mówię poważnie – ciągnęła dalej. – Wyjechałeś do Paryża jako obiecujący młody naukowiec, a wróciłeś jako dojrzały lekarz. Nie wyobrażasz sobie, jak mnie cieszy, że w twoich miłych brązowych oczach zamiast dawnego zniecierpliwienia widzę głębokie studnie mądrości.

Zygmunt pochylił się nad stolikiem i pocałował ją w policzek. „Matylda bardziej we mnie wierzy niż Józef" – pomyślał. Kiedy powiedział im, że przed końcem roku ma zamiar ożenić się z Martą, Matylda go pochwaliła.

– Im prędzej, tym lepiej. Spalasz się, czekając. A czekanie nie może wyjść na zdrowie młodemu człowiekowi.

– Na litość boską, Matyldo – protestował Józef. – Nie poganiaj go. Ja radziłbym ci poczekać co najmniej jeszcze dwa lata. Będziesz miał solidną praktykę, zapewnisz dobre warunki żonie i dzieciom...

– Po co? Nie potrzebuję więcej niż trzy tysiące guldenów rocznie. A tyle przecież będę zarabiał pod koniec 1886 roku. Wyjdzie moje tłumaczenie Charcota. Redaktor „Wiener medizinische Wochenschrift" obiecał, że wydrukuje dwa wykłady. Wysłałem dwieście kart wizytowych lekarzom wiedeńskim; z wieloma pracowałem. Na pewno niektórzy z nich przyślą mi pacjentów...

Matylda wyczuła niepewność Zygmunta, przerwała mu więc w połowie zdania.

– Kochany, a kiedy dasz ogłoszenie do gazet?

– Jutro. Ukaże się w „Neue Freie Presse". Pokażę ci tekst ogłoszenia. Kosztowało mnie dwadzieścia guldenów; nic dziwnego, że gazety tyle zarabiają! – Podszedł do biurka i wyjął stamtąd arkusik papieru: „Dr Zygmunt

Freud, docent neuropatologii Uniwersytetu Wiedeńskiego, powrócił po sześciomiesięcznym pobycie w Paryżu i przyjmuje przy Rathausstrasse".

– Znakomicie – stwierdziła Matylda – powinieneś jednak był dodać: „po sześciu miesiącach pracy w Salpêtrière pod kierunkiem profesora Charcota". Ludzie jeszcze pomyślą, że spędziłeś te sześć miesięcy w Moulin Rouge z tancerkami.

– To nie byłoby *comme il faut* – śmiał się Józef z żartu swojej żony. – Cały Wiedeń uważałby, że się przechwala, szczególnie owych dwustu lekarzy, którzy nie mieli okazji pracować u Charcota w Salpêtrière. Ale dlaczego dałeś to ogłoszenie na niedzielę wielkanocną; przecież tak się nie robi?

– Przemyślałem sprawę – odpowiedział z uśmiechem Zygmunt. – W święta ludzie mają więcej czasu i czytają uważniej. Moje ogłoszenie ich zaskoczy, łatwiej zapamiętają sobie nazwisko.

Po kawie Matylda usiadła w fotelu, panowie zaś dyskutowali o postępach w badaniach nad męską histerią prowadzonych przez Charcota. Józef miał pewne wątpliwości.

– Radzę ci zachować ostrożność. Bądź dyskretny. Nie lekceważ sobie tego, że Wiedeń drwi z męskiej histerii. Możesz sobie tylko zaszkodzić.

Zygmunt nerwowo przemierzał pokój.

– Chyba nie wyobrażasz sobie, że zapomnę o tym wszystkim, czego się nauczyłem?

– Swoją wiedzę wykorzystaj do leczenia pacjentów. Przygotuj sobie *dossier* dowodów.

– Kiedy wyjdzie moje tłumaczenie Charcota, dowody będą dostępne wszystkim. Podpisując przekład, zajmuję stanowisko.

– *Neurologię* Charcota będą czytali z szacunkiem – Breuer kręcił powątpiewająco głową – ale kiedy dojdą do męskiej histerii, potraktują ten materiał jako przelotne dziwactwo skądinąd wielkiego uczonego. A twój udział ogranicza się do tłumaczenia, a nie obrony stanowiska autora.

– Ale ja miałem zamiar wygłosić na ten temat referat w Towarzystwie Medycznym...

– Nie rób tego! To byłoby niebezpieczne. Sceptyków można przekonać tylko powoli; żarliwym pośpiechem ich nie nawrócisz.

Tego wieczora Zygmunt napisał do Marty. Następnego dnia oczekiwał wizyty rodziny, która wybierała się obejrzeć jego nowe mieszkanie. Amelia i dziewczęta obiecały, że przyniosą suty podwieczorek. Przez owe tajemnicze regiony mózgu, których nie zdołał jeszcze zlokalizować, przelatywały sprzeczne uczucia: obawa, że pacjenci nie dopiszą, i głęboka wiara, że za solidną pracę należy się przyzwoita zapłata, żal, że jednak skończyło się na prywatnej praktyce, i zadowolenie, że doktor Meynert powitał go entuzjastycznie w pracowni psychiatrycznej, proponując zakończenie badań nad strukturą mózgu niemowląt, doktor Kassowitz zaś domagał się natychmiastowego otwarcia oddziału neurologicznego w Instytucie Pediatrycznym.

Powrót do Wiednia budził w nim jednak mieszane uczucia. Przez te siedem miesięcy rozstania próbował zrozumieć, na czym polega jego przywiązanie do tego miasta. Nie tu się urodził; być może to właśnie miało jakiś wpływ. Z Freibergu na Morawach niewiele zachował w pamięci. W ciągu tych lat, które spędził w pracowni fizjologii profesora Brückego i w Allgemeines Krankenhaus, poznał jedynie Wiedeń poważny, naukowy, jakże inny od Wiednia Mozarta, Beethovena, Schuberta, Straussów, których melodyjną muzyką przepojone było życie mieszkańców naddunajskiej stolicy.

Oczywiście zakochał się w Paryżu, a przecież nie tak łatwo tracił głowę. Notre Dame w promieniach słońca, Sekwana wijąca się przez miasto późną nocą, stateczność francuskiej architektury, szerokie bulwary i otwarte przestrzenie, co krok tarasy kawiarni, na których się przesiadywało, obserwując śmiałą młodzież spacerującą z piosenką na ustach po Boulevard St. Michel, sprzedawców gazet wykrzykujących sensacyjne tytuły, lekki, szybki krok przechodniów, a wszystko to przesiąknięte jakimś nowoczesnym duchem republikanizmu. Było coś takiego w atmosferze, w wyglądzie ludzi, co kazało myśleć o wolności. Jeden tylko raz w życiu poczuł się podobnie, gdy odwiedził swoich braci przyrodnich w Manchesterze.

Z Berlina pisał do Marty, że wszelkie zmartwienia odkłada do czasu, gdy zobaczy „obrzydliwą wieżę św. Stefana". A przecież w głębi duszy wiedział, że ta wysoka wieża jest śmiałym wzlotem sztuki architekta ku nieskończoności. Jeśli darzył ją niechęcią, to tylko dlatego, że w jej cieniu musi walczyć o swe miejsce na ziemi. „Nikt nie kocha pola bitwy, póki nie odniesie zwycięstwa". Podczas miesięcznego pobytu w Berlinie studiował u profesora pediatrii i dyrektora Szpitala Cesarza Fryderyka, doktora Adolfa Bagińskiego, oraz na oddziale chorób nerwowych i umysłowych szpitala Charité pod kierownictwem doktorów Roberta Thomsena i Hermana Oppenheima. Pisał stamtąd do Marty, cytując Schillera: „Skończyły się dni piękne w Aranjuez pobytu", dodając, że gdyby musiał jechać do Wiednia bezpośrednio z Paryża, umarłby chyba po drodze.

Siedział sam w pokoju, zmniejszył płomyk lampy naftowej i zamyślił się nad sensem swego życia w Wiedniu. Właściwie znał to miasto głównie z uroczystych okazji: cesarz Franciszek Józef, cesarzowa i ich dzieci, arystokracja, uwielbiani w stolicy oficerowie we wspaniałych mundurach, ziemiaństwo rządzące całą resztą kraju: ministrowie administrujący cesarstwem. Czytał o nich w „Neue Freie Presse" i we „Fremdenblatt". Habsburgowie panowali od czterystu lat, władając najrozleglejszym i najbogatszym imperium od czasów rzymskich. Paryż też miał swą arystokrację, zdziesiątkowaną przez trzy krwawe rewolucje, ale swych urzędników wybierał, a prawa ustanawiali przedstawiciele narodu i oni czuwali nad ich wykonaniem. Być może nie polubiłby tak bardzo tego miasta, gdyby tam przybył za rządów Ludwika XV?

A przecież Austriacy nie uskarżali się na brak wolności. Ubóstwiali i wielbili swego cesarza, a on w zamian za to gwarantował im poważne i odpowiedzialne rządy mieszczańskie, w których od powstania w 1848 roku w drobnej mierze uczestniczyli. Istniały jednak różnice w postawach. Identyfikując się ze swym ukochanym cesarzem, Austriacy stawali się jego poddanymi. Francuzi natomiast byli sami sobie panami w sprawach politycznych. Czasami nierozważni, niekiedy niemądrzy, wolność jednak traktowali jako coś naturalnego. Nie zawsze gospodarowali tą wolnością rozważnie, często trwonili ją lekkomyślnie, lecz niezmiennie pozostawali ludźmi wolnymi.

Podobnie jak paryska architektura charakter narodowy Francuzów był niepowtarzalny. Mało co u kogo zapożyczali, niczego nie wyżebrali. Wiedeń przytłaczał wielojęzycznością: austriacki, czeski, węgierski, kroacki, słowacki, polski, włoski... To imperialne miasto pragnęło reprezentować każdy element gmachu imperium, było „rekapitulacją cywilizacji całego świata; dostatnią i barokową".

Mimo wszystko cieszył się, że jest już w domu. Rwał się do pracy. Zdawał sobie sprawę, że ma wszelkie powody, by szanować Uniwersytet Wiedeński, wydział medyczny, instytuty naukowe, Allgemeines Krankenhaus. Jemu, biednemu chłopcu z imigranckiej rodziny, właśnie Wiedeń dał wspaniałe wykształcenie, jakiego nie otrzymałby w Berlinie, Paryżu, Londynie czy Nowym Jorku. To prawda, że jego znajomość stolicy ograniczała się do uniwersyteckiego, medycznego i naukowego światka. Czyż to jednak nie dosyć? Wszystkie stolice podobne są do plastra miodu, w którym każda grupa społeczna zajmuje swoją komórkę. Dla wojskowego Wiedeń to armia. Dla wielkiego świata Wiedniem był cesarz; dla aktorów – Karlstheater; dla muzyków – opera i sale koncertowe; dla człowieka interesów – banki, sklepy, dzielnica składów bławatnych, giełda.

Wszyscy znali swoje miasto. To, w którym on pracował i żył, przyciągało najznakomitsze umysły nie tylko cesarstwa, ale całego świata niemieckiego. U tych znakomitości pobierał Zygmunt Freud nauki. Okazali mu życzliwość, pomagali, nie szczędzili trudów. To oni właśnie byli wielkim Wiedniem i w żadnym innym Wiedniu nie miał zamiaru mieszkać.

Szczerze mówiąc, w żadnym innym mieście poza Wiedniem. Z Paryżem włącznie. Tu zapuścił korzenie, głęboko wrósł w bruki miasta. Był co prawda Żydem, który znalazł się w katolickiej enklawie, a to nie zawsze było sprawą prostą, ale od czasu zburzenia Świątyni Żydzi stali się tułaczami i zawsze musieli żyć wśród wyznawców innych religii. Dostatecznie dobrze znał historię, by wiedzieć, że dla jego narodu nie miało większego znaczenia, z czyjej gościny korzysta. A cesarz Franciszek Józef bronił wytrwale i stanowczo Żydów w granicach swego imperium.

Wstał, pochodził po pokoju, po czym stanął przy oknie wychodzącym na mały park za ratuszem. Przez firanki przypatrywał się kilku parom spacerującym po alejkach pod gazowymi latarniami. Wrócił do biurka.

Tu musi zarobić na życie, na utrzymanie żony, kontynuować studia, prace badawcze, pisać, dokonywać odkryć w swojej dziedzinie... Tu on i Marta będą pracowali, dorabiali się i mieli potomstwo.

2

W poniedziałek po Wielkanocy siedział przed południem przy swym biurku obłożony rękopisami: sprawozdanie z podróży, które miał przedstawić w Towarzystwie Lekarskim, przetłumaczone rozdziały książki Charcota, notatki do wstępu, pierwsze stronice pracy o hipnozie, którą przedstawi w Towarzystwie Fizjologicznym, a potem Psychiatrycznym, notatki z wiedeńskiej literatury neurologicznej dla „Neurologisches Zentralblatt" Mendla i z literatury poświęconej neurologii dziecięcej dla „Archiv für Kinderheilkunde" Bagińskiego – obiecał je obu doktorom podczas swego pobytu w Berlinie.

Otwierając praktykę, dysponował kapitałem w wysokości czterystu guldenów. Trzysta guldenów, które musiał pożyczyć, by przebrnąć przez ostatnie miesiące w Paryżu i Berlinie, będzie mógł zwrócić dopiero w lipcu, kiedy otrzyma honorarium za tłumaczenie Charcota. Nic mu też nie zostanie z drugiej raty stypendium, którą miał otrzymać po złożeniu sprawozdania, był bowiem zapożyczony po uszy. Od lat pożyczał drobne sumy od Fleischla, często ustępując jego naleganiom. Kiedy powiedział mu, że będzie mógł zwrócić długi dopiero za rok lub dwa, Ernest odrzekł:

– Nie myśl o tym. Stokrotnie mi już spłaciłeś swoje długi, udzielając mi pomocy lekarskiej! Nie wspominam nawet o tych długich nocach, kiedy czuwałeś przy mnie, zabawiałeś mnie rozmową i grałeś ze mną w warcaby, żebym zapomniał o bólu.

– To była przyjaźń.

– A te drobne sumy nie mieszczą się w ramach przyjaźni? Twoja opieka lekarska i twój czas się nie liczą?

– Toż to były głupstwa! Znajdę sposób, by ci oddać pieniądze.

– Postaraj się raczej wynaleźć sposób przeszczepienia mi nowego palca – odpowiedział Fleischl, zgrzytając zębami z bólu.

Najpoważniejszy dług zaciągnął u Breuerów. Winien im był pięć tysięcy guldenów. Kiedy zaproponował, że zacznie spłacać tę sumę ratami, Józef machnął ręką i oświadczył stanowczo, że nie chce o tym słyszeć.

– Przecież to nie ma sensu, Zygmuncie. Nie potrzebujemy teraz tych pieniędzy. Odłóżmy sprawę na lat dziesięć, kiedy będziesz już znakomicie zarabiał.

Niewielkie miał Zygmunt Freud szanse na zarobienie potrzebnych mu dwustu pięćdziesięciu guldenów miesięcznie w pierwszym okresie praktyki. Niektórzy koledzy w szpitalu uważali, że postąpił lekkomyślnie, zaczynając z tak małym kapitałem. Otolog, doktor Politzer, który niemal natychmiast po jego powrocie do Wiednia wezwał go na konsultację i dał mu zarobić piętnaście guldenów, był zaskoczony, gdy usłyszał, że Zygmunt ma zamiar ożenić się na jesieni. Mówił potem do znajomych: „Bardzo mu się dziwię. Kilka dni temu sam się przyznawał, że jest bez grosza. Uparł się, że się ożeni z dziewczyną bez pieniędzy, a przecież w każdej chwili może znaleźć pannę ze stutysięcznym posagiem!".

Zegar wybijał dwunastą, gdy rozmyślania Zygmunta przerwało energiczne dobijanie się do drzwi. Pokojówka, podekscytowana swą nową rolą, wprowadziła dwóch policjantów z pobliskiego komisariatu policji nad Kanałem Dunajskim. Przysłał ich Józef Breuer.

Zygmunt zajął się najpierw starszym mężczyzną o potężnej klatce piersiowej i okrągłym brzuszku. Po szamotaninie podczas aresztowania złodzieja pozostały mu bóle w karku promieniujące do lewego ramienia oraz nieprzyjemne swędzenie i kłucie w kciuku i palcu wskazującym. Doktor Freud orzekł, że policjant cierpi na zapalenie nerwu ramieniowego. Przepisał wyciąg. Po kilku wizytach bóle i inne objawy ustąpiły.

Młodszy policjant, całkowicie łysy, z głową głęboko wciśniętą między ramiona, opowiedział doktorowi, że kiedy wyciąga przed siebie nogi podczas nocnego dyżuru, nie bardzo może się zorientować, co się z nim dzieje. Bardzo go to niepokoi. Twierdził również, że ma ataki bólu przepony brzusznej, w ostatnich miesiącach stają się coraz silniejsze. Zygmunt przeprowadził cały szereg analiz, które potwierdziły jego pierwsze podejrzenia: pacjent miał kiłę z objawami niezborności ruchowej.

Kiedy profesor Meynert z uniwersytetu dowiedział się, że doktor Freud otworzył gabinet, przysłał swą żonę cierpiącą na rwę kulszową. Zygmunt podejrzewał wypadnięcie dysku, powodujące silne bóle w dolnej części pleców i w lewej nodze. Przepisał leżenie w łóżku, ćwiczenia gimnastyczne i gorset podtrzymujący dolną część pleców. Cienka włóknista tarcza, znajdująca się między kręgami i spełniająca rolę gumowego amortyzatora, powoli przesunęła się na swoje miejsce.

Odnaleźli go oczywiście „wędrowni neurotycy" Breuera. Pierwsza dotarła do Zygmunta pani Heintzner, pulchna czterdziestolatka. Zjawiła się z wysypką, którą dermatolog Freud usunął za pomocą maści. W kilka dni później wróciła, skarżąc się na sztywny kark: nie mogła wyprostować głowy wykręconej w jedną stronę. Elektroterapeuta Freud rozluźnił mięśnie karku za pomocą faradyzacji. Kolejną jej wizytę spowodowały ostre bóle brzucha. Internista Freud zastosował masaże, które przyniosły ulgę.

– Panie doktorze, pan jest cudotwórcą. Umie pan wyleczyć każdą moją chorobę – oznajmiła wdzięczna pacjentka.

– Szanowna pani – odpowiedział – nasza dewiza na uczelni brzmiała: „Czegokolwiek pacjent się nabawi, od tego lekarz go wybawi". – Ale kiedy pani Heintzner, uśmiechając się, poprawiała suknię i nakładała kapelusz na wysoko upięte brązowe włosy, Zygmunt zastanawiał się, co właściwie ma zrobić lekarz z osobą, która może zwrócić na siebie uwagę, jedynie wynajdując coraz to inne symptomy chorób. Obawiał się, że jego skromne doświadczenie medyczne nie dotrzyma kroku wyobraźni tej pacjentki.

Przekonał się, że życie początkującego lekarza pełne jest niebezpieczeństw i niepewności, rozczarowań i satysfakcji, ale nade wszystko nie pozostawia chwili wolnego czasu. Profesor Nothnagel przysłał mu ambasadora portugalskiego, którego wyleczył z jakichś drobnych niedomagań, ale dwóch następnych pacjentów, którym profesor Nothnagel zarekomendował Zygmunta, wolało wybrać się do starszego lekarza. Wkrótce potem wezwano go do kolegi z gimnazjum, będącego bez grosza i ciężko chorującego. Zygmunt od trzech dni nie jadł kolacji, by zaoszczędzić guldena, a teraz szedł piechotą, godzinę w każdą stronę, bo nie stać go było na fiakra. Tego samego wieczora zawiadomiono go, że kolega jest umierający. Tym razem wziął dorożkę, wydał zaoszczędzone pieniądze, ale chorego uratował.

Panią doktorową Kleinholtz przysłał mu Breuer. Była zaniepokojona dziwnymi zmianami zachodzącymi u jej męża. Dotąd bardzo dbał o swój wygląd zewnętrzny, a teraz niespodziewanie przestał chodzić do fryzjera, nie potrafił się skupić i popełniał fatalne błędy w interesach. Skarżył się przy tym na bóle głowy.

Pacjent wydawał się rozkojarzony. Zygmunt nie stwierdził żadnych objawów organicznych lub funkcjonalnych zakłóceń. Doszedł do wniosku, że może to być przypadek autentycznej nerwicy. Postanowił jednak unikać zbyt pośpiesznego doszukiwania się nerwic i histerii u każdego pacjenta. Nie należy wyciągać pochopnych wniosków i wszystkie badania przeprowadzać obiektywnie. Po dwóch tygodniach obserwacji Kleinholtz zaczął się skarżyć na niedowład prawej ręki, a bóle głowy się wzmogły. Zygmunt rozpoznał objawy. Miał przed sobą przypadek guza lewego płata czołowego.

W wyjątkowo chłodne przedpołudnie przyszedł do Zygmunta młody amerykański lekarz, przechodzący w szpitalu kurs podyplomowy. Skierował go jeden z młodych asystentów. Miał lat trzydzieści pięć, był rudy i nosił dwurzędową granatową marynarkę.

– Czym mogę panu służyć, doktorze Adamson?

Adamson rozsiadł się w fotelu przed biurkiem i próbował odgarnąć ręką pasma rudych włosów opadających mu na czoło.

– Jestem w kłopocie, panie doktorze. Oboje z żoną zaoszczędziliśmy trochę pieniędzy na pobyt w Wiedniu, ale nie stać nas na lekarza.

– Proszę mi powiedzieć, co panu dolega. Jeśli tylko moja specjalność zawodowa może się na coś przydać, rad będę spełnić mój koleżeński obowiązek.

– Dziękuję. Odczuwam coraz silniejsze bóle głowy. Ich przebieg jest podobny: bóle opasujące wokół głowę z uczuciem ucisku na jej szczycie, którym towarzyszy stan zamroczenia. Nie jest to właściwie pełne zamroczenie, gdyż w tym stanie świadom jestem wszystkiego, co dzieje się wokół mnie.

– Pan jest lekarzem, panie kolego. Czy stwierdził pan jakieś organiczne zaburzenia?

Doktor Adamson przebiegł wzrokiem półkę medycznych książek, po czym spojrzał na Zygmunta. Był wyraźnie stropiony.

– Zdaję sobie sprawę, że jestem zazdrosny o żonę, i to mnie w pewnym stopniu wyprowadza z równowagi. Mam młodą i piękną żonę. Przez kilka lat byliśmy szczęśliwym małżeństwem. Muszę panu wyznać, że nie wiem, co w nią wstąpiło. Zachowuje się bardzo swobodnie w towarzystwie mężczyzn, co nigdy dotąd się nie zdarzało. Najwięcej jednak martwią mnie jej coraz większe wymagania erotyczne. Jestem u kresu sił. Co więcej, sam charakter stosunku się zmienił; ona staje się coraz bardziej... agresywna, niemal obsesyjnie pożądliwa. Często popada w stan psychicznego podniecenia, co się w końcu udziela i mnie.

– Najpierw zbadam dokładnie pana, a potem pomówimy o pańskiej żonie. Czy może ją pan tu przyprowadzić?

Następnego popołudnia Adamson przyszedł z żoną. Nie przesadził, mówiąc o jej urodzie. Była to platynowa blondynka o niebieskich oczach. Suknia, jakby za ciasna, podkreślała wydatne piersi, płaski brzuch i uda.

Doktor Adamson wycofał się do poczekalni. Ledwie zamknął za sobą drzwi, pani Adamson kokieteryjnie potrząsnęła swymi lokami i uśmiechnęła się zalotnie do Zygmunta. Wyszedł zza biurka, by usiąść koło niej, i w tej właśnie chwili fotografia Marty spadła na podłogę. Było to dość dziwne, bo przecież nie potrącił fotografii ani nie poruszył biurkiem.

Niewiele się dowiedział od pani Adamson poza tym, że uważa Wiedeń za bardzo wesołe miasto. Kiedy jednak nadal uporczywie ją wypytywał, wyznała w końcu, że przed sześciu laty miała podwójne widzenie; trwało dość długo, a gdy minęło, stwierdziła, że odczuwa pewne odrętwienie w lewym ramieniu i w twarzy. Ponieważ mąż czekał, Zygmunt odprawił ją po półgodzinie i kazał jej przyjść nazajutrz.

Następnego dnia, kiedy wstał, by się z nią przywitać, fotografia Marty znowu spadła z biurka. Oniemiał z wrażenia. Tym razem nie umiał już naprawdę tego wytłumaczyć. Pani Adamson co prawda kręciła biodrami i wypinała piersi, ale trudno sobie wyobrazić, by w ten sposób mogła strącić fotografię Marty.

– Pańska narzeczona? – zapytała z zalotnym uśmiechem. – Czyżby to była wróżba, że ma ona zniknąć wkrótce z pańskiego życia?

Zygmunt podniósł fotografię, wytarł ją o surdut i ustawił na samym środku biurka. Ponownie zaczął wypytywać panią Adamson o jej zwiększoną pobudliwość erotyczną. Chciał się dowiedzieć, od kiedy się to datuje. Ona jednak uważała, że wcale nie ma nadmiernych potrzeb.

– Po prostu czuję się coraz młodsza, mam coraz więcej energii, a mój biedny przepracowany mąż z dnia na dzień robi się coraz starszy.

Zygmunt nie wiedział, co o tym myśleć. Czy ma do czynienia z jakimś problemem emocjonalnym, czy też są to jakieś organiczne zaburzenia? Był przekonany, że prawdę mówi Adamson, a nie jego żona.

Oczywiście należałoby ją zbadać ginekologicznie, ale jego wiadomości z tej dziedziny były skromne. Nie wiedział nawet, czego szukać. A poza tym wyraz twarzy pani Adamson zdawał się świadczyć, że tego rodzaju procedura kryłaby w sobie pewne niebezpieczeństwa. Postanowił porozmawiać z Rudolfem Chrobakiem.

Tegoż dnia wpadł późnym popołudniem do mieszkania ginekologa doktora Chrobaka. Chociaż Chrobak miał dopiero lat czterdzieści trzy, był już profesorem na Uniwersytecie Wiedeńskim. Zygmunt nie studiował u niego, ale polubili się i zaprzyjaźnili w szpitalach. Opowiedział Chrobakowi o Adamsonach, ten jednak nie mógł mu w niczym poradzić.

Po kilku tygodniach nastąpił nagły zwrot. Kiedy doktor Adamson przyprowadził żonę, była zupełnie zmieniona. Bez śladu znikła cała zalotność, chora siedziała, trzymając głowę przechyloną na bok, jakby ją bolała. Mówiła powoli, z trudem wymawiając słowa:

– Objawy... sprzed sześciu lat... wróciły. Ale są nieco inne. Lewa... powieka... jest martwa. I z trudem poruszam prawą nogą...

Zygmunt zaprowadził ją za parawan i zbadał szczegółowo. W żadnym innym miejscu nie stwierdził odrętwienia. Olśniło go, kiedy przypomniał sobie, że przy stwardnieniu rozsianym pojawia się często zwiększona pobudliwość seksualna.

Po dodatkowych badaniach nie miał już wątpliwości. To było stwardnienie rozsiane, *sclerosis multiplex*. Nie powiedział o tym pacjentce, ale piękną młodą kobietę czekało wzmożenie się drżenia, coraz silniejsze zaburzenia mowy, a w końcu porażenia. Wiedza medyczna nie była w stanie powstrzymać rozwoju choroby. Ostrość jej przebiegu zależna będzie od miejsca, w którym nastąpiło uszkodzenie mózgu lub rdzenia kręgowego. Wkrótce miną kłopoty doktora Adamsona, ale czekał go nowy, straszniejszy wstrząs.

<h1 style="text-align:center">3</h1>

Trzydzieste urodziny doktora Freuda, szóstego maja 1886 roku, wypadły we wtorek. Niewiele zarobił w ostatnich tygodniach, a od kilku dni nikt nie zjawił się w poczekalni. Wbrew porzekadłu – powiedział sobie Zygmunt – czeka młody lekarz, a nie pacjenci.

Wczesnym rankiem do drzwi zapukał listonosz z doniczką bluszczu od Marty. W ślad za nim przyszła siostra Róża z bibularzem oprawionym w skórę, z florenckimi złoceniami. Od czasu kiedy znikł nieśmiały Brust, ta ładna i bystra panna nie miała wielbiciela. Zygmunt nie mógł tego zrozumieć; była przecież dziewczyną powabną i pogodną. Róża zachowywała nieco ironiczny dystans do życia, chociaż i jej zdarzały się nagłe zmiany nastrojów, podobnie jak Zygmuntowi. Wskazała teraz na guzik przy jego surducie, który ledwo się trzymał.

– Widać, że brak ci należytej opieki. Daj mi igłę i nici. Ach, spójrz na swoje buty! Włóż inne, a te zabiorę do szewca.

Uśmiechając się, objął ją ramieniem.

Pauli i Dolfi zjawiły się z makartowskim bukietem z zasuszonych liści palmowych i pawich piór. Po nich przyszła Mitzi z mężem Maurycym, dalekim krewnym Freudów. Pobrali się niedawno. Zygmunt dostał od niej w prezencie oprawioną fotografię ślubną. Przyszli też rodzice; Amelia przyniosła Wiener Torte, tort wiedeński, który rano upiekła, od Jakuba dostał powieść swego ulubionego powieściopisarza, Disraelego. Na końcu stawił się Aleksander. Wstał o piątej, by zdążyć do kolejki po bilety na *Barona cygańskiego* Straussa. Aleksander co tydzień chodził do operetki; w jednym tygodniu jednak opuścił spektakl, by zaoszczędzić na bilet dla brata.

Dolfi zaparzyła kawę na palniku laboratoryjnym, Amelia ustawiła tort na biurku, Aleksander wniósł krzesła z poczekalni. Rodzina zasiadła do pogawędki przy kawie. Zjawiła się Anna, zadyszana, w szóstym miesiącu ciąży, z koszem kwiatów zakupionym na Naschmarkt. Prowadziła za rękę swoją czternastomiesięczną córeczkę. Życzyła Zygmuntowi „trzydziestu lepszych lat" i posadziła mu na kolanach małą Judytę. Zygmunt przekomarzał się z Elim Bernaysem, który zwlekał ze zwrotem pożyczki zaciągniętej u Marty. Jakub sypał żartami, co dowodziło, że był w dobrym nastroju. Od pewnego czasu pracował i zarabiał.

– Posłuchajcie, znam nowy dowcip. Pewien Żyd, nie mając grosza przy duszy, postanowił pojechać leczyć się do Karlsbadu. Oczywiście jechał na gapę. Raz po raz konduktorzy wyrzucali go z pociągu. Na jednej stacji spotkał znajomego, który go pyta, dokąd jedzie. „Do Karlsbadu – odpowiada – jeśli tylko zdrowie mi dopisze".

Operetka skończyła się późno. Zygmunt pożegnał się z bratem i sam szedł do domu. Wrócił do siebie przygnębiony. On przecież także jechał na gapę do stacji docelowej: małżeństwa, własnego ogniska domowego, praktyki lekarskiej... żeby mu tylko zdrowie dopisało.

Musiał kupić kozetkę, żeby móc badać pacjentów. Ta inwestycja pochłonęła resztę oszczędności. Teraz już z własnego doświadczenia wiedział, że co innego być lekarzem, a co innego zarabiać pieniądze. Doktorowi Politzerowi, który onegdaj wezwał go na drugą konsultację, zawdzięczał jedyny zarobek w tym tygodniu ciężkiej pracy bez wytchnienia. Usiadł przy biurku, przykręcił knot w lampie tak, żeby światło padało tylko na kartkę papieru, i zaczął pisać list do Marty: „Oby następne moje urodziny wypadły tak, jak Ty mi życzysz. Obudzisz mnie rano pocałunkiem. Nie będę czekał na list od Ciebie. Wszystko mi jedno, gdzie to będzie... Dam sobie radę z najcięższą pracą, z wszelkimi możliwymi kłopotami, ale samotności już dłużej nie wytrzymam. I niech to zostanie między nami, ale już przestaję wierzyć, że potrafię się urządzić w Wiedniu".

Następnego ranka przed wysłaniem listu, w drodze do pracowni Meynerta, pomyślał sobie, że zachowuje się jak Róża – nie panuje nad swoimi nastrojami.

Starzy ludzie mawiali, że przy zmianie faz Księżyca chorzy czują się gorzej. Istotnie od kilku dni zapełniła się poczekalnia Zygmunta. Potem kolega wezwał go do szpitala miejskiego, by obejrzał noworodka, który na plecach, tuż ponad fałdą pośladkową, miał miękką narośl wielkości cytryny. Doktor Freud zbadał napiętą skórę, i wyrastające z niej włosy, a potem obejrzał całe ciało.

– Zmiana wrodzona, nic poza tym – zapewnił kolegów. – Widziałem wiele takich narośli u dorosłych. Dziecko będzie się rozwijało normalnie.

– Może powtórzy pan to matce?

Następnego przedpołudnia wezwano go do domu byłego pacjenta z kliniki Obersteinera w Oberdöbling, którego dziecko urodziło się sparaliżowane od pasa w dół i było w ciężkim stanie. Dotykając zwieracza odbytnicy, Zygmunt stwierdził, że mięsień jest całkowicie rozluźniony. Paraliż objął pęcherz i jelita. Był to przypadek przepukliny torbielowatej. Dziecko pozostanie sparaliżowane do końca życia. Gdyby jednak potrafił opanować gorączkę, powstrzymać konwulsje i ochronić pęcherz przed infekcją...

Całą sobotę i niedzielę spędził przy dziecku, noc przespał na kozetce. Największym problemem było ściąganie moczu, wypełniony pęcherz stawał się bowiem pożywką dla bakterii. Zygmunt obawiał się, nie bez powodu, że dziecko umrze na infekcję nerek; może to potrwać dwa lata, ale może też nastąpić za dwa miesiące. Nauczono go jednak, że musi walczyć o życie, jak długo tli się najsłabsza iskierka, walczył więc, aż doprowadził dziecko do stanu, kiedy opiekę mógł już przejąć lekarz domowy.

Narzucił sobie ścisły rozkład dnia. Wstawał o szóstej rano, kąpał się, ubierał, po czym pokojówka wnosiła filiżankę kawy i świeże bułeczki z pobliskiej piekarni. O siódmej zasiadał do tłumaczenia Charcota, o dziesiątej był już w klinice Meynerta, gdzie pracował nad rozwojem nerwu słuchowego w ludzkim płodzie. O jedenastej wpadał do restauracyjki naprzeciw na drugie śniadanie, podwójną porcję gulaszu, która musiała zastąpić mu obiad, ponieważ nie zdążyłby z powrotem do domu na godziny przyjęć, gdyby chciał jadać normalny posiłek południowy.

Wracał jeszcze na pół godziny popracować nad preparatami mózgowymi i punktualnie o dwunastej był już w swoim gabinecie. Poczekalnia zaludniła się ostatnio, rozeszła się bowiem wieść, że nowy młody lekarz zajmuje się zarówno niepłacącymi, jak regulującymi honoraria pacjentami. Przez pierwszy miesiąc nie zarobił nawet tyle, żeby pokryć wydatki, ale był zadowolony ze swoich „bezpłatnych pacjentów". W Wiedniu mówiono, że jeśli początkujący lekarz nie będzie miał bezpłatnych pacjentów, to i innych nie zdobędzie. Zresztą wiodło mu się z nimi tak jak z gulaszem: od czasu do czasu wyławiał kawałek mięsa z sosu z kartoflami. Zdarzali się i tacy, co w odróżnieniu od owego portugalskiego ambasadora, który nigdy nie uregulował długu, wyjmowali portfel i płacili za wizytę.

W nowym budynku Pierwszej Kliniki Pediatrycznej Zygmunt zorganizował oddział neurologiczny dla dzieci. We wtorki, czwartki i soboty przyjmował od trzeciej po południu. W pozostałe dni tygodnia przedłużył godziny przyjęć w domu do czwartej, prosząc bezpłatnych pacjentów, przychodzących po poradę lub na masaże elektryczne, by zjawiali się później. Dzięki temu płacący nie musieli czekać. Pod wieczór spotykał się z kolegami lekarzami w kawiarni. Przy stoliku zasiadali Paneth, Obersteiner, Königstein, który z nim pracował w klinice pediatrycznej, Widder, Lustgarten. Omawiano problemy medyczne i jeśli nie był proszony na kolację do Breuerów, Panethów lub Fleischla, zjadał coś w kawiarni, a potem w domu czytał i pisał do północy. Zasypiał natychmiast, ledwie przyłożył głowę do poduszki. W niedzielę jadał obiad z rodziną, przy okazji zostawiając zawsze kilka guldenów w stojącej w kuchni filiżance bez ucha, w której Amelia trzymała drobne pieniądze. Ani matka, ani syn słowem nie wspominali o tym rytualnym już zwyczaju; obojgu sprawiało to satysfakcję. A cóż to dopiero była za przyjemność, gdy pod koniec drugiego miesiąca mógł zostawić Amelii piętnaście guldenów, gdyż zorientował się, że jego dochody zaczynają przewyższać wydatki.

Pracował osiemnaście godzin na dobę, wciąż jednak pozostawało mu dość czasu, by boleśnie odczuwać brak Marty. Pisał do niej niemal codziennie. Szczegółowo donosił o pacjentach i chorobach, uszczęśliwiony, kiedy wszystkie krzesła w poczekalni były zajęte, a zgnębiony, kiedy od dwunastej do trzeciej nikt się nie zjawiał poza żebrakami i swatami, czyhającymi na młodych lekarzy wiedeńskich.

Współpraca przy organizacji oddziału chorób neurologicznych w tak zwanym Instytucie Kassowitza – na jego czele stał doktor Maks Kassowitz, uchodzący za najlepszego specjalistę chorób dziecięcych w Wiedniu – była dla Zygmunta równie wielką przygodą jak rozpoczęcie własnej praktyki prywatnej. Kassowitz starał się objąć swą działalnością wszystkie choroby dziecięce i przez pewien czas uważał, że ospa wietrzna, ospa prawdziwa i odra to jedna i ta sama choroba, dawniej sądził także, że krzywicę wywołuje jakiś stan zapalny. Ale był też pierwszym lekarzem w Wiedniu, którego cechowało naukowe podejście do chorób dziecięcych. Kiedy odkrył, że fosfor ma wielkie znaczenie w leczeniu krzywicy i innych chorób dziecięcych, zaczął poszukiwać emulsji, która zawierałaby ten pierwiastek, i w końcu odkrył cenne właściwości tranu, dotąd uważanego za bezużyteczny w leczeniu. Fosfor dokonywał cudów w organizmach dzieci cierpiących na krzywicę, gruźlicę i anemię.

Kassowitz ukończył studia w Allgemeines Krankenhaus na siedemnaście lat przed Zygmuntem. Tuż przed jego powrotem do Wiednia przeprowadził się z dużego, ośmiopokojowego mieszkania na pierwszym piętrze domu przy Tuchlauben 9, nad jedną z najstarszych aptek miasta, należącą do firmy A. Moll, do nowego mieszkania w tym samym budynku, dawne zaś zamienił na przychodnię dla dzieci. Przychodnia była bezpłatna. Przyprowadzali tu swe dzieci rodzice, którzy nie mogli sobie pozwolić na opłacenie lekarza. Wszyscy lekarze pracowali dobrowolnie, nie pobierając żadnych honorariów ani poborów. Przychodnia była subwencjonowana przez osoby prywatne. Jej budżet nie przekraczał tysiąca guldenów rocznie, rozchodowanych na niezbędne leki.

Zygmunt minął aptekę na Tuchlauben, przed którą całymi dniami tłoczyli się ludzie pragnący nabyć preparat doktora Kassowitza. W tłumie nie brakło matek z dziećmi przy piersiach. W aptece troje pracowników zajmowało się wyłącznie przyrządzaniem mikstury. Skręcił w Kleeblattgasse, gdzie już stała długa kolejka matek i dzieci czekających na przyjęcie w przychodni.

Powitał go osobiście doktor Maks Kassowitz. Był to mężczyzna wyglądający bardzo poważnie, na znacznie więcej niż czterdzieści cztery lata. Głowę miał tak kształtną, że nie raziła łysina, której nie próbował rekompensować gęstą, długą brodą, ograniczając się do skromnej szpakowatej bródki. Brwi, kruczoczarne i gęste, tworzyły dramatyczne łuki nad głębokimi, pełnymi wyrozumiałości oczami. Ubrany starannie, co było *de rigeur* dla wiedeńskiego lekarza, pod surdutem nosił perłowoszarą kamizelkę z szerokimi klapami.

Pokazał Zygmuntowi salę zabiegową, czytelnię, laboratorium, oddział chorób wewnętrznych, sale chorób zakaźnych, skórnych, chorób uszu, nosa i gardła. Zygmunt zastał w przychodni kilku młodych lekarzy, których znał ze studiów uniwersyteckich i z Allgemeines Krankenhaus: Redlicha, Schustera i Hochsingera – głównego pomocnika Kassowitza. Przechodząc z pokoju do pokoju, zauważył, że wszyscy lekarze są Żydami. Było to tym dziwniejsze, że tylko nieznaczna część dzieci leczonych pochodziła z rodzin żydowskich. Czyżby Kassowitz nie zaprosił do współpracy lekarzy katolików? Czy też może lekarzy katolików nie interesowała współpraca z przychodnią kierowaną przez Żyda?

Dotarli do końca długiego korytarza. Kassowitz wprowadził go do pokoju, w którym już czekały matki z dziećmi; nie dla wszystkich starczyło krzeseł.

– Panie doktorze, oto pański teren działania. Mamy nadzieję, że kiedyś w przyszłości założy pan instytut neurologii dziecięcej. Zanim to jednak nastąpi, mianuję pana kierownikiem oddziału. Co prawda nie będzie pan tak ważny jak szef oddziału w Allgemeines Krankenhaus, ale na początek stanowisko nie jest bynajmniej najgorsze.

Podczas pobytu w Berlinie Zygmunt wielokrotnie badał dzieci cierpiące na choroby nerwowe; zdobyte doświadczenie okazało się teraz bezcenne.

Wszystkie dzieci były starannie umyte i uczesane, dziewczynki miały włosy przewiązane kokardami, starsze w większości nie odczuwały bólu i nie skarżyły się; choroby dokonały już zniszczeń. Cierpieli natomiast rodzice, kiedy przyprowadzali swe dziecko do lekarza i odpowiadali na delikatne pytania o tło choroby. Czuli się winni cierpień swych dzieci, chociaż nierzadko natura schodziła na manowce, kiedy dziecko znajdowało się jeszcze w łonie matki.

Pierwszym pacjentem był sześcioletni chłopiec chory na zapalenie mózgu – infekcję opon mózgowych, płynu mózgowo-rdzeniowego i samego mózgu. Zupełnie normalne do niedawna dziecko nagle zaczęło kaprysić, dostało wysokiej gorączki i zesztywniał mu kark. Stało się to przed dwoma dniami. Obecnie chłopiec był senny i przymroczony. Kiedy lekarz zmierzył mu temperaturę, termometr wskazywał 40 stopni Celsjusza. Zygmunt spojrzał na rączki dziecka, pod paznokciami dostrzegł czerwone plamki, wybroczyny z naczyń włoskowatych skóry.

Mógł już tylko obniżyć gorączkę. Wkrótce nastąpią konwulsje, ogólne drżenie, kliniczne drgawki kończyn i chłopak umrze... A jeszcze trzy dni temu był zdrowym, szczęśliwym dzieckiem. Zapalenie mózgu spowodowały bakterie znajdujące się w powietrzu; mógł się zarazić, po prostu oddychając.

Zygmunt zbadał też siedmioletnią dziewczynkę, która mówiąc, zatrzymywała się, milkła nagle na chwilkę, na jakieś trzy sekundy, lekko zwracała głowę w jedną stronę, patrząc bez wyrazu, po czym kończyła przerwane zdanie, jakby się nic nie stało.

– To powtarza się cztery, pięć razy dziennie – wyjaśniała matka – a zaczęło się mniej więcej przed miesiącem. – Doktor Freud obserwował dziecko, rozpoznał *absence* jako *petit mal* (napady małe), konstatując równocześnie, że padaczka, jako pojęcie ogólne, nie określa w pełni tego rodzaju napadów. Nie stwierdził żadnych odchyleń w składzie krwi, żadnych śladów dawnego urazu ani guza mózgu. Uspokoił matkę, tłumacząc, że pewne zmiany następują w okresie pokwitania – Fleischl udokumentował te zmiany w mechanizmach myślenia – po pewnym czasie zaburzenia znikną bez śladu.

W pokoju nie było już nikogo poza skuloną w kącie matką z dziewięcioletnim synkiem. Dziecko wyglądało normalnie, choć matka utrzymywała, że uskarżało się na bóle głowy i mdłości. Kobieta rumieniła się, wbijała wzrok w ziemię. Zygmunt nalegał, by powiedziała mu szczerze, dlaczego przyprowadziła chłopca.

– ...panie doktorze, wstydzę się... dlatego nie przyszłam wcześniej...

– Niechże pani mówi.

– ...mój syn ma... duży członek... bardzo jest w tym miejscu owłosiony, jakby miał lat czternaście albo i piętnaście. Panie doktorze... czy to głupio... że ja się martwię...

Zbadał chłopca. Wieloletnia praktyka i znajomość anatomii mózgu pozwoliły mu stwierdzić guz w centralnej części mózgu; był to nowotwór obejmujący podstawę mózgu, zmieniający impulsy idące od podwzgórza do przysadki i powodujący między innymi nienormalny wzrost narządów płciowych. Nie było na to lekarstwa, nie można też wykonać zabiegu. Zataił całą prawdę przed matką dziecka, ale wiedział, że wzmogą się bóle głowy, mdłości staną się częstsze i gwałtowniejsze, zwiększy się ospałość i przed upływem roku chłopiec umrze.

Pozostał przy biurku do zmroku i głęboko wstrząśnięty spisywał swe uwagi dotyczące zbadanych przypadków. Do domu wracał przez Am Hof. Nie rzucił nawet okiem na bogato zdobioną sześciopiętrową kamienicę, którą uważał za najładniejszy dom Wiednia. Na Freyung stanął przed fontanną. Rozpylona woda chłodziła jego rozpaloną twarz. Pod przymkniętymi powiekami przebiegały jak na ekranie twarze młodych pacjentów.

4

Prowadził teraz regularny tryb życia. Dzień wypełniała mu praca w klinice i praktyka prywatna. Sprawozdanie z podróży zostało przyjęte przez wydział medyczny. Wygłosił referat w Towarzystwie Fizjologicznym. Dwa rozdziały tłumaczenia Charcota wydrukowano w „Wiener medizinische Wochenschrift". Towarzystwo Psychiatryczne poprosiło o powtórzenie wykładu o hipnozie. Zachęciło go to do wypróbowania hipnozy na pacjentce Włoszce, która dostawała ataków graniczących z konwulsjami, słysząc słowo „jabłko". Podczas pierwszej próby Zygmunt czuł się skrępowany i onieśmielony, pacjentka zaś albo była nieuważna, albo nie poddawała się hipnozie; w końcu jednak wprowadził ją w półsen. W tym stanie starał się ją przekonać, że jabłko nie jest żywym stworzeniem, które może rzucić się na nią lub ją zranić, i powiedział, żeby słysząc słowo „jabłko", starała się wyobrazić sobie świeżą szarlotkę na wystawie w cukierni. Uważał, że wpadł na bardzo sprytny pomysł, nigdy jednak nie dowiedział się, czy okazał się on również skuteczny, bo pacjentka więcej go nie odwiedziła. Opowiedział o tym przypadku Breuerowi.

– Jak myślisz, co ją opętało? – zapytał Józef.

– Zapewne robaki. Musiała kiedyś ugryźć robaczywe jabłko. Mieliśmy w Salpêtrière młodego malarza nazwiskiem Lyons, który zobaczył tasiemca w swych odchodach. Na ten widok dostał kolki i drżenia nóg. Obraz tasiemca wrócił po latach, kiedy ktoś rzucił w naszego pacjenta kamieniem; wywołało to ataki przypominające epilepsję.

Breuer z niedowierzaniem kręcił głową.

– Nasze ciała są niewiarygodnie skomplikowanymi mechanizmami, które tylko geniusz mógł zbudować – powiedział. – Są największym dziełem sztuki, jak tego dowiódł Michał Anioł. A jak my postępujemy z tymi mechanizmami? Sypiemy piasek do lokomotywy, aż koła się zatrzymują.

– Kiedy mówisz o piasku, chodzi ci o... pojęcia, obrazy, złudzenia, kaprysy wyobraźni...?

– Gdybym wiedział, co ten „piasek" oznacza, zostałbym psychologiem, a nie specjalistą od kanałów półkolistych u gołębi. Ptaki nie wzdrygają się przed robakami; zjadają je.

Drugi miesiąc praktyki przyniósł Zygmuntowi prawie czterysta guldenów. Musiał sam siebie trochę zahipnotyzować, by uwierzyć, że ślub zaczyna nabierać cech prawdopodobieństwa. Marta uznała pomysł za realny; ustalili, że się pobiorą pod koniec lata.

Zła wiadomość przyszła w ostatnim tygodniu czerwca w postaci urzędowego zawiadomienia. Porucznik rezerwy doktor Zygmunt Freud został powołany do odbycia miesięcznej służby, począwszy od dziesiątego sierpnia. Austriackie Ministerstwo Wojny liczyło się z ewentualnością ponownego wybuchu konfliktu zbrojnego między Serbią a Bułgarią. Porucznik Freud miał się zająć stanem zdrowotnym żołnierzy podczas manewrów w Ołomuńcu.

Siedem lat już minęło od czasu, gdy pełnił służbę wojskową w Szpitalu Wojskowym przy Von-Swieten-Gasse, naprzeciw Allgemeines Krankenhaus. Przetłumaczył wtedy dzieło Johna Stuarta Milla. Zygmunt nie należał do ludzi używających brzydkich wyrazów, ale teraz krążył po gabinecie i poczekalni, na szczęście pustych o tak wczesnej porze, i z ust jego padały wszystkie znane mu wyzwiska; obrzucał nimi wojny, wojsko, powołania, manewry... a głównie swój pech. Mógł przecież odbyć ćwiczenia w ciągu tych trzech lat, które spędził w szpitalu. W przyszłym roku mijał ostateczny termin powołania go na ćwiczenia. Ale to musiało zdarzyć się właśnie teraz, kiedy zaczynał samodzielną pracę, kiedy zaczęli pojawiać się pacjenci, kiedy zaczął zarabiać na utrzymanie! I właśnie teraz będzie musiał wyjechać z Wiednia. A potem trzeba będzie zaczynać wszystko od początku. Nie będzie pieniędzy na opłacenie czynszu za następny kwartał. A co ze ślubem? Przecież musi znaleźć odpowiednie mieszkanie! Do diabła z tym wojskiem!

Wcisnął kapelusz na czoło i zirytowany obszedł cały Ring, wyładowując swe zmartwienie i oburzenie na płytach chodników. Wrócił do domu całkowicie wyczerpany fizycznie i umysłowo, co mu jednak nie przeszkodziło zasiąść do długiego listu do Marty, w którym doniósł jej o wszystkich nieszczęściach, jakie na niego spadły. Odpisała spokojnie, by nie odbywał zbyt długich marszów w sierpniowym słońcu.

Uśmiechał się, czytając trzeźwe rady narzeczonej. Już spokojniejszy, poszedł do rodziców i kazał Amelii wydobyć z kufra stary mundur przesypany naftaliną. Leżał na nim jak ulał. Trzeba go było tylko odprasować. Jasna galowa kurtka zapinana na osiem srebrnych guzików biegnących ukośnie od prawego ramienia, ciemniejszy wysoki kołnierz i takie same mankiety. Spodnie czarne. Czarne buty. Czapka wysoka, okrągła, z daszkiem i insygniami służby zdrowia na otoku.

Jakub, który przed laty sprawił synowi ten mundur, stwierdził teraz:

– Zygmunt sprytnie się urządził. Został powołany w czasie pokoju.

– Ale nie jestem na tyle sprytny, by się w ogóle wykręcić – odciął się Zygmunt.

– Miesiąc na wsi przyda ci się – wtrąciła Amelia. – Taki jesteś blady od tej pracy w szpitalu.

Z Ministerstwem Wojny nie było dyskusji. Trzeba było pomyśleć praktycznie. Najlepszym miesiącem dla wiedeńskich lekarzy był październik, kiedy wiedeńczycy, wróciwszy z letnich wakacji w górach, dochodzili do wniosku, że warto się zająć swymi dolegliwościami, które dokuczały im na wiosnę i o których zapominali na czas urlopu w cudownym powietrzu górskim. Ślub powinien się odbyć natychmiast, jak tylko zakończy służbę wojskową. Potem wybiorą się na dwa tygodnie w podróż poślubną i pierwszego października będą z powrotem w Wiedniu. Trzeba więc koniecznie znaleźć mieszkanie, by zaraz otworzyć gabinet.

Przez następnych kilka dni Zygmunt krążył po mieście, oglądając lokale do wynajęcia. Szukał mieszkania, które odpowiadałoby wymogom jego praktyki lekarskiej. Wiedeńskie małżeństwa, szczególnie ze sfer określonych jako wolne zawody, mieszkały zazwyczaj na jednym miejscu przez całe życie. Mieszkanie musiało być łatwo dostępne dla pacjentów; powinno się znajdować w dość dobrej dzielnicy, by nie wyglądało na to, że docenta Freuda nie stać na lepszą. Róża obejrzała kilkanaście mieszkań, Amelia i Jakub wypatrywali zawiadomień o wolnych lokalach. Wszystkie, które znajdowali, miały jakieś mankamenty: albo były za małe, albo za duże, albo niewygodne, albo za drogie.

Dopiero w połowie lipca odkrył Zygmunt coś odpowiedniego. Na polecenie cesarza Franciszka Józefa stawiano właśnie piękną kamienicę w najlepszej dzielnicy, tuż obok Ringstrasse. Budował ją architekt Schmidt, ten sam, który projektował wspaniały wiedeński ratusz. Czynsz był umiarkowany, pokoje duże, kamienica miała ładny dziedziniec, klatki schodowe i ściany ozdobione stiukami miłymi sercom rozmiłowanych w dekoracyjności wiedeńczyków. Mimo to nie było amatorów na dwanaście mieszkań w tej kamienicy. Otóż sprawa polegała na tym, że dom ten, zwany „Sühnhaus"

(Dom Pokuty), stanął na miejscu spalonego ósmego grudnia 1881 roku Ringtheater. Pożar pochłonął wówczas prawie czterystu mieszkańców miasta. Wspomnienia o tej katastrofie powstrzymywały ludzi od przeprowadzenia się do najbardziej nowoczesnej i pięknej kamienicy Wiednia.

Mieszkanie spełniało wszystkie wymogi. Dzielnica znakomita, niedaleko uniwersytetu, w pobliżu Votivkirche i parku, kilkaset metrów od Allgemeines Krankenhaus. Administrator pokazał Zygmuntowi narożne mieszkanie na pierwszym piętrze, z oknami wychodzącymi na Maria-Theresien-Strasse, szeroki, wysadzany drzewami ruchliwy bulwar. Rozkład pokoi był idealny. Czynsz nieco przekraczał jego obecne możliwości finansowe, ale w tej chwili w ogóle na nic go nie było stać. W każdym innym domu musiałby za takie mieszkanie zapłacić dwukrotnie więcej. Wiedział, że jest to okazja, której nie wolno zmarnować.

Napisał jednak do Marty, nie ukrywając przed nią sprawy pożaru. Pytał, czy ma coś przeciw temu, by wprowadzili się do takiego domu, zaznaczając, że byłoby to dla nich wspaniałe miejsce, cudownie nadające się do rozpoczęcia życia we dwójkę i rozpoczęcia praktyki. Odpowiedziała natychmiast depeszą, by wynajął mieszkanie. Zgadzała się również na to, by on i Róża urządzili pokoje, życzyła sobie tylko, żeby dobrali meble podobne do tych, które oni razem oglądali w Hamburgu. Od wujków i ciotek dostała dwa tysiące guldenów posagu, co powinno wystarczyć na zakupienie solidnych mebli do salonu, jadalni i sypialni. Prosiła, żeby Róża przysłała jej próbki dywanów i kotar. Pieniądze dostarczy. Niech nie kupują naczyń kuchennych, srebra, szkła i bielizny pościelowej. Dostaną przecież prezenty od Bernaysów, Philipsów, Freudów i przyjaciół Zygmunta.

Zygmunt błogosławił w duszy rozsądek i spokój swojej narzeczonej. Otrzymał także list od pani Bernays; dowiedziała się właśnie, że mają zamiar pobrać się w połowie września, a nie pod koniec roku, mimo że przez sześć tygodni Zygmunt będzie bez pracy. Zmyła mu głowę, zarzucała „lekkomyślność", szaleństwo i oświadczała, że jest człowiekiem niepraktycznym, niemądrym, nierozumnym; skończonym głupcem.

5

Na pierwszy rzut oka obóz wojskowy w Ołomuńcu wydał mu się brudną, zapadłą dziurą. Niewiele jednak miał czasu na rozmyślania, zrywał się bowiem o wpół do czwartej rano i maszerował z wojskiem przez kamieniste pola do dwunastej w południe, broniąc przed symulowanym atakiem czarno-żółtego

sztandaru austriackiego. Ćwiczono oblężenie twierdzy, podczas którego doktor Freud opatrywał żołnierzy, uznanych za rannych odłamkami ślepych
kartaczy. Ćwiczący żołnierze też byli rezerwistami. Ich wyszkolenie nie
budziło entuzjazmu wśród oficerów zawodowych. Kiedy legli na polu pod
ogniem artyleryjskim, wpadł między nich generał na koniu i ochrypłym
głosem zawołał: „Żaden z was już by nie żył, gdyby strzelano ostrą amunicją!
Zginęlibyście wszyscy co do jednego!".

Po południu Zygmunt wygłaszał pogadanki o higienie polowej. Wydało
mu się podejrzane, że tylu żołnierzy stawia się na te zajęcia. Może przychodzą na rozkaz! Wykłady te cieszyły się tak wielkim powodzeniem, że dowód-
ca kazał je przetłumaczyć na język czeski, Zygmunta zaś awansował do
stopnia kapitana i mianował lekarzem pułkowym. Idąc do wojska, doktor
Freud myślał, że będzie to stracony miesiąc, wspominany potem zawsze
z nienawiścią, ale już pod koniec pierwszego tygodnia poczuł się znakomicie.
Słońce i fizyczny wysiłek przepędziły wszystkie troski, lęki i zmartwienia.
Opalił się, jadł z apetytem w kasynie oficerskim, spał doskonale po trudach
dnia. Z wzorową grzecznością odnosił się do przełożonych; żołnierzami prze-
bywającymi w lazarecie, gdzie najczęstszymi przypadkami była dyzenteria,
porażenia słoneczne i złamania nóg, opiekował się troskliwie. Przeżył ciężką
chwilę, kiedy u jednego z żołnierzy pojawiły się objawy paraliżu. Leczył go
ostrożnie zastrzykami arszeniku. Był przekonany, że jest to przypadek histerii, ale nie napisał tego w raporcie. Pod koniec miesiąca otrzymał znakomite stopnie nie tylko w swej specjalności medycznej, ale i za postawę w czasie ćwiczeń i ogólny stosunek do wojska.

Po powrocie do Wiednia włożył natychmiast cywilne ubranie i pierwszym
pociągiem wyruszył do Hamburga. W walizce miał frak, koszulę frakową
i czarny krawat, potrzebne do ceremonii ślubnej w ratuszu. Tak się śpieszył,
że nie pomyślał nawet o stale trapiących go wątpliwościach i lękach. Był
zadowolony z tego miesiąca w Ołomuńcu; nigdy jeszcze nie był w tak dobrej
formie fizycznej. „Widocznie każdy mężczyzna powinien przed ślubem spędzić miesiąc na ćwiczeniach wojskowych" – pomyślał uradowany.

W Wandsbek czekały na niego Marta i Minna, powitały go gorącymi pocałunkami. Pani Bernays widać wybaczyła mu już zlekceważenie jej surowych wskazań, bo i ona podsunęła policzek do pocałowania. Marta przypa-
trywała mu się z łobuzerskim błyskiem w oczach.

– Szybko powiedz, co cię gryzie! Widzę, że masz dla mnie jakąś gorzką
pigułkę. – Zaniepokoił się.

– Skądże. Ale wiesz co, przejdźmy się po ogrodzie.

Nie była to prośba, lecz rozkaz. Wziął ją pod ramię i zaczęli chodzić po
żwirowanych ścieżkach ogródka przed domem Bernaysów.

– No więc? Co ci leży na sercu?

Zarumieniła się i powiedziała mu to, co widocznie już od wielu tygodni powtarzała sobie w myślach.

– Mam dla ciebie przykrą niespodziankę. Jeżeli ceremonia odbędzie się w ratuszu, nasze małżeństwo nie będzie ważne w Austrii.

– O czym ty mówisz? Przecież to zupełna bzdura!

– Kochany, wiem, że ty tak myślisz, i dlatego wynotowałam dla ciebie te przepisy prawne. Znalazł je jeden z moich kuzynów... Proszę, przeczytaj. Wynika z tego, że w monarchii austro-węgierskiej uznawane są tylko śluby religijne.

– Wiesz przecież, że nie mamy czasu, by przejść na katolicyzm. – W jego oczach rozbłysły iskierki.

– Jestem nawrócona na małżeństwo – odpowiedziała z uśmiechem – co i tak jest wielkim osiągnięciem. Możemy wziąć cywilny ślub w ratuszu, a potem musimy wytrzymać rytualną ceremonię. Bez podpisu rabina będziemy tylko narzeczonymi.

Wiedział, że jej nie przekona. Wybiegł z ogrodu, klnąc pod nosem. Co prawda Jakub Freud należał do zboru wyznaniowego we Freibergu i obaj jego synowie z małżeństwa z Salą Kanner przeszli tam nawet bar micwę, nie wymagał jednak ani od Zygmunta, ani od Aleksandra powtórzenia tego rytuału, który dla trzynastoletniego chłopca oznaczał początek dojrzałości. Po przeniesieniu się do Wiednia Freudowie zaniechali wszelkich praktyk religijnych. Jakub stał się wolnomyślicielem. Jedynym rytuałem, jaki Zygmunt zachował w pamięci z czasów dzieciństwa, była tradycyjna paschalna kolacja, „seder", na pamiątkę wyjścia Żydów z Egiptu i przejścia przez Morze Czerwone. Lubił tę uroczystość. Jakub znał na pamięć wszystkie modlitwy i zasiadłszy na honorowym miejscu przy stole nakrytym śnieżnobiałym obrusem, podawał trzy mace zawinięte w serwetkę, gorzkie zioła, „charoses" – drobno posiekane orzechy i jabłka z cynamonem; pokrajaną drobno pietruszkę, soloną wodę i kielich wina dla Eliasza. Recytował przy tym w pięknej hebrajszczyźnie starożytną opowieść o wyjściu Żydów z niewoli.

Zygmunt wrócił do Marty.

– Nie wierzę w religijne ceremonie. Wypowiadanie pustych formułek nie ma sensu. Małżeństwo to umowa cywilna. Ratusz jest jedynym miejscem, w którym winniśmy złożyć małżeńskie przyrzeczenie. Od czterech lat powtarzam ci, że nie zgodzę się na ślub religijny. Nie zmusisz mnie teraz do tego.

– To nie ja cię zmuszam, mój drogi – odpowiedziała słodziutko – ale twój ukochany cesarz Franciszek Józef i jego rząd. Nie zrzucaj na mnie winy za grzechy monarchii austro-węgierskiej.

Usiadła, splotła dłonie i patrzyła na niego z fiiuternym współczuciem. Zygmunt w końcu uspokoił się, siadł u jej stóp i ujął dłonie narzeczonej w swoje ręce.

– Wiesz przecież, że nie próbuję uciekać od naszego wspólnego dziedzictwa. Formy, przeciw którym protestuję, cieszyły dawniej Żydów, ponieważ znajdowali w nich schronienie. Ale nawet jeśli my tego schronienia nie szukamy, coś z istoty judaizmu, jego znaczenia i żywotnej siły przetrwa w naszym domu.

– A więc się zgadzasz?

– Kapituluję. Nie myśl, że udawałem. Wiem jednak, że jałowy protest przeciw formom może być czymś równie głupim jak formy, przeciw którym się protestuje. A teraz powiedz, co będę musiał zrobić.

– Po pierwsze musisz się nauczyć na pamięć modlitwy. Nauczy cię wuj Filip.

– Dlaczego mam się jej uczyć na pamięć? Czy nie wystarczy, jeśli ją odczytam?

– Mój drogi, nawet analfabeci potrafią powtórzyć z pamięci tę modlitwę. Pan docent ma na to całe dwa dni. W Hamburgu i tak są niezbyt pochlebnego zdania o Uniwersytecie Wiedeńskim. Nie chcesz przecież zranić śmiertelnie opinii swej alma mater?

– Co jeszcze?

– Staniesz ze mną pod baldachimem; w ten sposób zostaniemy symbolicznie zaślubieni w murach Pierwszej Świątyni. Udało mi się przekonać rabina, że wystarczą ci modły i obejdziesz się bez kazania o odpowiedzialności, jaka spada na małżonków. Po zakończeniu ceremonii stłuczesz kieliszek – to przyniesie szczęście naszemu małżeństwu. Po czym rodzina wypije nasze zdrowie i na tym wszystko się skończy.

Przez następne trzy dni w domu wrzało jak w ulu. Bez przerwy przynoszono kwiaty, słodycze, prezenty. Wreszcie w pokoju ustawiono baldachim przyozdobiony zielenią. Zygmunt przyglądał się temu wszystkiemu zza uchylonych drzwi. Chwilami czuł, że przeszkadza, wtedy wyruszał na długie spacery po porcie, odczytując nazwy zagranicznych statków.

Pewnego popołudnia, kiedy wrócił z takiego właśnie spaceru, ujął w dłonie twarz Marty i ucałował ją gorąco.

– Nie zrobiłbym tego dla nikogo innego na świecie.

Odpowiedziała pocałunkiem.

– Gdybyś miał się ożenić z kimś innym, za nic w świecie nie próbowałabym cię do tego nakłonić.

Po ślubie spędzili dwa szczęśliwe tygodnie w Travemünde, bałtyckim uzdrowisku na północ od Hamburga. Spali do późna, po obudzeniu znowu wracali do pieszczot, po których pogrążyli się w rozkoszny sen poprzedniego wieczora. Późne śniadanie podawano im na balkonie wychodzącym na morze. Pili gorącą czekoladę, jedli gorące bułeczki owinięte w białe serwetki. Kąpali się w łagodnych falach małej zatoki zarezerwowanej dla gości pensjonatu, a po drzemce poobiedniej spacerowali po prawie pustej plaży. Rozumieli się bez słowa: dwoje ludzi, którzy wiernie się kochali i czekali przez cztery długie lata, pełne zmagań i wyrzeczeń, a niekiedy i sprzeczek, na małżeństwo, które było nie tylko zakończeniem długiego oblężenia, ale i końcem wojny. Teraz przyszła pora na rozkoszowanie się słodkimi owocami zwycięstwa. Dzięki stanowczości i uporowi pokonali pozornie wrogi świat.

– Jesteśmy ambitni. Tylko skromne aspiracje spełniają się szybko – mruczał do siebie Zygmunt, leżąc obok Marty i patrząc, jak za oknem księżyc w pełni maluje morze swą poświatą.

6

Do Wiednia przyjechali późnym popołudniem pewnego dnia wrześniowego. Na Dworcu Północnym witali ich rodzice i siostry Zygmunta. Dolfi i Pauli przyniosły kwiaty dla Marty. Walizki zabrał na wózek posłaniec; miał je dostawić do Sühnhaus. Róża wsiadła z nimi do fiakra, by pochwalić się Marcie, jak starannie wykonała wszystkie jej listowne polecenia. Reszta rodziny wracała do domu piechotą, wymógłszy przedtem na nowożeńcach, że o siódmej stawią się u rodziców na kolacji.

Zygmunt kazał dorożkarzowi przejechać przed frontem budynku od strony Schotteringu. Marta była zachwycona fasadą domu przypominającą mury katedry, bramą wejściową ozdobioną do wysokości drugiego piętra gotyckimi fryzami i witrażami, oknami i balkonami w stylu renesansowym, kopułami wieńczącymi dach, wieżyczkami, wieżami, basztami oraz kariatydami na ścianie frontowej. Bogactwo ozdób miało w przekonaniu cesarza Franciszka Józefa zaleczyć rany po katastrofie.

Do mieszkania Freudów wchodziło się bramą od Maria Theresienstrasse. *Pasticcio* ozdóbek było z tej strony skromniejsze, niemniej do mieszkania na pierwszym piętrze wiodły schody z piękną poręczą z kutego żelaza. *Hausmeister* – dozorca – towarzyszył im do samych drzwi, otworzył je i uroczyście wręczył Zygmuntowi klucze; otrzymał za tę grzeczność, ale też i za odniesienie ciężkich kufrów, suty napiwek – czteroguldenową złotą monetę. W kufrach przyjechała wyprawa Marty, owoc czteroletniej pracy w Wandsbek.

Marta powiodła palcem po porcelanowej tabliczce – prezencie od Matyldy Breuer. Zygmunt otworzył drzwi i przepuścił żonę przodem. Weszła do przedpokoju tak dużego, że bez trudu mógł pomieścić kilkunastu pacjentów, po czym szybko zajrzała po kolei do wszystkich pokojów, zatrzymując się wreszcie w drzwiach sypialni. Na jej twarzy zakwitł uśmiech. Mimo że między Martą a Różą bezustannie krążyły listy z próbkami materiałów obiciowych, a nawet ze szkicami „kompletów mebli", pozostawienie Róży i Zygmuntowi sprawy urządzenia tej najbardziej intymnej części mieszkania łączyło się z pewnym ryzykiem. Zamawiając listownie meble w firmie Jaraya i „Portois i Fix", Marta zastrzegła sobie prawo ich zwrotu, jeśli jej się nie spodobają, gotowa opłacić przy tym koszty transportu w obie strony. Teraz objęła szwagierkę w przypływie czułości: Róża odetchnęła z ulgą.

– *Gott sei Dank!* Umierałam ze strachu, że sypialnia nie przypadnie ci do gustu. Już lecę. Zobaczymy się o siódmej.

W sypialni dywan nie powinien pokrywać całej podłogi; było to niezgodne z wymogami higieny, ale przed łóżkami leżały imitacje wzorzystych dywaników orientalnych, które obecnie wyrabiano w Wiedniu. Nad oknami wychodzącymi na wielki zamknięty dziedziniec kamienicy umocowano karnisze; zwisały z nich wiśniowe kotary przewiązane u dołu plecionymi sznurami. Łóżko przykryte było pluszową kapą w tym samym kolorze. Nad ozdobieniem bogato rzeźbionego małżeńskiego łoża trudzili się najlepsi austriaccy snycerze. Zygmunt objął żonę i przyciągnął do siebie.

– Solidnie to wygląda? – zapytał. – Założymy tu dynastię?

– Tak. – Pocałowała go. – Ale jeszcze nie w tej chwili.

Marta pogładziła wysoką inkrustowaną szafę na ubrania, umywalkę w rogu pokoju, przykrytą marmurową płytą, na której stały dwie miski i dzbanki. W przeciwnym rogu umieszczono komodę na bieliznę z czterema głębokimi szufladami.

– Po co te miski i dzbanki – narzekał Zygmunt – skoro za drzwiami jest łazienka z najnowocześniejszą wanną, umywalką i piecem na gorącą wodę.

– To należy do kompletu. Nie chcieli odliczyć tych rzeczy od rachunku.

Wrócili do hallu. Zygmunt był zadowolony, że kuchnia znajduje się naprzeciw drzwi wejściowych.

– Gdy ktoś zadzwoni, pokojówka będzie mogła szybko otworzyć – podchwyciła w lot Marta, wchodząc do kuchni. – Jaka duża! Większa nawet niż ta, którą mieliśmy za życia ojca. Niebieski zegar i niebieskie zasłony na oknach! Popatrz, nawet wałek do ciasta i butelki z oliwą i octem są na swoim miejscu.

Podłogę i ściany wyłożono kafelkami. Pod półkami umieszczono haki, na których wisiały chochle i ściereczki. Kredensy były z jasnego drewna; na szafce stały porcelanowe naczynia z napisami „sól”, „kawa”, „herbata”, „kasza manna”. W lodówce umieszczono już blok lodu, a na półeczkach ustawiono masło, ser, wędliny, węgierskie salami. W blaszanym pudle znaleźli chleb, w misie owoce, a stół zdobiła doniczka z filodendronem. Na ścianie nad stołem wisiała haftowana przez Amelię makatka z sentencją: „Skrzętna gospodyni cuda w kuchni czyni”.

– To prawda – powiedziała cicho Marta. – W Hamburgu powiadają, że w małżeństwie dobry piec ważniejszy od dobrego łóżka.

Po drugiej stronie hallu, naprzeciwko sypialni, były trzy pokoje. Ostatni przeznaczony został na gabinet doktora Freuda. Stało tam już biurko, krzesła, regały na książki i kozetka obita czarną skórą.

Jadalnia mieściła się w pokoju środkowym, najmniejszym, z drewnianą boazerią. Stał tam duży, bogato rzeźbiony mahoniowy stół i osiem krzeseł wyściełanych skórą, jak zażądała Marta, z szerokimi siedzeniami, by wygodnie mógł na nich zasiąść wiedeńczyk w średnim wieku, najadłszy się do syta rosołu z pulpecikami z wątróbki. Pod stołem leżał, zgodnie z wymogami etykiety, duży dywan, a pod ścianą królował olbrzymi kredens, stanowiący połączenie bufetu, komody na srebro i oszklonych gablot na porcelanę i kieliszki, bogato zdobiony niezliczonymi aniołkami, owocami i kwiatami.

– Teraz przekonałaś się, że Austriacy nie znoszą próżni – zauważył Zygmunt. – Każdy centymetr musi być pokryty ozdóbkami. Golizna ich razi. – Przyznawał jednak, że całość robi solidne i dostatnie wrażenie.

Salon był tak duży, że Róża mogła dokładnie wykonać plan Marty. Po obu stronach szerokiego okna stały oszklone szafy biblioteczne ustawione na komodach. Na posadzce wnęki, o osiem centymetrów wyżej niż reszta pokoju, leżał turecki dywan, na nim z jednej strony stała kanapa, nad którą zawieszono na ścianie mandolinę, po drugiej zaś stronie ława z poduszkami, a nad nią, na półeczce, makartowski bukiet. Pod jedną ze ścian salonu znalazła się kanapa obita brązowym pluszem, z dwoma wałkami i frędzlami opadającymi do podłogi, po przeciwnej stronie fotele i inkrustowany stolik, przy drzwiach wysoka serwantka z figurkami drezdeńskimi Marty i innymi bibelotami. W jednym kącie stał brązowy piec kaflowy, a w drugim wysoki stojący zegar z Hamburga, który Róża znalazła w wiedeńskim Dorotheum, gdzie sprzedawano wystawione na aukcję meble z prowincji i całej Europy. Marta była wzruszona.

– Jak to ładnie, że Róża o mnie pomyślała. – Marta objęła Zygmunta i ucałowała go. – Nic nie trzeba odsyłać do sklepu.

Uśmiechała się przy tym, bo nie trzeba było także nic dokupić. Umeblowanie było idealne, nie ustępowało najlepszemu wiedeńskiemu mieszkaniu. Będzie im służyło przez całe życie.

– Ale najbardziej podoba mi się, że to wszystko jest takie nowe. Nikt tu przed nami nie mieszkał.

– *Virgo intacta* – mruknął Zygmunt pod nosem. – My też zresztą jesteśmy niewinnymi dziećmi.

Następnego ranka, kiedy pluskał się w swej pierwszej własnej wannie, wspominał łazienkę Breuerów z jej skomplikowanymi, a zarazem prymitywnymi urządzeniami. Po kąpieli ubrał się i usiadł przy stole w jadalni, czytając „Neue Freie Presse". Marta wróciła właśnie z piekarni ze świeżym chlebem. Gdy stanęła w drzwiach, spojrzał na nią zdumiony. Przedziałek na głowie, który znał od chwili, gdy po raz pierwszy ją zobaczył, znikł bez śladu. Włosy uczesała gładko, ściągnęła w węzeł na karku i ujęła w siatkę. Często podawała mu śniadanie w Wandsbek, ale tam byli w domu jej matki. Teraz na jej twarzy malował się zupełnie inny wyraz. Podawała mu masło i konfitury, była panią domu. Osobą, która przejęła już władzę nad swą nową domeną. Pochylił się i pogłaskał ją po policzku.

– Cóż za zmiana, pani doktorowo! Nie poznałbym cię na ciemnej ulicy.

– Na pewno poznałbyś. Czy moja kawa jest równie dobra jak ta, którą piłeś w paryskich kawiarniach? Powiedz dozorcy, żeby otworzył skrzynie i kufry, a ja tymczasem pójdę do Biura Pośrednictwa Pracy poszukać jakiejś dziewczyny. Najchętniej wzięłabym Czeszkę; to znakomite kucharki i dziewczęta do wszystkiego.

– Ale musi być bystra! Będzie przecież otwierała drzwi pacjentom, przygotowywała moje instrumenty i pomagała mi przy sterylizowaniu strzykawek.

Nie był wcale pewny, czy stać go będzie na cztery guldeny miesięcznie dla służącej, ale uważał, że jest to wydatek niezbędny. Nie do pomyślenia było, żeby lekarz albo jego żona sami otwierali drzwi pacjentom.

Zasiadał właśnie do swego biurka, by uporządkować papiery, gdy rozległo się gwałtowne pukanie do drzwi frontowych. Jakiś człowiek twierdził, że jest przypadkowym przechodniem, i prosił, żeby doktor Freud natychmiast wyszedł przed dom na Schottenring, bo jakiegoś chłopca potrącił powóz. Zygmunt wybiegł na ulicę. Na chodniku leżał chłopak lat mniej więcej czternastu, otaczał go rozgniewany tłum wygrażający woźnicy. Ciałem chłopca wstrząsały dreszcze.

Zygmunt musiał podjąć szybko decyzję. Jeśli obrażenie jest poważne, trzeba będzie natychmiast przewieźć rannego do Allgemeines Krankenhaus. Obejrzawszy chłopca, stwierdził, że padając, nie uderzył się w głowę.

Nie widać też było żadnego złamania; koła powozu nie dotknęły ciała. Kazał dwóm mężczyznom przenieść chłopca do swego gabinetu, gdzie dał mu środek uspokajający, po czym obejrzał dokładnie, szukając jakichś zewnętrznych obrażeń. Rodziców, którzy zjawili się po chwili, mógł już uspokoić, że wypadek nie jest poważny.

Marta wróciła z Biura Pośrednictwa Pracy z pulchną, różowiutką dziewczyną, która przyjechała poprzedniego dnia do Wiednia ze wsi w południowych Czechach, kilkadziesiąt kilometrów od stolicy. Miała na sobie nieskazitelnie czysty strój tyrolski. Marta przedstawiła ją mężowi, powiedziała, że dziewczyna ma na imię Maria, zaprowadziła ją do służbówki za kuchnią, po czym wróciła do gabinetu, by wysłuchać relacji Zygmunta o jego pierwszym pacjencie.

– Przydały się tabliczki na drzwiach wejściowych; są skuteczniejsze niż ogłoszenie w gazecie – stwierdziła.

– Wątpię – odpowiedział. – Ale nie daję ogłoszenia, bo nie wolno go powtarzać w tak krótkim odstępie czasu. Nie mówiąc już o tym, że nie stać nas w tej chwili na taki wydatek. Widzę, że jesteś zadowolona z Marii.

– Czy byłeś kiedyś w Biurze Pośrednictwa? Pod ścianami siedziało na ławach co najmniej dwadzieścia dziewcząt, nie mówiąc już o *Frau Tanten* – „ciotkach", starych babach, które podsłuchują rozmowy i do których dziewczęta się zwracają, kiedy im się nie spodoba nowa posada. Pierwsza dziewczyna, z którą rozmawiałam, była Węgierką. Zapytała mnie od razu, czy dostanie klucz od mieszkania, by mogła wychodzić i przychodzić, kiedy się jej spodoba. Druga była z Galicji; ta znowu żądała wolnych wieczorów, bo ma chłopca. Trzecia, z Rumunii, pytała, czy często wydajemy przyjęcia, bo ona liczy na napiwki. Wreszcie przyszła kolej na Marię. Kiedy ją zapytałam, czego się spodziewa po służbie, odpowiedziała skromnie: „Chcę, żeby mnie uważano za członka rodziny i dobrze traktowano". Zapytałam ją, czy ma ze sobą swoją „ciotkę". „Ależ nie, proszę pani, ja nie uznaję tego oszustwa. Jeśli mi się coś nie spodoba, sama o tym pani powiem". Mam wrażenie, że nam się powiodło.

Dozorca kończył właśnie otwieranie skrzyń. Zygmunt nie wierzył oczom. Ze skrzyń wyłoniły się tuziny ręczników, zwyczajnych i kąpielowych, wszystkie z wyszytymi monogramami; stosy prześcieradeł i poszew, ścierki do naczyń, do kurzu, kołdry, pierzyny, pościel, haftowane narzuty na fotele i kanapę, adamaszkowe obrusy i serwetki na przyjęcia i na co dzień. Zapasy na lat dwadzieścia. Potem przyszła kolej na bieliznę Marty i bieliznę pościelową, również w tuzinach sztuk. Koszule nocne nie obszyte koronką, bo byłyby zbyt drogie w praniu, ale z ozdobnymi lamówkami i z marynarskimi kołnierzami, koszule, wyszywane chusteczki, peniuary z kolorowej wełny i bawełny i jerseyowe komplety do spacerów w górach; wreszcie majtki jaśnie pani, z czerwonymi i niebieskimi wstążeczkami, zawiązywanymi tuż pod kolanami.

Śmiał się do rozpuku, patrząc na te zapasy, które chyba miały starczyć do końca życia.

– Nie próżnowałaś przez te cztery lata. Tym można by wyposażyć cały sklep!

– Nie chciałbyś chyba wziąć żony nagiej i bosej?

– Wiem już z pewnością – objął ją – że stworzysz uroczy dom rodzinny. Zawsze będziesz w nim panią, a ja grzecznym gościem.

7

Po kilku faradyzacjach chłopiec, którego potrącił wóz, wrócił do zdrowia. Kiedy jego ojciec zjawił się, by uregulować honorarium, doktor Freud przypisał wyniki kuracji masażowi elektrycznemu, ale usłyszał w odpowiedzi:

– Być może, panie doktorze, ale mój Johann jest innego zdania. Mówił matce i mnie o tym, jaki pan był dla niego dobry i że najbardziej pomogły mu pana cudowne oczy.

„Być może, panie doktorze... – mruczał do siebie kilka dni później Zygmunt – ale moje cudowne oczy nie oglądały już od dłuższego czasu pacjenta. Zapłaciłem czynsz za wrzesień, żebyśmy byli gotowi na przyjmowanie tłumów pacjentów w październiku. Najęliśmy służącą, by otwierała im drzwi, a tu nawet ci, których leczyłem bezpłatnie, zawiedli..."

Mieli drobne wydatki. Marta musiała dokupić jakieś drobiazgi, on sam zapłacił resztę czynszu za kwartał i zaczęli nowe życie niemal bez grosza. Trzeba było zanieść do lombardu zegarek Zygmunta; zatrzymał złotą dewizkę, która wisiała w poprzek kamizelki, dla zachowania pozorów. Jeszcze nie tak dawno podobna sytuacja doprowadziłaby go do głębokiej depresji, ale teraz nawet do głowy mu nie przyszło martwić się z takiego powodu. Miał Martę, jej miłość, uroczy dom, do którego przyjaciele wciąż przysyłali kwiaty. Jednego dnia zjawił się posłaniec ze srebrnym serwisem do kawy – prezent od Breuerów, następnego dnia przysłano im srebrną tacę – prezent od Fleischlów, od Panethów dostali komplet srebrnych talerzyków na owoce, od innych przyjaciół miśnieńską porcelanę, kryształowe wazy, małe dywaniki orientalne, śliczne drezdeńskie figurki...

Kiedy zorientował się, że w październiku nie zarobi nawet stu guldenów, odważył się powiedzieć Marcie, że i jej złoty zegarek musi powędrować do lombardu.

– Przecież możemy pożyczyć od Minny – odpowiedziała zdziwiona. – Chętnie nam pomoże. Ma swój posag i tymczasem nie potrzebuje tych pieniędzy.

– Wiesz, kochanie, kiedy onegdaj wracałem z lombardu, wymyśliłem po drodze nową wersję Księgi Rodzaju. To wcale nie było jabłko, ale pieniądze. Ewa miała już dość ślamazarności swego męża. „I po co właściwie tkwimy w tej podłej dziurze – powiedziała do Adama – w której nic do nas nie należy? Pracujesz jak wół, od świtu do nocy, pilnujesz tego sadu, i co masz z tego? Nawet nie zarobisz na spodnie, by okryć swą nagość. I w każdej chwili mogą nas stąd wyrzucić! Z pustymi rękami, bez niczego, nagich, jak w dniu, kiedyśmy się tu zjawili. A ten twój Szef nic tylko bez przerwy rozkazuje: «Zrób to! Tego nie rób!». O, nie, to nie jest w porządku! Powinniśmy wymościć sobie gniazdko, oszczędzać na czarną godzinę; pomyśl tylko, jak moglibyśmy się urządzić, gdybyśmy się wyrwali z tego rajskiego ogrodu. Mielibyśmy miliony hektarów ziemi, sprzedawalibyśmy owoce i zboże. Moglibyśmy się dorobić majątku! Bylibyśmy władcami wszystkiego, co jest w zasięgu naszych oczu! Dzierżawilibyśmy ziemię tym wszystkim, co się narodzą, wybudowalibyśmy sobie zamek, mielibyśmy służbę, wojsko, które by nas chroniło, błaznów i akrobatów, którzy by nas bawili... Adamie, czas już, żebyś był mężczyzną, spojrzał prawdzie w oczy. Ruszajmy w drogę, zanim się za bardzo nie przyzwyczaimy. Świat stoi przed nami otworem”. Adam jej na to odpowiada: „Masz rację, Ewo, ale jak my się stąd wydostaniemy? Szef nas nie puści. On naprawdę ma zamiar zatrzymać nas tu na wieki”. A na to Ewa: „Już ja coś wymyślę!”.

Ostatni tydzień października był najtrudniejszy. Zygmunt nie dawał Marcie pieniędzy nawet na prowadzenie domu. Ale w listopadzie doktor Rudolf Chrobak odwrócił złą passę. Przysłał Zygmuntowi bilet z zapytaniem, czy nie zająłby się jedną z jego pacjentek. Sam został profesorem ginekologii i nie ma na to czasu. Mieszka ona niedaleko na Schottenringu. Czy pan doktor Freud nie mógłby przyjść pod wskazany adres o piątej, a wtedy przekaże mu ją osobiście?

Panią Lizę Pufendorf zastał w wystawnie umeblowanym salonie, przylegającym do jej sypialni. Leżała na kanapie obitej różowym pluszem. Uniosła się, kiedy pokojówka go zaanonsowała. Była blada i krocząc po pokoju, załamywała dłonie. Nie przekroczyła jeszcze lat czterdziestu, lecz twarz jej była już bardzo zniszczona, a pod oczami miała głębokie cienie.

– Czy pan doktor Chrobak zapowiadał moją wizytę?

Rozglądała się po całym pokoju, jakby rozpaczliwie szukając drogi ucieczki.

– Tak, tak, ale jego tu nie ma. Nie ma go! Gdzie on może być?

– Przyjdzie za kilka minut. Proszę się uspokoić. Może mi pani powie, co pani dolega. To może przynieść pani ulgę.

Gorączkowo poprawiała pęki suszonych kwiatów, ostów i pawich piór stojących na zastawionym różnymi drobiazgami kominku. Zygmunt obserwował ją uważnie.

– Musimy się dowiedzieć, gdzie jest doktor Chrobak – powtarzała uparcie. Szybko odwróciła się od kominka, w jej oczach malował się strach. – To mój jedyny ratunek, muszę wiedzieć, gdzie on się znajduje w każdej chwili, żebym mogła go wezwać natychmiast, jeśli coś mi się zdarzy. Chcę wiedzieć, czy jest u siebie, czy na uniwersytecie. Muszę się natychmiast dowiedzieć, gdzie on jest.

Doktor Freud starał się ją uspokoić łagodnymi słowami. Kobieta trochę się opanowała i w tej właśnie chwili Chrobak wszedł do pokoju. Pani Pufendorf opadła na kanapę. Chrobak poklepał ją ojcowskim gestem po plecach i powiedział:

– Wybaczy nam łaskawa pani, że na chwilę zostawimy ją samą. Chciałbym się naradzić z kolegą.

Wprowadził Zygmunta do bardziej oficjalnego salonu. Usiedli na dwóch kruchych złoconych fotelikach. Chrobak był człowiekiem o łagodnym usposobieniu i przywykł już rozmawiać z kolegami tym samym uspokajającym tonem, którym zwracał się do swoich pacjentów.

– Drogi kolego, widział pan, w jakim stanie jest pani Pufendorf. Fizycznie nic jej nie dolega poza tym, że będąc mężatką od osiemnastu lat, pozostała *virgo intacta*. Jej mąż jest i zawsze był impotentem. Lekarz absolutnie nic nie może pomóc tej nieszczęśliwej kobiecie, poza tym chyba, że zaprzyjaźni się z mężem, będzie pocieszał żonę i utrzyma całą sprawę w tajemnicy. Ostrzegam pana, drogi kolego, że nie oddałem panu bynajmniej mojej najlepszej pacjentki. Kiedy przyjaciele pani Pufendorf dowiedzą się, że ma nowego lekarza, będą się spodziewali po panu nadzwyczajnych rezultatów leczenia, a kiedy wyników takich nie będzie, zaczną się rozmowy, zarzuty pod pańskim adresem. „Jakiż z niego lekarz, jeśli nie może wyleczyć pani Lizy?"

Zygmunt był zaskoczony postawą doktora Chrobaka.

– Nie może więc pan mi nic poradzić, nie można nic zrobić poza dawaniem jej preparatów bromowych i innych środków uspokajających, które by jej nie szkodziły?

Chrobak pokręcił głową i uśmiechnął się smutno.

– Jej mąż nie potrzebuje opieki lekarskiej. Wygląda na to, że nie przejmuje się swą impotencją. Jeśli natomiast chodzi o pańską pacjentkę, to istnieje tylko jedno skuteczne lekarstwo na jej chorobę, zna je pan zapewne, ale obaj nie mamy żadnego sposobu, by jej to przepisać: *„Rp: Penis normalis dosim repetatur"*.

Zygmunt był zaskoczony. Spoglądał na swego przyjaciela, nie posiadając się ze zdumienia, i kręcił głową nad cynizmem Chrobaka. Cóż to za osobliwa porada lekarska?

Przypomniał sobie jednak słowa Breuera: „Tego rodzaju przypadki są zawsze problemem małżeńskiej alkowy". Charcot powtarzał: „W tego rodzaju przypadkach zawsze chodzi o genitalia... zawsze, zawsze!".

– Chodźmy, panie kolego – powiedział cicho Chrobak. – Wróćmy do naszej pacjentki. O jednym proszę pamiętać, jeśli zechce pan przyjąć ten przypadek: pani Pufendorf musi stale wiedzieć, gdzie się pan znajduje, w każdej minucie dnia i nocy.

– To nie będzie takie trudne – odpowiedział Zygmunt spokojnie. – Mam bardzo rygorystyczny podział dnia. Do czego jednak jest to jej potrzebne, jeśli nic jej nie dolega fizycznie?

Chrobak przecierał chusteczką binokle, jak gdyby czyste szkła mogły mu ułatwić odpowiedź.

– Zastanawiam się nad tym od wielu lat. Może panu uda się rozwiązać tę zagadkę?

Przed wyjściem Zygmunt napisał rozkład swych zajęć, by pani Pufendorf mogła dotrzeć do niego w ciągu kilku minut.

Szedł do domu powoli, pogrążony w myślach. Co się kryło w tych nieoczekiwanych wypowiedziach Breuera, Charcota, a teraz z kolei Chrobaka? Czy ktoś ośmielił się wypowiedzieć taką myśl podczas wykładu? Czy zademonstrował to klinicznie? Czy istnieje taka książka naukowa lub monografia, która zajęłaby stanowisko w sprawie wpływu pożycia seksualnego mężczyzny lub kobiety na stan fizyczny lub umysłowy? Na stan nerwowy?

Czy taka radykalna, niewiarygodna koncepcja może mieć jakieś naukowe podstawy? Jak to zbadać? Czy istnieje takie laboratorium, w którym można by dokonać analizy stosunku płciowego, tak jak się studiuje pod mikroskopem wycinki mózgu?

Nie, ta koncepcja wydała mu się nieprawdopodobna. Breuer, Charcot i Chrobak po prostu nie mówili poważnie. Akt płciowy jest rzeczą normalną i naturalną. Zdarzają się oczywiście różne przypadki. Abstynencja, zgoda. Sam przecież obywał się bez stosunku do trzydziestego roku życia, chociaż mieszkał w najbardziej rozpustnym mieście świata. Ale żeby to stanowiło poważny problem?

Nie, to zupełnie bez sensu. Jest naukowcem. Może wierzyć tylko w to, co można zmierzyć i zbadać.

Księga szósta

Pękają okowy zimy

1

Towarzystwo Medyczne zaproponowało doktorowi Freudowi wygłoszenie odczytu na temat męskiej histerii na pierwszym zebraniu po Nowym Roku. Na zebraniach tych zawsze stawiali się licznie dziennikarze austriaccy i niemieccy, wydział medyczny uniwersytetu i wiedeńscy lekarze. Zygmunt był bardzo podniecony. O piątej po południu zjadł kilka sucharków; nie przełknąłby kolacji. Rano wybrał się do fryzjera. Wyglądał bardzo wytwornie w starannie wyprasowanym najlepszym ubraniu, białej koszuli i wyczyszczonych na glanc butach. Marta patrzyła na niego z dumą.

Zebrania Towarzystwa Medycznego odbywały się w sali konsystorialnej starego uniwersytetu, który teraz wyglądał niepozornie w cieniu nowego gmachu ukończonego przed dwoma laty. Sala mogła pomieścić stu czterdziestu słuchaczy. Dostrzegł profesora Brückego w towarzystwie Exnera i Fleischla, Breuera siedzącego obok Meynerta, Nothnagla z grupą młodych internistów, kolegów z Instytutu Kassowitza. Zebranie otworzył emerytowany profesor Henryk von Bamberger, u którego Zygmunt studiował przed laty. Sala była pełna, w powietrzu wisiał ciężki obłok dymu z cygar. Zygmunt wiercił się niespokojnie na krześle podczas odczytu laryngologa, profesora Grossmana, który mówił o paradentozie. Potem przyszła kolej na niego.

Audytorium zachowywało się przyjaźnie, póki nie zaczął opisywać męskiej histerii, zgodnie z ustaleniami Charcota, „który dowiódł istnienia ściśle określonej kolejności symptomów histerycznych", wbrew panującemu powszechnie przesądowi, że histerycy jedynie udają. Profesor Meynert skrzywił się i wbił wzrok w sufit, gdy doktor Freud opisywał przypadki, z którymi osobiście zaznajomił się w Salpêtrière. Po dwudziestu minutach większość słuchaczy przestała zważać na jego słowa. Zaczęto półgłosem rozmawiać.

Profesor Bamberger, komentując referat, stwierdził, że doktor Freud nie powiedział nic nowego. Zjawisko męskiej histerii jest znane, nie powoduje ono jednak ataków lub porażeń tego rodzaju, jakie opisywał mówca. Wstał Meynert. Długie siwe włosy opadały mu na oczy, a na twarzy malował się uśmiech, który Zygmunt w pierwszej chwili uznał za pobłażliwy. Ton głosu szybko rozproszył tego rodzaju złudzenia.

– Panowie, ten importowany towar, który pan doktor Freud przewiózł przez austriackie bariery celne, mógł się wydawać czymś konkretnym w rozrzedzonym paryskim powietrzu, ale zamienił się w parę po przekroczeniu naszych granic, znalazłszy się w jasnym świetle słońca wiedeńskiej nauki. Od trzydziestu lat zajmuję się patologią i psychiatrią. Widziałem i zlokalizowałem wiele chorób przodomózgowia. Prześledziłem aktywność mechanizmów mózgowych w chorobowych zaburzeniach psychicznych. W moich badaniach kory mózgowej, włókien zwojowych i ich połączeń z piramidami mózgowymi nigdzie nie znalazłem najmniejszego śladu męskiej histerii ani też możliwości istnienia zaburzeń powodujących porażenia, afazje lub znieczulenia, a zatem tych wszystkich, których występowanie zależy od predyspozycji wyrażającej się określoną chorobą.

Przerwał i pobłażliwie skłonił się Zygmuntowi.

– Nie chciałbym jednak, by mówiono, że brak mi doświadczeń z podróży poszerzających horyzonty myślowe albo też że nie dostaje mi elastyczności, jaką obdarzeni są niektórzy moi młodsi i odważniejsi koledzy. Pragnę stwierdzić wyraźnie, że interesują mnie zdumiewające teorie doktora Freuda i proszę go, by zademonstrował w naszym Towarzystwie przypadki „męskiej histerii", tak żebyśmy mogli się przekonać o słuszności jego twierdzeń.

Zygmunta tak zaskoczyło wrogie przyjęcie, że nie słyszał ani słowa ze świetnego wykładu doktora Latschenberga, chemika i fizjologa, który mówił o stanie żółci i płynów wewnątrzustrojowych w przebiegu ciężkich chorób u zwierząt. Kiedy już opanował się i wstał, sala była pusta. Przed drzwiami auli czekało kilku jego młodszych współpracowników. Półgłosem chwalili jego wykład. Breuer zniknął z Meynertem, Fleischl z Brückem.

Doktor Freud wracał do domu w zimny październikowy wieczór. Każdy krok zdawał się sprawiać mu ból. Meynert ośmieszył swego sekundariusza przed wiedeńskim światem lekarskim.

W domu powitała go Marta. Wystarczyło jedno spojrzenie na małżonka, by twarz jej się zachmurzyła.

– Co się stało?

Rozwiązał krawat, rozpiął kołnierzyk.

– Wypadło fatalnie. – Kiedy już siedzieli w niszy salonu i Zygmunt popijał czekoladę, dodał: – Nie sądzę, żebym był szczególnie przewrażliwiony, ale czułem się jak sztubak, który się źle zachował i został wyrzucony z klasy.

Zaczął chodzić niespokojnie po pokoju. Nigdy dotąd Marta nie widziała go w stanie takiego zdenerwowania. Zatrzymał się wreszcie i stanął przy niej.

– Młodsi członkowie Towarzystwa zawsze mówili, że starsi chcą, żebyśmy byli tylko słuchaczami. Oni nigdy nie chcą słuchać. Już nieraz widziałem, jak brutalnie Bamberger i Meynert rozprawiali się z młodymi naukowcami. Ale nigdy dotąd nie zdarzyło mi się słyszeć, by swoje obiekcje wyrażali w tak nienaukowym języku. Prawdopodobnie powinienem był zacząć od tego, że wiedeński wydział medyczny nie ma się czego uczyć od wydziału paryskiego. Sugerując, że w Paryżu posługują się bardziej nowoczesnymi metodami neurologicznymi, okazałem się niewdzięcznikiem. Gorzej, apostatą! Propozycja Meynerta nie była żartem, lecz zwyczajną drwiną.

– Ale Meynert jest ci szczerze oddany...

– Zderzyliśmy się. W ciemnym tunelu. Dwa pociągi. Zderzenie czołowe. Wyszedłem z katastrofy z „przetrąconym kręgosłupem". – Objął ją czule i dodał: – Oto niespodziewane korzyści, jakie daje małżeństwo. Współczujące ramię, na którym mogę się oprzeć i dowodzić, że to ja mam rację, a cały świat jest w błędzie.

Następnego dnia siedział wieczorem z Breuerem i Fleischlem w kawiarni Landtmanna. W jej tchnących spokojem salach i lożach, przy stolikach z brązowymi marmurowymi blatami, spotykano się po dniu pracy, by porozmawiać albo poczytać gazety z całego świata. I tu właśnie dowiedział się, że miał rację i zarazem jej nie miał. Breuer i Fleischl zganili niegrzeczne zachowanie Bambergera i Meynerta, ale potem powiedzieli swemu pupilowi, jakie popełnił błędy.

– Zygmuncie – mówił Józef – powinieneś był referować badania Charcota, nie reklamując jego teorii o hipnozie. Przecież jego *grande hystérie* to podejrzana sprawa. Od kiedy nasz kolega Antoni Mesmer wywołał skandal w Wiedniu swym „magnetyzmem zwierzęcym", hipnoza jest najobraźliwszym słowem w austriackim leksykonie medycznym.

Fleischl potakiwał. Przykro im było, że muszą karcić przyjaciela, ale zdawali sobie sprawę, że wplątał się w poważną aferę, że nie był to zwykły i szybko przemijający przypadek zawiści lub złych manier. Breuer ciągnął:

– Mogłeś też sobie oszczędzić materiału o „przetrąconym kręgosłupie". To jest sprawa marginesowa i nie dotyczy twojej głównej tezy, że nie ma różnicy między histerią męską i kobiecą. Nas uczono, że wszystkie przypadki paraliżu są wynikiem konkretnych uszkodzeń fizycznych centralnego systemu nerwowego. Utrzymując, że te zakłócenia funkcjonowania mięśni i zaburzenia czucia mogą być następstwem neurastenii, odbierasz chleb starszym lekarzom.

– A co miałem powiedzieć? Widziałem, jak histerycy wracali w jednej chwili do zdrowia po miesiącach pozornego paraliżu. Przecież wiecie, że rację ma Charcot, a nie Meynert!

Fleischl skinął na kelnera. Zamówił herbatę z rumem i kanapki z szynką, po czym wrócił do przerwanej rozmowy:

– W Wiedniu nie trzeba bronić Charcota, ale ciebie. Meynert poczuł się dotknięty. Ugłaskaj go. Przecież ty nadal uważasz go za największego anatoma mózgu na świecie. Więc mu to powiedz. Powtarzaj codziennie, każdego dnia w miesiącu.

– I zapomnieć o tym, że rzucił mi wyzwanie?

– Nie! – Józef wtrącił się stanowczo. – Musisz zademonstrować jakiś przypadek. Ale nie bądź agresywny; nie próbuj dowodzić, że to właśnie ty masz rację, Meynert zaś jest w błędzie. Musisz żyć w zgodzie z Meynertem, bo może ci wyrządzić ogromną krzywdę.

Czwarty Oddział Chorób Nerwowych prymariusza Scholza był najwłaściwszym miejscem do szukania odpowiedniego przypadku choroby. Scholz jednak już kilka razy zirytował się na swego młodego sekundariusza, gdy ten sugerował, że ważniejszą rzeczą jest dostarczenie pacjentom właściwego lekarstwa niż dbałość o to, by zachowana była przepisowa odległość między łóżkami. Teraz odmówił swej zgody na to, by Zygmunt badał chorych lub wykorzystywał ich do swoich doświadczeń. Lotem błyskawicy obiegła cały Allgemeines Krankenhaus wiadomość, że doktor Zygmunt Freud to persona non grata we wszystkich dziewięciu pawilonach.

Wyjątkiem okazał się profesor Meynert. Z życzliwym uśmiechem wysłuchał przeprosin jąkającego się Zygmunta.

– Ależ oczywiście, panie kolego, może pan sobie wyszukać w męskich salach chorego, na którym będzie pan mógł przeprowadzać swe doświadczenia. Przecież pan wie, że ja nigdy nie stanąłbym na drodze badaniom medycznym.

Zygmunt udał się do sal, w których przed trzema laty terminował jako psychiatra. W pierwszym łóżku leżał karczmarz z częściowo sparaliżowanym ramieniem. Na karcie choroby wypisane było, że „cierpiał na zaburzenia umysłowe". Od śmierci żony wpadł w melancholię. W obecności doktora Freuda chory miał napad padaczkowy. Po ataku wznosił antypaństwowe okrzyki. Stał się agresywny, biegał po sali i bił pacjentów. Trzeba mu było założyć kaftan bezpieczeństwa. Zygmunt nie miał tu czego szukać; ten biedak miał co najmniej tuzin różnych chorób.

Następnego ranka przyjrzał się innemu choremu, kelnerowi cierpiącemu na zakłócenia mowy i niedowład twarzy. Karta choroby głosiła: „Obłęd połączony z paraliżem". Pacjent przyjął z zadowoleniem zainteresowanie lekarza i wyznał, że Bóg mu się objawia co najmniej sto razy dziennie...

– Ale dlaczego trzymają mnie na posterunku policji? – pytał. – Policjanci znęcają się nade mną, biją mnie, mam całkiem posiniaczone krocze...

Doktor Freud kazał mu wstać z łóżka. Okazało się, że pacjent, chodząc, zatacza się, drżą mu ręce i język ma rozdygotany. Mogły to być objawy histerii, ale Zygmunt doszedł do wniosku, że przy tak rozwiniętej manii wielkości i tak poważnych zaburzeniach umysłowych nie potrafi właściwie tego udowodnić. W następnym łóżku leżał trzydziestoletni woźnica powożący jednokonką. Cierpiał na majaczenia alkoholowe i maniakalne pobudzenie. Były to ponad wszelką wątpliwość skutki alkoholizmu. Dorożkarze wiedeńscy pili od wczesnego ranka dla rozgrzewki.

Na drugiej sali znalazł autentyczny przypadek zmian pourazowych. Dekarz, który przed piętnastu laty spadł z dachu, teraz cierpiał na delirium tremens. Przywieziono go do szpitala, gdy pobił córkę, usiłującą go wyciągnąć z winiarni. Po pierwszym wypadku zaczął pić regularnie i odtąd ciągle odnosił jakieś obrażenia. Czy chory pił i był częściowo sparaliżowany dlatego, że spadł z dachu, czy też spadł z dachu dlatego, że pił? Jeżeli alkohol zaburzający funkcje organizmu występuje jako czynnik stały, wówczas trudno dojść, co jest pierwotną przyczyną obserwowanych zmian, alkohol czy uraz.

Beznadziejna sprawa, pomyślał Zygmunt, wracając do domu.

O jedenastej zaczynał przyjmować. W przedpokoju czekało już kilku pacjentów, których Maria uroczyście wpuściła i poprosiła, by zechcieli spocząć. Pod koniec października, z nastaniem deszczów i chłodów, praktyka kwitła. Wrócili bezpłatni pacjenci; pozbył się tylko swatów, bo już nie mieli czego tu szukać. Breuer, Nothnagel i Obersteiner przysyłali mu chorych, dla których już nie mieli czasu. Profesor Brücke, dowiedziawszy się o nauczce udzielonej przez Meynerta ich wspólnemu pupilkowi, słowem nie wspomniał o referacie, natomiast dyskretnie dał wyraz temu, co myśli o takim postępowaniu, kierując do Zygmunta niemieckiego patologa, przebywającego chwilowo w Wiedniu i potrzebującego porady neurologa. W miarę jak postępowała jego praca w Instytucie Kassowitza, zarówno koledzy z kliniki, jak i lekarze domowi, którym przytrafiały się przypadki neurologiczne, wzywali go do chorych. Niekiedy nic nie mógł pomóc; tak było na przykład z dwojgiem niemowląt – jedno miało w tyle czaszki wystającą masę w kształcie małego ogonka, drugie zaś cierpiało na wodogłowie. Głowa z dnia na dzień się powiększała na skutek nadmiaru płynu gromadzącego się w obrębie komór mózgu. Przez kilka tygodni utrzymywał dziecko przy życiu, w końcu jednak zmarło na zapalenie płuc.

– Zabrałem się do pracy w tej dziedzinie – wyznał Marcie – chociaż wiedziałem, że w neurologii dziecięcej większość chorób jest nieuleczalna.

– Ale dlaczego tę właśnie dziedzinę wybrałeś? Przecież to jest przygnębiające!

– Z tego samego powodu co inni neurologowie: by prowadzić badania naukowe, studiować patologię, opisywać, klasyfikować, odróżniać... Najpierw musimy wiedzieć, a potem dopiero będziemy mogli żmudnie szukać sposobów leczenia. Za sto lat, może już za pięćdziesiąt, lekarze będą potrafili uratować takie dzieci.

A przecież czasami udawało mu się pomóc dzieciom powierzonym jego opiece, a nawet je uratować. Choćby ten siedemnastoletni chłopiec, który nagle dostawał dużego napadu padaczkowego, piana występowała mu na usta, przygryzał język do krwi. Wypytując pilnie, Zygmunt dowiedział się, że w ósmym roku życia mały pacjent został ugodzony kamieniem i doznał pęknięcia czaszki z wgnieceniem. Rana zagoiła się w ciągu miesiąca, infekcja przeszła, ale na prawej stronie mózgu pozostała blizna drażniąca okoliczną tkankę nerwową; powstałe w ten sposób impulsy bioelektryczne wywoływały napady. Doktor Freud nie mógł usunąć tkanki bliznowatej i zapobiec atakom, ale zalecił przestrzeganie ścisłych zasad postępowania z chorym. Przyprowadzono mu pacjenta z karłowatością przysadkową, inteligentnego i dobrze zbudowanego chłopca, tyle tylko że cały był w skali miniaturowej. Zaniepokojonym rodzicom zapisał sole bromu, chłopcu zalecił ścisłą dietę, a wśród znajomych lekarzy zaczął się rozpytywać o jakiś środek chemiczny, którym można by pobudzić działanie przysadki mózgowej.

Teraz mógł już zwrócić Minnie dług, odebrać z lombardu swój złoty zegarek i znowu stać go było na wrzucanie Amelii złotego guldena do dzbanka na kawę.

2

Zaiste, był gościem we własnym domu. Marta żądała jedynie, by przerywał pracę i zajmował miejsce przy stole na sekundę przynajmniej przed pojawieniem się Marii z wazą pełną gorącej zupy. Nie był wcale zaskoczony tym, że Marta okazała się systematyczną i utalentowaną panią domu, ale dopiero z czasem zorientował się, że żona traktuje obowiązki domowe z taką samą powagą, jak on obowiązki lekarskie. Nie znaczy to wcale, że była pedantką krążącą za nim po mieszkaniu z miotełką i śmietniczką, żeby zmiatać przypadkowo strącony na podłogę popiół z cygara.

Kilka razy w tygodniu, gdy dopisywała pogoda, Marta budziła go wcześnie. W piątkowe poranki szli razem do Przystani Franciszka Józefa nad kanałem, gdzie przybijały łodzie ze świeżymi rybami. Marta lubiła przychodzić tu wcześnie, gdy wybór był jeszcze duży. Z karpiem lub ze szczupakiem w koszyku udawali się potem wzdłuż brzegu Dunaju na Schanzelmarkt – targowisko, na które okoliczni chłopi przywozili owoce. W sobotnie poranki wybierali się na piętnastominutowy spacer z Ringu przez Wipplinger Strasse na Hoher Markt, a potem na Tuchlauben i Wildbretmarkt, gdzie co tydzień sprzedawano drób. Na placu roiło się od gdaczących kur, kaczek, gęsi, indyków, bażantów. Wieśniaczki w czepcach, spódnicach po kostki i olbrzymich fartuchach głośno zachwalały swój towar, obok zaś ich mężowie na miejscu oporządzali wybrany drób. O siódmej państwo Freudowie byli już w domu, gdzie czekała na nich Maria ze śniadaniem.

Punkt kulminacyjny porannych zakupów stanowiły środowe wyprawy na Naschmarkt. Wyruszali z domu o piątej rano, kiedy na wschodzie świt jeszcze szarzał, żeby jak najwcześniej przybyć na to najbarwniejsze miejsce w Wiedniu. Stały tu setki kramów z najwspanialszymi i najbardziej wyszukanymi produktami. Nie darmo mówiono, że między kramami są „ulice łakomczuchów". Egzotyczne zapachy, przedziwne smaki rozpalały wyobraźnię i kusiły zmysły. Nie można powiedzieć, by wiedeńczycy bardziej kochali swój Naschmarkt od opery czy sali koncertowej, ale było coś takiego w tej szaleńczej symfonii zapachów, kolorów i form, co dawało im poczucie podróży kulinarnej dookoła świata. Naschmarkt fascynował Zygmunta.

– Wiedeńczycy – mówił do Marty – zawsze będą pogodni i beztroscy, ponieważ tak bardzo kochają jedzenie. Przywykli do pięciu posiłków dziennie i zawsze jeszcze znajdą okazję, by między nimi coś przegryźć. Oto, moja pani, największa tajemnica życia: należy dbać o stały przepływ soków trawiennych.

Najpierw mijało się dwa długie stojące naprzeciw siebie rzędy stoisk z kwiatami, na których zgromadzono rośliny mieniące się jesiennymi kolorami. Dalej ciągnęły się kramy z owocami; pomarańcze, brzoskwinie, winogrona z Albanii, Francji, Bułgarii i Rumunii, złociste melony z Hiszpanii, banany z Ekwadoru, orzechy i rodzynki z Czech i Słowacji. Przystawali przy kramach, w których handlowano tylko jajami, i przy innych, oferujących Linzer Torte, okrągłe placki z marmoladą, strudle z orzechami, pierniki, oryginalne chleby tyrolskie z popękaną na wierzchu skórką, posypywane mąką.

Na rozgrzewkę zjadali szybko jakieś gorące danie, po czym docierali do gór kalafiorów, kapusty, ogórków, beczek kiszonej kapusty, świeżej papryki, białego pieprzu, sałatek jarzynowych i śledziowych. Dalej stały kramy z warzywami – bakłażanami, pomidorami, włoską kapustą. Za nimi ciągnęły się stoiska z wędlinami wieprzowymi i wołowymi, pasztetami i kaszankami z Krakowa, salami z Węgier. W kramach rzeźnickich było w czym przebierać: specjalne mięso na gulasz, cielęcina, wołowina, golonki, nerki, mózgi, ogony wołowe. Kram bawarski ozdobiony rogami oferował dziczyznę. Były też kramy z kandyzowanymi owocami i biszkoptami, z mieloną papryką i ostrymi przyprawami, z ryżem, różnymi gatunkami fasoli i grochem; beczki pikli, pęczki włoszczyzny, cytryny z Włoch, cebula z Hiszpanii, jagody leśne ze Szwecji, sery owcze z Bułgarii i oddzielne stoiska z grzybami.

Wracając do domu z koszem pełnym specjałów na cały tydzień, Zygmunt żartował:

– Każdy z krajów reprezentowany w naszym koszyku jest albo był kiedyś pod rządami Habsburgów.

– Można by więc powiedzieć – odpowiedziała Marta – że słońce nigdy nie zachodzi nad habsburską żywnością.

Pewnego dnia otrzymał liścik od docenta doktora von Beregszászy, laryngologa, który był na jego nieudanym odczycie w Towarzystwie Medycznym. Zapytywał on, czy pan doktor Freud nie spotkałby się z nim w „Cafe Central", ulubionym lokalu wiedeńskich intelektualistów, pisarzy, dramaturgów, poetów i dziennikarzy, młodych, zapowiadających się dobrze lekarzy i adwokatów. Sprawa była ważna. W kawiarni panował tłok, gdyż z nastaniem chłodów zlikwidowano taras. Von Beregszászy już czekał; wybrał stolik stojący najdalej od hałaśliwych bilardów i rozgadanych grupek stałych bywalców.

Doktor Julius von Beregszászy był o dziewięć lat starszym od Zygmunta Węgrem, katolikiem, który studiował w Budapeszcie i Wiedniu.

– Mam pacjenta, jakiego pan szuka – powiedział. – Inteligentny grawer, lat dwadzieścia dziewięć, ofiara połowicznego znieczulenia mózgu: utracił wrażliwość skóry po lewej stronie ciała. Leczę go od trzech lat. Sprawa była dla mnie zagadkowa, póki nie usłyszałem pańskiego referatu. August wydaje mi się klasycznym przypadkiem histerii pourazowej, chyba że pan odkryje jakieś schorzenie fizyczne, które uszło mojej uwagi. Jeśli to pana interesuje, dodam kilka szczegółów.

Zygmunt poczuł, że pulsują mu skronie. Starał się opanować ogarniające go napięcie. Oto okazja powrotu do Allgemeines Krankenhaus.

– Proszę, niech pan mówi!

– Ojciec chorego był człowiekiem wybuchowym, nałogowym alkoholikiem, zmarł, mając czterdzieści osiem lat. Matka cierpiała na silne bóle głowy i zmarła na gruźlicę, mając lat czterdzieści sześć. Z pięciu braci Augusta dwóch zmarło w młodości, jeden na skutek kiłowego zakażenia mózgu. Jeden cierpi na konwulsje, jeszcze inny zdezerterował z wojska i przepadł bez śladu. W ósmym roku życia August wpadł na ulicy pod wóz i doznał uszkodzenia błony bębenkowej w prawym uchu. Po wypadku przez kilka miesięcy miewał drgawki. Przed trzema laty pokłócił się z bratem, który nie chciał zwrócić długu i zagroził mu nożem. Chociaż nie zranił Augusta, ten przeżył wstrząs i upadł bez przytomności na progu swego mieszkania. Przez kilka tygodni był osłabiony, miał silne migreny i czuł ucisk wewnątrzczaszkowy po lewej stronie. Powiedział mi, że zmieniło mu się czucie w lewej połowie ciała, że oczy się męczą, ale pracuje nadal. Potem jakaś kobieta oskarżyła go o kradzież. U Augusta pojawiły się gwałtowne palpitacje serca, uległ depresji, groził, że popełni samobójstwo... i wtedy właśnie po raz pierwszy dostał drżeń w lewym ramieniu i lewej nodze; przy chodzeniu towarzyszyły temu silne bóle w lewym kolanie i stopie. Przyszedł do mnie, bo, jak mówi, ma takie uczucie, jakby mu język „przygwożdżono" do gardła. August nigdy nie wykręcał się od pracy. Przez cały czas pracował w swoim grawerskim zawodzie. Nie lubi chorować, co się zdarza u niektórych pacjentów. Rozpaczliwie chce powrócić do zdrowia. Przysłać go do pana?

– Ależ oczywiście. I wie pan – Zygmunt uścisnął dłoń swego starszego kolegi – chcę panu szczerze podziękować za okazane mi zaufanie.

Następnego dnia August zjawił się w gabinecie Zygmunta, który zadał mu kilka szczegółowych pytań i zbadał go dokładnie. Nie znalazł śladu zaniku czy zwyrodnienia mięśni i poza lekkim kołataniem serca żadnych fizycznych objawów chorobowych nie zauważył. Zanotował jednak, że w obu oczach stwierdził „szczególną podwójność widzenia występującą u pacjentów cierpiących na histerię i daltonizm", a także że August stracił czucie po lewej stronie ciała. Słyszał natomiast na lewe ucho. Czyżby zachował słuch w lewym uchu tylko dlatego, że inaczej ogłuchłby całkowicie?

Zygmunt poprosił doktora Königsteina, by zbadał chorego. Oczy wciąż jeszcze stanowiły najlepszy dostęp do mózgu. Königstein stwierdził, że August pod względem fizycznym jest całkowicie normalny. Z kolei Zygmunt ustalił ściśle obszary znieczulenia, które objęło lewe ramię, lewą stronę ciała i lewą nogę. Mógł tam wbić igłę, nie wywołując żadnej reakcji ani bólu.

A przecież pewne aspekty zachowania pacjenta przekonały go, że zaburzenia czucia niczego nie wytłumaczą; że zakłócenia ruchowe w ramieniu i nodze wywołane są w znacznym stopniu warunkami zewnętrznymi. Kiedy wybrali się na spacer wzdłuż Dunaju i Zygmunt kazał Augustowi uważać przy chodzeniu, pacjent z wielką trudnością stawiał lewą nogę. Ale kiedy szli po Ringu i Zygmunt opisywał mu wspaniałości neobarokowej architektury, August stawiał lewą nogę z taką samą pewnością jak prawą.

Podczas czwartej wizyty Zygmunt opowiedział pacjentowi jakąś anegdotę i gdy ten roześmiał się, kazał mu się rozebrać. August spełnił polecenie, posługując się równie swobodnie zarówno prawą, jak i lewą ręką. Odwróciwszy jego uwagę, Zygmunt kazał mu zatkać sobie lewe nozdrze palcami lewej ręki. August automatycznie wykonał polecenie. Kiedy jednak Zygmunt stawał przed nim z miną zatroskanego lekarza i kazał mu wykonywać ruchy lewym ramieniem, uważając przy tym starannie na to, co robi, pacjent był całkowicie bezradny. Nie mógł unieść ramienia, palce ogarniały drżenia, a lewa noga silnie się trzęsła.

Kolejne zebranie Towarzystwa Medycznego wyznaczone było na wieczór dwudziestego szóstego listopada 1886 roku. Nieliczni z przybyłych interesowali się doktorem Freudem i jego pacjentem. Ale Zygmunt był pewny, że uda mu się przekonać kolegów. Podziękował doktorowi von Beregszászy, poprosił Königsteina o zreferowanie wyników badań oftalmologicznych, które były negatywne, po czym przedstawił wyniki swych miesięcznych badań, demonstrując obecnym całą serię doświadczeń z Augustem.

Na zakończenie oświadczył: „Połowicze znieczulenie naszego pacjenta ma wyraźne cechy chwiejności... Rozległość stref bolesnych na ciele i zakłócenia zmysłu wzroku oscylują w swym nasileniu. Nadzieję na przywrócenie normalnej wrażliwości pacjenta opieram właśnie na tej niestabilnej wrażliwości".

Pokwitowano jego słowa grzecznymi oklaskami. Nikt nie stawiał pytań, nie zgłoszono żadnych uwag, zebranie się skończyło. Zygmunt poczuł się zawiedziony. Von Beregszászy gratulował mu jasności wykładu. Kilku przyjaciół podeszło, by uścisnąć mu dłoń – Kassowitz, Lustgarten, Paneth. Zygmunt zdawał sobie sprawę, że nie udało mu się w pełni udowodnić przypadku męskiej histerii, ale uważał, że jego demonstracja wykazała histeryczne pochodzenie wielu rodzajów zaburzeń czucia i czynności ruchowych. Zachowanie starszych lekarzy świadczyło jednak niedwuznacznie o tym, że nie przywiązują oni wagi do jego doświadczeń.

Profesor Meynert nie wspomniał o nich ani słowem; zachowywał się tak, jakby o wszystkim zapomniał. Niemniej pewne ochłodzenie w stosunku do Zygmunta zdawało się świadczyć, iż jego zdaniem cały eksperyment był bez sensu.

Zygmunt jednak uparł się jeszcze bardziej. Przepisał Augustowi pół godziny intensywnego masażu dziennie i zabiegi za pomocą aparatu do faradyzacji; powtarzał mu, że stopniowo znieczulenie mija, skóra odzyskuje czucie, a drżenia ręki przechodzą.

Rezultaty następowały powoli, ale były wyraźne i trwałe. Po trzech tygodniach August mógł już normalnie pracować w swym warsztacie grawerskim, chociaż nigdy nie odzyskał w pełni czucia w lewej połowie ciała.

Zygmunta kusiło, by wygłosić trzeci referat w Towarzystwie, ale doszedł do wniosku, że się to na nic nie zda. Staruszkowie nie uwierzą w wyleczenie Augusta, tak jak nie dopuszczali nawet myśli, że objawy jego choroby miały tło histeryczne.

3

Praktyka prywatna rozrastała się stopniowo, ktoś kogoś skierował, jakiś pacjent polecił drugiego. Marta dbała o to, by mąż zawsze jadał obiady, gdyż często mu się zdarzało zapominać o nich za czasów kawalerskich. Przyjmował do pierwszej, zjadał obiad, po czym o drugiej był już z powrotem w swoim gabinecie. W Instytucie Chorób Dziecięcych przekazywano mu coraz więcej przypadków neurologicznych. Analizował objawy chorobowe, sporządzał obszerne notatki i próbował wprowadzić jakiś ład, dzieląc choroby nerwowe na trzynaście różnych kategorii. Marcie powiedział:

– Dziś nie udało mi się uratować chorego na wodowstręt. Lekarz domowy nie rozpoznał choroby, póki u dziecka nie pojawiła się piana na ustach. Ale utrzymam przy życiu inne dziecko, które niedawno przyprowadzono, z porażeniem mózgowym. Być może przywrócę mu władzę w kończynach, a może nawet będzie mogło zająć się jakąś pracą zawodową, niewymagającą większego wysiłku.

Kiedy doktor Freud poczuł, że atmosfera w Allgemeines Krankenhaus się poprawia, zdobył się na śmiały krok. Jednym z przywilejów, który dawała mu docentura, było prawo prowadzenia wykładów na wydziale medycznym uniwersytetu. Potrzebna jednak była zgoda Meynerta. Profesor Meynert chorował. W uniwersyteckim i lekarskim światku mówiono, że pociąg do alkoholu wpłynął na pogorszenie się stanu serca, na które chronicznie chorował. Zygmunt nie przywiązywał większej wagi do tych plotek. Jednym z ubocznych produktów kawiarnianej cywilizacji, zmuszającej ludzi do spędzania niekończących się godzin nad filiżanką gęstej słodkiej kawy po turecku, było wymyślanie pogłosek, gdy brakło prawdziwych wiadomości. Zaryzykował. Kupił pudełko cygar hawańskich, za którymi Meynert przepadał, i złożył mu wizytę.

– Panie radco, martwię się, że zastaję pana chorego. Ale wiedziałem, że nie jest to choroba dróg oddechowych, i dlatego pozwoliłem sobie przynieść pańskie ulubione cygara.

Meynert był wyraźnie wzruszony. Unosił się łatwo, był zazdrosny o swą pozycję. Wiedział, że Charcot prawie całą swą wiedzę o anatomii mózgu zawdzięczał właśnie jemu. Zygmunt Freud był jednym z jego najzdolniejszych uczniów i asystentów; pokładał w nim szczególne nadzieje. Poczuł się dotknięty, kiedy usłyszał, jak jego pupil chwali innego mistrza.

– Panie kolego, dziękuję za pamięć. Ale to będzie poważna wyrwa w budżecie pańskiej małżonki.

Zygmunt zarumienił się po uszy.

– Panie radco, przypomina pan sobie, że zeszłej wiosny, kiedy wróciłem z Paryża, zaproponował mi pan przejęcie pańskich wykładów z anatomii mózgu?

– Oczywiście, że pamiętam. Pan najlepiej się do tego nadawał... gdybym był tylko nie wysyłał pana do tego Paryża, gdzie nie miał pan nic lepszego do roboty jak uganiać się za mrzonkami.

– Panie radco, ani słowa o histerii czy o hipnozie – zawołał Zygmunt i uśmiechając się łobuzersko, dodał – ani nawet o „przetrąconym kręgosłupie"! Wyłącznie solidna anatomia mózgu, tak jak mnie uczył jej profesor Meynert.

Meynert otworzył pudło cygar, powoli wybrał jedno, przez chwilę delikatnie ugniatał je palcami, obciął koniec i zapalił. Na jego twarzy pojawił się błogi uśmiech.

– Dobre cygaro, panie kolego. Niech pan tylko postara się, by pańskie wykłady były równie łagodne. A opłaty proszę pobierać samemu i nie zostawiać tego kwestorowi.

Dość niezwykłe polecenie! Z reguły opłaty zbierał kwestor i wręczał je później wykładowcy. Czyżby Meynert chciał w ten sposób utrzeć mu nosa? Jeśli nawet, cena nie była duża. Zygmunt zgodził się, pośpiesznie podziękował panu radcy i wyszedł w doskonałym nastroju.

Oficjalne zawiadomienie o wykładach uniwersyteckich brzmiało:

„Wprowadzenie do anatomii rdzenia kręgowego i rdzenia przedłużonego. Dwa razy tygodniowo. Wykładowca: prywatny docent pan dr Zygmunt Freud. W audytorium Pana Radcy Dworu Profesora Meynerta".

Pod koniec października, kiedy dnie stawały się już krótsze, w pewne środowe popołudnie Zygmunt wszedł do audytorium, by wygłosić swój pierwszy wykład. Na sali zastał dość liczną grupę studentów medycyny, młodych asystentów i sekundariuszy z Allgemeines Krankenhaus, którzy chcieli poszerzyć swe wiadomości z dziedziny niezwykle wąskiej specjalności: systemu nerwowego. Stojąc przed słuchaczami, poczuł, że ogarnia go fala ciepła. To była jego organizacja, jego partia polityczna, jego religia, jego klub, jego świat. Innych nie miał i mieć nie chciał. Dawno już porzucił dziecinne rojenia o rycerskich ostrogach w stylu Aleksandra Wielkiego, marzenia o karierze ławnika w wiedeńskiej Radzie Miejskiej. Dużo wody upłynęło w Dunaju w ciągu tych dwóch lat, które go dzieliły od wykładów dla sześciu amerykańskich lekarzy. Był teraz docentem, wykładowcą uniwersyteckim, uczniem Charcota, szefem oddziału w klinice dziecięcej, szczęśliwym małżonkiem, lekarzem, w którego poczekalni czekało dość pacjentów, by zapewnić mu utrzymanie domu.

Widok, który zobaczył, przeglądając się w lustrze przed wyjściem z domu, utrwalił się w jego pamięci, i teraz stanął mu przed oczami: dobrze skrojony ciemny garnitur, uszyty na zamówienie, biała koszula i czarna muszka, które miał na sobie w salonie Charcota i podczas ślubu. Trzydziestoletni już mężczyzna, nieco tęższy, z krótko przyciętą bródką i wąsami, z włosami gładko uczesanymi i lekko przyprószonymi niedostrzegalną jeszcze siwizną, z oczami, których błysk zdradzał podniecenie i szczęście. Wiek męski dodawał mu uroku. Wiedział, że nigdy dotąd tak dobrze nie wyglądał. Profesor Brücke miał rację, kiedy przed czterema laty zmusił go do opuszczenia Instytutu. Gdyby został przy pracy naukowej, nie zdobyłby należytej wiedzy medycznej. Zamieniłby się w laboratoryjnego mola. A teraz udało mu się połączyć piękne z pożytecznym. Połowę życia poświęci praktyce prywatnej, która zabezpieczy mu materialną niezależność, drugą połowę nauczaniu, badaniom, odkryciom i publikacjom.

Przyznawał, że nazbyt często bywał niecierpliwy; za bardzo się śpieszył do pozycji i sławy. Gorączka ustąpiła, znalazł się z powrotem w środowisku, gdzie zawsze czuł się dobrze: miał przed sobą audytorium, grono ludzi, którzy zebrali się, by myśleć, uczyć się, dyskutować, pchnąć naprzód wspaniałą naukę medycyny. To prawda, że znowu zaczynał od najniższego szczebla drabiny, ale nie martwiła go perspektywa długich lat wspinania się do stanowiska ordynariusza, profesora zwyczajnego, szefa jednego z dziewięciu pawilonów Allgemeines Krankenhaus. Stawiał sobie za wzór takich profesorów jak Ernest Brücke, Teodor Meynert, Herman Nothnagel i cały poczet wielkich ludzi, dzięki którym wydział medyczny Uniwersytetu Wiedeńskiego stał się gwiazdą przewodnią medycyny światowej: Skoda, Gall, Hildenbrand, Prochaska, Hebra, Rokitansky, Semmelweis, Kaposi; pionierzy i twórcy nowoczesnej medycyny.

Słuchacze stali, czekając na jego znak. Uśmiechnął się zmieszany i skinął lewą ręką. Panowie usiedli. Otworzył notatnik, rzucił okiem na plan wykładu, który sobie nakreślił, i zaczął mówić głosem cichym, spokojnym. Od pierwszych słów on sam i jego słuchacze zapomnieli o całym świecie, pochłonięci skomplikowanymi i wspaniałymi problemami anatomii rdzenia kręgowego.

Lizę Pufendorf odwiedzał codziennie, idąc do Instytutu Kassowitza albo do jakiegoś prywatnego pacjenta. Przyjmowała go w salonie, mnąc chusteczkę w spoconych dłoniach. Jeśli przypadkiem nie mógł zdążyć na umówioną godzinę, zastawał ją w łóżku. Zapisywał jej środki uspokajające, ale w umiarkowanych dozach. Miał nadzieję, że uda mu się zastąpić narkotyki rozmowami. Odnajdywała go wszędzie. „Pan doktor proszony jest o natychmiastowe przybycie, pani Pufendorf czuje się znacznie gorzej!" Starał się przychodzić na każde jej wezwanie. Pewne nadzieje wiązał z tym, że pacjentka nadal bardzo sprawnie zajmowała się domem. Namawiał ją, by prowadziła życie towarzyskie, zapraszała codziennie na kawę jakąś przyjaciółkę. Pod koniec miesiąca, kiedy się zorientował, że wizyt domowych nazbierało się ponad pięćdziesiąt i że będzie musiał wystawić słony rachunek, miał lekkie wyrzuty sumienia, ale pan Pufendorf bez słowa uregulował honorarium.

Opiekował się panią Pufendorf przez całą zimę, a przepowiednie doktora Chrobaka się nie spełniały. Rodzina pacjentki nie miała jednak do niego pretensji. Pogodzili się z tym, że Liza jest osobą bardzo nerwową i już się nie zmieni. Zygmuntowi zdawało się, że kilka razy dostrzegł błysk w oku któregoś z wujów czy kuzynów, zdający się świadczyć o tym, że wiedzą, na czym polega smutny defekt pana Pufendorfa. Powoli i z pewnymi oporami dochodził do wniosku, że druga połowa wniosków doktora Chrobaka jest słuszna. Pani Lizie rzeczywiście brakowało tego, o czym Chrobak mówił. Rodzina utrzymywała, że pani Liza była przed zawarciem małżeństwa, a nawet jeszcze rok czy dwa po ślubie kobietą zdrową i pogodnego usposobienia. Dopiero potem zachorowała na nerwy. Nie ulegało więc wątpliwości, że źródeł choroby nie należy szukać w przeszłości, lecz że są one nieuchronnym następstwem istniejącego stanu rzeczy. Gdyby Liza na wzór wielu lekkomyślnych wiedeńskich pań zdobyła się na flirty z nieznajomymi mężczyznami w kawiarniach i na kilka skrzętnie ukrywanych miłostek, wszystko zapewne byłoby w porządku. Ale nie leżało to w naturze pani Lizy. Jedynym ratunkiem mogło być wyleczenie męża. Zygmunt zastanawiał się, czy nie spróbować hipnozy, w końcu jednak doszedł do wniosku, że nie powinien ryzykować.

Sumienie nie dawało mu spokoju. Pufendorfów stać było na honoraria, a Freudowie bardzo potrzebowali pieniędzy, ale po setnej wizycie Zygmunt musiał zadać sobie pytanie, czy jego opieka rzeczywiście przynosi jakąś ulgę chorej. Lekarz nie powinien poddawać się emocjom, ale ta pacjentka doprowadzała go do frustracji, nie mówiąc już o tym, że nudziło go nieustanne powtarzanie tych samych formułek. Udał się więc do profesora Chrobaka.

– Panie doktorze, uważam, że powinienem zrezygnować z dalszego leczenia tego przypadku.

Chrobak pochylił się w fotelu do przodu i odpowiedział niezwykłym u niego surowym tonem:

– Pierwszym zadaniem lekarza jest ratowanie życia. Pani Liza nie może pozostać bez stałej opieki lekarskiej. Jeśli nawet jej stan nie poprawił się od chwili, kiedy pana do niej skierowałem, to i nie pogorszył się. Udaje się panu opanować histerię. A to jest równie ważne jak opanowanie infekcji.

Zygmunt wiercił się na krześle, próbował rozluźnić sztywny kołnierzyk uwierający go w nagrzanym gabinecie profesora.

– Ale mnie krępuje świadomość, że jedyne, co mogę dla niej zrobić, to raczyć ją uspokajającymi słowami.

– Młody przyjacielu, tyle razy mówił mi pan, że nerwice i histeria mogą być równie zabójcze jak zakażenie krwi. – Profesor wstał i podszedł do Zygmunta. – Jeśli pan zrezygnuje, ona znajdzie sobie innego lekarza, a potem jeszcze innego i wreszcie, kiedy lista lekarzy się wyczerpie, ta nieszczęsna istota skończy w kaftanie bezpieczeństwa.

Pewnego marcowego popołudnia, kiedy wrócił z Instytutu Kassowitza, w drzwiach spotkał Martę, która wróciła chwilę przed nim. Od progu powitała go sensacyjnymi wiadomościami, po których zapomniał o wszystkich utrapieniach.

– Nie zgadniesz, skąd wracam. Odwiedziłam moją dawną przyjaciółkę, Bertę Pappenheim. Spotkałyśmy się u piekarza i zaprosiła mnie do siebie na kawę.

Zygmunt zaczerpnął głęboko oddech. Józef Breuer informował go na bieżąco o postępach „słownego leczenia" tej pannicy. Po ataku, który zmusił Breuera do zrezygnowania z opieki nad nią, dwukrotnie miała nawrót choroby. Przebywała w sanatorium w Gross Enzersdorf, ale uciekła stamtąd, bo zakochał się w niej młody lekarz. Breuer obawiał się o jej życie.

Ale to było przed pięcioma laty. Gdy wreszcie zdjął mokre palto i włożył domowe pantofle, Marta opowiedziała mu resztę.

– W dzień Berta czuje się dobrze, bywa na mieście, widuje przyjaciół, chodzi na koncerty. Dużo czyta, studiuje i całkiem na serio, jak mi powiedziała, zajmuje się ruchem „emancypacji kobiet". Postanowiła wrócić z matką do Frankfurtu, gdzie będzie pracować w organizacji kobiecej. Twierdzi, że nigdy nie wyjdzie za mąż, całe życie chce poświęcić działalności organizacyjnej. Uważa, że tylko to ją uratuje.

– Ale od czego?

– Od mroku. Wyglądała dziś tak ślicznie! Wszystkie objawy choroby zniknęły. Ale w nocy czuje, że ogarnia ją ciemność. We Frankfurcie zacznie pracować w nocy i będzie wracać do domu, kiedy już się poczuje całkowicie wyczerpana. Obiecała, że opowie mi więcej o emancypacji kobiet.

– Tylko nie daj sobie zawrócić w głowie. Ja ciebie wolę taką, jaka jesteś teraz.

– Chwilowo... nic mi nie grozi. – Usiadła i oparła głowę na jego ramieniu. Po chwili, nie patrząc mu w oczy, powiedziała. – Złożyłam dziś wizytę twemu przyjacielowi, doktorowi Lottowi.

– Doktorowi Lottowi? Ależ on jest położnikiem...

– Oczywiście, kochanie, wiem. – Przytuliła się do jego policzka. – Mniej więcej w październiku zostaniesz ojcem... tak przynajmniej zapewnia doktor Lott. Wiedziałam, ale wolałam się upewnić i dopiero wtedy powiedzieć ci o tym.

Radość przeszyła go jak błyskawica. Ich miłość osiągnęła pełnię. Ujął delikatnie twarz żony w swoje dłonie, ucałował w oba policzki, musnął jej wargi.

– Co za szczęście! Dla ciebie. Dla mnie. Zawsze o tym marzyłem.

Objęła go mocno.

– Najmilsze słowa, jakie kobieta w ciąży może usłyszeć od męża.

4

Szybko mijały wiosenne tygodnie 1887 roku. Zygmunt zaznał pełni miłości, miał dom pełen rodzinnego ciepła i był szczęśliwy. Nawet pogodził się z Elim Bernaysem, uświadomiwszy sobie, że właściwie pokłócił się ze szwagrem bez powodu. Najlepszym lekarstwem na nerwowość i nieustanną niepewność okazało się małżeństwo i ustabilizowana pozycja w świecie lekarskim. Przestał miotać się w poszukiwaniu najkrótszej i najszybszej drogi do wielkiej kariery. Był w znakomitym stanie fizycznym i umysłowym: czuł przypływ energii i stanowczości. W latach narzeczeństwa przeżywał dotkliwie te wszystkie braki, na które cierpi każdy młodzieniec bez grosza przy duszy. Teraz już mowy nie było o przenosinach do Manchesteru, Nowego Jorku czy Australii. Dokonał rewizji swoich planów. Skoro nie udało mu się pokazać, co potrafi, do trzydziestego roku życia, osiągnie swój wielki cel w roku czterdziestym. A jeśli do tego czasu nie zdąży, przesunie termin do pięćdziesiątki. Co prawda zapewniał Martę, że porzucił marzenia o sławie, nadal jednak marzył o tym, by zapisać swe nazwisko złotymi głoskami, tyle tylko, że już wiedział, jak wielkiego to wymaga wysiłku.

Z nastaniem ciepłych dni spędzali niedziele i dni świąteczne w Lasku Wiedeńskim, urządzając sobie pikniki wśród wiosennych kwiatów; powietrze było rześkie jak młode wino, a piękne widoki z Góry Leopolda na szarobrunatne dachy Wiednia, zielone iglice kościołów wzbijające się nad morze dachówek i kominów, na wijącą się dolinę Dunaju ze srebrzącą się w słońcu rzeką, aż po ośnieżone szczyty górskie na alpejskim pograniczu z Włochami – wszystko to cieszyło oczy.

Martę rozpierała energia. Wspinała się na pobliskie pagórki, podawała śniadanie przyniesione w koszyku, otwierała z hukiem butelki lemoniady; zaróżowiona, z radosnymi błyskami w oczach, czuła się zjednoczona z otaczającą ją przyrodą i dzieckiem, które rosło w jej łonie. Wieczorami siadywała z książką w gabinecie Zygmunta, podczas gdy on pisał recenzje prac medycznych dla specjalistycznych czasopism. Przy śniadaniu opowiadał jej, o czym pisze „Neue Freie Presse".

– Cała strona tytułowa poświęcona jest kryzysowi gabinetowemu w Anglii. Ustąpił przecież lord Churchill. Na drugiej stronie piszą, że w Pradze powstał Klub Niemiecki; nasz rząd ma pewne zastrzeżenia co do intencji tej imprezy. A tu znowu artykuł o uchwalonej w zeszłym roku przez parlament ustawie o obowiązku chodzenia do szkoły do czternastego roku życia. Na prowincji rodzice są przeciwni temu, by dzieci tak długo pozostawały w szkole. W ogrodzie zoologicznym w Berlinie nosorożec zabił człowieka. Ktoś popełnił samobójstwo na cmentarzu i pozostawił list, że nie chce ludziom przysparzać kłopotów...

Największe sukcesy przynosiła doktorowi Freudowi aparatura elektryczna. Coraz więcej godzin poświęcał na aplikowanie swoim pacjentom tego rodzaju zabiegów. Honoraria nadal pobierał skromne, a ponieważ pacjenci czuli się lepiej po takiej kuracji, Zygmunt jako lekarz zdobywał coraz większe uznanie. Miał zawsze pod ręką klasyczny podręcznik elektroterapii doktora Wilhelma Erba, wiele razy studiował zasady stosowania prądu „galwanicznego" lub „faradycznego", osiągając stopniowo coraz większą wprawę w posługiwaniu się skomplikowanym aparatem, najlepszym narzędziem jego pracy jako neurologa. Nauczył się mierzyć „absolutną moc prądu", jak to określał Erb, posługiwać się reostatem, elektrodami, stosować prawo Ohma; elektroterapia skutecznie oddziaływała na nerwy skóry i mięśni, na mózg i rdzeń kręgowy, na hipochondrię i schorzenia organów płciowych.

Udało mu się odłożyć trochę pieniędzy w związku z oczekiwanym przyjściem na świat dziecka, mógł też dokładać do budżetu rodziców, żeby ojciec nie musiał się już martwić, gdy chwilowo bywał bez pracy. Wszystko się jakoś układało do czasu, gdy rozpoczęły się letnie upały i na niebie, jak w obrazach Tiepola, pojawiły się fantastyczne białe obłoki. Wiedeńczycy zaczęli teraz przesiadywać godzinami w kawiarnianych ogródkach, odseparowani donicami z kwiatami od przechodniów, czytając gazety i czasopisma, które podawano im wraz z kawą („Kawa jest strawą dla ciała, gazety dla umysłu"), zamawiając kolejne szklanki wody, które kelnerzy podawali uprzejmie z łyżeczkami, by podkreślić, że klient jest zawsze mile widziany, nawet jeśli nic więcej nie konsumuje. Mieszkańcy stolicy prowadzili swe dzieci i wnuki do parku miejskiego, by pobiegały sobie wśród kwiatów; dorośli słuchali wtedy orkiestry grającej po południu romantyczne walce albo opalali się w ogrodach dolnej części Belvedere. Przestały ludziom dokuczać grypy, kaszle, neuralgie. Mieszkańcy stolicy wyjeżdżali do Salzburga, Berchtesgaden, nad Königssee i Thumsee. Nawet Pufendorfowie wynieśli się do swego domku w Alpach Bawarskich; górskie powietrze działało kojąco na panią Lizę.

Z myślą o kłopotach finansowych Marta wspominała, że profesor Stein mawiał do jej ojca: „Trudno stwierdzić, czy jest pan bogaty, czy biedny, obliczając tygodniowe albo miesięczne zarobki. Dopiero pod koniec roku, kiedy pan wszystko zsumuje, będzie pan wiedział, czy pan zbankrutował, czy też udało się panu zbilansować wydatki".

– To dobre dla ekonomistów – odpowiedział Zygmunt – znają różne takie prawdy, których lekarze nawet nie podejrzewają.

Pogłaskała go pocieszająco po ramieniu.

– Potrafię być bardzo oszczędna, kiedy zajdzie potrzeba. Nawet nie zauważysz, że mniej wydaję.

Na jesieni, wiedząc, że Marta już wkrótce nie będzie mogła wychodzić z domu, Breuerowie zaprosili ich na przedstawienie *Króla Edypa* Sofoklesa. Wystawiano go w starym Hofburgtheater na Sant Michael-Platz.

– Pójdziemy? – prosiła Marta.

– Bardzo chciałbym zobaczyć to przedstawienie. Popatrz, jaka obsada. Oto anons w „Wiener Extrablatt": pan Rober gra Edypa, Charlotte Röckel Jokastę, pan Hallenstein będzie Kreonem. Same znakomitości. Ale wiesz, Martusiu, *Króla Edypa* nie czytałem od piątej gimnazjalnej, pamiętam jednak, że jest to sztuka męcząca. Pewna jesteś, że ci to nie zaszkodzi w twoim stanie?

– A co mój stan ma z tym wspólnego? – Rumieniec pojawił się na jej policzkach, pełnych teraz jak cała figura.

W poniedziałek wybrali się na lekką kolację do Breuerów, którzy mieszkali w pobliżu teatru. Przed siódmą Zygmunt oddał okrycia pań do garderoby, po czym zajęli swe miejsca w pierwszym rzędzie, które Matyldzie udało się zdobyć. Zygmunt spojrzał na galerię na czwartym piętrze, gdzie siadywał dawniej, ponieważ miejsce tam kosztowało tylko jednego guldena. Wyjął cienki tomik *Króla Edypa* w oryginale, który przed wyjściem z domu włożył do kieszeni surduta, i zdążył jeszcze przeczytać kilka linijek przed podniesieniem kurtyny. Na scenie przy ołtarzu przed pałacem Edypa stał tebański kapłan w otoczeniu gromadki dzieci. Z pałacu wyszedł król Edyp, pytając, dlaczego kapłan i dzieci przybyli jako błagalnicy. Kapłan opowiedział o straszliwej klęsce, która spadła na Teby: plony niszczały na polach, pomór dziesiątkował bydło, matki nie rodziły, dzieci umierały na ulicach. Edyp odpowiedział, że wysłał Kreona, brata królowej Jokasty, do świątyni Apolla, żeby się dowiedział, jak można uratować miasto.

W tej właśnie chwili powrócił Kreon, oznajmiając, że Teby splamiło morderstwo.

I oto potoczyła się tragiczna opowieść. Gdy Edyp przyszedł na świat, wyrocznia oznajmiła, że zabije on swego ojca i poślubi matkę. Rodzice, obawiając się spełnienia przepowiedni, oddali dziecko pasterzowi, by porzucił je na stoku góry, gdzie miało zginąć. Ale pasterz nie wykonał polecenia i oddał dziecko innemu pasterzowi w odległym Koryncie. Król i królowa Koryntu adoptowali dziecię i wychowali je jako swego syna. Osiągnąwszy wiek męski i dowiedziawszy się o przepowiedni, Edyp przerażony uciekł od swoich rzekomych rodziców. Po drodze poturbowali go napotkani podróżnicy i pobił jakiś stary człowiek. Edyp zabił go. Po pewnym czasie przybył do Teb, na które padła klątwa. Sybilla, strażniczka grodu, oświadczyła, że warunkiem ocalenia miasta jest rozwiązanie zagadki. Edyp zagadkę rozwiązał, uratował miasto i w nagrodę mianowany został królem Teb. Poślubił Jokastę, wdowę po królu Lajosie, który zginął w tajemniczych okolicznościach. Na świat przyszły dzieci Edypa i Jokasty. Do pałacu sprowadzają jedynego sługę Lajosa, który ocalał i wrócił do Teb. Edyp dowiaduje się, że ów stary podróżnik, którego zabił, był królem Lajosem. Wciąż wierząc, że jest synem króla i królowej Koryntu, raduje się, kiedy nagle przybywa posłaniec z wiadomością, że jego rzekomy ojciec Polibos zmarł, dopełniwszy lat swego długiego życia. Przestała więc istnieć połowa przyczyn klęski. Nadal jednak się boi i pyta Jokastę:

A łoże matki, które skalać miałem?[*]

Jokasta odpowiada:

Myśl o miłości z matką ciebie nęka,
Wielu się ludzi we śnie z matką kładzie.

---

[*] Wszystkie cytaty z tragedii Sofoklesa *Król Edyp* podajemy w przekładzie Ludwika Hieronima Morstina.

236

Posłaniec z Koryntu wyznaje, że to on był owym pasterzem, który zawiózł niemowlę Edypa do Koryntu. Edyp postanawia odnaleźć pierwszego pasterza. Jokasta woła:

> A jednak błagam, tych badań zaniechaj!
> Słuchaj rad moich, nie bacz na donosy.

Edyp jednak się upiera i wysyła po niego. A wtedy Jokasta woła:

> Nieszczęsny, gdybyś mógł wiedzieć, kim jesteś!
> --------------------------------
> O biada! Nie wiesz, w jakiej jesteś matni,
> nieszczęsny, biada! To mój głos ostatni!

Zrozpaczona, wbiega do pałacu. Stary pasterz wchodzi i odsłania prawdę: Edyp jest synem Jokasty i Lajosa. Edyp przeklina człowieka, który uratował go od śmierci:

> Nie byłbym ojca zabójcą,
> matki nie skalał łoża
> w sposób niegodny,
> a dzisiaj ja, syn wyrodny,
> hańbą, zakałą jestem mego domu
> i biją nowe klęski, jakby gromy,
> w Edypa głowę...

Jokasta się powiesiła. Edyp odciął jej ciało, oderwał dwie złote klamry, którymi spinała swą szatę, i wykłuł sobie nimi oczy. Jego dwie córki, Antygona i Ismena, odprowadzają ślepca, wyruszającego na wędrówkę, żeby odpokutować swój czyn.

Czwórka przyjaciół była głęboko wstrząśnięta tragedią. Józef zaproponował przekąskę w „Cafe Central". Był ciepły jesienny wieczór, do Herrengasse niedaleko. Breuerowie należeli do stałych bywalców kawiarni, szef sali wiedział więc, co zwykli zamawiać po teatrze. Józef tłumaczył Marcie, dlaczego „Cafe Central" jest tak popularnym lokalem – nie szczędzono tu gościom tytułów: wystarczyły okulary na nosie, by przybysza tytułowano: „panem doktorem", prawdziwych zaś doktorów awansowano na profesorów, profesorów natomiast nobilitowano, dodając im „von" przed nazwiskiem. Zygmunt raz jeszcze sięgnął po swój egzemplarz *Króla Edypa*. Wertował stronice, tłumacząc półgłosem grecki tekst.

– Wiesz, Józefie, coś mnie tu zastanawia – wyznał. – Czy nie przyszło ci na myśl, że Jokasta od samego początku wiedziała, że poślubiła swego syna?

– Nie... chyba nie. Chociaż prawdę odgadła przed Edypem. Dlatego się zabiła.

– Ale na początku sztuki Edyp mówi Jokaście o swym spotkaniu z Febem:

...straszne mi wtedy przepowiedział wróżby,
że matkę w łożu skalam z jego wolą
i że obmierzłe ludziom dzieci spłodzę, ojca zabiję.

– Tak – przerwał mu Józef – lecz z podobieństwa obu wyroczni Jokasta nie mogła wywnioskować, że Edyp jest jej synem. Była przekonana, że niemowlę zmarło na stoku góry.

Zygmunt dalej wertował tekst, Józef zaś sięgnął po babeczkę z powidłami śliwkowymi.

– Ale kiedy przybywa posłaniec, by powiedzieć Edypowi, że zmarł jego ojciec, Polibos, a Edyp nadal obawia się drugiej połowy przepowiedni, Jokasta mówi:

...najlepiej chyba żyć tak, ot z dnia na dzień.
Myśl o miłości z matką ciebie nęka,
wielu się ludzi we śnie z matką kładzie
do łoża, życie by do cna obrzydło,
kto by na senne miał zważać mamidło.

Wydaje mi się, że robi dobrą minę do złej gry.

– Z tego jednak nie wynika, że zna prawdę.

– Pomyśl jednak – upierał się Zygmunt. – Jokasta nie jest obecna w chwili, kiedy pasterz rozpoznaje Edypa jako jej syna. Już się powiesiła.

– Rozumiem, do czego zmierzasz, Zygmuncie – przerwała im Marta. – Jeśli nawet Jokasta dopiero wtedy dowiaduje się prawdy, czyni jednak wszystko, by zapobiec ujawnieniu ich pokrewieństwa.

– Zgoda – Józef kręcił głową. – Nie była całkiem zaskoczona. Czyżby wiedziała o tym, ale nieświadomie?

– Tak właśnie myślę. Musiała już od bardzo dawna znać całą prawdę, by móc pogodzić się ze straszliwymi konsekwencjami tego małżeństwa i walczyć o nie.

– Panowie – wtrąciła cicho Matylda. – Czy nie komplikujecie zbytnio akcji tej starożytnej greckiej tragedii?

– Nie – odpowiedział Zygmunt. – To jest także tragedia współczesna.

– Jakże to? Nie mamy bogów na Olimpie ani synów, którym los kazałby się żenić z własną matką i mordować własnych ojców. To było tak dawno jak podróż Jazona po złote runo.

– Każde wielkie dzieło literackie jest uniwersalne: ginie, jeśli nie spełnia tego warunku. To zaś oznacza, że *Król Edyp* jest dziełem współczesnym. Henryk Schliemann odkrył Troję przed piętnastu laty i odkopał dziewięć miast wzniesionych kolejno jedno na drugim. Ale do jego czasów tylko Homer wierzył w istnienie Troi.

– Uważasz więc, że w *Królu Edypie* jest dziewięć zakopanych miast? – zapytał Józef.

– Nie bardzo wiem, co o tym sądzić. Ale posłuchaj, co mówi ślepy prorok do Edypa:

> Mówię, że z twymi tobie najmilszymi
> obcujesz, hańby twej nie widząc wcale.

– Ufff! – zawołała Marta.

Zygmunt spojrzał na nią przestraszony.

– Dziecko mnie kopnęło. Zdaje mi się, że kopniak był przeznaczony dla ojca.

Roześmieli się wszyscy. Zygmunt nieco zawstydzony.

Marta starała się iść mu na rękę. Postanowiła, że urodzi dziecko w niedzielę, kiedy mąż nie będzie miał pacjentów i zajęć w szpitalu. Pierwsze bóle obudziły ją o trzeciej nad ranem. Zygmunt chciał pójść po doktora Lotta i akuszerkę, ale uważała, że trzeba jeszcze poczekać.

O piątej już go nie powstrzymywała. Po krótkim badaniu doktor Lott orzekł, że poród postępuje bardzo powoli i może potrwać cały dzień i całą noc.

Marta była spokojna. Postanowiła nie używać środków znieczulających. Późnym popołudniem bóle wzmogły się do tego stopnia, że nie mogła już powstrzymać się od krzyku. Za każdym jednak razem przepraszała za swe zachowanie. O siódmej trzydzieści wieczorem lekarz oświadczył, że płód nie posuwa się i trzeba będzie chyba użyć kleszczy. Zygmunt spojrzał na żonę. Groziło to niebezpieczeństwem nie tyle matce, ile dziecku. Ostatnia faza porodu trwała piętnaście minut. Chociaż w pokoju było chłodno, Zygmunt czuł, jak pot spływa mu po twarzy. Marta przez cały czas żartowała, bawiąc lekarza i akuszerkę. Wszystko poszło gładko i Marta oświadczyła, że czuje się znakomicie. Zjadła talerz zupy, obejrzała dokładnie swą córkę, a gdy się przekonała, że niemowlę jest normalne i nie ma żadnych śladów po kleszczach, zasnęła mocno.

Szczęśliwy i wyczerpany Zygmunt trzymał na rękach swą córkę, którą nazwał Matyldą, po Matyldzie Breuer. Ważyła siedem funtów i zdaniem ojca miała śliczny głos, kiedy płakała. Położył ją do kołyski i powiedział:

– Nie widać, żebyś się przejęła całą tą przygodą.

O północy zasiadł do listu, by zakomunikować pani Bernays i Minnie szczęśliwą nowinę. Zakończył tymi słowami: „Jestem już z Martą trzynaście miesięcy, ale nigdy dotąd nie była tak wspaniała w swej prostocie i dobroci. W tak krytycznej chwili naprawdę nie można udawać".

Dzieci przynoszą szczęście. Następnego ranka przedpokój zapełnili pacjenci.

5

Profesorowi Teodorowi Meynertowi powierzono wreszcie Oddział Neurologii, o który od tak dawna zabiegał. W swoim czasie, kiedy jeszcze łączyły go dobre stosunki z Meynertem, mógł się Zygmunt spodziewać, że zostanie jego głównym asystentem, ale teraz było już za późno. Przepełniała go jednak duma, że wykłada w audytorium Meynerta. Wdzięczny mu był za okazaną wielkoduszność; starszy pan nie pozwalał bowiem, by istniejące między nimi nieporozumienia pozbawiły Zygmunta oficjalnego błogosławieństwa kliniki psychiatrycznej.

Na drugi cykl wykładów, który rozpoczął w rok po pierwszym, zapisało się tylko pięciu słuchaczy. Oznaczało to, że przez pięć tygodni zajęć zarobi zaledwie dwadzieścia pięć guldenów, ale postanowił, iż nie da poznać po sobie, że czuje się zawiedziony.

– Może panowie przejdą do pierwszego rzędu?

Nieco skrępowani pustką na sali trzej studenci i dwaj lekarze zajęli bliższe miejsca. Po kilku minutach, pochłonięty fascynującym tematem, doktor Freud zapomniał o skromnej liczbie słuchaczy. Po wykładzie pośpiesznie wrócił do domu. Studenci w długich białych płaszczach pobiegli każdy w swoim kierunku. Kiedy w trzy dni później wszedł do audytorium, by wygłosić drugi wykład, zastał przy katedrze nowego słuchacza w świetnie skrojonym garniturze. Zygmunta uderzyła przede wszystkim twarz przybysza. Pierwszy raz w życiu widział tak żywą fizjonomię. Duże, szeroko rozstawione, ciemne oczy jarzyły się takim blaskiem, że zdawały się rozjaśniać półmrok sali. Czarne, falujące włosy lśniły na idealnie sklepionej głowie. Nieco rozwichrzona broda i kruczoczarny wąs podkreślały czerwień ust, a na policzkach i czole kwitł zdrowy rumieniec.

Nieznajomy wyczuł spojrzenie Zygmunta i uniósł głowę. Na jego twarzy pojawił się czarujący uśmiech. Wyciągnął rękę.

– Czy mam przyjemność rozmawiać z panem doktorem Freudem? Jestem doktor Wilhelm Fliess z Berlina. Specjalista chorób nosa i gardła. Przyjechałem na miesiąc do Wiednia, by odwiedzić rodzinę i kolegów. Doktor Józef Breuer radził mi, co więcej, kazał mi słuchać pańskich wykładów. Czy pan mnie przyjmie? Jestem pewny, że wiele skorzystam.

Zygmunt uścisnął podaną mu dłoń. Nawet ten prosty gest, mocny uścisk energicznej dłoni Fliessa, sprawił mu przyjemność.

– Cieszę się, że pana poznałem. Mam nadzieję, że wniesie pan cenny wkład w nasze spotkania.

Fliess słuchał w takim skupieniu, że po chwili Zygmunt miał uczucie, że przemawia tylko do niego. Nowy słuchacz należał do tych rzadko spotykanych ludzi, którzy potrafią robić czytelne notatki, nie spuszczając oczu z wykładowcy. Pod koniec wykładu, kiedy reszta słuchaczy opuściła audytorium, Fliess podszedł do Zygmunta.

– Panie doktorze, jestem pod olbrzymim wrażeniem tego wykładu. Pańskie podejście do anatomii mózgu zmusza mnie do nowych przemyśleń. Jestem biologiem z wykształcenia. Zazdroszczę panu studiów fizjologii u Brückego i Meynerta. Czy mogę pana zaprosić na piwo do jednej z tych waszych uroczych kawiarni?

– Oczywiście. Przejdziemy się. Opowie mi pan o Berlinie. Spędziłem tam miesiąc, współpracując z doktorami Robertem Thomsenem i Hermanem Oppenheimem w Charité oraz doktorem Adolfem Bagińskim w Szpitalu Cesarza Fryderyka. Panowie stosujecie u siebie inne metody niż my tutaj.

– Tak, inne, ale nie lepsze – odpowiedział Fliess, gdy przechodzili przez Lazarettgasse, kierując się ku Alserstrasse. – Mamy trochę więcej swobody w eksperymentowaniu nowymi metodami. W naszej praktyce nie ma sezonowych odpływów. Ta „Kawiarnia Uniwersytecka" wygląda przyjemnie. Mam zajęty wieczór, ale dopiero od pół do dziewiątej. Przyjęcie u Wertheimsteinów. Pan oczywiście ich zna?

– Tylko ze słyszenia – odpowiedział Zygmunt szczerze, gdy wchodzili do nagrzanej i szumiącej rozmowami kawiarni. – Chociaż pierwszą pracę zawdzięczam właśnie ich salonowi. Jeden z tłumaczy Johna Stuarta Milla pracujący dla Teodora Gomperza zmarł niespodziewanie; Gomperz wspominał o tym na przyjęciu i wtedy mój profesor filozofii, Franz Brentano, polecił mnie.

– Jakże ważne są te wielkie salony. Iluż młodych artystów tam właśnie wchodzi w świat i znajduje patronów. Ale najpierw opowiem panu o sobie.

Wilhelm Fliess miał dwadzieścia dziewięć lat; był o dwa lata młodszy od Zygmunta. Urodził się w zamożnej żydowskiej rodzinie kupieckiej. Obdarzony wyjątkowymi zdolnościami, szybko ukończył studia medyczne i dorobił się niezłej praktyki. Uchodził za jednego z najlepszych otolaryngologów w Niemczech.

Głos miał wibrujący, wydobywał się on, jak u śpiewaka operowego, głęboko z piersi. Starał się mówić cicho, żeby słyszał go tylko Zygmunt, ale przy sąsiednich stolikach nie spuszczano z niego oczu.

– Drogi panie doktorze, od dłuższego czasu jestem pańskim wielbicielem; od czasu kiedy przeczytałem pańskie prace o kokainie. Wypróbowałem ją doświadczalnie i mogę już teraz panu donieść, że udało mi się przynieść ulgę chorym, aplikując kokainę na błonę śluzową nosa.

Zygmunt przysunął się bliżej do Fliessa w ciemnej, wybitej skórą loży i wyznał:

– Nawet nie wyobraża pan sobie, ile dla mnie znaczą pańskie słowa. Moje prace nad kokainą były ostro atakowane.

– Na litość boską, dlaczego? Pańskie odkrycia umożliwiły chirurgom okulistom przeprowadzanie operacji, których do tego czasu nie można było robić. W mojej dziedzinie kokaina pozwoliła mi na odkrycie nerwic pochodnych od chorób laryngologicznych.

– Nerwice pochodne od chorób... nosa? O czym pan właściwie mówi?

Fliess był wyraźnie podekscytowany. Nadarzała się okazja pozyskania dla jego teorii nowego zwolennika.

– Drogi doktorze, nos ludzki jest najbardziej zaniedbanym organem ciała, a jednocześnie najważniejszym. Jest to autentyczny sygnalizator wszelkich chorób atakujących some i psyche życia. Dzień i noc sterczy jak penis w stanie erekcji, żeby wszyscy mogli go widzieć, mierzyć, badać. Odkryłem metodę, dzięki której, badając nos, mogę stwierdzić schorzenia w innych częściach ciała. Za kilka lat będę już mógł udowodnić, iż istnieje związek między nosem a kobiecymi organami płciowymi!

Zygmunt oniemiał ze zdumienia. Nie podejrzewał nawet, że prowadzi się tego rodzaju prace naukowe, a cóż dopiero, że są udokumentowane.

– Panie doktorze, jak to się stało, że zainteresował się pan nosem? Przecież na pewno nie miał pan nigdy żadnych kłopotów ze swoim? Jest to najpiękniejszy grecko-rzymski nos, jaki mi się zdarzyło widzieć od lat.

Fliess roześmiał się uradowany.

– Zawsze byłem dumny ze swego nosa. Gdyby był zniekształcony, garbaty czy nieforemny, nigdy nie zostałbym otologiem. Ale nie mogę pana dłużej zatrzymywać. Wie pan, doktorze, oczarowany jestem wiedenkami. Są znacznie przystępniejsze, bardziej kobiece, bardziej przymilne od naszych berlińskich panien...

Po godzinie Zygmunt dotarł do domu, zapominając o tym, że chciał kupić po drodze torebkę pieczonych kasztanów, które sprzedawcy wyjmowali z piecyków jeszcze gorące i osmalone. W tak świetnym nastroju nie był od dnia, w którym wysłuchał pierwszego wykładu Charcota. Kiedy próbował potem opisać Marcie Fliessa, stwierdził, że brak mu odpowiednich słów na określenie tej dynamicznej osobowości.

W tydzień potem Fliess zaprosił Zygmunta na rozmowę do swej ulubionej kawiarni literackiej, „Cafe Griensteidl". Usiedli przy stoliku i przyglądali się wiedeńczykom, którzy albo śpieszyli się, jakby mieli coś pilnego do załatwienia, albo przechadzali się powoli, trzymając się pod rękę, zatopieni w głębokiej rozmowie. Wilhelm Fliess przygotował Zygmuntowi nową niespodziankę. Tym razem oświadczył, że nie będzie już mówił o sobie.

– Nie, panie kolego. Ostatnim razem okazałem brak umiaru. Byłem tak podniecony pańskim wykładem, że nie mogłem się opanować. Dziś chciałbym usłyszeć więcej od pana o początkach pańskich badań histologicznych. A przede wszystkim proszę mi opowiedzieć o badaniach Charcota nad męską histerią. Józef Breuer mi mówił, że przełożeni mieli panu za złe wykłady na ten temat.

Fliess nie spuszczał oczu z Zygmunta, chłonął każde jego słowo. Zygmunt mówił przeszło godzinę, wreszcie przerwał zakłopotany.

– Strasznie przepraszam, musiał pan wysłuchać drugiego wykładu w ciągu jednego przedpołudnia. Ale to pańska wina; pan słucha w taki sposób, że człowiekowi się zdaje, iż wszystko, co mówi, jest ważne.

– Wszystko, co pan powiedział, było dla mnie naprawdę ważne. Wie pan, panie doktorze, pod jednym względem jesteśmy do siebie podobni; obaj nie chcemy skostnieć w akademickich czy zawodowych postawach. Wierzymy w Heraklitowe „wszystko płynie". Dzień, w którym nie wzbogaciliśmy naszej wiedzy, uważamy za zmarnowany. Obaj jesteśmy ze szkoły Helmholtza; wszystko musi być sprawdzone zgodnie z zasadami fizyki, chemii, matematyki. Na tych mocnych fundamentach budujemy naszą praktykę, ja w otolaryngologii, pan w neurologii. Ale, prawdę mówiąc, obaj podzieliliśmy nasze życie na dwie części. Jedna to możliwie najlepsze wykorzystanie oficjalnej medycyny; druga to badania w hipotetycznych domenach idei: szukanie śmiałych koncepcji istoty ludzkiego bytu.

Zygmunt oderwał oczy od Fliessa i patrzył na przechodniów zapinających zimowe palta, bo zaczął wiać chłodny wiatr.

– Tak. Życie byłoby nudne bez spekulacji intelektualnych. Każdy lekarz, który chce być godny swego powołania, powinien choćby na krok posunąć naprzód wiedzę medyczną.

– Właśnie. Chwila obecna ginie bez śladu, jeśli nie zaowocuje w przyszłości. Jak to dobrze, że udało mi się znaleźć bratnią duszę!

– Ale w Berlinie – zapytał zaskoczony Zygmunt – musi pan mieć wielu takich przyjaciół?

Fliess na chwilę opuścił powieki.

– Drogi kolego, mam wielu przyjaciół, nawet wielbicieli, w środowisku zawodowym. Na konferencjach szpitalnych i lekarskich pan usłyszy tylko pochwały pod moim adresem. Moje myśli jednak zachowuję tylko dla siebie.

Fliess pozostał w Wiedniu jeszcze trzy tygodnie. Zygmunt widywał go często. Spotkał go na wieczorze u Breuerów, w towarzystwie dwóch pięknych młodych kobiet w restauracji Breyinga, dokąd Fliess zaprosił Freudów, i wreszcie gościł go u siebie na kolacji niedzielnej. Po każdym wykładzie wpadali na piwo i przyjazną pogawędkę. Zygmunt czuł, że wykłady idą mu jak nigdy dotąd. Skoncentrowana uwaga Fliessa, jego bystre spostrzeżenia, uporczywe powtarzanie, że „nauka medyczna jest jak płód w łonie matki, rozwija się, zmienia, rośnie z dnia na dzień i coraz zdatniejsza staje się do życia", podnosiły go na duchu. Z przykrością rozstawał się z młodym naukowcem. Przed odjazdem Fliess skierował do Zygmunta swoją pacjentkę, panią Andrassy, którą leczył bez skutku w Berlinie.

Pani Andrassy zjawiła się w dzień po wyjeździe Fliessa. Liczyła lat dwadzieścia siedem, była niska, miała jasne włosy, jasne rzęsy i nieciekawą, poczciwą twarz. Po urodzeniu drugiego dziecka straciła bardzo na wadze, stała się anemiczna i zaczęła cierpieć na powtarzające się skurcze w nodze, którym towarzyszyła ociężałość utrudniająca chodzenie. Fliess prosił Breuera, by ją zbadał. Obaj stwierdzili, że wszystko wskazuje na neurastenię niewywołaną zmianami fizycznymi.

Pani Andrassy była w gabinecie doktora Freuda zaledwie kilka minut, gdy wystąpiły silne drgawki w stopie oraz gwałtowne skurcze mięśni. Zygmunt kazał jej zdjąć trzewiki i nic poza tym. Wiedenki nie rozbierały się do badania. Doktor Freud masował nogę, póki skurcz nie przeszedł, po czym użył maszyny faradyzacyjnej do nóg i pleców. Dokładnie zbadał system mięśni, szukając jakichś miejsc wrażliwych, stref pieczenia, kłucia, odrętwienia, ale żadnych takich objawów nie znalazł. Wróciwszy do swego biurka, zapytał:

– Czy te skurcze wywołują w pani przygnębienie?

– Ależ nie, panie doktorze. Nie będę przecież pogarszała swego stanu, pozwalając sobie dodatkowo na depresję.

– A więc ten stan nie budzi w pani niepokoju?

– W każdym razie nie odczuwam żadnych lęków. Nie jestem z natury skłonna do zamartwiania się, chociaż mój mąż i ja chcielibyśmy bardzo, by stan się nie pogarszał. Muszę wychować dwoje dzieci.

– Doktor Fliess przepisał pani specjalną dietę. Jest rzeczą bardzo ważną, żeby pani odzyskała utraconą wagę. Ja zaleciłbym jeszcze kilka godzin odpoczynku po południu. Proszę przyjść do mnie we czwartek.

Po wyjściu pacjentki siedział dłuższy czas w fotelu, zastanawiając się nad tym przypadkiem. Fliess i Breuer sugerowali, że jest to nerwica, ale nie znalazł żadnych objawów, które by wskazywały na neurastenię; ani niepokoju, ani nowych niezliczonych chorób, ani hipochondrii. A przy neurastenii nigdy tego nie brakowało. Pacjentka myślała więcej o dzieciach niż o sobie; małżeństwo było szczęśliwe, stosunki małżeńskie jak najlepsze. To w żadnym wypadku nie są objawy histerii. Wszystko zdawało się wskazywać na jakieś organiczne zakłócenia. Musi je znaleźć.

Pani Andrassy przybywało na wadze, odzyskiwała siły. Po kilku tygodniach faradyzacji i masaży kurcze zaczęły ustępować i zmniejszyło się uczucie ociężałości. Zygmunt jednak wiedział, że musi dojść, jakie jest źródło tych zaburzeń.

– Mówiła pani o zawrotach głowy, które występowały przed kilku laty. A czy przedtem nie miała pani żadnych kłopotów z nogami?

– W dzieciństwie przeszłam dyfteryt, po którym miałam sparaliżowane nogi.

– Dlaczego mi pani o tym nie powiedziała?

– To było przed siedemnastu laty. Zostałam całkowicie wyleczona...

Freud sięgnął do półki po jeden z tomów Charcota. W uszach brzmiał mu wyraźnie głos doktora Marie mówiącego do grupy słuchaczy w Salpêtrière: „Stwardnienie rozsiane możemy przypisać ostrym infekcjom, które wystąpiły w przeszłości". Póki pacjent odżywiał się dobrze i nie był fizycznie wyczerpany, nic się nie działo. Niedożywienie i zmęczenie wywoływało reakcję w najsłabszym punkcie rdzenia kręgowego. Tak właśnie się stało w przypadku pani Andrassy.

– A jak się pani czuje ostatnio?

– Tak dobrze nie czułam się od początku choroby.

– Znakomicie. Teraz już wiemy, jak ten stan utrzymać.

Podniosło go to na duchu. Nie tylko pomógł pani Andrassy, ale i sam poczuł się spokojniejszy. Wiedział już, że musi obiektywnie traktować każdego pacjenta i że nie powinien za każdym razem doszukiwać się swej ulubionej nerwicy.

6

Dzięki historii pani Andrassy zdobył większą pewność siebie. Skupił się teraz na tych przypadkach, z którymi dotąd nie mógł sobie poradzić. Zgłosili się do niego trzej pacjenci, którym inni lekarze nie umieli pomóc. Koledzy Zygmunta uważali, że ich choroby są natury somatycznej, ale on miał poważne wątpliwości. Z księgarni paryskiej, gdzie w swoim czasie zakupił *Archives* Charcota, zamówił *Hipnozę i sugestię* opublikowaną przed pięciu laty przez profesora Hipolita Bernheima z wydziału medycznego uniwersytetu w Nancy.

Bernheim utrzymywał, że hipnoza jest „wprowadzeniem pacjenta w stan psychiczny, w którym zwiększa się jego wrażliwość na sugestię". Zygmunt nie zgadzał się co prawda z wieloma twierdzeniami Bernheima, szczególnie wtedy, gdy były sprzeczne z poglądami Charcota, fascynowały go jednak dziesiątki szczegółowo opisanych przypadków, w których hipnozę i sugestię stosowano jako środki terapeutyczne. Był przekonany, że wielu jego pacjentów cierpi na takie same nerwice jak te, z którymi spotykał się w przypadkach histerii w Salpêtrière i w dziele Bernheima. Przeczytał książkę dwukrotnie, po czym napisał do Bernheima, pytając, czy nie wyraziłby zgody na przekład tej książki na język niemiecki.

Zadaniem lekarza nie jest bynajmniej odkrycie urojeń, które spowodowały chorobę pacjenta; nikt przecież nie potrafi rozwiązać tej zagadki, nawet sam pacjent. Czyż nie powinien jednak lekarz przynosić choremu pewnej ulgi? Jest rzeczą oczywistą, że nie można wykorzenić czegoś, czego ani pacjent, ani lekarz nie potrafi sformułować, dlaczego by jednak nie zaszczepić w umyśle chorego jakiejś idei przeciwnej, która umożliwi zwalczenie tej, która powoduje chorobę, przez obudzenie nowego przeświadczenia, że objawy zostały usunięte i że chory znowu się znajduje w pełni sił? Tego rodzaju myśli można sugerować choremu na jawie choćby tysiąc razy bez najmniejszego skutku, ale w hipnozie, kiedy pacjent nie może stawiać oporu?...

Zwrócił się w tej sprawie do Józefa Breuera. Poruszał się bowiem po terenie, który w Wiedniu był szczególnie niebezpieczny. W stolicy Austrii hipnotyzerom pozwalano występować jedynie na deskach estradowych. Najzacieklejszym wrogiem hipnozy był profesor Teodor Meynert, od trzydziestu lat rzucający na nią gromy, wyzywający ją od ladacznic, którym powinien być wzbroniony dostęp do szanujących się sfer lekarskich.

Józef przyjął go w bibliotece. Zygmunt powiedział mu, że chciałby wypróbować hipnozę, i opisał konkretne przypadki. Józef ociągał się z odpowiedzią. Wreszcie zapytał:

– Powiedz mi szczerze, czy stosowałeś już kiedykolwiek hipnozę poza przypadkiem tej Włoszki, która stale widziała przed oczami robaki, gdy wymawiano w jej obecności słowo „jabłko".

– Dwa czy trzy razy w Salpêtrière; po to tylko, żeby się przekonać, czy mi się uda. Ale te kobiety, na których przeprowadzałem doświadczenia, tak często bywały hipnotyzowane przez asystentów Charcota, że zasypiały, zanim wypowiadałem słowa: „Proszę zamknąć oczy".

– Sądzisz więc, że potrafisz hipnotyzować?

– Nie wydaje mi się, bym miał jakieś wyjątkowe zdolności. Ale skoro już na ten temat mówimy, wspominałeś o stosowaniu hipnozy w przypadku Berty Pappenheim. Czy potem już zrezygnowałeś z tej metody?

Józef się zaczerwienił. Nie patrząc Zygmuntowi w oczy, wymruczał pod nosem:

– Nie. Ja... – przerwał i podszedł do półek z książkami. Po chwili, już opanowany, wrócił na miejsce. – A może spróbujemy zaraz? Jestem właśnie umówiony z doktorem Lottem u jednej pacjentki, niejakiej pani Dorff. Niepokoi mnie jej stan. Lott i ja jesteśmy całkiem bezradni. Zapytam jej krewnych, czy zgodziliby się, żebyś spróbował hipnozy...

Było bardzo zimno, choć świeciło słońce. Góry i lasy rysowały się ostro na horyzoncie; zdawały się bardzo bliskie.

– W Wiedniu otacza nas piękno – mówił półgłosem Józef. – Te góry należą do naszego dnia powszedniego, jak posiłki, które spożywamy, i pacjenci, których badamy. Te zielone wzgórza z zawieszonymi nad nimi białymi obłokami tylekroć rozpraszały przykre myśli i uświadamiały mi, że dobrze jest żyć, że natura jest piękna.

Przystanął, patrząc z zachwytem na góry. Zygmunt wziął starszego kolegę pod ramię.

– Chodźmy, zanim zaczniesz szczękać zębami. I powiedz mi coś o pani Dorff. Co właściwie mam jej zasugerować pod hipnozą?

– Żeby karmiła piersią swe dziecko.

Pani Dorff rodziła po raz pierwszy przed trzema laty, już po przekroczeniu trzydziestki. Czuła się doskonale i chciała dziecko sama karmić, ale okazało się, że brak jej mleka. Ssanie wywoływało ostre bóle. Tak bardzo się tym przejęła, że nie mogła sypiać po nocach. Po dwóch tygodniach przyjęto do dziecka mamkę; matka i dziecko poczuły się znakomicie. Teraz, po trzech latach, pani Dorff miała znacznie poważniejsze kłopoty z drugim dzieckiem. Gdy zbliżała się pora karmienia, dostawała wymiotów.

Wpadła w rozpacz, że nie może karmić niemowlęcia.

– Doktor Lott i ja doszliśmy dziś rano do wniosku, że nie wolno już dłużej ryzykować zdrowia matki i dziecka. Postanowiliśmy doradzić rodzinie, żeby natychmiast przyjęto mamkę.

– To jest twoja pacjentka. Jesteś doświadczonym lekarzem. Dlaczego nie chcesz jej hipnotyzować?

– Zmiana leczenia – odpowiedział Breuer – wymaga moim zdaniem nowego lekarza.

Pani Dorff leżała w łóżku, wściekła na siebie, że nie może spełnić „elementarnego obowiązku każdej matki". Przez cały dzień nic nie jadła. Jej nadbrzusze było nabrzmiałe, brzuch miękki. Zygmunt przysunął krzesło do łóżka i zaczął cicho powtarzać:

– Teraz pani zaśnie... Jest pani zmęczona. Chce pani spać. Powieki stają się coraz cięższe... Sen nadchodzi. Będzie pani spała. Powieki się zamykają.

Już pani zasypia... Teraz pani odpocznie. Pani powieki są zamknięte. Pogrąża się pani w sen...

Usypianie nie trwało długo, choć Zygmunt uważał, że biorąc pod uwagę stan wyczerpania chorej, powinno było trwać o połowę krócej. Przysunął krzesło jeszcze bliżej łóżka i zaczął mówić łagodnie i z głębokim przekonaniem:

– Proszę się nie obawiać! Będzie pani karmić dziecko piersią. Jest pani normalną, zdrową kobietą. Kocha pani swoje dziecko. Chce je pani karmić własną piersią. To panią ucieszy. Pani żołądek jest w idealnym stanie. Ma pani świetny apetyt. Już marzy pani o następnym posiłku. Zje pani i spokojnie strawi jedzenie. Kiedy przyniosą dziecko, nakarmi je pani. Pani ma dobre mleko. Dziecko będzie się rozwijało wspaniale...

Nie przerywał swych sugestii przez pięć minut, po czym obudził chorą. Nie pamiętała nic z tego, co zaszło. Do pokoju wszedł pan Dorff. Był wściekły i oświadczył lekarzowi dostatecznie głośno, by pacjentka usłyszała jego słowa:

– Nie podobają mi się te metody. Hipnoza może zrujnować system nerwowy kobiety.

– Nic podobnego, panie Dorff – odpowiedział Zygmunt spokojnie. – Hipnoza nikomu jeszcze nie zaszkodziła. To tylko sen, bardzo podobny do zwyczajnego snu. Pana małżonka już w tej chwili wygląda na osobę wypoczętą. Czy nie warto poczekać na wyniki? Wpadnę jutro.

Ale pan Dorff bynajmniej nie dał się ułagodzić.

Następnego dnia po południu Zygmunt stwierdził, że odniósł pewien sukces. Pacjentka zjadła obfitą kolację i spała spokojnie przez całą noc. Rano nakarmiła dziecko piersią. Ale w południe, przed obiadem, zaczęła już okazywać niepokój i kiedy wniesiono jedzenie, dostała torsji. Po południu nie mogła już karmić dziecka. Była wyraźnie przygnębiona.

– Niepotrzebnie się pani martwi – uspokajał ją Zygmunt. – Jeśli przez pół dnia objawy się nie ponawiały, to jesteśmy w połowie drogi do zwycięstwa. Teraz już wiemy, że uda się usunąć wszystkie symptomy. Spróbujmy jeszcze raz.

Tym razem uśpił ją na piętnaście minut, powracając wielokrotnie do tych samych spraw; starał się uśmierzyć jej niepokoje, zapewniając, że wszystko będzie dobrze i wieczorem znowu będzie mogła karmić dziecko. W ostatniej chwili, ulegając jakiemuś impulsowi, zasugerował, że pani Dorff pięć minut po jego wyjściu pogniewa się na domowników, zrobi awanturę o kolację i będzie się dopytywała, jak sobie właściwie wyobrażają, że potrafi nakarmić dziecko, skoro sama nic nie miała w ustach. Potem ją obudził. Gdy przyszedł następnego wieczora, dowiedział się, że pani Dorff spożyła wszystkie posiłki i bez najmniejszych kłopotów karmiła dziecko piersią. Oświadczyła mu, że jest całkiem wyleczona, i odmówiła dalszych zabiegów.

Pan Dorff, odprowadzając Zygmunta do drzwi, opowiadał mu, że żona zachowywała się dziwnie poprzedniego dnia po jego wyjściu. Ostrym tonem wypytywała matkę, dlaczego nie dostaje nic do jedzenia. Doktor Freud uważał za stosowne nic na to nie odpowiedzieć. Żegnając się, pan Dorff niedwuznacznie dał mu do zrozumienia, że wyleczenie zawdzięcza żona czasowi i prawom natury. Pan docent nie miał właściwie z tym nic wspólnego… chociaż oczywiście honorarium za trzy wizyty zostanie uiszczone.

Zygmunt triumfował. Znalazł metodę leczenia. Będzie się jeszcze dowiadywał o stan chorej, by się upewnić, czy nie nastąpiła regresja, ale z jej zachowania wynikało z całą pewnością, że czuła się już dobrze. Sugerując jej, że może karmić dziecko, wyeliminował autosugestię pacjentki wmawiającej sobie, że karmić nie może. Profesor Bernheim miał rację: istnieją szczególne formy chorób realizujących idee zrodzone w umyśle i jak okrutny władca rządzące bezbronnym ciałem. Oto nowe narzędzie w skąpym zestawie instrumentów lekarskich. Charcot nie miał racji, ignorując sugestię.

Marta szybko zareagowała na jego podniosły nastrój. Kiedy się zamyśliła, na jej czole między brwiami pojawiała się głęboka zmarszczka, którą mechanicznie wygładzała palcem.

– Nie wiem, czy dobrze zrozumiałam: zaszczepiłeś w umyśle pani Dorff myśl, która usunęła inną myśl, tę właśnie, która wywoływała jej chorobę?

– Tak. Ale nie rozpuściłem tej myśli jak kostkę cukru w filiżance kawy; tyle tylko, że skutek jest podobny.

– A skąd się ta myśl wzięła?

– Tego właśnie nie wiem. To należy do spekulatywnej dziedziny psychologii. Gdyby lekarze zaczęli spekulować na temat źródeł tych chorobotwórczych myśli, odeszliby całkowicie od nauki.

– A czy hipnoza to metoda naukowa? Czy możesz pobrać wycinek myśli za pomocą mikrotomu i obejrzeć go pod mikroskopem?

– Na dobrą sprawę tak. To właśnie robi Bernheim w Nancy. Pewnego dnia będę musiał się tam wybrać i przestudiować jego metody. Zwłaszcza jeśli się zgodzi na przetłumaczenie książki. Kluczem jest zdanie Bernheima: „Hipnoza to stan zwiększonej wrażliwości na sugestię". Dlaczego nie można tego samego dokonać, gdy pacjent jest pogrążony w normalnym śnie? Odpowiedź: Nie wiem. Pytanie następne: Istnieje więc zasadnicza różnica między zwyczajnym snem a snem hipnotycznym? Odpowiedź: Tak! Pytanie: Na czym ta różnica polega? Odpowiedź: Nie wiem.

W kilka dni później przeprowadził kolejną próbę. Doktor Königstein skierował do niego młodego mężczyznę z tikiem mięśni okolicy oka, wyjaśniając, że żadnych organicznych niedomagań w oku nie stwierdził. Młodzieniec był podejrzliwy. Stanowczo odmawiał poddania się hipnozie; na nic się nie zdały wszystkie wysiłki Zygmunta. Tego samego dnia późnym popołudniem przyprowadzono mu kolejnego pięćdziesięcioletniego pacjenta, który nie mógł poruszać się o własnych siłach, nawet nie potrafił stać bez pomocy. Towarzyszący mu lekarz wyjaśnił, że ani on, ani jego koledzy nie zdołali stwierdzić żadnego urazu fizycznego.

Zygmunt zbadał chorego. Nie stwierdził u Franciszka Vogla żadnych oznak skurczów czy zaników w mięśniach uda i podudzia. Następnie ustalił kolejność występowania objawów. Na początku pojawiło się uczucie ciążenia w prawej nodze, potem w lewym ramieniu. W kilka dni potem chory nie poruszał już nogami i palcami u nóg. Choroba rozwijała się stopniowo w ciągu dziesięciu dni. Czy nie należałoby w tym samym tempie doprowadzić pacjenta do zdrowia?

Uśpił Vogla bardzo łatwo. We śnie sugerował mu, że po obudzeniu będzie mógł bez trudu zginać nogi i poruszać palcami. Istotnie, obudziwszy się, Vogel ku własnemu zdumieniu wykonał polecenia lekarza. Następnego dnia doktor Freud sugerował, że chociaż pacjent nie będzie jeszcze w stanie chodzić, zdoła jednak po kolejnym uśpieniu, leżąc na kozetce, unieść i opuścić prawą nogę. I znowu Vogel wykonał polecone ruchy. Podczas trzeciej wizyty Zygmunt zasugerował mu, że o własnych siłach stanie na nogach. Tak się też stało. Następnego poniedziałku Zygmunt zasugerował Voglowi, że potrafi przejść przez pokój. Pacjent spełnił polecenie. Po dziesięciu dniach Franz Vogel wrócił do pracy. Pozostało tylko lekkie uczucie ciążenia w prawej nodze, w tym właśnie miejscu, od którego choroba się zaczęła. Kilka kolejnych seansów nie zdołało tego uczucia zlikwidować.

Następnej niedzieli, podczas szybkiego spaceru pod zimnym, szarym niebem, Zygmunt zapytał Józefa:

– Czy to uczucie ciążenia utrzymało się dlatego, że istnieją jakieś drobne urazy fizyczne, całkowicie niezależne od psychicznych, czy też nie udało mi się dotrzeć do źródła obsesyjnej myśli?

– Być może bronił się ostatni zalążek myśli Vogla. Ale gdybyś go całkowicie wyleczył w ciągu dziesięciu dni, ludzie mogliby pomyśleć, że nigdy nie był chory. Doktorze, nigdy nie podawaj w wątpliwość własnej metody leczenia.

– Jak dużo już wiemy o fizycznej budowie mózgu – ciągnął Zygmunt, a białe obłoczki pary unosiły się z jego ust w mroźnym powietrzu – a jak mało o tym, co każe myślom powracać rykoszetem poprzez masę szarych komórek... Tak, wiem, myśli należą do psyche, anatomia mózgu do somy. Ale chwilami czuję się zawiedziony, że nie wiem, dlaczego człowiek myśli to, co myśli.

Przed końcem roku nadarzyły się jeszcze dwie okazje wypróbowania sugestii hipnotycznej. Przyjaciel Zygmunta, doktor Obersteiner, przysłał mu dwu-
dziestopięcioletnią bonę, która już siedem lat pracowała u zamożnej wiedeńskiej rodziny. Od kilku tygodni Teresa miała nerwowe ataki. Powtarzały się
regularnie co wieczór między ósmą a dziewiątą, gdy wracała do swego pokoju.
Kiedy konwulsje mijały, dziewczyna zapadała w głęboki sen przypominający
trans. Po obudzeniu się wybiegała na ulicę rozebrana. Była tęga, grubokości-
sta. W ciągu ostatnich miesięcy straciła piętnaście kilogramów wagi. Od wielu
dni nie mogła nic przełknąć. Była już u kilku lekarzy i wreszcie jej pracodaw-
czyni postanowiła ją umieścić w szpitalu dla nerwowo chorych. Obersteiner
zaproponował jednak, by przedtem poradziła się doktora Freuda.

Zygmunt miał przed sobą inteligentną dziewczynę, która odpowiadała bez
żadnych oporów na wszystkie pytania, ale nie mogła zrozumieć, co się z nią
właściwie dzieje. Doszedł do wniosku, że ma przed sobą przypadek histerii.
Lekko nacisnął końcami palców powieki dziewczyny i zaczął do niej mówić
łagodnie, uspokajająco. Zasnęła. Pogrążonej we śnie hipnotycznym tłumaczył, że jest zdrowa i silna, że nic jej właściwie nie dolega, że odzyska zdrowie i nie ma czego się obawiać, wracając do swego pokoju, że odzyska apetyt
i będzie spała spokojnie przez całą noc. Zbudził ją po dziesięciu minutach.
Otworzyła szeroko oczy i zawołała:

– Panie doktorze, sama sobie nie wierzę! Jestem głodna. Muszę natychmiast kupić bułkę. Zjem ją po drodze do domu.

Następnego dnia Teresa wróciła. Jadła z apetytem, ale obudziła się w nocy
i z trudem się powstrzymywała, żeby nie wybiec z domu. Znowu ją zahipnotyzował, tym razem podkreślając, że jest bezpieczna, gdy śpi, że nie ma żadnego
powodu, by wybiegała na ulicę, że w tym domu jest jej dobrze, jest szanowana
przez rodzinę swych pracodawców.

Na trzeci dzień Teresa oznajmiła, że zbudziła się o trzeciej nad ranem
niespokojna i nieco przestraszona, ale nie odczuwała potrzeby, by wybiec
na ulicę. Po jeszcze jednej wizycie wróciła do zdrowia. W tydzień potem
przyszła jej pani, by uregulować honorarium.

– Panie doktorze, jak to się stało, że najlepsi profesorowie wiedeńscy nie
umieli pomóc Teresie? Byłam już tak zrozpaczona, że postanowiłam umieścić
ją w zakładzie. A potem w ciągu kilku dni pan doktor przywrócił jej zdrowie
i spokój?

Zygmunt głaskał brodę, by zyskać na czasie. Czy słusznie postąpi, przyznając się, że stosował hipnozę? Potem będzie musiał tłumaczyć się przed
miastem, które odnosiło się do tej metody z głęboką pogardą.

– Tak właśnie czasami się zdarza – odpowiedział. – Pani przyprowadziła
do mnie Teresę w chwili, gdy wyleczenie stało się możliwe.

Niewiasta wyjęła z torebki kilka złotych monet, położyła je na biurku. Wychodząc, wciąż jeszcze kręciła głową ze zdumienia. A Zygmunt pomyślał sobie, że nie tylko ona się dziwi. Dlaczego po siedmiu latach Teresa poczuła taką niechęć do swego pokoju? Co powodowało konwulsje? Co ją wypędzało w niekompletnym stroju na ulicę? Dlaczego nie mogła jeść?

Trzy odpowiedzi – Breuera, Charcota i Chrobaka – przebiegły mu przez myśl. „To są zawsze tajemnice alkowy!" „W takich przypadkach jest to zawsze sprawa organów płciowych – zawsze, zawsze, zawsze!" *„Rp: Penis normalis dosim repetatur!"* Ale ich pacjentkami były mężatki. Teresa liczyła lat dwadzieścia pięć, była panną i ponad wszelką wątpliwość dziewicą. Do niej takich diagnoz w żadnym wypadku nie można było zastosować.

Wreszcie zetknął się Zygmunt Freud z przypadkiem, który dostarczył mu odpowiedzi na to najważniejsze pytanie. I zmienił także bieg jego życia.

7

Pewnego dnia posłaniec przyniósł liścik od Józefa Breuera z prośbą, by Zygmunt zaszedł do niego, gdy odprawi ostatniego pacjenta. Niemal równocześnie służąca przyniosła drugi list, od pani Emmy von Neustadt, która zatrzymała się w jednym z najdroższych pensjonatów Wiednia. „Doktor Breuer mówił mi o Panu – pisała – czy nie zechciałby Pan odwiedzić mnie jeszcze dziś po południu. Sprawa jest pilna".

Był pierwszy maja, pogodny, ciepły dzień. Na ulicach wieśniaczki głośno zachwalały świeżą lawendę, a grajkowie fałszywie wygrywali na skrzypcach walczyki. Zygmunt szedł, zwracając twarz ku słońcu, ciesząc się jego ciepłymi promieniami. Józefa zastał w gabinecie; pracował nad swymi gołębiami. Okienko mansardy było otwarte i przy nim stanęli obaj przyjaciele, patrząc na ogród.

– Chciałem cię prosić, żebyś przejął ode mnie jeden ciężki przypadek. Panią Emmę von Neustadt. Leczę ją od sześciu tygodni, od kiedy wróciła z Abacji z częściowo sparaliżowanymi nogami. Robiłem wszystko, co mogłem. Masaże, elektroterapia, środki uspokajające, ale jest niezadowolona. Wczoraj, kiedy myślała, że jej nie widzę, drwiła ze mnie. I wtedy właśnie, jakby przypadkiem, wymieniłem twoje nazwisko. Myślała, że naprawdę zrobiłem to przypadkiem. Pewnie już napisała do ciebie?

– Tak. Prosi, żebym przyszedł po południu. Dziękuję, żeś o mnie wspomniał. Czy to naprawdę pilna sprawa?

Józef zadzwonił, by przyniesiono zimne napoje. Usiedli na twardych zydlach przy stole, na którym stał mikroskop Józefa i leżały jego notatki.

– Tak, to pilna sprawa. Powiem ci wszystko, co wiem o pani von Neustadt.

Pani Emma, jak już ją zaczął nazywać Józef, pochodziła z ziemiańskiej rodziny w północnych Niemczech. Miała rezydencję w mieście i posiadłość nad Bałtykiem. W dwudziestym trzecim roku życia, już jako bardzo wykształcona panna, wyszła za mąż za wdowca po pięćdziesiątce, który miał kilkoro dzieci z pierwszego małżeństwa. Von Neustadt był człowiekiem bardzo zdolnym i inteligentnym; twórcą wielkiego konsorcjum przemysłowego. Pani Emma urodziła mu dwie córki w czasie pierwszych trzech lat szczęśliwego pożycia. Wszystko wskazywało, że było to małżeństwo z miłości. W jej salonie spotykali się pisarze, artyści, ludzie teatru, naukowcy, profesorowie uniwersytetu. Von Neustadt zmarł na zawał, kiedy jego druga córka miała zaledwie kilka tygodni. Po nagłej śmierci męża zachorowała pani Emma i dziecko. Przez dłuższy czas choroba nie ustępowała. Potem pani Neustadt zajmowała się prowadzeniem rozległych interesów męża. Nadal wiodła życie towarzyskie, wiele podróżowała, miała szerokie zainteresowania. Ale przez te czternaście lat od śmierci męża raz po raz zapadała na zdrowiu bez zrozumiałej przyczyny.

Zygmunt wjechał windą na najwyższe piętro eleganckiego pensjonatu, w którym pani von Neustadt zatrzymała się z dwiema córkami, guwernantką i pokojówką. Wprowadzony do salonu, ujrzał młodo jeszcze wyglądającą kobietę leżącą na otomanie, z głową opartą na skórzanej poduszce i nogami okrytymi pledem. Delikatnych rysów inteligentnej twarzy nie zeszpecił ból, zielone oczy wyraźnie mówiły o stanowczym charakterze. Jedwabiste blond włosy były uczesane nieskazitelnie. Miała na sobie jedwabny szlafrok w kwiaty.

Zygmunt przez chwilę stał w drzwiach, przyglądając się uważnie pacjentce. Na jej twarzy malował się wyraz silnego napięcia; mięśnie karku naprężone były jak struny; po lewej stronie twarzy dostrzegł nerwowy tik – wyraźnie widział poruszający się w górę i w dół mięsień. Nerwowo zaciskała i rozluźniała palce.

Zygmunt przedstawił się i zapytał ją, jak się dziś czuje.

– Nie najlepiej, panie doktorze – odpowiedziała pani von Neustadt niskim, modulowanym głosem. – W lewej nodze czuję przepływające fale zimna i bólu, które, jak się zdaje, idą od pleców... – nagle przerwała zdanie, jej twarz wyrażała przestrach. Wyciągnęła ku niemu prawą rękę z wyprostowanymi palcami i zawołała zdławionym głosem: – Proszę się nie ruszać! Proszę nic nie mówić! Nie dotykać mnie! – po czym opuściła rękę i rozluźniła palce.

Ciągnęła przerwane zdanie równie spokojnym głosem jak przedtem. – Cierpię również na zaburzenia gastryczne. Od dwóch dni nie mogę nic jeść ani pić. Każdy kęs, każdy łyk płynu wywołuje mdłości... – Przerwała, zamknęła oczy, z jej ust wyrwał się dziwny odgłos, jakieś: „tik-tik-tik". Przyciskała język do zębów, po czym następowało mlaśnięcie wargami i syk. Wyraz bólu znikł z jej twarzy. Wygodnie oparła się o poduszkę.

– Moi rodzice mieli czternaścioro dzieci. Ja byłam trzynastym. Niestety, tylko czworo przeżyło. Otrzymałam staranne wychowanie. Co prawda matka trzymała mnie krótko: kochała nas, ale była surowa... – Znowu wyrzuciła ramię do przodu i zawołała: – Spokojnie! Nic nie mów! Nie dotykaj mnie! – po czym wróciła do tego samego co przedtem tonu. – Zachorowałam po nagłej śmierci mego męża, którego uwielbiałam. Tak trudno mi było wychować samej dwie córki. Jedna ma teraz czternaście, a druga szesnaście lat. Bez przerwy chorowały na nerwy... W końcu sama zachorowałam...

I znowu ten sam dźwięk „tik-tik-tik", mlaśnięcie i syk.

Zygmunt nie zwracał uwagi na te osobliwe odgłosy.

– Czy w ciągu tych lat udało się pani znaleźć lekarzy, którzy potrafiliby coś poradzić na pani dolegliwości?

– Niezbyt często. Przez cztery lata pewną ulgę przynosiły mi masaże i kąpiele elektryczne. Przez kilka miesięcy cierpiałam na depresję i bezsenność. Od sześciu tygodni jestem w Wiedniu, szukam pomocy lekarskiej, ale dotąd nic nie znalazłam. – Ramię ponownie uniosło się. – Spokojnie! Nic nie mów. Nie dotykaj mnie! – I znowu się odprężyła. – Doktor Józef Breuer wspomniał mi o panu. Pomyślałam, że może panu uda się mi pomóc.

– Mam nadzieję. Proponowałbym, żeby pani zostawiła tu swoje córki pod opieką guwernantki i pokojówki, sama zaś przeniosła się do znakomitego sanatorium, które pani polecę. Tam będziemy mogli dokładnie zbadać symptomy, co mi umożliwi wybór najskuteczniejszej kuracji.

Zielone oczy pani von Neustadt przez chwilę spoczęły badawczo na Zygmuncie.

– Dziękuję panu, panie doktorze. Proszę zostawić mi adres sanatorium. Przeniosę się tam jutro z samego rana.

Na ulicy różowy zmierzch łagodził kontury domów, ale pogrążony w myślach Zygmunt niczego nie widział. Próbował uporządkować wrażenia, wprowadzić jakiś ład w te dziwne dźwięki i odgłosy, jakie wydawała pani von Neustadt. Oczywiście miał do czynienia z przypadkiem silnej histerii. Osoba rozumnie myśląca i inteligentna niespodziewanie ulegała straszliwym przywidzeniom, jak się zdaje, zupełnie bezwiednie. Czyżby broniła się przed czymś groźnym, kiedy wyciągała przed siebie rękę i wołała: „Spokojnie! Nic nie mów. Nie dotykaj mnie"? Czy demon znikał po zaklęciu? A co miał oznaczać osobliwy odgłos „tik-tik-tik", to mlaskanie i syk?

Wszystkie te mechaniczne odruchy zdawały się rodzić w tej części jej mózgu, która nie miała kontaktu z częścią nakazującą jej mówić i myśleć logicznie.

Doszedł do placu przed katedrą św. Stefana, gdzie długi rząd jednokonnych i dwukonnych fiakrów czekał na klientów. Woźnice leniwie rozmawiali w późnym popołudniowym słońcu. W głowie Zygmunta krążyły z niezwykłą szybkością myśli; ale coś mu nie dawało spokoju. Czuł jakby ucisk w żołądku. Próbując posegregować myśli, rozpoznawał w nich tylko niepokój zmieszany z lękiem. Czuł, że stoi na skraju głębokiej przepaści: dualizmu natury ludzkiej. Po *Królu Edypie* Józef Breuer powiedział, że Jokasta w świadomej części swego umysłu nie wiedziała, że poślubiła własnego syna. Zygmuntowi nie udało się zrobić następnego kroku, do którego popychała go z całej siły jego inteligencja: Jokasta podświadomie wiedziała, kim jest Edyp, Terezjasz, ślepy wróżbita, powiedział przecież dosłownie:

> Mówię, że z twymi tobie najmilszymi
> obcujesz, hańby twej nie widząc wcale.

To właśnie do tej podświadomości dobierał się kluczem hipnozy!

Pacjenci, którym pomagał, stosując hipnozę, cierpieli, ponieważ w ich nieświadomym umyśle tkwiła jakaś myśl: matka, która nie mogła karmić własną piersią swego dziecka, mężczyzna, który stracił władzę w nogach, bona, która uciekała w nocy ze swego pokoju, a teraz pani Emma, w której podświadomości roiło się od demonów, dość silnych, by przedrzeć się przez jej świadomość, domagać się uwagi.

Patrzał niewidzącymi oczami na gotycką wieżę św. Stefana. Oddychał szybko, był przerażony, a zarazem pijany radością, jakiej jeszcze nie zaznał ani razu w życiu. Czuł się tak, jakby stał w najwyższym punkcie Semmeringu, w gęstej mgle, która teraz unosiła się, odsłaniając leżące w dole równiny: zarysy umysłu ludzkiego. Oto coś, co zawsze przeczuwali poeci, pisarze, dramaturgowie: podświadomość.

Psychologia zajmowała się duszą, zdolnościami duchowymi i wszyscy nią gardzili jako nauką zawodną. Ale dziś był świadkiem tego, jak funkcjonuje umysł podświadomy. Podobnie jak wszyscy, stykał się z tym wielokrotnie, ale dotąd nie zgłębił znaczenia tego, co przecież rozgrywało się przed jego oczami.

Czyżby to było możliwe? Czyżby dwa umysły człowieka funkcjonowały niezależnie od siebie? To wstrząsająca koncepcja. Przeszył go dreszcz, mimo że wieczór był ciepły. Tak chyba czuł się Vasco de Balboa, kiedy po raz pierwszy zobaczył Ocean Spokojny, dotąd nieznany, niezaznaczony na żadnej mapie, bezkresny, zapierający oddech w piersi maleńkiego człowieka. Jakie niebezpieczeństwa kryły się w tych przepastnych głębiach? Jakie potwory mogą się z nich wyłonić? Jakie siły potężne będą próbowały zmieść huraganowymi falami słabą łódź? Czy są tam dziury bez dna, w których może się pogrążyć statek z całą załogą, by nigdy już nie wypłynąć na światło dzienne? Czyż nie ma kresu, granic tego bezmiaru rozciągającego się przed nimi? Czyż czeka ich pływanie nieustanne, ponieważ po drugiej stronie nie ma stałego lądu? Czy toną w tym wodnym grobie?

To, co w tej chwili pojął, tak silnie go wzburzyło i przeraziło, że nie wierzył już temu, co sam przecież widział na własne oczy, co słyszał na własne uszy. Przed nim leżała ziemia nietknięta jeszcze ludzką stopą. Czyżby nikt dotąd nie śmiał na nią wstąpić? Czytał wiele o konflikcie między Bogiem a szatanem, szczególnie w *Fauście* Goethego. Dla niego była to zawsze literacka lub religijna idea symbolizująca naturę. Nigdy dotąd nie udało mu się zrozumieć tych zmagań Boga z diabłem. Teraz po raz pierwszy rozumiał. Bóg to był umysł świadomy, logiczny, odpowiedzialny, owa wielka siła, która wyprowadzała człowieka z morza na ląd, która pozwalała mu wyjść z dżungli, z buszu i przekształcała go w istotę rozumną, twórczą. Diabeł to była nieświadomość. Szatan królujący w piekielnych regionach, godnych tylko potworów, chimer, płazów, w przybytkach brzydoty, niegodziwości, zguby, jadowitości, podłości, złowrogości, zbrodniczości i demonów, odpadków i brudów wszechświata: jego usłużni pupilkowie czekają na najdrobniejszą okazję, by psuć, niszczyć, kazić, paraliżować, burzyć. W takim przeklętym miejscu nie może być Boga, nauki, dyscypliny, rozumu ani cywilizacji. Gdziekolwiek człowiek postawi stopę, zaczepi myślą, natychmiast pogrąży się w złowróżbnym bagnie. A czy stamtąd można odnaleźć drogę powrotną do zdrowego rozumu, do społeczeństwa?

Zygmunt Freud darzył podziwem wielkich ludzi: Aleksandra Wielkiego, Galileusza, Kolumba, Lutra, Semmelweisa, Darwina. Nie tracił nigdy nadziei, że i jego stać będzie na odwagę, że nie cofnie się ani na krok przed niebezpieczeństwami mogącymi zagrażać ludzkości. Któż jednak nie stchórzyłby przed tą katownią, gorszą od wszystkiego, co wymyślił Torquemada, by łamać ludzkie ciała i wolę?

Józef Breuer otarł się o ten sabat czarownic. Czyżby cena, jaką przychodzi za to płacić, była zbyt wysoka? Czyżby za bardzo przeraził się czekających go widoków, nawet jeśli na dnie tego piekła mogły się znaleźć brylanty, perły i szmaragdy najczystszej mądrości i piękna? Czyżby świadomie odstąpił przygodę swemu młodemu pupilkowi?

Przypomniał sobie ilustracje Dorégo do *Piekła* Dantego i początek pieśni pierwszej:

Straciwszy z oczu szlak niemylnej drogi,
W głębi ciemnego znalazłem się lasu.
Jak ciężko słowom opisać ten srogi
Bór, owe stromych puszcz pustynne dzicze,
Co mię dziś jeszcze nabawiają trwogi.
Gorzko – śmierć chyba większe zna gorycze;
Lecz dla korzyści, dobytych z przeprawy,
Opowiem lasu rzeczy tajemnicze*.

8

Spacerował przez dłuższą chwilę po ogrodzie sanatorium, zanim udał się do pokoju pani Emmy, z którego okien roztaczał się widok na błękitne wiedeńskie niebo. Pacjentka nic nie jadła i miała za sobą nieprzespaną noc. Za każdym razem, gdy otwierały się drzwi, kuliła się ze strachu, zrywała z łóżka, jakby się przed czymś broniła. Zygmunt wydał polecenie, by nikt, nawet pielęgniarki i lekarze, nie wchodził do pokoju, nie zapukawszy uprzednio cicho.

– Szanowna pani, pierwszy tydzień zamierzam poświęcić na zabiegi mające na celu wzmocnienie pani organizmu. Dwa razy dziennie będę stosował masaże. Będzie pani brała ciepłe kąpiele. Teraz zahipnotyzuję panią i uśpię, po czym wypowiem pewne polecenia. Czy panią już kiedyś hipnotyzowano?

– Nie.

Okazała się niezwykle podatna na hipnozę. Trzymając palec przed jej oczami, kazał jej zasnąć. Była nieco oszołomiona, ale nie zdradzała ani śladu lęku. Zygmunt powiedział cicho:

– Twierdzę, że objawy pani choroby znikną, odzyska pani apetyt i będzie spokojnie spała w nocy.

Przez sześć dni oprócz przepisanych masaży i kąpieli stosował hipnozę, aż wreszcie pani von Neustadt się odprężyła. Tiki twarzy i reakcje nerwowe złagodniały. Zygmunt wiedział, że jeszcze nie ustąpiły całkowicie, że jedynie przyczaiły się i czekają, by się znów pojawić. Wymagały dłuższej kuracji.

Kiedy w pogodny wtorkowy ranek wszedł do zalanego słońcem pokoju, pani Emma z miejsca go zaatakowała:

– Przeczytałam dziś w gazecie frankfurckiej straszliwą historię. Jakiś rzemieślnik związał chłopca i włożył mu do ust białą mysz. Biedne dziecko zmarło ze strachu. Jeden z moich lekarzy powiedział mi, że wysłał całą

---

* Przekład Edwarda Porębowicza.

skrzynkę białych szczurów do Tbilisi. – Na jej twarzy pojawił się wyraz obrzydzenia. Przykryła piersi rękami. – Nie ruszaj się! Nie mów nic! Nie dotykaj mnie! Panie doktorze, a jeśli jeden z tych szczurów dostał się do mego łóżka?

Uśpił panią Emmę i wziął do ręki „Frankfurter Zeitung", leżącą na stoliku przy łóżku. Znalazł wiadomość o chłopcu, którego ktoś skrzywdził, ale nie było tam ani słowa o myszach lub szczurach. W umyśle pani Emmy zrodził się jakiś strach, jakaś halucynacja, każąc jej wpleść myszy i szczury do przeczytanej w gazecie notatki.

Trzeba było się dowiedzieć, co wywoływało te ataki strachu, by móc je rozproszyć. Teraz już dostrzegł wyraźne analogie między przypadkiem pani Emmy a chorobą Berty Pappenheim. Próbował mówić o tych podobieństwach z Józefem, rozważyć możliwości „czyszczenia kominów", „kuracji mówionej", ale on nie chciał o tym słyszeć.

Przez dłuższy czas rozmawiał z uśpioną panią Emmą, próbując na różne sposoby wytłumaczyć jej, że strach przed myszami, szczurami i płazami to rzecz normalna i nie powinna się tym przejmować. Musi przestać o tym myśleć; rzecz jest bez znaczenia i wszyscy ludzie reagują podobnie.

– Pani sama może sobie z tym poradzić – sugerował zahipnotyzowanej pacjentce.

Następnym razem zapytał ją po uśpieniu, dlaczego tak często ogarnia ją lęk.

– To się wiąże z moimi wspomnieniami z najwcześniejszych lat dziecinnych – odpowiedziała.

– Jakimi?

– Kiedy miałam pięć lat, moi bracia i siostry często rzucali we mnie zdechłymi zwierzętami. Wtedy pierwszy raz zemdlałam i dostałam ataku spazmów. Ale moja ciocia powiedziała, że nie powinnam się tak zachowywać, i ataki ustały. Potem znowu przestraszyłam się; miałam wtedy lat siedem i niespodziewanie zobaczyłam moją siostrę w trumnie. Kiedy miałam osiem lat, mój brat często zawijał się w prześcieradło i straszył mnie, udając ducha. Jako dziewięcioletnia dziewczynka widziałam ciotkę leżącą w trumnie i wie pan, doktorze, nagle opadła jej szczęka...

Po każdej takiej relacji panią Emmę przeszywał dreszcz. Skurcze przebiegały przez twarz i całe ciało. Leżała teraz oparta o poduszkę, zmęczona, oddychając z trudem. Zygmunt otarł jej spocone czoło i łagodnie masował ramiona. Po chwili podszedł do okna i patrząc na ogród, próbował uporządkować myśli, by zrozumieć istotę tych ciężkich przeżyć, o których opowiedziała mu przed chwilą pacjentka. Co najmniej rok dzielił jeden incydent od drugiego; musiały być ukryte w różnych warstwach jej pamięci. A przecież wystarczyło najzwyczajniejsze pytanie, by natychmiast wydobywała je wszystkie równocześnie i splatała w składną opowieść. Zapytał ją, jak się to dzieje.

– Ponieważ tak często myślę o tych okropnych scenach, ciągle stają mi żywo przed oczami kształty i barwy, jakbym raz jeszcze przeżywała wszystko od nowa w tej właśnie chwili.

Delikatnie przesuwał palcami po powiekach pani Emmy, wprowadzając ją w jeszcze głębszy sen, po czym zaczął wypytywać o poszczególne sceny. Czyżby rzeczywiście zapamiętała tak szczegółowo to, co się zdarzyło, kiedy miała pięć lat? Czy jej rodzeństwo naprawdę rzucało w nią zdechłymi zwierzętami? Czy istotnie mdlała i miewała ataki spazmów? Przecież przedtem nic o tym nie wspominała? Z jej opowiadań wynikało, że była zdrowym dzieckiem.

– Bez względu na to, czy to wszystko wydarzyło się naprawdę, czy też nie, radziłbym pani wymazać te obrazy z pamięci – powiedział. – Widzimy tysiące rzeczy i wcale nie musimy ich zapamiętywać. Od nas przecież to zależy, od naszego wyboru. Proszę starać się zapomnieć o tych scenach; nic nie stoi na przeszkodzie, by usunęła je pani ze swej pamięci. Ma pani na to dość siły i inteligencji. Opuśćmy na to wszystko zasłonę. Z czasem obrazy te zaczną się coraz bardziej zacierać, aż w końcu znikną zupełnie.

Następnego dnia stwierdził, że chora cierpi już tylko na bóle żołądka. Postanowił więc, że spróbuje teraz dotrzeć do źródeł pierwotnego odruchu.

– Pani Emmo, od jak dawna wydaje pani odruchowo te osobliwe dźwięki: „tik-tik-tik"?

Odpowiedziała swobodnie, nie tylko świadoma odruchu, ale i jego źródeł.

– Od pięciu lat, od czasu kiedy siedziałam przy łóżku mojej bardzo chorej córeczki i usiłowałam zachować całkowity spokój.

– Ależ pani już dawno powinna była o tym zapomnieć – powiedział Zygmunt współczująco. – Przecież pani córce nic się nie stało.

– Wiem, ale odruch powraca, kiedy się martwię albo czegoś się obawiam.

W tej właśnie chwili do pokoju wszedł doktor Breuer z lekarzem domowym. Pani Emma natychmiast się zerwała z okrzykiem:

– Nie odzywajcie się! Nie dotykaj mnie!

Breuer i lekarz domowy uciekli z pokoju.

Podczas następnego seansu Zygmunt nakazał pacjentce, by opowiedziała mu więcej o swych lękach.

– Teraz sobie przypominam jeszcze inne sceny. Raz widziałam, jak zabierano moją kuzynkę do domu obłąkanych; miałam wtedy lat piętnaście. Chciałam wezwać ludzi na pomoc, ale nie mogłam wydobyć z siebie głosu, i do wieczora już nie mogłam mówić.

– A czy nie zdarzało się, że jakieś inne incydenty budziły w pani lęk przed obłędem?

– Moja matka przebywała przez pewien czas w sanatorium. Mieliśmy kiedyś służącą, która opowiadała mi o tym, jak straszliwie obchodzą się tam z pacjentami. Twierdziła, że się ich przywiązuje do krzeseł, bije i każe się im kręcić wkoło do utraty przytomności.

Mówiła to, nerwowo zaciskając i otwierając dłoń, z wyrazem przerażenia na twarzy. Zygmunt tłumaczył jej, że nie powinna dawać wiary bajdom, jest przecież rozsądną osobą. Powiedział, że sam pracował w szpitalach dla nerwowo chorych i widział, jak troskliwie się tam nimi opiekują.

Podczas jednej z następnych wizyt pacjentka była odprężona i w pogodniejszym nastroju. Zapytał ją wtedy, dlaczego co pewien czas woła: „Nie ruszajcie się! Nie mówcie! Nie dotykaj mnie!".

– „Nie ruszajcie się" odnosi się do tych zwierząt, które widzę wokół siebie, kiedy mój stan się pogarsza. One się poruszają i napastują mnie, gdy ktokolwiek się ruszy z miejsca. „Nie dotykaj mnie!" – wiąże się z pewnym incydentem z bratem, który często zażywał morfinę. Byłam dziewiętnastoletnią dziewczyną, kiedy pewnego razu rzucił się na mnie. A potem, kiedy miałam lat dwadzieścia osiem, moja córka zachorowała i podczas jednego z ataków tak silnie mnie objęła, że omal nie udusiła.

Po każdej z tych opowieści Zygmunt podsuwał sugestie, które miały te wspomnienia wymazać. Podczas następnego seansu uśpił głęboko panią Emmę i zapytał ją, dlaczego się jąka. Pytanie bardzo ją zdenerwowało. Z trudem wymawiając słowa, opowiedziała mu, jak kiedyś spłoszyły się konie zaprzężone do powozu, w którym siedziały jej dzieci, i jak innym razem jechała z dziećmi przez las podczas burzy i drzewo trafione piorunem zagrodziło im drogę, a konie się rzuciły w bok. Wiedziała, że musi zachować spokój i nie wolno jej krzyknąć, bo konie się spłoszą jeszcze bardziej i woźnica ich nie utrzyma. Od tej chwili zaczęła się jąkać.

Wynajdował coraz to nowe sugestie, mające na celu wymazanie tych „plastycznych" wspomnień. Potem zaproponował jej, by raz jeszcze powtórzyła mu wszystkie te wydarzenia. Nie zareagowała. Obudził ją. Nie pamiętała nic z tego, co mówiła w hipnozie, ale przestała się jąkać. To go bardzo podniosło na duchu.

Opowieści pani von Neustadt fascynowały go. Spędzał ze swą pacjentką dwie godziny dziennie: jedną przed południem i drugą wczesnym wieczorem, ale choć był to najciekawszy przypadek w jego obecnej praktyce, niewiele miał czasu, by zastanawiać się nad rozwojem sytuacji. Klinice pediatrycznej musiał teraz poświęcać trzy pełne popołudnia w tygodniu. Przybywało pacjentów i zdarzały się dni, kiedy przyjęcia zajmowały mu cztery godziny. Leczył jako neurolog. Szukał somatycznych źródeł chorób i niekiedy je znajdował. Ale zakrawało to na ironiczny zbieg okoliczności, że właśnie teraz, kiedy obmyślał nowe metody leczenia nerwic, nie zgłaszał się ani jeden pacjent cierpiący na histerię. Schudł i trochę zmizerniał, jedną godzinę przed północą jednakże regularnie poświęcał na skrupulatne spisywanie każdego słowa, które zamienił tego dnia z panią Emmą. Marta już spała, kiedy kończył pracę przy swym biurku. Wysiłek ten miała w przyszłości uwieńczyć topograficzna mapa tego niesamowitego, niezbadanego dotąd terenu – podświadomości chorej.

Po trzech tygodniach leczenia pani Neustadt zrozumiał, że jej pomysłowość w wynajdywaniu urojonych chorób jest wręcz niewyczerpana. Był bardzo podniecony tym, że tłumaczy książkę Bernheima *Hipnoza i sugestia* i jednocześnie stosuje te metody w leczeniu. Sześć lat minęło od czasu, gdy Józef Breuer przestał się interesować przypadkiem Berty Pappenheim. Zygmunt nie słyszał, by ktokolwiek próbował w tym czasie stosować „kurację mówioną". Nie ulegało wątpliwości, że pani von Neustadt po raz pierwszy w życiu mówi o swych problemach: co więcej, było rzeczą wątpliwą, by niektóre z nich mogły utorować sobie drogę z głębi umysłu do jej świadomości. Breuer wiedział o skuteczności swej metody, a jednak nie chciał jej stosować. Dlaczego? Przecież na pewno postawił diagnozę w przypadku pani Emmy i mógł doprowadzić do takiej samej katharsis jak w przypadku Berty Pappenheim. Dlaczego nie chciał sam leczyć pani Emmy?

Nocami, siedząc przy biurku, Zygmunt zastanawiał się nad tym, ilu spośród pacjentów przychodzących do lekarzy i zgłaszających się do szpitali cierpi na choroby urojone, bynajmniej niewywołane jakąś infekcją. Oczywiście nie wszyscy, nawet nie większość. Zbyt długo pracował w różnych szpitalach, by nie wiedzieć, ilu ludzi umiera na choroby cielesne, by nie zdawać sobie sprawy, że w większości wypadków są to schorzenia jakiegoś narządu, jakaś choroba płuc, serca, krwi czy nowotwory. Ale im dłużej zajmował się panią Emmą i pracował nad przekładem książki Bernheima, tym trudniej było mu się oprzeć myśli, że nazbyt często ludzie sami się wpędzają w chorobę. Przecież to powolna i subtelna forma samobójstwa, z której chory, jego rodzina i przyjaciele nie zdają sobie sprawy.

9

Za pomocą sugestii uwolnił panią Emmę od lęków, jakie w niej budziło sanatorium. Po seansach hipnozy czuła się lepiej, opowiadała o swym salonie i o przyjaźniach ze znakomitymi artystami i pisarzami. Ale już następnego dnia witała go słowami:

– Panie doktorze, tak się cieszę, że pan przyszedł. Boję się. Wiem, że umrę!

We śnie hipnotycznym mówiła o swych strasznych snach. „Nogi i oparcia foteli zamieniły się w węże. Jakiś potwór z dziobem sępa napastował mnie i pożerał. Potem rzuciły się na mnie inne dzikie zwierzęta". Kiedyś w dzieciństwie pochyliła się, by podnieść kłębek włóczki; okazało się, że była to mysz... Innym razem podniosła duży kamień, pod którym zobaczyła wielką żabę. Przestraszyła się i przez cały dzień nie mogła mówić.

Oto nowe wyobrażenia zwierząt, których nie udało mu się wymazać. Czy są to wytwory jej halucynacji? Jakim cudem wymyślała natychmiast coraz to nowe przywidzenia, gdy tylko udawało mu się usunąć dawne? Czyżby to były autentyczne lęki z dzieciństwa?

– Pani Emmo – zapytał, przerywając kolejną opowieść o epizodzie z przeszłości – dlaczego mówi pani o jakichś burzach w głowie?

Zesztywniała i odpowiedziała cierpko:

– Proszę mi nie zadawać nieustannych pytań o to, skąd się bierze to czy tamto. Proszę słuchać tego, co mówię, i nie przerywać.

Zapisując wieczorem te słowa, pomyślał, że pani Emma ma rację. Jak długo pacjent opowiada, on powinien pozostawać na drugim planie i pozwolić mu formułować swoje myśli tak, jak potrafi i jak musi. Jest to najlepszy sposób kreślenia autoportretu. Powinien ingerować tylko wtedy, gdy źródło wysycha.

Następnego dnia pani Emma opowiedziała mu zdumiewającą historię. Jeden z jej starszych braci, oficer w służbie czynnej, zaraził się syfilisem, a ponieważ rodzina ukrywała jego chorobę, Emma musiała jadać z nim przy jednym stole, chociaż strasznie się bała, że się zarazi, jeśli przez nieuwagę sięgnie po jego widelec lub nóż. Drugi brat miał gruźlicę i zwykł był pluć poprzez stół do spluwaczki, która stała koło jej krzesła. Kiedy w dzieciństwie nie chciała jeść, matka zmuszała ją, by siedziała przy stole godzinami, póki nie zjadła do końca mięsa, „całkiem już zimnego i pokrytego zastygłym tłuszczem". Dostawała mdłości. „Za każdym razem, kiedy siadam do stołu, widzę przed sobą tę grubą skorupę tłuszczu, i nie mogę niczego przełknąć".

Zapytał ją łagodnie, czy te wspomnienia dokuczały jej w ciągu trzech lat pożycia małżeńskiego.

– Ależ nie. Chociaż w ciągu trzydziestu sześciu miesięcy trwania naszego małżeństwa przez osiemnaście byłam w ciąży. Urodziłam dwie córki. Ale wtedy byłam stale zajęta. Prowadziliśmy otwarty dom, zarówno w mieście, jak i na wsi. Mój mąż wprowadził mnie w swoje skomplikowane interesy. Zawsze towarzyszyłam mu w jego podróżach zagranicznych.

Twarz jej się ożywiła; wyglądała młodo. Zygmunt utrzymywał ją w hipnozie.

– Jakie wydarzenie najsilniej wryło się w pani pamięć?

– Śmierć mego męża – odpowiedziała bez wahania. Głos jej stał się głębszy, zdradzał wzruszenie, ale nie jąkała się. – Byliśmy w naszej ulubionej miejscowości na Riwierze. Przechodziliśmy właśnie przez mostek, gdy nagle upadł i przez kilka minut leżał nieprzytomny. Potem wstał, czuł się całkiem dobrze. Ale po pewnym czasie, kiedy leżałam w łóżku po drugim rozwiązaniu, mąż mój, kiedy siedział obok przy stole i czytał gazetę, wstał nagle, spojrzał na mnie dziwnie, zrobił kilka kroków i padł martwy. Lekarze próbowali go ratować, ale bez skutku. A potem córeczka, która miała zaledwie kilka tygodni, zachorowała ciężko; choroba trwała sześć miesięcy. Przez cały ten czas sama leżałam w łóżku z wysoką gorączką. – Wyraz twarzy pani Emmy się zmienił. – Nie wyobraża pan sobie, jakie miałam kłopoty z tym dzieckiem. Była dziwna, krzyczała przez całe dnie i noce, nie sypiała, miała sparaliżowaną lewą nogę; początkowo uznano to za nieuleczalne; bardzo późno zaczęła chodzić i mówić, przez pewien czas bałam się, że będzie niedorozwinięta. Lekarze utrzymywali, że miała zapalenie mózgu i rdzenia kręgowego i sama już nie wiem, co jeszcze.

Zwrócił jej uwagę, że przecież córka jest teraz zdrowa i nic jej nie dolega.

– Pani Emmo, usunę teraz całe wspomnienie o tym okresie, jakby nigdy nie istniało ono w pani umyśle. Pani wciąż czeka na jakieś nieszczęście. I stąd ten stan lękowy. Ale nie ma żadnych podstaw do zadręczania się i te wszystkie powtarzające się bóle w ramionach i nogach, skurcze w karku, brak czucia w poszczególnych częściach ciała niczym się nie tłumaczą... Ponieważ potrafię wymazać te wspomnienia z pani umysłu, mogę również usunąć te powracające bóle.

Depresja jednak nie ustępowała. Gdy zapytał pacjentkę, dlaczego tak często jest przygnębiona, odpowiedziała, że nieustannie prześladuje ją rodzina męża.

– Oni mnie nie uznają. Po jego śmierci przysyłali jakichś podejrzanych dziennikarzy, którzy rozpowszechniali o mnie złośliwe plotki i zamieszczali w gazetach oczerniające mnie artykuły.

Zbyt często słyszał podobne żale w klinice Meynerta, by nie rozpoznać objawów manii prześladowczej. Ale tak czy inaczej jego zadaniem było usunięcie tych myśli z jej głowy.

O szóstej po południu zaszedł do Józefa Breuera do domu, wiedząc, że przyjaciel wrócił już o tej porze z pracy. Poszli razem do „Cafe Kurzweil"

– spotykali się tam stale w czasach studenckich, ponieważ na tablicy przy szatni można było zostawić wiadomości dla przyjaciół. Kelnerzy należeli do najlepszych bilardzistów w całej monarchii, i często proszono ich, by kończyli rozgrywkę w zastępstwie gracza, który nagle musiał gdzieś wyjść. Przy kasie siedziała jak zwykle piękna dziewczyna. Zygmunt zaprowadził Józefa do stolika na samym końcu tarasu, gdzie mogli spokojnie porozmawiać i odetchnąć świeżym powietrzem.

– Leczę panią Emmę już od sześciu tygodni. Nie miałem ani jednej wolnej niedzieli. Ale wszystkie sukcesy okazały się złudne. Ledwie udało mi się wymazać jedne obrazy i wspomnienia, a już na ich miejsce, po jednym lub kilku dniach, pojawiały się nowe. Zaczynam podejrzewać, że jej wola chorowania okaże się silniejsza od mojej woli wyleczenia jej.

Breuer w zamyśleniu gładził brodę.

– Wiem, że jest uparta jak osioł. Ale sześć tygodni to zbyt krótki okres, by wyleczyć osobę, która choruje od czternastu lat.

Przez dłuższą chwilę milczeli obaj, po czym Zygmunt zapytał:

– A czy nie sądzisz, że gdyby nie śmierć męża, pani Emma w ogóle by nie zachorowała? Czyż nie wychowałaby swych córek normalnie, gdyby nie umarł na jej oczach? To ona, w swym szoku i nieszczęściu, uczyniła dziewczynki nerwowo chorymi, a nie odwrotnie. Tak mi się przynajmniej zdaje.

– Masz chyba rację. Ale dlaczego pani Emma nie wyszła ponownie za mąż?

– Mówi, że nie pozwalało jej na to poczucie obowiązku. Obawiała się, że wychodząc po raz drugi za mąż, roztrwoni majątek córek. Nie chciała ryzykować.

Breuer znowu się zamyślił. Cichutko pogwizdując, mieszał łyżeczką resztki kawy w filiżance.

– Za ten majątek zapłaciła lichwiarski procent; może nawet wyższy... Uratowała fortuny córek, ale przez czternaście lat chorowała. Kiedy skierowałem ją do ciebie, była na progu katastrofy.

– Kiedyś powtarzałeś mi słowa Berty Pappenheim o dwóch osobowościach, które w niej tkwią. Jednej „złej lub podrzędnej", która wpędza ją w choroby psychiczne, i drugiej, ważniejszej, normalnej, która jest „spokojnym i trzeźwym obserwatorem siedzącym – jak to mówiła – w kącie jej mózgu i przyglądającym się wszystkim tym szaleństwom". Wydaje mi się, że pani Emma ma dwa oddzielne i różne od siebie stany świadomości, jeden ukryty, a drugi jawny. Przez sześć tygodni śledziłem ten proces w pełnym rozkwicie i mam teraz dokładny obraz działania tej „drugiej siły". Udało mi się przelotnie ujrzeć nieznany kontynent, niezbadaną jeszcze dziedzinę badań naukowych o zasadniczym znaczeniu. Iluż to nieszczęśników przykuto do murów „Wieży Szaleńców" tylko dlatego, że ich drugie chore umysły, ich „złe osobowości" zapanowały nad przodomózgowiem? Ilu pacjentów w klinice profesora Meynerta, ilu w Zakładzie dla Umysłowo Chorych Dolnej Austrii przeżyło zaburzenia psychiczne i w końcu straciło rozum tylko dlatego, że zamiast jednego mieli dwa umysły funkcjonujące niezależnie od siebie, przy czym umysł chory stopniowo obezwładniał umysł drugi, funkcjonujący normalnie? Wiem, że pani Emma ma dziedziczne obciążenia, ale obaj wiemy, że dziedzictwo neuropatologiczne i predyspozycja same nie mogą spowodować histerii. Muszą istnieć jakieś przyczyny zewnętrzne, takie właśnie jak owa nagła śmierć męża, i tylko one mogą ożywić dziedziczną skazę.

Breuer kręcił głową. Był wyraźnie zgnębiony.

– Zygmuncie, pamiętaj, że jako lekarz pani Emmy nie możesz eksperymentalnie dać jej drugiego męża. Musisz więc wyrwać z korzeniami te myśli, które wywołują jej chorobę. Radzę ci nie wypisywać jej z sanatorium, póki sama stanowczo nie wyrazi pragnienia powrotu do normalnego życia.

Pani Emma robiła postępy. Doktor Freud jako hipnotyzer nadal sugerował jej, że jest zdrowa i silna i że nie powinna tak uporczywie żyć w świecie starych fotografii. Powinna podrzeć je na kawałki i wyrzucić.

Pewnego ranka zastał ją w fotelu przy łóżku. Była ubrana, uczesana i uśmiechnięta.

– Panie doktorze, czuję się znakomicie. O tej porze roku w naszej posiadłości wiejskiej jest pięknie. Pragnę wrócić do domu i zabrać ze sobą moje córki. Tęsknię do przyjaciół, do interesów. Jestem panu naprawdę wdzięczna za wszystko, co pan dla mnie zrobił.

Tej nocy nie mógł zasnąć. Obok niego spała spokojnie Marta. W kołysce przy łóżku spod kołderki widać było tylko głowę dziecka. W pokoju panowała cisza, która pozwala jasno formułować myśli. Zygmunt prowadził rozmowę ze sobą.

„W jaki właściwie sposób pomogłem pani Emmie? Spowodowałem, że na pewien przynajmniej czas znikły bóle fizyczne. Usunąłem gnębiące ją przeświadczenie, że ma sparaliżowane nogi i ręce, że wkrótce umrze. Skłoniłem ją do przyjmowania posiłków, zastosowałem masaże, elektroterapię, ciepłe kąpiele, zatarłem w jej umyśle dręczące ją bez przerwy przykre obrazy. Ale czy udało mi się dotrzeć do źródła choroby?" Oto pytanie zasadnicze, na które usiłuje sobie odpowiedzieć każdy lekarz. Stanął teraz na progu pytania o źródło myśli, które gnieździły się w umysłach i gubiły ludzi. Skąd się brały? Od czego zależało ich nasilenie? Dzięki jakiemu procesowi udawało im się opanowywać umysły? Nie wystarczało stwierdzić, że fizyczne i psychiczne zaburzenia pani Emmy były wynikiem nagłej śmierci jej męża.

Tysiące młodych kobiet zostawało wdowami; wychodziły powtórnie za mąż albo obierały samotność. Pracowały, wychowywały dzieci.

Dziecko poruszyło się w kołysce. Zygmunt wstał, sprawdził, czy pieluszki są suche, poprawił kołderkę i wrócił do łóżka.

Takie same pytania stawiano sobie w obliczu każdej choroby. Przez tysiące lat ludzie umierali na gruźlicę, zanim profesor Koch nie postawił pytania: „A skąd bierze się ta choroba? Co ją powoduje?". Odnalazł odpowiedź: bakterie. Teraz lekarze pracują nad lekiem, który je wytępi. Przez wieki całe ludzie umierali na kamienie żółciowe, aż chirurdzy nauczyli się usuwać je operacyjnie. Od wielu pokoleń kobiety umierały na gorączkę połogową. Semmelweis postawił pytanie: „Dlaczego? Skąd bierze się ta gorączka?". Odnalazł odpowiedź i położył kres wyrządzanym przez nią szkodom.

Teraz już doktor Freud nie miał wątpliwości, że nerwice są poważną chorobą. Mogły człowieka pozbawić wzroku, słuchu, sparaliżować ręce lub nogi, wywołać drgawki, uniemożliwić przyjmowanie pokarmów i płynów, zabić równie szybko jak zakażenie krwi, cholera, zawał serca. Pacjenci umierali na nerwice. Nawet nie przypuszczał jak często. Większość lekarzy miała staranne wykształcenie, była sumienna. Chcieli pomóc swym pacjentom, chcieli ich ratować. W ilu jednak wypadkach diagnoza bywała fałszywa? Ilu ludzi kierowano do niewłaściwego oddziału lub kliniki? Ilu leczono nie tak, jak trzeba, więziono lub odsyłano do domu, skazując na przedwczesną śmierć tylko dlatego, że decyzje były niesłuszne? Ilu niepotrzebnie umierało?

Księga siódma

Zaginiona Atlantyda

1

Pod koniec czerwca wybrali się w górzyste okolice Semmeringu, miejsce letnich pielgrzymek wiedeńczyków, by wynająć dom na wakacje. Z miasta wyruszyli pociągiem o wpół do ósmej rano. W przedziale drugiej klasy były wygodne fotele obite brązową skórą i przykryte białymi pokrowcami z dumnie wyhaftowanymi na nich inicjałami „K.K." – „Kaiserlich Königlich". Dla obywateli cesarsko-królewskiej Austrii te inicjały miały powagę rzymskich „S.P.Q.R.". Zdobiły one nie tylko wszystkie gmachy publiczne, ale też szyldy małych trafik, w których sprzedawano wyroby tytoniowe i znaczki pocztowe. Kiedy pociąg wjechał do pierwszego tunelu, znanego jako „Tunel Pocałunków", Zygmunt, korzystając z tego, że nie zapalono lamp gazowych, objął Martę i pocałował ją w usta. Szepnęła mu na ucho:

– A wiesz, że jeśli mąż nie całuje żony w tym tunelu, to znaczy, że ma kochankę?

Pociąg przemierzał winnice u stóp gór. Na stacji Pfaffstätten girlandy zielonych liści zawieszone nad drzwiami winiarni oznajmiały, że jest już w sprzedaży tegoroczne wino. Zygmunt, którego praktyka ostatnio zmalała gwałtownie, zauważył:

– Może i ja powinienem umieścić jakąś zieloną gałązkę nad drzwiami, żeby ludzie wiedzieli, że uprawiam nową filozofię medyczną, równie cierpką i uderzającą do głowy jak młode wino?

Stogi siana u podnóża Gór Domowych, zwanych tak, ponieważ znajdowały się blisko Wiednia, miały kształt lukrowanych babek z cukierni. Pociąg wspinał się coraz wyżej, zmierzając ku dolinom między Schneeberg i Rax, dwoma bliźniaczymi, ośnieżonymi szczytami. Przed laty Aleksander opowiedział Zygmuntowi, jak ta pierwsza prawdziwa górska linia kolejowa została zbudowana przez obdarzonego wielką wyobraźnią Karola Ghegę dzięki patronatowi Franciszka Józefa. Zygmunt powtórzył teraz Marcie tę zdumiewającą opowieść o pokonaniu przełęczy Semmering na wysokości dziewięciuset metrów dzięki szesnastu wiaduktom zawieszonym nad przepaściami i piętnastu tunelom przebitym w skałach górskich. W młodości Zygmunt korzystał z każdej nadarzającej się okazji, by spędzać w tych stronach wolne dni.

Na stacji Gloggnitz trzech kolejarzy przeprowadziło inspekcję pociągu, po czym doczepiono z tyłu jeszcze jeden specjalny parowóz, który pomagał wciągnąć wagony pod górę. W Klamm zapalono światła gazowe. Gdy z ciemności tuneli wyjechali na oślepiającą jasność wiaduktów, z których można było zobaczyć wielką fabrykę papieru w Schlögel i kościół Maria Schutz, Zygmunt powiedział:

– Ta podróż jest znakomitą ilustracją różnicy między *Piekłem* i *Rajem* Dantego. Czy wiesz, Marto, że są na świecie ludzie, którzy wolą śmierć od życia?

– Trudno mi w to uwierzyć. Ale dlaczego?

– Dowiaduję się o tym od moich pacjentów.

Dochodziła już prawie dziesiąta rano, kiedy znaleźli się na wielkim dworcu w Semmeringu i zaczęli wędrówkę przez wioskę. Głęboko wdychali powietrze przesycone ostrym zapachem świerków. Oczom ich ukazywały się coraz to nowe, coraz wyższe łańcuchy górskie, wzbijające się oblodzonymi szczytami ku lazurowi nieba. Pod nimi rozpościerały się zielone pastwiska, na których pasły się stada. Wzdłuż wąskich wiejskich dróżek, pnących się po stokach gór jak wstążki, rozsiane były wioski znaczone czerwonymi dachówkami domków i szarymi dachami stodół.

Wczesnym popołudniem znaleźli wreszcie dom, który im przypadł do gustu. Był dość duży, ukryty w brzozowym zagajniku, utrzymany w tyrolskim stylu, z kamiennym parterem i drewnianym piętrem. Miał zielone okiennice, małą wieżyczkę z dzwonem i cały był ozdobiony rogami jeleni. Właściciel mieszkał na dole, Freudowie zajęli piętro z tarasem osłoniętym drewnianym daszkiem. Usiedli na zydlach na tarasie, obiecując sobie, że będą tu przychodzili po obiedzie na kawę. Właścicielka przyniosła karafkę młodego wina. Trącili się kieliszkami i postanowili, że nazwą dom „Willą Pufendorf", ponieważ dzięki honorarium od pani Pufendorf mogli wybrać się na letnisko.

Okazało się, że miejsce wybrali nader pomyślne. Marta z dziewięciomiesięczną Matyldą czuły się tu znakomicie. Dnie były upalne, noce natomiast tak chłodne, że przykrywali się kołdrą. Maria świetnie radziła sobie w skromnie wyposażonej wiejskiej kuchni. Przywieźli ze sobą dwie skrzynie naczyń kuchennych i zastawy, nie licząc kufra, walizek i neseserów. Zygmunt przyjeżdżał co piątek wieczorem pociągiem.

Od wielu lat Amelia i Jakub nie mogli sobie pozwolić na wilegiaturę. Teraz Zygmuntowie zaprosili ich do siebie. Aleksander, który miał bezpłatny bilet kolejowy, wpadał na niedziele. Marta żartowała, że nie tyle po to, by ich odwiedzić, ile po to, by przejechać się po owych szesnastu wiaduktach. Aleksander odpowiadał, że z zamkniętymi oczami potrafi wymienić wszystkie wiadukty po kolei. Miał teraz dwadzieścia lat i choć trochę niższy od Zygmunta, był zdumiewająco do niego podobny. Zygmunt uważał, że Aleksander jest człowiekiem skomplikowanym, nierównym w stosunkach z ludźmi, łatwo tracącym cierpliwość, ale w pracy zrównoważonym i systematycznym. Do północy przesiadywał przy biurku, uskarżając się jedynie na drobny druk formularzy kolejowych, który zmuszał go do noszenia okularów, podczas gdy o dziesięć lat starszy od niego Zygmunt jeszcze świetnie się bez nich obywał.

Zygmunt czuł się dziwnie w pustym mieszkaniu wiedeńskim. Meble w pokrowcach, okna zasłonięte, dywany zwinięte i opakowane w gazety. Pacjentów miał niewielu, spędzał więc popołudnia w Instytucie Kassowitza, dokąd tłumnie napływały dzieci z całej Austrii. Przed południem czytał lub pisał artykuły o afazji, anatomii mózgu i paraliżu dziecięcym dla Podręcznej Encyklopedii Lekarskiej. Pracował również nad wstępem do zakończonego właśnie przekładu książki Bernheima. Dowodził, że głównym osiągnięciem autora jest to, iż „wiążąc hipnozę z dobrze znanymi zjawiskami normalnego życia psychicznego i snu, uwolnił ją od otaczającej ją dotąd aury dziwności... i zdefiniował sugestię jako jądro hipnozy i klucz do jej zrozumienia". Podkreślał, że książka pobudza do myślenia i może przyczynić się do poważniejszego traktowania hipnozy, dotąd, zdaniem profesora Meynerta, lekceważonej.

Wieczory spędzał z przyjaciółmi. Ernest Fleischl domagał się, by jak najczęściej przychodził do niego na kolację. Czuł się osamotniony, był schorowany, gorączka raz po raz przerywała mu pracę w laboratorium profesora Brückego. Jego eksperymenty przejął Józef Paneth, który wraz z Exnerem prowadził badania zakłóceń wzroku po operacjach w tylnej jamie czaszkowej. Fleischl martwił się, że Zygmunt ma tak niewielu pacjentów.

– Dlaczego nie zajmiesz się interną? – dopytywał się. – Przynajmniej do czasu, kiedy będziesz mógł sobie pozwolić na to, by zająć się wyłącznie neurologią?

– Męczy mnie piekielnie – odpowiedział Zygmunt – codzienne wysiadywanie w gabinecie i czekanie na to, kiedy wreszcie zadzwoni do drzwi jakiś pacjent, ale za mało znam się na medycynie, by zająć się interną. Nie mówiąc już o tym, że specjalistów neurologów jest zaledwie kilku.

– Właściwie postępujesz słusznie, upierając się i nie zmieniając decyzji.

Józef Breuer nie nazywał postawy Zygmunta „uporem", lecz „krnąbr-nością". Wziął do ręki egzemplarz „Medizinische Wochenschrift" i odczytał głośno fragment zamieszczonego tam wstępu Zygmunta do książki Bern-heima.

– Czy musiałeś wymienić nazwisko Meynerta? Rozwścieczyłeś kocura. – Spojrzał spode łba na Zygmunta. – Pamiętaj, to jest lew w dżungli. Nie puści ci tego płazem. A moim zdaniem nie stać cię jeszcze na podjęcie z nim otwartej walki.

Najszczęśliwsze wieczory spędzał w chłodnym mieszkaniu Panethów na najwyższym piętrze domu przy Parkring. Z okien roztaczał się widok na park miejski. Józef Paneth zapraszał jeszcze kilku lekarzy i zasiadali przy otwar-tych oknach do partii taroka. Zygmunt, pochłonięty grą, zapominał o me-dycynie, Meynercie, pacjentach, którzy nie dopisywali, i z rozczarowaniem stwierdzał, że mu karta nie idzie.

Pewnego wieczora Zofia Panethowa odwołała go na stronę.

– Józef ciągle kaszle. Całymi nocami. Raz zobaczyłam ślady krwi, które starał się ukryć przede mną. Czy nie mógłbyś go zbadać pod jakimś pre-tekstem?

– Kochanie, znam najlepszego specjalistę od płuc w Austrii.

– Postaraj się, żeby on nam kazał wyjechać w góry na resztę lata. Józef tak bardzo przejmuje się współpracą z Exnerem, że stale jest przemęczony.

Ze słomianego wdowieństwa Zygmunta najbardziej cieszyła się Amelia. Nareszcie mogła przyrządzać dla syna jego ulubione potrawy. W pięćdziesią-tym trzecim roku życia na jej skroniach pojawiły się pierwsze pasma siwych włosów, ale nadal miała twarz bez zmarszczek i niewyczerpaną energię.

Od czasu gdy Zygmunt sam został ojcem, zmienił się jego stosunek do własnego ojca. Zawsze go kochał, ceniąc w nim połączenie życiowej mądrości i humoru, ale choć Jakub umiał utrzymać swe stosunki z dziećmi na przyja-cielskiej stopie, dzieliły go od Zygmunta dwa pokolenia. Teraz ta różnica jak gdyby traciła znaczenie. W swych uczuciach dla małej Matyldy Zygmunt poznawał miłość, jaką go darzył Jakub. Ojciec był jego pierwszym nauczycie-lem i pierwszym – po Amelii – wielbicielem talentu syna.

Niemal codziennie znajdował godzinę, by wybrać się z Jakubem na spacer po cienistych alejach Prateru. Obaj panowie omawiali najświeższe wydarze-nia na całym świecie. Zygmunt właśnie przeczytał w „Neue Freie Presse" korzystną ofertę. Jakieś zakłady przemysłowe na Morawach poszukiwały lekarza fabrycznego. Zastrzegano sobie jednak, że lekarz musi być chrześci-janinem. Od paru lat antysemityzm nie tylko narastał, ale stawał się wręcz jawny. Propagandą i organizowaniem antysemickich akcji zajmował się specjalnie w tym celu założony dziennik „Deutsche Volksblatt". Powstała

Zjednoczona Partia Chrześcijańska, która głosiła hasła sojuszu z Niemcami i rozluźnienia stosunków ze wschodnimi sąsiadami. Programowy antysemityzm tej partii miał jednoznacznie polityczny charakter.

Kiedy rozmawiano o pojedynku Karola Kollera, Jakub, słusznie oceniając sytuację, stwierdził, że Zinner musiał ponieść porażkę, w przeciwnym bowiem razie straciłby posadę w szpitalu. Skoro odniósł ranę w pojedynku, władze mogły uznać, że doktor Zinner został już ukarany za swe niewłaściwe zachowanie. „Gdyby Koller miał dość sprytu i dał się porąbać, nadal by tam pracował" – rozsądnie rozumował Jakub.

Soboty i niedziele były beztroskie. W soboty Zygmunt i Marta wyruszali wczesnym rankiem na górskie wędrówki. On, w krótkich skórzanych tyrolskich portkach z szerokimi bawarskimi szelkami, w solidnych turystycznych butach i grubych zielonych wełnianych skarpetach, z górską lagą w ręce, na plecach dźwigał plecak z prowiantami i zwinięty koc. Ona w luźnej spódnicy i kapeluszu z szerokim rondem osłaniającym twarz przed słońcem. Kiedy docierali do Schneebergu, Zygmunt wspinał się po stromych, porośniętych trawą stokach i zrywał dla Marty swoje ulubione kwiaty – *Kohlröserl* – ciemnogłów wąskolistny. Bukiety były tym cenniejsze, że zrywanie tych kwiatów nie należało bynajmniej do rzeczy łatwych. Później zjadali obiad na tarasie gospody. Roztaczał się stąd wspaniały widok na dolinę. Wracali zmęczeni o zmierzchu i wcześnie udawali się na spoczynek. Przez otwarte okna wdzierało się chłodne powietrze, przesycone aromatem świerków. Ten letni odpoczynek pozwalał wiedeńczykom pogodzić się z czekającymi ich jesiennymi słotami i zimowymi śniegami.

2

Marta wywołała po powrocie prawdziwą jesienną burzę, przeprowadzając w mieszkaniu generalne porządki. Naturalną ich konsekwencją, oznajmiła triumfująco, było natychmiastowe powiększenie się liczby pacjentów w poczekalni Zygmunta. Pojawili się mężczyźni z neurologicznymi powikłaniami kiły, niedowładem lub afazją ruchową, kobiety ze stwardnieniem rozsianym, przypadki afazji – w tej dziedzinie doktor zyskał już pewien rozgłos i zaczął zbierać materiały do monograficznego opracowania tej choroby – stykał się też z pląsawicą i chorobą Parkinsona charakteryzującą się drżeniami spastycznymi. Coraz liczniej przybywali rodzice z dziećmi, w każdym razie tacy, którzy mogli sobie pozwolić na prywatną wizytę u lekarza. Przychodzili do Zygmunta, ponieważ słyszeli o jego praktyce w Instytucie

Kassowitza. Nadal jednak uskarżał się na brak pacjentów z nerwicą. Byli oni dla niego jedynym materiałem źródłowym, który mógł wykorzystać w dalszych studiach nad chorobą. Prac z tej dziedziny było bardzo mało; poza podręcznikami psychiatrii Kraepelina i Kraffta-Ebinga niewiele materiału mógł znaleźć w monografiach naukowych. Były jeszcze *Archives* Charcota, dzieło amerykańskiego neurologa Silasa Weira Mitchella, twórcy słynnej metody „wypoczynkowego leczenia neurastenii", Anglika Jamesa Braida, autora pracy *Neurypnology*. Lekarze niemieckiego obszaru językowego wciąż jeszcze uważali nerwicę za „haniebny obłęd, klęskę lekarzy". Meynert twierdził, że nerwice są albo dziedziczne, albo powstają w następstwie fizycznych uszkodzeń mózgu. Przypadek pani Emmy von Neustadt okazał się dla Zygmunta kopalnią wiadomości. Miał teraz jasny obraz funkcjonowania podświadomości; wiedział, jak można za pomocą hipnozy i „kuracji mówionej" usunąć bolesne wspomnienia będące źródłem halucynacji. Po zakończeniu leczenia pani Emma wróciła do Niemiec prawie całkowicie zdrowa. W podobny sposób umożliwił pani Dorff karmienie piersią dziecka, panu Voglowi przywrócił władzę w nogach, chociaż wydawały się sparaliżowane, Teresa spała teraz dobrze i nie wybiegała w nocy na ulicę. Sporządził liczne notatki o tych przypadkach, dodawał świeże spostrzeżenia i rozważania. Ale nowych dowodów mogli mu dostarczyć tylko nowi pacjenci; tylko oni umożliwiliby mu ustalenie wzorów zachowań.

Przyprowadzono do niego jedenastoletnią dziewczynkę. Od pięciu lat cierpiała na powtarzające się co pewien czas ataki tak gwałtownych drgawek, że wielu specjalistów uznało, iż dziecko ma padaczkę. Przeprowadzono wszystkie konieczne badania fizykalne i nie stwierdzono żadnych neurologicznych objawów. Zygmunt przez chwilę gawędził z chorą, by zdobyć jej zaufanie, po czym wprowadził ją w stan hipnozy. Ledwie usnęła, nastąpił atak. Doktorzy Bernheim i Liébeault rozwinęli metodę Charcota, powtarzając zahipnotyzowanemu pacjentowi, że po obudzeniu przekona się, iż choroba ustąpiła. Zygmunt poszedł jeszcze o krok dalej. Zamiast powtarzać chorej, że konwulsje ustąpią, zapytał:

– Moje dziecko, co ci się teraz przywidziało?

– Pies! Pies się zbliża!

– Jaki pies? Czy to twój piesek?

– Nie, nie. To jakiś obcy pies... straszny... ma dzikie oczy... pianę na pysku... chce mi odgryźć nogę...

Zygmunt obejrzał obie nogi dziewczynki i nie znalazł na nich żadnych śladów ran.

– Ale przecież nie pokąsał cię. Uciekłaś. Psa dawno już nie ma. Prawda, że już nigdy potem go nie widziałaś? I nigdy go nie zobaczysz. A więc nie bój się. Mówię ci, zapomnij o tym wypadku. To się już nigdy nie powtórzy. Zapomnisz o tym incydencie, o psie. Zapomnisz o nim.

Obudził dziewczynkę i wezwał do gabinetu ojca. Zapytał go, czy pierwszy atak nastąpił natychmiast po tym, jak dziewczynka uciekała przed psem. Ojciec pamiętał o tym wydarzeniu.

– Czy nikt nie próbował powiązać obu tych spraw? Przestraszenia się dziecka i początku konwulsji?

– Jakiż tu mógł być związek? – Ojciec chorej patrzał zdumiony na Zygmunta, stukając palcami w melonik, który trzymał w ręce. – Przecież pies jej nie pokąsał. Nie mogła od niego zarazić się padaczką.

– Zaraziła się strachem, i stąd konwulsje. Nie ma mowy o żadnej padaczce. Pana córeczka jest zdrowa, jak pan i ja. Moim zadaniem będzie usunięcie tego strachu, który głęboko zakorzenił się w drugim umyśle pańskiej córki. Wydaje mi się, że zrobiłem dobry początek.

Dziewczynka odwiedzała Zygmunta codziennie przez cały tydzień, on zaś usuwał jej wspomnienia strachu. Znikły. Ataki nigdy już się nie powtórzyły. Zygmunt przedstawił ojcu skromny rachunek za leczenie, ale ten spojrzał, wyjął z kieszeni zalepioną kopertę, położył ją na biurku i bardzo wzruszony podziękował doktorowi Freudowi za uratowanie córki. Kiedy Zygmunt otworzył kopertę, zaniemówił ze zdumienia. Przemysłowiec umożliwił rodzinie Freudów spędzenie następnych wakacji w górach.

Józefowi Breuerowi, którego wezwano do dwunastoletniego chłopca, powiodło się gorzej niż Zygmuntowi. Chłopiec ów wrócił pewnego razu ze szkoły ze straszliwym bólem głowy i miał trudności w przełykaniu. Lekarz domowy stwierdził chorobę gardła, ale przez pięć tygodni stan chłopca się pogarszał. Odmawiał jedzenia, a zmuszony do przełknięcia strawy, natychmiast ją zwracał. Cały czas leżał w łóżku. Doktorowi Breuerowi chłopiec powiedział, że zachorował, ponieważ ojciec go ukarał. Józef był przekonany, że choroba ma podłoże psychiczne. Poprosił Zygmunta na konsultację.

– Jestem pewny, że masz rację – powiedział Zygmunt po wizycie. – Choroba ma źródła emocjonalne. Wyczuwam tu to samo przerażenie, jakie ogarnęło moją pacjentkę po wypadku z psem, z małą jednak różnicą. Jestem przekonany, że chłopiec wie, co wywołało jego chorobę; pewny jestem, że rwie się do tego, by o tym opowiedzieć.

– Wiesz, jego matka jest kobietą inteligentną. Prędzej jej o tym powie niż mnie.

Domysł okazał się trafny. Następnego wieczora, gdy szybkim krokiem przemierzali Ring, Józef opowiedział Zygmuntowi szczegółowo historię, jaką usłyszał. Wracając ze szkoły, chłopiec wstąpił do szaletu i tam jakiś obcy mężczyzna próbował nakłonić go, by wziął do ust jego członek w stanie erekcji. Chłopiec uciekł, wstrząśnięty tym brutalnym wtargnięciem perwersyjnego erotyzmu w jego życie. Pod wpływem obrzydzenia nie mógł nic przełknąć.

Po rozmowie z matką, która go zapewniła, że nie ma w tym wypadku jego winy i że powinien o wszystkim zapomnieć, chłopiec odzyskał apetyt i zjadł solidny posiłek. Teraz jest już zdrowy.

– Tak więc – podsumował całą sprawę Zygmunt – dowiadujemy się coraz więcej o zaniku łaknienia, braku apetytu bez niechęci do jedzenia i chronicznych wymiotach. Związane to jest z obrazami i myślami dotyczącymi ust, jedzenia. Za każdym razem, kiedy pani Emma usiłowała coś zjeść, jej pamięć przywoływała wspomnienia zimnego mięsa, które przed trzydziestu laty kazała jej jeść matka. Cały problem wydaje mi się coraz jaśniejszy: g ł ó w n y m ź r ó d ł e m c i e r p i e ń h i s t e r y k ó w s ą w s p o m n i e n i a.

Pewnego ranka pod koniec stycznia doktor Freud został wezwany z wizytą domową do pacjenta, który mieszkał na Eschenbachgasse. Kiedy doszedł do Sankt Michael-Platz, usłyszał orkiestrę wojskową grającą na dziedzińcu zamku cesarskiego. Minął sklepioną bramę ozdobioną kopułą i barokowymi figurami mężczyzn i kobiet. Dzień był chłodny i suchy. Duży tłum przypatrywał się zmianie warty. Ten barwny widok uwielbiał Zygmunt jeszcze w dzieciństwie, kiedy z ojcem oglądał przemarsz żołnierzy gwardii i orkiestry. Muzycy zaczęli właśnie uwerturę do *Hugenotów* Meyerbeera, gdy wtem ze skrzydła, w którym mieściły się apartamenty cesarza, wybiegł na dziedziniec adiutant i przerwał koncert. Nierównym akordem orkiestra zakończyła utwór. Tłum widzów był zdumiony. Taki wypadek nigdy dotąd jeszcze się nie zdarzył.

Zygmunt też się zaniepokoił, ale dopiero po południu, kiedy wracał przez Tuchlaulben z Instytutu Kassowitza, dostrzegł gazeciarzy sprzedających specjalne wydanie „Wiener Zeitung", donoszące, że „Jego Cesarska i Królewska Wysokość, następca tronu arcyksiążę Rudolf zmarł nagle w następstwie ataku serca" w swoim pałacyku myśliwskim w Mayerlingu, w lasach w okolicy Baden.

Udał się natychmiast do „Cafe Central". Wiedział, że zastanie tam przyjaciół. W Wiedniu tragedie państwowe opłakiwano w kawiarniach. Lokal był przepełniony. Józef Breuer kazał kelnerowi dostawić krzesło dla Zygmunta. Siedzieli tam już Paneth i Exner. Obersteiner przyprowadził ze sobą Fleischla, któremu robił opatrunek, w chwili gdy rozniosła się wieść o wypadku.

Śmierć następcy tronu wywołała wstrząs. Cesarza Franciszka Józefa darzono nie tylko wręcz nabożnym szacunkiem, ale też miłością. Cała monarchia widziała w nim dobrego ojca, ciężko pracującego, sprawiedliwego, życzliwego, uosobienie imperialnej praworządności. W życiu osobistym mu się nie wiodło. Piękna cesarzowa Elżbieta Bawarska, będąca zresztą kuzynką Franciszka Józefa, była rzadkim gościem w Wiedniu i w cesarskiej sypialni. Najstarszy syn, następca tronu Rudolf, przygotowywał się gorliwie do przejęcia władzy, ale ojciec nie dopuszczał go do żadnych spraw państwowych. Mówiono, że cesarz zmusił arcyksięcia do poślubienia Stefanii Belgijskiej, a gdy Rudolf starał się u papieża o unieważnienie małżeństwa, Franciszek Józef udaremnił jego zamiary. Oczy wszystkich przyjaciół były teraz zwrócone na Józefa Breuera. Co prawda nie leczył on rodziny cesarskiej, ale zasięgali u niego porad członkowie dworu.

– Nigdy nie słyszałem, aby następca tronu chorował na serce... – mówił półgłosem, oglądając się wokół. Plotki dworskie były wprawdzie przedmiotem powszechnego zainteresowania, ale o cesarzu i o jego najbliższych nie mówiono. – Wiadomo, nie stronił od alkoholu i narkotyków.

– Ale chyba nie w takim stopniu, by to mogło wywołać atak serca? – szeptem wyraził swe wątpliwości Exner. – Miał zaledwie trzydzieści lat...

Zygmunt wracał do domu pogrążony w niewesołych myślach. Nigdy nie został przedstawiony następcy tronu i nawet się na to nie zanosiło, ale jak wszyscy Austriacy był przywiązany do rodu Habsburgów i przeżywał ich tragedię jak własną. Następnego dnia nastrój żałoby narodowej został zakłócony. Po Wiedniu rozeszły się pogłoski, że Rudolf nie umarł na atak serca, lecz że on i siedemnastoletnia baronowa Maria Vetsera popełnili samobójstwo. W gazetach nie pozwalano o tym pisać. Depesze i poczta dyplomatyczna były ściśle cenzurowane i opóźnione. Prawdy jednak nie udało się ukryć. Następca tronu i baronowa zastrzelili się w sypialni w pałacyku Mayerling. Zwłoki baronowej pochowano bez żadnych ceremonii w klasztorze w Heiligenkreuz. Zwłoki arcyksięcia przewieziono do Wiednia i umieszczono w apartamentach następcy tronu.

Piątego lutego ciało Rudolfa spoczęło w krypcie kościoła Kapucynów. Do tej chwili w Wiedniu panowała atmosfera stanu wyjątkowego. Żałoba była głęboka, niepokój powszechny. Nie ustawały domysły. Miasto otrząsnęło się dopiero po pogrzebie, kiedy plotka znowu zawładnęła kawiarniami. Gdziekolwiek Zygmunt się pojawił, w szpitalu, klinice czy w domach przyjaciół, czekała już na niego kolejna wersja tej historii. Najpierw mówiono, że Rudolf i Maria Vetsera popełnili samobójstwo, ponieważ nie mogli się pobrać. Potem opowiadano, że baronowa zabiła Rudolfa, gdy się zorientowała, iż jest w ciąży, a on nie chciał jej pomóc. Inna wersja głosiła, że następca tronu zginął uderzony butelką szampana przez Johanna Ortha, austriackiego pretendenta do tronu bułgarskiego. Wreszcie opowiadano, że arcyksięcia przyłapano *in flagranti* z żoną leśniczego, który go zabił na miejscu. Żywot tej ostatniej plotki był nader krótki. Położyła jej kres dowcipna uwaga premiera, który oświadczył, że gdyby austriacki leśniczy zastał syna cesarza ze swoją żoną, stanąłby na baczność i zaśpiewał hymn austriacki.

Wiedeń wrócił do normalnej pracy i rozrywek, zadowalając się ostatnią plotką, że następca tronu spiskował za plecami cesarza, chciał wywołać rewoltę na Węgrzech i zagarnąć tron. Zastrzelił się, gdy spisek został wykryty.

Zygmunt był jednak wstrząśnięty samobójstwem arcyksięcia Rudolfa. Wydawało mu się rzeczą niepojętą, by Habsburg, następca tronu austro--węgierskiego, mógł popełnić samobójstwo w tak niegodnych okolicznościach. Powtarzał ostatnie słowa tragedii *Król Edyp:*

...bez cierpień nie osiągnie swego kresu ludzki żywot.
A nikogo ze śmiertelnych nie można nazwać szczęśliwym.

Nie dawał mu spokoju fakt, że arcyksiążę nie zostawił listu do cesarza. Napisał do matki, ale nie do ojca.

– Wiadomo, że był liberałem, że zdawał sobie sprawę z konieczności reform wewnętrznych – tłumaczył Marcie. – Być może dlatego właśnie cesarz nie pozwalał mu się zajmować sprawami państwowymi.

– Czy chcesz przez to powiedzieć, że Rudolf zabił się, zawiedziony w swych ambicjach?

– Nie. Myślę, że Rudolf zaczął nadużywać alkoholu, narkotyków i szukał przygód z kobietami, ponieważ cesarz nie chciał mu powierzyć żadnego poważnego zadania. To właśnie obudziło w nim nienawiść do ojca, samobójstwo zaś było aktem zemsty.

– Takiej plotki jeszcze nie słyszałam.

– I nie usłyszysz. A także, bardzo proszę, nie powołuj się na mnie. Mógłbym mieć poważne trudności z udokumentowaniem mojej hipotezy.

3

Neurolodzy przyzwyczajeni są do nawrotów chorób u swoich pacjentów, a mimo to Zygmunt przeżył przykrą chwilę, kiedy Józef Breuer powiedział mu, że pani Emma von Neustadt znowu jest chora i za poradą miejscowego lekarza udała się do sanatorium w północnych Niemczech. Zdenerwował się, bo pani Emma miała być głównym dowodem na to, że „kuracja mówiona" w hipnozie to najskuteczniejsze narzędzie terapeutyczne w leczeniu nerwic.

– Wróciła do domu w czerwcu i czuła się dobrze – Zygmunt liczył na palcach – a od tego czasu minęło już siedem miesięcy. Z twoich słów wynika, że czuła się dobrze do Bożego Narodzenia i Nowego Roku. Czy jej stan jest ciężki? Dlaczego właściwie nie powiodła się nam kuracja?

– Powrócił jeden z tików mięśni twarzy i kilka innych objawów z częściowym niedowładem jednej nogi włącznie. Być może odezwało się jedno z tych uśpionych w podświadomości wspomnień; tkwiło tam zbyt długo i zapuściło zbyt głęboko korzenie, by można było je zatrzeć w ciągu jednej serii zabiegów. Czy nie przesłałbyś jej lekarzowi relacji o teorii hipnotycznej i o tym, kiedy hipnoza okazywała się skuteczna?

– Jeszcze dziś do niej napiszę. No cóż, mnie się nie powiodło, ale ty odniosłeś sukces. W niedzielę Berta Pappenheim była u nas na obiedzie, w poniedziałek wyjechała do Frankfurtu. Przystępuje do ruchu emancypantek w Niemczech. Resztę życia postanowiła poświęcić walce o równouprawnienie kobiet. I wiesz, wyglądała na osobę zdrową i szczęśliwą.

– O co konkretnie zamierza ta kobieta walczyć? – zapytał Józef ochrypłym głosem. – O prawo wyborcze, sprawiedliwość w sądach, prawo dysponowania spadkiem?...

– Prawo do studiów uniwersyteckich i uprawiania wolnych zawodów, o lepsze warunki pracy w fabrykach...

Józef zmienił temat.

– Będę ci wdzięczny, jeśli napiszesz ten list. Gdyby stan pani Emmy nie poprawił się, zaproponuję, by wróciła do Wiednia i znowu leczyła się u ciebie. Mieliśmy już takie przypadki, kiedy trzeba było powtarzać leczenie sugestią, nim udawało się opanować nawroty choroby.

– Miejmy nadzieję, że nie będzie to drążenie skały kroplami wody – zauważył przygnębiony Zygmunt. – Jeśli podświadomość okaże się skałą, a nie gąbką, trzeba będzie znaleźć sposób zaatakowania jej całymi wodospadami.

– Następnego wieczora podczas zebrania Wiedeńskiego Towarzystwa Medycznego wysłuchał wściekłej napaści Meynerta na hipotezę o męskiej histerii w tej postaci, w jakiej sformułował ją w Paryżu Charcot. Meynert co prawda nie wymienił nazwiska Zygmunta, wszyscy jednak wiedzieli, kto przywiózł te idee do Wiednia. Po zebraniu Zygmunt podszedł do Meynerta.

– Czy ekscelencja pozwoli, że go odprowadzę do domu?

W brodzie i brwiach Meynerta pojawiły się już pierwsze pasemka siwizny. Włosy opadające gęstymi lokami na uszy były białe. Jego dumna twarz przybrała dzięki temu niemal dobroduszny wyraz.

– Nie, mój młody przyjacielu, nie może mnie pan odprowadzić do domu. Pan należy do ludzi porywczych. Lubi pan chodzić z tego samego powodu, dla którego Pegaz lubił latać: czuje się pan podniecony, kiedy pan pędzi wokół Ringu szybciej niż powóz dworski. Będę jednak szczęśliwy, jeśli zechce mi pan towarzyszyć w drodze do domu. Ja należę do typu spacerowiczów. Mnie sprawia przyjemność każdorazowe dotknięcie ziemi stopą.

Zygmunt się roześmiał. Kiedy Meynertowi dopisywał humor, rozmowa z nim była wielką przyjemnością.

– A poza tym wiem, że pan chce się kłócić, a ja nie mam zamiaru doganiać pana nie tylko nogami, ale też myślami.

– O nie, ekscelencjo, nie zamierzam się kłócić, tylko podyskutować. Czy wolno mi zauważyć z całym szacunkiem, że do pańskiego opisu trzech faz hipnozy Charcota wkradła się pewna niejasność...

Meynert cierpliwie słuchał wyjaśnień. Zygmunt mówił przez całą drogę, a gdy dotarli do bramy domu, w którym mieszkał profesor, Meynert zadzwonił, poklepał Zygmunta po ramieniu i powiedział:

– Dziękuję panu za ten pouczający spacer.

Na tym sprawa zapewne by się skończyła, gdyby Meynert nie ogłosił swego wykładu w jednym z czasopism medycznych. Zygmunt uważał, że jego obowiązkiem jest sprostować poglądy autora, i wydrukował swą opinię w „Wiener medizinische Blätter”. Meynert się najeżył. Odpowiedział serią trzech artykułów w „Wochenschrift”, w których bez ogródek potępił teorię Charcota o autosugestii jako przyczynie histerycznych paraliżów, utrzymując, że są one pochodzenia fizycznego. *Coup de grâce* zadał w następujących słowach:

„Tym dziwniejsze wydaje mi się, że doktor Freud broni metody leczenia sugestią, że wyjechał on z Wiednia jako lekarz, który bardzo dobrze opanował fizjologię”.

Spór stał się publiczny. Józef Breuer zbeształ Zygmunta, ale ten upierał się, że musiał odpowiedzieć na atak.

– Zrozum – tłumaczył – Meynert napisał, że „pracuję tu w charakterze wyszkolonego hipnotyzera”. Ludzie mogą odnieść fałszywe wrażenie, że nie zajmuję się niczym poza hipnozą. Ja tu pracuję jako specjalista chorób nerwowych i stosuję wszystkie metody leczenia, jakie neurolog ma do dyspozycji. Meynert nazwał hipnozę „bzdurą”. Ale my dwaj wiemy, że tak nie jest. Pomogliśmy chorym. Ty pierwszy. Ja w ślad za tobą.

Józef spojrzał na przyjaciela; był człowiekiem ustępliwym.

– Przyznaję, że Meynert posunął się za daleko. Ale pozwól mu przebyć długą drogę do Canossy. Nie powinieneś dawać się wciągać w spory ze starszymi kolegami.

Zygmunt nie rozumiał logiki takiego rozumowania. Poza tym poczuł się urażony tą pozorną zdradą. Następnego dnia napisał recenzję z niedużej pracy wybitnego szwajcarskiego neurologa Augusta Forela, *Hipnoza*. Chwalił książkę, referował wywody autora i stwierdzał: „Ruch, który usiłuje wprowadzić do zbioru metod leczniczych leczenie sugestią, zatriumfował już w innych krajach i z czasem osiągnie swe cele w Niemczech, a także i w Wiedniu"; następnie zajął się Meynertem, który zlekceważył Forela przed naukowym audytorium, nazywając go „Forelem południowcem" i przeciwstawiając mu pewnego „przeciwnika hipnozy z nieco dalszej północy" jako wzór trzeźwiejszego myślenia. Zygmunt wyjaśniał czytelnikom, że Forel urodził się nad Jeziorem Genewskim, które Meynert pomylił z Morzem Śródziemnym. Mając już dość oskarżeń o „nieszczere motywy i nienaukowy sposób myślenia", jeśli chodzi o stosowanie hipnozy, atakował swego profesora:

„Kiedy wśród przeciwników znajdują się tacy ludzie jak radca dworu profesor Meynert, ludzie, którzy dzięki swym publikacjom zdobyli znaczny autorytet... sprawa hipnozy musi na tym ucierpieć. Opinia publiczna wierzy święcie, że uczony o tak wielkim doświadczeniu w pewnych dziedzinach neuropatologii, który dał dowód tak dużej wnikliwości, musi być również autorytetem w innych dziedzinach".

Zygmunt doszedł do wniosku, że czas najwyższy osobiście zaznajomić się z metodami doktorów Bernheima i Liébeaulta.

– Może powinnam ci znaleźć jakąś salę wykładową na czas pobytu w Nancy? – zapytała ze smutnym uśmiechem Marta.

– Nie znasz Meynerta – odpowiedział jej. – Pozwoli mi przez semestr zimowy korzystać ze swego audytorium. Najbardziej mnie martwi, że nie będzie mnie w Wiedniu, kiedy ukaże się recenzja. Nie chciałbym, żeby ktokolwiek pomyślał, że uciekłem.

– Nie ma obawy! Wiedeński świat naukowy wie już, że nie jesteś człowiekiem, który by uciekał przed awanturą. Ciekawa jestem, czy twój syn odziedziczy po tobie ten koguci temperament.

– ...mój syn?

– No tak. O ile pamiętam, chciałeś mieć syna?

Zrozumiał jej słowa i objął ją czule.

– Będziemy mieli cudowną rodzinę. I mam nadzieję, że liczną. Jak sądzisz, wynajmiemy na lato tę samą willę w Semmeringu? Przez prawie cały lipiec będę w Nancy; moja siostra Pauli dotrzyma ci towarzystwa.

4

Do Nancy przyjechał po południu. W hotelu przy Place de la Gare dostał pokój w oficynie na drugim piętrze. Pokój wygodny i duży, ale pomalowany na brzydki musztardowy kolor. Z okna roztaczał się widok na pasmo górskie, gdzie wydobywano rudę żelazną.

Umył się i wyszedł na spacer. W księgarence kupił przewodnik po mieście. Miał jeszcze kilka godzin na zwiedzanie, zanim zapadnie zmierzch. Wiedział, że nie zje kolacji i nie zaśnie, jeśli przedtem nie zawrze znajomości z miastem.

Z przewodnika dowiedział się, że od dwunastego wieku Nancy było stolicą Lotaryngii. Posługując się planem miasta, trafił do katedry przy Rue St. Georges. Miała bogato zdobioną fasadę, dwie wieże zwieńczone kopułami, ale po kościołach Paryża i Wiednia nie zrobiła na nim większego wrażenia. Następnie dotarł do chluby miasta, Place Stanislas, zbudowanego przez byłego króla polskiego, Stanisława Leszczyńskiego, kiedy został księciem Lotaryngii.

Nie mógł powstrzymać okrzyku podziwu. Nie był to zwyczajny plac, lecz dzielnica miasta zamknięta gmachami publicznymi, utrzymanymi w jednolitym stylu architektonicznym, bogato zdobionymi kutym żelazem i złoceniami. Na środku stał Łuk Triumfalny przybrany płaskorzeźbami. Przepiękny ratusz, gmach sądów, teatr i obsadzony drzewami Place de la Carrière tworzyły kompozycję równie harmonijną jak symfonia Mozarta. Bez śladu znikło zmęczenie po długiej podróży.

Następnego dnia wstał o szóstej rano. Słońce już wzeszło, ale na wąskich uliczkach pod jego oknami panował jeszcze mrok. Robotnicy śpieszyli do pracy w kopalniach i fabrykach. Umył się i ogolił, włożył swe wiedeńskie ciemnopopielate ubranie, białą koszulę ze sztywnym kołnierzykiem i czarny krawat. Na świeżo umytym tarasie kawiarni przy Place de la Gare zamówił kawę i croissanty oraz miejscowy dziennik.

Cieszył się, że znowu jest we francuskim mieście, że chodzi ulicami, przy których stoją dostatnie, mieszczańskie, nieco monotonne kamienice. Szpital i wydział medyczny znajdowały się na przedmieściu. Podobnie jak Allgemeines Krankenhaus i Salpêtrière, składały się z kilku pawilonów. Budynki były nieskazitelnie czyste; na parapetach okien wychodzących na dziedzińce stały skrzynki z kwiatami, wnosząc żywy akcent kolorystyczny.

Profesor Hipolit Bernheim powitał Zygmunta i podziękował za przekład. Zygmunt przyglądał mu się badawczo. Był to mężczyzna krępy, o gładko ogolonej twarzy, na której pozostał jedynie nieduży szpakowaty wąs. Szpakowate były również krótko przystrzyżone włosy na głowie. Oczy, osłonięte ciężkimi powiekami, głęboko osadzone, wyrażały sympatię, a zarazem pewną rezerwę. Zwracały uwagę wysokie kości policzkowe i silnie zarysowane szczęki. Bernheim wyglądał raczej na Niemca niż na Francuza. Miał teraz lat czterdzieści dziewięć.

Urodził się w Alzacji, studia medyczne ukończył w Strasburgu. Na początku swej kariery lekarskiej przeniósł się do pobliskiego Nancy, gdzie prowadził praktykę z zakresu neurologii, zdobywając sobie w ciągu dwudziestu pięciu lat coraz liczniejsze grono pacjentów. Pracował jednocześnie w Hôpital Civil i kierował kliniką uniwersytecką. Podobnie jak Meynert, zaczął od pracy w należącym do uniwersytetu zakładzie dla umysłowo chorych.

Zygmunt wiedział, że Bernheim zetknął się z hipnozą przypadkowo przed sześciu laty. Zgłosił się do niego pacjent z uporczywym przypadkiem gośćca. Kiedy wszelkie próby leczenia zawiodły, Bernheim ukradkiem zabrał chorego do wiejskiego lekarza Ambrożego Augusta Liébeaulta, o którym mówiono, że jest trochę geniuszem i trochę mistykiem, i jak dodawali niektórzy profesorowie, trochę szarlatanem. Po trzech seansach hipnotycznych u doktora Liébeaulta pacjent był wyleczony. Nadal zachowując dyskrecję, Bernheim skierował do Liébeaulta kilku innych pacjentów, u których nie znalazł przyczyn choroby w ich stanie cielesnym, a równocześnie nie udawało mu się uśmierzyć ich dolegliwości. Za każdym razem metody Liébeaulta przynosiły chorym znaczną ulgę, niekiedy pełne wyleczenie. W ten sposób doktor Bernheim przekonał się do metody sugestii.

– Zawiadomiłem kierowników oddziałów, że pan przystąpi dziś u nas do pracy. Chciałbym, żeby pan poznał każdego z nich i w ten sposób zaznajomił się z naszą procedurą. Do naszej kliniki hipnotycznej przyjmujemy pacjenta dopiero po dokładnym zbadaniu go przez kierowników wszystkich oddziałów i stwierdzeniu, że dolegliwości nie są fizycznej natury i nie mają tła somatycznego. – W jego głęboko zapadniętych oczach pojawił się złośliwy uśmieszek. – Pragnąłbym dodać, panie doktorze, że w mojej klinice jest inaczej niż w Salpêtrière; tutaj nikt poza moim personelem nie instruuje ani nie prowadzi pacjenta. Charcotowskie trzy fazy hipnozy nie były nigdy niczym innym jak amatorskimi pokazami.

Zygmunt wiercił się na krześle. Nie miał zamiaru wdawać się w spór na temat rywalizujących ze sobą szkół w Nancy i w Salpêtrière. Doktor Bernheim zabrał go na oddział hipnotyczny, prowadził od łóżka do łóżka, opisując objawy i w dyskretnej odległości od chorego przedstawiając swe diagnozy.

– To są wyłącznie te przypadki, o których wspominałem przedtem: histeria, nerwice, autosugestie. Szczycimy się tym, że szkoła Nancy stosuje jedynie naukowe metody. W naszych archiwach znajdzie pan tysiące opisanych przypadków. Zebraliśmy olbrzymi materiał empiryczny: dane o pacjencie i stosowanym leczeniu gromadzone godzina po godzinie, dzień po dniu. Nie ma tam żadnych teoretycznych spekulacji, żadnych domysłów. Rejestrujemy fakty i wykorzystujemy je, mając do czynienia z następnymi pacjentami o podobnych dolegliwościach. Naszym zadaniem jest leczenie. Czymże innym ma się zajmować szpital?

– Panie profesorze, pańska działalność jest czymś więcej niż leczeniem chorych; to praca badawcza. A praca naukowa była zawsze moją ambicją.

Kierownicy oddziałów przyjęli go życzliwie. Wiedzieli, że jest tłumaczem dzieła Bernheima, ale nie uszło ich uwagi, że tłumaczył również Charcota. W ich przekonaniu szpital w Nancy nie ustępował w niczym Salpêtrière, zdawali sobie jednak sprawę, że zawsze pozostaną w cieniu wielkiego paryskiego szpitala. Zygmunt zorientował się, że ma do czynienia z umysłami wybitnymi. To właśnie, że medycyna przyciągała ludzi o najznakomitszych umysłach i charakterach, było jednym z powodów jego szczególnego przywiązania do tej nauki.

– Mam dziś przed południem zbadać dwa przypadki – powiedział Bernheim, gdy wrócili do jego gabinetu. – Sądzę, że zainteresują pana. A potem pani Bernheim oczekuje nas z obiadem.

Bernheim pracował w skromnie urządzonej sali obok swego gabinetu, tu też wygłaszał wykłady. Pacjent siadał na zwykłym, twardym drewnianym krześle. Pielęgniarka wprowadziła dwudziestosiedmioletnią mężatkę cierpiącą na czerwonkę. Doktor Bernheim podał Zygmuntowi kartę choroby. Pacjentka była osłabiona i nerwowa, cierpiała na nieżyt dróg żółciowych i napady histerii. Miała również kłopoty w pożyciu małżeńskim.

Bernheim uśpił chorą. Przypatrując mu się, Zygmunt zrozumiał, jak skromne były jego własne zdolności hipnotyczne. Gospodarz miał talent wrodzony. Odgrywał tu rolę nie tylko głos, ale i wyraz oczu, budowa ciała, sposób trzymania rąk, jakby pacjent miał spokojnie w nie opaść. Bernheim tłumaczył kobiecie cichym, przekonującym głosem, że źródłem jej dolegliwości jest stan przygnębienia, w jakim się znajduje. Gdy tylko się opanuje, bóle stopniowo ustaną. Obudził ją po kilku minutach i zapytał: „Jak się pani czuje?". Odpowiedziała zdumiona: „O dziwo, całkiem dobrze!". „No to w porządku. Jutro zastosujemy kurację, która wstrzyma biegunkę. Wtedy nabierze pani sił".

– Ile razy trzeba będzie powtórzyć seans? – zapytał Zygmunt.

– Sądzę, że zajmie nam to tydzień. – Bernheim wyliczył wszystkie objawy i wyjaśnił: – Uważam, że każda operacja (tak właśnie nazwał James Braid seans hipnotyczny) powinna likwidować jeden symptom. À propos, czy pan wie, że Braid wymyślił słowo „hipnoza", by nie używać terminu „mesmeryzm", który zdobył sobie taką złą sławę? Wydzielając poszczególne symptomy, uzyskujemy większą spójność i skuteczność kuracji.

– Ależ oczywiście – zawołał Zygmunt podniecony – sam się o tym przekonałem! Wypróbowałem tę metodę na pięćdziesięcioletnim mężczyźnie z paraliżem nogi, stopy i palców u nóg. Przywracałem mu czucie w poszczególnych częściach kończyny w takiej samej kolejności, jak je tracił.

Pielęgniarka wprowadziła teraz dwudziestoletniego mężczyznę, który zranił sobie rękę. Nie mógł wyprostować palców ani zamknąć dłoni. Bernheim uśpił go i powtarzał, że może poruszać palcami. Przez dziesięć minut masował mu palce i dłoń. Przed obudzeniem pacjenta powiedział szeptem do Zygmunta:

– Zastosowałem nie tyle sugestię, co kontrsugestię. Chory wmówił sobie, że stracił władzę w ręce. Wystarczyło, że go uwolniłem od tej autosugestii. – Zbudził pacjenta, który ze zdumieniem stwierdził, że swobodnie porusza palcami i dłonią.

– Zetknąłem się z podobnymi urazami powypadkowymi w Salpêtrière – relacjonował Zygmunt. – Tam ograniczają się do zademonstrowania, że pod hipnozą chory potrafi wykonywać czynności, do których nie jest zdolny na jawie, ale oni nie zajmują się leczeniem. Jestem pewny, że w Allgemeines Krankenhaus także zdarzają się takie przypadki, tyle tylko, że my ich nie przyjmujemy do wiadomości. Ale mnie interesuje co innego: jak to się dzieje, że setki ludzi na całym świecie spokojnie wracają do pracy, nawet po cięższych okaleczeniach, już następnego dnia, a ten właśnie młodzieniec zachowuje się inaczej?

– Gdybym próbował odpowiedzieć na to pytanie, musiałbym wkroczyć w sferę domysłów. A my, żeby nie narażać reputacji naszej kliniki, zajmujemy się wyłącznie faktami. Moim zadaniem jest leczenie chorób. Dzięki zebranemu materiałowi dowodowemu uczynimy z hipnozy naukową metodę medyczną.

Szli przez skwarne ulice. Bernheimowie mieszkali w centrum miasta, przy Rue Stanislas, w pobliżu Biblioteki Miejskiej, mieszczącej się w dawnym gmachu uniwersytetu. Dom stał w cienistym, pięknie utrzymanym ogrodzie. Pani Sara Bernheim okazała się postawną, energiczną kobietą po czterdziestce. Nie miała dzieci; swe instynkty macierzyńskie wyładowywała na mężu, przy którym krzątała się nieustannie. Zygmunt natychmiast zauważył, że Bernheim jest tym zachwycony. O zamożności domu świadczyło dwoje służących. Ale przygotowaniem obiadu zajmowała się osobiście pani domu. „Tylko ja potrafię tak przyrządzić obiad, by smakował panu doktorowi" – mawiała.

Całe szczęście, że w domu panował chłód. Pani Bernheimowa bowiem w swych kulinarnych popisach nie brała wcale pod uwagę upałów panujących w Nancy. Zygmunt, przyzwyczajony do skromnych obiadów z trzech dań, musiał teraz skonsumować kolejno gęstą zupę cebulową, antrykot z jarzynami i kruchymi frytkami oraz faszerowane pomidory z zieloną sałatą i suflet pomarańczowy. Do tego podano butelkę wina mozelskiego. Nie omieszkał powiedzieć pani Bernheim, że tak dobrze jeszcze we Francji nie jadł.

– Mój mąż tak ciężko pracuje, że uważam za swój główny obowiązek dbać o jego siły.

– Dbasz, kochana – roześmiał się Bernheim, gładząc się po brzuchu – o moją linię. – Potem zwrócił się do Zygmunta: – Czy pamięta pan tego młodego szwedzkiego lekarza, który pracował z panem w Salpêtrière i został usunięty ze szpitala rzekomo za próbę uwiedzenia młodej „pacjentki"?

– Oczywiście. Mówił zawsze o panu z wielkim uznaniem.

– Pozwoli więc pan, że oczyszczę jego imię. Spotkał rodziców tej dziewczyny w ogrodzie w Salpêtrière. Przyjechali ze wsi odwiedzić córkę. Myśleli, że ona pracuje w kuchni szpitalnej. Szwed zainteresował się sprawą i dowiedział się, że kiedy asystenci Charcota stwierdzili, że jest podatna na hipnozę, kupili jej piękne stroje, kosmetyki i zrobili z niej „hipnotyczną aktorkę". Bardzo jej to odpowiadało, ale nasz znajomy uważał, że to może się odbić na zdrowiu psychicznym dziewczyny. Kupił jej bilet powrotny do domu, zahipnotyzował, zabrał do siebie, po czym wsadził do pociągu.

Zygmunt rozmyślał przez chwilę.

– Wie pan, już wtedy cała ta sprawa wydawała mi się dziwna.

– W Salpêtrière jest więcej takich „spraw". Ale zbliża się pora przyjęć u doktora Liébeaulta. Przedstawię pana i wrócę do gabinetu. Głównym źródłem moich zarobków, podobnie jak pańskich, jest nadal praktyka neurologiczna.

5

Po drodze do Liébeaulta, który mieszkał w skromnej dzielnicy miasta, doktor Bernheim opowiadał o nim Zygmuntowi. Rodzice jego, zamożni chłopi, posłali go do seminarium duchownego. Chcieli, by został księdzem. Piętnastoletni chłopiec doszedł jednak do wniosku, że nie ma talentów teologicznych, i udało mu się o tym przekonać swych wychowawców. W dwudziestym pierwszym roku życia zaczął studia medyczne w Strasburgu – na czternaście lat przed Bernheimem – i ukończył je w roku 1850, pisząc pracę o przemieszczeniu udowo-piszczelowym. Jeden z profesorów zainteresował go hipnozą, dowodząc, że w uśpieniu hipnotycznym można wywołać sztucznie krwotok z nosa. Po zrobieniu dyplomu Liébeault osiadł w małej wiosce, kilka kilometrów od Nancy. Przeważnie asystował przy porodach i nastawiał złamane kończyny. Raz jeden tylko chciał wypróbować hipnozę na młodej dziewczynie cierpiącej na konwulsje, ale ojciec chorej nie zgodził się, bał się bowiem, że ludzie pomówią go o stosowanie czarów i bluźnierstwo. Liébeaultowi jednak hipnoza nie dawała spokoju. Po kilku latach praktykowania na wsi wysłuchał w Nancy serii wykładów na temat pracy *Neurypnology* Braida. Kupił dom w mieście i zajął się praktyką ogólną. Jego pacjenci rekrutowali się głównie z chłopskich i robotniczych rodzin. Leczył bezpłatnie, jeśli wyrażali zgodę na stosowanie hipnozy. Ci, którzy się nie zgadzali, uiszczali normalne honorarium i płacili za lekarstwa, szpital itp. Jaki chłop we Francji odrzuciłby taką okazję! Nie tylko zresztą chłop; nie brakło chętnych i wśród robotników. Od dwudziestu pięciu lat Liébeault utrzymywał rodzinę ze skromnych zarobków, które przynosiła mu normalna praktyka, całą jednak duszą oddany był hipnozie. Jego pierwsza książka *Sen i stany snopodobne* leżała w księgarniach; sprzedano tylko jeden egzemplarz. Trochę lepiej powiodło mu się z drugą.

Dotarli na miejsce. Liébeault kupił sobie jednopiętrowy dom z mansardą, niezbyt piękny, ale zbudowany solidnie, jakby obliczony na całe stulecia. Po lewej stronie był mały ogródek. Ścieżka prowadziła do przybudówki stojącej w cieniu rozłożystego drzewa. Na prostych ławach przed drzwiami siedziało kilkunastu pacjentów, w większości wieśniacy w swych niedzielnych ubraniach albo robotnicy z żonami i dziećmi. Kolejka z wolna się przesuwała.

Doktor Liébeault stanął w progu, by zaczerpnąć powietrza. Zygmunt przypatrzył mu się uważnie. Liébeault miał lat sześćdziesiąt pięć. Rzadkie pasma siwych włosów pokrywały mu czaszkę. Twarz zdobił siwy wąs i biała broda. Wysokie czoło porysowane było głębokimi zmarszczkami. Cerę miał rumianą, jak przystało na człowieka ze wsi. Ale na twarzy dziecinna wesołość zmagała się z powagą kapłana. Biła z niej prostota, skromność i łagodność, a zarazem jakaś siła. Jego koncepcje „słownej sugestii" i „prowokowanego snu" znano i ceniono w wielu krajach europejskich, ale szanujące się sfery mieszczańskie w Nancy nie uznawały jego idei. Pacjenci bogaci, zajmujący poważne stanowiska społeczne, nie śmieli się do niego zwracać. Nie proponowano mu wykładów na wydziale medycznym uniwersytetu, chociaż doktor Bernheim z uznaniem wyrażał się o jego pracy.

Le bon père Liébeault – ojczulek Liébeault, jak go nazywali pacjenci, zauważył Bernheima i Zygmunta. Powitał ich ojcowskim uśmiechem, po czym zaprosił Zygmunta do domku w ogrodzie. Był tam nieduży przedpokój, gdzie chorzy czekali w chłodne i deszczowe dni zimowe, za nim duży pokój, którego urządzenie składało się z półek zapełnionych bardzo starymi książkami, drewnianego fotela dla lekarza i kilku rozchwianych krzeseł dla pacjentów. Zygmunt szukał wzrokiem jakichś segregatorów, pudeł z kartotekami, ale niczego takiego nie dostrzegał. Liébeault nie miał swego archiwum, nie poddawał pacjentów szczegółowym badaniom. Zdaniem sfer uniwersyteckich stosował „nienaukowe" metody.

W obecności Zygmunta przyjął kilku chorych. Jego metody były jeszcze prostsze niż metody Bernheima. Oczy miał jasne, skupione, głos głęboki, ruchy pewne, słowa wypowiadał szybko. Brał kciuki pacjentów w swe duże, niezgrabne, a jednak bardzo delikatne ręce. Powtarzał choremu, by myślał tylko o śnie i wyleczeniu, że powieki zaczynają mu ciążyć, że mięśnie się rozluźniają, że wkrótce będzie w stanie uśpienia. Kiedy pacjentowi zaczynały kleić się oczy, Liébeault donośnym głosem mówił: „A teraz zaśniesz", i pacjent rzeczywiście zasypiał. Pierwszy wszedł do pokoju jedenastoletni chłopiec, który wciąż jeszcze moczył się w nocy. Liébeault powiedział mu, że odtąd, gdy będzie musiał w nocy oddać mocz, obudzi go parcie na pęcherz i wstanie z łóżka za potrzebą. Po tygodniu Zygmunt dowiedział się, że ten jeden seans wystarczył, by chorego uwolnić od dolegliwości. Następnie do gabinetu weszła czternastoletnia dziewczynka skarżąca się na osłabienie w nogach, bóle w lędźwiach i trudności w chodzeniu. Liébeault określił te zjawiska jako nasilające się bóle i stwierdził, że wystarczy jedna lub dwie wizyty, by objawy ustąpiły. Następnym pacjentem był sześćdziesięcioletni stolarz z lewostronną hemiplegią, porażeniem jednej strony ciała. Leczył się już od trzech tygodni. Liébeault powiedział do Zygmunta na stronie:

– Udało mi się przywrócić mu władzę w nogach, chociaż w jednej odczuwa jeszcze pewną ociężałość. Już pracuje, lecz wciąż boi się wchodzić na drabinę.

Przed lekarzem stanęła teraz dwudziestoletnia rozwódka, robotnica z fabryki cygar. Liébeault wyjaśnił, że pacjentka cierpi na „ataki furii, alkoholizm i częściowy paraliż kończyn dolnych".

– Udało mi się zwalczyć wszystkie złe nawyki – tłumaczył – poza piciem. W stanie uśpienia potrafię ją nakłonić, by mówiła z obrzydzeniem o alkoholu, ale po obudzeniu nadal pije. Bardzo dziwna sprawa. Najważniejsze, że znowu może pracować.

Na ławce czekali jeszcze inni pacjenci, ale Zygmunt przeprosił i pożegnał się z Liébeaultem. Znowu szedł ulicami Nancy. Znalazł wolną ławkę na Place de la Carrière, dawnej arenie turniejów książąt Lotaryngii. Tu, w cieniu drzew wchłaniających późne promienie popołudniowego słońca, próbował uporządkować wrażenia. Nie miał żadnych wątpliwości, że udało mu się zobaczyć dwóch najwybitniejszych hipnotyzerów przy pracy. W porównaniu z nimi był zwykłym amatorem. Jedna rzecz nie dawała mu spokoju. Czuł, że czegoś mu brak, jakiejś teorii przyczyn. Dlaczego ta kobieta zachorowała na czerwonkę? Czy dlatego, że pokłóciła się z mężem i, jak to mawiano na wsi, wolała „przechorować" swe obowiązki małżeńskie? Dlaczego ten chłopiec wciąż jeszcze się moczył? Czy tylko z lenistwa? Skąd się wziął paraliż histeryczny u owego stolarza? Czyżby bał się drabiny? Dlaczego po czterdziestu latach wchodzenia na drabinę zaczął się nagle tego lękać?

– Najpożyteczniejszym słowem w każdym języku jest „dlaczego" – powiedział do siebie głośno. – Trzeba układać jedno „dlaczego" na drugim, jak włoscy murarze układają kamień na kamieniu. W ten sposób wzniesiemy w końcu budowlę, która nas będzie chronić przed burzami.

Następnego dnia stawił się przed południem w gabinecie Bernheima. Panowała tam taka cisza, że słychać było brzęczenie rozleniwionych lipcowym upałem much. Pielęgniarka wprowadziła dziecko cierpiące na bóle w ramieniu przypominające gościec mięśniowy. Chłopiec nie mógł unieść bolącej ręki. Doktor Bernheim posadził go naprzeciwko siebie i dotknął jego powiek. Kazał mu zamknąć oczy i zasnąć; powtarzał, że będzie spał tak długo, póki lekarz go nie zbudzi, że śpi spokojnie i wygodnie jak we własnym łóżku, w domu. Potem uniósł ramię, dotknął bolącego miejsca i powiedział:

– Ból przeszedł. Już cię nic nie boli. Ból nie wróci. Czujesz, jak ramię ci się rozgrzewa, staje coraz cieplejsze. Ciepło wypiera ból.

Obudził chłopca i ten bez trudu uniósł ramię. Zapytany, czy odczuwa jakiś ból, powiedział, że czuje tylko ciepło w miejscu, gdzie przedtem odczuwał ból. Bernheim powiedział mu, że i to z czasem ustąpi i że może już wrócić do domu. Po jego wyjściu Zygmunt zapytał Bernheima, czy potrafi powiedzieć, skąd się wziął ten ból w ramieniu. Ale doktor uśmiechnął się tylko.

– To była halucynacja. Prawdę mówiąc, prawie przez całe życie ulegamy halucynacjom.

– To prawda – przyznał Zygmunt – ale skąd się biorą te halucynacje i dlaczego przybierają taką właśnie, a nie inną formę?

– Skądże możemy o tym wiedzieć. Lepiej wyleczyć chorego chłopca, niż zstępować w głębie styksowe, skąd wyłaniają się halucynacje. Nawet psychologowie trzymają się z daleka od tej *bête noire*.

Przedpołudnia spędzał Zygmunt w szpitalu, studiując metody i kartoteki Bernheima, popołudnia z Liébeaultem. Zauważył, że przystępując do leczenia nowego przypadku, Bernheim zaczynał od tego, że tłumaczył choremu, jakie korzyści przyniesie mu terapia sugestią. Jeśli hipnoza nie uleczy objawów, to z pewnością przyniesie pewną ulgę. Uspokajał nerwowych pacjentów i budził ich zaufanie, zapewniając, że jego metody nie są ani dziwne, ani szkodliwe, że sen hipnotyczny można wywołać u każdego człowieka. Jeśli pacjent nadal się bał, starał się wykryć źródło strachu. Powtarzał: „Proszę wpatrywać się we mnie i myśleć jedynie o zaśnięciu. Powieki zaczynają się panu kleić, oczy są zmęczone. Już pan zamyka powieki, obraz przed oczami się zaciera... oczy są zamknięte". Gdy nie udawało mu się samymi słowami osiągnąć pożądanego skutku, przesuwał kilkakrotnie dwa palce albo całe dłonie przed oczami pacjenta, po czym delikatnie przymykał mu powieki, ściszając jednocześnie głos. W przypadkach szczególnie trudnych kładł dłonie na czole chorego, trzema koniuszkami palców dotykając obu skroni; gdy wreszcie i to okazywało się nieskuteczne, zamykał pięść i lekko, lecz stanowczo przyciskał ją do czoła pacjenta. Niechętnie posługiwał się przedmiotami, ale jeśli za drugą lub trzecią próbą nie udawało mu się uśpić pacjenta, stosował albo szklaną kulę, albo cienką metalową płytkę, na której załamywały się promienie światła. Nawet najbardziej przestraszeni zasypiali, kiedy użył tych przedmiotów.

Doktor Liébeault podobnie jak Mesmer wierzył, że energia magnetyczna przechodzi z lekarza na pacjenta, i zawsze stosował „nakładanie dłoni". Gdy miał przed sobą dzieci, głaskał je delikatnie po włosach, powtarzając: „Nie bój się. Będziesz spał spokojnie. Po obudzeniu poczujesz się lepiej". Usypiając ludzi młodych, ujmował ich twarze w swe duże, ciepłe dłonie. Starszych lekko głaskał po ramieniu albo poklepywał, powtarzając półgłosem: „Zaraz pan zaśnie spokojnie. Teraz zamknę pana zmęczone powieki i sen nadejdzie...".

W ciągu trzech tygodni Zygmunt przyglądał się, jak Liébeault i Bernheim leczą dziesiątki całkowicie różnych przypadków, wymagających użycia wszystkich zasobów, jakimi dysponowali. Widział, jak wyleczyli niedowład ręki, skurcz dłoni, paraliż nogi po zapaleniu płuc, bóle w nadbrzuszu, rwę kulszową, tiki twarzy, dziwne ataki, osłabiony wzrok, wymioty i bezsenność, utratę apetytu i melancholię.

Sporządzał szczegółowe notatki, opisywał postępy, jakie robili pacjenci, przedstawiał prognozy definitywnego lub częściowego wyleczenia, dodając swoje własne uwagi o tym, w jaki sposób i dlaczego takie wyniki osiągnęli. W dni spokojniejsze jadał obiady z młodymi internistami ze szpitala. Przy stole prowadzono rozmowy na tematy zawodowe, omawiając zalety Wiednia, Paryża czy Nancy w dziedzinie szkolenia i leczenia. Wieczorami pisywał do Marty. Listy z Semmeringu przychodziły niemal codziennie. Wciąż jednak nie dawała mu spokoju uporczywie powracająca kwestia:

„Co się dzieje w drugim umyśle, w nieświadomości? Co powoduje wszystkie te choroby? Czy zdołamy kiedykolwiek zrozumieć zachowanie ludzi, jeśli nie wkroczymy na te niedostępne tereny i nie sporządzimy dokładnych ich map?".

Nie dawał spokoju Bernheimowi, ale ten cierpliwie wykręcał się od jasnej odpowiedzi. „Wyobraźmy sobie – mawiał – że umysł ludzki jest rozległym polem, na którym toczy się gra w kręgle. Pole usiane jest tysiącami kul. Rzucam kulę w postaci rozkazu lub sugestii. Trafiłem w kulę, która blokuje dostęp do otworu. Utorowałem sobie drogę. Teraz dominuje moja sugestia. Zastąpiłem przywidzenia pacjenta rozkazem, by ból, kurcze, wymioty lub depresja ustąpiły. Bo widzi pan, drogi doktorze, idee są przedmiotami fizycznymi, równie namacalnymi jak kule w kręgielni. Lekarz musi mieć odpowiednie umiejętności, żeby usunąć te wyimaginowane kule. Czasami nam się nie udaje, ale niekiedy osiągamy zdumiewające wyniki".

Zygmunt wstał z krzesła i zaczął się przechadzać po gabinecie, poprawiając palcem sztywny kołnierzyk koszuli. Starał się opanować podniecenie, ale wyczuwało się je w głosie.

– Prowadzone są prace, o których pan i doktor Liébeault powinni zostać poinformowani. Istnieje nowe narzędzie terapeutyczne, nowa metoda. Zastosował tę metodę po raz pierwszy doktor Józef Breuer z Wiednia, ja zaś ją wypróbowałem. Czy mogę obu panów zaprosić jutro na kolację?

W restauracji „Stanislas" na jednej z głównych ulic Nancy stoliki przykryte kraciastymi obrusami i oświetlone lampkami stały w lożach o wysokich ściankach. Obaj lekarze siedzący naprzeciwko Zygmunta jedli z wielkim apetytem, ale on sam nie brał niemal nic do ust, przejęty opowiadaniem o „leczeniu mówieniem" w hipnozie, wyjaśnianiem dialogu między pacjentem a lekarzem. Jego goście nie okazywali najmniejszego zainteresowania. W pewnej chwili, gdy Zygmunt analizował metodę zastosowaną przez Breuera w trudnym przypadku panny Berty, wydobywając z niej ukryte dotąd, lecz później płynące obficie wspomnienia, odczuł, że obaj jego rozmówcy postanowili nie przyjmować do wiadomości jego słów.

– Drogi doktorze – oświadczył Bernheim spokojnie. – Nam te metody są niepotrzebne! Wspominałem już panu, że my zajmujemy się chorobami histerycznymi i likwidujemy je za pomocą kontrsugestii. Nam wystarcza znajomość objawów. I osiągamy wyniki. Oto jedyny cel i obowiązek lekarza. Mój przyjaciel Liébeault w młodości już zrezygnował z kariery duchownej. Jestem przekonany, że nadal nie ma ochoty wysłuchiwać spowiedzi.

Zygmunt był przybity. Panowie podziękowali mu za znakomitą kolację i ruszyli do domu. Wracając samotnie przez puste ulice, Zygmunt rozmyślał:

„Tak samo zareagował Charcot. Powiedział mi, że go to zupełnie nie interesuje. A przecież to jest interesujące! Jestem tego pewny. Dlaczego pionierzy w rodzaju Charcota, Liébeaulta i Bernheima bronią się przed spojrzeniem w drzwi, które otworzyła wyobraźnia innego człowieka? Dlaczego zatrzymują się, kiedy docierają do końcowego etapu wywołanej przez siebie rewolucji?".

6

Po powrocie z Nancy okazało się, że wszyscy, nawet Breuer, byli przeciwni jego wyprawie.

– Dlaczego nie powiedziałeś mi o tym przed wyjazdem? – zapytał Józefa Breuera.

– Czyżbyś wtedy odwołał podróż?

– Nie, pojechałbym.

– No właśnie.

W oczach Meynerta i kolegów uniwersyteckich pobyt w Nancy jeszcze bardziej go pogrążył. Koledzy z Instytutu Kassowitza nie robili mu wprawdzie żadnych wyrzutów, ale uważali, że dał się wepchnąć w ślepą uliczkę. Nie miał więc z kim porozmawiać o kolejnym etapie swych badań. Do swego berlińskiego przyjaciela Wilhelma Fliessa napisał, że czuje się coraz bardziej osamotniony i że w Wiedniu nie ma nikogo, kto mógłby go czegoś nauczyć.

Zaczął regularnie pisywać do Fliessa, zwierzając mu się ze swych teoretycznych dociekań. Fliess okazywał zrozumienie i odpowiadał entuzjastycznymi listami, dodając mu otuchy. Zygmunt wyznał, że najchętniej poświęciłby się całkowicie nerwicom, ale właśnie teraz nie ma ani jednego takiego pacjenta. Pracował wyłącznie jako neurolog, lecząc schorzenia somatyczne, lub jako lekarz domowy w swej dzielnicy, tamując krwotoki z nosa i kurując chore żołądki. Musiał odłożyć do lamusa świeżo nabyte umiejętności hipnotyczne. Spędził piękne wakacje z Martą w Semmeringu po pierwszym rozstaniu, jakie przeżyli w czasie trwania ich małżeństwa. Marta czuła się dobrze. Córka rosła i zapowiadała się na uroczą pannę. Rodzina dawała mu pełne szczęście, ale był pozbawiony tego, co profesor Nothnagel nazywał „bogatym źródłem materiałów do badań medycznych"; zdawał sobie sprawę, że jego praca twórcza leży odłogiem.

Pierwszy raz od czasu, kiedy z polecenia swego profesora zoologii, Karola Crausa, wyjechał do Triestu, by studiować życie węgorzy, czuł, że nie zajmuje się żadnymi odkrywczymi i potencjalnie cennymi badaniami. Przypomniał sobie pierwsze żarliwe deklaracje, które wygłaszał Marcie w lasach nad Mödlingiem:

„Czysta nauka jest najwdzięczniejszą pracą na świecie, dającą największe zadowolenie, ponieważ codziennie dowiadujemy się czegoś nowego o żywych organizmach". A teraz, po siedmiu zaledwie latach, zamknięto przed nim drogę do doświadczeń, eksperymentów, odkryć. Stał się zwyczajnym praktykującym lekarzem. Siedząc za biurkiem w swym gabinecie w „Sühnhaus", mając za sobą mur książek medycznych, wiszące nad kozetką fotografie słynnych ludzi, których podziwiał, myślał z goryczą, że robi to, co każdy zwyczajny „lekarz wiejski".

Studiowanie podświadomości wymagało związania się z wielkim szpitalem, takim jak Allgemeines Krankenhaus, Salpêtrière czy Klinika Wydziału Medycznego w Nancy; w innym bowiem wypadku czekały go długie tygodnie bez możliwości żeglowania po nieznanych oceanach, pokonywania tybetańskich łańcuchów górskich, przemierzania pustyń Sahary.

Ślubował sobie, że nie zdradzi się przed Martą, że ogarniają go coraz bardziej gorzkie myśli, że jest coraz bardziej rozczarowany. To przecież nie jej wina, lecz jego. Nie umiał znaleźć sobie właściwego miejsca. Czyżby i Józef Breuer odsuwał się od niego, ponieważ młody podopieczny nie spełnił pokładanych w nim nadziei? Józef coraz częściej przepraszał, że nie ma czasu na wieczorne przechadzki po Ringu.

– Marto, a może jestem przewrażliwiony? Może Józef jest rzeczywiście bardzo zajęty?

– Matylda się nie zmieniła. Nadal mówi o tobie jak najczulej. Powiadasz, że wszystkie organizmy mają swe cykle życiowe, przypływy i odpływy. Przyjaźń też jest żywym organizmem. Masz teraz żonę, dziecko, praktykę. Józef kocha cię tak samo jak dawniej, tyle tylko, że inaczej.

Podziękował jej za te rozsądne słowa i zasnął uspokojony. Miał wiele snów i kiedy rano się obudził, pamiętał każdy szczegół.

Nie poddał się rozpaczy. Zabrał się do pracy nad dwiema monografiami. Jedna poświęcona była afazji, która od dawna wymagała już opracowania, gdyż nagromadziło się wokół niej wiele różnych i sprzecznych teorii, druga stanowiła kliniczne studium porażenia połowiczego u dzieci, nad którym pracował razem ze swym młodym przyjacielem, pediatrą Oskarem Rie.

Cały szereg wydarzeń uświadomił mu, jak daleko odszedł od wytyczonego sobie pierwotnie celu: zostania profesorem medycyny na uniwersytecie. Przed dwoma laty profesor Leidesdorf, szef Pierwszej Kliniki Psychiatrycznej mieszczącej się w Zakładzie dla Umysłowo Chorych Dolnej Austrii, dostał podczas wykładu ataku serca i poprosił swego młodego asystenta, Juliusza Wagnera-Jauregga, by go zastąpił. Ministerstwo Oświaty udzieliło Wagnerowi-Jdureggowi zezwolenia na prowadzenie wykładów tylko na jeden semestr. Kiedy latem 1889 roku Leidesdorf przeszedł na emeryturę, wydział medyczny postanowił katedrę Leidesdorfa powierzyć Ryszardowi Krafft-Ebingowi, profesorowi nadzwyczajnemu na uniwersytecie w Grazu. Krafft-Ebing uchodził za najznakomitszego po Meynercie psychiatrę we wszystkich krajach języka niemieckiego. Wszyscy zastanawiali się, kto obejmie po nim stanowisko w Grazu, i ku powszechnemu zdumieniu otrzymał je Wagner-Jauregg.

Profesor Krafft-Ebing przyjechał do Wiednia po wakacjach letnich, by przygotować swój wykład wstępny. Zygmunt złożył mu wizytę kurtuazyjną, przynosząc w charakterze wizytówki swe tłumaczenia prac Charcota i Bernheima. Profesor niedawno wprowadził się do świeżo malowanego mieszkania; zapach farby przypomniał Zygmuntowi wizytę, którą przed siedmiu laty złożył profesorowi Nothnagelowi, kiedy ubiegał się o stanowisko asystenta na internie.

Profesor Krafft-Ebing wstał zza biurka i przywitał go serdecznie. Zrobił na Zygmuncie bardzo dobre wrażenie. Był przystojnym mężczyzną o głowie herosa i wysokim, potężnym czole. Przerzedzające się już siwe włosy spływały łagodną falą. Miał rzymski nos i olbrzymią szpakowatą brodę i wąsy, pod gęstymi brwiami duże oczy dramatycznie podkrążone, zbyt silnie jak na mężczyznę przed pięćdziesiątką. Wyraz twarzy zdradzał wielką inteligencję, a zarazem życzliwość, zrozumienie smutków i brzydoty świata, z którymi aż w nadmiarze musiał się stykać.

Ryszard von Krafft-Ebing urodził się w Manheimie, w rodzinie urzędnika. Przodkowie matki byli wybitnymi prawnikami i intelektualistami. Kiedy Ryszard miał zacząć studia uniwersyteckie, rodzina przeniosła się do Heidelbergu. Tu młodzieniec znalazł się pod opieką swego dziadka po kądzieli, znanego w Niemczech pod przydomkiem „obrońcy potępionych", do głównych bowiem jego klientów należeli ludzie oskarżeni o ohydne przestępstwa, szczególnie na tle zboczeń seksualnych. Krafft-Ebing studiował w Heidelbergu medycynę. Specjalność tę obrał, kiedy po tyfusie wysłano go do Zurychu na rekonwalescencję. Chodził tam na wykłady Griesingera z psychiatrii.

Dziedzina ta zafascynowała go i napisał pracę doktorską o delirium. Po studiach zaczął pracować w zakładzie dla umysłowo chorych, a w roku 1873 otrzymał katedrę medycyny na uniwersytecie w Grazu, obejmując równocześnie stanowisko dyrektora nowego zakładu dla umysłowo chorych w Feldhof. Kontynuując działalność swego dziadka, bronił w sądach oskarżonych o „występki seksualne" i „zbrodnie przeciw naturze". Przedstawiał sądom pełne historie choroby oskarżonych, starając się uzyskać względy dla zboczeńców, którymi purytańskie społeczeństwo gardziło do tego stopnia, że odmawiało im podstawowych praw obywatelskich. Owocem tej działalności był *Podręcznik psychopatologii sądowej*. Praktykę w zakładzie dla umysłowo chorych podsumował w *Podręczniku psychiatrii*, trzytomowym dziele tłumaczonym na wiele języków, będącym obok identycznie zatytułowanej pracy Kraepelina powszechnie uznanym klasycznym kompendium psychiatrii klinicznej. Krafft-Ebing kładł nacisk na wzory reakcji i motywacje ludzkiego zachowania i tym się właśnie różnił od Meynerta, który interesował się przede wszystkim anatomią mózgu. Odznaczał się niezwykłą cierpliwością w stosunku do chorych przebywających w zakładzie. Jego uprzejmość niejednemu z nich ułatwiła powrót do zdrowia. Teraz był w trudnej sytuacji; opublikował bowiem dzieło *Psychopathia sexualis*, zawierające szczegółowe opisy medyczne setek przypadków inwersji i perwersji seksualnej; bronił pacjentów przed sądami. Nikt dotąd nie ośmielił się ogłosić tego rodzaju materiałów, należały one do tematów zakazanych, o których nie mówiono w towarzystwie. Co prawda znaczną część materiału podał po łacinie, by uchronić książkę przed zainteresowaniem poszukiwaczy pikantnych szczegółów, niemniej w Anglii surowo potępiano Krafft-Ebinga za „raczenie niewinnego i zaskoczonego świata tymi brudnymi i obrzydliwymi sprawami". Krafft-Ebing był pionierem. Zygmunt studiował jego książki uważnie, chociaż zajmowały się one jedynie sprawą dziedziczności chorób, fizycznymi właściwościami pacjentów i ich otoczeniem.

– Bardzo to uprzejmie z pańskiej strony, że zechciał mi pan ofiarować te dwie książki – powiedział Krafft-Ebing. – Słyszałem, że jest pan jednym z głównych obrońców metody sugestii hipnotycznej na terenie Wiednia. A także że dostał pan cięgi od mego kolegi, radcy Meynerta. Niech pan się nie przejmuje. Za kilka lat doprowadzimy do tego, że sugestia hipnotyczna stanie się szanowaną metodą.

Zygmunt poczuł, że zdjęto mu z pleców ciężkie brzemię. Słowa, których nie śmiał wypowiedzieć od chwili powrotu do Wiednia, popłynęły teraz żywiołowo. Mówił Krafft-Ebingowi o obserwacjach poczynionych w Nancy. Kiedy wreszcie umilkł, Krafft-Ebing zawołał:

– Zaiste zdumiewająca para! Jestem panu wdzięczny za to, że zechciał się pan podzielić ze mną swymi doświadczeniami. Młody Wagner-Jauregg był u mnie przed panem. Jest to człowiek silny i zdeterminowany; zajdzie daleko w Grazu.

Zygmunt udał się do Zakładu dla Obłąkanych Dolnej Austrii naprzeciwko Algemeines Krankenhaus, gdzie Wagner-Jauregg mieszkał od sześciu lat jako asystent profesora Leidesdorfa. Zaczął pracę na cztery miesiące przed objęciem przez Zygmunta stanowiska sekundariusza u Meynerta.

Idąc do zakładu, wspominał czasy studenckie, kiedy o cztery zaledwie miesiące młodszy Wagner-Jauregg był jego kolegą. Doktorat zrobił trochę wcześniej niż Freud, ale tytuł docenta otrzymali równocześnie. Wagner-Jauregg habilitował się z neuropatologii. Ich kariery miały zdumiewająco podobny przebieg. Obaj uczyli się fizjologii u profesora Brückego, obaj prowadzili samodzielne badania i ogłosili swe prace; obaj zabiegali o asystenturę u profesora Nothnagela i obaj zajęli się psychiatrią...

Snując wspomnienia, dotarł do monumentalnego gmachu, którego *foyer* i szerokie schody godne były księżycowego pałacu. Ale wchodząc na schody, Zygmunt pomyślał sobie, że w momencie gdy kolega przekroczył próg tego budynku, analogia między nimi się skończyła. Wagner-Jauregg otrzymał tu nie tylko dwukrotnie wyższą pensję od tej, którą Zygmunt dostawał w szpitalu, pracując u Meynerta, ale korzystał również z zakładowej kuchni. Wagner-Jauregg nigdy nie zamierzał zostać psychiatrą; sam powiedział Zygmuntowi, że nie ma do tego talentu. Mimo to wyuczył się tej specjalności i wytrwał przy niej. Teraz zaproponowano mu katedrę psychiatrii w Grazu, na najlepszym, po wiedeńskim, uniwersytecie w Austrii. I tak oto znalazł się o szczebel wyżej na psychiatrycznej drabinie. A on, Zygmunt, jego rówieśnik, z trudem zarabiał na życie praktyką prywatną, odcięty od świata akademickiego, jedynego świata, o którym zawsze marzył. Jak do tego doszło?

Stanął przed drzwiami Wagnera-Jauregga z opuszczoną głową. Wiedział, jak do tego doszło. Zakochał się w Marcie. Wagner-Jauregg postanowił czekać z ożenkiem do czasu, kiedy znajdzie się na szczycie zawodowej drabiny. Zygmunt zacisnął szczęki. Niech więc ma swą katedrę w Grazu. Ja pójdę swoją drogą.

Zapukał i po wejściu do pokoju pogratulował koledze nominacji.

Księga ósma

Mroczne zakamarki umysłu

1

Syn urodził się im na początku grudnia. Dali mu imiona Jan Marcin po Charcocie. Marta triumfowała. Ledwie usnęła po rozwiązaniu, Zygmunt pobiegł powiadomić o szczęśliwym wydarzeniu rodzinę i przyjaciół. Kiedy się obudziła, był już przy niej i pomógł jej usiąść w łóżku. Nigdy jeszcze nie wydawała mu się tak piękna, nigdy jeszcze oczy jej nie promieniały tak intensywnie szczęściem i dumą z osiągnięcia upragnionego celu. Ujął mocno w swoje ręce obie jej dłonie.

– Kochanie, narodziny syna są jednym z najważniejszych momentów w życiu mężczyzny. Oto człowiek, który będzie nosił moje nazwisko. Żydzi obrażają się, kiedy się ich nazywa wschodnim narodem, ale ta głęboko tkwiąca w nich potrzeba doczekania się męskiego potomka czyni z nich naprawdę ludzi Wschodu.

– Zaiste – przyznała Marta. – Tyle tylko, że odnosi się to w równej mierze do narodów zachodnich. Przypatrz się kiedyś towarzystwu wybierającemu się ochrzcić dziecko w Votivkirche i popatrz na minę ojca, któremu urodził się syn pierworodny. Darwin powiedziałby zapewne, że dzięki temu, między innymi, gatunek ludzki jeszcze nie wymarł. Być może mastodonty i dinozaury nie dbały tak bardzo o synów, którzy mogliby dziedziczyć rodowe nazwiska.

Dwadzieścia cztery godziny po narodzinach syna Zygmunt miał pierwszego od powrotu z Nancy pacjenta z nerwicą. Przed końcem tygodnia leczył już cztery fascynujące przypadki.

Nastała zima. Wichury zdawały się nadciągać wprost z Syberii. Marta uszczelniła okna, ale przed lodowatymi podmuchami trzeba się było chronić, zaciągając jeszcze ciężkie kotary. W zaciemnionych pokojach kaflowe piece były rozpalone do granic wytrzymałości. Ale żadnej rady nie znaleziono na ulewne deszcze i burze gradowe zrywające dachówki i tłukące je o bruk. Wichry przewracały nawet powozy. Chodzenie ulicami miasta stawało się niebezpieczne. A czasami niespodziewanie chmury się rozstępowały i słońce malowało olbrzymie, piękne tęcze, które jak wielobarwne wstążki przepasywały niebo nad miastem.

– Taki już jest Wiedeń – stwierdził Zygmunt. – Najpierw mrozi człowieka, potem go topi, wyławia z Dunaju, owija w tęcze i mruczy: „Wybacz mi, dziecino, wybacz, że doprowadzam cię do szału moimi wybrykami! Ale kocham cię przecież nadal. Posłuchajmy sobie teraz muzyki w parku, zatańczmy walca, przejdźmy się przez Naschmarkt i popróbujmy wspaniałej krakowskiej kaszanki oraz innych smakołyków z wszystkich krańców cesarstwa!".

Dziewiętnastoletnia Matylda Hebbel przyszła do Zygmunta w przeddzień Bożego Narodzenia. Była w straszliwej depresji i bardzo rozdrażniona. Seanse hipnotyczne nie przynosiły żadnej poprawy. Po obudzeniu zaczynało się od nowa szlochanie; tonęła we łzach. Aż wreszcie podczas jednej z wizyt pacjentka stała się rozmowna.

Okazało się, że przyczyną melancholii było zerwanie z narzeczonym. Po zaręczynach ona i jej matka odkryły w młodym człowieku pewne cechy, które im się nie podobały, obie jednak nie chciały doprowadzić do zerwania narzeczeństwa, ponieważ młodzieniec był bardzo bogaty i miał wysokie stanowisko. Wreszcie matka podjęła decyzję. Dziewczyna nie sypiała nocami, zastanawiając się, czy postąpiła słusznie. Od tego czasu datowała się depresja.

Zygmunt wierzył, że wyleczy pacjentkę, sugerując jej, iż to małżeństwo byłoby błędem, ale panna Hebbel nie chciała już więcej mówić o tej sprawie i przerwała leczenie. Po pewnym czasie jeden z jego kolegów w Instytucie Kassowitza powitał go słowami:

– Gratuluję. Znakomicie wyleczyłeś pannę Hebbel. Byłem u nich wczoraj; panna wyzdrowiała.

Zygmunt odchrząknął; nie miał zamiaru przyznać się, że nie wie, co właściwie pomogło Matyldzie. Postanowił ją odwiedzić.

– Cieszę się, że pani jest zdrowa i szczęśliwa. Może mi pani zdradzić, jak to się stało?

– Oczywiście. – Matylda była w znakomitym humorze. – Rankiem w pierwszą rocznicę zerwania zaręczyn obudziłam się i nagle powiedziałam sobie: „No, rok minął. Dość tej bzdury".

Zaczął padać deszcz. Zygmunt znalazł dorożkę przed kościołem Kapucynów. Wracał do domu wciśnięty w róg siedzenia, pogrążony w myślach. Przecież Matylda nie mogła ot tak po prostu zbudzić się w pierwszą rocznicę zerwania i nagle stwierdzić, że „bzdura" trwa już zbyt długo. Gdzieś w podświadomości podjęła decyzję zachowania tego, co jeszcze zostało z jej miłości. Jednakże gdy minął rok, który był jakby okresem żałoby, zmieniła postanowienie. To nie ja jej pomogłem. Wcale nie potrzebowała mojej pomocy. Ale dzięki temu przypadkowi wiem już teraz, że podświadomość ma swój własny kalendarz.

Przeceniono jego rolę w wyleczeniu panny Hebbel, natomiast w przypadku następnego pacjenta nie doceniono go. Tuż przed nowym rokiem 1890 podjął się leczenia młodzieńca, który stracił władzę w nogach. Wszystko wskazywało na histerię. Zygmunt zaczął go hipnotyzować i usuwać kolejno zewnętrzne objawy: brak apetytu, bezwolne oddawanie moczu, strach przed schodzeniem w dół. Objawy ustąpiły jedne po drugich i wtedy niespodziewanie stwierdził, że po zlikwidowaniu histerii ma przed sobą organiczny przypadek stwardnienia rozsianego. Objawy psychiczne były tak silne i liczne, że przesłoniły somatyczne objawy stwardnienia.

Przypadki męskiej histerii zdarzały się znacznie rzadziej niż kobiecej. Podejrzewał, że prawdziwą tego przyczyną jest fakt, iż mężczyźni, na których spoczywa obowiązek utrzymania rodziny, zwracają się do niego dopiero wtedy, gdy zaburzenia emocjonalne uniemożliwiają im pracę zawodową. Zetknął się kiedyś z dosyć prostym przypadkiem: pewien inteligentny mężczyzna był obecny, gdy nastawiano jego bratu zwichnięty staw biodrowy. W chwili gdy staw biodrowy został zreponowany, rozległ się tak głośny trzask, że jego pacjent sam poczuł w biodrze gwałtowny ból, który utrzymywał się jeszcze przez rok. Żadnych uszkodzeń biodra Zygmunt nie stwierdził; zorientował się, że zdrowy brat wmówił sobie, iż jest to choroba dziedziczna w ich rodzinie.

Jednym z poważniejszych przypadków był człowiek, który dostał ataku furii po incydencie ze swoim pracodawcą. Zygmunt doprowadził pod hipnozą do powtórzenia ataku, chory zaś doznał pewnej ulgi, opisując dokładnie, jak jego szef pobił go kijem. Próby „wykarczowania" uczuć, które okazały się przyczyną choroby, były daremne. Po kilku dniach pacjent znowu wpadł w furię. Tym razem jednak po uśpieniu powiedział, że wytoczył sprawę sądową swemu pracodawcy i że ją przegrał. Gorycz zawodu i poniesiona klęska wywoływały nowe ataki. Chorego nie udało się wyleczyć. Był już za stary, poczucie doznanej krzywdy tkwiło zbyt głęboko. Zygmunt musiał się zadowolić zmniejszeniem natężenia ataków.

Zaprzyjaźnieni lekarze utworzyli coś w rodzaju klubu tarokowego, do którego należeli Zygmunt, Józef Paneth, Oskar Rie, Leopold Königstein i Obersteiner. Czasem wpadali Józef Breuer i Fleischl. Grano w karty do pierwszej nad ranem, zwłaszcza gdy spotykano się u Panetha, który cierpiał na myśl o rozstaniu z przyjaciółmi. Fleischl nie czuł się na tyle dobrze, by wychodzić z domu, często jednak zapraszał ich do siebie. W mieszkaniu Zygmunta grano przy stole w jadalni. Pokój tonął w kłębach dymu tytoniowego. O północy Marta i żony kolegów podawały gorące parówki z musztardą lub chrzanem i bułeczki. Następowała godzina towarzyskiej pogawędki, dzielono się nowinkami, żartami, rozmawiano o książkach, o teatrze, muzyce.

Pewnej majowej nocy, gdy wyszli z domu Panethów, Marta zapytała:

– Czy Józefowi nie szkodzi takie siedzenie do późna?

– Nie. Dopóki jest w tak dobrym humorze jak dziś wieczór. Lekarze stwierdzili kilka nowych zaciemnień w płucach, ale stan się nie pogarsza.

Nastały silne mrozy. Zygmunt namawiał przyjaciela, żeby wyjechał na kilka miesięcy do ciepłych krajów, Józef jednak stale odpowiadał niezmiennie łagodnym tonem, że nie może się rozstać z Exnerem i pracownią fizjologiczną. Nie wytrzymałby bez pracy; dla niego byłaby to tylko inna forma umierania.

– Nie masz racji – tłumaczył Zygmunt – to byłaby tylko pewna forma hibernacji. Po wyleczeniu płuc będziesz mógł pracować trzynaście miesięcy w roku.

Wkrótce Józef się przeziębił. Pięciu przyjaciół lekarzy stało bezradnie przy jego łóżku, gdy umierał na obustronne zapalenie płuc. Bardzo go lubili, zapewne dlatego że był taki delikatny, serdeczny i szczodry. Zygmunt boleśnie odczuł tę stratę. Józef Paneth wiernie towarzyszył mu przez wszystkie lata studiów. Bez „Fundacji Józefa i Zofii", bez tego tysiąca pięciuset guldenów, które od nich otrzymał, nie mógłby sobie pozwolić na wyjazd za granicę.

W szary, zamglony, deszczowy dzień pochowali Józefa na Cmentarzu Centralnym. Profesor Brücke, sam chory, przyszedł w towarzystwie Exnera i wychudłego Fleischla.

Pojechali potem do mieszkania Panethów i przy kawie serdecznie wspominali zmarłego. Wracając do domu, Zygmunt i Marta tulili się do siebie zgnębieni.

Pewnego dnia przyprowadzono do doktora Freuda młodą, szczęśliwą mężatkę, która w dzieciństwie często wpadała rano w stan otępienia; leżała w łóżku ze sztywnymi kończynami, otwartymi ustami, z wystawionym językiem.

Od niedawna ataki te się ponowiły. Kiedy się okazało, że pacjentka nie reaguje na hipnozę, Zygmunt zaproponował, by mu opowiedziała o swym dzieciństwie. Mówiła więc o swoim pokoju, o babce, mieszkającej razem z nimi, i o jednej z guwernantek, do której była szczególnie przywiązana. Z jej relacji nic nie wynikało, ale przyszedł mu z pomocą lekarz domowy, który w tym właśnie czasie opiekował się rodziną. Zauważył on, że przyjaźń guwernantki z dziewczynką przybiera przesadne formy, i poprosił babcię dziewczynki, żeby się bliżej tym zainteresowała. Okazało się, że kiedy wszyscy już spali, guwernantka kładła się do łóżka dziewczynki i spała z nią do rana.

Guwernantkę natychmiast zwolniono. Kiedy Zygmunt podziękował starszemu koledze za informacje, zdumiony lekarz zapytał go, co on z tym faktem teraz pocznie.

– Wydaje mi się, że nie ma innego wyjścia jak powiedzieć chorej prawdę. Epizod, którego prawdopodobnie zupełnie nie rozumiała w dzieciństwie, ugrzązł głęboko w jej podświadomości. Sam nie zniknie. Ataki mogą trwać latami. Jeśli jej wytłumaczę, dlaczego te wspomnienia stłumiła, i przekonam, że tego rodzaju wspomnienia mogą potem zatruć człowiekowi życie, być może zrozumie istotę tego, co ją prześladuje. Z chwilą gdy atak się ponowi, będzie przynajmniej wiedziała, skąd się bierze, i to umożliwi jej przezwyciężenie źródła choroby.

Pacjentka przyjęła spokojnie wyjaśnienia Zygmunta. Po kilku miesiącach lekarz domowy zawiadomił go, że jest wyleczona. Przypadek ten umocnił Zygmunta w przekonaniu, że incydenty z dzieciństwa, choćby podówczas niezrozumiałe, pozostawiają głębokie ślady w podświadomości. Blizna może zacząć się jątrzyć i nagle u osoby na pozór całkiem zdrowej rana się odnowi. Dla lekarza była to wiadomość bezcenna. Zygmunt jednak wciąż nie umiał sobie wytłumaczyć, dlaczego ataki pojawiają się w tym, a nie innym czasie.

W cudowny niemal sposób został wyleczony trzydziestokilkuletni pacjent, któremu doktor Freud nie potrafił pomóc w swoim gabinecie i którego skierował do sanatorium. Ku zdumieniu Zygmunta chory po tygodniu pobytu w sanatorium zaczął szybko wracać do zdrowia. Znikły tiki mięśni twarzy i jąkanie się, odzyskał apetyt, przestał kaprysić i potrafił się znowu skoncentrować, a właśnie przez niemożność koncentracji stracił odpowiedzialne stanowisko w jednym z wiedeńskich banków. Zygmunt odwiedzał go co tydzień. Po trzech miesiącach zaproponował mu, by wrócił do domu. Pacjent stanowczo odmówił – bardzo gwałtownie zareagował na tę radę. Rodzina była zamożna, nic więc nie stało na przeszkodzie, by chory pozostał jeszcze w sanatorium.

Po upływie sześciu miesięcy pacjent sam stawił się w gabinecie Zygmunta i oświadczył, że czuje się dobrze. Zdumiony Zygmunt zapytał go, jakim cudem sam się wyleczył.

– Lekarstwo leżało w sąsiednim pokoju – odpowiedział pacjent z przymrużeniem oka. – W postaci bardzo ładnej pacjentki. Już pod koniec pierwszego tygodnia zaczęliśmy sypiać ze sobą. To był najcudowniejszy okres w moim życiu. Przed dwoma dniami ta kobieta opuściła sanatorium. Często przychodziło mi na myśl, że ona też jest pańską pacjentką i że pan celowo umieścił nas w sąsiednich pokojach.

Każdy przypadek nerwicy był inny i pobudzał do myślenia. Oprócz sukcesów spotykało doktora Freuda wiele niepowodzeń, szczególnie gdy pacjentami byli młodzi, wrażliwi mężczyźni. Znajdował u nich wszystkie nerwowe i emocjonalne dolegliwości, z jakimi spotykał się u swych pacjentek, a ponadto wiele innych, o których nigdy nie słyszał i nigdzie nie czytał. Nie umiał sobie dać rady z tymi zaburzeniami, nawet wtedy, kiedy podejrzewał, że mają podłoże homoseksualne. To, co wyłaniało się z podświadomości tych pacjentów, stanowiło dla niego dziwaczną składankę bez sensu. Kiedy zrezygnowany uciekał się do stosowanej przez Liébeaulta i Bernheima metody atakowania objawów bez próby zrozumienia wyobrażeń, które je wywołują, większość pacjentów albo nie reagowała na jego sugestie terapeutyczne, albo nie była w stanie ich wykonać. Złościły go te niepowodzenia. Cierpienia miały swe źródło w zamkniętych strefach podświadomości, do których nie umiał znaleźć klucza.

Podświadomość stała się jego pasją i gwiazdą przewodnią. Szczegółowo rejestrował każdy przypadek, zapisując ponadto owe przemyślenia, domysły i dociekania. Tak zapewne musiał się czuć Antoni van Leeuwenhoeck – powiadał sobie w myśli – kiedy patrzył przez swój ulepszony mikroskop na kłębiące się pierwotniaki i mikroby. „Podświadomość stanie się moim pryzmatem. Pozwoli mi odkryć i opisać naukowo motywy ludzkiego zachowania i metody leczenia. Będę akuszerem; nie, jestem tak podniecony oczekiwaniem i tak nabrzmiały pulsującym życiem, że chyba zostanę matką. Miejmy tylko nadzieję – żartował – że dziecko nie będzie dwugłowym potworkiem".

2

W Wiedniu zaczęto mówić, że doktor Zygmunt Freud jest szczególnie przydatny w chorobach eufemistycznie określonych jako „kłopoty kobiece". W jego gabinecie coraz częściej pojawiały się dwudziesto- i trzydziestoletnie mężatki, opisując z pewnym wahaniem różne przemijające i powracające choroby, z którymi nie umieli dać sobie rady lekarze domowi. Badał dokładnie swe pacjentki i kiedy uważał, że jego wiedza nie jest dostateczna, kierował je do specjalistów. Najczęściej okazywało się, że chore nie cierpią na żadne zaburzenia organiczne. Spokojne rozmowy ujawniały we właściwym czasie, że źródłem dolegliwości są perturbacje w dziedzinie, którą Józef Breuer określał jako „tajemnice małżeńskiej alkowy". Tylko czasami trafiał na jakiś rozpoznawalny ślad albo prawdziwe źródło choroby. Kobiety te, wychowane w powściągliwości i reagujące prawie śmiertelnym lękiem na samo wspomnienie o stosunkach seksualnych, nie umiały rozmawiać o tych sprawach, uchodzących za zakazane, nawet ze swym lekarzem. Bardzo rzadko, oblewając się rumieńcami wstydu, jąkając się i ukrywając twarz w dłoniach, opowiadały, jak naprawdę wygląda ich pożycie małżeńskie: nieporadny, śpieszący się, brutalny, nietroszczący się o reakcje żony mąż rzucał się na nią, a potem staczał z niej jak zwierzę.

Zygmunt niewiele mógł poradzić nawet w tych wypadkach, kiedy już znał fakty i wiedział, jakie są przyczyny zaburzeń nerwowych pacjentek. Wiedeńczyk wpadłby we wściekłość, gdyby doktor leczący jego żonę wezwał go i powiedział, że małżonka jest chora, ponieważ on się źle spisuje w łóżku. Na takie tematy mogli rozprawiać bez końca studenci, żołnierze, ludzie światowi i ludzie interesu w kawiarniach i klubach, nie ukrywając najdrastyczniejszych fizjologicznych szczegółów, ale w domu i między małżonkami nie wolno było prowadzić tego rodzaju niemoralnych i poniżających rozmów. W miarę jak rosły jego archiwa, Zygmunt coraz jaśniej zdawał sobie sprawę z tego, jak wiele nieszczęść powoduje ta dychotomia, nikt jednak, ani on, ani żaden inny neurolog, nie wiedział, jak pomóc tym załamującym dłonie i szarpiącym chusteczki delikwentkom. Niektóre z nich będą chorowały przez całe życie.

Każdy przypadek nerwicy odsłaniał jakieś nowe aspekty podstępnego funkcjonowania podświadomości. Dwudziestotrzyletnią inteligentną i pełną temperamentu pannę Ilzę przyprowadził ojciec, lekarz w starszym wieku, i zażądał, by pozwolono mu pozostać podczas badania w gabinecie. Ilza od osiemnastu miesięcy miała tak silne bóle w nogach, że z trudem chodziła. Pierwszy lekarz, którego się radziła, orzekł stwardnienie rozsiane, ale pewien młody asystent z oddziału chorób nerwowych stwierdził, że rozpoznaje objawy histerii, i doradził, by chora udała się do doktora Freuda. Przez pięć miesięcy Ilza przychodziła do Zygmunta trzy razy tygodniowo. Stosował intensywne masaże, intensywną elektroterapię, a pod hipnozą sugerował różne sposoby zmniejszenia bólów. Wszystkie te zabiegi nie odnosiły skutku, mimo że chora była bardzo podatna na hipnozę. Pewnego dnia weszła do gabinetu, podtrzymywana przez ojca i opierająca się na parasolce. Zygmunt stracił cierpliwość. Uśpił Ilzę i krzyknął:

– To trwa już zbyt długo! Jutro rano złamie pani parasolkę i będzie pani musiała dać sobie bez niej radę.

Obudził Ilzę. Był zły na siebie, że dał się ponieść nerwom. Następnego ranka ojciec chorej zjawił się niezapowiedziany.

– No i co pan powie? Wie pan, co Ilza wczoraj zrobiła? Szliśmy przez Ringstrasse, gdy nagle zaczęła nucić *Ein Kreies Leben führen wir...* ze *Zbójców* Schillera. Wybijała takt parasolką po chodniku i złamała ją! Po raz pierwszy od wielu miesięcy chodzi o własnych siłach.

Zygmunt odetchnął z ulgą.

– Pana córka bezwiednie przetworzyła moją głupią uwagę na genialną myśl. – Wiedział, że Bernheim lub Liébeault zadowoliliby się tym osiągnięciem; on jednak po chwili wahania podjął decyzję: – To jednak nie wystarczy, by Ilza wróciła do zdrowia. Musimy dowiedzieć się, w jaki sposób zrodziła się w jej umyśle idea, że ma trudności z chodzeniem.

Następnego dnia uśpił Ilzę i zażądał, by powiedziała mu, co ją wzburzyło emocjonalnie, zanim rozpoczęły się bóle. Ilza odpowiedziała spokojnie, że śmierć przystojnego młodego kuzyna, którego uważała za swego narzeczonego. Zygmunt zachęcił ją, by opisała uczucia, jakimi darzyła młodzieńca, smutek po jego śmierci. Odpowiedzi Ilzy były tak rzeczowe, że nie miał już żadnych wątpliwości, iż jest na dobrym tropie. W dwa dni później Ilza wróciła. Miała nową parasolkę. Zygmunt uśpił ją i powiedział surowo:

– Panno Ilzo, nie wierzę, by śmierć pani kuzyna miała cokolwiek wspólnego z pani chorobą. Myślę, że wydarzyło się coś innego, coś, co miało duże znaczenie dla pani przeżyć emocjonalnych i cielesnych. Dopóki nie usłyszę prawdy, nie będę mógł pani pomóc.

Ilza przez chwilę milczała, a potem ledwie dosłyszalnym szeptem wypowiedziała zdanie, z którego uchwycił jedynie pojedyncze słowa: „park... jakiś nieznajomy mężczyzna... gwałt... skrobanka...". Ojciec chorej załkał gorzko. Zygmunt obudził dziewczynę. Ojciec i córka opuścili gabinet, podtrzymując się wzajemnie. Zygmunt nigdy już nie zobaczył tej pacjentki, nie otrzymał też żadnych wyjaśnień listownie. Wiedział, że rozwój choroby nie zostanie zahamowany; Ilza wkrótce nie podniesie się z łóżka; tam będzie bezpieczna, wycofa się ze świata. Był przekonany, że wystarczyłoby jeszcze kilka wizyt i że, być może, gdyby Ilza przychodziła sama, mógłby jej wytłumaczyć związek między grożącym jej paraliżem a nieszczęściem, które ją spotkało. Może przyjęłaby do wiadomości, że ma szansę żyć mimo tragedii, która ją spotkała.

W tym samym czasie leczył młodą śpiewaczkę, pannę Różę Hartwig. Miała wspaniały, wyszkolony głos. Przygotowywała się do występów operowych i koncertowych. Wszyscy uważali, że ma przed sobą świetną przyszłość. Niespodziewanie zaczęły pojawiać się trudności w środkowym rejestrze, ale tylko wtedy, gdy ktoś ją zdenerwował. O śpiewaniu nie było mowy. Zygmunt uśpił ją i zachęcił do mówienia. Pochodziła z wielodzietnej rodziny. Była najstarszym dzieckiem. Ojciec brutal nie tylko fizycznie, lecz również psychicznie znęcał się nad żoną i dziećmi, nie kryjąc się wcale z tym, że interesują go panny służące. Po śmierci matki Róża stawała w obronie rodzeństwa, starała się przy tym tłumić wzbierającą w niej nienawiść i pogardę do ojca, przełykała w milczeniu wyrzuty, które powinna mu była robić. Za każdym razem, gdy powstrzymywała się od zwrócenia mu uwagi, czuła gwałtowny skurcz w gardle i ostre podrażnienie przełyku.

Zygmunt skłonił ją, by w stanie uśpienia powiedziała to wszystko, co chciała powiedzieć ojcu; by nie krępowała się i używała najostrzejszych słów. Pacjentka dała prawdziwy popis elokwencji. Ustąpiły trudności w śpiewie, ale kuracja została przerwana przedwcześnie, gdyż z kolei panna Róża zaczęła mieć trudności z jedną ze swoich ciotek.

Wiedza jest jak powolna rzeka. Niekiedy wzbiera, unosząc na swych falach jakieś szczątki, innym razem wysycha. Dla Zygmunta stała się obecnie rwącym potokiem. Kolejne odkrycie z trudem torowało sobie drogę do jego świadomości, na poprzednim etapie swej działalności terapeutycznej okazał się łatwowiernym głupcem, wręcz oszustem. Doszedł bowiem do wniosku, że wszystkie zabiegi elektroterapeutyczne zalecane w podręczniku Wilhelma Erba, które od pięciu lat tak często aplikował swoim pacjentom, są straszliwą mistyfikacją.

Oczywiście profesor Erb nie oszukiwał świadomie. Zbudował cały system urządzeń do elektroterapii, elektrod miedzianych, niklowanych, pokrytych gąbką, flanelą i płótnem, opracował zasadę „elektroterapii", stosując szereg skomplikowanych formuł matematycznych, które Zygmunt wykuł na pamięć i w które – wstyd pomyśleć – święcie wierzył. Teraz zgrzytał zębami na myśl o tym, ilu pacjentów najzwyczajniej zwodził; dając wiarę słowom Erba: „Bez żadnej przesady mogę powiedzieć, że efekty lecznicze nierzadko zdumiewają nawet doświadczonego lekarza swą magiczną szybkością i całkowitą skutecznością".

„Bez żadnej przesady!" Na wspomnienie tych słów z ust Zygmunta wyrwał się dosadny epitet, co mu się nieczęsto zdarzało. Wszystkie te elektrody były równie skuteczne jak ssanie cukierka. I pomyśleć, że brałem od ludzi pieniądze za to, że na kilka godzin się odprężali, a nie docierałem do ich prawdziwych dolegliwości! Całe szczęście, że nie otrzymywałem wysokich honorariów. A przecież wszyscy neurolodzy w Europie, Anglii i Ameryce, nawet wielki Hughlings Jackson, stosowali od lat faradyzację Erba. Jakże mogliśmy być ślepi przez tak długi czas? Erb zdobył światową sławę, choć jego metoda tyle miała wspólnego z nauką co frenologia.

Oburzenie Zygmunta bawiło Józefa Breuera:

– Przesadzasz, Zygmuncie. Faradyzacja daje jednak co najmniej tyle, co ciepłe i zimne kąpiele oraz zalecane przez Jacksona leczenie odpoczynkiem i zażywanie bromu.

– Czyli że nic nie jest warta! Oczywiście, odpoczynek, dobre jedzenie, podróże morskie przynoszą pewną poprawę. Ale obaj przecież wiemy, że w ten sposób nigdy nie przebijemy się przez dżunglę podświadomości, nie przebłagamy demonów, które tam tkwią! Z równym powodzeniem można by próbować zgasić pożar lasu za pomocą kufla piwa.

– A co będzie – Józef głaskał brodę, co stało się u niego mechanicznym odruchem w chwilach zakłopotania – jeśli publicznie przyznamy się, że nie dysponujemy żadnymi środkami?

– Mamy nasze nowe podejście! – Oczy Zygmunta rozbłysły. – Metodę, którą ty pierwszy zastosowałeś w przypadku Berty Pappenheim i którą ja kontynuuję. Oto prawdziwe narzędzie terapeutyczne!

Józef, unikając wzroku przyjaciela, patrzał na półki z książkami.

W kilka dni później wpadł wieczorem do gabinetu Zygmunta, by porozmawiać z nim o przypadku, z którym nie umiał sobie dać rady. Kiedy opisał symptomy, jakie wystąpiły u pewnej młodej kobiety, Zygmunt powiedział:

– Ja myślę, że mamy tu do czynienia z ciążą urojoną.

Józef spoglądał na niego przez chwilę podniecony, po czym zerwał się z krzesła i bez pożegnania wybiegł z pokoju. Marta, którą wyminął w przedpokoju, weszła do gabinetu i zapytała, co się stało.

– Pojęcia nie mam. Zapytał mnie o diagnozę, a gdy mu powiedziałem, uciekł bez słowa.

3

W lutym 1891 roku urodził się Freudom drugi syn, Oliver. Trzeba było pomyśleć o nowym mieszkaniu; obecne okazało się za ciasne. Ale przeprowadzka nie jest rzeczą prostą w Wiedniu, gdzie, jak mawiał Fleischl, „ludzie są bardziej wierni swoim mieszkaniom niż małżonkom". Taka decyzja na pewno wywołałaby komentarze: „Freudowie nie zastanowili się, wprowadzając się do swego pierwszego mieszkania". „Nie są spokojnymi ludźmi, nie potrafią wytrzymać na jednym miejscu!"

Mieli czas do lipca, wtedy bowiem upływał termin wynajmu „Sühnhaus".

Oglądali dziesiątki mieszkań do wynajęcia. Żadne nie odpowiadało ich potrzebom. Wreszcie pewnego czerwcowego popołudnia, kiedy Marta z dziećmi była w Reichenau, w pobliżu Semmeringu, Zygmunt wybrał się na swą ulubioną przechadzkę wzdłuż Kanału Dunaju. Szedł w cieniu płaczących wierzb, ciesząc się widokiem mostów spinających rzekę skręcającą w kierunku Lasku Wiedeńskiego. Na drugim brzegu kwitły róże, geranium, nagietki i łubin. Ciemnozielona woda szybko płynęła między ocembrowanymi brzegami. Młode matki spacerowały z dziećmi leżącymi w wysokich wózkach. Wiedeńczycy wygrzewali się na słońcu.

Minął Tandelmarkt, barwne i ruchliwe targowisko, gdzie handlowano starzyzną, jakiś plac, na którym zbiegało się pięć ulic, i wszedł na Berggasse, stromą, cichą ulicę, którą często wspinał się, idąc do pracowni profesora Brückego, mieszczącej się w domu na jej końcu. Przed numerem 19 stanął jak wryty. Na bramie wisiała wywieszka „ZU VERMIETEN" – „Do wynajęcia". Spojrzał na ulicę, jakby ją widział po raz pierwszy; szeroka, zabudowana czteropiętrowymi kamienicami, kilka sklepów, Akademia Handlowa. Solidna mieszczańska ulica. Fasady domów, choć ozdobne, nieprzeładowane gigantycznymi kariatydami.

Brama była otwarta. Wszedł do sieni i zadzwonił na dozorcę. Czekając, obejrzał podwórze, na którym rosły cztery cieniste drzewa. Trawnik starannie utrzymany, klomby pełne kwiatów, a w głębi altana z klasycznymi kolumnami, fontanną i rzeźbą przedstawiającą młodą dziewczynę. Wszystko tchnęło dostatkiem.

Dozorca zaprowadził go na piętro. Po drodze minęli lokal na parterze, taki sam, w jakim Zygmunt mieszkał w czasach kawalerskich. Kiedy stanął na progu lokalu do wynajęcia, ujrzał przed sobą rozległą przestrzeń. Pokoje były wysokie, duże i jasne. Przedpokój stanowił właściwie spore samodzielne pomieszczenie. Łazienka z piecem do grzania wody sąsiadowała z wygodną garderobą obudowaną szafami. Mieszkanie mogło pomieścić dużą rodzinę. „Marta dokona tu cudów" – pomyślał i nagle uświadomił sobie, że właściwie już podjął decyzję.

Czynsz roczny okazał się nawet nieco niższy niż w „Sühnhaus". Co prawda okolica nie była taka elegancka jak ta, w której obecnie mieszkali; w oczach niektórych ludzi bliskość Tandelmarktu obniżała walory dzielnicy w wiedeńskiej hierarchii topograficznej.

Ale Zygmunt w myślach wyliczał zalety mieszkania i jego położenia. Dobra komunikacja, blisko na targ, do parku, gdzie dzieci będą mogły się bawić. Idealne rozwiązanie.

Najchętniej wynająłby mieszkanie natychmiast, ale nic nie powiedział, schodząc z dozorcą po schodach.

– Kto tu mieszka? – zapytał, zatrzymując się przed mieszkaniem na parterze.

– Stary zegarmistrz, kawaler, nazywa się Pohjar. Ma mały sklepik w centrum. Siedzi tam całymi dniami, a wieczory spędza z kolegami w kawiarni. Nie wiem właściwie, do czego mu to mieszkanie potrzebne; co kwartał grozi, że się wyprowadzi, a kiedy przychodzi do płacenia czynszu, narzeka, że dla niego za drogo.

Zygmunt poczuł szybsze uderzenia serca.

– Czy mógłbym je zobaczyć? Może wynajmę także parter, kiedy pański zegarmistrz wreszcie się wyprowadzi.

Wsunął dozorcy kilka grajcarów do ręki, a ten uchylił drzwi. Był to prawdziwy pięciopokojowy skarb, zminiaturyzowana kopia mieszkania na piętrze. Przedpokój i poczekalnia dla pacjentów, dwa pokoje, w których mógłby urządzić pokój przyjęć i gabinet dla siebie; maleńka kuchenka, nieprzydatna dla rodziny, ale idealnie nadająca się do wygotowywania instrumentów.

– Ile wynosi czynsz za parter?

Kiedy usłyszał sumę, z trudem powstrzymał okrzyk radości. Czynsz za oba lokale był niewiele wyższy od tego, który płacił od pięciu lat za obecne mieszkanie. Teraz już nie krył zadowolenia. Wyjął z portfela banknot i wcisnął dozorcy do ręki.

– Jak pan widzi, traktuję sprawę poważnie. Muszę jeszcze tylko przyprowadzić żonę.

– Oczywiście, panie doktorze. Może pan być spokojny, zatrzymam dla pana to mieszkanie...

Marta nie sprawiała wrażenia zbyt zachwyconej. Żal jej było bardziej nowoczesnej kuchni i łazienki w starym mieszkaniu, ale gdy się lepiej rozejrzała po wysokich, przestronnych pokojach ze stiukowymi sufitami i pięknymi parkietami i stwierdziła, że nowe mieszkanie jest dwukrotnie większe od dotychczasowego, zaczęła się rozpogadzać. Wreszcie wzięła męża pod ramię i uśmiechnęła się do niego ciepło.

– To już będzie prawdziwy dom rodzinny – powiedziała cicho. – Tak duży, że można w nim myśleć o przyszłości.

Lipcowe upały wypędziły wiedeńczyków w góry. Od wielu dni ani jeden pacjent nie zadzwonił do drzwi Freudów. Zygmunt siedział przy biurku w „Sühnhaus”, paląc zwyczajne austriackie cygaro. Z hawańskich, na które sobie pozwalał, gdy sytuacja finansowa była lepsza, musiał teraz zrezygnować. Nudę przerwała wiadomość od wydawcy, że ukazała się jego praca O afazji. W księgarni leżał na ladzie, obok innych książek medycznych, stos egzemplarzy jego publikacji. Wziął jeden do ręki i rzuciwszy okiem na stronę tytułową, poczuł przypływ radości. Oto jego pierwsza wydana książka. Już w trzech innych wydrukowano jego nazwisko jako tłumacza, ale ten tom był jego, wyłącznie jego dziełem. Tylko jemu zawdzięczał swe istnienie. Z czułością, z jaką zazwyczaj obejmował Matyldę, Olivera i Marcina, głaskał teraz swoją pierwszą książkę. Jeden egzemplarz zabrał ze sobą, drugi kazał wysłać Józefowi Breuerowi. Chciał zrobić przyjacielowi niespodziankę; książka zawierała bowiem dedykację: „Panu doktorowi Józefowi Breuerowi poświęcam w dowód szacunku i przyjaźni”. Józef zapewne nie zdąży przeczytać jej w jeden dzień, liczyła ponad sto stron druku. Postanowił więc wstąpić do niego dopiero następnego dnia po południu na kawę; może wybiorą się na kolację.

Ale minął jeden, drugi dzień, a od Breuera ani słowa. Zygmunt gubił się w domysłach. Na trzeci dzień nie mógł już dłużej opanować niecierpliwości i pośpieszył na Stephansplatz. W drzwiach powitała go Matylda. Z miejsca się zorientował, że jeszcze nic nie wie o książce.

– Józef jest w bibliotece. Idź tam od razu, a ja zaraz przyślę wam coś do picia.

Breuer siedział przy biurku. Gdy Zygmunt wszedł do pokoju, uniósł głowę i zamrugał powiekami. Nie wyglądał na zadowolonego z wizyty. Miał zakłopotaną minę. Zygmunt, trochę speszony, zapytał:

– Czy dostałeś moją książkę?

– Tak. Dostałem.

– Nie zdążyłeś jej przeczytać?

– Przeczytałem ją. – Z tonu głosu nie można było nic wywnioskować.

– Nie podoba ci się?

– Niezła. – Józef wzruszył ramionami. Zygmunt przyjął te słowa jak policzek.

– Nic niewarta?

– ...jest dobrze napisana.

– Dziękuję. Zawsze marzyłem o tym, by zostać wielkim stylistą. A co myślisz o stronie naukowej? O nowym podejściu psychiatrycznym?

– Obawiam się, że nie udało ci się połączyć dwóch aspektów, somatycznego i psychiatrycznego. Kłócą się ze sobą. A poza tym ten twój nałóg atakowania autorytetów w każdej dziedzinie... najbardziej szanowanych ludzi w świecie medycznym... Nikt ci nie podziękuje za głoszenie herezji, że czynniki psychiczne wywołują afazję w tej samej mierze co zaburzenia fizyczne. Z pewnością nie spodoba się to Wernickemu, Hitzigowi czy Lichtheimowi.

– Wcale nie chcę, by mi dziękowano. Chodzi mi o obiektywną analizę zebranego przeze mnie materiału.

Józef milczał. Zadzwonił na pokojówkę.

– Czy przyszedł już doktor Rechburg?

– Nie, proszę pana.

– Jak przyjdzie, proszę go tu natychmiast wprowadzić.

Zygmunt nie krył swego rozczarowania. Po wyjściu pokojówki zapytał ochrypłym głosem:

– Ani słowa nie wspomniałeś o dedykacji. Miałem nadzieję, że sprawię ci przyjemność...

– ...no tak. Dziękuję.

Pokojówka wprowadziła doktora Rechburga. Na widok Zygmunta przystanął, jakby się chciał wycofać. „Widocznie rozmawiał już z Józefem o mojej książce. Nie spodobała im się. Dlatego są zakłopotani". Podszedł szybko do drzwi i wymruczał „do widzenia", nie patrząc na nich. Wracając znużonym krokiem do pustego mieszkania, próbował zebrać myśli.

„Rozbieżności między nami są coraz większe. Dlaczego? Zgadza się z każdym moim kolejnym krokiem, a potem odrzuca moje wnioski. Dedykacją był zakłopotany, jakby się bał, że świat lekarski uczyni go odpowiedzialnym za treść książki. Wie przecież, równie dobrze jak ja, że za zaburzeniami mowy kryją się zaburzenia emocjonalne. Wie, że podświadomość może być sprawcą afazji. Dlaczego tak bardzo się waha?"

Po upałach przyszły nieustanne deszcze. Pacjenci wciąż nie przychodzili. Zygmunt był w coraz gorszym nastroju. Kiedy w piątek wieczór przyjechał do rodziny, lało jak z cebra. Mimo złej pogody wybrał się w góry. Liczył na to, że wysiłek fizyczny przyniesie mu pewną ulgę. Po drodze zerwał kilka szarotek dla Marty, żeby mogła je zasuszyć. Brakowało mu uśmiechniętej twarzy Marii, która opuściła ich, gdyż miała zamiar wyjść za mąż. Na jej miejsce wzięli starą nianię, poleconą przez przyjaciół. Następnego dnia, kręcąc się wokół domu, stwierdził, że stara niania nie ma najlepszego wpływu na dzieci. Poskarżył się Marcie:

– Marcin jest dobrym, serdecznym, inteligentnym chłopcem. Zauważyłaś, ile już słów wymawia? Ta stara wiedźma psuje naszą pannicę! Matylda stała się niegrzeczna, nieposłuszna, przekorna. Poza tym niania nie powinna tak surowo karcić dzieci. Nie rozumiem, dlaczego nie zwracasz jej uwagi. Mam nadzieję, że nie zatrzymasz jej po przeniesieniu się na Berggasse. Jeśli zajdzie potrzeba, dołożę do jej emerytury.

Marta odpowiedziała łagodnie, ale stanowczo:

– Kochanie, dlaczego nie pójdziesz na jakąś wycieczkę? Wybierz się na Schneeberg. Świeże powietrze dobrze ci zrobi. I bardzo proszę, nie przejmuj się Matyldą. Jej to przejdzie. Jutro lub za kilka dni będzie znowu twoją ukochaną córeczką.

Wyprawa na Schneeberg pomogła mu wyładować zły humor. Przeszła irytacja i ponury nastrój wywołany cierpkimi słowami Józefa. Wrócił zmęczony, wykąpał się i na przeprosiny zabrał Martę na kolację do piwiarni, gdzie razem z innymi gośćmi śpiewali pieśni ludowe.

4

Zygmunt pogodził się z Józefem dzięki jednej z pacjentek, która zarazem zapoczątkowała podniecającą przygodę. Była to czterdziestodwuletnia pani Cecylia Mattias, wysoka, jasnowłosa, inteligentna kobieta. Pisała wiersze.

Przed rokiem doktor Breuer wezwał go pewnego późnego wieczora do domu pani Mattias. Miała potworną newralgię, koncentrującą się w zębach. Ataki powtarzały się dwa lub trzy razy do roku od piętnastu co najmniej lat. Jeden taki atak trwał miesiącami. Rodzina wezwała dentystę, który stwierdził, że chora ma próchnicę, i usunął kilka zębów. Badając pacjentkę, Zygmunt doszedł do wniosku, że usunięte zęby musiały być zdrowe. Dentyści utrzymywali, że należy usunąć dalsze zęby, ale pani Cecylia nauczyła się unikać ich zabiegów. W przeddzień ekstrakcji newralgia ustępowała bez śladu. Wzywani lekarze stosowali faradyzację, środki przeczyszczające, zalecali „picie wód", starając się usunąć ślad mocznika. Nic nie pomagało. Ataki powtarzały się, trwały pięć do dziesięciu dni, po czym przechodziły równie tajemniczo, jak się zaczynały. Wiedeńscy profesorowie jednomyślnie doszli do wniosku, że mają do czynienia z „newralgią na tle skazy moczanowej".

Zygmunt ograniczył się do zalecenia bromu na sen i słów współczucia. Następnego dnia pani Cecylia zjawiła się w jego gabinecie w kraciastym wełnianym kostiumie własnego projektu.

– Czy mógłby pan zastosować w moim przypadku hipnozę? Słyszałam, że udało się panu w ten sposób pomóc wielu ludziom, którzy całe lata cierpieli na podobną chorobę.

– Czy pan doktor Breuer stosował hipnozę?

– Nie. W ogóle o tym nie mówiliśmy. Ale w tej chwili ból twarzy jest prawie nie do zniesienia. Wiem, że to potrwa co najmniej tydzień. Jeśli przypuszcza pan, że hipnoza mogłaby mi przynieść choćby najmniejszą ulgę, to bardzo proszę, żeby pan spróbował.

– Dobrze. Niech pani usiądzie wygodnie w fotelu. Proszę zamknąć oczy. Proszę się odprężyć. Niech pani myśli o zaśnięciu. O przyjemnym śnie. Tak, teraz jest dobrze. Za chwilę pani zaśnie spokojnie, bez trudu, pogodnie... proszę spać... spać... spać.

Mówił głosem łagodnym, spokojnym, kojącym. Ledwie jednak pacjentka zasnęła, zmienił ton i taktykę. Teraz był surowy: oświadczył jej stanowczo, że wcale nie musi cierpieć na newralgię; że w jej mocy jest zlikwidowanie bólu. Mówił, że podrażnienie drugiego i trzeciego odgałęzienia nerwu trójdzielnego bynajmniej nie wywołuje newralgii i że jeśli tylko sama zechce, objawy przejdą.

Inteligencja dopomoże jej zwalczyć fizyczny ból. Rozumiał, że musi całą siłą woli wydać jej zakaz odczuwania bólu. Musi owo polecenie jak najbardziej stanowczo podkreślić. Pacjentka sama prosiła o zabieg, więc niewątpliwie wykona zalecenie, które w istocie jest czymś więcej nawet niż rozkazem.

Kiedy się obudziła, zaniechał tonu sierżanta musztrującego żołnierzy i zapytał grzecznie, jak się teraz czuje.

– ...Zdaje mi się, że lepiej. – Ostrożnie przesunęła koniuszkami palców po newralgicznych miejscach na policzku. – Odczuwam jeszcze ból, ale znacznie łagodniejszy. Bardziej tępy, nie tak dojmujący.

– To dobrze. Jeśli pani sobie życzy, przyjdę wieczorem i powtórzę zabieg. Zobaczymy, czy nie uda się zlikwidować tego bólu, nie czekając, aż sam ustąpi.

Hipnotyzował ją trzykrotnie. Sugerował, że co prawda pierwszy lekki atak newralgii nie był jej wymysłem, jednak wykorzystała go, by doprowadzić się do „wściekłej newralgii", jak to sama określała. Sugerował, że gdy następnym razem poczuje rwanie w nerwie trójdzielnym, nie będzie tego uważała za zapowiedź silnych bólów w szczęce lub zębach.

Kuracja poskutkowała. Newralgia pani Cecylii znikła. Minął okres nawrotów, bóle się nie pojawiły. Zygmunt zapytał Breuera, czy nie sądzi, że cała ta trwająca piętnaście lat newralgia była urojona.

– A ty jesteś przekonany, że to jakaś odmiana histerii?

– Nie znajduję żadnego innego wytłumaczenia. Somatycznych dolegliwości nie umiem leczyć sugestią. Nikt tego nie potrafi.

W spojrzeniu Józefa odczytał pewien sceptycyzm, ale i aprobatę.

– Nie ciesz się zbyt szybko. Pani Cecylia jest osobą o dużej inwencji. Od dnia swego ślubu cierpi na co najmniej pół tuzina jeszcze innych chorób, z którymi medycyna wiedeńska nie umie sobie poradzić.

Minął rok od tej rozmowy. Zygmunt został ponownie wezwany do państwa Mattiasów. Zastał panią Cecylię w stanie kryzysu. Atak nerwowy się powtórzył i znowu skoncentrował na zębach. Zygmunt zrozumiał, że nie uda mu się zlikwidować newralgii, póki nie odkryje jej przyczyny. Uśpił pacjentkę.

– Proponuję, żeby pani powróciła do tego traumatycznego epizodu, który wywołał pierwszy atak newralgii. Zapamiętała go pani z pewnością. Incydent został skrzętnie przechowany w podświadomości.

Pani Cecylia zaczęła wypowiadać jakieś słowa bez związku, po czym dostała spazmów. Wreszcie popłynęły całe zdania: kłótnia z mężem wkrótce po ślubie, w czasie pierwszej ciąży. W końcu doszła do momentu kulminacyjnego, kiedy mąż rzucił jej w twarz jakieś wyzwisko. Przyłożyła dłoń do policzka i krzyknęła: „Odczułam to jak policzek!".

– Tak – powiedział Zygmunt. – To był policzek, ale tylko symboliczny. Pani ten symbol przekształciła w rzeczywistość fizyczną. Prawdopodobnie cierpiała pani wówczas na lekki ból zęba i na tym faktycznym bólu zogniskowała pani obrazę, i z tego właśnie wytworzyła się owa „wściekła newralgia" trwająca kilka dni. A wie pani dlaczego? Po to, by mogła pani mówić rodzinie i lekarzom o bólu, jaki pani sprawiły obraźliwe słowa męża. W umyśle świadomym nie zdawała sobie pani sprawy z tej zamiany; cały pomysł wyrągł się w podświadomości.

Pani Cecylia zbudziła się. Razem zastanawiali się nad logiką jego dedukcji.

– Jest pan alchemikiem – pacjentka patrzała na niego szeroko rozwartymi oczami. – Udało się panu wydobyć szczerozłotą prawdę z pokładów chorobliwej bzdury.

Po kilku dniach spotkał go los wszystkich alchemików. Pozłota się starła. Pacjentka znowu była chora, tym razem wystąpiły ataki drgawek i trudności z przełykaniem jedzenia. W nocy sny o wiedźmach zakłócały jej spokój. Zjawiła się w gabinecie Zygmunta zupełnie załamana. Stojąc w drzwiach, powiedziała, że całe jej życie straciło sens. Zastanawiała się, w jakiej mierze jest to jej własna wina. Wygłosiła długi monolog. Mówiła o całym szeregu nieszczęść, które dotknęły rodzinę w ostatnich dniach. Potem jednak doktor Freud dowiedział się, że nic takiego w domu pani Cecylii się nie zdarzyło. Badając ją dokładnie i obserwując, odkrył kolejny fenomen zachodzący w jej podświadomości. We wczesnych fazach ataku podświadomość wysyłała sygnały, które wprawiały panią Cecylię w stan niepokoju i budziły wyrzuty sumienia, zapowiadając, że zbliża się termin spłacenia kolejnego „długu pamięci".

Z czasem domyślił się Zygmunt prawdziwego źródła choroby pani Cecylii: miała surową babkę, która pragnąc powiększyć majątek i umocnić pozycję towarzyską rodziny, zmusiła ją do małżeństwa z rozsądku. Mąż jej nigdy nie lubił. Peszyła go inteligencja i zdolności artystyczne żony. Po przyjściu na świat drugiego dziecka przestał utrzymywać z nią kontakty płciowe. Cecylia żyła w całkowitej abstynencji, podczas gdy miłostki jej męża stały się przedmiotem plotek powtarzanych przez cały Wiedeń.

Zygmunt pomyślał o pani Pufendorf, która miała męża impotenta; o pani Emmie von Neustadt, która od śmierci męża żyła samotnie. Wszystkie te kobiety łączyło jedno: od lat nie miewały one stosunków płciowych, chociaż w ich sytuacji takie stosunki były rzeczą jak najbardziej normalną i naturalną. Kryła się za tym jakaś uniwersalna prawda, ale jak ją wymierzyć, udokumentować, dowieść metodami laboratoryjnymi?

Tymczasem należało pomóc chorej. Trudności z przełykaniem trwały tak długo, że wystąpił zanik łaknienia. W hipnozie doktor Freud odblokował podświadomość pacjentki. Popłynęła opowieść o cierpkich i złośliwych uwagach męża, które raniły ją boleśnie.

– Jeszcze i to będę musiała przełknąć! – wołała zrozpaczona.

Zygmunt tłumaczył:

– Za każdym razem, kiedy podświadomość podsuwa takie wspomnienie, pani przełyk zaciska się histerycznie. Jakiś głos ukryty w pani myślach podpowiada: „Więcej już nie przełknę!". Zachodzi wówczas taki sam proces symbolizowania jak ten, który wywoływał bóle newralgiczne w szczęce.

Po obudzeniu się pani Cecylia zgodziła się z jego rozumowaniem. Znowu zaczęła jadać normalnie. Józef Breuer chwalił osiągnięcia Zygmunta. I nagle, całkiem niespodziewanie, pani Cecylia dostała ciężkiego ataku serca.

Doktora Freuda wezwano po północy. Osłuchał serce: biło normalnie. Po dłuższej chwili chora wyznała, że mąż zarzucił jej, iż go oszukuje. Ale Zygmunt wiedział, że pani Cecylia dysponuje bogatą kolekcją symboli. Wytrwale dopytywał się o szczegóły zajścia. Okazało się, że zarzuty męża odczuła jak „sztylet wbity w serce".

– Droga pani, to są zaburzenia psychiczne, a nie somatyczne. Może pani położyć im kres, penetrując swą pamięć i ustalając dokładnie daty wydarzeń, które powodują uraz.

Pacjentka starała się wykonywać jego polecenia, lecz pomysłowość jej podświadomości wywoływała nowe kryzysy. Raz po raz wzywano Zygmunta, bo nastąpił kolejny atak. Jeden z tych ataków przybrał formę niezwykle silnego bólu w prawej stopie. „Przed kilku laty byłam w sanatorium; lekarz kazał mi pójść do jadalni. Byli tam inni pacjenci. Bardzo się bałam, że nie będę się czuła z nimi «na równej stopie»".

Najpoważniejszy okazał się kłujący ból między oczami. Pani Cecylia była na wpół ślepa. Nieprędko udało się Zygmuntowi pokonać choć w części amnezję pacjentki. Wreszcie wyznała w jego gabinecie, w głębokim śnie hipnotycznym:

– Pewnego wieczora, kiedy leżałam w łóżku, przyszła moja babcia i przeszyła mnie tak ostrym spojrzeniem, że przebiło mi czoło między oczami i dotarło do środka mózgu.

Po obudzeniu zapytał ją:

– Dlaczego przeszyła panią tak przenikliwym wzrokiem?

– Nie wiem. Być może coś podejrzewała.

– Kiedy to było?

– Przed trzydziestu laty.

– A czy może mi pani powiedzieć, co wywołało w pani poczucie winy i o co babcia panią podejrzewała?

– To już nie jest ważne – powiedziała półgłosem po dłuższej chwili milczenia.

– Ależ jest ważne, jeśli po trzydziestu latach wspomnienie to wywołuje przeszywający ból między oczami.

– Czy nie sądzi pan, że jestem głupia, jeśli coś, co zrobiłam przed trzydziestu laty, nadal wywołuje cierpienia?

– Nie jest pani głupia, tylko bezbronna. To poczucie winy tkwi głęboko w pani myślach i dopiero teraz może się pani od tego wyzwolić.

– Ale pan już wie, na czym polegał mój młodzieńczy grzech, prawda, doktorze?

– Tak. Tak mi się przynajmniej zdaje.

– A więc przyznaje pan, że mówienie o tym jest ambarasujące?

– Nie. Wcale nie. Samogwałt jest zjawiskiem powszechnym. Nie ma w tym nic złego. To akt instynktowny, niemający nic wspólnego z moralnością.

– Czyżby to było możliwe, żebym w tym drugim umyśle, o którym pan mówi, uważała moje nieudane małżeństwo za karę za grzechy popełnione w dzieciństwie?

– Droga pani, teraz dopiero ma pani szansę wyleczenia. A ja dzięki pani odkryłem ostatnie ogniwo w etiologii pani nerwicy.

Przez całą noc spisywał dokładną historię choroby. Pani Cecylia pomogła mu znaleźć jeszcze jedną drogę do podświadomości: symbolika. Stał przy oknie, gdy zaczęło wschodzić letnie słońce, rozpalona kula pomarańczowego koloru, jakby wystrzelona z działa. Przecierał zmęczone oczy.

„Ile jeszcze różnych podziałów i przedziałów jest w tym widmowym kraju?" Krok po kroku zdobywał teren. „Ile jeszcze lat upłynie, zanim uda mi się sporządzić mapę tego terenu; zanim zdobędę prawo nazwania się kartografem ludzkiej psychiki? Dokąd zaprowadzi mnie ta osłonięta tajemnicą droga?"

5

Przeprowadzka odbyła się pierwszego sierpnia, w sobotę. Pod dom zajechał zamówiony wóz meblowy zaprzężony w parę koni. Na wysokim koźle siedzieli dwaj krzepcy mężczyźni, którzy zajęli się pakowaniem mebli i sprzętów. Porcelanę i szkło ułożono w beczułkach wypełnionych trocinami. Niektóre meble można było rozłożyć na części. Z biurek i szaf powyjmowano szuflady. Wszystko to ostrożnie znoszono po krętych schodach do szarego krytego wozu.

– Ściska mnie w gardle, kiedy widzę, jak stopniowo niknie całe zewnętrzne opakowanie pięciu lat naszego życia – powiedziała nagle Marta, stając na środku pustej sypialni.

– Przecież to niedaleko i przenosimy się tylko do innej kamienicy. W nas nic się nie zmieni.

– Teraz już wiem, dlaczego wiedeńczycy nie lubią zmieniać mieszkań. Taka przeprowadzka ma w sobie coś z umierania. Pozostawiamy za sobą lata życia.

– Ale ich nie tracimy. – Zygmunt delikatnie głaskał ją po policzku. – Wspomnienia, troskliwie zapakowane w stare gazety, ułożone w skrzyniach i beczułkach, wyjmiemy w nowym mieszkaniu. Najcenniejsze owiniemy w twoją lnianą wyprawę, ułożymy ostrożnie w walizkach, tak jak porcelanę.

Marta postanowiła zostać jeszcze kilka dni w mieście. Chciała wszystko doprowadzić do porządku, zawiesić firanki w nowych oknach, ustawić meble w świeżo pomalowanych pokojach. Zygmuntowi kazała wyjechać porannym pociągiem na wieś, gdyż już od tygodnia nie widział dzieci. Po przyjeździe odpoczywał do wieczora, a następnego ranka wybrał się na jeden z najwyższych szczytów. Po drodze zjadł obiad w schronisku. Do stołu podawała osiemnastoletnia dziewczyna, bardzo rozwinięta fizycznie, ale ze smętną miną. Gospodyni wołała na nią Katarzyna. Schodząc ze szczytu, Zygmunt wstąpił do schroniska, by odpocząć na soczystej trawie i rozkoszować się widokiem. Katarzyna podeszła i powiedziała, że z księgi gości zorientowała się, iż jest lekarzem. Chciała z nim porozmawiać. Jej nerwy są w strasznym stanie. Chwilami traci oddech, ma uczucie, że się wręcz dusi; w głowie coś jej nieustannie szumi, a na piersiach czuje jakiś ciężar. Czy pan doktor nie mógłby coś poradzić?

Pan doktor wolałby studiować pejzaż. „Jak można mieć chore nerwy, oglądając stale takie wspaniałe widoki?" – przemknęło mu przez myśl. Nie ulegało jednak wątpliwości, że krzepka góralka miała jakieś dolegliwości emocjonalne. Naprawdę chciała wszystko opowiedzieć panu doktorowi. Kłopoty zaczęły się przed dwoma laty, kiedy przypadkowo zobaczyła przez okno swego ojca leżącego na kuzynce Franciszce. Wtedy właśnie po raz pierwszy zabrakło jej powietrza w płucach. Trzy dni chorowała, leżała w łóżku, miała torsje i mdłości. Zygmunt przypomniał sobie rozmowę z Breuerem, kiedy obaj doszli do wniosku, że obraz chorobowy histerii da się porównać do pisma obrazkowego: w tym alfabecie mdłości oznaczają obrzydzenie.

Wpatrywał się badawczo w szeroką chłopską twarz. Katarzyny nie wychowano w tej purytańskiej powściągliwości, jaką narzucano wiedeńskim pannom. Skąd więc tak oczywista histeria spowodowana czymś, co zobaczyła przed dwoma laty? Szczególne wątpliwości ogarnęły go, kiedy Katarzyna powiedziała mu, że jej matka rozwiodła się z ojcem, gdy Franciszka zaszła w ciążę. Było wielce prawdopodobne, że to przeżycie jedynie osłaniało jakieś poważniejsze przykre wydarzenie sprzed wielu lat. Zapytał o to wprost. Wtedy dopiero Katarzyna wydusiła z siebie prawdę.

Miała wtedy czternaście lat. Pewnej nocy ojciec usiłował ją zgwałcić. Zbudziła się, kiedy poczuła, że ją do siebie przyciąga. Od tej chwili zaczęły się „ataki". Już dawno o tej całej historii zapomniała.

314

Zygmunt powiedział jej, że teraz, kiedy już zdobyła się na to, by opowiedzieć o tym wypadku, powinna naprawdę o nim zapomnieć, a wtedy ustaną duszności.

Tej nocy, po ułożeniu dzieci do snu, Zygmunt długo siedział przy lampie naftowej i zastanawiał się nad tym, jakie związki zachodzą między historią, której dziś wysłuchał, a innymi przypadkami, którymi się zajmował. Raz po raz okazywało się, że „jakiś wcześniejszy uraz psychiczny wymaga dodatkowego przeżycia, by rozbłysnął w podświadomości. Inaczej mówiąc, po to, by wyleczyć jakikolwiek uraz, należy odszukać pierwotny uraz, prawdopodobnie s p r z e d w i e l u l a t".

Wstał od stołu i wyszedł na taras, z którego roztaczał się widok na uśpione doliny i góry spowite nocną mgłą. Przypomniał sobie spotkanych w dzień myśliwych z przewieszonymi przez ramię strzelbami, krążących w poszukiwaniu zwierzyny. „Podświadomość nie wypala tak jak strzelba. Swą ołowianą truciznę wypuszcza kropla po kropli, aż nazbiera się tego jadu tyle, że dochodzi do zaburzeń emocjonalnych i nerwowych". Jedno nie ulegało już dla niego żadnej wątpliwości: przyczyn objawów bieżących należy szukać w przeszłości.

Przeprowadzka na Berggasse przyniosła mu szczęście. Co tydzień podejmowali krewnych i przyjaciół, pokazując nowe mieszkanie. Breuerom spodobało się przede wszystkim dlatego, że było tak przestronne. Rodziców i siostry Zygmunta napawało dumą. „Sobotni Klub" uznał, że znakomicie będzie się tu grało w taroka. Koledzy z Instytutu Kassowitza zjawili się z kwiatami i bombonierkami. Ernest Fleischl z trudem wszedł na piętro ze służącym dźwigającym pięknie rzeźbione popiersie rzymskiego senatora z epoki cesarza Augusta. Zygmunta wzruszył szczerze ten prezent, wiedział bowiem, jak bardzo jego przyjaciel był do owej rzeźby przywiązany.

W jednej części wielkiego hallu urządzono poczekalnię. Obaj chłopcy mieli oddzielny pokój, a czteroletnia Matylda musiała zadowolić się maleńkim pokoikiem. Stara niańka, która doszła do wniosku, że czas już przenieść się do jednego z wygodnych państwowych domów dla emerytowanych panien służących, została zastąpiona przez nową służącą. Marta i Zygmunt zaprosili panią Bernays, by odwiedziła wnuki. Jednak Wiedeń widocznie jej zbrzydł, bo odpisała, że nie ma zamiaru wyjeżdżać z Hamburga. Przyjęła natomiast zaproszenie Minna, która tęskniła za ruchliwym wielkomiejskim Ringiem.

Zygmunt właściwie ocenił zalety Berggasse. Od pierwszych dni października poczekalnia była stale pełna. Zdawał sobie sprawę, że rozkwit praktyki zawdzięcza po części przywróceniu w Austrii złotej waluty i ogólnemu dobrobytowi, który przezwyciężył kryzys lat siedemdziesiątych. Gdy nastawały dobre czasy, pacjenci nie tylko chodzili do lekarzy, ale jak to mawiano na wydziale medycznym: „byli nawet w stanie regulować honoraria i nie chorować z tego powodu".

Państwo Freudowie mieli już w banku pokaźne konto, przynoszące niezłe odsetki. Marta w zasadzie nie interesowała się finansami; żądała tylko, by mąż dawał jej regularnie pieniądze na prowadzenie domu, ale kiedy jej pokazał wyciąg z konta, stwierdziła z zadowoleniem:

– Nareszcie i nam się poszczęściło. I pomyśleć tylko, że pieniądze same się mnożą; nie musisz ich zarabiać ciężką pracą.

W trzy tygodnie po wizycie Fleischla Zygmunt zrozumiał, że była to wizyta pożegnalna. Pewnego późnego popołudnia wezwał go do Fleischla doktor Obersteiner. Zastał tam profesora Brückego, Józefa Breuera i Exnera, który miał wkrótce zostać kierownikiem Instytutu Fizjologii. Fleischl umierał. Zygmunt wszedł do biblioteki, gdzie jego przyjaciel leżał na kozetce; nie mógł wydobyć z siebie słowa. Położył rękę na wychudłym ramieniu chorego.

Tylko Ernest Fleischl von Marxow nie zdradzał przygnębienia.

– Oto znalazłem się w otoczeniu najtęższych głów medycznych Wiednia. I cóż mogą mi pomóc? Nie żałujcie mnie, przyjaciele. Ten występ przygotowywałem przez dziesięć lat. Znam już na pamięć słowa, z którymi zejdę ze sceny. Oto pierwszy wers: Proszę, by każdy z was wziął sobie z półek te książki, które go szczególnie interesują.

– Dziękuję panu, drogi kolego – odpowiedział Brücke, uśmiechając się smutno. – Wzrok mam coraz słabszy; obawiam się, że nie będę już mógł czytać podczas przeprawy przez Styks. Skoro jednak postanowił pan mnie wyprzedzić, poproszę o kilka drobnych przysług: proszę mi ofiarować jedwabny beret, kraciasty pled i największy parasol, jaki uda się panu znaleźć. Bez takiego parasola, który pełniłby również funkcję laski, spacery na drugim świecie nie będą przyjemne.

– Pańska prośba jest już spełniona, panie profesorze.

Fleischl poprosił Breuera, by zadzwonił na służącego. Wniesiono kawior, butelki szampana w wiaderkach z lodem. Napełniono kielichy i Fleischl uniósł się z największym wysiłkiem.

– A więc wypijmy. Tak, rzeczywiście zaplanowałem sobie to pożegnalne przyjęcie. A dlaczego miałbym tego nie zrobić? Wszystkie drogi prowadzą na cmentarz. Ludzie wydają przyjęcia z okazji urodzin, chrzcin, zaręczyn, narodzin swych dzieci, różnych rocznic. Dlaczego ja nie miałbym wydać przyjęcia z okazji śmierci? Byłem pewny, że nikt z was na taki pomysł nie wpadnie, chociaż od tylu lat darzycie mnie miłością i opiekujecie się mną!

Gdyby to człowiek mógł zabrać ze sobą na drugi świat to, co jego oczy widziały na ziemi po raz ostatni! Skąpiec zabrałby ze sobą majątek w złotych monetach. Kto inny piękną kobietę, którą trzymał właśnie w ramionach. Drugi *Fausta* Goethego, i miałby ucztę duchową na całą wieczność, a jeszcze inny, którego śmierć dopadłaby podczas spaceru po Lasku Wiedeńskim, zabrałby ze sobą mały zielony gaj. Ja chciałbym zabrać ze sobą ten pokój; miałbym piękne mieszkanie w czyśćcu czy gdziekolwiek się znajdę.

– W raju – powiedział półgłosem Zygmunt. – Piekło przeżyłeś już na ziemi.

Fleischl usłyszał jego słowa.

– Drogi Zygmuncie, wielu ludzi takie samo piekło przeżywa w swych umysłach, a nie w narządach cielesnych. Wiesz coś o tym od swoich pacjentów. Stąd właśnie bierze się powiedzenie o „piekle na ziemi". Być może przypadło mi więcej cierpień, ponad miarę jednego człowieka, ale w tym pokoju, otoczony książkami i dziełami sztuki, nigdy nie byłem w piekle. Lepiej koją ból niż kokaina, którą importowałeś z Peru. Obersteiner, otwórz nową butelkę szampana. Z jaką przyjemnością obudzę się jutro rano na Polach Elizejskich, szczęśliwy i zdrowy, wiedząc, że wy wszyscy macie kaca na moją cześć. Wtedy naprawdę uwierzę, że dotkliwie odczuliście moje odejście.

Obersteiner otworzył butelkę szampana. Korek strzelił pod sufit.

– Piję, przyjacielu – powiedział – za twoje makabryczne poczucie humoru.

Jedli i pili, śpiewali tęskne stare pieśni uniwersyteckie i romantyczne melodie z wiedeńskich operetek. Gdy osuszono już ostatnią butelkę i półmiski były puste, Ernest Fleischl odwrócił głowę i zamknął oczy. Józef Breuer podszedł, próbował wyczuć puls. To był koniec. Chciał przykryć głowę Fleischla prześcieradłem, ale Zygmunt powiedział:

– Czyż to potrzebne? Jest piękny nawet po śmierci.

Eli Bernays zaprosił Martę i Zygmunta na kolację; miał im coś ważnego do zakomunikowania. Eli i Anna mieli już troje dzieci. Najmłodszy syn, Edward, ukończył właśnie trzeci miesiąc życia. Powodziło im się dobrze. Eli miał duże wymagania. Zrezygnował z państwowej posady, by rozbudować swe biuro podróży, ale mimo jego talentów handlowych i niewyczerpanej energii interesy nie rozwijały się tak szybko, jak tego pragnął. Skończył trzydzieści jeden lat i nic się nie zmienił od czasu, gdy go Zygmunt poznał.

– Kochani, postanowiłem wyjechać do Ameryki. Po prostu nie wytrzymam do końca życia w tak powoli rozwijającej się monarchii austriackiej.

Przed człowiekiem ambitnym zbyt małe otwierają się tu perspektywy. Czytałem i słyszałem, że Ameryka jest krajem wielkich możliwości. Tam szybko można do czegoś dojść, a tego właśnie mi brak.

– Dziwię się tylko, że tak długo się namyślałeś – roześmiał się Zygmunt.

– W czym możemy ci pomóc?

Eli objął czule ramieniem Annę.

– Muszę wpierw zorientować się, jak tam jest naprawdę. Zostawiam w Wiedniu Annę i dzieci. Zgodziła się. Ja już mam bilet na okręt. Przypuszczam, że będę tam trzy lub cztery miesiące. Czy zajmiecie się w tym czasie moją rodziną?

– O to możesz się nie martwić – uspokoiła go Marta. – A może na ten czas któraś z sióstr zamieszka z Anną?

– Już o tym pomyślałem. Poproszę Różę, jest taka zaradna...

– A jak wyglądają twoje fundusze, Eli? – zapytał Zygmunt. – Mamy trochę oszczędności...

– Dziękuję ci, kochany. Dostałem za swoje biuro podróży niezłą cenę, ale jeśli będziesz mi mógł pomóc, będę ci wdzięczny.

– Zostaw nam swoją rodzinę i myśl tylko o tym, jak przywieźć stamtąd złoto, którym podobno wybrukowane są tam ulice.

6

Śmierć profesora Ernesta Brückego okryła żałobą cały świat medyczny i naukowy. Najbardziej odczuli ją Zygmunt i Józef Breuer, dla których był on największym nauczycielem i uczonym. Do północy rozmawiali o zmarłym, wspominając, jak przed prawie dwudziestu laty Józef zaczął pracować u profesora w Instytucie Fizjologii.

– To było nasze prywatne nabożeństwo żałobne za profesora – powiedział Józef. – Dla nas, jego studentów, żyje on nadal, ze swymi wszystkimi idiosynkrazjami, wszystkimi genialnymi myślami...

– Nabożeństwo co prawda nie protestanckie – odpowiedział Zygmunt – ale na pewno przeniknięte duchem religijnym. Jeśli ideą przewodnią religii jest miłość, to nasza modlitwa za wielkiego i wspaniałego przyjaciela była naprawdę wymowna. Powtórzmy za duchownymi: *Requiescat in pace!*

Śmierć i narodziny przeplatały się w naturalnym rytmie. W kwietniu przyszedł na świat trzeci syn Freudów, któremu dali na imię Ernest.

– Teraz już naprawdę możesz się uważać za głowę dużego klanu – żartowała uszczęśliwiona Marta.

– Kochanie, musimy uważać, by nie zapomnieć przepisu na córki. Tak jak moi rodzice zapomnieli przepisu na synów. Jestem pewny, że Matylda marzy o małej siostrzyczce.

Kilka tygodni potem dowiedzieli się, że Meynert jest śmiertelnie chory. W pięćdziesiątym dziewiątym roku życia zmogła go wrodzona wada serca. Zygmunt bardzo chciał złożyć profesorowi wizytę; mimo zawodowych rozbieżności i publicznych dysput kochał go i szanował jak nikogo, poza Brückem. Ci dwaj profesorowie opiekowali się nim w czasach studenckich i wtedy, gdy stawiał pierwsze kroki w zawodzie lekarskim. Brakło mu jednak śmiałości; profesor podobno nie chciał nikogo widzieć w tych trudnych ostatnich godzinach.

Tym większe było jego zaskoczenie, gdy zastał u siebie w przedpokoju służącego Meynerta. Profesor pragnął się z nim zobaczyć. Wszedłszy do sypialni swego dawnego nauczyciela, Zygmunt stwierdził, że chory nie tylko nie zmizerniał, ale jakby się poprawił na twarzy. Jeśli nawet bał się śmierci, nie dawał tego poznać po sobie. Meynert kazał mu podejść bliżej i powiedział ochrypłym głosem:

– Jak to dobrze, panie doktorze, że nie przyniósł pan tym razem cygar hawańskich. Bardzo by mi było żal, gdybym musiał zostawić je niewypalone.

– Cieszę się, że pana radcy nie opuszcza dobry humor.

– Opuściło mnie już prawie wszystko inne. – Usiłował dźwignąć się w łóżku. – Zapewne głowi się pan nad tym, dlaczego wezwałem pana tak późno?

– Pan profesor zawsze miał w zanadrzu jakieś niespodzianki, szczególnie w swojej pracy naukowej.

– Nie. Szczególnie w życiu. Co najmniej połowa moich pomysłów była zaskoczeniem dla mnie samego. A wie pan dlaczego?

– Wydaje mi się, że pan profesor chce mi to powiedzieć.

– Jaki pan domyślny. No więc popraw pan te poduszki. Dziękuję. Od pięciu czy sześciu lat osacza mnie pan swoją Charcotowską bzdurą o męskiej histerii. Czy pan nadal jeszcze wierzy w to głupstwo? Tylko proszę mówić prawdę; nie kłamie się umierającemu.

– Odpowiem z całą uczciwością, że mimo wysiłków pana profesora nie zmieniłem zdania.

– Więc i ja powiem uczciwie. – Lekki uśmiech przebiegł przez twarz Meynerta. – Drogi kolego, rzeczywiście istnieje coś takiego jak męska histeria. Czy wie pan, jak do tego doszedłem?

– Nie.

– Otóż sam byłem klasycznym przypadkiem męskiej histerii. Dlatego właśnie wąchałem chloroform w młodości, a z czasem przyzwyczaiłem się do alkoholu. A jak pan sądzi, dlaczego tak zaciekle walczyłem z panem przez te wszystkie lata?

– ...był pan... zaangażowany w teorię bazy anatomicznej.

– Bzdura! Że też dał się pan zwieść! Ośmieszałem pańskie teorie, by mnie nie zdemaskowano.

– Dlaczego pan radca teraz mi o tym mówi?

– Ponieważ to już nie ma żadnego znaczenia. Zbliża się mój kres. Ale jeszcze mogę pana czegoś nauczyć. Zygmuncie, przeciwnik zwalczający pana najzacieklej to ten, który najbardziej jest przekonany o pańskiej słuszności. Nie jestem ostatnim, który z panem wojował i chciał obalić pańskie przekonania. Zbyt silna jest w panu żyłka awanturnicza, by mógł pan uniknąć nieustannych batalii. Był pan jednym z moich najlepszych studentów. Zasłużył pan sobie na prawdę.

Po raz pierwszy od przeszło trzynastu lat, od chwili kiedy zimą 1878 roku Zygmunt zaczął słuchać wykładów z psychiatrii klinicznej, profesor zwrócił się do niego po imieniu. Był wzruszony i przejęty. Przyjął słowa Meynerta jako dar pożegnalny, podobnie jak marmurową rzeźbę od Fleischla.

– Do widzenia!

– Do widzenia, panie radco.

Wychodząc z pokoju, Zygmunt miał łzy w oczach.

Na lato wynajęli znowu ten sam co w roku ubiegłym dom w Reichenau, ale punktem szczytowym wakacji były dwa tygodnie, które Zygmunt i Marta spędzili razem w Styrii, „zielonej prowincji" południowej Austrii; jeden tydzień w Hallstatt, a drugi w Bad Aussee. Minęła szósta rocznica ich ślubu, mieli własny dom, czworo zdrowych dzieci. Zygmunt utrzymywał rodzinę z praktyki neurologicznej, leczenia somatycznych zaburzeń centralnego systemu nerwowego; nerwice, zaburzenia psychiczne systemu nerwowego stanowiły przedmiot fascynujących go badań naukowych.

Z balkonów pokojów hotelowych w obu miejscowościach roztaczały się widoki na piękne, najzieleńsze doliny Europy. Chodzili w góry, kąpali się w zimnych zielonych jeziorach Bad Aussee, pili białe wina styryjskie, jedli dziczyznę, kuropatwy i *Palatschinken* – naleśniki z konfiturami i rodzynkami. Późnym popołudniem wypoczywali na balkonie, podziwiając wspaniałe zachody słońca i czytając do zapadnięcia zmroku.

Nie myśleli o minionych latach, o dzieciach, o domu, o pacjentach. Rozkoszowali się pogodną urodą styryjskich Alp. Wcześnie kładli się spać i wcześnie wstawali, szczęśliwi, że mają swe skromne, lecz własne miejsce pod słońcem.

Najważniejszym wydarzeniem towarzyskim tego roku stał się ślub Wilhelma Fliessa. Wybranką była wiedenka Ida Bondy, dwudziestotrzyletnia, miła i urocza, choć nieodznaczająca się wielką urodą panna, jedyna córka Filipa Bondy i dziedziczka wielkiej fortuny; na szczęście nie przewróciło jej to w głowie. Bondy'owie leczyli się u Józefa Breuera; Zygmunt i Marta bywali kilkakrotnie wraz z Breuerami na przyjęciach w ich pięknych apartamentach na Jochannesgasse.

– Wiesz, że choć pochwalam instytucję małżeństwa, nie lubię weselisk – powiedział Zygmunt do Marty. – Ale na ślub Wilhelma i Idy musimy się wybrać.

Przerwali na kilka dni pobyt w górach. Marta szyła sobie wspaniałą jedwabną suknię, o której bez przerwy opowiadała Zygmuntowi, opisując najdrobniejsze szczegóły kroju i przybrania. Musiał jej wreszcie przypomnieć żartobliwie, że to przecież ślub Idy, nie powinna więc przyćmić panny młodej. Nic takiego zresztą nie groziło. Ida była rozpromieniona i wytworna w pięknej białej sukni z długim trenem. Uroczystość odbyła się z początkiem września w letniej posiadłości Bondych w Mödlingu. Po ceremonii ślubnej wszyscy udali się do domu na wytworny obiad złożony z wielu dań, gęsto zakrapiany świetnym miejscowym winem.

Po południu orkiestra przygrywała do tańca, zabawa skończyła się dopiero o świcie. Zygmunt z Martą tańczyli zaledwie kilka razy do roku. Tym razem, nieco oszołomieni winem, puścili się w wir walców z większym niż zazwyczaj zapamiętaniem.

W pewnej chwili Wilhelm poprosił Zygmunta na stronę.

– Słuchaj, moje małżeństwo nie może zaszkodzić naszej przyjaźni. Jesteś mi bardzo potrzebny. Dzięki twoim badaniom i uwagom krytycznym moje idee z brzydkich kaczątek przemieniają się w piękne łabędzie... zdaje się, że przenośnia jest trochę poroniona...

– Wszyscy jesteśmy trochę pod gazem... – roześmiał się Zygmunt. – Nic dziwnego. Takie piękne wesele! Wilhelmie, ja też ciebie potrzebuję. Będziemy nadal pisywali do siebie kilka razy w tygodniu o wszystkim, o naszych pomysłach, będziemy wymieniali projekty u Jeratów.

– Trzeba się będzie nadal spotykać kilka razy do roku osobiście. Na kongresach... gdzie zechcesz... Wiedeń, Berlin, Salzburg, Drezno, Monachium...

– Tymczasem życzę ci szczęśliwego miodowego miesiąca. – Zygmunt poklepał przyjaciela po ramieniu. – Gdy wrócisz do Berlina, zastaniesz na biurku kilka listów ode mnie.

Freudowie wrócili do miasta pod koniec września. Nadal utrzymywała się przyjemna ciepła pogoda. Marta siedziała w pokoju Zygmunta.

– Zacznę chyba czytać tę powieść Schnitzlera, którą przyniosłeś w ubiegłym tygodniu. Czy *Anatol* to rzeczywiście tak interesująca książka?

– Tak. To bardzo niezwykła powieść. Jak wiesz, Schnitzler jest lekarzem. Był kilka lat po mnie w klinice psychiatrycznej Meynerta. Żaden ze współczesnych pisarzy nie mówi tak otwarcie i realistycznie o seksualnych problemach człowieka jak on.

W gabinecie były dwie lampy stołowe. Przy jednej czytała Marta, przy drugiej pracował Zygmunt. Od czasu do czasu zamieniali kilka słów. O jedenastej Marta przyniosła dzbanek z sokiem malinowym i wodę sodową. Wkrótce ułożyli się do snu. Zygmunt zasnął natychmiast. Po chwili rozległ się huk. Za oknami zabłysło oślepiające światło. Marta zawołała:

– Leć do chłopców, ja się zajmę Matyldą! – Zygmunt znalazł się przy oknie w chwili, gdy zegarmistrz wyskakiwał ze swego parterowego mieszkania na podwórze. Szybko włożył biały płaszcz kąpielowy i wszedł do pokoju chłopców. Marcin spojrzał na niego i powitał go okrzykiem: „Beduin! Żywy Beduin!", po czym skrył się pod kołdrą. Służąca weszła z maleństwem na ręce.

Łuna szybko zgasła.

– To chyba nie był pożar – powiedział Zygmunt. – Pójdę do dozorcy i dowiem się, co się stało.

Wrócił po chwili, uspokajając rodzinę. W mieszkaniu zegarmistrza wybuchł zbiornik gazu. Zygmunt usiadł na łóżku swego trzyletniego synka i zapytał go, skąd mu do głowy przyszło, że zobaczył Beduina.

– To przez ten wielki biały szlafrok, tatusiu. Wyglądałeś całkiem jak Beduin z tej książki z obrazkami, którą mi podarowałeś. Ale fajnie wyglądasz, kiedy ci włosy stoją na głowie.

Zegarmistrz wyprowadził się rano, twierdząc, że wybuch był ostrzeżeniem, już on się na tym zna. W południe dozorca zapukał do drzwi Freudów.

– Panie doktorze, jeśli pan nie zmienił zdania, to mieszkanie czeka. Trzeba będzie tylko pomalować ściany, bo gaz je osmalił...

Pod koniec tygodnia naprawiono instalację gazową. Mieszkanie odmalowano. Zygmunt kazał przegrodzić duży hall; powstała w ten sposób poczekalnia, do której wchodziło się z małego przedpokoju. Z poczekalni wchodziło się do gabinetu z oknem na podwórze. Przez to właśnie okno wyskoczył zegarmistrz. W gabinecie Zygmunt ustawił swoje biurko, regały na książki, czarną, obitą skórą kanapę kupioną jeszcze do kawalerskiego mieszkania oraz oszkloną szafkę na instrumenty. Na ścianach wisiały w pięknych ramach portrety wielkich medyków, którzy wykładali na Uniwersytecie Wiedeńskim: Skody, Galla, Semmelweisa, Brückego. Pozbył się elektrycznej maszyny do masażu. Gabinet był urządzony skromnie i surowo; spodziewał się, że ten pokój będzie budził zaufanie pacjentów. Pokój do pracy, przylegający do gabinetu, urządził z większą wystawnością. Na ścianie nad biurkiem zawiesił reprodukcję florenckiego obrazu Giotta, a po obu jego stronach fragmenty naczyń glinianych, medaliony i tabliczki z napisami, łupy z archeologicznych wypraw do Azji Środkowej, prezenty, które przy różnych okazjach dostał od Fleischla i Józefa Breuera. Kolekcję wzbogacił kilkoma drobiazgami kupionymi w antykwariatach.

To miał być jego prywatny świat, w którym będzie się zamykał, by czytać i robić notatki; nikt tu nie będzie miał dostępu. Tu pomieści swe archiwum, kartoteki, rękopisy i korespondencję. Wszystko to rozłoży na dużym stole i olbrzymim biurku oraz na półkach, gdzie zgromadzi także dzieła z interesujących go dziedzin; prace poświęcone afazji, psychologii, mózgowi. Tu będzie spokojnie studiował, rozmyślał, zastanawiał się, pisał, teoretyzował. W gabinecie przyjęć był lekarzem zajmującym się chorymi, ale w swoim pokoju stawał się naukowcem, uczonym, filozofem medycyny, przedzierającym się przez niedawno odkryty labirynt zaświatów umysłu. Pokoik był nieduży, 3,8 m na 4,5 m, a okazał się jeszcze mniejszy, gdy dwie ściany zostały obudowane półkami, ale Zygmuntowi odpowiadała ta ciasnota i cisza.

Przeprowadzka oznaczała także zerwanie z tradycją. Lekarze wiedeńscy urządzali swe gabinety przyjęć przy mieszkaniach prywatnych. Zygmunt przekonał się jednak, że pacjenci cenili sobie dyskrecję jego gabinetu, drzwi bez zatrzasku, poczekalnię, gdzie nie kręciła się służąca, toaletę, której mogli używać, nie naruszając spokoju mieszkańców i nie zwracając niczyjej uwagi. Dla wielu pacjentów miało to znaczenie.

W przeddzień przeprowadzki na parter Marta kupiła marmurową kopię *Umierającego niewolnika* Michała Anioła, rzeźby, która tak wzruszyła Zygmunta w Luwrze. Kopię przywieziono do domu, gdy Zygmunt był w Instytucie. Kiedy wrócił, zaskoczyła go obecność Marty w jego gabinecie, ale oniemiał, zobaczywszy rzeźbę. Miał łzy w oczach.

– Kochanie! Jakim cudem odgadłaś? – Głaskał czule rzeźbę. – Spójrz, jaki młody jest ten umierający niewolnik, jak wspaniałe są proporcje jego ciała. Jak bezbłędnie wyrzeźbiona została twarz tego Greka. Cierpienie malujące się na niej to dla mnie symbol cierpień całej ujarzmionej ludzkości, nad którą znęca się jakiś niewidzialny wróg i bezlitosny los. Trzeba ją ratować! Nie można pozwolić, by zginęła! Jest zbyt pięknym dziełem stworzenia.

W jaki sposób zerwać pęta krępujące tego umierającego niewolnika? Oto problem, któremu pragnę poświęcić całe moje życie.

7

Zaprzyjaźniony lekarz zapytał Zygmunta, czy nie zająłby się panną Elżbietą von Reichardt, którą on od dwóch lat próbował bez powodzenia wyleczyć z nieustannych bólów w nogach, uniemożliwiających jej chwilami chodzenie. Lekarz doszedł dość późno do wniosku, że choroba ma podłoże histeryczne. Być może Zygmuntowi się powiedzie.

Elżbieta von Reichardt miała dwadzieścia cztery lata. Była szatynką o nieproporcjonalnie szerokiej twarzy. Wydawała się osobą zrównoważoną psychicznie, znoszącą ze stoickim spokojem mankamenty swej urody. Badanie fizyczne wykazało, że źródłem bólów jest przednia powierzchnia prawej łydki i uwrażliwienie skóry na obu łydkach, stanowiące region histerogeniczny. Gdy naciskano w tych miejscach mięśnie nóg, Elżbiecie sprawiało to raczej przyjemność niż ból. Doktor Freud stwierdził tylko jedno zaburzenie somatyczne, a mianowicie szereg twardych włókien w substancji mięśniowej. Zastanawiał się, czy nerwica wiązała się z tym miejscem lekkich bólów, podobnie jak w przypadku pani Cecylii – z lekką newralgią szczęki i zębów.

Pacjentka odwiedzała go przez cały miesiąc dwa razy w tygodniu. Stosował w tym czasie, jak to zreferował swemu koledze, „zabiegi pozorne", głównie masaż ręczny, równocześnie zaś stary lekarz domowy von Reichardtów przygotowywał Elżbietę do nowej terapii opracowanej przez doktora Freuda, polegającej na rozmowie o jej kłopotach osobistych, która miała mu pomóc zorientować się w prawdziwych źródłach choroby. Kiedy Elżbieta była już przygotowana, Zygmunt przerwał masaże.

– Panno Elżbieto, nie będę pani hipnotyzował. Sądzę, że możemy wiele osiągnąć bez hipnozy. Zastrzegam się jednak, iż może zajść potrzeba zastosowania jej później, kiedy świadoma pamięć będzie panią zawodzić. Czy pani się zgadza?

– Tak, panie doktorze.

– Metoda nasza polega na usuwaniu kolejnych warstw materiału chorobotwórczego. Jest to metoda przypominająca odkopywanie zasypanego miasta. Na początek proszę mi powiedzieć wszystko, co pani pamięta o swojej chorobie.

Elżbieta mówiła bez żadnych zahamowań. Była najmłodszą z trzech córek węgierskiego ziemianina. Gdy jej matka zachorowała, została powiernicą i najbliższą towarzyszką ojca. Ojciec stale się chwalił, że Elżbieta zastępuje mu syna, ona zaś doszła do wniosku, że może wyjść za mąż jedynie za człowieka o wyjątkowych zdolnościach. Ojciec postanowił przenieść się z rodziną do Wiednia, gdzie jego córki mogłyby utrzymywać bardziej ożywione stosunki towarzyskie. W stolicy panna Elżbieta była rozrywana: od chwili jednak, kiedy ojciec jej uległ atakowi serca, została jego pielęgniarką. Czuwała przy nim stale i sypiała w jego pokoju.

Ojciec zmarł po osiemnastu miesiącach choroby. Teraz z kolei matka przeszła operację katarakty oczu. Elżbieta znowu musiała wrócić do roli pielęgniarki. Fatalną passę przerwało na krótko małżeństwo młodszej z jej sióstr z niezwykle miłym i czułym człowiekiem. Szczęście trwało krótko. Siostra umarła w połogu, mąż jej zaś, który ciężko przeżył tę stratę, wrócił do swojej rodziny, zabierając dziecko.

Smutna to była historia. Elżbieta wyznała Zygmuntowi, że czuje się osamotniona, rozgoryczona na okrutny los, spragniona miłości. Ale w jaki sposób wszystkie te przeżycia doprowadziły do histerii przejawiającej się w trudnościach w chodzeniu? Żadne wątki podświadome nie przedostały się do relacji pacjentki. Postanowił posłużyć się hipnozą, ale w żaden sposób nie udawało mu się uśpić chorej. Uśmiechała się triumfująco, jakby popisując się swą odpornością na hipnozę.

– Widzi pan, nie śpię! Mnie nie można zahipnotyzować!

Zygmunt nie widział w tym nic zabawnego. Opór pacjentów, którzy nie dawali się uśpić, zaczynał go denerwować. Przecież było rzeczą konieczną, by pacjent dotarł do wspomnień i „potrafił rozpoznać powiązania w normalnym stanie świadomości zdające się nie istnieć". Szukał „przyczyn determinujących", potrzebne mu były te patogenne źródła, które nie docierały do świadomej pamięci chorego.

Nagle przypomniał sobie metodę profesora Bernheima, uciskanie skroni pacjenta dłońmi. Stanowczym ruchem przyłożył dłonie do czoła Elżbiety i powiedział:

– Proszę powiedzieć mi wszystko, co przychodzi pani na myśl lub co pani sobie przypomina, kiedy uciskam pani czoło.

Elżbieta milczała. Doktor Freud powtarzał stanowczo, że pod wpływem dotknięcia jego dłoni w jej umyśle pojawiły się pewne obrazy, że przypomniała sobie jakieś rozmowy. Pacjentka zgarbiła się i z jej piersi wyrwało się głębokie westchnienie.

– ...Tak, to prawda. Pomyślałam o cudownym wieczorze... pewien młody mężczyzna, którego lubiłam, odprowadził mnie po przyjęciu do domu... mieliśmy cudowną rozmowę, dwoje ludzi świetnie się rozumiejących i podziwiających wzajemnie...

Zygmunt też westchnął. Pomyślał sobie, że nareszcie udało mu się „odkorkować butelkę".

Elżbieta poszła na to przyjęcie, ulegając namowom rodziny. Po powrocie do domu dowiedziała się, że stan ojca się pogorszył. Wkrótce potem umarł.

Nie mogła sobie tego wybaczyć. Nigdy już potem nie spotkała się z owym młodym mężczyzną.

Bariera została usunięta. Zygmunt zauważył, że bóle w lewej nodze nasilają się, kiedy Elżbieta mówi o swej zmarłej siostrze i szwagrze. Nie ustając w dociekaniach, doprowadził do tego, że opowiedziała mu, jak wybrała się ze swoim szwagrem na długi spacer w pewnej górskiej miejscowości. Było to w czasie choroby siostry. Wróciwszy ze spaceru, poczuła silne bóle w nogach. Rodzina przypisała je zbyt długiemu marszowi i przeziębieniu po gorącej kąpieli mineralnej...

Doktor Freud był innego zdania. Raz jeszcze uciskając jej skronie, sprowokował następne wspomnienie: Kiedyś wybrała się sama wysoko w góry, tam gdzie siadywała ze swoim szwagrem na kamiennej ławce. Po powrocie do hotelu poczuła, że jej lewa noga jest na wpół sparaliżowana.

– O czym pani myślała po powrocie?

– Byłam samotna. Marzyłam o tym, by być tak kochaną i szczęśliwą jak moja siostra.

Zygmunt wiedział, że jest na właściwym tropie, ale miał przed sobą pacjentkę nieobliczalną. Czasami wspomnienia płynęły wartko w porządku chronologicznym, „jakby chora wertowała karty grubej ilustrowanej książki", ale bywały dni, kiedy górę brała krnąbrność. Świadomość nie słabła ani na chwilę i chora nie mogła czy też nie chciała przywoływać odtrąconych wspomnień. Starał się przezwyciężyć te zahamowania.

– Coś musiało się pani przytrafić. Może nie dość dokładnie przypomina pani sobie te chwile? Jeśli jakiś szczegół wydaje się pani niestosowny, to proszę pamiętać, że nie pani rzeczą jest wydawać o tym sąd. Musi pani mówić wszystko, co pani przychodzi na myśl, bez względu na to, czy to się pani wydaje stosowne, czy też nie.

Takie przerwy w relacjach trwały niekiedy kilka dni. Elżbieta nie dopuszczała do głosu swej podświadomości i nie chciała mówić prawdy. Uważała, że jest dosyć silna, by żyć bez miłości, bez pomocy mężczyzny; ale dopiero teraz zaczęła zdawać sobie sprawę ze słabości samotnej kobiety.

– Moja „lodowata natura" zaczęła topnieć, gdy widziałam, jaką miłością otacza szwagier moją siostrę – powiedziała. – Był dla niej jak ojciec, był człowiekiem, z którym można rozmawiać o najbardziej intymnych sprawach.

Związek przyczynowy stawał się jasny, ale dopiero przypadek potwierdził jego przypuszczenia. Pewnego dnia Elżbieta czuła się tak źle, że nie mogła przyjść do niego. Zygmunt odwiedził ją w domu. Podczas wizyty usłyszał męskie kroki w sąsiednim pokoju i sympatyczny głos rozmawiający z jej matką. Elżbieta zerwała się i zawołała:

– Pozwoli pan, że przerwiemy?! To mój szwagier. Słyszałam, że dopytywał się o mnie.

Podczas kilku następnych wizyt Zygmunt stopniowo wyjawiał swe odkrycie.

– Broniła się pani przed uświadomieniem sobie, że jest pani zakochana w mężu swojej siostry, i broniąc się przed tą myślą, narzucała pani sobie fizyczne męczarnie. To właśnie w chwilach, gdy ta świadomość narzuca się pani, następują bóle, które udało się pani sprowokować zastępczo. Z chwilą gdy zdoła pani spojrzeć prawdzie w oczy, będzie pani mogła opanować chorobę.

Elżbieta wpadła w furię. Płakała. Zaprzeczała. Wypierała się.

– To nieprawda! Pan mi to wmawia! To nie może być prawdą. Nie jestem zdolna do takiej podłości. Nigdy bym sobie czegoś takiego nie wybaczyła.

– Droga panno Elżbieto, proszę zrozumieć, że nie jesteśmy panami naszych uczuć. Już sam fakt, że pani zachorowała w tego rodzaju okolicznościach, dowodzi najlepiej, że jest pani osobą moralną.

Przez wiele tygodni była niepocieszona. Z wolna prawda zaczęła do niej docierać. Małżeństwo siostry było swatane. Kiedy szwagier pierwszy raz przyszedł do von Reichardtów, wziął Elżbietę za pannę, z którą miał się ożenić. Pewnego wieczora oboje prowadzili tak ożywioną rozmowę, że siostra Elżbiety powiedziała: „Właściwie znakomicie do siebie pasujecie". W końcu nastąpiło najboleśniejsze wyznanie: kiedy Elżbieta stała przy łożu swej zmarłej siostry, mimo woli zaświtała jej myśl: „Teraz on jest wolny i mogę zostać jego żoną".

Zygmunt doprowadził do tego, że Elżbieta pogodziła się ze swą miłością i z tym, że nigdy nie wyjdzie za mąż za swego szwagra. Nie było to łatwe, choroba miała nawroty, ale na jakimś balu, na którym był z Martą, zobaczył Elżbietę tańczącą z zapamiętaniem. Wkrótce potem dowiedział się, że wyszła szczęśliwie za mąż.

Miał wiele powodów do zadowolenia: wyleczył pacjentkę z choroby, która trwała przeszło dwa lata i z którą nie umieli sobie poradzić inni lekarze. Raz jeszcze zademonstrował, jak podczas sekcji mózgu w pracowni Meynerta, że jeśli nie ma rozpoznawalnych lub poważnych zaburzeń fizycznych, urazy psychiczne mogą być spowodowane przez mimowolne tłumienie w podświadomości myśli, które umysł świadomy uznaje za wstrętne. Histeria w żadnym wypadku nie może być wszczepiona jak obce ciało, póki jakaś myśl nie jest intencjonalnie stłumiona w świadomości. W notatniku zapisał: „Podstawą tłumienia może być tylko uczucie nieprzyjemności, niezgodności między jakąś jedną myślą, która ma być stłumiona, a dominującą masą myśli stanowiących *ego* pacjenta. Jednak myśl stłumiona mści się i staje się chorobotwórcza". Z chwilą gdy ten stłumiony materiał myślowy zostanie wydobyty z podświadomości, może być równie skutecznie zredukowany jak zarazek lub inny czynnik infekcyjny w ustroju. Był to ważny krok naprzód. Często wyznawał Marcie, że nie jest nazbyt sprawny w hipnozie. Liébeault i Bernheim mieli jego zdaniem talent wrodzony, on zaś siłą woli narzucał hipnozę pacjentom.

Teraz już nie sprawiał nikomu zawodu, choć nie był doskonałym hipnotyzerem. Potrafił na jawie kierować ludzi w najdalsze regiony ich pamięci równie skutecznie jak w uśpieniu. Lekki ucisk skroni, który zastosował wobec Elżbiety von Reichardt, trwał jedynie kilka chwil. Z chwilą gdy nakłonił ją do skupienia, niepotrzebne mu już były inne narzędzia działania. „Poszerzanie ograniczonej świadomości było pracochłonne", zapomnienie bywało często intencjonalne lub upragnione. Musi raz jeszcze wypróbować tę metodę, musi ją udokumentować. Drżał z podniecenia.

8

Eli Bernays dwa razy jeździł do Nowego Jorku, by zorientować się w sytuacji. Wreszcie doszedł do wniosku, że może się już rozstać z Austrią. Amerykanie nie uważali nowych pomysłów za coś radykalnego czy niewłaściwego. Ulic co prawda nie brukowano złotem, ale złoto było w powietrzu. „Z twoimi zdolnościami – mówił do Zygmunta – założyłbyś w ciągu roku swój własny szpital". Miał tylko jedną prośbę. Zabierał z sobą Annę i małe dziecko, wolałby jednak pozostawić chwilowo u Zygmuntów sześcioletnią Łucję; ośmioletnią Judytę przygarnęliby Amelia i Jakub. Na jakieś pół roku... jeśli to nie będzie zbyt wielkim kłopotem. Marta zapewniła go, że z przyjemnością zaopiekują się dzieckiem.

Zygmunt podzielił swych pacjentów na dwie kategorie. Chorzy z przypadłościami neurologicznymi mogli zgłaszać się o każdej porze w godzinach przyjęć, czekając na swą kolejkę w poczekalni. Chorzy z nerwicami zamawiali wizyty; tych przyjmował punktualnie. Między wizytami były przerwy, żeby pacjenci się nie spotykali w poczekalni.

Już wkrótce zdobył dodatkowy materiał potwierdzający słuszność metody zastosowanej w przypadku Elżbiety von Reichardt. Lekarz specjalista zaproponował mu zajęcie się trzydziestoletnią guwernantką, Angielką, którą od dwóch lat leczył z powodu zapalenia błony śluzowej nosa. Ostatnio u pacjentki pojawiły się nowe objawy. Panna Lucy Reynolds chwilami traciła węch, a chwilami prześladowały ją halucynacje zapachowe, powodujące utratę apetytu i uczucie ociężałości w głowie, któremu towarzyszyło zmęczenie i depresja.

– Żadne z tych zaburzeń nie może być wynikiem zapalenia błony śluzowej – dowodził kolega. – Panna Reynolds ma jakieś inne kłopoty. Czy nie mógłby pan wypróbować na niej swojej metody leczenia; może uda się panu dotrzeć do źródeł choroby? Ja już jestem bezsilny.

Lucy Reynolds cieszyła się dobrym zdrowiem i pogodnym usposobieniem do chwili, kiedy zaczęły się obecne dolegliwości. Opowiadała Zygmuntowi o swej pracy. Była guwernantką w zamożnym domu dyrektora fabryki. Żona dyrektora zmarła przed kilku laty. Lucy, jako daleka krewna nieboszczki żony, zaopiekowała się dwiema młodymi córeczkami. Fabrykant nie ożenił się powtórnie. Lucy prowadziła dom i zajmowała się dziewczynkami, wszystko było jak najlepiej, dopóki nie zachorowała... Zygmunt przyjął za punkt wyjściowy hipotezę, że halucynacje zapachowe miały genezę histeryczną.

– Panno Reynolds, jaki zapach dokucza pani najbardziej?

– Zapach przypalonego puddingu.

W jej jasnoniebieskich oczach ukazały się łzy. Zygmunt milczał. „Zakładamy – rozważał w myślach – że zapach przypalonego puddingu musiał wystąpić podczas przeżycia, które w tej chwili działa jako uraz. Pacjentka cierpiała na ropne zapalenie śluzówki nosa, była więc szczególnie uczulona na wrażenia zapachowe. Tak więc zapach przypalonego puddingu powinien być punktem wyjściowym analizy".

Poprosił, by położyła się na kozetce, zamknęła oczy i leżała całkowicie bez ruchu. Położył dłoń na jej czole, mówiąc, że ucisk dłoni ułatwi koncentrację i przypomnienie sobie tych epizodów z przeszłości, o które im chodzi, i że dzięki temu będzie mogła je opisać.

– Czy może pani sobie przypomnieć, kiedy po raz pierwszy poczuła pani zapach przypalonego puddingu?

– Tak. Przed dwoma miesiącami, na kilka dni przed moimi urodzinami. Byłam z dziewczynkami w pokoju dziecinnym i bawiłyśmy się „w gotowanie". Listonosz przyniósł list od mojej matki, która mieszka w Glasgow. Dzieci wyrwały mi z ręki list, wołając: „Nie czytaj teraz. To będzie dla ciebie prezent urodzinowy". Podczas gdy próbowałam odebrać im list, pudding się przypalił. Cały pokój wypełnił się gryzącym dymem. Od tego czasu czuję ten zapach w nosie, nie opuszcza mnie dzień i noc i wzmaga się, gdy się denerwuję.

Zygmunt przysunął bliżej krzesło do kozetki.

– Czy temu incydentowi towarzyszyły przeżycia tak silne, że nie może pani o tym zapomnieć?

– Zamierzałam wrócić do Glasgow. Myśl, że opuszczę dzieci...

– Czy pani matka zachorowała? Czy pani obecność była jej potrzebna?

– Nie... Po prostu nie mogłam już dłużej mieszkać w tym domu. Służba uważała, że jestem zarozumiała. Dziadkowi dzieci opowiadano jakieś plotki o mnie. Ale ani on, ani ojciec dziewczynek nie stają po mojej stronie, kiedy się skarżę. Oświadczyłam ojcu dziewczynek, że będę musiała wyjechać. Namawiał mnie, żebym przemyślała tę decyzję i poczekała jeszcze kilka tygodni. W tym właśnie okresie niepewności przypalił się pudding... Kiedy matka dziewczynek leżała na łożu śmierci, obiecałam jej, że nigdy nie opuszczę dzieci...

Zygmuntowi zdawało się, że dostrzega słabe światełko na końcu tunelu, ale wizyta dobiegała końca. Lucy czekała długa droga do domu na przedmieściach Wiednia. Mogła przyjeżdżać do miasta tylko wtedy, gdy ktoś godny zaufania zostawał z dziewczynkami. Między jedną wizytą a drugą upływały tak długie okresy, że Zygmunt za każdym razem musiał zaczynać niemal od początku. Dla Lucy zapach przypalonego puddingu stał się symbolem węchowym, ponieważ jej choroba związana była z nosem. Potwierdzało to jego teorię, że histeria wyszukuje sobie zawsze jakąś piętę achillesową. Po kilku wizytach doszedł do przekonania, że Lucy stale opuszcza jakiś element w swym autoportrecie. Zdecydował się na atak frontalny.

– Panno Reynolds, a mnie się zdaje, że pani zakochała się w swoim pracodawcy i uwierzyła, że ma realną szansę wyjścia za niego za mąż i zajęcia miejsca zmarłej żony. Wyimaginowała sobie pani napaści służby, ponieważ lęka się pani, że odgaduje ona pani myśli i śmieje się z pani.

– Przypuszczam, że pan ma rację – odpowiedziała Lucy rzeczowo.

– Dlaczego więc pani mi o tym nie powiedziała?

– Nie byłam pewna... nie chciałam wiedzieć... lepiej wybić sobie takie myśli z głowy i zachowywać się rozsądnie...

Zapach przypalonego puddingu zniknął. Zastąpił go obsesyjny zapach dymu cygara. Nie wiedziała, skąd to się wzięło; przecież cygara palono w domu stale. Zygmunt zrozumiał, że czeka go druga część analizy. Bez tego nie dokończy kuracji. Lucy znowu znalazła się na czarnej kozetce, ale tym razem nie kazał jej zamykać oczu. Kiedy położył dłoń na jej czole, opowiedziała mu, co widzi. Widziała stół w jadalni podczas obiadu, po powrocie ojca i dziadka dziewczynek z fabryki. Zygmunt nalegał, by dalej wpatrywała się w ten obraz. W końcu Lucy dostrzegła przy stole gościa, był to główny buchalter firmy, człowiek bardzo przywiązany do dziewczynek. Na dalsze nalegania Zygmunta Lucy wreszcie przypomniała sobie istotny epizod: stary buchalter, wychodząc, chciał pocałować dziewczynki. Ojciec krzyknął ostro: „Proszę tego nie robić!".

– Poczułam ukłucie w sercu. A ponieważ mężczyźni palili wtedy cygara, ten zapach pozostał w moim nosie.

– Który z tych epizodów był wcześniejszy, ten, który pani teraz opowiedziała, czy ten z puddingiem?

– Ten z cygarami wydarzył się dwa miesiące wcześniej.

„Jeśli tak – pomyślał Zygmunt – to wspomnienie z przypalonym puddingiem jest substytutem. Czyli wciąż jeszcze nie dotarliśmy do sedna".

– Proszę wrócić do jeszcze wcześniejszej sceny – powiedział do Lucy – ukryta jest głębiej od epizodu z buchalterem. Pani może ją sobie przypomnieć; nigdy nie zapomina się czegoś, co się tak mocno wryło w pamięć.

– ...Tak, to się zdarzyło kilka miesięcy wcześniej... pewna znajoma mego pracodawcy przyszła z wizytą. Wychodząc, pocałowała dziewczynki w usta. Ich ojciec zrobił mi straszliwą awanturę: Nie wypełniam moich obowiązków! Jeśli to się jeszcze raz powtórzy, zostanę zwolniona. Było to w czasie, kiedy mi się zdawało, że mnie kocha. Tak serdecznie i z takim zaufaniem rozmawiał ze mną o wychowaniu dziewczynek... W jednej chwili wszystkie moje nadzieje zostały przekreślone. Zrozumiałam, że jeśli w ten sposób zwraca się do mnie z czymś, czemu przecież nie mogłam zapobiec, to znaczy, że mnie nie kocha. Zapach dymu z cygar unosił się w pokoju...

Lucy wróciła po dwóch dniach w doskonałym humorze. Zygmunt pomyślał, że może pracodawca oświadczył się o jej rękę. Zapytał, co się stało.

– Panie doktorze, pan mnie widział tylko w kiepskim nastroju. Byłam chora. Ale wczoraj obudziłam się z uczuciem, że mi spadł wielki kamień z serca. Wrócił mi humor, poczułam się znowu dobrze.

– Czyżby on chciał się z panią ożenić?

– Skądże. Tyle tylko, że ja się już tym nie przejmuję.

– Czy nadal kocha się pani w ojcu dziewczynek?

– Oczywiście. Ale to nie ma znaczenia. Jestem panią swych myśli i uczuć.

Zygmunt obejrzał nos Lucy. Obrzęk ustąpił. Pozostało lekkie zaczerwienienie. Przeziębienia będą kłopotliwe.

Ale nie będzie już miała żadnych kłopotów z podświadomością.

Dziewięć dni zajęło rozwiązanie tego problemu. Wydawało mu się, że seanse przebiegały powoli, nie wnosiły nic nowego, nie dawały żadnych wyników. A jednak panna Reynolds siedziała przed nim uśmiechnięta, pewna siebie, wyraźnie pogodzona z losem.

Poczuł, że nareszcie nie jest zależny od metody hipnotycznej... pięć lat minęło od chwili, gdy po raz pierwszy zastosował wobec pacjenta hipnozę. Miał nadzieję, że już wkrótce będzie się mógł obejść bez uciskania czoła dłonią. Jedyną bronią w walce z niewiadomym będzie jego talent, jego umiejętności. Każdy kolejny pacjent, każdy kolejny przypadek będzie jeszcze jednym promieniem światła rozpraszającym mroki zalegające umysł człowieka.

Wrócił myślami do owego poniedziałkowego poranka, kiedy oświadczywszy się Marcie, udał się do Instytutu Fizjologii i wszedł do gabinetu profesora Brückego. Uderzył go zapach alkoholu i formaliny. Ukochany nauczyciel siedział za biurkiem, uważnie studiując twarz młodego naukowca. Poprosił wtedy o asystenturę i stałą pracę na wydziale medycznym, a profesor musiał mu odmówić; radził, by wrócił do Allgemeines Krankenhaus, habilitował się i zajął praktyką prywatną.

Zdawało mu się wtedy, że to koniec świata, a był to, o czym dobrze wiedział dalekowzroczny Brücke, początek. Po dziesięciu latach stał u progu odkrycia, które w jego przekonaniu będzie przełomem w medycynie tego stulecia. Palił się do opublikowania opisów swoich przypadków, do przedstawienia światu terapii, która dokonywała cudów: ludzi przeżywających głębokie napięcia umysłowe i emocjonalne wybawiała z chorób pozbawiających ich zdolności do pracy, a niekiedy skazujących na zamknięcie w zakładach specjalnych, a nawet na śmierć.

Czy ma prawo ogłaszać tego rodzaju publikację? Przedstawiać swe wyniki i teorie całemu światu medycznemu? Wiedział, że nie może tego zrobić sam; nie miał takiej pozycji, nie cieszył się takim poważaniem w wiedeńskim środowisku medycznym, by pogodziło się ono z tego rodzaju rewolucyjną koncepcją. W stolicy było kilku lekarzy, którzy przysyłali mu pacjentów i wiedzieli, że niekiedy udaje mu się osiągnąć pozytywne rezultaty. Nie uznawał jego osiągnięć ani wydział medyczny uniwersytetu, ani inne naukowe instytuty. Odkrywając właściwości kokainy, umożliwił chirurgom przeprowadzanie operacji oczu, które były dotąd niemal nie do pomyślenia; przyczynił się walnie do pchnięcia naprzód prac Wagnera-Jauregga nad obszarem znieczuleniowym. Ale nawet te fakty nie przeszkodziły poważnemu pismu zarzucić mu lansowanie kokainy, jakby nie zdawał sobie sprawy z tego, że może ona się stać nałogiem. Co gorsza, w głębi duszy wiedział, że te zarzuty są przynajmniej w pewnej mierze słuszne.

Z podobnymi oskarżeniami o pośpiech, łatwowierność, nieodpowiedzialność spotkał się w związku ze swą pracą nad hipnozą. Nie wyjdzie mu na dobre, jeśli przekaże kolegom lekarzom to, czego się nauczył, czytając dzieła Mesmera, a mianowicie, że doktor Antoni Mesmer co najmniej częściowo miał rację, szczególnie w zapoczątkowanych przez siebie badaniach nad możliwościami stosowania sugestii w leczeniu chorób fizycznych i psychicznych. To właśnie „sugestia", a nie „magnetyczne fluidy", pomagała ludziom, i na tym opierały się późniejsze prace Braida, Charcota, Liébeaulta, Bernheima, Józefa Breuera i jego własne.

Jedynym błędem Mesmera było to, że urządzał widowiska, które przyciągały wytworne towarzystwo wiedeńskie i paryskie jak wschodnie bazary.

Jeszcze groźniejsza okazała się trzecia herezja, jego koncepcja męskiej histerii, którą poszerzoną i pogłębioną przywiózł przed siedmioma laty z Paryża od Charcota. Józef Breuer i Henryk Obersteiner z sanatorium w Oberdöbling wiedzieli, że on ma rację, ale profesor Meynert wyśmiał go na wykładach w Towarzystwie Medycznym i w artykułach w „Wiener klinische Wochenschrift".

Pierwsza książka, którą wydał, *O afazji*, uznana została, jak to słusznie przewidział Breuer, za kolejny nietakt. Przemilczała ją nie tylko prasa medyczna, lecz również środowisko lekarskie Wiednia. Jego przyjaciele i koledzy nigdy o niej nie wspominali. Ukazała się w serii popularnych monografii wydawanej przez Deutickego, który miał swe księgarnie w każdym mieście niemieckiego obszaru językowego. W ciągu roku sprzedano zaledwie sto czterdzieści dwa egzemplarze. Teraz już nikt jej nie kupował. Nowe prace z tej samej dziedziny nie powoływały się na jej treść i nie wspominały o niej. Wiedział, że nie mógł jej spotkać gorszy los. Podając w wątpliwość tezę głoszoną przez środowiska naukowe środkowej Europy, iż źródeł afazji należy szukać w anatomicznej lokalizacji w mózgu lub w uszkodzeniach podkorowych, i utrzymując, że afazję często powodowały czynniki psychologiczne, potwierdzał w jakimś sensie słowa Meynerta, że jest „lekarzem, który wyjechał z Wiednia ze świetną znajomością fizjologii", a wrócił jako „zawodowy hipnotyzer".

Na domiar złego zaszkodził sobie, krytykując takie autorytety, jak Meynert, Wernicky i Lichtheim. W liście, który napisał do Wilhelma Fliessa tuż przed ukazaniem się książki, przyznawał, że postąpił „arogancko", krzyżując szpady z takimi słynnymi fizjologami i specjalistami od anatomii mózgu, ale teraz boleśnie odczuwał milczenie swych przeciwników. „Nie jestem masochistą", tłumaczył sobie w myślach. Nie sprawiało mu żadnej przyjemności otrzymywane lanie. Pragnął być podziwiany i szanowany, jak każdy naukowiec. Czy może wobec tego opublikować swe największe odkrycie? Jedni go wyśmieją, inni będą szydzili. Za jego plecami będą powtarzać: „Oto nowy wyskok tego niepoważnego Freuda. Chce podpalić świat wygaszonym palnikiem bunsenowskim".

Księga dziewiąta

*„Nie mów o człowieku, że jest szczęśliwy, póki nie umrze"**

1

Skośne strugi deszczu cięły po twarzach przechodniów na Berggasse. Wczesna listopadowa ulewa zaskoczyła wiedeńczyków. W mieszkaniu Freudów czworo przyjaciół rozmawiało w przytulnym pokoju stołowym. Wysoki zielony kaflowy piec promieniował ciepłem. Miejsca tu było więcej niż w poprzednim mieszkaniu; ośmiu obitych skórą krzeseł nie musieli tak ciasno ustawiać wokół mahoniowego stołu. Do starego kredensu i serwantki na porcelanę dokupili włoską renesansową skrzynię inkrustowaną kością słoniową i masą perłową. Nad nią zawisła na ścianie reprodukcja drzeworytu Albrechta Dürera przedstawiająca świętego Hieronima. Nowa Maria, pochodząca podobnie jak jej poprzedniczka z Czech, przygotowała najodpowiedniejszą kolację na taką pogodę, zaczynającą się od mocnego bulionu. Józef wyłysiał i tylko na tyle głowy pozostały mu kępki szpakowatych włosów.

– Po ukończeniu pięćdziesiątego roku życia – oznajmił – zrozumiałem, że życie i jego wartość to nie taka prosta rzecz, jak to sobie dawniej wyobrażałem.

Od czasu pamiętnej dedykacji na *Afazji* jego stosunki z Zygmuntem układały się różnie, ale serdeczna przyjaźń Matyldy z Martą nie osłabła. Zygmunt przyglądał się swej żonie. Przekroczyła już trzydziestkę i spodziewała się piątego dziecka, ale teraz w niebieskiej wełnianej sukience wydawała mu się równie młoda jak owa zarumieniona dziewczyna, którą poślubił przed sześciu laty w Wandsbek.

Po kolacji Zygmunt przeprosił panie pod pretekstem, że chce pokazać Józefowi jakieś nowe materiały. Obaj zeszli na dół, do gabinetu. Jeszcze w czerwcu Józef obiecał, że będzie współautorem referatu, w którym przedstawią swoją „teorię histerycznych ataków" opartą na wynikach, jakie osiągnęli we wspólnie leczonych przypadkach. Breuer wciąż jednak się wahał. Zygmunt tłumaczył i prosił:

---

* Solon u Herodota, I, 32.

– Zrozum, otworzyliśmy dostęp do nowej dziedziny medycyny: psychopatologii. Zrobiliśmy kilka nieśmiałych kroków w kierunku rozwiązania problemu, którego dotąd nawet nie sformułowano. Naprawdę jestem przekonany, że mamy dość materiału, by przystąpić do naukowego badania umysłu ludzkiego.

Józef zerwał się gwałtownie i podszedł do okna.

– Nie. Jeszcze nie. Nie mamy dość materiałów. I nie jesteśmy w stanie sprawdzić ich doświadczalnie, w laboratorium. Dysponujemy jedynie przypuszczeniami, hipotezami...

Zygmunt przemierzał nerwowo mały pokoik.

– Odkryliśmy powszechnie obowiązujące prawa dotyczące podświadomości i wiemy o tym, jak wywołuje ona histerię. Czyżby pięćdziesiąt dokładnie zbadanych przypadków nie stanowiło takiego samego dowodu jak pięćdziesiąt patologicznych preparatów zbadanych pod mikroskopem?

– Nie. – Breuer kręcił głową. – Nie mamy nawet terminologii dla naszych odkryć. Nie mamy wykresów, aparatu naukowego...

– ...ponieważ dawny aparat naukowy jest bezwartościowy. Elektryczny aparat do masażu profesora Erba to oszustwo. Masaż ręczny przynosi ulgę na godzinę, dwie. Leczenie odpoczynkiem stosowane przez Weira Mitchella niewiele daje poza odprężeniem mięśni i przyrostem wagi. W sanatoriach balneologicznych moczą skórę, a nie mózgi. Tych kilka lekarstw, które mamy, bromidy i chlorale, uspokaja pacjentów, ale nie leczy zaburzeń umysłowych. Abstrahując od anatomii mózgu Meynerta, to przecież zupełnie inna dziedzina, ta cała obecna psychiatria sprowadza się do podręczników, które opisują formy i przejawy chorób psychicznych. Mój Boże! Stoimy na progu jednego z najważniejszych odkryć w historii medycyny i boimy się go przekroczyć.

Pasja Zygmunta poruszyła Breuera.

– A więc dobrze, przyjacielu. Spróbujmy.

Przez następnych kilka dni Zygmunt pisał gorączkowo, po czym darł zapisane kartki. Nikt dotąd jeszcze nie przedstawił teorii ataków histerycznych. Charcot był jedynym, który je opisał. Wyjaśnienie histerycznych objawów wymagało przyjęcia „istnienia rozszczepienia – podziału treści świadomości". Powtórzenie się ataku histerycznego powodowane jest przez powrót wspomnienia. Stłumione wspomnienie nie może być przypadkowe, musi być pamięciowym powrotem pogrzebanego wydarzenia, które wywołało pierwotny uraz psychiczny. Pisał: „Jeżeli histeryczna osoba usiłuje intencjonalnie zapomnieć przeżycie lub zmusza się do odrzucenia, powstrzymania czy stłumienia idei lub intencji, wówczas te akty psychiczne przechodzą do drugiego stanu świadomości; tam stwarzają swe stałe skutki, a ich wspomnienia powracają w postaci ataków histerycznych".

Co jednak powoduje, że u danej osoby w tym, a nie innym czasie, po tygodniach, miesiącach, a nawet latach stosunkowo dobrego samopoczucia następuje taki atak? Zygmunt zdawał sobie sprawę, że nie może zbyt daleko posuwać się w hipotezach roboczych, póki nie będzie w stanie udowodnić, co faktycznie wywołuje taki atak. Wracał myślami do dawnych dyskusji z Józefem w związku z ich pracą pod kierownictwem Brückego w Instytucie Fizjologii. „Teoria niezmienności" sformułowana przed wielu laty przez berlińską szkołę Helmholtza–Brückego, z którą zaznajomili się na samym początku, głosiła: „Układ nerwowy stara się w swych stosunkach funkcjonalnych utrzymać w stanie niezmiennym coś, co moglibyśmy określić jako sumę pobudzeń. Ten wstępny warunek zdrowia jest uruchomiony przez kojarzenie sumy pobudzeń i rozładowanie ich we właściwych reakcjach ruchowych... Przeżycia psychiczne tworzące treść ataków histerycznych... są... wrażeniami, które nie znalazły właściwego ujścia".

Ujmowali to z Józefem w prostsze słowa: system nerwowy, z mózgiem włącznie, jest zasobnikiem, w którym gromadzi się energia. Kiedy poziom energii opada zbyt nisko, psyche staje się ospała, ulega depresji. Kiedy poziom energii podnosi się zbyt wysoko, system nerwowy otwiera pewne śluzy, by jej nadmiar znalazł sobie ujście. Wtedy właśnie i dlatego następuje atak: system nerwowy nie może już dłużej tolerować nadmiaru energii nagromadzonego przez uraz wspomnienia w podświadomości i pozbywa się go, wywołując atak. Atak jest więc po prostu formą przejawiania się zasady niezmienności. Energia nerwowa przypomina energię elektryczną nagromadzoną w baterii; każdy zasobnik ma granicę wytrzymałości. To samo dzieje się w układzie nerwowym. Jeżeli tam dojdzie do przeciążenia, wówczas nastąpi rozładowanie. Może ono być subtelne, w formie omamów, lub gwałtowne, doprowadzające do skurczów, drgawek, ataków padaczkowych. Obecne zaburzenia były natury fizycznej, wykraczały daleko poza obręb układu nerwowego, lecz ich treść i przyczyna były psychiczne.

Spisał swe myśli i przesłał notatki Breuerowi. Następnego ranka napisał do niego:

„Drogi Przyjacielu. Uczucie zadowolenia, z jakim przekazałem Ci wczoraj moje zapiski, ustąpiło miejsca niepokojowi, który zazwyczaj towarzyszy bolesnemu procesowi myślenia". Dodawał, że doszedł do wniosku, iż zarys historyczny jest niepotrzebny. „Należy zacząć od kategorycznego wyłożenia opracowanych przez nas teorii".

„Kategoryczność" zaniepokoiła Józefa.

– Nie jestem pewny, czy powinniśmy w ogóle ogłaszać drukiem nasze poglądy, jeśli to jednak uczynimy, to tylko w formie propozycji. Kategoryczność i nauka to pojęcia wzajemnie się wykluczające. Zanim przedstawimy nasze wątłe hipotezy jako wiedzę medyczną, musimy jasno i otwarcie powiedzieć, czego nie wiemy i czego jeszcze nie potrafimy dowieść. Ja rozumiem dogmatykę jako szereg prostych wyznań wiary, to, co nauczyliśmy się uważać za dostrzegalne dowody histerii i jej nieświadomej kontroli. Z pewnością nasi pacjenci podprowadzili nas do wielu podstawowych prawd.

Breuer nie ustępował.

– Musimy lepiej poznać proces pobudzenia mózgu. Zgadzam się, że w tym wypadku znajduje zastosowanie „zasada niezmienności", pozostanie ona jednak tylko i wyłącznie naszym domysłem, jeśli nie potrafimy przedstawić w kategoriach fizjologicznych, w jaki sposób system nerwowy występuje w roli przewodnika umożliwiającego wyładowanie nadmiaru energii.

Zygmunt skapitulował.

– Napiszę nową wersję – powiedział cicho – i uwzględnię tylko ten materiał, który wspólnie uzgodniliśmy. W zakończeniu dodam, że jak dotąd, ledwie zahaczyliśmy o etiologię nerwic.

Na trzecią wersję pracy Józef gotów był już przystać, nadal jednak toczyli wielogodzinne ożywione spory o to, jakie wnioski wypływają z materiału dowodowego, którym dysponują.

Chwilami Zygmunt miewał pretensje do siebie, że zbyt silnie naciska na Józefa, często przerażonego charakterem materiałów, jakie nagromadzili. Breuer tęsknił do spokojnej pracy laboratoryjnej nad uchem wewnętrznym. Niekiedy jednak i on wpadał w entuzjazm nad zaskakującymi postulatami, do których dochodził, dyskutując z Zygmuntem. A Zygmunt zaczął zdawać sobie sprawę, że kryje się w tym taka sama dychotomia, jaka cechowała ich wzajemne stosunki. Kiedy się spotykali towarzysko w kawiarni „Griensteidl" lub energicznie przemierzali Ringstrasse, Józef potrafił być tak serdeczny jak w najlepszych dniach ich przyjaźni; kiedy jednak zaczynali pisać, zachowywał się tak, jakby Zygmunt Freud był tylko jego kolegą z pracy, który usiłuje go wplątać w jakieś nienaukowe sprawy. Co prawda on pierwszy nimi się zajął, ale teraz dałby wszystko, by móc o nich zapomnieć.

Zygmunt otworzył drzwi pokoju przyjęć na parterze i wprowadził Józefa. Deszcz, który od rana nie ustawał, pogłębiał półmrok. Gospodarz rozjaśnił lampę naftową, poprosił Józefa, by usiadł w fotelu, i poczęstował go dobrym cygarem.

– Tu masz prawdziwą ciszę – stwierdził Józef, oglądając ściany obudowane półkami zastawionymi książkami medycznymi. – Ja czułbym się tu zbyt samotnie.

Zygmunt wyjął z szuflady ostatnią wersję ich wspólnej pracy – miał nadzieję, że na tę Breuer wreszcie się zgodzi. Podał ją Józefowi, zapalił cygaro i usiadł, czekając na werdykt. Nazwisko Józefa figurowało na pierwszym miejscu; uwzględnił wszystkie uwagi swego mentora. Śledząc uważnie twarz starszego kolegi, dokładnie się orientował, jakie miejsca dwudziestostronicowego rękopisu budziły jego wątpliwości. Breuer zatrzymał się, zastanawiając nad użyciem jakiegoś nowego terminu, którym posługiwali się w rozmowach, ale który dotąd rzadko pojawiał się w druku – odreagowanie, doprowadzenie do świadomości i do wyrażenia materiału, stłumionego przez podświadomość; emocja – ton uczuciowy towarzyszący idei lub myśli; *katharsis* – forma psychoterapii, doprowadzająca do świadomości stłumione materiały traumatyczne; *libido* – energia, w którą są wyposażone instynkty.

Józef był wyraźnie zadowolony.

– No tak, Zygmuncie. Wyłożyłeś sprawę w możliwie najściślejszych terminach naukowych, na jakie stać nas na tym etapie. Masz rację, gdy piszesz: „Stwierdzono, że pewne wspomnienia etiologicznie ważne, niekiedy sprzed piętnastu, a nawet dwudziestu pięciu lat, zachowują zdumiewającą świeżość i mają niezwykłą siłę, kiedy zaś powracają, działają z pełną siłą uczuciową świeżych przeżyć". Cierpienia histeryków – położył dłoń na rękopisie – wywoływane są, jak to słusznie stwierdziłeś, głównie przez wspomnienia. Udokumentowałeś, jak i dlaczego nasze procedury psychoterapeutyczne przynoszą skutki lecznicze, z umiarem oceniając nasze metody. – Wertował strony rękopisu, po czym przeczytał na głos: – „Kończy się w ten sposób działanie siły sprawczej idei, która uprzednio nie została odreagowana przez danie ujścia w słowach stłumionemu afektowi". Zgadzam się z tym. – Wstał z fotela i zaczął chodzić po pokoju. – Nie mogę natomiast przystać na twoją teorię „zasady niezmienności", póki nie udowodnisz, jak to się dzieje, że można doprowadzić do somatycznego wyzwolenia energii jakby za naciśnięciem guzika. Każdy neurolog w Europie zażąda dowodów.

Zygmunt był rozczarowany, ale starał się tego nie okazywać.

– Dobrze, wykreślę te zdania.

– Znakomicie. – Breuer wrócił na fotel. – Teraz możemy to opublikować.

– Redakcja berlińskiego „Neurologisches Zentralblatt" oznajmiła, że mogą zamieścić naszą pracę w dwóch styczniowych numerach. Rozmawiałem również z redaktorem „Wiener medizinische Blätter"; gotowi są drukować to w ślad za Berlinem. Proponowali koniec stycznia.

– Świetnie. Ale skoro już o tym mowa, czy nie warto by zreferować naszego opracowania w wiedeńskim Klubie Medyków?

Zygmunt podszedł i uścisnął Breuera.

– Przyjacielu kochany, jest to jedna z najszczęśliwszych chwil w mojej krótkiej, ale szalonej karierze medycznej. Dziękuję ci.

2

Na Nowy Rok podsumował swe osiągnięcia z ostatnich dwunastu miesięcy. Niewiele ich było; mógł je wyliczyć na palcach jednej ręki. Ale rok 1893 przyniósł mu dużo pracy. Zgodnie z sugestią Józefa opracował referat, który miał być wygłoszony jedenastego stycznia w wiedeńskim Klubie Medyków. Skończył przekład poprawionego wydania *Leçons du Mardi* Charcota, które uprzednio ukazywały się w odcinkach w poważnych niemieckich pismach medycznych. Opracował ostateczną wersję artykułu pt. *Kilka uwag dotyczących studium porównawczego paraliżu, organicznego i histerycznego*, jeszcze w Paryżu obiecanego „Archives de Neurologie" Charcota, i pracę do serii doktora Kassowitza *Mózgowy paraliż obustronny w dzieciństwie*. Opublikowanie *Wstępnego komunikatu* w Berlinie i Wiedniu przeszło bez echa. Na referacie w Klubie Medyków było dużo słuchaczy, ale ściągnęło ich raczej nazwisko Breuera jako współautora. Żaden z obecnych lekarzy nie zabrał głosu. Jedynym pozytywnym wydarzeniem stało się ogłoszenie w „Wiener medizinische Presse" stenogramu sporządzonego przez jakiegoś dziennikarza. Zygmunt bowiem nie czytał referatu, lecz mówił na podstawie notatek.

Sam się dziwił, że nie martwi go to milczenie. Pewny był, że ich praca we właściwym czasie zostanie zauważona. Zaskoczyła go natomiast reakcja Breuera, który zdawał się z ulgą przyjmować brak jakichkolwiek zastrzeżeń czy sprzeciwów. Zygmunt ostrożnie robił mu z tego powodu wyrzuty.

– Przecież taki negatywny stosunek do dobrze zrobionej roboty zupełnie nie jest w twoim stylu... poza tym... – zawahał się i w końcu wypalił – strasznie mi zależy na tym, żebyśmy napisali książkę o naszych przypadkach: dopiero wtedy, gdy przedstawimy pełny materiał dowodowy, uda nam się uzasadnić nasze tezy.

– Co to, to nie! – Józef był wyraźnie niezadowolony. – Oznaczałoby to pogwałcenie etyki lekarskiej. Musimy chronić pacjentów, którzy obnażyli się przed nami.

– Oczywiście, że będziemy ich chronić. Zmienimy nazwiska i sytuacje. Przedstawimy jedynie materiał medyczny. Opiszę jeden, dwa przypadki, może pani Emmy i panny Lucy Reynolds, a wtedy przekonasz się, że *materia medica* można wyłożyć tak, by nikt się nie domyślił tożsamości pacjenta.

Nie udało mu się jednak przekonać Józefa. Więcej o książce nie wspominał, chociaż już nawet obmyślił jej tytuł: *Studia nad histerią*. Marcie tylko wyznał:

– Poczekam na odpowiednią chwilę; być może, po ukazaniu się pierwszej przychylnej recenzji z naszej książki.

Najbardziej fascynującym aspektem jego pracy stały się najczęściej występujące u pacjentów symptomy, które nazwał nerwicami lękowymi o podłożu seksualnym. Niełatwo się pogodził z ich istnieniem, nie odpowiadało to bowiem ani jego charakterowi, ani temperamentowi. Mimo sugestii Breuera, Charcota i Chrobaka początkowo nie zwracał uwagi na istnienie takich związków. W miarę jednak jak przybywało dowodów, nie mógł nie przyjmować do wiadomości głęboko ukrytej w podświadomości etiologii seksualnej. Początkowo był tym zaskoczony, potem zdumiony, w końcu wstrząśnięty. W pewnej chwili odkrycie to wręcz go załamało. Z natury nie należał do mężczyzn opętanych seksem, uważających, że życie się zaczyna i kończy w sferach erotogennych. W głębi duszy nie chciał pogodzić się z tym, że natura ludzka jest tak dalece przesiąknięta erotyzmem i że ma on tak wielki wpływ na stan fizyczny, emocjonalny, nerwowy i umysłowy człowieka. Po pewnym czasie jednak musiał przyznać, że nie uda mu się przejść do porządku nad tym wątkiem. Byłby kiepskim lekarzem, gdyby nie docenił występujących symptomów.

W starym mieście, gdzie ludzie są zżyci i znają się dobrze, szybko rozchodzi się wieść o lekarzu, który ma nowe podejście do pacjentów i nowe sposoby leczenia tych, którym inni lekarze, zrezygnowani i zdesperowani, odmawiają dalszej pomocy. Większość chorych, przybywających do Zygmunta prawie ukradkiem i ze strachem, to byli ludzie w żałosnym, a niekiedy wręcz tragicznym stanie. Zastarzałe nerwice, wywołane jakimś wstrząsem w dzieciństwie, które uniemożliwiały im normalne życie, zaburzenia seksualne, które trafiły na podatny grunt odziedziczonej skłonności do neurastenii.

Najpierw pojawili się mężczyźni. Młodzi i w średnim wieku. Cierpiący na depresję, osłabienie, migreny, drżenie rąk, niemożność skoncentrowania się w pracy. Wieloletni onaniści, impotenci, mężczyźni praktykujący *coitus interruptus*. Potem zaczęły przychodzić kobiety: mężatki skarżące się na niezadowalające pożycie małżeńskie, a także kobiety zimne, dla których akt płciowy był czymś nie do zniesienia. Zapisywał: „Wszelka neurastenia lub pokrewne im nerwice nie mogą istnieć bez zakłóceń funkcji seksualnych".

Znalazł się na trudnym terenie. Przystojny trzydziestoletni adwokat z zawadiackim blond wąsem nieśmiało wszedł do jego gabinetu i szybko powiedział, że na skutek utraty apetytu ubyło mu dziesięć kilo wagi; skarżył się również na melancholię i – jak to Zygmunt określił – psychogeniczne bóle głowy. Prosił o pomoc. Miał jedno dziecko. Żona jego chorowała od chwili porodu. Kłopoty ze zdrowiem zaczęły się niedługo potem.

– Czy choroba pańskiej żony uniemożliwia stosunek seksualny?

– Nie.

– Normalny stosunek?

– Tak... Prawie. Wycofuję się przed... Moja żona nie może mieć następnego dziecka, póki nie wyzdrowieje. – Po czym zapytał, jakby się tłumacząc: – Czy w tym jest coś złego?

– Pod względem fizycznym tak – odpowiedział Zygmunt rzeczowo. – To właśnie powód pana choroby.

– Jakże to możliwe? – Adwokat patrzał na niego z niedowierzaniem.

– Zgodnie z prawami natury nasienie męskie powinno znaleźć się w pochwie. Tak normalnie przebiega stosunek. Wycofując się przed wytryskiem, wywołuje pan poważny wstrząs w systemie nerwowym. Tego rodzaju stosunek jest nienaturalny. Powoduje on to, co nazywamy zaburzeniami seksualnymi. Czy obecne objawy występowały, zanim zaczął pan praktykować *coitus interruptus*?

– Nie, byłem całkiem zdrowy.

– Czy ma pan jakieś obiekcje natury religijnej? Czy używał pan prezerwatyw?

– Niewygodne to i działa na mnie przygnębiająco.

– Czy pana żona ma jakieś pojęcie o zapobieganiu ciąży?

– Mówi, że te sposoby nie są pewne.

– Wobec tego musimy przede wszystkim leczyć pańską żonę. Tylko w ten sposób uda nam się wyleczyć pana.

Znał dziesiątki podobnych przypadków. Z niektórymi mężczyznami musiał prowadzić długie rozmowy, zanim udawało mu się dotrzeć do głównej przyczyny; uważali za rzecz niestosowną omawianie pożycia małżeńskiego nawet z lekarzem, u którego szukali pomocy. Ale docent Freud nauczył się w subtelny i przekonujący sposób skłaniać ludzi do mówienia prawdy. W miarę mnożenia się przypadków coraz częściej napotykał onanizm stosowany w małżeńskich stosunkach nad wyraz często ze względu na surowe zakazy religijne i lęk przed ciążą. Okazało się, że jedynymi bodaj mężczyznami w Wiedniu, którzy nie mieli zaburzeń w następstwie *coitus interruptus* w małżeństwie, byli ci, którzy mieli kochanki lub utrzymywali stosunki z prostytutkami.

Nie lepiej wiodło się żonom. Przyszła do niego młoda matka, skarżąc się na bliżej nieokreślone stany lękowe i bóle w piersiach. Kochała swego męża. Kiedy wyjeżdżał z domu, czuła się znakomicie. We współżyciu praktykował *coitus interruptus*, ponieważ nie chcieli mieć więcej dzieci. Nieustannie żyła w strachu, że mąż nie wycofa się na czas.

– Pani Backer, czy mąż przed wycofaniem się doprowadza panią do orgazmu?

Pacjentka zbladła, wyraźnie speszona.

– Panie doktorze, czy mogę rozmawiać z panem na takie tematy?

– Tak, ponieważ jest to związane ze stanem pani nerwów. Pozwoli pani, że wytłumaczę: troskliwi mężowie zważają na to, by zadowolić żony. Bo proszę zrozumieć, kobieta bardzo silnie podniecona, ale niedoprowadzona do orgazmu, przeżywa taki sam wstrząs jak mężczyzna. Jeśli pani mąż postara się panią zadowolić, bóle ustaną.

Pani Backer była oburzona.

– Ale wtedy może zaistnieć niebezpieczeństwo, że nie wycofa się na czas?

– Oczywiście.

– W takim razie lekarstwo, które mi pan przepisuje, jest gorsze od choroby.

– Pozwoli więc pani, że zapewnię ją jako lekarz: nic pani fizycznie nie dolega. Niejasne lęki, mijające bóle w piersiach są bólami neurotycznymi, objawami pani strachu. Z chwilą gdy wznowi pani normalne pożycie seksualne, objawy te znikną...

– ...a na ich miejsce pojawią się poranne mdłości. – Uśmiechnęła się blado, podziękowała i wyszła.

Przychodzili do niego młodzi mężczyźni, niektórzy nie ukończyli jeszcze dwudziestu lat, i nieco starsze kobiety z rozmaitymi nerwicami spowodowanymi przez masturbację.

Początkowo musiał sobie zadawać wiele trudu, żeby nakłonić pacjentów do mówienia o tym, ponieważ w dzieciństwie wbijano im do głowy, że samogwałt jest najgorszym z grzechów i powoduje ślepotę oraz kretynizm. Z dotychczasowej praktyki lekarskiej wiedział, że samogwałt, o ile nie praktykowano go w nadmiarze, wyrządzał znacznie mniejszą szkodę niż towarzyszące poczucie winy i pojawiające się w następstwie hipochondrie, obsesje i wstręt do samego siebie. Równocześnie stwierdził, że chłopcy i młodzi mężczyźni uwiedzeni przez starsze kobiety nie padają ofiarą nerwic.

342

Potrzeba było całych tygodni, niekiedy nawet miesięcy, zanim udawało mu się doprowadzić do tego, żeby pacjent uświadomił sobie przyczynę choroby. Niekiedy musiał uciekać się do dawnej metody, uciskania czoła dłońmi. U jednej z młodych kobiet, cierpiącej od okresu dojrzewania na uciążliwą hipochondrię, wytropił źródło dolegliwości we wstrząsie, który przeżyła w ósmym roku życia, kiedy ktoś usiłował ją zgwałcić. W przypadku histerycznych skłonności samobójczych u młodego mężczyzny źródłem okazał się nawyk samogwałtu nabyty w szkole. Teraz już Zygmunt nie zadowalał się wymazywaniem wspomnień za pomocą sugestii. Sięgając głębiej, mając poszerzony punkt widzenia, stwierdził, że tego rodzaju terapia daje jedynie częściowe efekty. Za jej pomocą udawało mu się usunąć tylko objawy zewnętrzne. Jego stosunek do pacjentów się zmieniał. Stawiał sobie coraz większe wymagania. Postanowił dotrzeć do prawdziwych źródeł choroby, by znaleźć ogólne prawa rządzące tego typu zaburzeniami. Do czasu zdobycia pełniejszej wiedzy będzie oczywiście musiał się skoncentrować na profilaktyce, na chronieniu pacjenta przed dalszymi atakami przez wydobycie z podświadomości stłumionego materiału, doprowadzenie go do świadomości, tłumacząc na wszelkie możliwe sposoby choremu, że nie ma powodu do wyrzutów i niepotrzebnie lęka się, że robi coś złego. Zło zostało mu wyrządzone już dawno. Ten rodzaj neurastenicznego zjawiska seksualnego, jakim się teraz zajmował, był ziemią dziewiczą. W odróżnieniu od przypadków histerii, w których niekiedy osiągał dobre i widoczne wyniki – stwierdzał w rękopisie, nad którym obecnie pracował – rzadko i jedynie pośrednio udawało mu się wpływać na psychiczne następstwa nerwic lękowych. Czuł się całkowicie bezradny, gdy miał do czynienia z przypadkami, kiedy mężczyźni w ogóle nie lubili kobiet i nie byli w stanie przezwyciężyć fizycznego wstrętu do stosunku z kobietą. Jaka mogła być nieorganiczna przyczyna homoseksualizmu?

Najtragiczniejsza sytuacja była wtedy, gdy chorzy, których przyprowadzono mu zbyt późno, zdradzali już objawy paranoi. Tak było w przypadku młodej panny mieszkającej w bardzo dobrych warunkach z bratem i siostrą. Dostawała manii prześladowczej, „słyszała głosy", wydawało się jej, że sąsiedzi plotkują na jej temat i opowiadają, że rzucił ją pewien mężczyzna, który dawniej odnajmował u niej pokój. Całymi tygodniami żyła pod wrażeniem, że nawet przechodnie na ulicy mówią, że czeka tylko na powrót sublokatora i że jest „kobietą złych obyczajów". W okresach kiedy mania ustępowała, zdawała sobie sprawę, że jej podejrzenia są bezpodstawne, i zachowywała się całkiem normalnie aż do następnego ataku.

Józef Breuer usłyszał o niej od któregoś z kolegów i poradził, by udała się do doktora Freuda. Zygmunt postanowił zastosować śmiałe cięcie, tak jak to robił Billroth operujący karbunkuł. Młody mężczyzna mieszkał u tej rodziny przez rok. Potem wyjechał, wrócił na krótko po kilku miesiącach, po czym wyniósł się definitywnie. Obie siostry wciąż wspominały o tym, jakim miłym był lokatorem.

Co się stało? Zygmunt uważał, że choroba ma podłoże seksualne. W końcu dotarł do prawdy, ale dzięki siostrze pacjentki. Pewnego ranka młodsza siostra, ta właśnie, która potem zachorowała, sprzątała w pokoju, gdy sublokator leżał jeszcze w łóżku. Przywołał ją, a ona, niczego nie podejrzewając, podeszła. Ujął ją za rękę, odrzucił kołdrę i włożył w jej dłoń członek w stanie erekcji. Panna przez chwilę stała jak wryta, po czym uciekła. Wkrótce po tym incydencie młodzieniec wyprowadził się definitywnie, a wtedy dziewczyna opowiedziała o całym wydarzeniu siostrze. Uważała, że „chciał ją wpędzić w tarapaty". Kiedy zachorowała, starsza siostra próbowała porozmawiać z nią o tej „scenie uwiedzenia", ale chora kategorycznie zaprzeczała, jakoby w ogóle coś podobnego się wydarzyło, a także żeby kiedykolwiek o czymś podobnym siostrze mówiła.

Wiedząc już, na czym polegała „szkoda seksualna", która wywołała chorobę, Zygmunt sądził, że uda mu się dziewczynie pomóc. Z urojeń, że nazywają ją „kobietą lekkich obyczajów", wynikało, iż trzymając w ręce penis, prawdopodobnie odczuła podniecenie, i dlatego opanowało ją uczucie winy, które doprowadziło do tak nieznośnych wyrzutów sumienia, że musiała je przenieść na jakiś czynnik zewnętrzny, w tym wypadku na sąsiadów. Nie umiała dać sobie rady z poczuciem winy, mogła je natomiast negować, gdy inni ją obwiniali.

Chodziło więc o to, by „zatrzeć" nie tyle sam incydent, wątpił bowiem, by udało mu się całkowicie wymazać tak traumatyczne przeżycie, lecz ciężar winy, który obciążył podświadomość pacjentki. Jeśli potrafi doprowadzić do tego, by odtworzyła sobie w pamięci pierwsze przeżycie i uwierzyła, że jej reakcja była normalna i nieuchronna, wówczas być może znikną wyrzuty sumienia, nie będzie odczuwała potrzeby robienia z siebie ofiary i pośmiewiska sąsiadów, umilkną głosy i plotki. Otworzy się przed nią szansa powrotu do zdrowia, do normalnego życia, do małżeństwa.

Poniósł kompletną klęskę. Kilka razy wprowadzał chorą w stan pośredni między hipnozą a swobodnym wspominaniem, nakłaniając, by mówiła o młodym lokatorze. Bez zahamowania wspominała chwile przyjemne, kiedy jednak próbował dociekliwymi pytaniami doprowadzić do tego, by opowiedziała o traumatycznej scenie, wołała:

– Nie! Nie było żadnego ambarasującego incydentu. Nie mam o czym mówić. To sympatyczny młodzieniec, zawsze zachowywał się poprawnie w stosunku do naszej rodziny...

Po drugim takim wybuchu zawiadomiła Zygmunta listownie, że rezygnuje z dalszego leczenia, ponieważ jego pytania bardzo ją denerwują. Późnym popołudniem Zygmunt siedział nad tym listem w swym gabinecie. Był zasmucony. Pacjentka zbyt głęboko okopała się przed wszystkimi wspomnieniami i zburzenie tych szańców mogłoby skończyć się dla niej śmiercią. Za późno już na dotarcie do stłumionego materiału i usunięcie go z podświadomości.

Westchnął głęboko, pokręcił głową, po czym rozjaśnił lampę. Cały pokój tonął teraz w łagodnym świetle. Zaczął pracować nad ostatnią wersją swej pracy *Nerwica lękowa...*

3

Przeglądając historie chorób pacjentów w okresie intensywnej pracy, poczynając od października, stwierdził z zadowoleniem, że więcej było takich przypadków, w których pomógł chorym, niż tych, w których nie udało mu się nic zdziałać. W miarę poszerzania swojej wiedzy i ulepszania metod leczenia rosła szansa rozpoznawania symptomów i leczenia dolegliwości, z którymi wciąż jeszcze nie umiał sobie poradzić. Teraz, na wiosnę, pacjentów było mnóstwo. Każdy przypadek dostarczał nowych dowodów potwierdzających przypuszczenie, że najpoważniejszym objawem nerwicy jest lęk, choćby najbardziej ukrywany. Nerwice zaś lękowe miały swe źródło w tłumieniu urazów. Myślał sprawniej z piórem w ręku niż podczas spacerów po wiedeńskich ulicach. Zasiadł więc do biurka i u góry karty papieru wypisał dużymi literami: *Problemy*.

Sformułowanie problemów było zadaniem równie ważnym jak ich rozwiązanie. „Nie należy czekać, aż problem się pojawi – notował – może bowiem pojawić się w porze niedogodnej. Problem trzeba samemu odnaleźć, trzeba samemu atakować. Przedzierać się przez zaskakujący, oporny materiał, narzucając mu swoje warunki".

Nie ma też miejsca na nieśmiałość. Wilhelm Fliess pisał do niego z Berlina: „Nie bój się improwizować! Myśl odważnie, przekraczając granice tego, co już znane lub czego się domyślamy!". Zygmunt doszedł do wniosku, że Fliess ma rację. „Nie damy sobie rady bez ludzi, którzy odważą się sformułować jakąś myśl, zanim ją potrafią udowodnić".

Czy w ogóle istnieje coś takiego jak wrodzone niedomaganie lub zaburzenie seksualne? Czy dziedziczność nie jest jedynie czynnikiem pomnażającym? Jaka jest etiologia powracających depresji? Czy ma ona podłoże seksualne, którego istnienie można udowodnić?

Pod nagłówkiem *Tezy* wypisał szereg postulatów, na których oprze swe wywody. Fobie, halucynacje, depresje lękowe były w pewnej przynajmniej mierze następstwami zakłócenia normalnego życia i rozwoju seksualnego. W wyniku stłumienia lęku powstawała histeria. Neurastenia, nerwowe obezwładnienia wywoływały często impotencję, ta zaś z kolei doprowadzała do nerwic u kobiet. Kobiety seksualnie chłodne wywoływały natomiast nerwice u swoich mężów.

Postawił sobie kilka równoległych zadań. Zaznajomić się z literaturą krajów, „w których poszczególne anomalie seksualne są endemiczne". Założyć kartotekę afektów wynikających z harmonizowania akceptowanych obyczajów seksualnych oraz najważniejszych i najtrudniejszych tropów: urazów seksualnych, które wystąpiły przed uświadomieniem. Najbardziej ekscytującym aspektem wszelkich badań jest poszukiwanie przyczyn podstawowych; dlatego właśnie lekarze tak bardzo fascynowali się swoimi eksperymentami. I tym właśnie zajął się obecnie Zygmunt. Kolejne poprawione części rękopisu swej *Etiologii nerwic* posyłał Fliessowi, prosząc o uwagi. W miarę jak zaczynał wypowiadać się bardziej jednoznacznie na tematy seksualne, coraz silniej dawała znać o sobie jego purytańska natura. Jeden z listów zaczął słowami: „Oczywiście zadbasz o to, by rękopis nie wpadł w ręce Twojej młodej małżonki".

Dopiero po kilku dniach uświadomił sobie, że cechuje go taka sama karygodna pruderia, jaką odznaczało się wielu z jego surowo wychowanych pacjentów. Niedawno przecież zakończył leczenie pewnej pacjentki cierpiącej na silne ataki lęku, które rankiem, po stosunku z własnym mężem, kończyły się omdleniem. Musiał posłużyć się łopatą, a nie skalpelem, by dojść do źródła tej czasowej koincydencji. Pożycie małżonków było wielce zadowalające dla obojga, nie ulegało więc kwestii, że główna przyczyna choroby tkwiła w głębokich „archeologicznych" warstwach podświadomości. Dopiero po wielu seansach „swobodnego kojarzenia" – jak Zygmunt nazywał ten proces – udało się pacjentce dotrzeć do pierwotnego urazu.

– Opowiem panu, kiedy się zaczęły ataki lęku jeszcze w dzieciństwie. Spałam wtedy w pokoju przylegającym do sypialni moich rodziców. Nocą drzwi często były otwarte i na stole paliła się lampa. Niejednokrotnie więc widziałam, jak ojciec wchodzi do łóżka matki, i słyszałam odgłosy, które mnie bardzo podniecały. Wtedy właśnie zaczęły się ataki.

Zygmunt w tym czasie skrupulatnie sporządzał kartotekę przypadków nerwicy lękowej.

– Pani reakcja jest całkowicie zrozumiała – powiedział pacjentce. – U młodych dziewcząt zetknięcie się z erotyką wywołuje z reguły stany bliskie przerażenia. Przeczytam pani z moich archiwów adnotację o podobnych przypadkach, mających swe źródła w znacznie wcześniejszym okresie życia. Obecnie głównym pani zadaniem jest uświadomienie sobie, że ten lęk nie pozostaje w żadnym związku z pani pożyciem małżeńskim. Przyszłość waszego małżeństwa zależy od tego, czy potrafi pani zwalczyć te lęki, uznać, że należą do dawno minionej przeszłości, że powstały na tle normalnych i zdrowych stosunków między pani rodzicami, takich samych jak te, które utrzymuje pani teraz ze swoim mężem.

Po wyjściu pacjentki zastanawiał się nad nową metodą „swobodnych skojarzeń". Uważał ją za klucz do badania głębokich warstw podświadomości. Stanowiła olbrzymi postęp w jego metodach. „Sam fakt zbieżności pozornie ze sobą niezwiązanych uwag dowodzi, iż są powiązane często niewidzialnymi (tj. nieświadomymi) więzami, i jest [...] najbardziej imponującym poszerzeniem prawa naukowego". To, co pacjent uważał za chaos, okazywało się uporządkowanym schematem, zrozumiałym dla wyszkolonego lekarza. Albowiem swobodne kojarzenie w istocie wcale nie jest „swobodne". Wszystkie „przypadkowe" myśli, idee, obrazy, wspomnienia związane są jak ogniwa łańcucha z pozostałymi, wcześniejszymi i późniejszymi. Swobodna jest nie treść, lecz sam proces, jeśli nie zakłóca go pragnienie pacjenta, by dokonać wyboru spośród napływających myśli, i jeśli odbywał się bez poganiania, sugerowania lub wpływu lekarza.

„Dzięki temu procesowi – konkludował Zygmunt – możemy otrzymać prawdziwy, a nie wymyślony autoportret. Każde następstwo myśli jest w podświadomości faktem uporządkowanego postępu, nawet jeśli jest to ruch wsteczny. Nigdy nie jest ono przypadkowe i nie wolno uważać, że takie następstwo nie ma związku lub sensu. Proces ten umożliwia wypowiedzenie się podświadomości". Kiedy się śledzi kolejność najbardziej nawet nieskładnych i pozornie sprzecznych myśli, odkrywa się wewnętrzną strukturę psychiki.

Przy swobodnym kojarzeniu Zygmunt natrafił na zjawisko najdziwaczniejsze, które najtrudniej było mu zrozumieć: pacjenci zaczynali go traktować jak postać z ich własnej przeszłości! Kojarzyli swe myśli, uczucia i pragnienia z lekarzem, ponieważ ponownie odtwarzając stłumiony materiał, cofali się w czasie do lat dzieciństwa i od nowa przeżywali ten okres, niekiedy wyraźnie kochając się w lekarzu, niekiedy zaś wręcz go nienawidząc i buntując się przeciw niemu. Tracili całkowicie poczucie teraźniejszości. Odgrywali te same sceny, szukali tych samych przyjemności co wtedy, gdy byli małymi dziećmi, najczęściej jeszcze w domu rodzicielskim. Nie zdarzało się to, gdy stosował hipnozę lub gdy uciskał skronie pacjentów. Przekonał się, że tego rodzaju transferencja (tak właśnie nazwał owo zdumiewające zjawisko) jest nieuchronnym elementem wszelkiej fundamentalnej analizy. Stwierdził, że pacjent potrzebuje dość długiego czasu, by sobie uświadomić nierozsądność swego zachowania. Dla lekarza takie transferencje bywały bardzo kłopotliwe, szczególnie kiedy nie rozpoznawał w nich projekcji pacjenta. Możliwe było pewne złagodzenie objawów bez takich transferencji z przeszłości w czas obecny, uczuć miłości, nienawiści, lęków, obaw, agresji, nigdy jednak nie udało się bez nich osiągnąć całkowitego wyleczenia. Z chwilą gdy pacjent zdawał sobie sprawę z transferencji, był na dobrej drodze do zrozumienia zarówno zawartości swej podświadomości, jak też i metody jej funkcjonowania. Znalazłszy się na tym wyniosłym szczycie, mógł już zrozumieć samego siebie. I wtedy dopiero otwierała się przed doktorem Freudem szansa i okazja leczenia.

Poranna poczta nie była zbyt ciekawa. Czasami trafiał się list od pani Bernays lub od Minny z Wandsbek, jakaś kartka od jednego z jego braci przyrodnich w Anglii, głównie jednak składała się z czasopism medycznych, zawiadomień o zebraniach, rachunków. Czekał jednak z niecierpliwością na listonosza i pośpiesznie wertował korespondencję, w nadziei, że znajdzie się w niej list z berlińskim stemplem pocztowym. Założyli z Wilhelmem Fliessem „międzynarodowy bank pomysłów". Fliess pisał często i dużo. Listy, stanowiące właściwie pierwszy wariant jego prac medycznych, były prowokacyjne, niekiedy kłótliwe lub błahe, ale nigdy nudne. Zygmunt pisywał do niego codziennie, zazwyczaj około północy, podsumowując wszystkie wizyty, opisując nowe i odkrywcze materiały, stawiając śmiałe hipotezy, poprawiając dawne błędy. Donosił o triumfach umysłu nad niejasnościami materiału badawczego, jak też o swych porażkach w poznawaniu, rozumieniu i systematyzowaniu narastającej wiedzy.

Dwunastego marca Marta urodziła piąte dziecko, dziewczynkę, której dali na imię Zofia. Okres ciąży przeszedł gładko i Zygmunt stwierdził: „Zofia przyszła na ten przykry świat bez najmniejszej walki". Marta była zmęczona i blada. Spała dużo. Niemowlęciem zajęła się młoda niania najęta do pozostałej czwórki.

Przed upływem dwóch tygodni Marta z powrotem przejęła rządy w swym królestwie. Za jej zgodą Zygmunt wybrał się na kilka dni do Berlina.

4

Na Anhalter Bahnhof przybył późnym popołudniem. Wilhelm Fliess oczekiwał go z dorożką, którą jeździł zazwyczaj na wizyty do chorych i do szpitala. Przyjaciele serdecznie uścisnęli sobie dłonie. Nie widzieli się od wesela. Zygmunt z przyjemnością przyglądał się Wilhelmowi, jego olbrzymie czarne oczy płonęły jak rozżarzone węgle, gęsty czarny wąs osłaniał wargi tak czerwone jak znakowanie na szlakach Lasku Wiedeńskiego, policzki jaśniały młodzieńczym wigorem, a przecież – myślał sobie Zygmunt – jest ode mnie młodszy zaledwie o dwa i pół roku, a ja mam już trzydzieści cztery lata.

– To będzie nasz pierwszy prawdziwy kongres! – zawołał.

– Jest nas co prawda tylko dwóch – uśmiechnął się Wilhelm – ale wypuścimy na Berlin taki rój idei, że się ludzie nie pozbierają.

Kwietniowy wieczór był dość ciepły. Fliess kazał dorożkarzowi opuścić skórzaną budę.

– Przypomniałem sobie, że lubisz Berlin, Zygmuncie.

Jechali na zachód w kierunku Charlottenburga, jednego z licznych przedmieść Berlina. Zygmunt przyglądał się przechodniom. Mieli miny poważne, niemal ponure, nawet ci, którzy chodzili parami i rozmawiali ze sobą.

– Wiedeńczycy lubią się śmiać – zauważył – a berlińczycy są jakby zmrożeni. No, ale powiedz mi, jak się czuje Ida w nowej roli mieszkanki stolicy Niemiec.

– Jak na siedem miesięcy po ślubie, dokonała cudów. Ma już tylko niemieckich przyjaciół, niemieckie meble, nawet niemiecką kucharkę, która usmażenie sznycla wiedeńskiego uważa za czyn niepatriotyczny. Jedyne ustępstwo na rzecz Wiednia to to, że w naszym salonie nie ma portretów kajzera lub następcy tronu ani obrazów batalistycznych, przedstawiających wspaniałe zwycięstwa armii niemieckiej. Ida znalazła sobie towarzystwo, sześć młodych mężatek; spotykają się codziennie po południu, za każdym razem u innej w domu, na kawie i ciastkach, by wymienić najświeższe plotki.

Fliessowie zajmowali duże mieszkanie na najwyższym piętrze kamienicy przy Wichmannstrasse, z pięknym widokiem na Ogród Zoologiczny. Kiedy Zygmunt wszedł do salonu, Ida Fliess poprosiła, by usiadł na kanapie, honorowym miejscu w każdym berlińskim mieszkaniu. Patrząc na ciemne mahoniowe meble, Zygmunt wspominał czasy, kiedy chodził z Martą po ulicach Hamburga, oglądając wystawy w sklepach meblarskich i zadając sobie pytanie, czy kiedyś w życiu będą na tyle zamożni, by stać ich było na takie solidne, niezniszczalne meble.

Na kolację, którą podano o wpół do dziewiątej, zaproszono kilka znajomych małżeństw. W pokoju jadalnym bogato zastawiony stół przykryto pięknie haftowanym obrusem. Zygmunt ze zdziwieniem stwierdził, że przed każdym z gości stało pięć talerzy różnych rozmiarów i butelka wina. Tylko przed jego i Fliessa nakryciami nie postawiono wina. Wilhelm wyjaśnił mu szeptem, że rano czekają go dwie trudne operacje, chce więc być całkiem trzeźwy; pragnie też, by Zygmunt miał zupełnie jasny umysł, kiedy będzie się im przyglądał. Na najmniejszym talerzyku podano marynaty i słodkie pikle. W miarę jak ubywało wina w butelkach, rozmowy stawały się coraz żywsze.

Następnego ranka Wilhelm i Zygmunt stali przy małym stole w kącie jadalni. Raczyli się świeżymi bułeczkami i aromatyczną kawą, po czym ruszyli w długą drogę do centrum miasta wzdłuż Unter den Linden, mijając po drodze do szpitala gmachy uniwersytetu. W czasie śniadania i po drodze Wilhelm rozprawiał z ożywieniem. Oczy mu błyszczały, gdy poruszali fascynujące go sprawy. Z chwilą jednak kiedy dorożka zatrzymała się przed szpitalem, wysiadł z niej inny człowiek, który kroczył wyprostowany i poważny jak oficer w pełnej gali. Powitanie z personelem odbywało się zgodnie z ustalonym rytuałem i w ściśle przestrzeganej kolejności.

Zygmunt z podziwem przyglądał się delikatnym, lecz pewnym ruchom przyjaciela, kiedy operował pierwszego pacjenta. Lancetem przeciął kość dla swobodnego otwarcia zatoki, celem lepszego jej drenażu. Potem nastąpiła druga operacja. Podśluzówkowe wycięcie przegrody, zdarcie śluzówki i usunięcie chrząstki.

Po zabiegach Wilhelm starannie umył ręce, włożył popielaty żakiet, skinął głową asystentom i pielęgniarkom i wyprostowany, jakby połknął kij, zstępował po schodach, kłaniając się i odpowiadając na ukłony lekarzy i personelu administracyjnego. Zygmunt doszedł do wniosku, że byłoby rzeczą niewłaściwą naruszyć powagę chwili komplementami, chociaż szczerze podziwiał kunszt chirurgicznych wyczynów przyjaciela.

O jedenastej opuścili szpital. W powozie Wilhelm objął Zygmunta i śmiejąc się, zawołał:

– Nareszcie jesteśmy wolni! Teraz możemy otworzyć obrady naszego kongresu. Dorożka zawiezie nas do kolei podmiejskiej, którą najszybciej dostaniemy się do Grünewald... To jest berliński odpowiednik Lasku Wiedeńskiego, dwanaście tysięcy akrów zieleni, rzeki, jeziora i wspaniały królewski las. Znam tam każdą ścieżkę i każde drzewo. Restauracja, gdzie zjemy obiad, „Belitzhof", jest bardzo przyjemna, znajduje się nad Wannsee. Tylko wiedz, że czeka cię dziewięciokilometrowy spacer; kiedy potrzebny mi jest całodzienny odpoczynek, przebywam trasę długości piętnastu kilometrów. Co ty na to? Zrobisz dziewięć kilometrów przed obiadem? Mam ci wiele zdumiewających rzeczy do opowiedzenia.

Zygmunt pomyślał sobie, że właściwie ma do czynienia z dwoma różnymi ludźmi. Twarzy, którą okazuje jednemu światu, drugi nigdy nie ma prawa oglądać. To już Józef Pollak powiedział przed wielu laty, dając pacjentowi zastrzyk H_2O, by wyleczyć go z paraliżu nogi: „Wszyscy jesteśmy aktorami".

Dopiero kiedy znaleźli się w wielkiej ciszy lasku, Fliess zaczął mówić o swoich sprawach. Z trudem powstrzymywał się od tego od chwili powitania Zygmunta na dworcu.

– Po prostu nie zdajesz sobie sprawy, co to dla mnie znaczy, że tu jesteś. Koledzy uważają mnie za specjalistę od chorób nosa. – Chwycił Zygmunta za ramię. – Czy wiesz, na jakim tropie jestem dzięki moim badaniom nad cyklami miesiączkowymi? Na tropie rozwiązania problemu stosunku bez konieczności używania prezerwatyw.

– Masz na myśli bez zajścia w ciążę? – Zygmunt patrzył zdumiony na przyjaciela.

– O to właśnie chodzi! Próbowałem opracować formuły matematyczne oparte na dwudziestoośmiodniowym cyklu menstrualnym. Wiesz, co stwierdziłem? Że płodność kobiet zmienia się w ciągu miesięcznego cyklu. Z moich statystyk opartych na dziewięciu miesiącach ciąży zestawionych z faktyczną datą urodzin dziecka wynikają zupełnie zdumiewające rzeczy. – Był bardzo przejęty. Przystanął i głębokim głosem powiedział: – Słuchaj teraz uważnie, przyjacielu: są pewne możliwe do ustalenia okresy, kiedy u kobiety nie następuje owulacja jajeczka zapładnianego przez męskie nasienie. Gdy uda mi się ustalić dokładnie granice tych okresów, liczbę dni bezpośrednio przed i po menstruacji, wówczas małżeństwa będą miały do dyspozycji dni, kiedy mogą swobodnie odbyć stosunek bez obawy ciąży. Pomyśl tylko, nareszcie *coitus interruptus*, który jak to ty sam przecież twierdziłeś, jest przyczyną wielu nerwic, stanie się zbyteczny... Koniec z tymi uciążliwymi i niedającymi pewności prezerwatywami. Koniec ze wstrzemięźliwością, która kochającym się małżeństwom nie pozwala przez całe miesiące współżyć. A co najważniejsze, nie będzie już więcej na świecie dzieci niechcianych. Jeśli mi się uda, dokonam prawdziwej rewolucji. Czyż nie będzie to najpomyślniejsze odkrycie medyczne wszech czasów?

W głowie Zygmunta kłębiły się myśli jak strwożone ptaki.

– ...Zaskoczyłeś mnie... Ale czy jesteś pewny? Faktycznie czas trwania ciąży bywa bardzo różny. Tylko u nielicznych kobiet ciąża trwa dokładnie dwieście siedemdziesiąt dni. Rozumiem, do czego zmierzasz, to jest po prostu fantastyczne. Chcesz liczyć wstecz, od dnia połogu do dnia poczęcia, i zebrać dane, które wskażą nam dokładnie, kiedy w cyklu miesięcznym kobiety zachodzą w ciążę; i w przybliżeniu, kiedy nie mogą...

- Otóż to. Każda rodzina będzie prowadziła własny kalendarz. Z moich obecnych obliczeń wynika... oczywiście lata całe jeszcze miną, zanim opracujemy ścisłe formuły matematyczne... że małżeństwa będą miały dwanaście dni bezpiecznych w miesiącu.

- Ale co na to powie Kościół? Czy o tym pomyślałeś? Kościół przecież nie zgadza się na żadną formę kontroli urodzeń?

- A teraz dochodzimy do cudu. Rozmawiałem z wieloma moimi kolegami katolikami. Tak sobie, niewiążąco. Przyznali, że tego rodzaju kalendarz nie byłby równoznaczny z kontrolą urodzin w tym znaczeniu, w jakim jest nią używanie prezerwatyw, irygacje czy stosowanie ziół. Oni są zdania, że przestrzeganie terminów nie jest grzechem. I co ty na to, przyjacielu?

Zygmunt z niedowierzaniem kręcił głową.

- Wilhelmie, jeśli zdołasz tę hipotezę udowodnić matematycznie, to twój pomnik stanie w każdym mieście Europy.

- Matematyka jest największą z wszystkich nauk. Może wszystko udowodnić lub wszystkiemu zaprzeczyć. Za jej pomocą potrafię wykazać cykliczność każdej najdrobniejszej fazy ludzkiego życia. Czy przyszło ci kiedykolwiek na myśl, że mężczyźni również przechodzą regularne cykle? Dane, które zebrałem, wskazują na to, że ten cykl trwa dwadzieścia trzy dni. Być może cykl ten obejmuje nawet jakąś menstruację, nie chodzi o krew, lecz o to, co nazwałeś w swojej „zasadzie niezmienności" nadwyżką energii czy też elektrycznym prądem. Po jednym lub dwóch dniach wyładowania rozpoczyna się u mężczyzny całkiem nowy cykl, kiedy ponownie gromadzi on energię od punktu zerowego do szczytu, i to trwa dwadzieścia trzy dni. Czytałem dzienniki, zapiski, notatki wielkich pisarzy i artystów i jestem już całkiem pewny, że umysł ludzki jako siła twórcza nie zawsze funkcjonuje jednakowo, jeśli chodzi o energię, nie zawsze ma jednakowe osiągnięcia. Funkcjonuje cyklicznie. Gdybyś spróbował prowadzić systematycznie własny dziennik, przekonałbyś się, że uwidoczni on krzywą tego cyklu.

Zygmunt rozważał to wszystko w myślach, gdy siedzieli na tarasie „Pichelswerdera", popijając kawę i spoglądając na zatokę z mostem łączącym ląd z wyspą.

- Nie widziałem twego materiału dowodowego, ale mam pacjentkę z depresją maniakalną; u szczytu swego cyklu jest śliczna, dumna, niezwykle bystra i pełna pewności siebie. Potem, w ciągu następnych dni, zaczyna powoli jakby „przygasać". Znika pewność siebie, chora zamyka się w sobie, jej myśli tracą jasność, składność, plączą się... Kiedy osiąga najniższy punkt cyklu, ogarnia ją rozpaczliwy nastrój, całkowity rozstrój i zdradza tendencje samobójcze. Stale zbiera się jej na płacz, zadręcza siebie i najbliższych, zachowuje się agresywnie wobec ludzi, którym jeszcze przed kilkoma dniami ufała. Twarz jej wykrzywia się, staje się brzydka... A potem powoli następuje przeciwna faza cyklu: powraca energia, znikają przywidzenia, zmniejszają się lęki, zabiera się z powrotem do pracy, do swych obowiązków towarzyskich. Mniej więcej w połowie krzywej jest już całkiem opanowana, „funkcjonuje". Od tego punktu, przez ostatnią ćwiartkę cyklu, jest osobą kochającą, ufną. U szczytu następuje kilka dni euforii... po czym od nowa zaczyna się udręka – krzywa cyklu spada...

Fliess słuchał w wielkim skupieniu.

– Świetnie, znakomicie! – zawołał. – Toż to idealny patologiczny przypadek periodyczności. Jak długo trwał taki cykl?

– Z taką zaciętością szukałem przyczyny, że zapomniałem zanotować daty. Ale chyba od ośmiu do dziesięciu tygodni.

Powrócili nad rzekę Havel i jej brzegiem dotarli aż do Wieży Cesarza Wilhelma, na którą weszli, by obejrzeć panoramę Berlina i Poczdamu. Gdy znaleźli się wreszcie w restauracji „Belitzhof" nad jeziorem Wannsee, Zygmunt był zmęczony i głodny. Wilhelm zamówił obiad: pasztet, bulion z jajkiem, bałtycką rybę z algierskimi kartoflami. Zygmunt jadł z apetytem, ale Wilhelm nie tknął prawie niczego, tylko powoli popijał reńskie wino.

Po obiedzie usiedli na ławce, z której mogli podziwiać Wannsee. Wygrzewali się w słońcu. Wreszcie Zygmunt powiedział, że czas wracać. Fliess zerwał się odświeżony i odmłodzony.

– Jaką drogą pójdziemy na stację, krótką czy długą? Chciałbym ci jeszcze wyłożyć moją następną hipotezę. Mam już połowę rękopisu, ale drugą trzeba koniecznie przemyśleć. Uważaj, przyjacielu, bo teraz wkraczam na śliski grunt.

– „...złóż się, Makdufie! Niech potępiony będzie, kto się znuży. I pierwszy krzyknie: «Stój, nie mogę dłużej»"* – zacytował Zygmunt. – Mam przy sobie niebieski ołówek i zakreślę natychmiast miejsca, które trzeba będzie wygładzić.

Fliess uśmiechał się, ale był wyraźnie zniecierpliwiony. Umiał słuchać i umiał rozmawiać, ale jednego z drugim nie potrafił łączyć.

– Wkraczam w twoją dziedzinę. Tytuł: *Nerwice pochodne od chorób nosa*. Opowiadałeś mi w swoim czasie o dziewczynce, u której histeria przybrała formę comiesięcznych krwotoków z nosa. To zrozumiałe, istnieje bowiem niewątpliwy związek między błoną śluzową nosa i macicy. Czy wiedziałeś, że w nosie jest tkanka jamista? Stwierdziłem to sam u moich pacjentów. Błona śluzowa nosa obrzmiewa podczas stosunku wraz z seksualnym podnieceniem i w czasie menstruacji. Co więcej, miesięczny cykl zarówno u mężczyzny, jak

---

* Przekład Józefa Paszkowskiego.

i u kobiety wiąże się z błoną śluzową. Z twego punktu widzenia jeszcze ważniejsze jest to, że wszystkie podrażnienia nosa są odbiciem symptomów nerwicowych, a w szczególności seksualnych zahamowań lub odchyleń. Wewnątrz każdego nosa znajduje się tak zwane miejsce płciowe. Udawało mi się zmniejszyć bóle menstruacyjne, lecząc nos; można również doprowadzić do poronienia przez znieczulenie nosa za pomocą kokainy, której właściwości ty przecież odkryłeś. Posłuchaj, nos to ośrodek twarzy ludzkiej, a zatem i ludzkiego wszechświata. Dziwisz się? Dobrze, dowiodę, że zmiany cykliczne w błonie śluzowej nosa odpowiadają zmianom w błonie śluzowej pochwy...

5

Następnego ranka po śniadaniu wybrali się na spacer po dzielnicy Tiergarten, niedaleko od mieszkania Fliessa, najelegantszej dzielnicy Berlina, zabudowanej rzadko stojącymi willami w ogrodach. Wilhelm mówił, że tu chciałby mieszkać ze swoją rodziną. Była godzina ósma rano i dzwony kilkunastu kościołów wzywały wiernych na nabożeństwa. Mieli przed sobą sześć godzin, zanim o drugiej familijna dorożka przywiezie Idę na obiad do najpopularniejszej restauracji Berlina, „Krolla" na Königsplatz, naprzeciw niedokończonego jeszcze gmachu Reichstagu. Teraz Zygmunt z kolei miał wyłożyć swoje myśli.

– Zaczynaj. Zamieniam się w słuch.

Zygmunt się roześmiał. Entuzjazm Wilhelma był zaraźliwy.

– Mój drogi, czytałeś już wersję A i B mojej pracy *Nerwica lękowa*, nie mam więc dla ciebie takich niespodzianek jak te, które ty mi zgotowałeś wczoraj, ale zrobiłem duże postępy, wiele problemów przemyślałem od ostatniego listu.

– Wyłóż więc swoje teorie...

– Co to jest nerwica lękowa? Jest to kliniczna całość, którą charakteryzuje ogólne rozdrażnienie, niepokój, niesprecyzowany lęk, napadowe kołatanie serca, trudności oddechowe, zawroty głowy, poty nocne, drżenie i dreszcze, biegunka...

Ze swego doświadczenia lekarskiego wiedział, że źródłem lęku jest jakiś czynnik fizyczny w życiu seksualnym. Stwierdził to zarówno u dziewic uświadomionych bez odpowiedniego przygotowania lub w niestosownych okolicznościach, jak i u chłopców, dla których erekcja była faktem niezrozumiałym. Lęki takie występowały również u ludzi świadomie powstrzymujących się od życia płciowego; u takich, których napawało strachem wszystko, co miało cokolwiek wspólnego ze sprawami seksualnymi, i którzy swe lęki przetwarzali w niewzbudzające zastrzeżeń fobie, na przykład w przesadne zamiłowanie do czystości. Stwierdzał je u kobiet zaniedbywanych przez mężów, u mężczyzn cierpiących na przedwczesny wytrysk, niebędących w stanie powstrzymać orgazmu do właściwej chwili. Stwierdzał te lęki u mężów żywiących niechęć do swych żon, u mężczyzn czujących wstręt do genitalii kobiecych, u ludzi uważających, że nie jest im potrzebny stosunek płciowy, bo wystarcza im całkowicie miłość duchowa.

– Powracając do „zasady niezmienności" – ciągnął Zygmunt – twierdzę, że każdy osobnik ma swój własny próg. W normalnych okolicznościach napięcie seksualne prowadzi do podniecenia psychicznego i z kolei do stosunku. Kiedy jednak do tego stosunku nie dochodzi lub kiedy jest on przez psychikę odrzucony, następuje transformacja i pewne niedomaganie w psychicznym *libido*: mamy wtedy do czynienia z nagromadzeniem fizycznego napięcia seksualnego i nerwicą lękową. Moi pacjenci wyznali, że z chwilą pojawienia się stanów lękowych znika pożądanie seksualne. Zaczyna się zadyszka, uczucie ucisku w głowie, podrażnienie rdzenia, obstrukcja, drażliwość. Kobiety cierpią na tego rodzaju niepokoje, które każą im się dopatrywać zapalenia płuc w zwyczajnym przeziębieniu dziecka lub męża. Każdy lekarz ma mnóstwo takich przykładów na podoręrędziu: mdłości, zawroty głowy, trudności z chodzeniem, omdlenia, stała potrzeba oddawania moczu, wilczy apetyt. Oprócz tego istnieją jeszcze fobie i obsesje: obawa przed wężami, piorunami, ciemnością, robactwem oraz poczucie niepewności paraliżujące zaufanie do własnego myślenia.

Zetknąłem się już ze znaczną liczbą podobnych przypadków i czytałem ich historie w pięciu językach. Oczywiście wiele chorób ma przyczyny czysto somatyczne; roi się od nich w szpitalach. Ale teraz skłonny jestem twierdzić, że znaczna ich liczba wywołana jest czynnikami psychicznymi. Jeśli udałoby się nam znaleźć sposób leczenia endemicznych frustracji związanych z seksualną naturą człowieka, wówczas zmniejszylibyśmy liczbę chorób psychicznych i przynieślibyśmy również ulgę niedomagającym fizycznie.

Dotarli do Neuer See. Wilhelm powiedział mu, że w zimie chodzą tu z Idą na ślizgawkę.

– Wyleczenie musi poprzedzać rozpoznanie. Pacjent wyleczony może prowadzić względnie normalne życie. Źródłem chorób jest przede wszystkim współczesne społeczeństwo. Ponieważ oszukuje się i okłamuje, ponieważ uważa za coś brudnego i występnego jedną z najbardziej naturalnych i podstawowych funkcji istoty ludzkiej. Nie spotyka się dolegliwości neurotycznych wśród ludzi prowadzących normalne i regularne życie seksualne.

355

– To prawda – przerwał mu Wilhelm. – Jakie jednak proponujesz wyjście do czasu, kiedy uda się zreformować współczesne społeczeństwo i uwolnić funkcje seksualne z kajdan, w które zakuto je w „Wieży Szaleńców"?

Przecięli szeroką aleję do jazdy konnej, wysadzaną po obu stronach drzewami, splątane konary tworzyły nad głowami dach jak w altanie. Wystrojeni jeźdźcy cwałowali, siedząc ze sztywną elegancją na swych rumakach.

– Przez odkrycie normalności w nienormalności. Przez dogłębne, całkowite poznanie funkcjonowania podświadomości i tego, jak panuje ona nad jednostką, przez stworzenie wiedzy o niej i naukowego sposobu jej rozpoznawania, by człowiek, który zrozumiał, czego wzbrania mu cenzor w podświadomości, mógł się uwolnić od okrutnej niewoli. W jaki sposób można zapobiec zaburzeniom seksualnym? Idealnym wyjściem byłaby swoboda pożycia seksualnego, na co jednak można by sobie pozwolić tylko wtedy, gdyby istniały nieszkodliwe metody zapobiegawcze. Twoja metoda, Wilhelmie, mogłaby się stać czynnikiem wyzwalającym. Jeśli społeczeństwo nasze nie wytworzy sobie zdrowego stosunku do spraw seksualnych, to padnie ofiarą coraz bardziej rozprzestrzeniających się nerwic, które będą zmniejszały radość życia, zrujnują stosunki między mężczyznami i kobietami i ściągną dziedziczne klęski na głowy przyszłych pokoleń.

Brzegiem Szprewy doszli do żółtej fasady pałacu Bellevue, ozdobionej rzędem posągów. W parku za pałacem ławki zajęte były przez gwardzistów obejmujących panny służące.

– A mówiłem ci, mój drogi, że przed lekarzem stoją problemy, którym warto poświęcić całe życie.

Zygmunt wrócił do Wiednia wypoczęty, ze świeżą energią do pracy. Marta i córeczka czuły się tak znakomicie, że trzeba to było w jakiś sposób uczcić. Zabrał Martę na balet *W osiemdziesiąt dni dookoła świata* w Volkstheater w Praterze, a potem zjedli kolację w restauracji Eisvogla. Opowiadał jej o Fliessach, o tym, jak mieszkają w Berlinie, ale nie wspomniał o teoriach Wilhelma. Opisał natomiast „podwójną osobowość" swego przyjaciela. Marta była zdumiona, nie rozumiała, dlaczego ciesząc się tak wielkim autorytetem zawodowym, musiał udawać przed kolegami.

– To nie jest udawanie, moja droga. To tylko maska, jedna z tych masek, które wszyscy ludzie nakładają. „Wszyscy mamy przywidzenia", powiedział przecież Bernheim. Ale skoro już mowa o podwójnym życiu, co byś powiedziała na to, żebyśmy na lato wynajęli w Reichenau ten sam dom co w zeszłym roku? Do miasta nie potrzebuję jeździć częściej niż trzy dni w tygodniu. A na wsi będę rano pracował, a po południu chodził na długie spacery po lesie, zbierał grzyby...

– Ach, Zygmuncie, to byłoby cudowne. – Marta obejrzała się i ukradkiem pocałowała go w policzek. – Chciałabym wyjechać jak najwcześniej, w czerwcu, i wrócić późno, w październiku. Dzieciom znakomicie zrobi to, że będziesz z nimi.

Wszelkie wysiłki zobaczenia się z Breuerem spełzały na niczym. Józef był u szczytu powodzenia, wzywano go nieustannie do wszystkich stolic europejskich na konsultacje w pilnych przypadkach. Nie miał po prostu czasu na rozmowę z Zygmuntem o zamierzonej książce o histeriach. Zygmunt nie mógł więc ruszyć z miejsca. W czerwcu znalazł w numerze francuskiego czasopisma medycznego artykuł doktora Pierre'a Janeta, zajmującego poważne stanowisko w Salpêtrière. Janet nie szczędził pochwał *Wstępnym uwagom,* które uznał za potwierdzenie swych własnych badań i wniosków.

Zygmunt zaczaił się w bibliotece Józefa, by go wreszcie dopaść. Zdziwił się, że Breuer cieszy się jak dziecko z pochwał Janeta.

– Cudownie! Pierre Janet zapowiada się na najlepszego neurologa Francji. Jego poparcie może mieć decydujące znaczenie w dyskusji nad tak kontrowersyjnymi problemami jak te, którymi my się zajmujemy.

Zygmunt uśmiechnął się, słysząc, że Józef mówi „my". Dwukrotnie już po wydrukowaniu ich dzieła Breuer mówił o nim: „twoja praca".

– Skoro więc mamy potwierdzenie, że jesteśmy na właściwym tropie, czy nie należałoby przyśpieszyć pracy nad książką? Środowisko lekarskie możemy przekonać, jedynie przedstawiając historie chorób; one dowodzą prawdziwości naszych teorii.

– Masz rację. Uważam, że nadszedł właściwy czas. Czy nie opisałbyś głównych przypadków, którymi się zajmowaliśmy? Pokażesz mi to i zobaczymy, jak to wygląda. Pamiętaj, najważniejsze to dyskrecja; musimy chronić naszych pacjentów. Za nic nie pozwolę, by ktokolwiek domyślił się, że Anna O. to w rzeczywistości Berta Pappenheim...

W sierpniu zmarł niespodziewanie profesor Charcot. Zygmunt zamieścił serdeczne wspomnienie w „Wiener medizinische Zeitschrift", które zostało bardzo życzliwie przyjęte w niemieckich i francuskich kołach lekarskich.

W lasach wokół Reichenau panował orzeźwiający chłód. Zygmunt uczył dzieci rozróżniać grzyby, wynajdować przemyślne kryjówki. Wieczorem po kolacji czytał im baśnie Andersena lub braci Grimmów i codziennie odmawiał z nimi pacierz, który dzielnie starał się powtarzać nawet piętnastomiesięczny Ernest:

Już jestem zmęczony, już kładę się spać
I oczy moje zamykam.
Strzeż mnie więc, Ojcze, w moim śnie
I wszystkich moich bliskich.
I nad wszystkimi,
Dużymi i małymi,
Niech oko Twoje czuwa.

W mieście przebywał tylko tyle, ile tego wymagała praca na oddziale neurologicznym Instytutu Kassowitza. Nie miał pacjentów prywatnych w te upalne miesiące. Tę doroczną przerwę w praktyce powitał ironicznym uśmiechem. „Góry, lasy i jeziora przynoszą im w czasie tych upałów większą ulgę niż moje porady". Zawsze jednak były chore dzieci i zapłakane matki. Kierowali je do Zygmunta inni lekarze i Allgemeines Krankenhaus. Dumny był, że jest dobrym neurologiem dziecięcym, ale martwił się, że medycyna tak niewiele może tym nieszczęsnym istotom pomóc.

6

Wrócili z Reichenau w pierwszych chłodnych dniach października. Na Zygmunta czekali już liczni pacjenci. Między innymi młody żonaty mężczyzna skarżący się na niemal całkowity brak pociągu płciowego i na zapalenie jelita grubego, młoda żona tak bardzo obawiająca się dziecka, że z zapadnięciem zmroku dostawała histerycznych lęków, trzydziestodwuletnia kobieta, która sama nie odważała się wejść do sklepu. Tej ostatniej zdarzył się taki oto wypadek. Przed kilkoma miesiącami wstąpiła do jakiegoś magazynu i odniosła wrażenie, że dwóch sprzedawców wyśmiewa się z jej stroju. Wybiegła przerażona. Zygmunt jednak wiedział, że była ubrana nie tylko dobrze, lecz wręcz wytwornie. U podstaw przywidzenia musiało leżeć jakieś inne, bardziej przykre wspomnienie. Udało mu się wydobyć z pacjentki wspomnienia z dzieciństwa. Kiedy miała osiem lat i weszła sama do sklepu ze słodyczami, właściciel próbował przez sukienkę dotknąć jej genitaliów. Uciekła przestraszona, ale po tygodniu wróciła. Właściciel uznał jej pojawienie się za przyzwolenie i tym razem znacznie dłużej ją pieścił. Stłumione wspomnienie wyłoniło się obecnie jako ostry lęk. Co spowodowało lęk? Co spowodowało zaburzenia? Czy tylko sam incydent? Po wielu rozmowach przyznała, że trapi ją fakt, iż przyszła do sklepu po raz drugi, poczucie winy, że właściwie pragnęła powtórzenia pieszczot. Dlatego właśnie bała się teraz sama wchodzić do sklepów: obawiała się, że obudzi się w niej to występne pragnienie. U źródła lęków było poczucie winy i obawa przed nimi.

Kolega uniwersytecki przysłał mu studenta, który zgwałcił swą siostrę, zamordował kuzyna, podpalił dom rodzinny. Wystarczyło pobieżne badanie, by Zygmunt zorientował się, że kuzyn żyje i cieszy się zdrowiem, dom rodzinny jest cały, a siostrze nie została wyrządzona żadna krzywda. Próbował więc zrozumieć, jak naprawdę wygląda sytuacja, która wywoływała tak straszliwe poczucie winy. Okazało się, że student jest nałogowym onanistą. Dlaczego więc przejął się mniejszym grzechem do tego stopnia, że wolał publicznie przyznać się do kazirodztwa i morderstwa? Zygmunt nie umiał znaleźć odpowiedzi, ale zdawało mu się, że ma lekarstwo:

– Jedynym wyjściem są normalne stosunki płciowe. Musi pan sobie znaleźć jakąś kobietę, nawet jeśli to będzie kosztowało. Wiem, że się u pana nie przelewa, ale lepiej oszczędzić na jedzeniu, stracić na wadze, a zachować zdrowe zmysły.

Do Fliessa pisał: „Moje metody robią wielkie wrażenie na pacjentach. W końcu nabierają do nich przekonania, ale stale słyszę, że pierwszy raz w życiu pytano ich o takie sprawy".

Większość lekarzy wiedziała albo przynajmniej podejrzewała, że ich pacjenci mają kłopoty natury seksualnej. Ale ten temat był tabu: prywatny docent doktor Zygmunt Freud był pierwszym, który próbował rozjaśnić te mroki. Sukcesy swe zawdzięczał w niemałej mierze dyskretnemu gabinetowi na parterze, do którego nie wprowadzała pokojówka, w którym nie groziło spotkanie z innymi pacjentami. Akademicka, niemal klasztorna surowość pokoju przyjęć ułatwiała sięganie do najdawniejszych, głęboko ukrytych wspomnień. Sam lekarz miał właściwe dla tego rodzaju konfesjonału usposobienie: poważny, skrupulatny, współczujący i równocześnie zachowujący dystans, był człowiekiem statecznym, głową rodziny, miał niezachwiane zasady i do najbardziej osobistych tajemnic odnosił się z naukowym obiektywizmem. Przyjmował zawsze w urzędowym lekarskim stroju: w czarnym surducie z kamizelką, w białej koszuli i starannie zawiązanym czarnym krawacie. Siwiejące już włosy i broda, spoglądające spokojnie ciemne oczy – wszystko to wytwarzało atmosferę zaufania do stosowanych przez niego metod i motywów, którymi się kierował.

Od Eliego Bernaysa z Nowego Jorku przyszedł długi list. Eli urządził się, robił interesy i pieniądze. Załączył czek dla siostry Zygmunta, Pauli, która miała przywieźć jego dwie córki do Ameryki. Czek wystarczył nie tylko na bilety, ale też nową garderobę dla dzieci i ich opiekunki. Pauli przyszła na kolację z ośmioletnią Judytą Bernays. Chciała porozmawiać z bratem. Zygmunt wprowadził ją do swego gabinetu.

– Chciałabym zostać już na zawsze w Nowym Jorku. Ale wolałabym nie mówić o tym rodzicom, póki nie otrzymam twojej zgody.

Zygmunt uważnie przypatrywał się swej siostrze. Nie była ładna, ale zgrabna i sympatyczna. Wkrótce skończy trzydzieści lat. Wciąż jeszcze była panną.

– Czujesz się nieszczęśliwa, Pauli?

– Nie, nie jestem nieszczęśliwa. – Mówiła spokojnie. – Tylko... jakbym wciąż jeszcze czegoś nie osiągnęła. Już dawno powinnam była wyjść za mąż, mieć kilkoro dzieci. Ale po prostu nie nadarzyła się żadna okazja. Co innego Róża, ona ma wielu adoratorów i może wyjść za mąż, kiedy tylko zechce. Mnie jednak Wiedeń jakby nie zauważał.

– Tym gorzej dla Wiednia.

– Nie chcę być starą panną. – Pauli wzruszyła ramionami. – Eli mi pisze, że do Nowego Jorku ściągają samotni młodzi mężczyźni z całego świata i natychmiast zaczynają się oglądać za żonami. Chciałabym spróbować szczęścia.

– Zostań więc tam tak długo, jak zechcesz. – Zygmunt położył rękę na ramieniu siostry. – Będę ci przysyłał pieniądze na drobne wydatki, staniesz się więc całkowicie niezależna.

– I powiesz mamie i tatusiowi? – Ucałowała go.

– Powiem. Ale nie od razu. Zacznę ich stopniowo przygotowywać po twoim wyjeździe. W ten sposób w każdej chwili będziesz mogła wrócić. A jeśli wyjdziesz za mąż, to pozostanie w Nowym Jorku będzie już całkiem naturalną rzeczą.

Wkrótce zebrał pełną dokumentację stu przypadków nerwicy lękowej. Nie wszystkie udało mu się całkowicie wyjaśnić; niekiedy zwracał się do niego o poradę pacjent cierpiący na kilka różnych chorób równocześnie, w żadnej jednak nie można było się doszukać jakiegoś tła seksualnego. Uczciwie włączył również i te przypadki, chociaż osłabiały wymowę jego hipotezy. Tylko jeden przypadek stanowił nieprzezwyciężalną przeszkodę. Chodziło o mężczyznę liczącego czterdzieści dwa lata, mającego troje dzieci w siedemnastym, szesnastym i trzynastym roku życia. Pacjent przez dziesięć lat znosił dobrze *coitus interruptus*, kiedy jednak przed sześciu laty zmarł jego ojciec, dostał tak silnego ataku nerwicy lękowej, że uwierzył, iż ma raka języka, chore serce, agorafobię i dyspepsję. Powtarzał bez przerwy: „Po śmierci mego ojca uświadomiłem sobie, że przyszła kolej na mnie. Teraz ja jestem ojcem. Nie jestem już synem i wkrótce moi synowie będą nosić po mnie żałobę. Póki żył mój ojciec, nigdy nie myślałem o śmierci, a teraz myślę o niej bez przerwy. Nieustannie".

– Każdy człowiek musi umrzeć – tłumaczył mu Zygmunt. – Jest to najtrudniejszy problem, z którym ludzkość się boryka od najdawniejszych czasów. Nawet w naszym cywilizowanym świecie lęk przed śmiercią jest najpowszechniejszym uczuciem. Strach przed śmiercią to rzecz zupełnie normalna. Nienormalny natomiast jest pański strach przed rakiem i chorobą serca. Potwierdzają to wyniki badań specjalistów, do których pana skierowałem. Jest pan zupełnie zdrowy. Uważam, że ma pan przed sobą wiele lat życia. Czy pan słyszał o hipochondrii?

Nie potrafiłby powiedzieć, czy poszczególne kategorie przypadków pojawiały się u niego cyklicznie, czy też nowe na nie spojrzenie pozwalało mu dobrze diagnozować chorobę i samych pacjentów poznawać znacznie lepiej, niż mu się to udawało dawniej. Jeszcze kilka miesięcy temu uważałby swe obecne koncepcje za barbarzyńskie domysły. W miarę jak odkopywał kolejne warstwy podświadomości niby kolejne Troje, otrzymywał jakby coraz bardziej szczegółową dokumentację szczątków wcześniejszych cywilizacji. Zgodnie z nakazami profesora Charcota stawał się jasnowidzem. Liczba pacjentów z nerwicami dochodziła teraz do ośmiu dziennie. Każdemu poświęcał co najmniej godzinę, a jeszcze musiał pozostawiać dość czasu między wizytami, by chory mógł opuścić gabinet, nie spotykając się z następnym pacjentem. Udało mu się nakłonić dwóch kolegów, by przejęli od niego część obowiązków w Instytucie Kassowitza.

Nowe odkrycie nazwał n e u r o p s y c h o z ą   o b r o n n ą. Zaliczył ją do histerii nabytych. Z przypadków, które badał, wywnioskował, że tego rodzaju „obrona" powstawała, gdy w życiu psychicznym pacjenta zachodziło coś, co było niezgodne z resztą jego *ego*. To, co określił jako akt obronny, stanowiło wymazanie myśli niemiłej i nieznośnej. *Ego* w swej postawie obronnej po prostu określało tę myśl jako nieistniejącą, wysiłek zaś pacjenta, by przekształcić silnie niepokojące myśli w lekki niepokój, nieprzeszkadzający mu zbytnio, był w istocie próbą odebrania nośności jakiejś szkodliwej idei, pozbawieniem jej ładunku emocji lub energii. W świetle „zasady niezmienności" ta energia nerwowa, to podniecenie psychiczne odebrane idei niepożądanej musiało gdzieś się wyładować przez inną koncepcję i inny kanał.

Histerycy wykorzystywali proces, który Zygmunt określił teraz jako p r z e k s z t a ł c e n i e. Przekształcali swe podniecenie w ataki somatyczne. W przypadkach tych pacjentów, zarówno kobiet, jak i mężczyzn, idea stłumiona nie została „odepchnięta", jak o tym zapewniały go często pacjentki, lecz przybierała inną formę. Odrzuconą ideę zastępowała inna, która nie była niezgodna z ich *ego*. W ten właśnie sposób powstawały fobie i obsesje. Pacjent nigdy nie zdawał sobie sprawy, że obsesja lub fobia jest substytutem pierwotnej idei, z którą nie chciał się pogodzić i która skryła się w podświadomości, i nie rozumiał, że dopóki będzie ona zachowywała swą żywotność, dopóty materiał niepożądany, leżący u źródła, nie zostanie zlikwidowany lub rozproszony.

Raz jeszcze stwierdził, że podobnie jak w przypadkach nerwicy lękowej, idea pierwiastkowa, stłumiona i przekształcona w fobię lub obsesję, niemal z reguły ma tło seksualne. Wynikało to niezbicie z przypadków, którymi właśnie się zajmował.

Dwudziestoletnia kobieta cierpiała na dziwne zaburzenia: każde przestępstwo, o jakim czytała w porannej gazecie, przypisywała potem w ciągu dnia sobie. Jeśli w Praterze dokonano zabójstwa, to ona była morderczynią, która przebiła nożem ofiarę. Jeśli zdarzyła się kradzież w sklepie, to ona była złodziejką, która skradła klejnoty. Jeśli ktoś podpalił dom, ona była podpalaczką. Odczuwała przymus moralny, musiała przyznawać się do popełnionych przez kogo innego czynów. Kiedy dowodzono jej, że nie mogła tych przestępstw dokonać, bo kilkanaście osób zaświadczało, że o tej porze była w domu, ustępowała, ale następnego ranka wszystko zaczynało się od nowa.

Zygmunt łagodnie dotknął czoła młodej kobiety i kazał jej się skoncentrować na wydarzeniu lub osobie, które w danej chwili przychodzą jej na myśl. Trudno było nawiązać kontakt z chorą, lecz rodzina się domagała, żeby kontynuował leczenie. Zygmunt ponawiał więc próby przez kilka tygodni, aż wreszcie pacjentka wydusiła z siebie, że jakaś niewiele starsza od niej niewiasta namówiła ją do samogwałtu. Praktyki te trwały dość długo i nasilały się, aż kiedyś, gdy obie wróciły późno z jakiegoś balu, samogwałt przybrał tak drastyczne formy, że wywołało to u pacjentki głęboki niepokój. Uważała swe postępowanie za grzeszne i niemoralne, nie mogła się jednak zdobyć na wyznanie komukolwiek swego grzechu. Broniąc się przed tym, zastąpiła poczucie winy innymi wyrzutami. Dzięki temu mogła teraz codziennie przyznawać się do złego postępowania, rozładowując napięcie psychiczne przez stawianie sobie fałszywych zarzutów.

Niemal identycznie przedstawiał się przypadek młodej kobiety wychowanej bardzo rygorystycznie i pruderyjnie. Uwierzyła, że wszystko, co ma związek z seksem, jest brudne i „złe". Postanowiła więc, że nigdy nie wyjdzie za mąż. Jej fobia przybrała formę lęku przed sytuacją, w której poczuje potrzebę oddania moczu i nie zdoła się powstrzymać, zanim dojdzie do toalety. Lęk był tak silny, że od roku nie wychodziła po zakupy, do teatru czy z wizytą. Czuła się bezpieczna tylko u siebie w domu, w bezpośredniej bliskości ustępu.

Zygmunt skierował ją do urologa, który nie stwierdził żadnych dolegliwości pęcherza, nerek, przewodu moczowego lub macicy. Doszedł więc do wniosku, że jej lęki były obroną przed myślą lub przeżyciem znacznie dla niej przykrzejszym. Jak jednak do tej myśli dotrzeć? Całe tygodnie codziennego swobodnego kojarzenia nie dawały żadnego wyniku. Nie pomagało uciskanie skroni. Pacjentka uparcie twierdziła, że woli się zabić, niż rozmawiać na tak straszne dla niej tematy.

Cierpliwość doktora Freuda została jednak wynagrodzona. Wreszcie z opornych ust kobiety wyrwały się słowa prawdy. Była na jakimś koncercie i zobaczyła w pobliżu pewnego mężczyznę, który się jej podobał i mimo woli ją podniecił. Zaczęła w marzeniach roić, że jest jego żoną. W pewnej chwili odczuła silne podniecenie seksualne i nieodpartą potrzebę oddania moczu. Musiała przepychać się niezgrabnie do wyjścia, depcząc ludziom po nogach, i kiedy w ostatniej chwili wpadła do toalety, stwierdziła, że ma trochę wilgotne majtki. W ciągu następnych dni ogarniało ją uczucie winy graniczące z obrzydzeniem. Nadal jednak powracały przedziwne marzenia związane z owym mężczyzną, a niekiedy i z innymi, którzy się jej podobali, powodując niezmiennie potrzebę oddania moczu.

Przed lekarzem stały trzy zadania. Po pierwsze, zidentyfikowanie psychicznej potrzeby „oddawania moczu"; po drugie, powiązanie tego objawu ze zdrowym seksualizmem pacjentki; po trzecie wreszcie, przekonanie młodej niewiasty, że jej kłopotom winni są ci, którzy nastawili ją tak negatywnie do fizycznej strony miłości. Trzeba jej było wytłumaczyć, że stosunki płciowe między dwojgiem ludzi, którzy wzajemnie siebie pożądają, szczególnie w spokojnej i emocjonalnie korzystnej atmosferze małżeństwa, są aktem twórczym, pełnym znaczenia i zapewniającym trwałe zadowolenie.

Był to trudny proces. Przypominał krople wody drążące warstwy skamielin, które trzeba było rozpuszczać często powtarzanym słowem, frazą, zdaniem, logicznym rozumowaniem. Zygmunt musiał łączyć nieludzką zaiste cierpliwość z powagą i łagodnością nauczyciela, by przekonać pacjentkę, że jego filozofia jest słuszna, właściwa i praktyczna. Potem pacjentka poznała młodego człowieka, który się spodobał zarówno jej samej, jak i jej rodzinie. Zaczęły się przygotowania do ślubu... i młoda kobieta, promiennie uśmiechnięta, oznajmiła mu, że jest wyleczona.

Inaczej miała się sprawa z kobietą od pięciu lat zamężną, matką dziecka, „szczęśliwą mężatką, panie doktorze, co wszyscy mogą potwierdzić". Od osiemnastu miesięcy nie mogła się opędzić chęci wyskoczenia z okna. Impuls nabrał takiej siły, że trzeba było zabezpieczyć wszystkie okna i drzwi na balkon. Gdy tylko wchodziła do kuchni i wzrok jej padał na ostry nóż, w głowie jej rodziła się obawa, że przebije tym nożem swe dziecko.

Zadręczała się myślą, że popełni samobójstwo i osieroci dziecko albo że je wręcz zamorduje.

– Panie doktorze, co się ze mną dzieje? – pytała zrozpaczona.

– Odpowiedzi musi pani szukać w czymś, co panią unieszczęśliwia. Nie zdarza się na ogół, by młoda osoba chciała wyskoczyć z okna albo zabić swe dziecko.

– Ależ, panie doktorze, nie mam żadnego powodu, by czuć się nieszczęśliwa.

– Jako lekarz pozwalam sobie wyrazić przypuszczenie, że nie jest pani szczęśliwa w małżeństwie. Porozmawiajmy szczerze. Proszę mi powiedzieć, pod jakim względem pani małżeństwo jest nieudane i co tak bardzo pani dolega, że chce pani zniszczyć zarówno siebie, jak i owoc tego związku. Proszę, może się pani położy tu, na kozetce, i powie mi dokładnie, jakie myśli przychodzą pani do głowy. Proszę starać się nie cenzurować ani swoich myśli, ani wyobrażeń.

Po długim milczeniu pani Oehler powiedziała szeptem:

– Mam uczucie... jakby jakiś przedmiot... siłą wpychano mi pod spódnicę...

– Pani oczywiście wie, co to za przedmiot?

– ...tak.

Młoda kobieta wybuchnęła płaczem.

– Nie mam prawie nigdy stosunku z moim mężem! – zawołała. – On po prostu tego nie chce. Próbował kilka razy, ale mu nie wychodzi. To już trwa od trzech lat, od chwili przyjścia na świat dziecka. Ale co z tym mają wspólnego moje myśli samobójcze? Nie jestem osobą zmysłową i wcale nie odczuwam braku tego stosunku.

– A czy nie miewa pani nigdy fantazji erotycznych, w których widzi pani siebie z jakimś innym mężczyzną, z kimś, kogo pani bardzo szanuje?

– ...tak... miewam erotyczne myśli... właśnie wtedy, kiedy czuję, że coś toruje sobie drogę pod spódnicę. Tak strasznie się tego wstydzę, że chciałabym jakoś siebie ukarać, chciałabym umrzeć...

– Droga pani, uczciwość wymaga, żebym powiedział pani, że sprawa jest poważna. Zdaję sobie sprawę, że rozwód nie wchodzi w rachubę ze względów religijnych. Musi pani jednak znaleźć sposób, by skłonić męża do pożycia częstszego i bardziej udanego. Niestety, w tym nie mogę pani pomóc. Mogę natomiast i muszę umożliwić pani pozbycie się obsesji samobójczych i morderczych. Umysł pani zastąpił tymi obsesjami to, co pani uważa za większy grzech, czyli darzenie uczuciami erotycznymi obcych mężczyzn. Proszę się nie łudzić, że nie odczuwa pani braku pożycia małżeńskiego. Patrząc prawdzie w oczy, przyzna pani, że jej potrzeby seksualne są silne i niezaspokojone, a gdy pani zrozumie, że to żaden grzech czy występek, wówczas wyzbędzie się pani obsesji, które zagrażają zdrowiu psychicznemu.

– Zdaje mi się, że rozumiem... przynajmniej częściowo. Mówi pan, że nie powinnam uważać się za kobietę upadłą, kiedy czuję pociąg fizyczny do innych mężczyzn; że nie powinno mnie gnębić z tego powodu poczucie winy, nie powinnam pragnąć kary, chcieć wyskoczyć z okna, zabić mojego dziecka... Trzeba, żebym uświadomiła sobie, że pożądanie to rzecz zupełnie normalna, i żebym pomogła memu mężowi, by mnie znów kochał.

– Tak, o to właśnie mi chodzi. Uświadomienie sobie tych myśli i utrzymanie ich w karbach zależy już wyłącznie od pani samej...

Leczenie innej pacjentki zakończyło się całkowitą porażką. Zgłosiła się do niego młoda dziewczyna, która była przekonana, że zakochała się z wzajemnością, podczas gdy ukochany bywał u niej w całkiem innych celach. Kiedy się zorientowała, że się omyliła, przeżyła głębokie rozczarowanie, wpadła w depresję i zachorowała. Wmówiła jednak sobie i rodzinie, że młody człowiek odwiedzi ją z okazji jakiegoś rodzinnego święta. Czekała cały dzień, późnym zaś wieczorem wpadła w stan, który Zygmunt określił jako „halucynacyjne pomieszanie". Wydawało się jej, że oczekiwany mężczyzna przyszedł, że jest już w ogrodzie. Wybiegła na jego powitanie w nocnej koszuli. Potem miesiącami trwała w przekonaniu, że on jest przy niej, że się oświadczył i wkrótce się pobiorą. Była szczęśliwa, żyła swymi urojeniami. Wszelkie próby wyrwania jej z tych złudzeń, podejmowane czy to przez rodzinę, czy przez doktora Freuda, kończyły się nawrotem depresji. Widocznie było już za późno, by mogła wrócić do normalnego stanu.

Zygmunt próbował wytłumaczyć to zjawisko zgnębionym rodzicom panny: znalazła się ona we władzy idei, z którą nie mogła się pogodzić, a mianowicie, że została odtrącona. Było to tak trudne do przyjęcia, że w akcie obronnym stworzyła sobie własny świat, bardziej jej odpowiadający. Dzięki urojeniu, że młodzieniec ją kocha i jest przy niej, mogła rozładować te zasoby energii, których nie chciała czy też nie mogła rozładować w stłumionej myśli, iż nie jest kochana.

W notatniku Zygmunt zapisał: „Jak długo pacjenci zdają sobie sprawę z seksualnego źródła swych obsesji, utrzymują to w tajemnicy... Zazwyczaj wyrażają zdumienie, że można by ich podejrzewać o takie afekty, że mogliby odczuwać jakieś lęki, ulegać pewnym impulsom... Analogiczne przykłady można znaleźć w każdym zakładzie dla psychicznie chorych: matka, która zachorowała po utracie dziecka i teraz kołysze w ramionach kawałek drewna; porzucona narzeczona w ślubnej sukni, od lat czekająca na swego oblubieńca".

Do Zygmunta zgłosił się pewien podsekretarz stanu w rządzie austriackim. Był to krępy mężczyzna w średnim wieku cierpiący na manię prześladowczą. Kiedy Zygmunt zapytał, kto go prześladuje, odpowiedział:

– Wszyscy. Wszyscy urzędnicy w moim biurze. Obcy ludzie, którzy siedzą obok mnie w kawiarni. Przechodnie na ulicy. Nawet moja rodzina i przyjaciele. Oskarżają mnie o najstraszliwsze zbrodnie.

– A skąd pan wie, że mówią o panu?

– Ponieważ słyszę ich głosy. Rozwinąłem w sobie niezwykły talent; słyszę, co się mówi w sąsiednim pokoju lub po przeciwnej stronie ulicy. Oskarżają mnie o to, że wykradam dokumenty z mego biura i sprzedaję je wrogom. Mówią, że zamawiam liche umundurowanie dla armii i kupuję zatrutą żywność dla żołnierzy.

– Ależ pan nic podobnego nie robi. Cieszy się pan powszechnym szacunkiem w ministerstwie.

– Dlaczego więc wszyscy przeciw mnie spiskują?

– Nikt przeciw panu nie spiskuje. Głosy, które pan słyszy, to pański głos.

– Co też pan mówi! – Mężczyzna patrzał na lekarza zdumiony. – Przecież ja nie gadam do siebie. Nie jestem obłąkany. Wyraźnie rozpoznaję głosy.

– Te głosy są głęboko ukryte w pańskich myślach.

– Dlaczego miałbym mówić do siebie? Dlaczego oskarżałbym siebie o przestępstwa, wiedząc, że ich nie popełniłem?

– Zawładnęła panem idea winy. Kuracja, którą zamierzam przeprowadzić, ma na celu odkrycie prawdziwej przyczyny pańskiego poczucia winy.

Minęło wiele czasu, zanim Zygmunt dowiedział się, że jego pacjent, człowiek żonaty, mjący własną rodzinę, zaczepił w Praterze młodą prostytutkę i zaraził się rzeżączką. Nie chciał o tym powiedzieć lekarzowi domowemu i zaraził swoją żonę. Zygmunt wywnioskował z tego, że owe głosy oskarżały go w istocie nie o jakieś zdrady i defraudacje, lecz o to, że jest człowiekiem niemoralnym, który ściągnął nieszczęście na siebie i swoją żonę. Przekonał więc pacjenta, że musi wyznać wszystko żonie i że oboje powinni udać się do urologa. Państwo Müllerowie poszli do lekarza, wyleczyli się, głosy jednak nadal trapiły pana podsekretarza stanu.

Zygmunt czuł się zawiedziony i zrozpaczony. Nie ulegało żadnej wątpliwości, że jego teoria jest słuszna, chociaż zawiodło jej zastosowanie. Widocznie rzeżączka była zbyt świeżym „występkiem” i nie ona wywołała głosy. Starał się głębiej wniknąć w przeszłość swego pacjenta, udało mu się jednak dotrzeć tylko do jakichś ukrytych lęków przed ojcem, połączonych z nieokreślonymi obawami i wrogością. Wyglądało na to, że pacjent dźwiga na sobie ciężkie brzemię poczucia winy wobec ojca, ze skrupulatnych jednak badań wynikało, że był dobrym i kochającym synem. Nie udało się Zygmuntowi rozwiązać tego problemu.

Niepowodzenia zdają się chodzić seriami. Z inną obsesją przyszedł trzydziestoletni, bardzo wykształcony i gładki w obejściu mężczyzna. Od chwili śmierci ojca unikał chodzenia po ulicach wiedeńskich, prześladowała go bowiem gwałtowna chęć zabijania wszystkich napotykanych przechodniów.

Pacjent, obawiając się, że kiedyś ulegnie morderczym skłonnościom, całymi dniami nie opuszczał mieszkania, co właściwie przekreśliło jego karierę. Podobnie jak owa kobieta, która przypisywała sobie każde morderstwo wzmiankowane w dzienniku, on widział już siebie jako „poszukiwanego mordercę".

Zygmunt nie umiał znaleźć żadnego rozwiązania, chociaż za każdym razem, gdy podczas analizy dochodził do dzieciństwa pacjenta, natychmiast pojawiała się gigantyczna postać ojca: człowieka surowego, przestrzegającego dyscypliny. Syn nie kochał ojca. Co więcej, był do niego przez całe życie niechętnie usposobiony. Jakże więc mógł się przejąć tak dalece śmiercią tego człowieka, że wpadł w dziwną obsesję? Zygmunt intuicyjnie przeczuwał, że między tym przypadkiem a sprawą podsekretarza stanu Müllera musi istnieć jakiś związek; wspólnym mianownikiem obu problemów był ojciec. Ale nie potrafił jeszcze odgadnąć, o co tu chodzi. Otwierała się przed nim nowa dziedzina badań.

Pewnego ranka przyjął pacjentkę przysłaną mu przez kolegę z Instytutu Kassowitza. Ta inteligentna dziewczyna nienawidziła wszystkich zatrudnionych przez matkę służących; kłóciła się z nimi tak długo, że odchodziły same lub trzeba je było zwalniać. Sytuacja stawała się całkowicie nie do zniesienia. Przyszła do doktora Freuda z matką.

– Czy mogłaby mi pani powiedzieć, dlaczego te służące budzą w pani taką nienawiść? – zapytał, gdy pacjentka poczuła się już swobodnie w jego gabinecie. – Ale proszę mówić szczerze; lekarza nie należy okłamywać.

– Są takie wulgarne! – zawołała dziewczyna z wściekłością. – Skaziły zupełnie moją ideę miłości. Wiem przecież, co wyprawiają, kiedy mają wychodne. Przesypiają się z pierwszym lepszym żołnierzem lub robotnikiem, którego uda im się zaczepić. Jakże mogę myśleć o miłości jako o czymś wzniosłym, kiedy wiem, jak wulgarnie to wszystko w istocie wygląda?

Zygmunt przez dłuższą chwilę szukał odpowiedzi. Wiedział, że pacjentka szczerze mówiła o swych odczuciach, tak szczerze, jak przyjmowała te sprawy w swej świadomości. Uważał jednak, że jest to idea obronna, osłaniająca inną, której dziewczyna nie chciała i nie mogła pamiętać, idea umożliwiająca jej rozładowanie nagromadzonych zasobów energii psychicznej.

367

- Proszę się położyć na kozetce. Ja siądę za panią. Niech pani nie patrzy na książki i na obrazy na ścianach, lecz stara się wejrzeć we własne życie. W przeszłość. Tam, jak sądzę, tkwi sedno sprawy. Proszę mi opowiedzieć najżywiej zachowany w pamięci epizod z dzieciństwa.

Pacjentka mówiła powściągliwie, a to, co usłyszał, było ocenzurowane i nieprzydatne. Spotkał go zawód, wątki okazywały się fałszywe, pytania bez związku, był zbyt natrętny, czym tylko potęgował jej niechęć i agresywność. Nie po raz pierwszy się zdarzało, że raczej z własnej winy niż winy pacjenta nie nawiązywał kontaktu z chorym, ponieważ zaczynał od z góry powziętych wyobrażeń o przypadku albo rozpoznawał tropy zbyt późno, kiedy już nie można było ich wykorzystać. Wyrzucał sobie niezdarność, brak umiejętności... aż przypomniał sobie włoskie porzekadło: „Najpiękniejszym słowem w każdym języku jest «tak». Najpożyteczniejszym: «cierpliwość»". Miesiąc upłynął, zanim doprowadził dziewczynę do tego, że mogła mówić o wydarzeniu, które wywołało tak wielki wstrząs i zapuściło tak silne korzenie w jej podświadomości.

- ...widzę moją matkę... z jakimś mężczyzną... to nie jest mój ojciec... są w łóżku... oboje nadzy... mają stosunek... widzę wszystko, słyszę zwierzęce odgłosy... takie wstrętne i wulgarne... to wszystko przyprawiło mnie o mdłości.

- Każdy by zareagował w ten sam sposób – odpowiedział Zygmunt, usiłując zachować obojętność w głosie. – Bardzo niefortunnie się stało, że była pani świadkiem tej sceny. Czy nie obudziło to nienawiści do matki?

- Nie. Bardzo ją kochałam. Początkowo myślałam, że będę musiała się wyprowadzić, przenieść do babci. Nie mogłam patrzeć na matkę. Ale nie mogłabym jej też zostawić. Była dla mnie najdroższą osobą na całym świecie.

- Czy nie rozumie pani, że nastąpiło tu przeniesienie uczuć? W rzeczywistości nie jest pani oburzona na służące. Nie uważa pani, że to one spospolitowały miłość. Ktoś zbrukał miłość, ale o tej osobie, która to zrobiła, pani nie chciała nawet myśleć. W obronnym odruchu wymazała pani tamten obraz i zastąpiła go obrazem służącej i jej żołnierzy. Po tylu latach potrafi już pani wybaczyć matce, a przynajmniej ją zrozumieć. Być może była wtedy nieszczęśliwa, a pani zbyt młoda, by to zrozumieć? Teraz jest pani dorosłą kobietą. Powinna jej pani współczuć. Tylko zdobywając się na taką postawę, będzie pani mogła stawić czoło wypartemu obrazowi i wymazać go z pamięci. Wtedy zniknie pani obsesja na punkcie służących.

Tak się też stało. Przedtem jednak musiał doktor Freud powtarzać codziennie, przez dwa miesiące, swe pouczenia. Kiedy matka dziewczyny przyszła uregulować honorarium, powiedziała mu:

- Nie wiem, panie doktorze, jak pan tego dokonał, ale dla całej naszej rodziny jest to prawdziwe wybawienie.

Tegoż popołudnia zjawiła się nowa pacjentka, która trzydzieści lub czterdzieści razy dziennie myła ręce i nie dotykała niczego bez rękawiczek. Był to ostry przypadek lęku przed brudem, nie pierwszy, z którym zetknął się Zygmunt w swojej praktyce.

– Jak dawno czytała pani albo widziała na scenie *Makbeta*?

– Panie doktorze, nie widzę żadnego związku...

– Czy pamięta pani, jak Lady Makbet próbowała zmyć ślady krwi? „Wszystkie wonie Arabii nie odejmą tego zapachu z tej małej ręki'''*.

– Czyżby pan sugerował, że kogoś zamordowałam?

– Ależ nie. Szekspir wyraża się tu symbolicznie. Czy jakąś inną część swego ciała myje pani równie często jak ręce?

Policzki damy spłonęły rumieńcem. Odpowiedziała niegrzecznie:

– A cóż to właściwie może pana obchodzić, jak często myję inne części mego ciała?

Zygmunt się nie obraził.

– Pani już odpowiedziała na moje pytanie.

– A więc tak – była wściekła – myję co pół godziny genitalia. W jakim to pozostaje związku z moją nerwowością?

– To tylko symptom. Przecież pani doskonale wie, że nie zmywa pani żadnego brudu.

– A więc co właściwie – nadal mówiła tonem zaczepnym – usiłuję zmyć?

– Winę.

Pani Plansk przez dłuższą chwilę patrzyła na niego szeroko rozwartymi oczami, po czym się rozpłakała. Nie chciała jednak nic powiedzieć. Wyznała wszystko dopiero po kilku wizytach.

– Skąd pan wiedział?

– Ponieważ zdarzały mi się już podobne przypadki mizofobii, lęku przed brudem. Wszystkie były wynikiem naruszenia jakiegoś moralnego zakazu, z którym pacjent nie umiał się pogodzić i starał się go usunąć ze świadomej pamięci.

– Zdradziłam męża – odpowiedziała zachrypłym głosem. – Poznałam mężczyznę, który przez krótki czas fascynował mnie w jakiś dziwny sposób. Przez prawie dwa miesiące przychodziłam do niego.

– Czy tę właśnie zdradę pragnie pani wykreślić ze swych myśli?

– Czułam tylko żal. Ale nie można bez przerwy, dzień i noc, zadręczać się wyrzutami sumienia, kiedy się ma dom, kiedy trzeba się zajmować mężem, dziećmi, rodzicami. Postanowiłam zapomnieć o całym tym epizodzie.

---

* Przekład Józefa Paszkowskiego.

– Przed panią była tu pacjentka, która opowiedziała mi, jak po bardzo nieprzyjemnym wydarzeniu usiłowała nie myśleć o tym więcej i w końcu jej się to udało. Zaczęły się jednak inne przykrości i z nimi nie mogła już sobie poradzić. Pani obsesja na punkcie brudu jest substytutem lub namiastką nieprzyjemnego wspomnienia. Obsesja jednak dokucza pani bardziej, niżby dokuczało poczucie winy. Czy nie czas już się gruntownie rozliczyć z popełnionym błędem, udzielić sobie rozgrzeszenia i uwolnić się od tego kłopotu? Jeśli nie powstrzyma pani rozwoju tej obsesji we właściwym czasie, może ona doprowadzić do prawdziwej choroby. Jeśli pani czuje, że nie potrafi sobie wybaczyć i wyzbyć się poczucia winy, być może powinna pani wyznać całą prawdę mężowi. To będzie bolesne, ale ludzie, którzy się kochają, zazwyczaj dają sobie radę z takimi problemami.

Przychodzili do niego ludzie młodzi i starzy, zamożni i ubodzy, mężczyźni i kobiety dotknięci chorobami, którzy nigdy dotąd nie potrafili szczerze porozmawiać z lekarzem. Zjawił się młody mężczyzna mający trudności z wydalaniem, choć jelita i odbytnica były w porządku. Zygmunt się od niego dowiedział, iż wskutek jakichś dziecinnych nieporozumień nabawił się fobii, że wydalanie jest analogiczne z wytryskiem, i dlatego wywoływało w nim uczucie obrzydzenia. Kobieta cierpiąca na arytmomanię. Liczyła każdy krok, każdą deskę w podłodze, liczyła nawet podczas oddawania moczu, usiłując się załatwić, zanim doliczy do stu. Okazało się, że był to odruch obronny, mający na celu odwrócenie uwagi od myśli erotycznych, nawiedzających ją z wiekiem coraz natarczywiej. Inny młody mężczyzna, którego starszy kuzyn skłonił do stosunku *per anum*, w poczuciu winy zemścił się w podobny sposób na młodszej siostrze. Teraz opętała go myśl, że policja wie o jego przestępstwie i nieustannie podgląda go przez dziurkę od klucza. W każdym napotkanym człowieku widział funkcjonariusza policji; trzy, cztery razy dziennie odczuwał potrzebę pójścia na policję, by złożyć zeznanie, ale w ostatniej chwili cofał się przerażony. Była kobieta, którą opętały węże. I Zygmunt, i Józef Breuer, każdy z osobna, doszli do wniosku, że wąż jest pierwotnym symbolem seksualnym, substytutem członka męskiego. Kobiety cierpiące na poczucie winy z powodu podobnych myśli przekształcały wizerunek penisa w węża. Na podstawie lektury i rozmów z wieloma pacjentami doszedł również Zygmunt do wniosku, że pudełko albo szkatułka powszechnie występują jako symbol seksualny łona kobiecego.

8

Żył teraz w stałym napięciu. Niekiedy trafne pomysły pojawiały się jak oślepiające błyskawice, niemal rozsadzając mu mózg. Ale czasami opanowywał go niepokój, a nawet lęk, gdy myślał o tym, jak nieprawomyślne, heretyckie są jego koncepcje i jak wielkie oburzenie wywołają, kiedy ukażą się w druku. W takich chwilach dostawał silnej migreny albo obrzmiewała mu śluzówka w nosie, utrudniając oddychanie. Kiedy ból stawał się trudny do wytrzymania, zgodnie ze wskazówkami Fliessa wpuszczał do nosa trochę kokainy. Fliess sam tak postępował, gdy miał jakieś kłopoty z nosem. W czasie ostatniego pobytu w Wiedniu poddał się operacji nosa u doktora Gersuny. Nakłonił też Zygmunta, by przy okazji pobytu w Berlinie i on poddał się zabiegowi operacyjnemu, i Zygmunt rzeczywiście poczuł się po nim znacznie lepiej. Zastanawiało go, że on i Fliess, posiadający tak podobne twórcze temperamenty, cierpią również na podobne dolegliwości. Czyżby to miało jakiś związek?

Dnia nie starczało na uporanie się z czekającą go pracą. Do późnych godzin nocnych siedział nad rękopisem *Psychonerwic obronnych*. Zaczął pisać następną pracę, *Obsesje i fobie,* opierając się na przypadkach, z którymi się zetknął w ostatnich latach. Marta nie miała pretensji; zdawała sobie sprawę, że opanowała go twórcza gorączka, i wiedziała, jak wielką radość dawało mu poczucie, iż robi postępy. Wynajęli już na lato willę w górach i postanowiła nie odrywać męża od pracy. Domagała się jedynie, by nie siedział nocami w swoim gabinecie, lecz zabierał papiery na górę, do mieszkania. Chciała go mieć blisko siebie.

Wielu lekarzy przysyłało mu chorych, którym nie umieli pomóc inni neurologowie. Miewał teraz po dwunastu pacjentów dziennie, przyjmował ich do dziewiątej wieczór poza popołudniami, kiedy wychodził do Instytutu Kassowitza. Przerwa między jedną wizytą a drugą nie trwała nigdy dłużej niż pięć minut, nie miał więc czasu nawet na filiżankę kawy. Po kolacji wracał na kilka godzin do biurka, by spisać wypowiedzi każdego pacjenta i ich rolę w całokształcie obserwowanej nerwicy.

Jako lekarz musiał dbać o utrzymanie emocjonalnego dystansu w stosunkach z pacjentami, większego jeszcze niż w Allgemeines Krankenhaus. Tylko zachowując chłodną postawę uczonego, był w stanie opanować chaotyczny materiał. Mimo silnego napięcia umysłowego i emocjonalnego całym wysiłkiem woli bronił się przed litością i przerażeniem, dwoma podstawowymi – według Arystotelesa – elementami autentycznej tragedii.

Jakże mógł nie współczuć tym nieszczęśnikom? Szczególnie kiedy następowało przeniesienie, w którym doktor Freud stawał się matką lub ojcem, wujem lub ciotką, bratem lub siostrą sprzed dziesięciu lub czterdziestu lat; kiedy musiał przyglądać się łzom, wysłuchiwać błagań, oskarżeń o obojętność, o zadawanie im cierpień, okazując prawdziwą lub urojoną brutalność czy lekceważenie. Musiał być świadkiem burzliwych scen, w których odgrywano na nowo krytyczne epizody z dzieciństwa lub lat młodzieńczych, powtórnie przeżywano urazy. Po takich scenach był zupełnie wyczerpany. Przeniesienie stanowiło niezbędną fazę kuracji, czasami jednak płacił za nią tak wielkim wysiłkiem emocjonalnym, że z trudem pokonywał schody do mieszkania na pierwszym piętrze.

Kiedy był zdenerwowany, sztywne białe mankiety jego koszuli jakby same chowały się w rękawach marynarki. Pytał Martę:

– Co się właściwie dzieje? Czy to moje ręce się wydłużają, czy rękawy koszuli robią się krótsze?

– Czyżbyś chciał przez to powiedzieć, że koszule kurczą się w praniu? Żebyś widział nasze praczki! To najładniejsze dziewczęta w całym Dziesiątym Obwodzie.

– Odpowiadasz bez sensu – mruczał niezadowolony. W tym właśnie czasie po raz pierwszy w życiu poważnie zachorował. Miewał już różne drobne dolegliwości poza owymi migrenami i kłopotami z nosem. Kiedy jeszcze był na chirurgii, jeden z asystentów Billrotha usunął mu wrzód w gardle. W dwudziestym ósmym roku życia miał atak rwy kulszowej, w rok potem lekką ospę wietrzną. W trzydziestym trzecim roku życia dostał po grypie arytmii serca. Teraz odczuwał silny ból po lewej stronie klatki piersiowej, promieniujący do lewego ramienia, co wskazywało, że grozi mu atak serca.

Po kolacji poprosił Martę, by wybrali się do Breuerów. Nie powiedział jej po co. Wieczór był ciepły, wiosenny, idealna pogoda na przechadzkę.

Mrugnął na Józefa i razem wycofali się do biblioteki. Tam wytłumaczył mu, w czym rzecz. Oddychał z trudem, w okolicy serca jakby go coś piekło. Józef bez słowa zamknął drzwi na klucz i kazał mu się rozebrać. Za pomocą stetoskopu osłuchał dokładnie klatkę piersiową Zygmunta, opukał go, porównując uderzenia serca z pulsem w nadgarstku. Z jego twarzy nie można było nic wyczytać.

– Musisz mi powiedzieć prawdę.

– Stwierdziłem pewną nieregularność pulsu. – Józef z obojętną miną zamknął czarne pudełko. – Ale to ci się zdarzało już dawniej. Czy ty się wysypiasz?

– Śpię pięć godzin. Budzę się wypoczęty i rześki.

– Czy masz jakieś kłopoty finansowe?

– Mam więcej płacących pacjentów niż kiedykolwiek dotąd.

– Dużo palisz?

– Około dwudziestu cygar dziennie. Zrozum, dla lekarza, który codziennie godzinami zmaga się z nerwicami i usiłuje je zrozumieć, nie jest rzeczą przyjemną, gdy nie wie, czy sam nie cierpi na jakąś zwyczajną lub hipochondryczną depresję. Co o tym myślisz?

– Sądzę, że nie musisz rzucać palenia.

Wilhelm Fliess był innego zdania niż Józef Breuer. Podejrzewał zatrucie nikotyną i zakazał Zygmuntowi palić. Zygmunt sam wiedział, że pali za dużo, ale cygara przynosiły mu wielkie odprężenie podczas długich godzin pracy nad rękopisami lub przy rozwiązywaniu problemów medycznych. Kiedy się paliło dwadzieścia cygar dziennie, całkowite rzucenie palenia było prawdziwą męczarnią. Bezwiednie sięgał do kieszeni kamizelki, w której zazwyczaj miał dwa lub trzy cygara, a nie znajdując ich tam, przeszukiwał puste już pudełka leżące we wszystkich szufladach.

Nie próbował żadnych zastępczych czynności. Nie zapalał zapałek, nie żuł niezapalonych cygar, ale okres odzwyczajania się od palenia okazał się znacznie trudniejszy, niż przypuszczał. Chwilami nie wiedział, co począć z rękami. Kiedy zastanawiał się nad jakimś kłopotliwym problemem, tęsknił do cygara. Czuł się zagubiony; dochodził do wniosku, że bez cygar nie będzie mógł pracować. Mijały całe dni, kiedy nie udawało mu się napisać jednego słowa. A mimo to pod koniec trzeciego tygodnia przestał sięgać do kieszonek i mógł już spokojnie patrzeć na ludzi palących.

Abstynencja wyczerpała jednak zasoby samodyscypliny. Nie umiał ograniczyć pracy, a równocześnie nie przestawał się martwić o zdrowie. Zaczął podejrzewać, że zarówno Józef Breuer, jak i Wilhelm Fliess ukrywają przed nim prawdę. Najboleśniejsze były chwile, kiedy opanowywał go lęk, że już nigdy nie będzie mógł pracować naukowo. Pisał do Fliessa: „Nie mam przesadnego wyobrażenia o swoich obowiązkach i nie uważam się za człowieka niezastąpionego. Z godnością powinienem znosić tę niepewność, która mnie trapi od chwili, gdy stwierdzono u mnie *myocarditis,* i pogodzić się z perspektywą krótszego życia. Być może byłoby dobrze, gdybym zaplanował pozostałe dni, by móc nacieszyć się w pełni tym, co mi jeszcze zostało".

Jego praca o psychonerwicach obronnych została opublikowana w zeszytach majowym i czerwcowym berlińskiego „Neurologische Zentralblatt". Uważał ją za najważniejszą ze wszystkich dotychczasowych prac. Była gruntownie podbudowana naukowo zasadą niezmienności Helmholtza i teorią somatycznego wyładowywania nagromadzonej energii. Wiązał z nią wielkie nadzieje i spodziewał się, że wywoła ożywioną dyskusję. Została jednak całkowicie przemilczana. Mógł to przewidzieć, bo przecież ani jedno wiedeńskie czasopismo nie chciało jej przyjąć.

Z największymi natomiast pochwałami spotkał się referat o obustronnym porażeniu mózgowym u dzieci. Pracę przetłumaczono na język francuski i najwybitniejsi neurologowie Salpêtrière nie szczędzili mu komplementów. To było niesprawiedliwe. Nie chciał pisać tej pracy o obustronnym porażeniu mózgowym, bo uważał, że nie ma na ten temat nic nowego do powiedzenia. Sam twierdził, że jest to „niemal przypadkowa" kompilacja, ale profesor Raymond, następca Charcota w Salpêtrière, cytował w swej książce całe jej fragmenty, opatrując je kwiecistymi wyrazami uznania. Najbardziej dręczyło go przeświadczenie, że praca o nerwicach, którą obecnie przygotowywał, również przejdzie bez echa.

Józef Breuer nie mógł się powstrzymać od lekkiego sarkazmu.

– Nie rozumiem, dlaczego cię to dziwi, przecież nie jesteś aż tak naiwny? W całej Europie cieszysz się poważaniem jako neurolog, szczególnie w dziedzinie chorób dziecięcych. Wszystko, co na ten temat piszesz, jest naukowo zasadne, oparte na dokumentacji, którą zebrałeś w czasie swojej prywatnej praktyki i w Instytucie Kassowitza. Reszta... podświadomość, seksualna etiologia histerii i nerwic, psychonerwica obronna, długa lista obsesji i fobii... nikogo nie interesuje, ponieważ nikt nie jest przygotowany na przyjęcie twoich tez. Mówisz o ideach jako o samodzielnych całościach, o „poziomie napięcia", natomiast psychiatrzy i neurologowie chcą mówić o „podrażnieniu kory", ponieważ tym tylko jest w ich przekonaniu idea.

– Nie zmieniajmy tematu. Napisałeś już historię Berty Pappenheim? Zacząłeś ostatni rozdział o teorii?

– ...nie – Józef się zawahał. – Ale przeczytałem twoje historie chorób...

– Są jasne? Czy wiążą się w logiczną całość?

– Oczywiście. – Józef uśmiechnął się i jakby zamyślił. – Są jasne dla kogoś, kto już jest przekonany. To tak jak z każdą inną religią; wierni nie potrzebują dowodów. Niewiernych żaden dowód nie przekona.

– Ale napiszesz swoją część? Minęło półtora roku od dnia, kiedy postanowiliśmy wydać tę książkę. Jestem pewny, że dasz jej solidne podstawy.

Breuer się skrzywił.

– Wolałbym, żebyś nie używał ciągle słowa „my". Ja nie jestem psychiatrą. Nie mam ambicji leczenia nerwic. Wiesz przecież o tym od dawna. Jestem internistą i diagnostykiem, a także autorytetem w dziedzinie ucha wewnętrznego gołębi, jeśli to kogoś interesuje.

Czerwiec był jak na Wiedeń niespodziewanie burzliwy. Pewnego ranka zbudził Zygmunta o szóstej grad tłuczący o szyby gabinetu. W kilka dni później zamordowany został prezydent Francji Carnot. Kiedy zwiedzał wystawę w Lyonie, przebił go sztyletem jakiś anarchista. W tym samym czasie jeden z lekarzy Allgemeines Krankenhaus, doktor Vargassy, przemawiając w związku ze śmiercią profesora Billrotha, przypomniał jego zarzuty pod adresem Żydów, studentów medycyny na Uniwersytecie Wiedeńskim, wywołując falę gwałtownego antysemityzmu. Profesor Nothnagel był tak oburzony, że rozpoczął swój kolejny wykład od potępienia antysemityzmu. Studenci go wygwizdali – rzecz niesłychana na niemieckiej uczelni. Nothnagel jednak zwyciężył. Wydział medyczny mianował go przewodniczącym komisji do zbadania sprawy antysemityzmu, która miała się zająć również winnymi kampanii. Stwierdził winę Vargassy'ego, ponownie zaatakował antysemityzm z katedry i tym razem nagrodzony został oklaskami.

Zygmunt złożył wizytę Hermanowi Nothnagelowi i ofiarował mu bukiet kwiatów.

9

Z nastaniem nowej pory roku ustały kłopoty Zygmunta z sercem. Rodzina Freudów wyjechała w góry, w ślad za nimi zaś opuściło Wiedeń kilku pacjentów, którzy przechodzili intensywne leczenie. Zygmunt odnosił wrażenie, że dolegliwościami rządzi prawo serii. Częściej stwierdzał teraz u pacjentów hipochondrię, miał kilka ciężkich przypadków depresji, jeden psychozy maniakalno-depresyjnej i coraz więcej chorych, u których rozpoznawał już teraz ukryty lub jawny homoseksualizm.

Doktor Zenter miał trzydzieści cztery lata. Cztery miesiące po ślubie stwierdził, że wciąż nie może spełnić obowiązków małżeńskich. Cierpiał na silne bóle oczu jakby rażonych błyskami światła, na migrenę i mroczki. Musiał przerwać praktykę lekarską... Dwudziestoośmioletniemu Albrechtowi dolegał silny ból głowy, wydawało mu się, jakby ktoś ściskał ją stalowymi pierścieniami, był stale zmęczony, drżały mu kolana, uskarżał się na osłabioną potencję. Obawiał się, że są to oznaki jakiegoś zboczenia, ponieważ bardziej go pociągały dorastające dziewczęta niż dojrzałe kobiety.

Dwudziestosiedmioletni Teobald cierpiał na głęboką depresję. Pochodził ze znerwicowanej rodziny, budziły go w nocy koszmary senne i kołatanie serca, trapiły jakieś nieokreślone lęki wywołujące uczucie ucisku w piersiach i strachu przed jakimś grożącym mu niebezpieczeństwem. Był jednym z tych nielicznych pacjentów, którzy wiedzieli, że dolegliwości mają tło seksualne. Przed rokiem zakochał się w młodej pannie słynącej z zalotności. Od samego początku podniecała go seksualnie, chociaż nie doszło między nimi nigdy do fizycznego kontaktu. Przeżył silny wstrząs, kiedy się dowiedział, że jest zaręczona.

Homoseksualizm męski pozostawał dla Zygmunta czymś zagadkowym. Niektórych te skłonności nie dziwiły i nie wprawiały w zakłopotanie, bez jakiegokolwiek oporu lub napięcia utrzymywali stosunki homoseksualne, nie potrzebowali lekarza i nie zwracali się o pomoc medyczną. Ci natomiast, którzy przychodzili do niego, byli nieszczęśliwi, cierpieli na brak równowagi emocjonalnej, pilnie potrzebowali pomocy. Zdawał sobie sprawę, że szczerze pragną żyć normalnym życiem. Wiele go kosztowało nerwów tłumaczenie tym nieszczęśnikom, na czym polega odmienność, dokuczająca im od wczesnej młodości, a którą tak rozpaczliwie chcieli zrozumieć i przezwyciężyć. Odpowiadali bez zahamowań na jego pytania, opisywali swoją sytuację i historię swego życia, mówili o pociągu, odczuwanym do starszych od siebie lub młodszych mężczyzn, o tym, jak usilnie starali się nawiązać intymne stosunki z kobietami, pokochać je, opowiadali o swych niepowodzeniach.

Kiedy jednak próbował znaleźć źródła ich zaburzeń, stawał się bezradny. Zawodziły wszystkie opracowane przez niego metody przywoływania obrazów i wspomnień ukrytych w najgłębszych warstwach podświadomości. Przez wiele godzin nakłaniał swych pacjentów do swobodnego kojarzenia. Wynikały z tego długie, skomplikowane opowieści o rodzinnych perturbacjach, o rodzicach, rywalizacjach, zmiennych aliansach, niechęciach przemieniających się w nienawiść, o źle adresowanych uczuciach i mylnie pojmowanej solidarności. W tym wszystkim nie znajdował dla siebie żadnej wskazówki.

Wiedział, że nie umie sobie z tym poradzić, i szczerze o tym mówił pacjentom. Nie potrafił rozsupłać węzła splecionych przyczyn i skutków. Wciąż jeszcze brakowało mu wiedzy, nie rozumiał problemu. Ale pacjenci nie mogli czekać. W Wiedniu panowała wielka swoboda erotyczna w dziedzinie stosunków heteroseksualnych. Zdrady małżeńskie traktowano lekko, z humorem. To przecież niewinne i czarujące grzeszki! Natomiast tolerancja się kończyła, gdy w grę wchodził homoseksualizm. To nie był temat dla operetki. Zygmunt mógł tylko tłumaczyć swym pacjentom, iż nie są zwyrodnialcami, wyjątkami nieznanymi w dziejach ludzkości. Mówił o tym, że w Grecji i w epoce renesansu we Włoszech na homoseksualizm patrzono przychylnie. Niewielka to była pociecha, ale nic innego mu nie pozostawało. Zastanawiał się nad swymi niepowodzeniami. Wiedział, że ta nerwica musi mieć swój odpowiednik u kobiet, ale jak dotąd ani jedna lesbijka nie zjawiła się w jego gabinecie, nawet w dyskretnym pokoju przyjęć na parterze.

Lato było wspaniałe. Góry wokół Reichenau kusiły chłodem i aromatem lasów. Wstawał o świcie, przed szóstą, zjadał lekkie śniadanie i pracował do obiadu o pierwszej. W Wiedniu rzadko udawało mu się pracować przez sześć lub siedem godzin bez przerwy. Po sutym obiedzie wyruszał z Martą i dziećmi na codzienną wyprawę. Spacerowali po lesie, zbierali grzyby, szukali nowych ścieżek. Pacjentów przyjmował późnym popołudniem, w porze podwieczorku.

Rękopis książki, którą pisał wspólnie z Breuerem, rozrastał się. Z coraz większym podnieceniem myślał Zygmunt o tej pierwszej prawdziwie twórczej pracy. Utoruje ona drogę całkowicie nowemu podejściu do neuropatologii, rewolucyjnemu zarówno jeśli idzie o diagnozę, jak i o leczenie. Udokumentuje swoje wywody tak solidnie opracowanymi historiami chorób, że jego odkrycia zostaną uznane przez neurologów na całym świecie. Zaczął od samego początku, od szczegółowego opisu przypadku pani Emmy von Neustadt, jej fobii na punkcie zwierząt oraz obsesji obłędu. Był teraz przekonany, że rodzeństwo nigdy nie rzucało w nią zdechłymi zwierzakami, nigdy w dzieciństwie nie dostawała ataków spazmów i nie popadała w omdlenia, nie widziała siostry w trumnie, jej starszy brat nigdy nie chorował na syfilis ani na gruźlicę i nigdy nie była prześladowana przez rodzinę swego męża.

Opisał przypadek panny Lucy Reynolds, angielskiej guwernantki, i jej przywidzenia węchowe, w których teraz dostrzegał „mechanizmy obronne" mające na celu ukrycie faktu, że zakochała się w swym pracodawcy. Pisał o pani Cecylii Mattias – dzięki niej zrozumiał, w jaki sposób idea nie do przyjęcia pojawiała się jako symbol, o nerwicy odkrytej w „pięcie Achillesa", straszliwych newralgicznych bólach zębów spowodowanych „policzkiem, który jej wymierzył mąż", o ataku serca, gdy jego oskarżenia „zraniły ją w serce", o przeszywającym bólu między oczami datującym się od chwili, kiedy babka przychwyciła ją na samogwałcie.

Pisał o przypadku Elżbiety von Reichardt, paraliżem nogi próbującej przesłonić fakt, że kochała się w mężu swej siostry, i twierdzącej, że ucieszyła się z jej śmierci. Pisał o osiemnastoletniej krzepkiej Katarzynie, mającej trudności z oddychaniem od czasu, gdy zobaczyła swego ojca leżącego na młodej kuzynce Franciszce, a w rzeczywistości wykorzystała to przeżycie, by osłonić dawniejsze wspomnienie, ojciec bowiem usiłował zgwałcić ją samą.

Wszystkie te przypadki przekonały go o tym, że etiologia nerwic ma tło seksualne; że ci liczni pacjenci cierpiący na nerwice lękowe...

We wrześniu zabrał Martę i pięcioro dzieci na dwa tygodnie do Lovrano nad słonecznym brzegiem Adriatyku. Była to ich pierwsza podróż do Włoch. Zawsze marzył o zwiedzeniu Rzymu, znał dobrze historię Wiecznego Miasta i uważał je za najbardziej interesujące miejsce na świecie. Ale Rzym w lecie nie jest miastem zdrowym, a tylko wtedy mógł sobie pozwolić na wakacje.

Matylda była już na tyle dorosła, że mogła zająć się Zofią; Marcin zabierał dwuletniego Ernesta na poszukiwanie muszli. Marta chroniła się przed promieniami słońca pod szerokim rondem słomkowego kapelusza, Zygmunt natomiast przebywał na słońcu bez końca i bardzo się opalił. Leniuchował, czytał opowiadania Kiplinga. Balkon pokoju hotelowego wychodził na morze. Po kolacji przyglądali się łodziom rybackim i rozmawiali o rodzinie w Ameryce. Brat Marty, Eli, urządził się jako eksporter zboża i powodziło mu się dobrze. Mieszkał z żoną we własnym wygodnym domu na Sto Trzydziestej Dziewiątej Ulicy. Anna niedawno powiła piąte dziecko, córkę Martę. Trzydziestoletnia siostra Zygmunta, Pauli, która odwoziła dzieci Bernaysów do Ameryki, przekonała się naocznie, że legendy krążące o tym kraju są zgodne z prawdą: kandydatów na mężów były tam krocie; w każdym razie ona znalazła takiego, o jakim marzyła, trzydziestosiedmioletniego Walentego Winternitza, Czecha, który przybył do Ameryki w pogoni za fortuną i nieźle już zarabiał jako przedstawiciel firmy technicznej. Siostra Zygmunta Maria i jej mąż Maurycy mieli zamiar wyjechać ze swymi trzema córkami z Wiednia – wybierali się do Berlina, gdzie Maurycy rozbudowywał swą firmę importową.

Marta i Zygmunt wracali do mieszkania przy Berggasse z idyllicznymi wspomnieniami o włoskim słońcu, morzu, makaronie i cielęcinie po parmeńsku.

Jesień była równie niespokojna jak czerwiec, zaczęły się poważne kłopoty i kryzys gospodarczy. „Anarchiczna pora roku", mówił Zygmunt, ale nie chodziło mu jedynie o dwa zamachy bombowe w Barcelonie, na hiszpańskiego premiera i ministra wojny, ani też o zamach bombowy na Izbę Deputowanych w Paryżu, który zamachowiec przypłacił głową. Odnosiło się to również do jego praktyki. Niemal codziennie pojawiały się w dziennikach wiadomości o samobójstwach, często młodych ludzi. Otruła się dwudziestodwuletnia dziewczyna, zastrzelił się siedemnastoletni syn szynkarza, a wszystkie notatki kończyły się sakramentalną formułą: „Przyczyna nieznana".

– Oczywiście, że przyczyna jest nieznana – denerwował się Zygmunt – bo nikt jej nie dochodzi. Ci młodzi nie mają się do kogo zwrócić, kiedy szukają pomocy. Dysponujemy już przecież metodami, które mogłyby ich wyleczyć; potrafimy stwierdzić, co powoduje pragnienie śmierci i jak się przed nim obronić. Ale wciąż jeszcze nie ma sposobu wykorzystania tej naszej wiedzy, by przyjść z pomocą tym nieszczęśliwcom.

Konto bankowe topniało jak śnieg na wiosnę. Bardzo go to martwiło. Mówił do Marty, że cały świat przewraca się do góry nogami. Sytuacja w Wiedniu tak się pogorszyła, że na każdym rogu gromadziły się długie kolejki przed kuchniami dla ubogich. Trzeba było otworzyć dwanaście schronisk dla bezrobotnych, a mimo to nie starczało miejsc dla poszukujących noclegu. W Dziesiątym Obwodzie robotnicy sami prowadzili domy noclegowe, w których sypiało dwa tysiące bezdomnych. Nad ranem na ulicach znajdowano zamarznięte ciała. Dopiero teraz, z nastaniem deszczów i chłodów, mieszkańcy każdej dzielnicy zbierali starą odzież, szczególnie buty dla dzieci chodzących boso po ulicach. Mają rację Austriacy, powtarzał Zygmunt, kiedy mówią, że głodne wieprze marzą o żołędziach.

Tym razem nawet Marta nie była w stanie go pocieszyć.

– A o czym marzą gęsi? O kukurydzy. Tak właśnie czułam się w ubiegły poniedziałek rano, kiedy nie dałeś mi tygodniowych pieniędzy na dom. Znasz jednak kawiarniane powiedzenie: „Sytuacja jest beznadziejna, lecz nie poważna".

Kryzys się zaostrzył. Cesarzowa założyła „Volksküchenverein" (kuchnie dla głodujących). Ćwierć miliona obiadów wydawano dzieciom szkolnym, dla których był to jedyny posiłek w ciągu dnia. Hutnicy w Dziesiątym Obwodzie zastrajkowali; rząd ogłosił, że strajk jest nielegalny. Inni robotnicy urządzali demonstracje bez zezwolenia, policja atakowała ich i przeprowadzała aresztowania. Nielegalnie drukowane ulotki socjalistyczne krążyły po mieście. Coraz częściej zdarzały się aresztowania za „działalność wywrotową". Z Wiednia deportowano dwa tysiące „niepożądanych" osób, w tym jednego Amerykanina.

Jednym z nowych pacjentów Zygmunta był student trzeciego roku prawa. Zjawił się z obłędem w oku, twierdząc, że wkrótce zwariuje, że nigdy nie zda egzaminów i że jeśli doktor Freud mu nie pomoże, odbierze sobie życie. Zygmunt uspokajał go i powiedział, że nikt jeszcze nie zwariował od onanizmu. Student spojrzał na niego i z trudem wyjąkał drżącymi wargami:

– Panie doktorze, czy mogę polegać na pańskiej dyskrecji? To, co pacjent mówi lekarzowi, jest przecież chronione tajemnicą zawodową.

Zygmunt uśmiechnął się, słysząc te prawne terminy, i zapewnił młodzieńca, że może mówić spokojnie.

– Pan przecież wie, że człowiek, który się onanizuje, coś sobie wyobraża. To znaczy, widzi przed sobą kobietę...

Zygmunt skinął głową. Znajdował potwierdzenie hipotezy, którą już od pewnego czasu zaczął formułować w myślach.

– Kiedy byłem jeszcze w gimnazjum, marzyłem o aktorkach z Volkstheater. Onanizując się, wyobrażałem sobie, że pode mną leży najpopularniejsza w danej chwili gwiazda. Na uniwersytecie co noc fantazjowałem na temat wytwornych dam, które widywałem w restauracjach i teatrach, w głęboko dekoltowanych sukniach... Wyobrażałem sobie nawet kazirodcze romanse z młodymi, ładnymi kuzynkami i ciotkami. Ale tym wszystkim się nie przejmowałem... Dopiero teraz...

Zerwał się na nogi, po czym szlochając, opadł na krzesło. Zygmunt milczał. Zastanawiał się, do jakich dziwactw musiał dojść jego pacjent, że doprowadził się do takiego stanu.

– Zaraz pan zrozumie, dlaczego jestem bliski obłędu. Przedmiotem moich fantazji stała się teraz... moja własna matka. Czyż nie jestem człowiekiem straconym?

– Fantazja jest „półsnem", czymś między marzeniem na jawie a sennym zwidem – odpowiedział Zygmunt spokojnie. – Kiedy uda nam się zlikwidować te przywidzenia, będziemy mogli dotrzeć do przyczyn tego, że pan, młody, dwudziestoletni mężczyzna, onanizuje się, zamiast wyładować swą energię w studiach i prawdziwej miłości.

Pacjent nigdy już nie wrócił. Przysłał list, załączając czek.

Tego roku doktor Freud nie miał już więcej przypadków „nerwicowych". Jedyną stałą pacjentką była staruszka, której dwa razy dziennie robił zastrzyki. Utrzymywał staruszkę przy życiu, a jej bogaty syn utrzymywał rodzinę Freudów.

Drugi raz przeczytał pracę Wilhelma Fliessa *O ludzkiej okresowości*, ale wymyślone przez Fliessa cykle wydawały mu się bez sensu. Na wiosnę nie mógł się opędzić od pacjentów, a teraz nie miał ani jednego... jeśli nie liczyć mężczyzny, który złamał nogę na ulicy przed ich domem.

Zygmunt pomógł go przetransportować do szpitala, gdzie złamaną nogę złożono. Spędzał teraz wiele czasu w Instytucie Kassowitza, nadrabiając zaległości. Niektórzy rodzice, ci bardziej zamożni, nie zabiegali o bezpłatną pomoc lekarską; chcieli tylko, aby była możliwie jak najlepsza.

Kiedy dowiedzieli się, że pan docent Freud przyjmuje w domu, przychodzili ze swymi chorymi i kalekimi dziećmi na Berggasse.

Pod koniec zimy i wczesną wiosną napłynęła znowu fala przypadków nerwicowych. Zygmunt cieszył się z wielkiej liczby pacjentów i stosów notatek, ale nie umiał sobie tych przypływów i odpływów chorych wytłumaczyć. Skończył przepisywać historie chorób przeznaczone do *Studiów nad histerią* i zabrał się do ostatniego rozdziału. Józef Breuer zaczął wreszcie spisywać pełną historię choroby Berty Pappenheim. Znowu chodzili razem ulicami Wiednia, dyskutując nad tym, co Zygmunt umieści w końcowym rozdziale, wybierając wnioski, które uznawali za uzasadnione, i eliminując inne, wymagające jeszcze udowodnienia. Zygmunt szybko zakończył pisany po francusku artykuł o obsesjach i fobiach dla „Revue Neurologique" w Paryżu; poprawił pracę o nerwicach lękowych, która miała ukazać się w berlińskim „Neurologisches Zentralblatt". Deuticke, wydawca jego tłumaczeń Charcota i Bernheima oraz pracy *O afazji*, zgodził się opublikować *Studia nad histerią*.

Kiedy zaczynał pisać o nerwicach lękowych, szczycił się tym, że dokonał odkrycia. Po kilku miesiącach czytania literatury przedmiotu został wyprowadzony z błędu. Jak to powiedział Marcie, każda idea ma swoich rodziców. Już Darwin dowiódł, że są one odwieczne. Niejaki doktor Kaan opublikował przed rokiem pracę o lęku jako objawie neurastenii. Potem, przeczytawszy świeżą publikację niejakiego doktora E. Heckera, Freud zanotował: „Znalazłem tę samą interpretację przedstawioną ze wzorową jasnością i dokładnością". Hecker jednak nie oddzielał ataków lęków od neurastenii, faktycznego braku równowagi nerwowej. Również profesor Möbius z Lipska ogłosił prace o psychologicznych źródłach objawów histerycznych; uważał jednak, że psychologia jest w tym przypadku zupełnie bezradna. W liście do Fliessa Zygmunt pisał o Möbiusie: „Najtęższy umysł wśród neurologów; na szczęście nie jest na tropie seksualizmu".

10

Z początkiem 1895 roku w gabinecie Zygmunta zjawiła się młoda, dwudziestoośmioletnia wdówka o świeżej, rumianej twarzy. Była to Emma Benn, która omal nie stała się przyczyną jego tragedii. Bogata kupiecka rodzina Emmy przyjaźniła się z Breuerami i Oskarem Rie. Dzięki nim właśnie Freudowie nawiązali bliskie stosunki z Bennami. Emma często wpadała na Berggasse. Była jasną blondynką, dość tęgą w biodrach, jak większość młodych wiedenek. Mimo krzywego nosa i asymetrycznej twarzy miała niewątpliwie wiele wdzięku dzięki żywym i często błyskającym zaczepnie oczom. Skarżyła się na ostre zaburzenia żołądkowe i jelitowe. Józef Breuer od lat był lekarzem domowym Bennów. Doszedł do wniosku, że ataki mają podłoże histeryczne, i poprosił Zygmunta, by zbadał Emmę. Zygmunt obawiał się, że terapia, jaką on stosuje, może okazać się nieskuteczna w stosunku do przyjaciół, ale Józef rozwiał jego wątpliwości.

Emmę, wojującą emancypantkę, oburzała zależność kobiety w zdominowanym przez mężczyzn społeczeństwie. Szczególnie złościła ją niemiecka koncepcja roli kobiety, ograniczająca ją do trzech „K": *Kinder, Küche, Kirche* – dzieci, kuchni i kościoła, do których bardziej wyrozumiali mężowie austriaccy dodawali jeszcze czwarte „K" – *Kaffeklatsch* – kawiarniane plotki. Emma wymyślała na użytek Zygmunta zaiste pomysłowe sceny i historie. Potrafiła mu na przykład opowiedzieć, że widzi diabła, który wbija jej w palec igłę i potem w każdej wytoczonej kropli krwi macza cukierek.

W dzieciństwie cierpiała na krwotoki z nosa. W okresie dojrzewania miała silne bóle głowy. Rodzice myśleli, że udaje. Emma bardzo się przejmowała tym, że rodzice jej nie wierzą. Kiedy wystąpiły silne krwotoki menstruacyjne, Emma powitała je z radością jako oczywisty dowód prawdziwości swej choroby. Opowiadała Zygmuntowi, że pamięta, jak została poddana obrzezaniu, jak jej własny ojciec próbował ją uwieść. W piętnastym roku życia zakochała się w przystojnym młodym lekarzu. Krwotoki z nosa wzmogły się i rodzina musiała częściej wzywać owego lekarza.

Choroby i fantazjowanie skończyły się, gdy Emma wyszła za mąż. Mąż był od niej znacznie starszy i chorowity, ale w ciągu pięciu lat pożycia małżeńskiego Emma poznała prawdziwe szczęście. Nie mieli dzieci. Po śmierci męża i długim okresie żałoby zaczęła chorować. Dolegliwości koncentrowały się w systemie trawiennym. Ponieważ od miesięcy mało jadała, a jej system nerwowy przeszedł głęboki wstrząs, lekarze przypuszczali, że mógł się wytworzyć wrzód żołądka. Józef Breuer doradził, aby zwrócono się do doktora Freuda, ale rodzice chorej się sprzeciwiali. Lubili Zygmunta jako przyjaciela, nie mieli jednak zaufania do jego metod. W końcu Breuer przekonał rodzinę, że trzeba wypróbować wszelkie możliwe sposoby, ponieważ stan psychiczny chorej pogarszał się coraz bardziej.

Emma opowiadała chętnie i bez oporów. Miała cały szereg animozji. O mężczyznach na ogół wyrażała się źle i bynajmniej nie starała się ukrywać swego zdania. Niemniej spragniona była miłości. Często mówiła o swym ojcu, którego darzyła sprzecznymi uczuciami. Miała głęboko ukryty uraz, wywołany jego awansami erotycznymi, a równocześnie odczuwała głęboką potrzebę ojcowskiej miłości.

Potem w czasie konsultacji, kiedy Zygmunt nalegał, by nie cenzurowała i nie odtrącała swych myśli, lecz pozwalała im swobodnie płynąć, nie zastanawiając się nad tym, czy są sensowne i ważne, Emma przemieniła się w małą dziewczynkę i zaczęła przeżywać intensywnie swoje wspomnienia. Teraz jej ojcem był docent doktor Freud. Nazywała go swym „tatusiem". Znalazła się z powrotem w rodzicielskim domu, bawiła z tatusiem, śpiewała dla niego, mówiła, jak bardzo go kocha, jak biegła ze szkoły, by zdążyć do domu na podwieczorek. Nagle nastrój się zmieniał. Płakała, tłumaczyła, że nie była niegrzeczna, że nie kłamała, że musi jej zawsze wierzyć. Niespodziewanie wybuchała gniewem. Krzyczała, że nie spełni jego poleceń, że ucieknie z domu, że go już nie kocha... Na jej twarzy plastycznie malowały się kolejne nastroje, od kokieterii po skrajną rozpacz. Nie ulegało wątpliwości, że Emma odtwarza swe dziewczęce przeżycia.

Tego rodzaju przeniesienia Zygmunt obserwował już dawniej u innych pacjentów. Zapominali, gdzie się znajdują, przeżywali intensywnie swe emocjonalne wspomnienia, często płakali, nawet klęli. Zanim zrozumiał istotę takiego przeniesienia, obawiał się, że te wszystkie skargi, a także bardziej czułe odruchy są adresowane do niego. To przecież on sprowokował te wspomnienia. W przypadku Emmy zetknął się z najpełniejszą demonstracją przeniesienia. Przeżywała na nowo dawne sceny z takim wzruszeniem, jakby była całkowicie przekonana, że znajduje się w obecności swego prawdziwego ojca.

Minęła godzina. Zygmunt chciał ją zatrzymać, mimo że był już umówiony z kolejnym pacjentem. Emma jednak nie pamiętała już zupełnie tego, co się przed chwilą działo. Józef Breuer uważał, że te sceny są jeszcze jednym aspektem jej histerii. Bóle brzucha się nasiliły, równocześnie wystąpił stan zapalny zatok, czemu towarzyszył obrzęk śluzówki nosa. Zygmunt przestudiował artykuł Fliessa o reakcji nerwicowej pochodzącej z nosa i zastanawiał się, czy bóle brzucha nie są wynikiem trudności, jakie jego pacjentka ma z oddychaniem. Szczęśliwie się składało, że Wilhelm miał wkrótce być w Wiedniu. Zapytał Emmę, czy zgadza się na konsultację doktora Fliessa. Wyraziła zgodę.

Następnego ranka po przyjeździe do Wiednia Fliess dokładnie zbadał Emmę w gabinecie Zygmunta.

– Jestem całkowicie pewny, że wszystkie dolegliwości twojej pacjentki wiążą się z kanałami nosowymi – oświadczył Zygmuntowi. – Należy przeprowadzić resekcję małżowiny nosa, by strumień powietrza mógł swobodnie przepływać. Stan obecny może nie tylko powodować bóle gastryczne, ale niewątpliwie ma ujemny wpływ na jej organy płciowe.

– A więc uważasz, że potrzebna jest operacja?

– Oczywiście. To zresztą nieszkodliwy zabieg; robiłem już setki podobnych. Będzie w szpitalu tylko kilka dni.

– Kto się nią zajmie po twoim wyjeździe?

– Żadna opieka pooperacyjna nie będzie potrzebna. Sam możesz przez kilka dni zmieniać opatrunki. W ciągu tygodnia, dwóch wróci do normalnego życia. Wyznacz operację na jutro.

– Przeprowadzimy ją w prywatnej klinice Loewa; jest znakomicie wyposażona.

Operacja przeszła gładko. Fliess powrócił do Berlina, a Emma do domu. Kiedy następnego dnia Zygmunt wszedł do jej pokoju, poczuł jakiś nieprzyjemny zapach. Zbadał nos chorej i stwierdził, że błona śluzowa wyraźnie pulsuje. Pacjentka nie spała przez całą noc i miała silne bóle. Zygmunt dał jej środek uśmierzający. Następnego dnia odłamał się kawałek kości i nastąpił silny krwotok. W dzień później stwierdził, że Emma ma trudności z płukaniem kanałów nosowych. Stan jej budził niepokój. Zygmunt wezwał doktora Gersuny'ego, który orzekł, że ujście jamy nosowej jest zatkane i należy zastosować dreny. Z trudem umieścił w nosie rurkę gumową, Zygmuntowi zaś powiedział, że trzeba będzie ponownie łamać kość, jeśli rurka się nie utrzyma. W pokoju panował ciężki zaduch.

Nazajutrz wczesnym rankiem obudzono Zygmunta, powiadamiając go, że Emma dostała silnego krwotoku. Doktor Gersuny był zajęty do wieczora, wezwał więc otolaryngologa doktora Röckla. Kiedy przybył na miejsce, chora miała już krwotok nie tylko z nosa, ale też z ust. Odór był niemal nie do zniesienia. Doktor Röckel oczyścił nos, usuwając kilka skrzepów, po czym przyglądając się czemuś uważnie, zwrócił się do Zygmunta:

– Co to jest?

– Nie mam pojęcia. Jak pan sądzi, co to może być?

– Nitka. Trzeba zobaczyć, co się tu dzieje. – Uchwycił koniec nitki i zaczął ciągnąć. Ciągnął... ciągnął... ciągnął... aż wreszcie wyciągnął prawie pół metra gazy, którą Fliess zostawił w jamie nosowej po operacji. Krew popłynęła strumieniem. Emma zrobiła się żółta, potem zbladła, oczy jej wyszły na wierzch. Zygmunt zmierzył puls; był prawie niewyczuwalny. Chorej groziła śmierć. Doktor Röckel zwijał się szybko, zatamponował nos świeżym opatrunkiem z jodyną. To wreszcie przerwało krwotok.

Zygmunt uciekł do sąsiedniego pokoju bliski omdlenia. Wypił szklankę wody. Cierpiał straszliwie. Gdyby gaza pozostała jeszcze przez dwa dni w nosie, Emma by umarła. Na myśl, że nie powinien dopuścić do operacji, poczuł nowy przypływ mdłości. Operację powinien był przeprowadzić Gersuny albo Röckel i zająć się chorą po zabiegu. W tej samej jednak chwili oślepiła go myśl, że dolegliwości Emmy, bez względu na to, czy miały tło psychiczne czy somatyczne, nie miały nic wspólnego z jej nosem. Operacja była poważnym błędem. Równocześnie pojął, że sam też niepotrzebnie zaprzątał sobie głowę własnym nosem!

Ktoś podał mu kieliszek koniaku. Wychylił go jednym haustem i dopiero wtedy zdobył się na odwagę, by wrócić do pokoju Emmy i zarządzić przeniesienie jej z powrotem do kliniki Loewa. Röckel i Gersuny powtórzyli operację, złamali kość małżowinową i wyłyżeczkowali ranę. Kiedy Zygmunt stał po zabiegu przy łóżku chorej, oboje wiedzieli, jak bliska była śmierci. Emma powitała go wyzywającym spojrzeniem.

– Oto silna płeć – powiedziała, wskazując palcem na własną pierś.

Musiał napisać do Fliessa, ale lękał się tego w tej chwili. Wiedział, jak bardzo się Wilhelm przejmie całą sprawą. Nie winił przyjaciela. Całą odpowiedzialność brał na siebie. Emma była jego pacjentką. Tylko raz w ciągu tych długich lat pracy na internie i praktyki prywatnej pacjentka zmarła z jego winy. Było to jeszcze w Allgemeines Krankenhaus, kiedy podał chorej przepisaną jej dawkę sulfonalu, uchodzącego za nieszkodliwy lek. Jej organizm nie tolerował jednak tego środka.

W liście do Fliessa starał się go uspokoić, zwalając wszystko na nieszczęsną gazę... Podkreślał, że takie wypadki zdarzają się najostrożniejszym chirurgom, że „Gersuny wspomniał, iż i jemu zdarzyło się coś podobnego, stosował tampony z jodyną zamiast gazy..."; łajał doktora Röckla za wyciągnięcie gazy przed przeniesieniem Emmy do szpitala i kończył, zapewniając Fliessa, że nikt nie ma do niego pretensji i mieć nie powinien. „Bądź pewien, że ani na chwilę nie straciłem zaufania do Ciebie".

Rekonwalescencja Emmy trwała kilka miesięcy. W miarę jak pacjentka odzyskiwała siły, powracały dolegliwości żołądkowe. Operacja nosa nic nie pomogła. Znowu przychodziła na Berggasse. Jej zachowanie się nie zmieniło. Teraz już Zygmunt nabrał pewności, że choroba wiązała się z ustaniem jej życia seksualnego. Wyjaśnił pacjentce, na czym polega seksualna etiologia jej nerwicy, wytłumaczył, w jaki sposób podświadomość potrafi wykorzystać metody stłumienia i obrony, powiedział, jakie fobie i obsesje wynikały z tego, że nie mogła prawidłowo rozładować nagromadzonej energii.

Emma jednak nie dawała wiary jego słowom i nie chciała przyjąć ich do wiadomości. Kiedy zaproponował, by skończyła z samotnością, na którą sama się skazała po śmierci męża, by zaczęła bywać i przyjmować, spotykać się z mężczyznami, a może znajdzie człowieka, w którym się zakocha i za którego wyjdzie za mąż, wpadła w gniew.

– Wszystko, co pan mówi, to kłamstwo. Oczywiście, że bardzo odczuwam brak mego męża, jego czułości, miłości, co więcej, brak mi naszego pożycia małżeńskiego. Ale to była tylko mała cząstka naszej miłości. O nie, to nie może być powodem mojej choroby, tych bólów, które mnie dręczą od chwili jego śmierci. Moje dolegliwości muszą mieć jakieś źródło fizyczne.

– Być może, chociaż doktor Breuer twierdzi, że nie może nic znaleźć. Nerwice często bywają skomplikowane. Są połączeniem zaburzeń fizycznych i psychicznych. Nadal jednak twierdzę, że jeśli nawet istnieją jakieś przyczyny fizyczne, to nie są one przyczynami jedynymi. Pani Emmo, pani stan umysłowy, psychiczny i uczuciowy zależy od tego, czy zdobędzie się pani na nową miłość i nowego męża. Musi to pani zrobić świadomie, opracować sobie cały plan działania. Jest to najważniejsza sprawa w pani życiu i jedyna szansa odzyskania zdrowia.

– Cóż za niegodne wymagania! – Emma zerwała się oburzona. – Może jeszcze mam biegać po Wiedniu i wołać: „Szukam męża! Kto się chce ze mną ożenić?". Zaczynają się wakacje letnie, może przerwiemy na ten czas kurację?

Zygmunt się zgodził. Dokończył rękopis *Studiów nad histerią*. Można go było odesłać wydawcy. Józef Breuer napisał rozdział końcowy. Nie wierzył, by psychologia lub studiowanie nerwic mogły stać się nauką ścisłą, doświadczalną, rozwijającą metody wybitnych fizjologów Helmholtza i Brückego. Uważał, że jest to nowa dziedzina, która będzie musiała stworzyć własny język i nie będzie miała nic wspólnego z naukami przyrodniczymi. Zygmunt nie chciał i nie mógł się na to zgodzić. Uchodził za człowieka nauki do czasu, kiedy zajął się hipnozą, męską histerią, amnezją i wreszcie seksualną etiologią nerwic. Teraz zależało mu bardzo na odkryciu praw i formuł, które potwierdzą jego koncepcje. Był przekonany, że cel swój osiągnie. Pewnego dnia psychologia umysłu będzie nauką równie ścisłą jak patologia ciała. Wierzył, że książka stanowić będzie początek nowej epoki w medycynie. Przekształci psychologię ludzką, przestanie być ona jakąś fantasmagorią, a stanie się systemem indukcyjnym, który nie tylko dostarczy skutecznych narzędzi terapii, lecz otworzy również drzwi do niezbadanych dotąd dziedzin wiedzy. Ważąc w dłoniach ciężki rękopis, raz jeszcze zawierzył swoim nadziejom. Wpadł w euforię: ta książka zaskarbi mu sławę, dostatek i pełną niezależność.

11

Marta była w czwartym miesiącu ciąży, ale nie czuła się dobrze. Pięć poprzednich ciąż zniosła doskonale, szósta od samego początku przebiegała nie najlepiej. Marta czuła się osłabiona, cera jej zbladła, twarz miała opuchniętą. Państwo Freudowie postanowili tym razem spędzić wakacje niedaleko od Wiednia. Wynajęli willę w Bellevue u stóp Kahlenbergu. Marta była zachwycona klimatem w Bellevue. Od razu poczuła się lepiej i zaczęła planować przyjęcie, jakie wyda z okazji swych trzydziestych czwartych urodzin. Zamierzała zaprosić Emmę Benn, doktora Oskara Rie, spędzającego wakacje z rodzicami Emmy w ich wiejskiej posiadłości, Breuerów i wielu innych przyjaciół. W willi, którą wynajęli, były dwa duże salony; można więc będzie urządzić przyjęcie z muzyką i tańcami.

Na trzy dni przed przyjęciem doktor Rie przyjechał zbadać jedno z dzieci, które przechodziło zapalenie gardła. W związku ze zbliżającą się uroczystością przywiózł Marcie butelkę likieru ananasowego.

– Korzystasz z każdej okazji, by robić prezenty – żartował Zygmunt. – Kiedy wreszcie znajdziesz sobie żonę, która cię z tego wyleczy?

Po obiedzie otworzyli butelkę. Po pokoju rozszedł się ostry zapach fuzla.

– Teraz rozumiesz, dlaczego się nie żenię. – Oskar był wyraźnie zakłopotany. – Gdybym taki prezent przyniósł żonie, zrobiłaby mi piekielną awanturę.

Wybrali się potem na Leopoldsberg. Podczas spaceru Zygmunt zapytał kolegę, w jakim stanie zastał Emmę.

– Czuje się lepiej, ale jeszcze nie jest całkiem zdrowa.

Zmartwił się. Chociaż w słowach Oskara nie brzmiał cień wyrzutu, Zygmunt wyimaginował sobie, że dosłyszał pretensję, że doktor Freud go zawiódł. Oskar bardzo cenił Zygmunta, nie przywiązywał jednak nigdy większej wagi do jego metody leczenia nerwic. Uważał, że byłoby lepiej, gdyby Zygmunt, który był jego przełożonym w Instytucie Kassowitza, pozostał specjalistą w dziedzinie neurologii dziecięcej. Przed paroma miesiącami Zygmunt, szukając jakiejś życzliwej duszy w Wiedniu, pokazał Oskarowi jedną z pierwszych wersji swojej pracy o seksualnej etiologii nerwic. Oskar przerzucił kilka stronic i zwrócił ją, powtarzając słowa Charcota, gdy Zygmunt zrelacjonował mu „kurację mówioną" Józefa Breuera.

– Nic z tego nie wyjdzie.

Inny przyjaciel Zygmunta, okulista Leopold Königstein, też miał poważne wątpliwości i pewnej soboty przy partii taroka zapytał go wprost:

– Czy ty naprawdę wierzysz, że takie leczenie za pomocą *katharsis* może usunąć symptomy?

– Tak – odpowiedział Zygmunt. – Jestem przekonany, że możemy przekształcić histeryczne poczucie całkowitej klęski w zwyczajne szczęście.

Kiedy Marta i dzieci poszły spać, zapalił lampę w pokoju, w którym urządził swój gabinet, i napisał list do Breuera, szczegółowo wyjaśniając swą prognozę w przypadku Emmy Benn i sposób jej leczenia. Pisał bez przerwy do północy. Chciał usprawiedliwić się przed Breuerem i odpowiedzieć na zarzuty Oskara. Zasnął z trudem. Nad ranem miał sen:

Wielka sala – dużo gości, których podejmujemy. Wśród nich Emma. Natychmiast odprowadziłem ją na bok, by odpowiedzieć na jej list i zbesztać, że dotąd nie przyjęła mego „rozwiązania". Powiedziałem do niej: „Jeśli pani wciąż jeszcze ma bóle, to tylko z własnej winy". Odpowiedziała: „Gdyby pan wiedział, jak straszne bóle mam teraz w gardle i brzuchu – po prostu mnie zatyka". Przestraszyłem się i spojrzałem na nią. Była blada i opuchnięta. Pomyślałem sobie, że może jednak zlekceważyłem jakieś zaburzenia organiczne. Zaprowadziłem ją do okna i zajrzałem do gardła. Trochę się opierała, jak kobiety, które mają sztuczne zęby. Pomyślałem sobie, że niepotrzebnie się krępuje. Potem otworzyła szeroko usta i z prawej strony ujrzałem białą plamę, w innym miejscu dostrzegłem białoszare strupy na jakichś bardzo pokręconych konstrukcjach wzorowanych na małżowinach nosowych.

Natychmiast przywołałem doktora Breuera; ten zbadał chorą i potwierdził diagnozę... Doktor Breuer wyglądał zupełnie inaczej niż zazwyczaj; był bardzo blady, kulał i miał gładko wygolony podbródek... Teraz znalazł się przy niej także mój przyjaciel Oskar, a mój przyjaciel Leopold opukiwał ją przez stanik i mówił: „Jest jakieś głuche miejsce tu nisko, po lewej stronie". Zwrócił również uwagę, że część skóry na lewym ramieniu była nacieczona. (Zauważyłem to podobnie jak i on, chociaż miała na sobie suknię). Breuer powiedział: „Nie ulega wątpliwości, że mamy tu do czynienia z infekcją, ale to nie ma znaczenia; wystąpi biegunka i toksyny zostaną wyeliminowane". Natychmiast uświadomiliśmy sobie, jakie jest źródło infekcji. Niedawno, kiedy chorowała, Oskar dał jej zastrzyk z preparatu *propyl, propyls... proprionic acid... trimethylamin* (miałem przed oczami formułę wydrukowaną dużymi literami). Tego rodzaju zastrzyków nie należy robić lekkomyślnie... Prawdopodobnie strzykawka też nie była sterylna...

Podczas śniadania Zygmunt nie mógł się uwolnić od myśli o śnie. Nigdy jeszcze nie czuł się tak przygnębiony widzeniem sennym. O niczym innym nie mógł myśleć. Wciąż od nowa zastanawiał się nad treścią snu. Dawniej był przekonany, że sen to rodzaj obłędu sennego, teraz jednak zaczął dostrzegać w swych snach reminiscencje, niekiedy sensowne, wydarzeń dnia poprzedniego lub nawet wcześniejszych. Niektórzy pacjenci twierdzili, że sny rodzą w nich lęki lub niepokoją, i upierali się, by je opowiadać w godzinach konsultacji. W tych snach zdarzyło mu się czasem odkryć jakieś zdanie lub obraz jakby odzwierciedlające i naświetlające pewne aspekty choroby pacjenta. Nie potrafił jednak dokonać analizy tych chwil jasności ani też powiązać ich wzajemnie. Widocznie sny, podobnie jak podświadomość, kierują się własną pamięcią; gdy pacjent zasypia, te fragmenty wspomnień jakimś sobie właściwym sposobem, poplątane i zbite w niezrozumiałe całości, wypływają na powierzchnię. Spojrzał na Martę siedzącą przy stole. Nie odezwał się jeszcze do niej słowem od chwili, gdy na jej powitanie mruknął „dzień dobry". Wstał, podszedł do niej, objął ją i ucałował:

– Musisz mi wybaczyć, że jestem dziś tak małomówny, ale przed obudzeniem miałem zupełnie niesamowity sen. Dotąd mnie prześladuje. Muszę chwilę pomyśleć; może coś z tego zrozumiem. Mam uczucie, że to jest ważne. Może nawet uda mi się ten sen rozszyfrować. Chociaż chwilami sprawia wrażenie zupełnego chaosu.

Zamknął się w swoim gabinecie, przygotował arkusz papieru i usiadł plecami do okna, za którym roztaczał się wspaniały widok na zielone lasy i góry.

– Muszę ten sen rozebrać na najdrobniejsze elementy – powiedział do siebie – tak jak zegarmistrz rozbiera zegarek.

Rozumował w następujący sposób: każdy obraz, każdy fragment akcji, każde zdanie dialogu należy potraktować oddzielnie. Myśli muszą swobodnie tworzyć tego rodzaju skojarzenia, jakich domagał się od pacjentów. Nie wolno mu przerywać ich toku, nawet jeśli będą na pozór bez sensu lub bez związku. Będzie myślał o każdej osobie występującej we śnie, a kiedy już spisze wszystko, co spontanicznie napłynęło, spróbuje wyszukać wzajemne związki między tymi osobami, a także związki łączące jego z nimi. Czas i miejsce nie ulegały wątpliwości: urodziny Marty i wielki salon w ich willi w Bellevue, gdzie przyjmowali gości. Emma była oczywiście postacią centralną.

Lekko dotknął czoła palcami lewej ręki i wtedy sformułował taką oto myśl: „Przede wszystkim miałem pretensję do Emmy, że nie zgodziła się z moją diagnozą choroby. We śnie powiedziałem: «Jeśli pani wciąż jeszcze ma bóle, to tylko z własnej winy». Uważam, że wywiązałem się z moich obowiązków w stosunku do pacjenta z chwilą, gdy ujawniłem ukryte i tajemne znaczenia symptomów. Już samo to jest określoną formą leczenia. Właściwie nie moja to sprawa, czy pacjent przyjmuje do wiadomości moją diagnozę, chociaż, rzecz jasna, bez tego nie ma mowy o wyleczeniu. Tak więc dla mnie jest rzeczą ważną, by Emma uwierzyła w diagnozę i ściśle przestrzegała moich wskazań. Jeśli odczuwa bóle z własnej winy, to oczywiście wina nie może być moja; *ergo*, ona sama nie potrafiła się wyleczyć i ja nie ponoszę żadnej odpowiedzialności za niepowodzenie kuracji".

Czyżby taki był sens snu?

„Emma skarżyła się na bóle w gardle, żołądku i brzuchu. Ja oczywiście nadal obawiam się, że jej choroba może mieć w znacznej mierze tło fizyczne. Jako człowiekowi nauki nie wolno mi przeoczyć żadnej choroby organicznej. Pragnąc dowieść, że nie jestem monomaniakiem, zabrałem Emmę do okna, by obejrzeć jej gardło, i po prawej stronie ujrzałem wielką białą plamę oraz białawe strupy na jakichś bardzo pokręconych konstrukcjach wzorowanych na małżowinach nosowych. Emma jednak nigdy nie miała kłopotów z gardłem".

Potem przypomniał sobie, że Emma miała serdeczną przyjaciółkę, także wdowę, której dolegliwości miały jego zdaniem również tło histeryczne. Kiedyś zastał u niej Józefa Breuera, który badał ją przy oknie, oglądając gardło. Breuer podejrzewał błonicze zapalenie śluzówki. Ale dlaczego miejsce Emmy zajęła jej przyjaciółka? Co więcej, Emma pojawiła się we śnie blada i opuchnięta, a przecież zawsze miała rumianą cerę. To Marta jest blada i opuchnięta. Z jakiegoś niezrozumiałego powodu stopił w jedno Emmę, jej przyjaciółkę i Martę. Ale dlaczego? Nie przerywał swobodnego kojarzenia. Myślał z kolei o Oskarze Rie, który w jakiś osobliwy sposób został

„czarnym charakterem" tego snu. Przypomniał sobie, że we śnie postawił Oskarowi bardzo poważne zarzuty; po pierwsze, że lekkomyślnie obchodził się z substancjami chemicznymi, po drugie, że posłużył się brudną strzykawką. On sam też robił zastrzyki z morfiny swym pacjentom i nigdy nie zdarzyło mu się wywołać infekcji wskutek użycia brudnej igły; zrozumiał, że w ten sposób wynosił własne zalety, poniżając równocześnie Oskara. W jakiś tajemniczy sposób następnym związkiem przyczynowym, który mu przyszedł na myśl, było przekonanie, że w ten sposób czyni Oskara odpowiedzialnym za to, że Emma wciąż jeszcze cierpi. Chorobę Emmy spowodował zastrzyk zrobiony przez Oskara. Skoro winien jest Oskar, to nie może tu być winy Zygmunta. Raz jeszcze siebie wybielił.

Lekarstwa *propyl, propyls, propionic acid... trimethalymin* kojarzyły się z zapachem alkoholu amylowego, unoszącym się z butelki zepsutego likieru, którą Oskar przyniósł jako prezent urodzinowy dla Marty; a więc jeszcze jeden zarzut w stosunku do Oskara.

Kolejne myśli dotyczyły Józefa Breuera. Ich książka ukazała się u Deutickego, jak dotąd jednak nie wywołała żadnego echa. We śnie Zygmunt przywołał Józefa, by obejrzał gardło i małżowinę nosa Emmy. Józef potwierdził jego diagnozę; ale dlaczego był taki blady, kulał i zgolił brodę? I dlaczego powiedział po zbadaniu Emmy: „Niewątpliwie mamy tu do czynienia z infekcją, ale potem wystąpi biegunka i toksyny zostaną wyeliminowane". Zdanie było bez sensu; żaden lekarz nie powie, że jakakolwiek trucizna może być wydalona ze stolcem. A więc – pomyślał – uznałem siebie we śnie za lepszego diagnostę niż Józef Breuer!

Nie przerywał ani na chwilę pisania. Z łatwością formułował myśli na kartkach papieru. Trwało to przez kilka godzin. Odnajdywał jakieś powiązania z dawnymi pacjentami, a także z pacjentami Oskara Rie i Józefa Breuera, i Fliessa. Zanotował kilka przypadków budzących w nim wyrzuty sumienia: przypomniał sobie przypadek kobiety, której dał sulfanol, i fakt, że dopuścił do tego, by jego przyjaciel Fleischl stał się nałogowym kokainistą. Nasuwały się również i inne skojarzenia, takie, które odpychał, jak na przykład to, że Emma zamieniła się w swoją przyjaciółkę, a potem w Martę, że mówiła o bólach brzucha, kiedy w rzeczywistości na tego rodzaju bóle skarżyła się Marta, kiedy była w ciąży. I jeszcze obraz strzykawki i zastrzyku, które uważał za symbolizację stosunku płciowego. Przypomniał sobie, że oboje nie chcieli tym razem dziecka. Stąd więc „brudna strzykawka" występowała jako symbol płodnego zastrzyku; Marta zaszła po nim w ciążę, która jej teraz przyczyniała tyle kłopotów.

Po południu długo spacerował po lesie, zastanawiając się nad powiązaniem tych wszystkich na pozór bezsensownych i niespójnych wątków. Czy mają one jakiś wspólny mianownik? Co właściwie miał oznaczać ten sen, jak ma go odczytać? Wciąż jeszcze nie umiał sobie odpowiedzieć na pytanie, czy człowiek, któremu się coś śni, jest sam autorem snu, czy tylko aktorem wygłaszającym napisane dla niego partie. Jedno wydawało się jasne: sen był egoistyczny. Jego treścią zasadniczą było spełnienie pragnienia, a motywem to właśnie pragnienie.

Zaczął sobie przypominać dawne sny, fragmenty snów opowiedzianych przez pacjentów i nagle się zatrzymał.

Poczuł, jak cierpnie na nim skóra. Zawołał, zwracając się do drzew:

– Oto cel snów! Wyzwolenie faktycznych pragnień z podświadomości! Żadne maski, przebrania, żadne ukryte pragnienia i zdławione żądze, ale to właśnie, czego człowiek w najtajniejszych głębiach umysłu pragnie, by się zdarzyło, lub wyobraża sobie, że się już zdarzyło w przeszłości. Cóż za zdumiewający mechanizm! Co za wspaniałe osiągnięcie! Ale jak to się stało, że dotąd nie wiedzieliśmy o tym? Że wszyscy, nie wyłączając mnie, uważali dotąd sny za obłędne rojenia? Cóż z tego, że nie można dopatrzyć się w nich porządku, celu, że nie są we władzy żadnych mocy, ani dobrych, ani złych? Przecież można je analizować na podstawie jakiegoś składnego systemu. Ileż mogą nam one powiedzieć o naturze człowieka!

Rozumiał teraz, że w snach nic nie ulega zapomnieniu, choćby nie wiadomo jak dawno się wydarzyło. Pomysłowość snów, chytre przedstawianie zastępczych obrazów, wszystko to wiąże się ze straszliwym wysiłkiem wyobraźni. A jeśli okaże się, jak zaczynał podejrzewać, że sny są drzwiami prowadzącymi do podświadomości, że ujawniają prawdziwe pragnienia pacjentów, wówczas uzyska kolejny klucz do zrozumienia źródeł chorób psychicznych. W ten sposób te choroby znajdą się naprawdę pod mikroskopem. Cóż lepiej określa potrzeby i plany życiowe człowieka niż jego pragnienia? A pragnienia te mówią również o tym, co chcemy zmienić, poprawić, usprawnić. W snach człowiek poprawia i redaguje rękopis swego dotychczasowego życia.

Wracał do domu w radosnym uniesieniu. Oto jedno z największych odkryć, jakiego dotąd dokonał. Otwierało ono przed nim zaiste zawrotne perspektywy!

12

Studia nad histerią spotkały się z chłodnym przyjęciem. Jeden z najsłynniejszych niemieckich neurologów, Strümpell, napisał recenzję w tonie łaskawym, a jednocześnie lekceważącym, po czym już żadne niemieckojęzyczne pismo medyczne nie zadało sobie trudu zamieszczenia choćby wzmianki o książce.

Zygmunt skarżył się Marcie, że jeśli nawet wszystko, co Strümpell napisał, jest prawdą, to jednak nie mówi on w ogóle o książce. Wykoncypował sobie jakąś bzdurę, z którą polemizuje, a później ją obala. W Wiedniu nikt o książce nie wspomniał, nawet krytycznie, a przyjaciele Zygmunta unikali rozmowy na ten temat. Miał jednak podstawy przypuszczać, że praca jego jest czytana, gdyż Deuticke donosił, że sprzedał już kilkaset egzemplarzy z ośmiuset wydanych. Więcej niż *Afazji* w ciągu kilku lat.

Wkrótce uzyskał pewne rekompensaty. Doktor Eugeniusz Bleuer, szef Burghölzli, uniwersyteckiej kliniki psychiatrycznej w Zurychu, który w swoim czasie przychylnie zrecenzował pracę Freuda *O afazji* i z którym przez pewien czas Zygmunt korespondował, zrecenzował jego nową książkę w „Münchener medizinische Wochenschrift". Zgłosił kilka zastrzeżeń, jeśli chodzi o wykorzystanie użytego materiału, ale stwierdzał, że „zawarty w książce rzeczowy opis otwiera nowe możliwości wglądu w mechanizmy mózgu i stanowi jeden z najważniejszych wkładów w dziedzinę normalnej lub patologicznej psychologii, jakie zostały odnotowane w ostatnich latach". Od doktora Mitchella Clarke'a z Anglii otrzymał wiadomość, że czytał jego książkę i zamierza napisać recenzję dla czasopisma „Brain".

– Teraz mogę już wrócić do codziennej rutyny, do moich pacjentów i oszczędności – powiedział z żalem do Marty.

– Czyż nie z tego właśnie składa się życie? – Marta uśmiechnęła się współczująco. – Kochany, nie ulegaj przesądnym nadziejom; mniej bolesna wyda ci się wtedy twarda rzeczywistość.

Przemilczenie książki widocznie zniechęciło Józefa Breuera; przestał widywać się z Zygmuntem. Tymczasem Zygmunt spostrzegł, że jego brat Aleksander staje się coraz bardziej nerwowy i drażliwy. Wiedział oczywiście, że jest przepracowany, redagując stale rozrastające się pismo „Tarif-Anzeiger", kierując niemal bez niczyjej pomocy firmą przewozową, wykładając ponadto na Akademii Handlowej. Aleksander nadal mieszkał z rodzicami. Pomagał rodzicom i siostrom, a część zarobków inwestował, pragnął bowiem wykupić firmę. Nie miał czasu na życie towarzyskie i rozrywki. Od trzynastu lat nie wyjeżdżał na wakacje.

Marta uważała, że Zygmunt powinien się wybrać wraz z Aleksandrem na tydzień do Wenecji.

– Obaj odpoczniecie i to będzie nasz prezent dla Aleksandra na jego dwudzieste dziewiąte urodziny. Ja jestem teraz tak ociężała, że nie mam najmniejszej ochoty włóczyć się latem po Włoszech.

Zygmunt dostał nawrotu fobii kolejowej. W przeddzień wyjazdu nie mógł o niczym innym myśleć. Uczucie lęku zatruwało radość. Z trudem się spakował. Na dworzec przyszedł przeszło godzinę przed odejściem pociągu. Odetchnął z ulgą, gdy pociąg ruszył na południe.

Pierwszy przyjazd do Wenecji jest niepowtarzalnym przeżyciem. Gondolą popłynęli do hotelu „Royal Danieli" i natychmiast po rozpakowaniu się wyszli na plac św. Marka, nad którym czuwały cztery szlachetne rzeźby koni. Wspięli się na szczyt kampanili, tak jak przed nimi zrobił to Goethe, by stamtąd podziwiać widok czerwonych dachów Wenecji; ze wszystkich stron rozciągało się morze, z którego wyłoniła się przed piętnastoma wiekami. Zwiedzili wspaniały Pałac Dożów. Największe wrażenie zrobił na nich owalny, malowany przez Veronesego sufit. Kolację zjedli na tarasie „Floriana" przy dźwiękach orkiestry grającej arie Verdiego.

Zygmunt zwiedzał Wenecję z fanatyczną skrupulatnością. Krążyli po ciasnych uliczkach, oglądając pochylone dzwonnice, zanurzające się powoli w wodę pałace wybudowane w epoce, kiedy Wenecja opływała jeszcze w pieniądze i słynęła z karnawałowej rozpusty. Przystawali na mostach Rialto i Akademii, kąpali się w ciepłym morzu na Lido, łodzią wybrali się na wyspy Torcello i Murano.

Zygmunt, znakomicie orientujący się w historii sztuki weneckiej, oprowadzał brata po kościołach. Tam właśnie znajdowały się najświetniejsze obrazy takich malarzy jak Giorgione, Tycjan, Carpaccio... W bizantyjskiej bazylice św. Marka stali, wstrzymując oddech przed zdumiewającymi mozaikami.

Aleksander cieszył się jak dziecko. Szybko się opalił, z twarzy znikły ślady zmęczenia. Chłonął opowieści Zygmunta o weneckiej architekturze, o wspaniałych zabytkach, o czasach minionych i ludziach. Ukoronowaniem ich wycieczki była wizyta w jakimś małym sklepie z antykami, gdzie za śmiesznie niską cenę nabyli Janusa z brązu, rzymskiego boga o dwu twarzach patrzącego w dwie strony świata.

Kiedy się rozstawali na dworcu wiedeńskim, Aleksander, dziękując Zygmuntowi za wspaniałe wakacje, powiedział:

– Wiesz, co mi sprawiło największą przyjemność? Przypatrywanie się tobie, kiedy podziwiałeś dzieła sztuki. Tyle razy powtarzałeś, że nie jesteś człowiekiem religijnym. Ale to nieprawda: twoją religią jest sztuka. Kiedy stajesz przed obrazem Giorgionego lub Tycjana, wpadasz w ekstazę. Wyraźnie widziałem, jak bezgłośnie się modlisz.

Zygmunt się uśmiechnął. Pomyślał sobie, że profesor Brücke kocha malarstwo miłością równie silną jak fizjologię. Billroth muzykę tak samo jak chirurgię, Nothnagela fascynuje literatura w równym stopniu co interna.

Trzeba więc pogodzić się z tym, że popiersie z pierwszego wieku budzi we mnie uczucia religijne.

Wkrótce po powrocie z Wenecji wyjechał do Berlina. Z niecierpliwością oczekiwał dyskusji z Fliessem. Ledwie zakończył rękopis *Studiów nad histerią*, gdy w głowie narodził się pomysł nowej książki, niedużej, liczącej nie więcej niż sto stron, którą chciał zatytułować *Zarys naukowej psychologii*.

Fliess odłożył inne zajęcia. Obaj panowie spędzali ostatnie pogodne dni sierpnia w lasach, omawiając gorączkowo nowy projekt. Zygmunta rozmowy te podnieciły do tego stopnia, że ledwo pociąg opuścił dworzec berliński, otworzył notes i zaczął pisać. Nie przerywał do samego Wiednia. Posługiwał się specjalnymi skrótami, które mógł odcyfrować tylko Fliess; stworzył cały system greckich symboli.

ø – liczba, porządek wielkości w świecie zewnętrznym
Q – liczba międzykomórkowego porządku wielkości
Qń – system przepuszczalności neuronów
Y – system nieprzepuszczalności neuronów
w – system wrażliwości na bodźce neuronów
W – postrzeganie (*Wahrnehmung*)
V – wyobrażenie (*Vorstelung*)
M – wyobrażenie zjawisk ruchowych

„Zadaniem naszym – pisał – jest stworzenie psychologii, która będzie nauką przyrodniczą, to znaczy, będzie przedstawiała procesy psychiczne jako kwantytatywnie określone stany możliwych do ustalenia (specyfikacji) cząsteczek materialnych". Przeszedł następnie do teorii neuronowej, opartej na niedawnych odkryciach z dziedziny histologii, próbując wytłumaczyć, jak prąd przebiega przez tory przewodzenia w komórkach, wyodrębniając neurony mające bariery kontaktowe od innych, które umożliwiały przepływanie bez oporu... próbując w ten sposób wyjaśnić zjawisko pamięci, bólu, zadowolenia, pragnień, poznawania, myśli, treści świadomości...

Napisał trzydzieści stron. W kilka dni później zaczął część drugą, *Psychopatologię*, w której przedstawił swe odkrycia w dziedzinie przymusu histerycznego, patologicznej reakcji obronnej, tworzenia symbolów, zakłócenia myśli przez *cathexis;* ból i nieprzyjemność są rozładowywane w drodze fizycznych doznań. W dziesięć dni później zaczął część trzecią, *Próbę przedstawienia procesu normalnego.*

Jeszcze nigdy w życiu nie był tak pochłonięty pracą. Przyznawał, że nic go nie interesuje poza udowodnieniem nowych teorii na podstawie wiadomości z dziedziny histologii, fizjologii, anatomii mózgu i centralnego systemu nerwowego. Chciał wykazać, jak podświadomość oddziałuje fizycznie poprzez system nerwowy. Tworzył terminologię, układał formuły matematyczne dla pomiarów ilości i kierunku przepływu obrazów pamięciowych, kreślił diagramy, rysował wykresy takich ważnych przypadków, jak na przykład owej młodej kobiety, która uciekała ze sklepów, ponieważ wyobrażała sobie, że sprzedawcy się z niej śmieją.

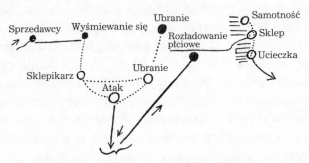

Czuł się szczęśliwy, pełen entuzjazmu. Znowu był naukowcem.

Martę fascynowały rysunki piętrzące się na jego biurku. Prosiła go, by wyjaśnił jej ich sens. Żartował, że nigdy nie celował w rysunkach i daleko mu do Daumiera, ale obiecał, że postara się mówić zrozumiale.

– Oto – mówił – obraz procesu, w którym *ego* występuje jako sieć katektycznych neuronów.

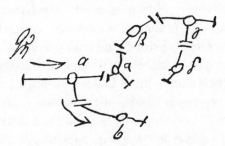

Wszystko to było zbyt trudne dla Marty, szczególnie takie pojęcia jak „ilość Qń wchodząca do neuronu a z Q zewnętrznego.

– Nie rozumiem, co te symbole oznaczają. To jest chyba język naukowy?

– Bardzo bym tego pragnął. Muszę sobie poradzić z odwiecznym przeciwnikiem, z którym boryka się każdy uczony – z niewiadomym, zawsze rzucającym człowiekowi wyzwanie i często odnoszącym w tych potyczkach zwycięstwo. Dość prostą rzeczą jest branie udziału w działaniu i konflikcie fizycznym: mężczyźni uczestniczą w pierwszych igrzyskach olimpijskich w Grecji, dochodzi do starć orężnych na polach bitew. Ale przygoda umysłowa może wymagać nie mniejszej odwagi i kryć w sobie nie mniejsze niebezpieczeństwa. Wiem, jak łatwo można ulec romantycznym złudzeniom, ale przebłysk uniwersalnej prawdy w umyśle ludzkim może być równie podniecający i prowadzić do tak wielkich osiągnięć, jak triumf Kolumba, kiedy z pokładu „Santa Maria" zobaczył brzegi Nowego Świata.

– O tym przekonałeś mnie pierwszego dnia, gdy wędrowaliśmy po wzgórzach nad Mödlingiem. To był jeden z powodów, dla których się w tobie zakochałam...

– A pamiętasz taką noc w ubiegłym tygodniu, kiedy zbudziłaś się po drugiej i zobaczyłaś, że jeszcze siedzę przy biurku? Pisałem do Fliessa. Donosiłem mu, że mam jakieś bóle i że mój umysł najsprawniej chyba funkcjonuje, kiedy przeszkadzają mu jakieś fizyczne dolegliwości, gdy nagle wszystkie dolegliwości ustały i w jednej chwili zrozumiałem całą istotę zjawiska nerwicy do najmniejszego szczegółu uwarunkowania świadomości. Niespodziewanie złożyła się składna całość, wszystkie tryby znalazły się na swoim miejscu i poruszały sprawnie. Okazało się, że wynalazłem samoczynny mechanizm obejmujący moje trzy kategorie neuronów, ich stan wolny, jak i ograniczony, schemat funkcjonowania systemu nerwowego, biologiczny proces powstawania uwagi i obrony, to, co stanowi o rzeczywistości, jak też o jakości myśli; sposób funkcjonowania czynników seksualnych przy stłumieniu, i szczyt wszystkiego, elementy kontrolujące świadomość, czyli to, co ja nazywam funkcją nieustanną. Nie uwierzysz, jak cały ten schemat jest logicznie składny.

– Jestem pewna, że wyryłeś swoje nazwisko w marmurze. – Marta uśmiechała się z czułością. – Ale powtarzaj za mną: Nie od razu Rzym zbudowano.

Rodzinę Freudów czekały jednak mniej radosne wydarzenia. W miarę jak pogarszała się sytuacja gospodarcza, w Wiedniu wzmagały się nastroje antysemickie. Burmistrz Wiednia, Karol Lueger, prowadził zaciekłą kampanię przeciwko Żydom, pragnąc w ten sposób rozładować coraz groźniejsze niezadowolenie ludności. W antysemickiej hecy brał udział kler. Po piwiarniach wykrzykiwano hasła antyżydowskie, napadano na przechodniów z wyglądu przypominających Żydów. Punktem szczytowym tej akcji było wystąpienie jednego z wiedeńskich proboszczów, księdza Deckerta, który zakończył swe kazanie wezwaniem: „Trzeba rozpalić stosy! Palić Żydów na chwałę Pana!".

Nie tylko Żydzi stanowiący osiem i pół procent półtoramilionowej ludności Wiednia uznali, że nie można już dłużej tolerować tego stanu rzeczy; zareagowała także katolicka społeczność stolicy. To właśnie katolicy zażądali od kardynała doktora Gruscha, by usunął księdza Deckerta. Do cesarza Franciszka Józefa udała się deputacja. Cesarz zabronił rozlepiania antysemickich plakatów. W Instytucie Kassowitza odbyło się zebranie, na które Zygmunt poszedł. Jeden z lekarzy wołał:

– Dziś takie słowa padają z ust jakiegoś proboszcza! Cóż jednak będzie jutro, gdy stosów domagać się będzie premier?

Zygmunt stronił od polityki. Tym razem jednak postanowił wziąć udział w wyborach i głosować przeciw Luegerowi i jego partii. Ku przerażeniu znacznej części Wiednia Lueger zdobył większość głosów. Franciszek Józef nie zatwierdził wyboru, oznajmiając, że objęcie urzędu przez Luegera wyrządziłoby szkodę interesom państwa. Stolica odetchnęła z ulgą.

<h1 style="text-align:center">13</h1>

Nareszcie doczekał się jakiegoś pozytywnego oddźwięku wydania u Deutickego *Studiów nad histerią*. Został zaproszony do wygłoszenia trzech odczytów w Kolegium Doktorskim. Nie było to równoznaczne z zaproszeniem do Towarzystwa Medycznego, najważniejszego stowarzyszenia lekarskiego w cesarstwie, gdzie miał niegdyś wykład, ale zaproszenie przyjął, dziękując za nie serdecznie. Kolegium Doktorskie, niegdyś skupiające wszystkich doktorów uniwersytetu, straciło ostatnio na znaczeniu. Zygmuntowi jednak obce było uczucie fałszywego wstydu. Sprawiała mu satysfakcję myśl, że przynajmniej tu przedstawi swe poglądy.

Czekała go jeszcze jedna niespodzianka. W mieszkaniu przy Berggasse zjawił się Breuer, pogratulował mu zaproszenia i zaproponował, że poprzedzi jego prelekcję słowem wstępnym.

Józef czekał na niego przed siódmą w sali wykładowej Akademii Nauk przy placu Uniwersyteckim. Gdy przewodniczący otworzył posiedzenie, Józef stanął na mównicy przed skromnym audytorium i przedstawił w zwięzłych słowach dorobek naukowy Zygmunta, począwszy od pracy nad węgorzami i rakami po nerwice lękowe, oraz książkę, którą wspólnie napisali, podkreślając, że czuje się zaszczycony tym, że jest jej współautorem. Zakończył następującymi zdaniami:

– Przez długi czas nie chciałem uwierzyć w słuszność teorii Freuda, ale teraz obfitość faktów mnie przekonała. Zgadzam się z Freudem, gdy utrzymuje, że korzenie histerii sięgają sfery seksualnej. Nie oznacza to jednak, że każdy poszczególny symptom histerii musi się z tej właśnie sfery wywodzić. Jeśli nawet teoria doktora Freuda nie w pełni zadowala, to sposób, w jaki ją przedstawił, dowodzi stanowczo, iż dokonał w tej dziedzinie pewnego postępu.

Zygmunt przemawiał, posługując się notatkami. Trzymał się tonu nadanego przez Breuera. Podkreślał, że doświadczenia są jeszcze w stadium próbnym, że nie wszystkie symptomy histerii mają etiologię seksualną. Wspominał o swych niepowodzeniach i o pewnych uproszczeniach. Nie ukrywał, że zdarzały mu się pomyłki, po których musiał zmieniać swą koncepcję. Przyznawał, że jest dopiero u początku drogi i że czekają go jeszcze dziesiątki lat badań i doświadczeń. Kończąc te wstępne uwagi, przypomniał, że oficjalna medycyna już dawniej wiedziała o chorobotwórczych czynnikach seksualnych, lecz milczała, być może z niechęci do zajmowania się bezpośrednio problematyką seksualną. Po tym wstępie przedstawił w możliwie najprostszy sposób prawa, które udało mu się stwierdzić, drogę, jaką do nich dotarł, i powody, dla których uznał je za obowiązujące.

Po wykładzie padło kilka pytań; niezbyt ożywiona dyskusja trwała około piętnastu minut. Sala opustoszała. Zygmunt wziął pod rękę Józefa i razem wyszli na ulicę, zadowoleni z dosyć ciepłego przyjęcia, z jakim spotkał się referat. Zygmunt zdawał sobie sprawę, że w znacznej mierze zawdzięcza to poparciu Breuera, ale wiedział także, że materiał został dobrze opracowany i naukowa precyzja przemawiała do lekarzy.

– Nawet sobie nie wyobrażasz – mówił do Józefa – jak bardzo twoje słowo wstępne podniosło mnie na duchu i jak wiele znaczy ono dla mojej dalszej pracy. Tylko dzięki tobie słuchano mnie tak uważnie i nawet nagrodzono oklaskami. Tylko dlatego, że ty poparłeś teorię o seksualnej etiologii nerwic.

Józef Breuer wyprostował się, wysoko uniósł głowę. Jego słowa zabrzmiały chłodno i wrogo:

– A jednak ja w to nie wierzę!

Obrócił się na pięcie i ruszył w kierunku katedry św. Stefana i swego domu. Szedł szybko i po chwili znikł Zygmuntowi z oczu.

Zygmunt stał oniemiały. Jeszcze przed godziną Józef tak entuzjastycznie wypowiadał się o ich wspólnej pracy. A teraz nie tylko się jej zarzekał, lecz co więcej, postawa jego zdradzała, że zrywa z Zygmuntem. Wyraz twarzy, ton głosu, sposób, w jaki się oddalił – wszystko to zdawało się świadczyć, że Breuer chce położyć kres ich zażyłej, braterskiej dwudziestoletniej przyjaźni. Zygmunt poczuł, że przeszywają go dreszcze. Nie mógł zrobić kroku. Serce skurczyło się boleśnie. Co opętało Józefa? Dlaczego zerwał z nim w taki sposób? Czyżby on, Zygmunt, powiedział coś, co skłoniło Józefa Breuera do definitywnego zerwania z doktorem Zygmuntem Freudem i jego obłąkanymi teoriami?

Zmusił się do ruszenia z miejsca. Powoli przemierzał ulice, z trudem poruszając nogami. Po pewnym czasie myśli jego zaczęły krążyć wokół profesora Meynerta, który też odtrącił swego pupilka... do czasu, gdy wyznał: „Zawsze pamiętaj, Zygmuncie, że najzacieklej będzie cię zwalczał przeciwnik przekonany o tym, że masz rację".

Wstrzymał oddech. Jakaś myśl zaświtała mu w głowie. Teraz rozumiał wszystko!

Breuer powiedział mu, że w przypadku Berty Pappenheim nie ma śladu podłoża seksualnego. Był o tym przekonany od samego początku. A przecież Berta Pappenheim autentycznie przeżyła swe przywidzenia, że miała stosunek z doktorem Breuerem. Wyimaginowała sobie, że zaszła przez niego w ciążę. Tego wieczora, kiedy Józef oświadczył, że jest na tyle wyleczona, iż może przekazać ją innemu lekarzowi i wyjechać z Matyldą do Wenecji, Berta poczuła silne bóle porodowe. Kiedy Breuer do niej przyjechał, zawołała: „Rodzę dziecko doktora Breuera!".

Zygmunt wiedział na podstawie licznych przypadków, z którymi się zetknął, że choroba Berty Pappenheim musi mieć silne podłoże seksualne. Od dawna już podejrzewał, że Berta zakochała się w swoim lekarzu, że nadal się w nim kocha, i tylko dlatego nie chce wyjść za mąż, że pragnie pozostać wierna swej miłości do końca życia. Teraz już rozumiał jasno (tylko Matylda Breuer już wcześniej zdawała sobie z tego sprawę), że doktor Józef Breuer też zakochał się w swej pacjentce! Oto dlaczego Matylda była tak bardzo zdenerwowana! Oto co zakłócało spokój i szczęście pożycia małżeńskiego Breuerów. Od miesięcy, gdy Zygmunt przychodził do nich, zastawał Matyldę bladą, z zaczerwienionymi oczami. Nigdy nie reagowałaby w ten sposób, gdyby chodziło tylko o to, że jakaś pacjentka zakochała się w jej mężu. Przecież to zdarzało się często. Ale tym razem poczuła się zagrożona. Być może Józef nie wiedział, wciąż jeszcze nie wiedział, jak wielkie było to uczucie, które go łączyło z pacjentką. Tu kryło się niebezpieczeństwo grożące temu domowi.

Teraz dopiero Zygmunt zrozumiał, dlaczego Breuer tak niesystematycznie zajmował się przypadkiem Berty Pappenheim. Po prostu obawiał się, że sam się zaangażuje uczuciowo. Ten człowiek wielkiej dobroci i łagodności w żadnym wypadku nie chciał skrzywdzić swojej żony, uczyniłby wszystko, by temu zapobiec. Widocznie nie starczyło mu siły woli i zakochał się w inteligentnej i pięknej Bercie, ale nie potrafił się pogodzić z tym faktem. Stłumił tę świadomość, zepchnął ją w najgłębsze zakamarki swych myśli. Oto jedyne możliwe wytłumaczenie jego niezrównoważonego stosunku do Zygmunta, jego akceptacji, a zarazem odrzucenia pracy o histerii i seksualnej etiologii nerwic, oto dlaczego półtora roku minęło, zanim opisał ten przypadek... a teraz, po publicznym uznaniu znowu całkowite odtrącenie...

Coraz więcej dowodów... policzki Zygmunta płonęły mimo nocnego chłodu. Oto dlaczego Józef przestał leczyć nerwice; nie chciał stosować hipnozy, lecz kierował pacjentów do Zygmunta. Oto dlaczego w ostatnich latach tylokrotnie odsuwał się od niego i od ich wspólnych badań nad chorobami umysłowymi i emocjonalnymi, a dziś wieczór odtrącił przyjaciela w tak zaskakujący i dramatyczny sposób.

A za kilka dni w „Wiener medizinische Wochenschrift" ukaże się sprawozdanie – Zygmunt widział na sali dziennikarza, który stenografował jego słowa. Cały świat medyczny dowie się, że Józef Breuer popiera teorię Freuda o seksualnej etiologii nerwic.

Nie mógł się z tym pogodzić. Czyżby o tym właśnie rozmyślał Józef podczas odczytu i dyskusji? Czyżby właśnie wtedy uświadomił sobie, że zakochał się w swej pacjentce, że nigdy o niej nie będzie mógł zapomnieć ani ona o nim?

Czyżby Józef był potencjalnym pacjentem Zygmunta?

A jeśli nawet już nigdy się nie zobaczą, nigdy nie będą współpracowali, jeśli Józef nigdy nie weźmie na siebie odpowiedzialności za jakąkolwiek hipotezę czy doświadczenia Zygmunta, czy odzyska dzięki temu spokój, czy zadowoli się swą praktyką lekarską, piękną żoną, szczęśliwym domem rodzinnym i wielką sławą?

Na pobliskim zegarze wybiła dziesiąta. A więc już tak późno? Zygmunt sprawdził godzinę na swoim zegarku. Potem zapiął pod szyję płaszcz i drżąc od chłodu, ruszył do domu. To był koniec świata. Stracił najstarszego i najlepszego przyjaciela. Józef Breuer odszedł tak jak ci, których kochał: Ignacy Schönberg, Ernest Fleischl, Józef Paneth.

W Wiedniu nie miał już nikogo, z kim mógłby rozmawiać o swej pracy. Odtąd czeka go samotność.

Księga dziesiąta

Parias

1

Jakub Freud zmarł jesienią 1896 roku. Miał osiemdziesiąt jeden lat. Od czerwca był bardzo osłabiony po kilku atakach serca i chorobie pęcherza. Zygmunt obawiał się, że ojciec nie przetrzyma ciężkiego wiedeńskiego lata. Wynajął więc małą willę w Baden dla rodziców i Dolfi, jedynej siostry, która została w domu po ślubie Róży przed miesiącem. Jakub poczuł się lepiej na rześkim powietrzu wiejskim; trochę spacerował i godzinami przesiadywał na ganku z widokiem na zieloną dolinę. Zygmunta namawiał, by pojechał z rodziną nad Aussee.

– Należą ci się wakacje. Daję słowo, że do twego powrotu nie będę chorował.

Słowa dotrzymał, ale w październiku, kiedy już wszyscy Freudowie byli w Wiedniu, dostał porażenia jelit i krwotoku mózgowego.

Zygmunt i Aleksander czuwali przy nim przez ostatni wieczór. Zmarł przed północą. Pośmiertny skok temperatury wywołał rumieńce na jego policzkach.

– Zobacz – zawołał Zygmunt do brata – jak bardzo ojciec jest teraz podobny do Garibaldiego!

Zygmunt umył ojca, Aleksander zmienił mu bieliznę. Amelia czekała w sąsiednim pokoju. Zygmunt objął matkę i starał się ją pocieszyć.

– Ojciec miał lekką śmierć. Trzymał się dzielnie, jak przystało na takiego wspaniałego człowieka.

Pogrzeb był skromny. Zakupiono miejsce w żydowskiej części Cmentarza Centralnego, niedaleko bramy głównej, przy drodze, tam gdzie stały duże grobowce w kształcie żydowskich świątyń... Fryzjer, u którego Zygmunt golił się codziennie, niespodziewanie zatrzymał go, tak że spóźnił się trochę na nabożeństwo. Aleksander i Dolfi powitali brata zakłopotanymi spojrzeniami.

Tej nocy śniło mu się, że jest w sklepie, w którym wisi tabliczka z napisem: Uprasza się o zamykanie oczu.

Następnej nocy sen się powtórzył. Zygmunt zorientował się, że sklep jest zakładem fryzjerskim. Zrozumiał sens napisu: „Należy spełniać obowiązki wobec zmarłych. Nie spełniłem mego obowiązku; moje zachowanie było naganne. Tak więc sen stanowi ujście dla uczucia pretensji do siebie, które ludzie zazwyczaj odczuwają po śmierci bliskich...".

Śmierć ojca była dla niego głębokim przeżyciem. Do Wilhelma Fliessa pisał: „W jakiś dziwny sposób, nieuchwytny dla świadomości, śmierć ojca bardzo silnie na mnie podziałała. Szanowałem go i naprawdę dobrze rozumiałem. W wyjątkowy sposób łączył w sobie głęboką mądrość i pełną fantazji lekkomyślność, i te jego cechy w dużej mierze wpłynęły na moje życie. Umierał, mając już dawno za sobą życie, ale w chwili śmierci powraca cała przeszłość".

Jeszcze przed śmiercią ojca wzrosło przygnębienie Zygmunta, wywołały je okoliczności, których był sprawcą i ofiarą równocześnie. Pod koniec kwietnia wygłosił w Towarzystwie Psychiatrów i Neurologów wykład o etiologii histerii, po którym środowisko lekarskie zaczęło go bojkotować. Wykład spotkał się z jednomyślnie negatywnym przyjęciem. „Te osły przyjęły mój referat lodowato" – powiedział Marcie. Praca i wywody Zygmunta spotkały się z surową krytyką; koła uniwersyteckie i środowisko naukowe odrzucały je w całości. Prezes Krafft-Ebing, który przewodniczył zebraniu, stwierdził lakonicznie, że teorie Zygmunta sprawiają wrażenie naukowej bajki.

Prawdziwe kłopoty zaczęły się, kiedy Zygmunt oświadczył, że opublikuje swój wykład w majowym i czerwcowym numerze „Wiener klinische Rundschau". Koledzy stanowczo mu odradzali. Najwięcej oporu, wręcz obrzydzenie wywoływały jego odkrycia dotyczące seksualizmu dziecięcego i seksualnego napastowania dzieci. Jego samego brzydziły fakty, z którymi się stykał, i początkowo, gdy pacjenci o nich wspominali, nie przyjmował ich do wiadomości. Wydawało mu się rzeczą niemożliwą, by tylu ojców napastowało swoje córki lub dostarczało im zbyt silnych podniet seksualnych. Poza takimi przypadkami zezwierzęcenia, o jakich dowiedział się od góralki Katarzyny, nie był po prostu w stanie dawać temu wiary. Kiedy jego pacjentki docierały w toku kojarzenia do podobnych przeżyć z dzieciństwa, Zygmunt starał się je naprowadzać na inne, bardziej wiarygodne wspomnienia. Musiał jednak skapitulować, kiedy się nazbierało aż sto przypadków dokumentujących ów zdumiewający fakt, że napastowanie lub jakaś inna forma pobudzania seksualnego występowały równie często w stosunkach między ojcem i córką, jak między matką i synem.

Posłaniec z Kliniki Psychiatrycznej profesora Kraffta-Ebinga przyniósł liścik: Czy pan doktor Zygmunt Freud może jeszcze tego samego dnia poświęcić profesorowi godzinkę? Po sprawdzeniu listy pacjentów Zygmunt odpisał, że z przyjemnością stawi się o szóstej po południu. Z dziwnym uczuciem szedł przez sale dawnego oddziału profesora Meynerta, w których przed laty pracował jako sekundariusz, opiekując się setkami chorych, jacy i teraz tu leżeli, niektórzy w stanach agonalnych, nie podejrzewając nawet, co właściwie tym nieszczęśnikom dolega, i wiedząc tylko, że Meynert uważał ich za przypadki beznadziejne. J a k ż e m ó g ł b y ć t a k ś l e p y? J a k t o m o ż l i w e, ż e l e k a r z e w c i ą ż j e s z c z e s ą t a k ś l e p i? Po co czekać na śmierć tych pacjentów, przeprowadzać sekcje mózgów, badać wycinki pod mikroskopem, skoro i tak w ten sposób nie da się stwierdzić żadnych przyczyn zaburzeń? Tylko za życia pacjenta można dotrzeć do tych mózgów, zlokalizować w najgłębszych zakamarkach podświadomości to właśnie, co się zepsuło, co w przeszłości wywołało nerwice, które zmuszały tych ludzi do szukania pomocy w szpitalu. Ich zaburzenia psychiczne i emocjonalne były równie okaleczające i zabójcze jak każda inna choroba fizyczna.

Krafft-Ebing niewiele zmienił w gabinecie Meynerta. Pokój nadal przypominał kaplicę z małymi okienkami głęboko osadzonymi w wysokim, sklepionym suficie. Tylko na półkach stały inne książki; nowe też było wielkie florenckie biurko ozdobione medycejskimi liliami. Krafft-Ebing wstawił jeszcze wygodny, obity czerwonym adamaszkiem fotel ze specjalnym pulpitem, na którym rosły stosy kartek rękopisów wychodzących spod jego niestrudzonego pióra. Już cztery lata urzędował w tym gabinecie: zajął go wkrótce po śmierci Meynerta.

Profesor Krafft-Ebing powitał Zygmunta przyjaznym uśmiechem. Trochę się postarzał w ciągu tych lat. Włosy mu się przerzedziły i posiwiały, w czarnej brodzie pojawiły się srebrne pasma. Wciąż jednak Zygmunt miał przed sobą jedną z najwspanialszych senatorskich głów, jakie widział w życiu, głęboko osadzone myślące oczy pod krzaczastymi brwiami i potężny, kościsty nos. W tej głowie mieścił się wspaniały mózg. Profesor miał łagodne usposobienie i zawsze chętnie pomagał ludziom, jak przystało na wielkiego mistrza nauki.

W pokoju był jeszcze ktoś, kogo Zygmunt w pierwszej chwili nie zauważył. W kącie siedział profesor Wagner-Jauregg. Zerwał się teraz i serdecznie uścisnął dłoń Zygmunta. Wagner-Jauregg zachował swój „wiejski" wygląd, nadal miał potężny tors i ramiona drwala. Zygmunt speszył się, uświadomiwszy sobie, że został wezwany na konferencję psychiatryczną na najwyższym szczeblu, jaki można było sobie wyobrazić w krajach języka niemieckiego. Wagner-Jauregg, zgodnie z przewidywaniami, został sprowadzony z powrotem z uniwersytetu w Grazu do Wiednia, gdzie powierzono mu jedną z dwóch klinik psychiatrycznych. Nic się nie zmienił od tego czasu, kiedy Zygmunt życzył mu powodzenia w Grazu; te same zielone oczy, ta sama krótko ostrzyżona czupryna i ta sama twarz o gładko wygolonych policzkach i niedużym jasnym wąsiku.

– Dziękuję panu koledze za przybycie – powitał go Krafft-Ebing. – Proszę, oto kawa, ciasteczka. Niech pan siada i czuje się jak u siebie w domu.

Zygmunt podziękował półgłosem. W myśli dodał: „Jak u siebie w domu czuć się tu nie będę, ale może kawa doda mi odwagi". Krafft-Ebing zawsze starał się uśmiechem podnieść na duchu ludzi przychodzących do niego ze swoimi kłopotami.

– Pana wykład nie wyrządził jeszcze takiej szkody, której nie można by naprawić. Na sali nie było dziennikarzy. Towarzystwo zaś postarało się, by ani jedno słowo nie dotarło do prasy. Towarzystwo jest otwartym forum dla wszystkich kwalifikowanych lekarzy. Pan sam zapewne słyszał już tam niejedną dziwaczną hipotezę medyczną.

– A więc pan profesor uważa, że moje idee są śmieszne?

– Być może użył pan zbyt mocnego słowa...

– Nie mam żadnych uprzedzeń wobec tego słowa. Ośmieszyłem się trochę, kiedy po powrocie z Paryża wygłosiłem pierwszy referat o męskiej histerii. Było to zaledwie przed dziesięcioma laty, a dziś hipoteza ta jest już powszechnie przyjęta w wiedeńskich kręgach neurologicznych. Potem ośmieszyłem się nieco, stosując hipnozę w mieście rodzinnym Mesmera... pańskie przybycie i pana wiara w hipnozę jako metodę terapeutyczną podtrzymały mnie na duchu...

W pokoju zapanowała głęboka cisza. Wagner-Jauregg przez chwilę chodził tam i z powrotem po dywanie, potem głosem drwala, jakby każdym słowem uderzał jak siekierką w pień srebrnej brzozy, powiedział:

– Razem kończyliśmy uczelnię, całe lata pracowaliśmy obok siebie w laboratoriach. Podziwiam pańską pracę nad paraliżem dziecięcym. I dlatego właśnie proszę, żeby pan nie publikował swego wykładu. Wyrządziłby pan sobie nieodwracalną krzywdę. Straci pan cały szacunek, którym obecnie pan się cieszy. Krafft-Ebing i ja uważamy, że za bardzo się panu śpieszy i zbyt wiele pan ryzykuje. Proszę jeszcze kilka lat popracować, zebrać dodatkowy materiał dowodowy, poddać próbom swe hipotezy, wyeliminować możliwość błędu.

Zygmunt był przybity. Uważnie studiował zadowolone oblicza obu profesorów.

– Szczegółowo przeanalizowaliśmy pański referat – dodał Krafft-Ebing.

– Jesteśmy przekonani, że popełnia pan zasadniczy błąd w swojej koncepcji „seksualizmu dziecięcego". Jest to całkowicie sprzeczne z naturą ludzką. Usilnie pana proszę, drogi kolego, o trzymanie w ryzach swych przekonań, nie może pan pozwolić, by wyprzedzały przeprowadzone dotąd obserwacje, na co pan zresztą sam przystał w swoim wykładzie. Niech pan nie odchodzi od ścisłych metod naukowych, którym był pan wierny przez całe życie. Przedwczesna publikacja wyrządzi szkodę nie tylko pańskiej reputacji...

– Komu jeszcze? – zapytał zdumiony Zygmunt.

– Wydziałowi medycznemu. „Rundschau" jest bardzo poczytna. Może pan oddać złą przysługę swojej uczelni.

– Panie profesorze – Zygmunt z trudem wydobywał z siebie ochrypły głos. – Tak się składa, że czytałem obelgi, jakimi obrzucono pana cenne dzieło *Psychopatie seksualne*. Zapewne i pana przestrzegano przed ogłaszaniem tak rewolucyjnego materiału jako najbardziej niezgodnego z naturą ludzką?

Krafft-Ebing milczał. Na jego twarzy malowało się głębokie cierpienie. Do rozmowy wtrącił się Wagner-Jauregg:

– Kolego, nie mogę wyzbyć się dręczącego mnie podejrzenia, że w pańskich wnioskach o seksualnym napastowaniu dzieci kryje się jakiś zasadniczy błąd, który pan sam na pewno z czasem odkryje po głębszym zbadaniu problemu. Dlatego właśnie nakłaniam pana do opóźnienia publikacji. Wie pan, jak mawiają chłopi austriaccy, gdy przyłapią kogoś na oczywistym błędzie: *„Du hast dein Hosentürl offen!"* – „Masz rozpięty rozporek!".

2

Następnego dnia Oskar Rie i jego szwagier Ludwik Rosenstein zaprosili Zygmunta na śniadanie. Spotkał go rzadki zaszczyt, bo do restauracji przybył także dyrektor Maks Kassowitz. Przywitali się jak zawsze bardzo serdecznie, nikt jednak nie spieszył się z jedzeniem.

Cały personel lekarski Instytutu Kassowitza był na wykładzie Zygmunta, udzielając mu w ten sposób moralnego poparcia, ale żaden z lekarzy nie mógł zgodzić się z jego wywodami. Profesor Kassowitz, liczący obecnie pięćdziesiąt cztery lata, cieszył się wielkim szacunkiem w europejskim świecie medycznym; i on uważał, że Zygmunt przechodzi kryzys. Jeśli opublikuje swój wykład, zamknie sobie odwrót. Rosenstein sądził, że Zygmunt wypłynął na środek oceanu bez jakiegokolwiek zabezpieczenia. Oskar Rie pokazał mu świeżo wydaną pracę profesorów Freunda i Sachsa, neurologów z Wrocławia, którzy ściągnęli główne myśli z książki Zygmunta *Organiczne i histeryczne porażenia ruchowe,* nie wspominając nawet o doktorze Freudzie. W zamyśleniu, z właściwym sobie skromnym uśmiechem Oskar powiedział:

– Jeśli naśladownictwo jest uczciwą formą pochlebstwa, to plagiat jest wyrazem podziwu bez granic! Jesteś najlepszym neurologiem dziecięcym, jakiego mamy; niemal wszystkiego, co Ludwik i ja umiemy, nauczyliśmy się od ciebie. Pozostań z nami; czeka cię wielka kariera naukowa. Obecnie twoje badania spychają cię na... margines... medycyny... i... sytuacji społecznej. Co ci da taka bezsensowna ofiara?

Zygmunt powoli wracał do domu w to ciepłe kwietniowe popołudnie, nie odrywając oczu od chodnika. Czuł się tak, jakby mury miejskie, zburzone przed kilku laty na polecenie Franciszka Józefa, zostały wzniesione od nowa i otaczały go zamkniętym pierścieniem. Stał się więźniem chronionym przez dwie straże, jedną była jego natura, która mu się nie pozwalała wycofać, skoro wierzył w swoje racje, druga – to świat lekarski Wiednia, który przestanie go uznawać jako lekarza. Powtórzył Marcie słowo po słowie rozmowę przy śniadaniu, tak jak wcześniej opowiedział jej szczegółowo przebieg spotkania z Krafftem-Ebingiem i Wagnerem-Jaureggiem. Jego decyzja wpłynie na jej życie; miała prawo wiedzieć o tym, co się dzieje.

– Marto, to ludzie dobrej woli, są mi życzliwi. Ale tak jak Krafft-Ebing i Wagner-Jauregg chronili reputację uniwersyteckiego wydziału medycyny, tak samo Kassowitz i Oskar w głębi duszy pragną uchronić klinikę dziecięcą przed jakimkolwiek niefortunnym incydentem.

Marta kończyła trzydzieści pięć lat. Przed pięcioma miesiącami, w grudniu 1895 roku, urodziła Annę, ich szóste dziecko. Postanowili, że to już będzie ostatnie. Marta czuła się źle w ostatnich miesiącach ciąży, poród był ciężki. Dziecko jednak rozwijało się znakomicie. Marta teraz dopiero wróciła do zdrowia i czuła się dobrze. Lśniące czarne włosy nadal czesała gładko, szaroniebieskie oczy nie straciły czułości i blasku. Mimo że urodziła sześcioro dzieci, znacznie mniej widać było po niej minione lata niż po Zygmuncie. On miał lat czterdzieści, ale w brodzie pojawiły się już siwe pasma, twarz zaś zdradzała znużenie.

Ujęła go za rękę. Miesiące powolnej rekonwalescencji spędzała przeważnie w łóżku. Codziennie rano i wieczorem Zygmunt czytał na głos książki jej ulubionego autora, współczesnego powieściopisarza szwajcarskiego, C.F. Meyera. W sypialni nigdy nie brakło cyklamenów, które tak bardzo lubiła.

– Czy masz zamiar opublikować swą pracę?

– Tak. Po obiedzie wprowadzę ostatnie poprawki. Po południu oddam ją w redakcji.

– Twoi koledzy uważają, że to będzie oznaczało koniec?

– Nie, to będzie początek... próżni, która mnie otoczy...

Na twarzy Marty pojawił się tolerancyjny, matczyny uśmiech. Szeptem powiedziała:

– „Na początku stworzył Bóg niebo i ziemię. A ziemia była pusta i próżna... I rzekł Bóg: Niech się stanie światłość".

Zygmunt pocałował ją w policzek i pomyślał sobie: „Małżeństwo dopiero wtedy jest naprawdę udane, gdy żona zaczyna matkować mężowi".

– Wspominałeś czasami o przeniesieniu się do innego miasta – ciągnęła Marta. – Nie zniosłabym Londynu czy Nowego Jorku, bo nie mam zdolności językowych. Ale gdybyś chciał wyjechać do Berlina...

Usiadł u jej stóp i ujął jej ręce w swoje dłonie.

– Dziękuję ci, najmilsza, za tę ofiarę, ale nie będzie potrzebna. Przypomniałem sobie żydowską anegdotę o domokrążcach wędrujących po świecie pieszo, z torbami na plecach, od jednej wsi do drugiej, od domu do domu. Wieczorami zbierają się w miejscowej karczmie, by coś zjeść i przenocować. Torby zostawiają na podwórzu. Prześcigają się w skargach i lamentach. Każdy z nich uważa, że dźwiga najcięższą torbę, najmniej wygodną, najbardziej męczącą. I pewnej nocy w karczmie wybucha pożar. Wszyscy wybiegają na podwórze. Każdy chwyta tę swoją najgorszą, najcięższą, najbardziej nieporęczną torbę. Wiedeń to ciężar, który muszę dźwigać. Wiedeń jest moim więzieniem. Tu muszę zostać i zdobyć twierdzę od środka. Moje publikacje będą jak trąby jerychońskie: jeszcze raz zabrzmią i mury runą...

Służąca wniosła świeżo zaparzoną herbatę.

– Dobra, mocna – stwierdził Zygmunt. – Najlepszy balsam na strudzone i zranione *ego*. – Popijał z wolna, by gorący płyn rozgrzał całe ciało. – Martusiu, będę musiał odejść z Instytutu Kassowitza, przed dziesięciu laty wyznaczono mi salę, gdzie zacząłem organizować oddział neurologiczny dla dzieci. Włożyłem w tę pracę tysiące godzin; leczyłem tysiące dzieci, napisałem wiele dobrych i pożytecznych prac, które klinika opublikowała. Już dawno chciałem się zwolnić. Teraz jest najwłaściwsza chwila.

Na czole Marty pojawiła się zmarszczka.

– Mogą pomyśleć, że odchodzisz, ponieważ pogniewałeś się na nich za złe przyjęcie twego wykładu.

– Może. Ale poczują też pewną ulgę. Odejdę z dniem szóstego maja. To będą moje czterdzieste urodziny. Usamodzielnię się; będę pracował tylko nad nerwicami i podświadomością. Człowiek, który zaczyna dźwigać piąty krzyżyk, zasługuje na wolność. – Uśmiechnął się z przymusem. – Jeśli, jak to w anegdocie Jakuba powiedział podróżny, który jechał bez biletu do Karlsbadu i dostawał cięgi na każdej stacji, jeśli tylko zdrowie dopisze...

Wykłady ukazały się w „Rundschau". Lekarze, których znał od lat z Allgemeines Krankenhaus, przechodzili na drugą stronę ulicy, by się z nim nie witać. Na zebraniach Towarzystwa Medycznego nie dostrzegano go. W Wiedniu o bagażu służących mówiono pogardliwie „manatki". Zwalnianiu służby towarzyszył rytualny zwrot: „Proszę spakować swoje manatki i wynosić się!". Gdy na wydziale medycznym rozmowa schodziła na doktora Freuda, lekarze powiadali, że „spakował swoje manatki i wyniósł się". Pewien sekundariusz pracujący na dawnym oddziale chorób nerwowych prymariusza Scholza skomentował teorie prywatnego docenta Freuda dość wulgarnym powiedzonkiem: „Nie ja tam spałem – nie moje to dziecko!".

Zygmunt czuł, że ludzie go unikają i gardzą nim. Parias!

Prawie nikt już nie kierował do niego pacjentów; ani Allgemeines Krankenhaus, ani Instytut Kassowitza, ani lekarze, którzy dotąd przysyłali mu chorych. Jakby się znalazł na czarnej liście.

Nadal prowadził na uniwersytecie nadobowiązkowe wykłady poświęcone histerii i wielkim nerwicom, ale na kurs zgłosiło się tylko czterech studentów. Był mile widziany na sobotnich partyjkach taroka, rzadko jednak przychodził, ponieważ zdawało mu się, że przyjaciele się nad nim litują. Marta próbowała go przekonać, że przecież Oskarowi Rie i Leopoldowi Königsteinowi takie bzdury nie przyszłyby nawet do głowy. Sam już się zastanawiał, czy nie dostał manii prześladowczej? Czyżby to była choroba zakaźna? Może zaraził się od owego oficera, którego leczył?

Nie mógł liczyć na to, że zostanie zaproszony na odczyt w jakimkolwiek towarzystwie lekarskim. Opublikowanie jego wykładów doprowadziło, jak to sam określił, do „zerwania większości kontaktów z ludźmi". Zwrócił się więc do jednego ze znajomych ojca z zapytaniem, czy zna jakieś grono ludzi poważnych, którzy nie zważając na jego śmiałość, zechcieliby go życzliwie wysłuchać, z którymi mógłby rozmawiać o swoich odkryciach. Starszy pan powiedział, że ludzi takich można znaleźć w loży „B'nai B'rith"*, ale bardziej, jak sądzi, odpowiednia byłaby młodzież z Żydowskiej Czytelni Akademickiej.

W sali klubowej na Ringstrasse zebrało się około trzydziestu młodych mężczyzn. Z ust Zygmunta po raz pierwszy usłyszeli o tym, co określił jako „pierwsze badania głębi instynktownego życia człowieka". Nigdy też dotąd nie zetknęli się z kompozycją budowy ludzkiej podświadomości. Słuchali

---

* Międzynarodowe stowarzyszenie żydowskie.

pilnie i byli przejęci tematem; pytania, które potem zadawali, świadczyły, że chociaż zrozumieli zaledwie część tego, co Zygmunt mówił, pragnęli wiedzę swą pogłębić. Kiedy wrócił do domu, Marta, widząc znajomy błysk w oku męża, powiedziała:

– Chwała Bogu, wszystko poszło dobrze!

Na szczęście wiadomości od rodziny były pomyślne. Krewnym w Nowym Jorku i Wiedniu powodziło się dobrze. Pauli urodziła swe pierwsze dziecko, dziewczynkę, której dała na imię Róża. Trzydziestoszcścioletnia Róża Freud zakochała się w czterdziestoletnim Henryku Grafie, doktorze praw i członku Instytutu Adwokatów (został tam przyjęty po siedmiu latach dodatkowych studiów). Był to człowiek wykształcony, o wybitnej umysłowości. Jego praktyka – specjalizował się w dziedzinie znaków ochronnych i przepisów frachtowych – szybko się rozrastała. Publikował również artykuły w pismach prawniczych. Był to pierwszy poważny romans Róży od czasu, gdy młody Brust opuścił przed dziesięciu laty jadalnię Freudów. Nie tęskniła za Brustem i bynajmniej nie zrezygnowała z planów matrymonialnych, jak to uczyniła Minna po śmierci Ignacego Schönberga. Róża miała naturę romantyczną i święcie wierzyła, że gdzieś na świecie musi być człowiek dla niej przeznaczony.

Zygmunt był ich świadkiem i podpisał akt zawarcia małżeństwa po ślubie w synagodze na Müllnergasse. Marta wydała przyjęcie weselne. Mieszkanie przybrano pachnącymi konwaliami. Podano francuski szampan. O trzeciej do obiadu zasiadło około trzydzieściorga Freudów. Dzieci posadzono przy osobnym stole. Obiad składał się z zupy, sztuki mięsa z kartoflami i pietruszką, a ukoronowanie uczty stanowił majstersztyk wiedeńskich legumin, czekoladowy tort Malakoff z bitą śmietaną i biszkoptami. O piątej młoda para wymknęła się i udała w podróż poślubną.

Została jeszcze tylko Dolfi. Była o kilka lat młodsza od Róży i póki Róża nie wyszła za mąż, nikt się nie przejmował tym, że wciąż jeszcze jest panną. Wreszcie Zygmunt i Aleksander musieli spojrzeć prawdzie w oczy: Dolfi nie grzeszyła urodą i nie miała żadnego poważnego konkurenta.

Z zewnętrznym spokojem przyjmował Zygmunt napaści na *Dziedziczność i etiologię nerwic*, którą napisał dla „Revue Neurologique". Większość recenzentów poszła w ślady doktora Adolfa Strümplla, niemieckiego neurologa – skwitował on *Studia nad histerią* haniebną, jak to określił Zygmunt, notatką. Poważnie kwestionując metody terapeutyczne Freuda, pisał: „Nie wiem, czy można uznać prawo lekarza, nawet o najszlachetniejszych zasadach, do takiego wnikania w najbardziej intymne sprawy ludzkie".

Gdy praca doktora Freuda została opublikowana w „Rundschau", rozpętał się huragan. Obrzucano go takimi epitetami, jak „zbereźnik", „lubieżnik",

„erotoman", „kolporter pornografii i brudów", „człowiek kalający cnoty duchowe", „bezwstydny, wyuzdany, zezwierzęcony", „hańba zawodu" i wreszcie „antychryst". Krytyków, podobnie jak lekarzy, najbardziej oburzał materiał o erotyzmie dziecięcym, zebrany u wielu pacjentów, którzy przebijając się przez warstwy wspomnień, docierali w końcu do najwcześniejszych, dotąd tłumionych, wspomnień erotycznych. Zygmunt pisał o strefach erotogennych, które dzieci odkrywały i na których skupiały swą uwagę. Po latach intensywnej pracy udokumentował erotykę oralną, gdyż jak twierdził: „miłość i głód spotykają się przy piersi kobiecej".

Zaczynał też pojmować niektóre aspekty erotyki analnej: jak i kiedy się pojawia i jaki stopień osiąga w dalszych stadiach rozwoju. Niektórzy z jego pacjentów homoseksualistów przypominali sobie swoje pierwsze stosunki analne. Zdumiewająca liczba młodych ludzi sądziła, że dzieci przychodzą na świat przez odbytnicę...

W Wiedniu dzieci, a szczególnie niemowlęta, uchodziły za niewinne aniołki, które nie mają żadnego pojęcia o nie zawsze subtelnych aspektach erotyki. I oto doktor Zygmunt Freud pozwalał sobie kalać nie tylko macierzyństwo i ojcostwo, ale też sielskie i anielskie dzieciństwo.

– Czy lepiej jest chorować, zniszczyć sobie życie, niż mówić o instynktownie erotycznej naturze człowieka? – zapytał Martę, gdy siedzieli pewnego popołudnia z Minną przy podwieczorku. Minna miała teraz trzydzieści jeden lat i była tą samą serdeczną Minną, którą znał, gdy miała lat siedemnaście. To, że zrezygnowała z miłości, z własnego domu rodzinnego, w niczym nie zmniejszyło jej spontanicznej umiejętności cieszenia się życiem. Dla Marty była prawdziwym darem bożym, w domu Freudów promieniem słońca rozświetlającym mroczne chwile. Kiedy pani Bernays przyjechała do Wiednia, Zygmunt i Marta poprosili ją, by pozwoliła Minnie zostać u nich. Minna zgodziła się pod warunkiem, że zostanie na próbę przez kilka miesięcy. Dzieci pokochały ciotkę. Marta była szczęśliwa, że ma przy sobie swoją siostrę, powiernicę i przyjaciółkę, tym bardziej że straciła Matyldę Breuer. *Tante* Minna uważała, że zarzuty stawiane Zygmuntowi są śmieszne.

– Wybrali sobie najmniej odpowiedni cel zarzutów. Ach, gdyby tylko wiedzieli, jaki ty jesteś strasznie konwencjonalny. Nawet królowa Wiktoria uważałaby cię za mężczyznę pruderyjnego. Czyż nie potrafią zrozumieć, że ty tylko wyjaśniasz i opisujesz, a nie bronisz? Przecież to nie ty zaplanowałeś naturę człowieka. Czyż Darwin nie mówił, że mamy za sobą miliony lat i tysiące gatunków?

– Oczywiście – odpowiedział. – I byłbym szczęśliwy, gdyby przynajmniej jeden z tych gatunków, *homo medicus*, powrócił do tego stanu pierwotnego, z którego się wywodzi.

Marta uniosła głowę znad robótki ręcznej.

– Kochany – uspokajała go – gorycz zostaw swoim adwersarzom.

3

Nie mógł pojąć, dlaczego śmierć ojca tak niewiarygodnie spotęgowała wszystkie jego reakcje uczuciowe. Osamotnienie, które znosił dotąd dość dobrze, nagle stało się nie do zniesienia. Kiedy wyznawał w liście do Fliessa: „Gnębi mnie takie uczucie, jakby wyrwano mnie z korzeniami", zdawał sobie sprawę, że przeżył tak silny wstrząs psychiczny, że po raz pierwszy w życiu utracił poczucie swej tożsamości. Nie wiedział, kim i czym jest. Czuł, że pod jego czaszką toczy się mordercza walka. Chciał utrzymać Jakuba przy życiu, nie dopuścić do tego, by został pogrzebany na cmentarzu niepamięci. A równocześnie z najgłębszych warstw podświadomych lęków jakieś niejasne obawy atakowały nieubłaganego cenzora jak ptaki trzepoczące skrzydłami w ciemnościach nocy. Był zdezorientowany, czuł, że jakieś niedopowiedziane uczucia kłębią się w jego duszy.

Przypomniał sobie przypadek czterdziestodwuletniego mężczyzny, który po śmierci ojca, prześladowany niezwykle silnymi napadami lęków, wmówił sobie, że ma raka języka, chore serce i agorafobię. Pacjent powtarzał, że po śmierci ojca nagle uświadomił sobie, że teraz na niego przyszła kolej, i choć nigdy dotąd nie myślał o śmierci, teraz nie opuszczają go myśli o niej. Daremnie próbował go Zygmunt pocieszyć, parafrazując powiedzenie Goethego, że „wszyscy musimy spłacić naturze dług śmierci". Ten mądry aforyzm nie mógł przeciwdziałać nerwicy chorego. Wszelkie próby dotarcia drogą analizy do źródeł zaburzeń zawiodły.

Stwierdzając u siebie początki nerwicy, Zygmunt zastanawiał się: „To nie naszej własnej śmierci się obawiamy, lecz śmierci ojca. Dlaczego?" Zarówno ojciec pacjenta, jak i jego własny umarli po osiemdziesiątce. Obaj, pacjent i on, byli dobrymi synami. Skąd więc to przygnębienie, te wewnętrzne trudności? „Kochałem Jakuba, darzyłem go szacunkiem, pomagałem mu przez ostatnie dziesięć lat. Opiekowałem się nim troskliwie podczas choroby... Dlaczego prześladuje mnie to uporczywe poczucie winy?"

Religia żydowska wymagała, by syn po śmierci ojca modlił się za niego codziennie w synagodze przez cały rok. Zygmunt nie przestrzegał rytuałów religijnych, ale symbolicznie odbywał nakazaną żałobę, myśląc nieustannie o Jakubie.

Bezpośrednim skutkiem tego rozpamiętywania poniesionej straty było pojawienie się obaw przed przyszłością, przed czekającymi go latami, kiedy będzie traktowany jako człowiek obcy w swym środowisku zawodowym i w mieście. Nie mógł już dłużej znieść tego uczucia, że wszyscy go unikają. Potrzebował jakiejś instytucji, organizacji, jakiejś przynależności i równocześnie czegoś, co należałoby do niego. Wiedział, co ma zrobić. Musi wrócić na uniwersytet, na wydział medycyny Uniwersytetu Wiedeńskiego. Zawsze przecież marzył o tym, że tam właśnie spędzi swe życie. Zrezygnował z tej drogi, gdy przed czternastu laty profesor Brücke doradził mu, by jako młody człowiek bez majątku, pragnący się ożenić, zajął się praktyką prywatną. Jemu jednak marzyła się kariera akademicka: gabinet i laboratorium w Allgemeines Krankenhaus, stałe wykłady dla studentów, awans do stopnia profesora zwyczajnego, własny oddział, prawo głosu w Kolegium Profesorskim, w sprawach wydziału medycznego; skromne, lecz stałe uposażenie. Pozostałoby mu jeszcze dosyć czasu na prywatną praktykę i pisanie.

Był już po czterdziestce. Solidność i różnorodność jego prac z dziedziny neuropatologii upoważniały go do ubiegania się o tytuł profesora nadzwyczajnego. Przez dziesięć lat nie myślał o tym, ale teraz doszedł do wniosku, że nominacja rozwiązałaby wiele problemów. Zostałby czynnym członkiem jednej z największych uczelni medycznych na świecie: automatycznie zyskałby powszechny szacunek. Profesor w Wiedniu był półbogiem... Nareszcie skończyłaby się sezonowość jego praktyki. Od czerwca, kiedy ukazał się piąty z jego artykułów, do końca listopada zarobki jego nie wystarczyłyby na wyżywienie sześciu wróbli, a co dopiero wygłodniałej dzieciarni. Teraz, co prawda, w grudniu, pracował dziesięć godzin dziennie. Wybrał jednak najgorszy czas na starania o nominację!

– Jak ty sobie właściwie wyobrażasz spełnienie tego cudu? – pytała Marta. – Z równym powodzeniem mógłbyś zabiegać o względy wydziału medycyny, będąc zamknięty w „Wieży Szaleńców".

– Wiem – odpowiedział. – Jedyny człowiek, który nadal jest do mnie przychylnie usposobiony, to profesor Nothnagel, i to tylko dlatego, że spodobał mu się artykuł, który napisałem do jego Encyklopedii.

– Może więc poprosisz go o poparcie?

– Mogłem to zrobić jako młody człowiek ubiegający się o stypendium na wyjazd albo o docenturę. Moją kandydaturę musi zaproponować dwóch profesorów zwyczajnych. Komisja Sześciu zbada mój dorobek, po czym Kolegium Profesorskie powinno jednomyślnie wysunąć moją kandydaturę i przedstawić ją ministrowi oświaty.

Kiedy po raz pierwszy od wielu miesięcy doktor Freud zjawił się przy stoliku tarokowym, nikt nie okazał zdziwienia. Leopold Königstein, jedyny z obecnych prowadzący wykłady na wydziale medycznym uniwersytetu, nie uniósł nawet brwi, gdy Zygmunt mimochodem wspomniał, że chciałby, aby jego nazwisko wzięto pod uwagę przy rozpatrywaniu tegorocznych kandydatur na wydziale. Königstein sam był od kilku lat pomijany przy nominacjach na profesorów nadzwyczajnych.

Na początku stycznia dotarła do Zygmunta pogłoska, że w tym roku akademickim rekomendację na profesora nadzwyczajnego neuropatologii otrzyma młodszy od niego o sześć lat kolega, Lothar von Frankl-Hochwart. Zygmunt cenił Hochwarta, którego praca o tężcu była pierwszym naukowym opisem tej choroby, ale uważał, że z wieku i z uwagi na dorobek naukowy jemu przysługuje to stanowisko. Do Fliessa pisał:

„Nie przejąłem się pogłoskami, że Rada Wydziału zaproponowała przyznanie tytułu profesora memu młodszemu koledze, pomijając mnie. Nie wiem zresztą, czy pogłoska jest prawdziwa".

W pierwszych dniach lutego otrzymał korektę *Dziecięcych porażeń mózgowych* – pracy przeznaczonej dla Encyklopedii Nothnagela. Zadedykował ją profesorowi i wręczył mu osobiście. Nothnagel przyjął go jak zawsze w solidnym czarnym garniturze z jedwabną kamizelką i srebrnymi guzikami oraz w czarnym krawacie. Nadal miał jasne włosy, dwie brodawki na prawym policzku i potężny nos jak kartofel. Zygmunt wiedział, że w tym czasie wysyłane są rekomendacje, i postanowił wykorzystać wizytę u Nothnagela. Profesor nie spojrzał na dedykację i ściskając dłoń Zygmunta, powiedział:

– Panie kolego, proszę chwilowo utrzymać to, co powiem, w tajemnicy: otóż ja i profesor Krafft-Ebing wystąpiliśmy z wnioskiem o profesurę dla pana i Frankla-Hochwarta. – Podszedł do biurka i wyjął arkusz gęsto zapisanego papieru. – Rekomendacja jest już gotowa. Oto podpisy Kraffta-Ebinga i mój. Dokument zostanie przesłany do Rady Wydziału. Jeśli Rada nie przyjmie naszego zalecenia, wyślemy je na własną rękę do Kolegium Profesorskiego.

Zygmunt poczuł, że nogi się pod nim uginają. Myśli wirowały mu w głowie jak płatki śniegu uniesione nagłym podmuchem wiatru. Jakiś zdumiewający zbieg okoliczności spowodował, że i on, i profesorowie Nothnagel i Krafft-Ebing pomyśleli równocześnie o profesurze dla prywatnego docenta Zygmunta Freuda. Nic dziwnego, że na pomysł taki wpadł Nothnagel, którego Encyklopedię Zygmunt wzbogacił właśnie pierwszorzędną pracą, ale Krafft-Ebing! Człowiek, który ostrzegał go, że jeśli opublikuje swoje wykłady, wyrządzi nieodwracalną krzywdę sobie i uniwersytetowi!

– Jesteśmy przecież ludźmi rozsądnymi – ciągnął Nothnagel stanowczym głosem. – Wiemy, jakie są trudności. Być może skończy się jedynie na wzięciu pańskiego nazwiska na tapetę. Ale to dobry początek i może pan być pewny, że krok po kroku będziemy zmierzać do pańskiej nominacji. Profesor Krafft-Ebing też chciałby się z panem zobaczyć.

Kiedy Zygmunt wszedł do gabinetu Kraffta-Ebinga, profesor wstał i objął ramionami swą potężną klatkę piersiową, jakby chciał sam siebie uściskać za dobry uczynek. Zygmunt, jąkając się, próbował mu dziękować, ale on uniósł rękę i zaprotestował:

– Tylko proszę bez wyrazów wdzięczności. To był zwyczajny obowiązek. Pan natomiast musi teraz sporządzić bibliografię swoich prac, wszystkich prac zakończonych, projektów badań i publikacji.

Patrząc na profesora, Zygmunt myślał: „Cóż to za przyzwoici ludzie! Obaj próbują wprowadzić mnie z powrotem do wiedeńskiego środowiska medycznego. Wiem, że moje szanse są znikome. I wiem, jak trudno będzie uzyskać zgodę ministerstwa; ale teraz mogę przynajmniej życzliwie i dobrze o nich myśleć".

– Niech pan siada, porozmawiamy – powiedział Krafft-Ebing. – Wiem, o czym pan teraz myśli; przed niespełna rokiem nazwałem pańską *Etiologię histerii* naukową baśnią i namawiałem, żeby pan tego materiału nie publikował. A dziś daję panu rekomendacje na profesora nadzwyczajnego. Skąd ta zmiana? No cóż, po pierwsze, jak mi pan na to zwrócił uwagę, mnie samemu się dostało za opublikowanie moich prac. Doszedłem do wniosku, że to nie jest tradycja, którą chciałbym kontynuować. Nie zgadzam się z pańskimi teoriami o źródłach chorób umysłowych i zgodzić nie mogę, co bynajmniej nie znaczy, że nie uważam pana za człowieka poważnego. Pan j e s t poważnym człowiekiem! Nie uważam też, że opowiada pan bajki, by zwrócić na siebie uwagę. Nie powinienem był użyć tych słów...

– Ależ pan profesor nie ma powodu się tłumaczyć. Zawsze należałem do najgorliwszych wielbicieli...

– Kolego, proszę mnie źle nie rozumieć. Kroczy pan ślepą uliczką. Dla mnie przynajmniej jest to ślepa uliczka, ponieważ przez całe życie uczono mnie, że u jej kresu stoi nieprzekraczalna ściana: dziedziczność. Podziwiam pańską odwagę i charakter. Nie wspomnę o moich wątpliwościach ministrowi oświaty. Będę pana tylko chwalił za solidny i bogaty dorobek... – przerwał na chwilę. – Między nami mówiąc, gdyby ta ślepa uliczka się zrodziła w mojej głowie, a nie pańskiej, nie wspominałbym o niej w urzędowym dokumencie.

Krafft-Ebing napisał entuzjastyczną opinię. Zygmunt przygotował krótkie streszczenia swych publikacji. Po wydrukowaniu miały one zostać wręczone Komisji Sześciu, aby wypowiedziała swój sąd o jego kwalifikacjach.

4

Nadszedł maj. Rzadko się zdarzało, by doktor Freud miał mniej niż dziesięciu pacjentów dziennie. Dzięki opracowaniu metody interpretacji snów lepiej teraz rozumiał choroby swoich pacjentów i ich objawy. Jednej z pacjentek stale śniło się, że się przewraca, szczególnie podczas robienia zakupów na Grabenie, ulubionym terenie prostytutek. Czyżby pragnęła stać się upadłą kobietą? Jednego z pacjentów, którego nie można było w dzieciństwie nauczyć higieny osobistej, teraz opętała chorobliwa chciwość. Śniły mu się pieniądze w postaci ekskrementów i nieustannie wyrzucał sobie, że pożąda brudów. Kiedy musiał dotknąć pieniędzy, natychmiast mył ręce, „aby usunąć smród". Inną pacjentkę dręczyły sny, w których chodziła na zakupy ze swoją służącą i każdy rzeźnik odpowiadał „towaru już nie ma". Po wielu sesjach Zygmuntowi udało się wytropić powiązanie tych słów z powiedzeniem chorej chłopki Wagnera-Jauregga powtarzającej: *„Die Fleischbank war schon geschlossen"* – „jatkę już zamknięto". Od pacjentki dowiedział się, że mąż przestał się nią interesować i od dawna już zamknął swoją „jatkę". Młodemu, dwudziestosiedmioletniemu pacjentowi dokuczały bardzo ostre stany lękowe. Nie mógł pracować, nie utrzymywał stosunków towarzyskich. Śniło mu się, że ściga go człowiek z toporem. Chciał uciekać, czuł jednak, że nie może oderwać nóg od ziemi. Kiedy pacjent zaczął wspominać swe dzieciństwo, wyznał, że kiedyś pobił do krwi młodszego brata. Pewnego dnia słyszał, jak matka powiedziała do ojca: „On go zabije". Niedługo potem rodzice wrócili późno do domu, chłopiec zaś, który spał z nimi w jednym pokoju, udawał, że już śpi. Po chwili usłyszał sapanie i zobaczył ojca leżącego na matce. Wydawało mu się, że jest świadkiem jakiejś przemocy i walki. Rano zobaczył na łóżku rodziców ślady krwi. Doszedł do przekonania, że pewnego dnia „ojciec zabije matkę". I od tej chwili datowały się owe lęki. Przeszło rok minął, zanim Zygmuntowi udało się je osłabić.

Jeden z pacjentów żądał, by żona brała od niego przed stosunkiem sto guldenów. Chciał być pewny, że otrzyma to, za co „zapłacił". Od niedawna znalazł się w finansowych tarapatach. Zaprzestał pożycia seksualnego z żoną, ponieważ nie mógł sobie pozwolić na płacenie. Nie był to pierwszy tego rodzaju przypadek w praktyce Zygmunta. Leczył już wielu mężczyzn, którzy mogli mieć stosunek tylko z kobietami oddającymi się za pieniądze.

Przyszła do niego młoda dziewczyna, która obawiała się zrywać kwiaty, a nawet zbierać grzyby w lesie, ponieważ było to sprzeczne z wolą boską. „Zabijanie wszelkich zalążków życia jest sprzeczne z boskimi nakazami".

Głównym objawem jej nerwicy było to, że nie mogła wziąć do ręki żadnego przedmiotu, jeśli nie został w coś owinięty. W końcu Zygmunt doszedł do tego, że „wzbranianie się przed niszczeniem zalążków życia" to reminiscencja rozmów z matką, która ostrzegała ją przed używaniem środków zapobiegawczych. Zidentyfikował te objawy jako znany mu już „kompleks prezerwatywy". Choroba dziewczyny była podświadomym buntem przeciw pouczeniom matki, symboliczną ucieczką od autorytetu do niezależności.

Kiedyś internista wezwał doktora Freuda na konsultację do siedemnastoletniej dziewczyny. Internista i matka chorej byli w pokoju. Pacjentka robiła wrażenie osoby inteligentnej; pewne zdziwienie wywołał tylko jej strój. Wiedenki z reguły bardzo starannie się ubierają, a tu panna z bogatego domu nie poprawiała opadającej pończochy, miała niedopiętą bluzkę na piersiach. Na pytanie Zygmunta, jak się czuje, odpowiedziała, że dokucza jej ból w nodze, po czym opuściła pończochę, ukazując łydkę. Zygmunt nie spojrzał, choć zdawał sobie sprawę, że do tego właśnie chciała go skłonić pacjentka, zapytał natomiast, co jej najbardziej dolega.

– Mam takie uczucie, jakby w moje ciało wetknięto jakiś przedmiot, który posuwa się wprzód i wstecz i przeszywa mnie na wskroś. Chwilami czuję, że sztywnieję.

Zygmunt i internista spojrzeli po sobie. Opis był tak plastyczny, że nie mógł budzić żadnych wątpliwości. Kiedy jednak Zygmunt spojrzał na matkę, zorientował się, że ani dolegliwości córki, ani ich opis z niczym jej się nie kojarzą. Doszedł do wniosku, że lepiej będzie, jeśli wtajemniczeniem w pewne elementarne sprawy życiowe zajmie się internista, który od wielu lat był w tej rodzinie lekarzem domowym.

Czterdziestoletnia kobieta przyszła z klasycznymi dolegliwościami. Bała się wychodzić sama na ulicę; zawsze musiał jej towarzyszyć ktoś z rodziny. Lękała się również siedzenia przy oknie. Zygmunt stwierdził, że ma do czynienia z objawami „pragnienia prostytucji", kojarzącej się z samotnym krążeniem po ulicy i oglądaniem się za mężczyznami oraz z obyczajem europejskich prostytutek, które siadywały w oknach, tak by przechodnie wiedzieli, że są wolne.

Mężczyzna cieszący się szacunkiem w swym środowisku zawodowym skarżył się, że każda nawet przypadkowo spotkana kobieta budzi w nim szczególnego rodzaju fantazje; te fantazje zaczęły przybierać na sile. Wymyślał najdziwniejsze formy stosunków seksualnych, a ze szczególnym uporem wracała ta forma, którą podpatrzył u psów na ulicy.

Młoda dziewczyna wmówiła sobie, że jest brzydka, zła, frywolna i że lepiej będzie, jeśli umrze i zejdzie ludziom z oczu. Wkrótce okazało się, że w ten sposób chciała się świadomie poniżyć. Przyłapała ubóstwianego ojca na romansie ze służącą. Matka była w tym czasie w szpitalu. Nie śmiała robić wyrzutów ojcu i przez substytucję wzięła winę na siebie. Doktor Freud pomógł jej.

Zgłosiła się kobieta cierpiąca na histeryczne wymioty. Badali ją różni lekarze, żaden jednak nie stwierdził jakiejś dolegliwości fizycznej. Długie i żmudne badania wykazały, że wymioty są spełnieniem podświadomej fantazji datującej się u pacjentki od okresu dojrzewania: pragnienia, by nieustannie być w ciąży i mieć mnóstwo dzieci. Do tego dołączyło się późniejsze pragnienie, by dzieci te pochodziły od możliwie największej liczby ojców. Po okresie pokwitania odruch obronny zaczął przeciwdziałać temu nieobyczajnemu pragnieniu. Wymioty oznaczały chęć wymierzenia sobie kary, pacjentka chciała stracić urodę i zgrabną figurę, przestać się podobać mężczyznom.

Stale napływał świeży materiał źródłowy. Niektóre przypadki fascynowały swą osobliwością, Zygmunt był bez przerwy w stanie emocjonalnego niepokoju. Pisał do Fliessa, że przeżywa nieustanny ferment wewnętrzny połączony z niejasnym przeczuciem, iż wkrótce jego technika terapeutyczna wzbogaci się o jakiś nowy ważny element.

Wciąż nie mógł się pogodzić ze śmiercią Jakuba. Raz po raz pojawiały się w jego umyśle wspomnienia i obrazy, nawet wtedy gdy przyjmował pacjentów wymagających pełnego skupienia uwagi. Krótkie chwile wytchnienia od pracy wykorzystywał na długie marsze nad Kanałem Dunajskim, ale nawet w czasie tych spacerów wracał myślami do przeszłości. Na pozór były to wspomnienia przyjemne: Jakub zabiera go na niedzielny spacer do Prateru; idą z Jakubem na koncert i zmianę warty w Pałacu Cesarskim; Jakub czyta mu książkę; opowiada anegdotę o Piotrze Prostaczku; Jakub zasiada na honorowym miejscu podczas paschalnej kolacji i z pamięci recytuje całą paschalną opowieść w języku hebrajskim; Jakub przynosi mu książkę w prezencie w dniu wypłaty... Te wspomnienia wywodziły się ze świadomości; z pewnością nie one rodziły jego niepokoje. Jedynym wspomnieniem przygnębiającym był epizod, który Jakub opowiedział mu kiedyś na spacerze w Praterze:

„Byłem jeszcze młody. Wybrałem się pewnej soboty na spacer po ulicach miasteczka, w którym ty przyszedłeś na świat. Ubrałem się odświętnie i miałem na głowie nową czapkę futrzaną. Jakiś chrześcijanin podszedł do mnie, strącił mi czapkę z głowy w błoto i zawołał: «Zejdź, Żydzie, z chodnika!»". I co ty na to? – zapytał Zygmunt. „Zszedłem mu z drogi i podniosłem czapkę".

Dziesięcioletni wówczas Zygmunt poczuł się strasznie nieszczęśliwy. Stracił szacunek do ojca. Przypomniał sobie jakże inną historyczną scenę, która zawsze budziła w nim zachwyt: Hamilkar nakazujący swemu synowi Hannibalowi przysiąc przed wizerunkami bogów domowych, że zemści się na Rzymianach.

Wszystkie te wspomnienia, dobre i złe, nie łagodziły jednak wewnętrznego podniecenia. Zygmunt liczył na to, że z czasem ono ustąpi i Jakub zazna nareszcie zasłużonego spoczynku, ale niepokój stale się pogłębiał.

– Dlaczego nie mogę się z nim rozstać? – zapytywał sam siebie. – Od pół roku już nie żyje; syty był życia, kiedy umierał. Dlaczego rozwinęła się ta nerwica przyprawiająca mnie o lęki i przygnębienie nie mniejsze niż u niektórych moich pacjentów?

Nie mógł już dłużej ukrywać przed sobą, że zdenerwowanie graniczyło ze stanem chorobowym.

Porównując się w myślach ze swoimi pacjentami, przeżył nagle olśnienie. Choroby jego pacjentów nie wywodziły się z ich świadomości, lecz z podświadomości... Z dawnych, stłumionych wspomnień z wczesnego dzieciństwa. Głównym źródłem dolegliwości histeryków są wspomnienia! Dlaczego dotąd o tym nie pomyślał?

Stanął jak wryty. Dął zimny wiatr, ale on czuł, jak biją na niego poty, po których poczuł dreszcze. Jakiś głos w głębi duszy podpowiadał mu twarde słowa: „Droga do odzyskania spokoju prowadzi jedynie przez zgłębienie podświadomości. Analiza samej świadomości nie wystarczy".

Wstąpił do najbliższej kawiarni i zamówił dużą białą kawę. Ujął w dłonie gorący kubek, rozgrzewając zmarznięte palce. Powoli popijał parujący płyn, starając się opanować drżenie. Maksyma *medice, cura te ipsum* przeszyła jak błyskawica jego myśli. Czy jednak lekarz może sam przekopywać się przez kolejne warstwy swej podświadomości? Schliemann wydedukował lokalizację mitycznej rzekomo Troi, wczytując się gorliwie w Homera. Gdzie ma szukać swego Homera? Był sam. Nikt nie uprawiał jego profesji. Fliess żywił do niego tak wielkie przywiązanie, że zapewne by spróbował, brakło mu jednak koniecznego przeszkolenia, które przeszedł tylko on, odkrywca i jedyny praktyk metody, przed rokiem zaledwie nazwanej psychoanalizą, metody kreślarza odtwarzającego strukturę ludzkiej duszy. Gdyby śmierć Jakuba nastąpiła dawniej, być może Józef Breuer przyszedłby mu z pomocą, stosując hipnozę. Ale teraz z pewnością tego nie uczyni.

Czuł, że zrobiło mu się duszno w kawiarni, której ciepło i zadymioną przytulną atmosferę jeszcze przed kilkoma chwilami powitał z taką przyjemnością. Otarł dłonią spocone czoło. Jeśli zaburzenie tkwi w podświadomości i nie ma nikogo, kto pomógłby mu się przedrzeć przez te wszystkie lata, by dotrzeć do sedna sprawy, to w jaki sposób odnajdzie drogę powrotną od histerii do zwyczajnej zgryzoty, która jest udziałem wszystkich ludzi? Zdawał sobie sprawę, że jego stan jest poważny. Z wielkim wysiłkiem przyznał się przed sobą samym, że w ciągu ostatnich miesięcy, poza godzinami, kiedy jego uwagę pochłaniali pacjenci, był intelektualnie obezwładniony. Nigdy nie wyobrażał sobie, że zjawisko to może wystąpić w takim nasileniu u niego, neuropatologa, który znał mechanizm duszy ludzkiej. „Świadomość moja nie może pojąć mego stanu. Cóż mam czynić?"

5

Próbował oderwać się od swych wewnętrznych przeżyć. Zabrał Martę na uroczystość wręczenia dyplomu pierwszej kobiecie, która ukończyła studia na wydziale medycznym Uniwersytetu Wiedeńskiego. Czytał sprawozdania z wyborów parlamentarnych w 1897 roku, świadczące o znacznym wzroście wpływów antysemickich. Był na prelekcji Stanleya, który opowiadał o tym, jak odnalazł w Afryce doktora Livingstone'a. Wybrał się z dziećmi na doroczną paradę wojskową i oglądał wspaniale wystrojonych cesarzy Austrii i Niemiec. Pewnego popołudnia poczuł się już na tyle wypoczęty, że zanotował pewien pomysł: popełniał błąd, dzieląc umysł ludzki na dwie sztywne kategorie, świadomość i podświadomość. Między nimi znajdowała się warstwa znacznie mniej określona, przedświadomość, to tu części zatopionego lub stłumionego materiału, które przedostały się przez bariery cenzora, pozostawały w stanie płynnym, niepowiązanym, do czasu, kiedy jakieś konkretne zdarzenie lub wysiłek woli wydobędą je na powierzchnię świadomości.

Komisja Sześciu badająca rekomendacje na profesora nadzwyczajnego bardzo dokładnie zaznajomiła się z pracami i publikacjami doktora Freuda. Sprawozdanie przesłane przez nią do wydziału medycznego zawierało wiele pochwał i zalecenie przekazania sprawy ministrowi oświaty. Początkowo były pewne sprzeciwy i głosowanie zostało odłożone, ale Zygmunt dowiedział się z satysfakcją, że jego starzy koledzy walczyli i głosowali na niego. Nie tylko Nothnagel i Krafft-Ebing, ale także Wagner-Juaregg i Exner, który był obecnie kierownikiem Instytutu Fizjologii.

Wybrał się z Aleksandrem w góry w okolice Semmeringu. Martę zawiózł na Zielone Świątki nad Aussee. Zbierał żydowskie dowcipy. W humorze etnicznym odnajdował filozofię, która pozwoliła temu narodowi przetrwać. Jego siostra Róża, będąca w zaawansowanej ciąży, przeprowadziła się do nowego mieszkania na tej samej klatce schodowej co Zygmuntowie.

W czerwcu Rada Wydziału medycznego dwudziestu dwoma głosami przeciw dziesięciu uchwaliła rekomendację Zygmunta na profesora nadzwyczajnego. Teraz potrzebne już było tylko pismo ministra oświaty, które zostanie
przedstawione do podpisu cesarzowi. Zygmunt wiedział, że bardzo rzadko
się zdarza, by nominację zatwierdzono już po pierwszej rekomendacji wydziału. Widział jeszcze inną trudność. Wielu jego zdolnych współwyznawców
nie otrzymało nominacji. Königstein był osobiście u ministra oświaty i zapytał go wprost, czy przeszkodą w jego nominacji jest wyznanie. Minister
odpowiedział uczciwie: „Tak, biorąc pod uwagę obecne nastroje i antysemityzm za granicą, nie byłoby rzeczą mądrą i rozważną...".

Jeden aspekt pracy pochłaniał go i zdawał się rozwijać niezależnie od wszystkiego: diagnozowanie i porządkowanie materiału podświadomego ujawnione-
go przez interpretację snów. Najwcześniejszy sen, jaki zapamiętał i jaki co
pewien czas powracał, pochodził z dzieciństwa, kiedy miał lat siedem. „Widziałem, jak dwóch (albo trzech) ludzi o ptasich dziobach wnosiło do mego
pokoju ukochaną matkę i położyło ją na łóżku. Miała wyjątkowo spokojny
wyraz twarzy, jakby spała". Zbudził się z okrzykiem przerażenia i pobiegł do
sypialni rodziców. Uspokoił się, kiedy zobaczył matkę i przekonał się, że nie
umarła. Przez przeszło trzydzieści lat nie próbował analizować tego snu,
ponieważ nie wiedział, jak się do tego zabrać. Teraz zaczął od oczywistego
wątku, od owych niezwykle wysokich i dziwnie ubranych mężczyzn z ptasimi
dziobami, którzy nieśli jego matkę na marach. Skąd się wzięli? Podszedł do
stołu w salonie, gdzie leżał ilustrowany Stary Testament. Otrzymał tę księgę
od ojca na urodziny, kiedy skończył trzydzieści pięć lat. Jakub napisał tam po
hebrajsku:
„W siódmym roku Twego życia Duch Boży zaczął cię budzić i tak oto
przemówił do Ciebie: «Idź i czytaj księgę, którą dla Ciebie napisałem, i otworzą się przed Tobą źródła rozumienia, wiedzy i mądrości»".
„Die Israelitische Bibel" wydrukowano w języku hebrajskim i niemieckim
i zaopatrzono w komentarze reformowanego rabina Philippsona z Prus. Była
bogato ilustrowana drzeworytami przedstawiającymi wszystkie religie i kultury. Na tej księdze Jakub uczył Zygmunta czytać. Przerzucając teraz jej
stronice, Zygmunt trafił na ilustracje do księgi Powtórzonego Prawa, przedstawiające egipskich bogów z głowami ptaków. W Księdze Samuela znalazł
ilustrację zatytułowaną *Miriam*. Z płaskorzeźby w Tebach, przedstawiającej
zwłoki mężczyzny lub kobiety, o „spokojnym wyrazie twarzy", niesione na
marach przez wysokich, dziwnie ubranych ludzi. Nad marami unosiły się
ptaki.

Ogarnęła go nostalgia na myśl o tych czasach, kiedy jako mały chłopiec wertował księgę i oglądał ilustracje. Z uśmiechem wspominał, że szukał w Biblii nie tylko treści religijnych, lecz także wiadomości z zakresu erotyki, których inni chłopcy poszukiwali po encyklopediach. Wzruszał się opowieścią o królu Dawidzie i jego synu Absalomie. Jak to Dawid uciekł z Jerozolimy, kiedy Absalom spiskował przeciw niemu, pragnąc zostać królem, i kazał swym nałożnicom, by strzegły pałacu. A wtedy „Absalom wszedł do nałożnic swego ojca na oczach całego Izraela". Zygmunt pamiętał, że żałował, iż nie może być przy tym obecny.

Teraz, kiedy udało mu się zidentyfikować oczywistą treść snu, zastanawiał się, jakie mogło być jego ukryte znaczenie? Duże dzioby ptasie były oczywiście symbolami fallicznymi. W języku niemieckim wulgarnym określeniem stosunku było „vögeln" od „Vogel" – ptak. To z kolei przywiodło mu na myśl syna dozorcy, z którym zazwyczaj bawił się przed domem. Od niego właśnie dowiedział się, co znaczy słowo „vögeln", przedtem znał jedynie termin łacińskiego pochodzenia, kopulowanie.

Teraz z kolei skierował myśli ku matce. Czyżby prawdziwym powodem jego przerażenia był sen o tym, że Amelia umarła? Wątpliwe. Strach był wcześniejszy i inną musiał mieć przyczynę. Jego podświadomość nadała jej bardziej przyzwoitą formę. Lękał się we śnie. Czego? Przypomniał sobie zabawny sen, który przed kilku laty opowiedział mu siostrzeniec Breuera, również lekarz. Młody człowiek lubił późno wstawać i kazał służącej się budzić. Pewnego ranka dziewczyna musiała kilka razy zapukać i wreszcie zawołała głośno: „Panie Rudi!". W tejże chwili przywidziała mu się tabliczka na łóżku w jego szpitalu, na której widniało jego imię i nazwisko: Rudolf Kaufmann. Pomyślał we śnie: „Skoro Rudolf Kaufmann jest w szpitalu, nie muszę się śpieszyć".

Nowy pacjent, Erlich, powiedział ironicznie do Zygmunta:

– Jestem pewny, że pan dopatrzy się w moim śnie spełnienia pragnień. Śniło mi się, że zabrałem do siebie jakąś panią i zostałem aresztowany przez policjanta, który kazał mi wsiąść do dorożki. Poprosiłem, by dał mi czas na uporządkowanie moich spraw... Ten sen miałem nad ranem, po nocy spędzonej z tą właśnie panią.

– A co panu zarzucał policjant?

– Zabójstwo dziecka.

– Czy to się wiąże z czymś konkretnym?

– Zdarzyło mi się raz zrobić skrobankę kobiecie, z którą miałem romans.

– Czy nic się nie zdarzyło nad ranem przed snem?

– Tak. Obudziłem się i miałem stosunek.

– Zachował pan ostrożność?

– Tak. Wycofałem się...

– A więc bał się pan, że spłodził pan dziecko; we śnie zaś spełniło się pańskie życzenie... usunięcia dziecka w zarodku. Lęki, jakie pan przeżywa po tego rodzaju stosunkach, przetwarza pan na sny.

Nagle Zygmunt przypomniał sobie, że przed kilkoma tygodniami, kiedy pogniewał się na Fliessa za to, że pojechał do Wenecji, nie zostawiając adresu, śniło mu się, iż otrzymał depeszę od Fliessa z następującym adresem:

$$(\text{Wenecja}) \left\{ \begin{array}{l} \text{Via} \\ \\ \text{Villa} \end{array} \right. \qquad \text{Casa Secerno}$$

Pierwszą reakcją była irytacja, że Wilhelm nie pojechał do pensjonatu, który mu Zygmunt polecił, do „Casa Kirsch". Ale jak uzasadnić ten sen? Czy wywołała go przykrość, jaką mu sprawiał brak wiadomości od Fliessa? Rozczarowanie, ponieważ chciał mu napisać o wynikach kilku świeżych kuracji, ale nie wiedział, dokąd zaadresować swój list, i został pozbawiony powiernika? Adres był spełnieniem życzenia; to niewątpliwie stanowiło zewnętrzny aspekt snu. Skąd jednak wzięły się te właśnie słowa w depeszy? *Via* – zapewne stąd, że w dzień czytał o niedawnych wykopaliskach na ulicach Pompei. *Villa* – z obrazu Böcklina *Rzymska willa,* który widział poprzedniego dnia. Secerno miało brzmienie neapolitańskie, sycylijskie; było to sztuczne słowo. Już dawniej przekonał się, że sny tworzą przeróżne całości z oderwanych słów, budynków, miast, ludzi, ale zawsze konstrukcja taka miała jakiś cel, nigdy nie była przypadkowa lub bezsensowna. „Secerno" mogło więc być spełnieniem obietnicy Fliessa, że już wkrótce spotkają się na południu Włoch: w Rzymie? Wieczne Miasto, odwieczny cel podróży Zygmunta, przygód, pragnień. Jakże marzył o tym, by spędzić Wielkanoc w Rzymie!

...Rzym. Przez cztery noce z rzędu miał krótkie sny. W pierwszym wyglądał przez okno przedziału kolejowego na Tybr i most św. Anioła. Pociąg ruszył. Przyszło mu do głowy, że przecież nigdy nie był w tym mieście. W drugim śnie ktoś zaprowadził go na szczyt wzgórza i pokazał Rzym zasnuty mgłą. Miasto znajdowało się tak daleko, że zdziwił się, iż widzi je tak wyraźnie. Motyw „ziemi obiecanej widzianej z daleka" był oczywisty. W trzecim śnie o Rzymie stał nad wąskim strumieniem obrzeżonym po jednej stronie czarnymi skałami, po drugiej zaś łąką, na której rosły białe kwiaty. Zauważył niejakiego pana Zuckera, poznanego kiedyś przelotnie, więc postanowił go zapytać o drogę do miasta. Ostatni sen był najkrótszy; przed jego oczami przemknęła jedna krótka scena: stał na rogu rzymskiej ulicy i ze zdumieniem zauważył, że na słupie ogłoszeniowym wiszą afisze w języku niemieckim.

Uznał, że sny te należy potraktować jako jedną serię i rozbić na elementy składowe, podobnie jak to uczynił ze swym snem o Emilii Benn. Musi istnieć jakieś racjonalne wytłumaczenie nawet najbardziej niejasnych obrazów i fragmentów dialogów w śnie. Stwierdził: „Każdy element snu da się wytropić. Każdy postępek, słowo, widok mają swe znaczenie, trzeba tylko zachować obiektywizm i dokładnie przemyśleć ukrytą treść. Jawna treść snu analogiczna jest do zewnętrznego wyglądu osobnika; treść ukryta odpowiada jego charakterowi".

W scenie przedstawiającej widok Tybru z okna wagonu rozpoznał sztych, który w przeddzień oglądał w salonie pacjenta. Przedstawiał on Lubekę spowitą mgłą. W Lubece spędził miesiąc miodowy z Martą. Analizując krajobraz z trzeciej części snu i widok miasta, nigdy przedtem w rzeczywistości niewidzianego, rozpoznawał w białych kwiatach lilie, które on i Aleksander widzieli na czarnych bagnach wokół Rawenny, kiedy przed rokiem spędzali tam wakacje. Czarna skała na brzegu strumienia przypominała mu żywo dolinę Tepl w pobliżu Karlsbadu. „Jakże pomysłowe – pomyślał sobie – są nasze sny. Sporządzamy w nich amalgamat miejsc i scen z różnych czasów i stron".

Dlaczego Karlsbad? Do Karlsbadu właśnie usiłował dojechać bez biletu ów biedny Żyd... jeśli tylko wytrzyma cięgi, które dostawał po drodze. Zucker? Zygmunt prawie go nie znał. Po pewnym czasie odnalazł związek: *Zucker* znaczy „cukier", a doktor Freud miał wielu pacjentów cierpiących na cukrzycę i wysyłał ich do Karlsbadu. W ostatnim śnie widział niemieckie afisze w Rzymie. Przypomniał sobie swój list do Fliessa, w którym odpowiadał na propozycję przyjaciela, by następną swą „konferencję" odbyli w Pradze. Zygmunt odpisał, że Praga nie jest w tej chwili najsympatyczniejszym miejscem, ponieważ rząd narzuca Czechom język niemiecki. We śnie spełniło się jego pragnienie przeniesienia spotkania do Rzymu; ale niemieckie afisze ukazały się na słupach!

– No, teraz rozpoznaję widoki, które mi się ukazały! – zawołał do siebie. – Ale do czego cały ten sen zmierza? Wszystkie cztery fragmenty związane są ze spełnieniem jednego pragnienia: wyjazdu do Rzymu.

Analiza marzeń sennych jednak wykazała, że pragnienie faktycznie leżące u źródła snu pochodzi z lat dzieciństwa. We śnie nadal żyje dziecko i dziecinne odruchy. Musi więc istnieć jakiś związek między teraźniejszością a przeszłością. Te sny powinny doprowadzić mnie do mojej podświadomości. Mam uraz na punkcie Rzymu, na punkcie przebywania w nim... i ucieczki stamtąd – pod jakimiś względami podobny do mego urazu na punkcie pociągów. Cofając się w czasie, dotarł do *caché*. Kiedy kończył gimnazjum, narastała fala antysemityzmu. Niektórzy starsi koledzy dawali mu odczuć, że należy do obcej rasy. Zmuszało go to do szukania własnej osobowości, do „zajęcia określonego stanowiska", jak to sobie powtarzał. Jego ulubioną postacią, którą darzył podziwem, był semicki wódz Hannibal. Przysiągł on wieczną nienawiść do Rzymian i ślubował, że podbije Rzym. W 218 r. p.n.e. przeszedł Alpy, pokonał wojska rzymskie nad Jeziorem Trazymeńskim, przemierzył wybrzeże Adriatyku, ograbił je i dotarł do krańców półwyspu. Potem zawrócił, zdobył Neapol i znalazł się w odległości pięciu kilometrów od Rzymu, przygotowując się do ostatniego uderzenia... Ale nigdy do tego nie doszło. Hannibal przebywał w Italii przez piętnaście lat, po czym wycofał swą armię. Dla młodego Zygmunta starcie między Hannibalem i Rzymem symbolizowało konflikt judaizmu z wszechobecnym Kościołem katolickim. Niejasno uświadamiał sobie, że Rzym stał się namiastką jego własnych ambicji, a równocześnie przypomnieniem, że musi pomścić znieważonego ojca, któremu strącono w błoto futrzaną czapę. Symbolizował on również klęskę Hannibala, któremu nie udało się pomścić swego ojca Hamilkara. W czasie wakacji Zygmunt postanowił wybrać się nad Jezioro Trazymeńskie, oddalone o dwadzieścia cztery kilometry od Rzymu, ale nie zdobył się na przebycie tej drogi, podobnie jak Hannibal. Czy i jemu nie uda się spełnić swych ambicji życiowych?

Dzięki praktyce umiał lepiej analizować sny pacjentów i wykorzystywać w czasie leczenia ukryte w nich treści. Pewien pacjent homoseksualista opowiedział mu sen: śniło mu się, że gdy leżał chory w łóżku, nieumyślnie się obnażył. Odwiedzający go przyjaciel, który siedział obok, również się obnażył i chwycił chorego za penis. Chory był zdumiony i oburzony, gość zaś zakłopotany. Szybko cofnął dłoń i doprowadził do porządku swą garderobę.

– Ten sen budzi we mnie różne refleksje – powiedział doktor Freud. – Po pierwsze, mógł się pan obnażyć nieprzypadkowo. Po drugie, chciał pan, żeby przyjaciel wziął do ręki pański członek. Po trzecie, bardzo panu zależało na tym, by poczuć obrzydzenie w związku z tym incydentem. Na tym polega pańska dwudzielność. Wątpię jednak, by sen ten odnosił się do teraźniejszości! Spróbujmy odszukać jego źródła w pańskim dzieciństwie. Wspomnienie to na pewno zostało stłumione.

Pacjent nerwowo załamywał dłonie. Z trudem powstrzymywał łzy.

– ...Nie całkiem. Fragmenty powracają jak rozdęty trup wynurzający się z wody i spływający z biegiem rzeki... Kiedy miałem dwanaście lat... odwiedziłem kiedyś chorego przyjaciela... on się obnażył... chwyciłem go za członek... odtrącił mnie...

424

– Zmienił pan wszystko w swym śnie – powiedział Zygmunt spokojnie. – Było to spełnienie pragnienia: pan chciał być tym biernym, a nie czynnym chłopcem. Sen dowodzi, że pragnie pan zmienić przeszłość, czyli że chce pan, żeby mu wybaczono. To duży krok w kierunku wyleczenia.

Zaczął pisać o zahamowaniu, uczuciu, że się jest przymurowanym do miejsca i nie można czegoś zrobić, tak często powracającym w snach i tak bliskim lęku. Po kolacji pracował w gabinecie na parterze. Noc była duszna. Pisząc, zdjął kołnierzyk i mankiety. O północy, wracając schodami do mieszkania, przeskakiwał po trzy stopnie z przyjemnym uczuciem, że umie latać. Dowodziło to również, że serce ma zdrowe, choć w chwilach przygnębienia przypominał sobie teorię Fliessa, który przepowiadał mu śmierć w pięćdziesiątym pierwszym roku życia, ponieważ taka jest nieuchronna konsekwencja połączenia się dwóch ważnych cyklów życiowych: dwudziestu trzech i dwudziestu ośmiu lat.

W połowie schodów przyszło mu nagle na myśl, że ktoś, kto zobaczyłby go teraz w tym niechlujnym stroju, odniósłby okropne wrażenie. Wypił jeszcze z Martą lemoniadę i zajrzał do dzieci, żeby sprawdzić, czy nie jest im za gorąco. W nocy miał sen, który zanotował:

„Wracając z parteru do mieszkania na piętrze, byłem w niekompletnym stroju. Brałem po trzy stopnie naraz, zadowolony ze swej sprawności. Nagle zobaczyłem, że z góry schodzi służąca. Szła w moim kierunku. Zawstydziłem się i starałem się przyśpieszyć kroku, ale w tej właśnie chwili poczułem, że nie mogę się ruszyć z miejsca, jakby przymurowano mnie do schodów..."

Między snem a jawą istniała ta zasadnicza różnica, że we śnie był nie tylko bez kołnierzyka i mankietów. Nie widział siebie wyraźnie, ale wydawało mu się, że ma na sobie bardzo skąpy strój. Co więcej, nie były to schody prowadzące z jego gabinetu na parterze do mieszkania i nie była to służąca Marty. Przypominało to raczej klatkę schodową prowadzącą do mieszkania staruszki, której dwa razy dziennie robił zastrzyki przed mniej więcej pięcioma laty. Dość szybko zaczął łączyć szczegóły: niekiedy wchodząc po schodach, kaszlał, gdyż dużo wówczas palił, a ponieważ nie było spluwaczki, spluwał w kąt. Kilka razy przyłapała go na tym dozorczyni, mrucząc coś z niezadowoleniem. Dwa dni przed jednym z takich incydentów owa pacjentka przyjęła nową służącą, mniej więcej w wieku dozorczyni. Służąca zwróciła mu tego dnia uwagę:

– Może pan doktor zechce wytrzeć buty. Bo znowu zabrudzi pan cały dywan.

Z tych oto materiałów powstała jawna warstwa snu, ale jakie było jego znaczenie ukryte? Stwierdził już, że wszelkie przejawy ekshibicjonizmu sięgają przeważnie czasów wczesnego dzieciństwa, jedynego okresu w życiu, kiedy można chodzić nago w otoczeniu obcych lub rodziny, nie czując wstydu. Nagość w jego śnie była zapewne spełnieniem ekshibicjonistycznego pragnienia. Wiedział, co powoduje zahamowania na jawie. Podobne źródło muszą mieć we śnie. Konflikt woli. Instynkt naturalny dyktował pewien silny akt woli, któremu przeciwdziałał zakaz wywodzący się z wychowania czy też z obyczaju obowiązującego w danym środowisku społecznym. Zapisał myśl: „Najgłębsza i odwieczna natura człowieka... mieści się w tych bodźcach intelektualnych, które korzeniami sięgają w okres dzieciństwa, ono zaś stało się już z czasem okresem przedhistorycznym".

Szczegółowo zapisywał swe sny, analizując ten etap snu, w którym pojawiły się jakieś wydarzenia, zazwyczaj z dnia poprzedniego, jakiś widok lub epizod, stanowiące klucz do podświadomości i odsłaniające, niekiedy w formie zagadkowej, innym razem skondensowanej, nagromadzone treści.

Do Fliessa, który powrócił do Berlina, napisał: „Odczułem konieczność pisania o snach, w których wiem, że stoję na twardym gruncie. (...) Przeglądałem literaturę tematu i czuję się jak celtycki skrzat: «Jakże się cieszę, że żaden człowiek nie przejrzał dotąd przebrania Pucka!» Nikomu jeszcze nawet na myśl nie przyszło, że sny nie są bzdurą, lecz spełnieniem pragnień".

W bibliotece miał wiele książek na temat snów: niemiecką pracę Hartmanna, francuską Delboeufa, angielską Galtona. Ponieważ większa część życia i wysiłki umysłu ludzkiego poświęcone są formułowaniu pragnień i próbom ich realizowania, sny pomogą mu zrozumieć nie tylko strukturę histerii jego pacjentów, ale też normalne funkcjonowanie zdrowego umysłu. W ten sposób interpretacja snów może stać się najprostszą drogą do psychoanalizy i do stworzenia od dawna już oczekiwanej naukowej psychologii.

Był tylko jeden sposób, żeby cel ten osiągnąć: trzeba przez rok lub dwa rejestrować i analizować wszystkie własne sny, a potem napisać książkę pod tytułem *Interpretacja marzeń sennych*.

Na początku lata Minna zaproponowała, że zabierze dzieci na dwa tygodnie do Oberstressen, gdzie Freudowie wynajęli willę wśród lasów obfitujących w grzyby i paprocie. Pani Bernays będzie mogła tam przyjechać i pobyć ze swoimi wnukami.

Te dwa tygodnie samotności sprawiły Freudom wielką radość, chociaż, jak Marta pisała, „niekiedy mieszkanie wydaje się olbrzymie i niesamowicie ciche. Nawet kucharka chodzi przygnębiona; mówi, że nie wie, jak ma gotować dla dwojga osób, skoro jest nastawiona na cały tuzin". Aleksander zaprosił ich na *Zemstę nietoperza*. Kucharce dali tydzień urlopu, sami zaś jadali w restauracjach na przedmieściach, gdzie koncertowały orkiestry ludowe, i popijali młode wino.

Po ich przyjeździe do Oberstressen zaczęły się deszcze. Padało bez przerwy. Powódź niszczyła i zmywała domy. Pani Bernays schroniła się do przyjaciół w Reichenhall; Zygmunt zabrał Martę do Wenecji. Ciocia Minna znowu została z dziećmi. W Wenecji Marta przed południem spacerowała po mieście, a resztę czasu spędzała na balkonie, czytając książki. Zygmunt zwiedzał systematycznie kościoły, pałace i galerie obrazów, podziwiając Giorgione-go, Tycjana, Carpaccia. Gdy wrócili do Oberstressen, Minna oświadczyła, że chciałaby zrobić jakąś pieszą wycieczkę. Marta zaproponowała Zygmuntowi, żeby wybrał się z nią na kilka dni do Untersbergu i Heilbrunnu. Przy okazji mogą odwiedzić panią Bernays. Po wycieczce Zygmunt wrócił do Wiednia, by załatwić sprawę nagrobka dla ojca. Kiedy wybierał projekt, przyszły mu do głowy takie oto refleksje: „Rodzice nie godzą się na to, by ich uważano za zmarłych. Pozostają przy nas do naszej śmierci. Może właśnie dlatego ktoś wpadł na pomysł ciężkich nagrobków, które uniemożliwiają im wydostanie się z grobu".

Sezon lekarski zaczął się w październiku, ale tym razem nie pojawili się nowi pacjenci. Zygmunt nie wiedział dlaczego. Leczył bezpłatnie dwóch chorych. Powiedział kiedyś do Marty, że jeśli doliczy do nich siebie, będzie już miał trzech pacjentów niepłacących honorariów.

Zdawał sobie sprawę, że zbyt lekkomyślnie trwonił czas latem. „Nie wolno kusić bogów i ludzi tak częstym podróżowaniem. Jako psychoanalityk powinienem rozumieć, że ten pęd do podróżowania jest w znacznej mierze następstwem nerwicy. Muszę rozwiązać jakoś przynajmniej niektóre problemy, a potem siądę do pracy i nie będzie mnie już nigdzie ciągnęło".

6

Wrócił jednak z wakacji wzbogacony intelektualnie. Przez cały czas, kiedy wędrował po leśnych ścieżkach, oglądał kościoły weneckie, sycąc oczy bogactwem zieleni łąk i barw obrazów malarzy włoskich, nie mógł się opędzić od dręczącego go w głębi duszy i coraz bardziej niepokojącego problemu. Dlaczego tyle pacjentek upierało się, że głównym powodem ich utrapień było niewłaściwe zachowanie ojców? Zawsze zdumiewały go te informacje i zawsze przyjmował je z dużym oporem. Zastanawiał się, dlaczego w tych przypadkach nie doprowadzał analizy do momentu, gdy mógł wyciągnąć pozytywne wnioski. Dlaczego niektórzy pacjenci, i to właśnie spośród tych, którzy najlepiej reagowali na kurację, uciekali, chociaż objawy choroby zaczynały ustępować. Doświadczenie wyraźnie potwierdzało, że podświadomość ludzka nie ma „wyobrażenia o rzeczywistości" i nie potrafi odróżnić prawdy od „emocjonalnego zmyślenia". W swym wykładzie w Towarzystwie Psychiatryczno-Neurologicznym, a także w artykule dla „Rundschau" musiał w jakimś miejscu popełnić błąd, zboczyć zarówno jako teoretyk, jak i praktyk z właściwej drogi rozumowania.

Pierwsze oznaki, że zbliża się do rozwiązania problemu, pojawiły się, gdy zajął się czterdziestodwuletnią pacjentką, cierpiącą na bezsenność tak dokuczliwą, że odbijało się to na jej zdrowiu. Pacjentka nie umiała wyjaśnić, skąd się ta bezsenność u niej wzięła. Kładła się spać bardzo zmęczona po wielu godzinach pracy. Z chwilą jednak gdy dotykała głową poduszki, zaczynała wspominać przeszłość, cofając się aż do czasów dzieciństwa. Niepokojące, trwożne myśli odbierały jej sen niemal do rana. Zygmunt stwierdził już w wielu przypadkach bezsenności, że niemożność zaśnięcia ma pewien stały schemat. To nie podświadomość przeszkadzała człowiekowi zasnąć, lecz proces, który powodował, że zamknięcie oczu i ułożenie się w pozycji do spania eliminowało w jakiś sposób cenzora, wyzwalając podświadomy materiał przeciekający do mózgu jak woda z podziemnych pieczar, często co prawda w przekształconej postaci.

U owej pacjentki, jak i u wielu poprzednich, lęki związane były ze stłumionymi pragnieniami erotycznymi skupiającymi się na postaci ojca. Po wielu godzinach intensywnego swobodnego kojarzenia, które doprowadziło ją do najwcześniejszych lat dzieciństwa, pacjentka zaczęła odgrywać sceny seksualnego podniecenia i erotycznej ekscytacji, takie właśnie jak te, których opis wywoływał gniew i bojkot wiedeńskiego świata lekarskiego.

Od ośmiu prawie lat doktor Freud wysłuchiwał tego rodzaju opowieści, ale tym razem miał do czynienia z czymś innym. Cofając się z wysiłkiem po ścieżce swego życia i dochodząc do opisu jakiejś neurotycznej sceny związanej z ojcem, pacjentka nagle zrywała się, wołając: „Nie, nie, to nie było tak! To raczej było tak!", po czym zaczynała nową opowieść, kreśląc kilka nowych sytuacji neurotycznych, by znowu wszystkiemu zaprzeczyć i przerwać wizytę. Następnego dnia wszystko zaczynało się od nowa, opowieść z zupełnie nowym wątkiem, nowymi scenami z ojcem...

Zygmunt westchnął tak głośno, że wyrwał pacjentkę ze stanu hipnotycznego uśpienia. Otworzyła oczy, zamrugała i zapytała:

– Co się stało, panie doktorze? Czy coś złego? Czy coś powiedziałam? Co ja takiego zrobiłam?

– Nic, nic – uspokoił ją Zygmunt. – Wszystko idzie dobrze, proszę mówić dalej. – Chora podjęła przerwaną relację. Zygmunt wciągnął głęboko powietrze w płuca. Poczuł, że robi mu się słabo. Stłumił wyrywający się z piersi jęk, tak że aż poczuł ból, i zaczął robić sobie wyrzuty.

Zostałem wprowadzony w błąd! Nie mamy tu wcale do czynienia z napastowaniem nieletnich! Mamy tu do czynienia ze z m y ś l e n i e m! Chodzi o pragnienia, jakie pacjenci mieli w dzieciństwie! Fantazje zapuściły głębokie korzenie. Przetrwały całe lata jako obrazy rzeczywistości. Osłonięte, utrzymane w tajemnicy przed dorosłymi, trwają w postaci żywej siły, wywołując cierpienia tej nieszczęsnej kobiety niemal od najwcześniejszych lat. Fantazje będące spełnieniem jej pragnień! Jakże mógł tego dotąd nie zauważyć? Dlaczego uwierzył tym wszystkim niezrównoważonym, emocjonalnie chorym ludziom? Na pozór wszystko było prawdą. Chorzy nie kłamali, nie chcieli go oszukać. Mówili prawdę, tak jak ją widzieli, w każdym kolejnym przypadku podsuwając mu dowody, które przyjmował z największymi oporami. I przez cały czas nie potrafił odróżnić rzeczywistości od zmyślenia!

Miał rację, mówiąc o istnieniu erotyzmu dziecięcego; istniał on ponad wszelką wątpliwość. Rodził się znacznie wcześniej, niż ktokolwiek śmiał przypuszczać czy gotów był przyznać. Ale nie w tej postaci, w jakiej on to przedstawił. Rację mieli Krafft-Ebing i Wagner-Jauregg, choć wychodzili z fałszywych przesłanek! Z olbrzymią ulgą uświadomił sobie, że historie, jakie słyszał od pacjentów, w dziewięćdziesięciu dziewięciu procentach były czystym wymysłem. Mimo to ci pacjenci wierzyli, że wszystko to zdarzyło się w rzeczywistości, i w ten sposób sami się doprowadzali do choroby.

Tak był tym odkryciem wstrząśnięty, że odprawił ostatniego pacjenta, który przyjął to zresztą z widoczną ulgą. Po jego wyjściu Zygmunt zamknął się na klucz w gabinecie i zaczął przeglądać historie chorób pacjentów, u których stwierdził pozostałości erotyzmu dziecięcego. Czytał od nowa cały zebrany materiał. Serce biło mu tak mocno, jakby miało za chwilę rozsadzić klatkę piersiową. W każdej historii choroby odnajdował teraz dowody takiego samego fantazjowania! Przypomniał sobie słowa doktora Bernheima wypowiedziane w Nancy: „Wszyscy jesteśmy istotami fantazjującymi". Skąd jednak miał on, Zygmunt Freud, wiedzieć, że ta skłonność do halucynacji sięgała najwcześniejszego dzieciństwa i że jej skutki działają aż po wiek dojrzały? A przecież wszystko to wynikało jasno z jego materiałów. Niezborne elementy relacji, sprzeczności, nieprawdopodobne niekonsekwencje. Dlaczego nie dostrzegł prawdziwej natury tych przywidzeń?

Chodził po pokoju. No cóż, były po temu przyczyny: tak go zaskoczyło odkrycie erotyzmu dziecięcego, że nie potrafił przeprowadzić selekcji dowodów. Jakaś prawda musiała kryć się za tym powszechnym relacjonowaniem stosunków między ojcem a dzieckiem. Przeglądał literaturę na ten temat: nigdzie nie znalazł wzmianki o tym, że niemowlę przychodzi na świat z całym zespołem instynktów erotycznych, że w genach są ukryte seksualne uczucia, niepokoje, instynktowne pożądania, które ujawniają się niemal w chwili przyjścia człowieka na świat. Dość jednak spóźnionych pretensji... Zakładając istnienie ewolucyjnej teorii dziecięcego erotyzmu, należy się zastanowić, dlaczego u pacjentów przyjmowała ona odwrotny kształt? Dlaczego podświadomość nie rejestrowała wiernie i prawdziwie jej przejawów? Czyżby zarówno podświadomości, jak i cenzorowi brakło narzędzi umożliwiających rozróżnianie rzeczywistości od fantazji? Dlaczego pacjent i lekarz byli wprowadzani w błąd co do faktycznego stanu rzeczy? I jeszcze jeden element, z którym trzeba sobie poradzić: te fantazje nie były bezsensowne: psyche posługiwała się nimi w określonym celu. Jakiż to mógł być cel? Czyżby to, co się kryło za erotyzmem dziecięcym, było aż tak bardzo nie do przyjęcia, tak brzydziło umysł ludzki, że powodowało odwracanie sytuacji lub zaprzeczanie jej istnieniu?

Znalazł się w labiryncie. Ostrożnie się poruszając, przebył pół drogi, ale teraz przystanął zmęczony. Wagner-Jauregg trafił w sedno, kiedy mu powiedział po swojemu: „Wie pan, co mówi chłop austriacki, kiedy przyłapie kogoś na oczywistym błędzie? Masz rozpięty rozporek".

Przeprosił Martę, że nie będzie na kolacji. Powiedział, że go wezwano do nagłego wypadku. Wiedziała, że się czymś martwi, ale zapewnił ją, że nic złego się nie stało. Oczywiście nie uwierzyła mu.

– Zostawię ci ciepłą kolację – powiedziała. – Postaraj się nie wracać zbyt późno.

Spacerował przez dwie godziny po mieście, aż znalazł się na drodze do Grinzingu. Tą samą drogą szedł przed piętnastu laty, kiedy wracał od profesora Brückego, od którego dowiedział się, że nie ma dla niego miejsca w świecie naukowym. I tak jak wtedy, był teraz zupełnie rozbity. Wszystkie wyrzuty sumienia, pretensje do siebie, dręczące myśli, że skompromitował się swoimi niedowarzonymi wnioskami, nie mogły jednak stłumić jednego wspomnienia, sceny, która zdarzyła się, gdy miał lat siedem, i która odtąd powracała zarówno w świadomych rozmyślaniach, jak i w snach, przetworzona na różne sposoby. Nigdy dotąd nie zastanawiał się nad znaczeniem tej sceny.

Pewnej nocy wszedł do sypialni rodziców, przekonany, że już śpią. Drzwi były zamknięte, ale nie na klucz. Rodzice już leżeli w łóżku. W ciemno-

430

ściach dostrzegł niewyraźnie jakieś ruchy rodziców, które go bardzo zdenerwowały. Ojciec wyczuł, że ktoś jest w pokoju, odwrócił głowę i dostrzegł stojącego w drzwiach chłopca. Zygmunt nie mógł sobie dokładnie przypomnieć, co nastąpiło potem. Czasami mu się zdawało, że się zmoczył, stojąc przy drzwiach, czasami zaś miał wrażenie, że podbiegł do łóżka, rzucił się w ramiona matki i wtedy dopiero się posiusiał. Ojciec rozgniewał się i powiedział: „Z tego chłopca nic dobrego nie wyrośnie".

Matka zaniosła go do łóżeczka, ułożyła do snu i uspokajała. Ale nigdy nie zapomniał owych słów ojca. Czyżby dlatego ta scena tak często powracała we wspomnieniach? Być może. Ale krył się za tym jeszcze inny element, którego nigdy dotąd nie mógł zrozumieć. Dlaczego zsiusiał się w sypialni rodziców? Zdarzało mu się moczyć w łóżku przed ukończeniem drugiego roku życia. Kiedy ojciec upominał go, odpowiadał: „Nie martw się, tatusiu, kupię ci nowe, śliczne czerwone łóżeczko". Później, kiedy skończył dwa lata, nigdy się już nie moczył w łóżku. Dlaczego zachował się tak niewłaściwie, mając lat siedem, nie odczuwając bynajmniej konieczności, a tylko ze zdenerwowania tym, co zobaczył w łóżku rodziców?

Odpowiedź pojawiła się nagle, jak meteor na niebie. Był zazdrosny o własnego ojca. Chciał przerwać, wstrzymać to, co się działo. Wybrał najbardziej dramatyczny sposób, na jaki go było stać. Chciał pozbawić ojca względów matki, zająć jego miejsce w jej uczuciach. Czy siusiając, symulował w jedyny możliwy dla siedmioletniego chłopca sposób ten właśnie akt, który ojciec jego miał dopełnić?

Ależ to było zupełnie niezrozumiałe. Kochał przecież oboje rodziców. Nigdy nie odczuwał pragnienia, by stanąć między nimi. Ojca uważał za najwspanialszego człowieka na świecie. Dlaczego więc to wspomnienie prześladowało go od lat trzydziestu, nigdy nie tracąc na ostrości, choć jego znaczenia dotąd nie pojmował?

Cieszył się, że Wiedeń nie wie jeszcze o tym, że popełnił błąd naukowy, nie rozróżniając dziecięcych fantazji erotycznych od faktów. Wstrzyma się z dalszymi hipotezami, póki nie odkryje przyczyny sprawczej. Nie miał pojęcia, gdzie jej szukać, mobilizował jednak odwagę, by położyć kres temu zadręczaniu się błędem popełnionym w połowie drogi, kiedy wydawało mu się, że już dotarł do celu.

„Gdybym nie przebył tej drogi do błędu, nigdy nie zaszłaby potrzeba ani nie zaistniała okazja przezwyciężenia go i zakończenia całej wędrówki".

7

Zrekonstruowanie sceny w sypialni rodziców było bolesnym odkryciem, mimo to w myślach coraz częściej wracał do Amelii. Po godzinach swobodnego kojarzenia przed wizytami pacjentów i po nich, a niestety zdarzało się to także podczas wizyt, dotarł do incydentu, który zdarzył mu się, zanim ukończył trzeci rok życia. Wspomnienie to wyłaniało się raz po raz od czasów dzieciństwa w jego świadomości, ale uważał je za epizod marginesowy i nie zaprzątał sobie nim głowy. Stał przed jakimś dużym meblem; czasami zdawało mu się, że była to wielka szafa, innym razem, że komoda. Wrzeszczał, domagając się czegoś, podczas gdy jego przyrodni brat Filip, starszy o dwadzieścia lat, otwierał drzwi szafy. W tej chwili do pokoju weszła matka, Amelia, szczupła i piękna, jakby wracała z wizyty. Zadawał sobie niekiedy pytanie, dlaczego właściwie płakał? Czy brat próbował otworzyć, czy zamknąć szafę? Co miało wspólnego z tą sceną wejście matki do pokoju? Przypomniał sobie, że pewnego razu przyszło mu do głowy, że być może jego brat przyrodni droczył się z nim, matka zaś weszła, by ich uspokoić.

Teraz, po doświadczeniach ostatnich tygodni, lepiej to wszystko rozumiał. W tym wspomnieniu tkwił jakiś centralny punkt psychiczny, i dlatego przetrwało ono tak dokładnie przez trzydzieści osiem lat. Musi dotrzeć do sedna.

Czyżby tęsknił do matki? Czy obawiał się, że jest zamknięta w szafie lub w komodzie? Czy dlatego właśnie domagał się, by brat otworzył szafę? Dlaczego więc, gdy szafa była otwarta i mógł się przekonać, że matki tam nie ma, nagle zaczął wrzeszczeć? W tym miejscu, w momencie tego głośnego wrzasku, pamięć zawodziła.

Tej nocy śniło mu się, że stara niańka, która opiekowała się nim we Freibergu, na krótką chwilę znalazła się w tej scenie. Przedtem jednak usłyszał wzmiankę o niańce zamkniętej w szafie lub komodzie.

Następnego dnia po obiedzie wybrał się do Amelii. Jego matka znacznie lepiej niż on zniosła śmierć Jakuba. Jakby odmłodniała o piętnaście lat. Policzki jej się zaróżowiły i na wargach pojawił się uśmiech. Pełna szalonej energii, której zawdzięczała przydomek nadany jej przez dzieci, „Pani Cyklon", co tydzień niemal przy generalnym sprzątaniu przestawiała wszystkie meble, doprowadzając Dolfi do rozpaczy. Zygmunt nie po raz pierwszy stwierdzał, że wdowy, które kochały swych mężów i których mężowie dożyli późnej starości, stawały się jakby młodsze we wdowieństwie; robiły wrażenie istot wypuszczonych z więzienia. Przywitał się z matką, pocałował ją w oba policzki, pozwolił się wyściskać, po czym zapytał:

– Mamo, czy pamiętasz, że we Freibergu, kiedy nie miałem jeszcze trzech lat, była u nas niańka...

– Oczywiście. Krewna naszego gospodarza, kowala. Nazywała się Monika Zajíc. – Amelia się roześmiała. – Była bardzo przedsiębiorcza. Kiedy leżałam w łóżku po urodzeniu Anny, ukradła wszystko, co się dało wynieść z domu, a czego, jak myślała, nie zauważę. Twój brat Filip odkrył kradzież i oddał sprawę do sądu.

– Teraz już pamiętam! – zawołał Zygmunt. – Zapytałem wtedy Filipa, co się stało z Moniką, a on zażartował: „Zamknęli ją w pudle".

Tej nocy nie mógł zasnąć. Zestawiał poszczególne fakty. Oczywistym powodem, dla którego zapamiętał tę scenę, był lęk, że matka została zamknięta w pudle. Widocznie wyszła na kilka godzin, mimo że nie było w domu niańki. Bał się, że Filip ją zamknął. Rozsupłując dalej wątki, Zygmunt zaczynał rozumieć, dlaczego tak go uderzyła smukłość i uroda matki. Przez wiele miesięcy ciąża deformowała jej figurę, a kiedy Anna przyszła na świat, Zygmunt był zazdrosny o niemowlę i zły, że rodzice poświęcają mu tyle uwagi. Obawiał się, żeby matka nie znalazła się w pudle, tak jak niańka, a jednocześnie nie chciał, by kiedykolwiek się powtórzyło to, że coś będzie zamknięte w „pudle" matki. Nie chciał, by miała więcej dzieci. Czy dlatego przestał płakać i doznał takiej ulgi, kiedy weszła do pokoju szczupła i bez dziecka w łonie?

Wstał, włożył szlafrok i zszedł do swego gabinetu. Teraz przyszły mu na myśl znacznie poważniejsze implikacje. Na niespełna rok przed urodzeniem Anny Amelia powiła syna, któremu dali na imię Juliusz. Zygmunt, pożerany dziecięcą zazdrością, znienawidził brata od pierwszej chwili. Kiedy Juliusz umarł po sześciu miesiącach, w umyśle Zygmunta zalęgło się poczucie winy. Czyż pragnienie nie jest ojcem uczynku? Gdyby nie marzył o śmierci Juliusza, braciszek nadal by żył. Zabił go! I drżał ze strachu, że rodzice się o tym dowiedzą. Przez dłuższy czas bardzo się tym martwił.

Ale czy kiedykolwiek naprawdę wyzwolił się z tego poczucia winy? Teraz już wiedział, że ten incydent utkwił w jego podświadomości. Został stłumiony i wyłaniał się jedynie w kształcie ocenzurowanych wspomnień. Zapewne to właśnie niezniszczalne poczucie popełnionego grzechu spowodowało, że był lekko znerwicowany w dzieciństwie i młodości. Skoro zaś to poczucie winy za spowodowanie śmierci młodszego brata drzemało w nim głęboko ukryte i równocześnie tak żywotne, że jeszcze teraz potrafił przywołać w pamięci ból i strach, jakież inne półurojenia tkwią dotąd w jego podświadomości? Jakie urojenia kryją się w podświadomości ludzi, doprowadzając ich do kalectwa i śmierci; ludzi, którzy nawet nie podejrzewają, jakie demony czy diabły się nad nimi znęcają.

Uświadomił sobie, że zaczął sam siebie analizować. To był wstrząs. Tak, musi przez to przejść tak jak jego pacjenci. Niemniej pomysł niewiarygodny. Przecież żaden człowiek nie może analizować siebie samego. Co prawda niektórzy pisarze próbowali dociekać najwcześniejszych i najgłębszych motywacji swych zachowań. Była to dla niego chwila głębokiego przeżycia emocjonalnego. Prawie uraz. Zdawał sobie sprawę, na jakie niebezpieczeństwa jest narażony. Kto nim pokieruje? Kto będzie jego przewodnikiem? Nikt mu nie pomoże, gdy znajdzie się na krawędzi niezliczonych psychologicznych przepaści. Wiedział z doświadczenia, co może się wyłonić z mrocznych pieczar umysłów ludzkich. Jakże się przedrze przez dziewięć kręgów Dantejskiego Piekła, by dotrzeć do miasta Dis, jeśli tym Dis w rozumieniu Dantego była ostateczna i być może zabójcza prawda o człowieku? Nic mu nie dolegało; nie chorował, jak ci pacjenci, którzy przychodzili do jego gabinetu po poradę, ale czuł się coraz gorzej pod względem psychicznym. Czy stan ten nie pogorszy się, w miarę jak będzie się zagłębiał w te podziemne jaskinie?

Nikt dotąd nie próbował podejmować samotnie takiej wyprawy. Na drodze czekały go niezliczone ziejące ogniem smoki. Wiedział, jak wymyślne bariery obronne potrafi ustawić ludzka psyche. Materiał, który on zechce ujawnić, będzie równie silnie tłumiony jak u każdego z jego pacjentów. Czekają go te same cierpienia i męczarnie, które były ich udziałem, gdy żmudnie przedzierali się przez swą przeszłość. Nieraz widział u siebie w gabinecie, jak pacjenci odtwarzali sceny z najwcześniejszego dzieciństwa, te sceny, będące źródłem zaburzeń, śmiejąc się i płacząc, przymilając się, wpadając w gniew, przeżywając na nowo to, co się zdarzyło przed dwudziestu, trzydziestu, czterdziestu laty. Buntowali się przeciw niemu, jako lekarzowi, w akcie przeniesienia, jakby to on był tym ojcem lub tą matką, których obwiniali, oskarżali, na których chcieli wyładować swą nienawiść. Na kogo on przeniesie te uczucia, skoro nikogo nie będzie w pokoju? Czym się to skończy?

Owładnęło nim przerażenie. Nie mógł się od niego uwolnić przez trzy dni. Potężne dłonie ugniatały jego głowę, myśli splątały się jak przewody elektryczne w jakimś rozbitym aparacie. Stracił apetyt, nie mógł spać, czytać, pracować, nawet siedzieć bezczynnie. Nie widział żadnego wyjścia z tej sytuacji. Rozpoznawał w sobie to uczucie wewnętrznego spętania, na które uskarżali się często jego pacjenci.

Schwytany w pułapkę autoanalizy, pochłonięty opłakiwaniem dawno już nieżyjącego ojca, nie umiał opanować rozdrażnienia, dostawał bólów brzucha, stawał się zbyt natarczywy wobec swoich pacjentów, spychając ich na ścieżki, na które nie zaprowadziłaby ich autoanaliza. Przestawał się nimi interesować. Ogarnęła go depresja, pesymistycznie zapatrywał się na własną przyszłość i przyszłość świata, zaczął go trapić lęk przed śmiercią. Nagle zaczynał odczuwać bóle w całym ciele, znikały one równie tajemniczo, a na ich miejsce pojawiały się bóle mięśni i kości. Zadręczał się wyrzutami sumienia. Nie mógł nawet spełniać swych obowiązków małżeńskich.

Całą siłą woli narzucił sobie dyscyplinę w traktowaniu pacjentów i wrócił do dawnej metody łagodnej perswazji. Z mniejszym jednak powodzeniem leczył samego siebie. Nie potrafił wyzbyć się dręczących go lęków, jakichś nieokreślonych strachów, niesprecyzowanych słabości, wewnętrznego skrępowania. Uczucia w stosunku do nieżyjącego ojca ulegały ciągłym zmianom, niepostrzeżenie przekształcał w sobie jego obraz. Przypomniał sobie anegdotę Jakuba o Piotrze Prostaczku: kiedy umarł ojciec, Piotr postanowił zamówić sobie jego portret. Znalazł malarza, któremu dokładnie opisał wygląd nieboszczyka; kolor włosów, oczu, kształt twarzy. Po kilku tygodniach portret był gotów. Piotruś spojrzał i rozpłakał się, wołając: „Biedny ojczulku, strasznie się zmieniłeś w tak krótkim czasie!".

Portret Jakuba zmieniał się z dnia na dzień, nie tylko pod wpływem świadomych wspomnień, lecz także dlatego, że z podświadomości wyłaniała się stopniowo nowa postać. Nie był to wcale jakiś zmieniony i inny Jakub Freud. Zmieniał się stosunek między ojcem a synem. W rok po zgonie Jakuba Zygmunt doszedł do przekonania, że śmierć ojca jest najważniejszym wydarzeniem, największą stratą w życiu człowieka. Wciąż jednak zdumiewało go i niepokoiło, że u wielu swych pacjentów mężczyzn odkrywał istniejące w dzieciństwie pragnienie śmierci ojca. To pragnienie nie docierało świadomie do wieku dorosłego. Nigdy przecież nie pragnął śmierci Jakuba! Czyżby więc to, co stwierdzał u swoich pacjentów, odnosiło się również do niego, a mianowicie, że niemal powszechne pragnienie śmierci, zrodzone we wczesnym dzieciństwie, utrzymuje się nietknięte i silne w podświadomości? Surowo tłumiona przez nieustępliwe mechanizmy obronne psyche z całą siłą emocjonalną wyrywa się na powierzchnię, gdy jakiś przypadek usuwa cenzora. A wtedy pojawia się uczucie winy, męczące wątpliwości i wreszcie niemożność poradzenia sobie z rzeczywistością.

Dlaczego syn miałby sobie życzyć śmierci ojca? Oczywiście zdarzają się ojcowie brutalni, którzy biją swych synów, zmuszają ich do niewolniczej pracy fizycznej; ci w pełni zasługują na nienawiść. W takich przypadkach uczucie nienawiści do ojca mogło być uzasadnione. Ale większość ojców jest inna. Kochają swych synów, opiekują się nimi, starają się im zapewnić najlepsze warunki. Dlaczego więc tylu pacjentów, u których analiza nie ujawniała żadnego rozsądnego powodu do nienawiści w stosunku do ojców, pragnie jednak ich śmierci?

Zagadka była zaiste niewiarygodna. Uratowały go własne sny.

Im więcej myślał o ojcu, tym bardziej materiał snów koncentrował się w okresie najwcześniejszego dzieciństwa. Zygmunt uświadomił sobie, że jako trzyletnie dziecko miał jakąś instynktowną wiedzę o akcie prokreacji. Pewnej nocy śniły mu się olbrzymie ognie płonące z intensywnością wulkanów w ciemnościach. Znalazł się przed tymi ogniami tylko na chwilę, po czym ruszył dalej. Ale to nie on sam ruszył z miejsca, lecz coś go unosiło siłą. Po obudzeniu się prześladowało go jakieś niejasne wrażenie umiejscowione w żołądku: czuł jakby strach czy obawę, ale przemieszane w osobliwy sposób z podnieceniem, niemal zmysłową radością. Poszedł natychmiast do swego gabinetu, chwycił pióro i zaczął segregować poszczególne elementy snu. Początkowo łączył ogniste, syczące płomienie z Piekłem Dantego, to jednak nie dawało żadnych rezultatów. Potem zatrzymał się na tej części snu, w której coś go unosiło... co go unosiło? Jakaś osoba, powóz, pociąg?...

Pociąg. Czuł, jak obracają się pod nim koła. Była noc. Spał rozebrany, w nocnej koszuli. Rozległ się brzęk stali czy żelaza i syk pary. Pociąg się zatrzymał. Zbudził się i wyjrzał przez okno. I wtedy po raz pierwszy w życiu zobaczył płomyki lamp gazowych. Przypominały mu one dusze płonące w piekle, tak jak je opisywała Monika Zajíc, żarliwa katoliczka, całą pasję swej wiary wkładająca w opowieści o potępionych, płonących w ogniu każdego dnia od nowa, ostrzegająca małego Zygmusia, by był grzeczny i nie narażał się na tak straszną karę.

Tym więc tłumaczyłyby się lęki i obawy wzbudzone przez sen. Skąd jednak owa radość i podniecenie, od którego drżał wewnętrznie? Jaka mogła być ich przyczyna? A poza tym kto jeszcze był w małym pomieszczeniu na kołach? Przecież nie jego ojciec. Jakub nie towarzyszył im w tej podróży. Monika też została w domu. Któż to więc mógł być?...

Przerwał, czując, że biją na niego poty. To była jego matka! Widział ją nagą w tym ciasnym pomieszczeniu. Ułożyła dzieci do snu i wreszcie mogła zdjąć z siebie te wszystkie niezliczone części garderoby kobiecej, halki, gorset, pończochy. Sięgała właśnie po nocną koszulę.

Wstał, poczuł zawrót głowy i szybko siadł. Teraz nareszcie zrozumiał, skąd się brała jego niechęć do pociągów, całe to planowanie podróży, pakowanie się kilka dni wcześniej, wyjazdy na dworzec na godzinę przed odejściem pociągu, szybkie wrzucanie walizki na półkę i wybieganie na peron, niechętne czekanie na chwilę, kiedy konduktor da znak, wskakiwanie do ruszającego już wagonu w strachu, a jednocześnie w uniesieniu...

Przez cały dzień nie zaznał spokoju. Nie potrafił myśleć logicznie. Czy wspomnienie widoku rozebranej matki było oznaką braku szacunku? Miał czterdzieści jeden lat, Amelia sześćdziesiąt dwa! Dlaczego teraz wyłoniła się na powierzchnię ta osnowa snu, właśnie teraz, kiedy tak bardzo przejął się śmiercią ojca? Co się działo z jego pamięcią przez trzydzieści osiem lat, że to wspomnienie ani razu się nie pojawiło? A czy jest to w ogóle wspomnienie prawdziwe? Przecież może być takim samym urojeniem, jak te, które wymyślają małe dziewczynki pragnące, by ojciec je kochał? Właściwie nie przypominał sobie takiej podróży, takiego pociągu, takiego przedziału... Trzeba będzie się dowiedzieć...

Tej niedzieli, kiedy Amelia z Dolfi przyszły na obiad, Zygmunt spytał na osobności swą matkę:

– Czy z Freibergu jechaliśmy pociągiem? Czy przejeżdżaliśmy obok lamp gazowych?

– Niezwykłe, że to pamiętasz! – Amelia spojrzała zdziwiona. – Oczywiście. Do Lipska jechaliśmy przez Wrocław. Mieszkaliśmy tam rok. Na stacji we Wrocławiu ja też widziałam te gazowe lampy. Właśnie kładłam się spać. Zauważyłam, że uniosłeś się i oparłeś na łokciu. Miałeś oczy tak duże jak dwa srebrne księżyce.

Tej nocy śniło mu się, że jest znów we Freibergu. Monika Zajíc kąpała go w balii, w której sama się przed tym wykąpała. Woda w balii była czerwona. Potem Monika powiedziała, by szybciej się załatwił. Zawsze była pod tym względem surowa. „Musisz robić to, co do ciebie należy. Musisz być punktualny. Musisz przestrzegać regularności". Potem ubierała go, głaszcząc genitalia i powtarzając, że jest najładniejszym chłopcem na świecie, że kiedy dorośnie, będzie bogaty i silny... Potem poszli do kościoła, słuchali mszy i śpiewów chóru; ale w ogniu piekielnym smażyła się Monika, a nie on...

Obudził się. Resztki snu krążyły po głowie jak nietoperze. Znaczenie czerwonej wody było oczywiste: Monika miała menstruację. Ale dlaczego nie brzydziła go kąpiel w tej wodzie? Ponieważ Monika, będąc jego niańką, mimo że wydawała mu się stara i brzydka, stanowiła w jakimś sensie namiastkę matki.

Tropił teraz wątek kościoła. W każdą niedzielę Monika prowadziła go na mszę. Od lat o tym nie myślał, ale teraz czuł wyraźnie zapach kadzidła, słyszał chłopców śpiewających w chórze, widział obraz Chrystusa na krzyżu nad ołtarzem, wymalowane na ścianie Wniebowstąpienie Najświętszej Panny. Na zasadzie osmozy poznał dokładnie katolicką liturgię tak różną od obrządku surowej, pozbawionej wszelkich ozdób synagogi.

Teraz rozumiał, dlaczego tak bardzo lubił malarstwo religijne, a zwłaszcza bogatą, barwną sztukę włoską. Mógł też sobie wytłumaczyć, dlaczego porzucił rytuał swojej religii. I dlaczego tak dobrze czuł się w otaczającym go ze wszystkich stron katolicyzmie. Ale dlaczego skazał we śnie Monikę na piekło? Wiele godzin zajęło mu cofanie się w czasie, aż dotarł do swej prehistorii, do tego okresu w życiu dziecka, kiedy nie odnotowuje ono jeszcze w świadomości wydarzeń i wspomnień. We śnie Monika namawiała go, by ukradł dziesięć grajcarów i dał jej monetę. Uznał ją za winną i wymierzył jej karę.

Po kilku dniach znowu śnił mu się Freiberg. Był w ich mieszkaniu nad warsztatem ślusarza. Matka płakała, Jakub miał ponurą minę. W pokoju stała mała trumienka. Jakub wskazywał na nią, oskarżał Zygmunta...

Obudził się nagle, cały drżący. To, do czego doszedł drogą swobodnego kojarzenia, powracało obecnie w postaci koszmaru sennego. Umył twarz i kark zimną wodą. Jakub słusznie go obwiniał. Po pogrzebie Juliusza, gdy braciszek zniknął już na zawsze z ich życia, Amelia całą swą miłość skupiła na Zygmuncie, a on wiedział, że nosi na sobie piętno winy. Nie trzeba było wyrzutów Jakuba, by uświadomić sobie tę winę. Być może teraz ją odkupi; koszmar senny będzie egzorcyzmem.

Rozumiał teraz, że badanie własnej jaźni jest pożytecznym, lecz bolesnym procesem. Wiedział, że ta analiza daleka jest od doskonałości. Czekały go jeszcze lata intensywnych poszukiwań. Fascynowały go te dociekania swym intelektualnym pięknem. Po nastrojach euforycznych przychodziły jednak dni, kiedy brało górę przygnębienie, gdy nie potrafił zrozumieć i odczytać żadnego fragmentu snu, który mu się przyśnił poprzedniej nocy, czy jakichś marzeń na jawie. Autoanaliza stawała się niemożliwa bez obiektywnej wiedzy, a przecież zdarzały się całe okresy, kiedy jego wola była sparaliżowana i nie potrafił napisać słowa. Stracił część pacjentów. Czuli się rozczarowani; zawiódł ich, nie mogąc im w niczym pomóc. Wykłady na uniwersytecie stały się jałowe, nie wiedział bowiem, dokąd zmierza w swych rozmyślaniach. Zdarzało się, że na sali znajdowało się tylko dwóch słuchaczy, niekiedy nawet jeden. Przerwał odczyty w „B'nai B'rith"; nawet życzliwe twarze tego audytorium nie sprzyjały rozwiązywaniu dręczących go zagadek.

Przyśnił mu się stos dziesięcioguldenowych banknotów, dawanych co tydzień Marcie na prowadzenie domu. Łańcuch asocjacji doprowadził go znowu do snu, w którym Monika kazała mu ukraść monetę.

„A więc tak samo jak moja niania kradła monety i zabawki, tak ja teraz biorę od moich pacjentów pieniądze za to, że ich źle leczę". Podniecony był radośnie tym, jak uważnie czuwa podświadomość nad jego codzienną analizą, jak surowo go potępia. Niekiedy jakaś myśl kształtowała się z oczywistością truizmu wydrukowanego w książce. Tak właśnie się zdarzyło, kiedy jeden z pacjentów, bogaty wiedeńczyk, skarżył się, że czuje się nieszczęśliwy i życie mu zbrzydło.

– Ale dlaczego, panie doktorze, skoro mam wszystko, czego dusza zapragnie?

– Szczęście jest odroczonym spełnieniem przedhistorycznego pragnienia. Dlatego właśnie majątek nie przynosi szczęścia; pieniądze nie są pragnieniem niemowlęcym.

Zgodnie z przewidywaniami przechodził okresy zaburzeń emocjonalnych, takich samych, jakie obserwował u swoich pacjentów. Wciąż jeszcze nie rozumiał istoty problemu, ale równocześnie miał uczucie, że wystarczy sięgnąć ręką, by natrafić na to, co było mu potrzebne do pełnej wiedzy. Ten właśnie niepokój przesłaniał mu rzeczywistość. Potem następowały okresy, kiedy umysł jego funkcjonował sprawnie, wiodąc go przez serię szybko następujących po sobie scen, znikających jak widoki oglądane z okna pociągu. Przypomniał sobie słowa Goethego:

„Oto pojawiają się cienie ukochanych osób, a wraz z nimi dawne, na wpół zapomniane mity, pierwsza miłość i pierwsza przyjaźń".

Na pytania Marty odpowiadał opryskliwie:

– Nie zawracaj mi głowy głupstwami – po czym skruszony próbował jej wytłumaczyć swój stan psychiczny. Już dawno wyjaśnił żonie pojęcie podświadomości. – Wielcy pisarze – mówił – zawsze wiedzieli, że w człowieku są dwa umysły i że często kierują nim siły, nad którymi nie panuje, których nie rozumie, a nierzadko nawet nie jest ich świadom. Potwierdzą ci to Sofokles, Dante, Szekspir, Goethe... a przede wszystkim Dostojewski; on wiedział prawie wszystko o podświadomości, chociaż nie określiłby jej tym właśnie terminem.

– Czy sądzisz, że potrafisz przeprowadzić pełną autoanalizę?

– Tylko w ten sposób mogę usunąć moje nerwice, odzyskać spokój wewnętrzny i pogodzić się ze sobą. A wtedy będę też wiedział, jak dotrzeć do samego dna podświadomości moich pacjentów i ich nerwic.

– A czy dotąd ci się to nie udawało?

– Mam niezłe wyniki. Ale po śmierci Jakuba coś się stało i to właśnie muszę zrozumieć.

– Mój ojciec twierdził, że nikt nie powinien znać całej prawdy o sobie, gdyż to może złamać człowieka.

– Istotnie. – Uśmiechnął się smutno. – Nic na to jednak nie poradzę. Nie jestem ze szkła i nie potłukę się, spadając na ziemię. Jak dobry mechanik, potrafię rozebrać wszystko na części i potem złożyć z powrotem.

8

Od kilku tygodni, być może nawet miesięcy, czuł, że stoi na progu objawienia. Z serii odkrywczych snów wydobył poszczególne elementy składanki. Przypuszczał, że rozwiązanie kryło się we śnie, w którym ponownie przeżywał przeniesienie się rodziny do Lipska, a potem do Wiednia, kiedy jego bracia przyrodni, Filip i Emanuel, wyjechali do Anglii. Dopiero wtedy Zygmunt dowiedział się, że jego ojcem jest stary Jakub, a nie Filip, który był rówieśnikiem matki. Od tego czasu zaczął czynnie współzawodniczyć z ojcem. Nie dość, że z brzucha Amelii nie powinno było już wyjść więcej dzieci! Zazdrosny, obawiając się, że straci miłość matki, pragnął śmierci ojca!

Powrócił myślami do przedstawienia *Król Edyp* oglądanego z Breuerami przed dziesięciu laty w Hofburgtheather. Ta tragedia była odpowiedzią, przeoczył to, poszukując od tylu lat źródła nerwic, których nie umiał wyleczyć.

Teraz musiał się zmagać z ostateczną prawdą: przyczyną jego nerwicy po śmierci Jakuba było to, że w podświadomości uznał się za winnego chęci zgładzenia własnego ojca i odbycia stosunku z własną matką.

Do Fliessa pisał:

„Również i w moim przypadku stwierdziłem miłość do matki i zazdrość o ojca; teraz wierzę, że to zjawisko powszechne, właściwe wczesnemu dzieciństwu... Jeśli tak właśnie jest... to staje się zrozumiała fascynacja tragedią *Król Edyp*... Grecki mit koncentruje się na przymusie łatwym do rozpoznania, ponieważ w każdym pozostawił on ślady. Wszyscy widzowie byli kiedyś w swej wyobraźni Edypami". Jest zatem powszechnym zjawiskiem, że każdy chłopiec pożąda swej matki, a każda dziewczynka – swego ojca. Jest również rzeczą normalną, że to tworzywo staje się przedmiotem fantazjowania, a potem zostaje stłumione, jak się o tym sam przekonał. Czyż człowiek dorastający mógłby żyć z takim brzemieniem w swej świadomości? Morderstwo i kazirodztwo to odwieczne zbrodnie, najsurowiej karane...

...karane? Tak, w taki właśnie sposób, w jaki on został ukarany udrękami ostatnich kilku miesięcy. Śmierć ojca nagle uczyniła go odpowiedzialnym za grzech przeciw staremu człowiekowi. Te same łopaty, które kopały grób ojca, przekopały kanał w podświadomości do świadomości syna. Podczas gdy cenzor grzebał Jakuba, stłumione wspomnienia dzieciństwa przedarły się przez groble i spiętrzona fala dotarła do winnego. Oto skąd brały się cierpienia tylu spośród jego pacjentów.

Pacjenci! Iluż zawiódł, nie będąc w stanie ich zrozumieć. Dobrzy synowie po śmierci swoich ojców padali ofiarą nieustannych lęków i morderczych impulsów. Pan Müller, słyszący głosy... z przeszłości, której Zygmunt nie umiał rozpoznać. Młody prawnik, który bał się obłędu, uważał siebie za człowieka zgubionego, ponieważ onanizując się, wyobrażał sobie, że pod nim leży jego matka.

A te kobiety...

Jakże mógł ich wszystkich leczyć, skoro nie wiedział, na czym polega choroba?

Zdjął z półki angielski egzemplarz *Hamleta* i raz jeszcze zagłębił się w tych tak dobrze mu znanych strofach. Kiedy skończył, włożył ciepłe palto i kapelusz i wyszedł na oślepiającą śnieżycę. Wrócił do domu fizycznie wyczerpany, ale pobudzony umysł domagał się, by natychmiast spisał objawienie.

„Ten sam problem może leżeć u źródeł *Hamleta*. Nie chodzi mi o świadome zamierzenia Szekspira; skłonny jestem uważać, że poczuł się zmuszony do przedstawienia tego w formie realnego wydarzenia, ponieważ jego własna podświadomość rozumiała podświadomość bohatera. Jakże inaczej wytłumaczyć histeryczne odezwanie się Hamleta: «Tak to rozwaga czyni nas tchórzami»[*], i wątpliwości, czy może pomścić ojca, zabijając wuja, chociaż równocześnie bez najmniejszego wahania posyła na śmierć dworzan i tak szybko rozprawia się ze swym przyjacielem Laertesem? Czyż nie tłumaczy tego najlepiej niejasna świadomość, że kochając matkę, sam kiedyś rozmyślał, czy nie dopuścić się takiego czynu wobec ojca. Gdybyśmy się obchodzili z każdym według jego zasług, któż by uniknął chłosty? Świadomość Hamleta to jego nieświadome poczucie winy".

Teraz pojął, dlaczego tak długo nie potrafił zrozumieć sytuacji edypalnej: o p ó r. Jego własne więzy edypalne były tak silne, że opierał się prawdzie zawartej w sztuce, prawdzie chorych pacjentów, i w końcu swej własnej. Dopiero kiedy uświadomił sobie, że grozi mu poważna nerwica, zmusił się do przełamania swego zahamowania i sięgnięcia do jej przyczyn pierwotnych, posługując się własną metodą analizy. Analizując samego siebie, wypróbował na sobie działanie wszystkich tych stłumionych pragnień, regresji, odruchów

---

[*] Przełożył Józef Paszkowski.

obronnych, zatajeń, zaznał cierpień „zahamowań" powodowanych przez depresję, nie mógł pracować, utracił kontakt z bliźnimi. Ale w ten sposób udało mu się przeprowadzić autoanalizę. Odtąd będzie mógł stopniowo wprowadzać właściwe metody w leczeniu pacjentów. Nabył wprawy i większych umiejętności.

Bardzo się przejął tym odkryciem. Jeśli rzeczywiście udało mu się odczytać właściwie wątek tragedii *Król Edyp*, a dowody dostarczone przez pacjentów utwierdzały go w takim przekonaniu, wówczas niewątpliwie dotarł do podstawowego problemu losu człowieka.

Księga jedenasta

*„Skąd nadejść ma dla mnie pomoc"**

1

Nowy rok 1898 nie zapowiadał się najlepiej. Zygmunt musiał pogodzić się z tym, że pominięto go przy mianowaniu nowych profesorów nadzwyczajnych. Nikt zresztą nie otrzymał nominacji w dziedzinie neuropatologii. Po dwóch latach milczenia odezwał się Breuer. Napisał do Zygmunta, prosząc, by zajął się jego krewną, niejaką panną Cessie, której nie mogli pomóc inni neurologowie wiedeńscy. Ojciec panny Cessie zmarł. Miała skromną posadę i do lekarza mogła przychodzić tylko wieczorami. Zygmunt jej zapowiedział, że będzie płaciła jedynie połowę normalnego honorarium. Następnego ranka wysłał Józefowi przekazem trzysta pięćdziesiąt guldenów jako pierwszą ratę przedawnionego już długu. Martę poprosił, by napisała także kilka słów.

Breuer natychmiast odesłał pieniądze przez posłańca. Z jego listu wynikało niedwuznacznie, że bardzo się gniewa. Pomocy, której udzielił doktorowi Freudowi, nigdy nie uważał za pożyczkę. Było to zwyczajne poparcie, jakiego młodszy przyjaciel może oczekiwać od starszego. Nie żądał spłaty tego długu i w ogóle o tym nie myślał. Skoro zaś doktor Freud leczy pannę Cessie za połowę normalnego honorarium, niech wobec tego potraktuje te trzysta pięćdziesiąt guldenów jako wyrównanie. Zygmunt odpowiedział długim listem, upierał się, że długi powinny być regulowane.

Panna Cessie zaczęła chorować, gdy miała lat szesnaście. Cierpiała na odmianę schizofrenii. Co pewien czas zdarzały się okresy, kiedy nie poznawała ludzi i traciła poczucie rzeczywistości. Wszystko wskazywało na to, że jej matka również cierpiała na ukrytą schizofrenię i stosunki z córką ułożyła na zasadzie obustronnego pasożytnictwa. Zygmunt przyrównywał taki stosunek do porostu składającego się z dwóch części, grzybka i algi, które żywiły się wzajemnie swym kosztem i były całkowicie od siebie zależne.

Dolegliwości Cessie pojawiły się po pierwszych kontaktach z młodymi mężczyznami, kiedy uświadomiła sobie, że dojrzewa seksualnie... i kiedy stwierdziła, że brak jej zupełnie poczucia rzeczywistości. Matka zachorowała, Cessie bała się, że straci swe jedyne oparcie. Równocześnie zaczęła romansować z jakimś młodzieńcem. Nie umiała poradzić sobie z tymi problemami. Przeżyła regresję; wróciła do stanu dzieciństwa; szukała dziecinnych rozwiązań dla problemów wieku dojrzałego. Coraz bardziej żyła urojeniami, przeżywała długie okresy depresji lub ucieczki od świata. Resztkami siły woli starała się zachować pracę w biurze, którą jej załatwił Breuer, i pielęgnować chorą matkę, ale we wszystkich innych sprawach życiowych gubiła się całkowicie. Jej dotychczasowa osobowość zanikała stopniowo. Zygmunt nie szczędził trudu, ale wszystkie metody skuteczne w przypadkach *ego* ukrytego lub „nieobecnego" tym razem zawodziły. Opór pacjentki uniemożliwiał swobodne kojarzenie; w czasie każdej wizyty wpadała w owe „puste" stany i umykała mu tak skutecznie, jakby się zapadała pod podłogę.

Po dziesięciu latach przyjaźni Zygmunt po raz pierwszy nie zgadzał się z Fliessem. W poprzednim roku mieli trzy krótkie spotkania. W Norymberdze Wilhelm wyłożył mu dziwną koncepcję biseksualizmu. Zdaniem Fliessa nie było w ogóle „stuprocentowych mężczyzn ani też stuprocentowych kobiet". Każda istota ludzka ma w sobie elementy obu płci, zarówno fizyczne, jak psychiczne. Wilhelm nadal opracowywał tablice matematyczne, przedstawiające właściwe proporcje elementów męskich i kobiecych; już teraz przypuszczał, że wyrażą się one stosunkiem około siedemdziesięciu procent elementów męskich w mężczyźnie do około siedemdziesięciu procent elementów kobiecych w kobiecie. Wszelkie gwałtowne odchylenia od tej normy byłyby nienormalne i niebezpieczne. Przewaga męskich lub kobiecych elementów mogłaby doprowadzić do powstania zbyt męskich lub zbyt kobiecych osobników; owych potworów, które nieustannie muszą się popisywać swą męskością, stąpających dumnie, walczących, grabiących i niszczących wszystko; czy też tych niewiast, które swą kobiecość podkreślają mizdrzeniem się, oszukiwaniem i uwodzeniem. Wszelkie odchylenie poniżej siedemdziesięciu procent byłoby szkodliwe z przeciwnych powodów. Mężczyzna straciłby w takim przypadku swą „męskość", nabył kobiecego wyglądu, sposobu mówienia, manieryzmów. Kobieta natomiast stałaby się istotą kanciastą, wyrażającą się jak mężczyzna, nabyłaby męskich rysów, postawy, gustów. Zygmunt próbował zebrać myśli:

– Jestem zaskoczony twoimi ideami. Nie potrafię ich ogarnąć tak od razu. Oczywiście zdarzają się nieliczne przypadki hermafrodytyzmu. Nie dalej jak przed miesiącem zetknąłem się z takim przypadkiem. Mięczaki i robaki mają męskie i żeńskie organy płciowe i przetrwały tysiąclecia. Ale nikt jeszcze nie odważył się wysunąć hipotezy, że wszystkie istoty ludzkie są psychicznymi hermafrodytami, w dwóch trzecich mężczyznami i w jednej trzeciej kobietami lub *vice versa*.

– To prawda. – Wilhelm był rozpromieniony. – Przekonasz się jednak, że mam rację.

W kilka zaledwie dni po powrocie do Wiednia Zygmunt doszedł do wniosku, że teoria Wilhelma daje mu logiczną odpowiedź w najbardziej zdumiewającej kwestii dwu podstawowych elementów działających w ludzkiej psyche: represja i opór. Zapisał: „Wydaje się rzeczą oczywistą, że represja i powstawanie nerwic muszą być następstwem konfliktu między tendencjami męskimi a kobiecymi".

Przejrzał dawniejsze historie chorób i przypomniał sobie żałosną skargę jednego z pacjentów homoseksualistów: „Mam kobiecy umysł w męskim ciele". Przy każdej z historii chorób poczynił adnotację. „W każdej istocie ludzkiej jest pewien element homoseksualizmu. Zazwyczaj nie występuje on na jawie, ale może się wyłonić we fragmencie snu..."

„Występująca w snach tendencja posługiwania się symbolami seksualnymi w sposób biseksualny dowodzi istnienia cechy archaicznej, w dzieciństwie bowiem różnica między genitaliami nie jest zauważana i te same genitalia przypisywane są obu płciom... W każdym normalnie ukształtowanym człowieku nie brak śladów narządów płci przeciwnej".

U kobiet łechtaczka, *clitoris*, odpowiednik penisa, stanowi część zewnętrznych organów płciowych. Onanizm kobiecy w znacznej mierze wiąże się z *clitoris*, a małe dziewczynki uważają ją za zaczątki penisa. Mężczyzna ma piersi i sutki. Zygmunt przypomniał sobie młodą pacjentkę, którą prześladowała myśl o latających wiedźmach. Nieustannie wyobrażała sobie, że lata na miotle, trzymanej między nogami. Zastanawiał się, czy ta miotła, występująca w opowieściach o czarownicach, nie jest symbolem wszechwładnego penisa.

Spór z Fliessem rozpoczął się w czasie ich wycieczki do Wrocławia. Przez półtora dnia spacerowali po stolicy Dolnego Śląska, przechodzili przez mosty na Odrze, łączące stare miasto z nowym, dyskutując o problemach, nad którymi pracowali. Zygmunt poczuł się nieco zmęczony i postanowił pospać godzinkę po obiedzie. Wilhelm jednak nie chciał przerwać dyskusji. Był wyraźnie podniecony:

– Mam ci coś ważnego do powiedzenia. Po naszym spotkaniu w Norymberdze udało mi się znaleźć biologiczną podstawę biseksualizmu. Nazywam to nowe podejście bilateralizmem. Słuchaj uważnie, a przejdzie ci ból brzucha. – Zygmunt nie widział jeszcze Fliessa w stanie takiego podniecenia. Jego czarne oczy lśniły, gestykulował z niezwykłą energią. – W każdej z dwóch części ludzkiego ciała – tłumaczył Fliess – znajdują się oba rodzaje organów płciowych! Zespolenie męskiego i kobiecego elementu dokonuje się w każdej połowie oddzielnie. W lewej połowie mężczyzny jest element kobiecy, nawet jeśli ta właśnie strona obejmuje jądro i pozostałe narządy męskie. Każda istota ludzka przechodzi fizycznie oba cykle, męski dwudziestotrzydniowy i kobiecy dwudziestoośmiodniowy. Przebiegają one równocześnie, powodując zaburzenia w psyche. Obie te połowy żyją oddzielnie i niezależnie od siebie, i dlatego w pewnych dniach cyklu dominuje prawa strona, w innych lewa. Dlatego właśnie niektórzy ludzie odczuwają niekiedy bóle z lewej strony głowy, niekiedy zaś z prawej. Jeśli każdy człowiek będzie miał własną tabelę, zdoła na podstawie tych obliczeń z góry przewidzieć, która strona jego ciała będzie dominowała lub buntowała się w każdym poszczególnym dniu cyklu.

A poza tym – głos Fliessa rozsadzał ściany skromnego pokoju hotelowego – mam już ostateczne wyjaśnienie mańkuctwa. Mężczyźni leworęczni poddawali się cyklowi kobiecemu i zostali zdominowani przez kobiece organy płciowe po lewej stronie swych ciał.

Fliess był tak pochłonięty studiowaniem swych tabel, że nie dostrzegł nawet wyrazu niedowierzania, który pojawił się na twarzy Zygmunta. Co do jednego Wilhelm miał rację, ból brzucha przeszedł. Pojawił się natomiast tępy ból w środku czaszki. Zygmunt dźwignął się na łóżku i wpatrywał uważnie w twarz przyjaciela, by się zorientować, czy ten go nie nabiera. Nic podobnego! Nie ulegało najmniejszej wątpliwości, że Fliess mówił całkiem poważnie.

Zygmunt był przerażony po raz pierwszy, od chwili gdy się zaprzyjaźnił z Wilhelmem Fliessem. Dlaczego Wilhelm zawsze doprowadzał swe koncepcje do absurdu? Przecież żaden lekarz nie potraktuje poważnie takiej idei. Nie mógł mu tego powiedzieć… Nie mógł nawet stawiać pytań. Zdradzi się tonem głosu. Lepiej o tym nie myśleć. Wilhelm przypisze jego milczenie chwilowej niedyspozycji. Gdyby nawet Zygmunt coś powiedział, on miałby odpowiedź na wszelkie wątpliwości: przecież w Norymberdze zgodził się z jego teorią o biseksualizmie, a w tydzień potem napisał do niego, że jest to największe odkrycie Fliessa i że stanie się ono jednym z kamieni węgielnych psychoanalizy. Czyżby miało się to powtórzyć z bilateralizmem?

Jęknął głośno i zaczął sobie masować brzuch. Wilhelm zrozumiał i pożegnał się, zapowiadając, że będzie na niego czekał później w hallu.

Po powrocie do domu Zygmunt napisał do Wilhelma: „Muszę mieć teraz mnóstwo materiału, żebym mógł poddać teorię mańkuctwa najsurowszej próbie. Jestem już gotów. Przy okazji pragnę Ci powiedzieć, że po raz pierwszy od bardzo długiego czasu nasze idee i kierunki zainteresowań się rozchodzą".

Fliess bardzo źle przyjął dezercję przyjaciela. Pisał z oburzeniem, że nie tylko ma mu za złe krytyczne uwagi, ale jest wręcz oburzony, że odrzucił jego teorię. Dodawał w jednym liście, że Zygmunt nie może pogodzić się z teorią mańkuctwa, bo sam jest mańkutem, choć sobie z tego nie zdaje sprawy. Zygmunt odpowiedział łagodnie, że nie gniewa się za docinki Wilhelma, pragnie jedynie wyłożyć kilka powodów, dla których, jak mu się zdaje, koncepcje Fliessa nie mają podstaw biologicznych. Wilhelm jednak nie pozwalał kwestionować żadnego ze swych postulatów, mimo iż wiedział, że Zygmunt studiował u trzech najwybitniejszych fizjologów świata: Brückego, Fleischla i Exnera. Zygmunt zdawał sobie sprawę, że to po części jego własna wina; przez dziesięć lat wychwalał Wilhelma pod niebiosa, mówiąc mu, że jest najodważniejszym uczonym w Europie. A teraz uczeń wyrzekł się mistrza!

Chociaż Zygmunt napominał Wilhelma, by skrupulatnie poddawał próbie swe rozumowanie, a Wilhelm reagował na to entuzjastycznie, nie ulegało najmniejszej wątpliwości, że Zygmunt był jedynym człowiekiem na świecie, którego uwag krytycznych nie mógł ścierpieć. Od trzech co najmniej lat, od owej fatalnej operacji nosa, powinien był przecież Zygmunt wiedzieć o tym, że Wilhelm popełnia fatalne pomyłki. Rozważając teraz chłodno fakty, zastanawiając się obiektywnie nad wykonanym przez niego niepotrzebnym zabiegiem, nad beztroskim pozostawieniem opatrunku w nosie, przez co niemal nie doprowadził do śmiertelnego krwotoku u pacjentki, Zygmunt uświadomił sobie, ile zawdzięcza swej autoanalizie. Pisząc do Fliessa po tym przykrym wypadku, że „oczywiście nikt go nie wini i nie ma zresztą powodów, by mu cokolwiek zarzucić", chronił swą przyjaźń z człowiekiem niepotrafiącym przyjmować krytycznych uwag przyjaciela, bo nie chciał go stracić; lubił i potrzebował Wilhelma. Jego podświadomość słusznie obwiniała Fliessa. Czy jednak był już na tyle wyzwolony, by zaryzykować utratę najwierniejszego przyjaciela?

2

Pewnego lutowego popołudnia wpadł do gabinetu Leopold Königstein.

– Zygmuncie, gratulacje! Przed chwilą dowiedziałem się, że jesteś na przygotowanej przez ministra oświaty liście profesorów nadzwyczajnych.

Sam Franciszek Józef wręczy ci nominację drugiego grudnia, w dniu swego złotego jubileuszu!

– Pewny jesteś?

– Tak. Nie mogę zdradzić źródła, ale ktoś widział twoje nazwisko na liście.

Zygmunt starał się opanować swą radość, przypomniał sobie bowiem, że Leopold przez sześć lat z rzędu był przy nominacjach pomijany.

– A co z tobą? – zapytał. Königstein opuścił wzrok i spochmurniał.

– Być może na setną rocznicę koronacji cesarza w 1948 roku. Ale pamiętaj, potrzebny ci będzie na audiencję dworską żakiet i spodnie sztuczkowe.

W kilka dni później uniwersytet został zamknięty po demonstracjach studenckich wywołanych dekretem wprowadzającym język niemiecki jako obowiązujący w mowie i piśmie w całym cesarstwie austro-węgierskim. Zygmuntowi żal było przerywać wykłady; tych jedenastu słuchaczy, którzy uczęszczali na jego kurs wielkich nerwic, tworzyło grupę inteligentną, szybko wszystko pojmującą. Wpadł na pomysł: kazał studentom przychodzić do siebie w środy i soboty o siódmej. Pomysł okazał się szczęśliwy. Atmosferę zażyłości potęgowały kufle piwa i cygara, którymi docent Freud podejmował swych słuchaczy. Na uniwersytecie wykłady miały charakter oficjalny i studentom nie wolno było zadawać pytań profesorom; tu, w mieszkaniu prywatnym, Zygmunt wprowadził ton konwersacyjny, zwracał się do poszczególnych słuchaczy, przerywał w połowie zdania, gdy zauważył, że ktoś go nie rozumie. Po pierwszym takim spotkaniu powiedział Marcie, że przypomina ono bardziej zajęcia seminaryjne niż wykłady.

– Bardzo było przyjemnie. Prowadziliśmy również rzeczowe dyskusje. Chciałbym kiedyś mieć stałą grupę młodych ludzi, którzy przychodziliby wieczorami na poważną rozmowę. Nikt nie odczuwałby skrępowania i każdy mógłby mówić o interesujących go sprawach. Tego rodzaju spotkania mają jakąś ludzką ciepłą atmosferę, a tej brak zajęciom na uczelni.

Wyleczył się sam z nerwicy spowodowanej śmiercią ojca, gdy dotarł do sedna własnej sytuacji edypalnej. Poszerzył swą wiedzę i nabył większej pewności siebie w prowadzeniu pacjentów. W kilku przypadkach, w których wydawało mu się, że leczenie natrafia na przeszkody nie do przebycia, zdołał skierować pacjentów na dobrą drogę. Oczywiście nie doprowadził jeszcze do końca własnej analizy, zapewne lata miną, zanim wydobędzie na powierzchnię ostatnie upiory ukryte w podświadomości, ale już wiedział, że jego zdrowiu psychicznemu nie zagrażają poważniejsze niebezpieczeństwa.

W południe był u niego pacjent, makler giełdowy, który leczył się od roku i już czuł się na tyle lepiej, że wrócił do normalnej pracy. Doktor Freud przez dłuższy czas nie wiedział, co z nim począć, bo nie udawało mu się odnaleźć głównej przyczyny jego przywidzeń, teraz już nabrał pewności, że ma do czynienia z kompleksem Edypa. Gdy jednak doprowadził do tego, że bankier uświadomił sobie pewne fakty z okresu dzieciństwa, obsesyjną miłość, jaką darzył własną matkę, i nienawiść odczuwaną do ojca, pacjent przerwał leczenie.

Inni pacjenci również buntowali się przeciw koncepcji edypalnej. Zdarzali się wśród nich tacy, którzy początkowo zachowywali się kulturalnie i układnie, z czasem jednak zaczynali kłamać, wyrażać się wulgarnie i stawali się bezczelni. Trzeba było wielkiego uporu, by uświadomić im prawdziwe źródła ich chorób i ułatwić zrozumienie tego rodzaju zaburzeń. Jedni wracali do zdrowia i do normalnych zajęć, znowu mieli właściwy stosunek do swych obowiązków rodzinnych. Inni przerywali leczenie, ale powracali zrozpaczeni po pewnym czasie, by poddać się znowu kuracji.

Stwierdzał z entuzjazmem, że istnieje naukowa analiza. Analiza naszej psyche. Drżał jednak na myśl o reakcji, jaką wywoła w Wiedniu opublikowanie sprawozdania o odkryciu kompleksu Edypa. Raz już znalazł się pod pręgierzem za szkalowanie niewinnych dzieciątek. Teraz zostanie uznany za zbrodniarza twierdzącego, że erotyzm dziecięcy ma tło kazirodcze.

Trzeba zachować te myśli dla siebie... przynajmniej przez dłuższy czas. Wergiliusz radził czekać dziewięć lat z ogłaszaniem swych utworów. Nawet najmężniejszy żołnierz ma prawo wyleczyć się z poniesionych ran, zanim weźmie udział w następnej bitwie.

Znikły bóle brzucha, serce działało bez zarzutu. Znowu przejmował się problemami swych pacjentów, był wzorowym mężem. Wrócił do lektur i problemów intelektualnych. Podróż do kresu własnej przedświadomości usunęła najbardziej uporczywe wyrzuty sumienia i lęki. Porzucił autoanalizę na rzecz księgi snów, poszukując w dawnych cywilizacjach materiału do legendy Edypa, pisząc w przypływie energii pierwsze rozdziały: *Funkcje snów. Metoda interpretacji snów* i *Analiza zjawiska snu*. Zabrał Martę na prelekcję Marka Twaina. Grał z dziećmi w „sto podróży po Europie" i czytał im *Najdalszą północ* Nansena. Uczył Marcina pisać wiersze, które miały nie tylko rymy, ale także rytm. Cała rodzina śledziła z uwagą proces Dreyfusa, a potem proces Zoli. Zygmunt czytał nową powieść Artura Schnitzlera i zaskoczyło go, jak wiele miał ten pisarz do powiedzenia o seksualnych pobudkach ludzkiego działania.

Zaczął zdawać sobie sprawę, że jego koncepcja podświadomości jest zbyt wąska. Błędem było stosowanie kryteriów moralnych w ocenie treści zawartych w podświadomości. Oparł swe badania na danych od cierpiących pacjentów i na autoanalizie własnych komplikacji, i dlatego uznał podświadomość za mroczną potęgę zastawiającą zasadzki na bezbronnego przechodnia.

Od samego początku postawił sobie za zadanie przejście od psychopatologii do psychologii normalnej, od chorych i psychicznie okaleczonych do zdrowej, normalnie funkcjonującej istoty ludzkiej. Krocząc po tej drodze, dotarł do marginesu popełnionego błędu. Nie brał pod uwagę tej części podświadomości, być może drugiej jej połowy, w której kryły się instynkty życiodajne i twórcze. Z tej właśnie części podświadomości wywodziły się najświetniejsze i największe osiągnięcia sztuki.

„Twórczy pisarze są cennymi sojusznikami i należy cenić wysoko ich świadectwo, ponieważ potrafią zgłębić wiele rzeczy między niebem a ziemią, o których filozofii naszej jeszcze się nie śniło. Ich wiedza o naszej psychice znacznie przewyższa wiedzę zwyczajnych ludzi, docierają do źródeł jeszcze nieznanych nauce".

Jego własne sny stanowiły bogaty materiał dokumentacyjny do pracy, którą pisał. Pewnej nocy śniło mu się, że napisał monografię o jakiejś roślinie. Książka leżała przed nim, oglądał właśnie kolorową ilustrację. W każdym egzemplarzu była jedna zasuszona roślina, jakby wyjęta z zielnika.

Przystąpił do porządkowania elementów snu w kolejności, w jakiej się pojawiły. Poprzedniego ranka zatrzymał się przed wystawą księgarni. Leżała tam niedawno wydana *Monografia cyklamenu*. Cyklameny były ulubionymi kwiatami Marty. Poczuł wyrzuty sumienia, że ostatnio tak rzadko jej je kupuje. Skupił uwagę na słowie: monografia. Mimo że w gimnazjum nie zdradzał większych talentów do botaniki, opublikował monografię krzewu kokainowego. Karol Koller od niego dowiedział się o znieczulających właściwościach kokainy. On mu powiedział, że znieczula język. Koller wypróbował ją na oku i przekonał się, że można dzięki niej robić operacje, które dotąd uchodziły za niemożliwe. Teraz praktykuje z ogromnym powodzeniem w Nowym Jorku. Koller i Königstein operowali bielmo na oku Jakuba...

...kokaina... to właśnie musi być ogniwo wiążące... Tak, przed kilkoma dniami widział „Księgę pamiątkową" wydaną przez studentów z okazji dwudziestopięciolecia profesury doktora Strickera. Wspomniano w niej, że Koller odkrył w pracowni Strickera znieczulające właściwości kokainy, ale nie było najmniejszej wzmianki o wkładzie Zygmunta Freuda. Zabolało go to i nawet miał do siebie pretensję, że nie popracował jeszcze kilka tygodni i nie ogłosił odkrycia, na które naprowadził Kollera i Königsteina. Ale wtedy był zakochany do niepamięci; od roku nie widział Marty i śpieszył się do swej ukochanej.

Königstein... W wieczór poprzedzający sen Königstein odprowadzał go do domu po wykładzie. Był zmartwiony.

– Zygmuncie, erotyka stała się twoim ulubionym konikiem. Za bardzo się nią przejmujesz. Lekarz powinien zajmować się chorym okiem, płucami, kośćmi...

– Spróbuj jednak, Leopoldzie, pomyśleć o podświadomości tak jak o kokainie. Dzięki psychoanalizie będzie można robić operacje mózgu, o jakich dawniej nikt nie marzył; tak jak ty możesz teraz operować oko... Monografia... Staram się teraz skończyć moją monografię *Tłumaczenie snów*.

W przeddzień dostał list od Fliessa, w którym przyjaciel pisał: „Myślę teraz stale o Twojej książce poświęconej snom. Widzę, jak leży ona przede mną, jak odwracam kartki". Tak bardzo chciał już skończyć książkę, że zazdrościł Wilhelmowi daru jasnowidzenia. „Gdybym ja mógł ujrzeć ją przed sobą, już ukończoną" – myślał.

Ostatnim elementem snu była złożona kolorowa rycina. Przebicie się przez warstwy pamięci zajęło mu dużo czasu; wreszcie zatrzymał przewijające się przed oczami wyobraźni pasmo obrazów. Miał pięć lat, jego siostra Anna – trzy. Bawili się na podłodze w jednym z dawnych mieszkań Freudów. Ojciec dał im książkę o podróży do Persji. Radził im wyrywać jedną ilustrację po drugiej, jak karczochy. Widok dzieci rozrywających książkę bawił Jakuba.

Co tu zostało stłumione? Czyżby pewne elementy jego tłumaczenia przesłaniały inne wspomnienia?

Nie poddawał się. Wreszcie napłynęły wspomnienia z wczesnego dzieciństwa, były jednak tak intymne i osobiste, że nie mógł zmusić się do spisania ich i umieszczenia w odpowiednim rozdziale. I tak już miał trudną sytuację w Wiedniu. Przecież nie może spacerować nago przed operą w niedzielne popołudnie na oczach wystrojonego tłumu. Użyje podstępu: opracuje ten materiał w artykule pod tytułem *Zasłona pamięci* i wymyśli pacjenta o pięć lat od siebie młodszego. Rozpocznie dialog z „pacjentem", pozwalając tamtemu ujawnić te biograficzne szczegóły.

Pierwsza scena, którą zobaczył, przedstawiała łąkę na spadzistym stoku wzgórza. Soczyście zielona trawa była gęsto przetykana żółtymi mleczami. Na skraju łąki, przed wejściem do chaty wiejskiej, stała ich niańka i chłopka w chuście. Miał trzy lata. Bawił się z dziećmi swego przyrodniego brata Emanuela, ze starszym o rok Janem i rówieśnicą Pauliną. Zrywali żółte mlecze i w pewnej chwili chłopcy doszli do wniosku, że Paulina ma najładniejszy bukiet. Powalili ją na ziemię i odebrali jej kwiaty. Pobiegła z płaczem do chłopki, która dała jej kawałek razowca. Chłopcy w przypływie zazdrości wyrzucili kwiaty i również podbiegli do chłopki. Każdy otrzymał kromkę chleba. Chleb bardzo im smakował. Tu scena się urywała...

Dlaczego właśnie to ukazała mu teraz latarnia magiczna? Jakie elementy sprawiły, że ta scena zachowała się w jego pamięci? Intensywny żółty kolor kwiatów? Smak świetnego razowca? Fakt, że skrzywdzili Paulinę? Żółte mlecze skojarzyły mu się z pobytem we Freibergu, kiedy miał lat szesnaście i zakochał się w Gizeli, piętnastoletniej córce starych przyjaciół rodziców, u których spędzał wakacje. Szli przez las, dziewczynka była w żółtej sukni, koloru mleczów. Nie wspominał jej o swej miłości; gdy wyjechała z powrotem do szkoły, fantazjował, że Jakub nie zbankrutował we Freibergu i że nie musieli się przenieść do Wiednia, że dorósł, przejął interes od ojca, świetnie mu się powodziło. Poślubił Gizelę Fluss, szczęśliwi wędrowali po lasach...

Jego bratanica Paulina... Kiedy był u niej w Manchesterze, wyczuwał, że Emanuel, jego brat przyrodni, chciałby, żeby on, Zygmunt, w niej się zakochał. Ale tak się nie stało. Przykuty do swych książek, nie myślał wtedy w ogóle o pannach. O co tu chodziło? Odebranie dziewczynie kwiatów oznaczało „zdeflorowanie" jej, a przecież to już zrobił! Oczywiście jako trzyletni brzdąc nie zdawał sobie z tego sprawy, ale w późniejszych latach nałożył świadomość tego faktu na wcześniejsze przeżycie.

Dlaczego z taką przyjemnością wspominał wyrywanie kolorowych rycin z książki? Ponieważ „wyrywanie" kojarzy się z onanizmem. Czy dlatego z taką przyjemnością myślał o karczochach? I dlaczego teraz właśnie, widząc w wyobraźni siebie podczas zabawy ze swą śliczną siostrzyczką Anną, przypomniał sobie pierwsze próby onanizmu?

Czy dlatego Jakub pojawił mu się we śnie zadowolony z tego, że dzieci wyrywają ilustracje, iż Zygmunt później obawiał się zdemaskowania, podobnie jak wszyscy onanizujący się chłopcy, i pragnął, by Jakub nie gniewał się, lecz pochwalał jego zachowanie?

3

Pozostał w Wiedniu przez cały lipiec, ponieważ kilku pacjentów musiał przyjmować codziennie. Marta z dziećmi wyjechała nad Aussee. Obiady jadał u matki, z Dolfi i Aleksandrem. Gdy nadeszły największe upały, wysłał matkę i siostrę do Ischlu.

Był w świetnym nastroju, ponieważ jego pacjenci, z wyjątkiem panny Cessie – tu przyznawał się do porażki – robili olbrzymie postępy. Postanowił odwiedzić Martę i w dzień wyjazdu zabrał Aleksandra na kolację. Był w doskonałym humorze i żartował dobrodusznie z kelnerem i dorożkarzem. Miał pretensję do Aleksandra, że go nie odprowadził i nie towarzyszył mu przynajmniej do pierwszej stacji. Kiedy przyszedł na dworzec, padał drobny deszcz. Okazało się, że nie podstawiono jeszcze pociągu, którym miał jechać całą noc. Porozmawiał jednak z bileterem i ten wpuścił go na peron, aby mógł wcześniej zająć wygodne miejsce. Stojąc na peronie, zobaczył, jak w otwartym powozie podjechał premier, hrabia Thun. Kontroler zażądał okazania biletu, ale premier zbył go wielkopańskim gestem i zajął najlepszy przedział w pociągu do Ischlu, letniej rezydencji cesarza.

Zygmunt postanowił domagać się równych praw z hrabią, gdy podstawią jego pociąg. Tymczasem spacerował po peronie, nucąc pod nosem arię z *Wesela Figara* Mozarta. Myśląc o hrabiach, przypomniał sobie powiedzenie Beaumarchais'go o jaśnie panu, który był tak łaskawy, że zadał sobie trud przyjścia na świat, a potem o *droit du seigneur,* które hrabia Almaviva chciał wyegzekwować od swej pięknej służącej Zuzanny. Przypomniał sobie również drwiny dziennikarzy nielubiących hrabiego Thuna. Nazywali go „hrabią Nichtstun" – „hrabią Nierobem". W tej samej chwili przeszedł obok niego jakiś mężczyzna; poznał delegata ministerstwa na egzaminy medyczne. Inspektor zażądał dla siebie całego przedziału pierwszej klasy. Zygmunt, który też miał bilet pierwszej klasy, uznał, że również powinien otrzymać oddzielny przedział. Kiedy wsiadł do pociągu, konduktor wskazał mu miejsce w wagonie bez toalety. Na nic się nie zdały skargi Zygmunta; półżartem powiedział konduktorowi, że powinien przynajmniej wywiercić dziurę w podłodze, by pasażerowie mogli się w ciągu nocy załatwić.

Tej nocy miał sen: śniło mu się jakieś zebranie studentów, na którym przemawiał hrabia Thun. Ktoś z tłumu zażądał, by premier powiedział, co myśli o Niemcach. Thun odrzekł, że ulubionym kwiatem Niemców jest podbiał, po czym wsadził sobie do butonierki zwiędły liść podbiału. Zygmunta cały ten incydent zdenerwował, a równocześnie dziwił się, dlaczego jest zdenerwowany. Scena się zmieniła. Znajdował się teraz w auli uniwersyteckiej. Wszystkie drzwi zamknięto, ale udało mu się uciec przez amfiladę wspaniale umeblowanych pokojów! Jedyną osobą, jaką spotkał po drodze, była tęga starsza kobieta, która zaofiarowała się, że będzie mu towarzyszyła z lampą. Poprosił ją, by pozostała na schodach. „Czułem, że bardzo sprytnie uniknąłem kontroli przy wyjściu. Zeszedłem na dół i znalazłem wąską, stromą ścieżkę, i po niej poszedłem dalej".

Z kolei powstał problem, jak uciec z miasta. Dworzec był również zamknięty. Po namyśle zdecydował, że pojedzie do Grazu. W przedziale zobaczył, że ma w butonierce jakąś zgniecioną roślinę o długich liściach. I znowu zmiana sceny: stał przed dworcem w towarzystwie jakiegoś starszego człowieka niewidzącego na jedno oko. Zygmunt, który, jak się zdaje, znalazł się tu w roli pielęgniarza, podał mężczyźnie nocnik. Bardzo wyraźnie widział sylwetkę mężczyzny i jego penis podczas oddawania moczu.

W tej właśnie chwili się zbudził. Spojrzał na złoty zegarek. Za kwadrans trzecia nad ranem. Bardzo rzadko zdarzało mu się wstawać w nocy za potrzebą. Zastanawiał się teraz, czy to potrzeba fizyczna wywołała ten sen, czy też była ona następstwem widzeń sennych.

Wydedukował, że sen wiązał się z zachowaniem hrabiego Thuna na peronie. Właśnie dlatego Zygmunt bezwiednie nucił arię z *Wesela Figara*, opery zakazanej przez Ludwika XVI, ponieważ szydziła z arystokracji.

Całą noc myślał o tym śnie. Przez kilka następnych dni spisywał skojarzenia, próbując przebić się przez warstwę oczywistych wyjaśnień i dotrzeć do ukrytych we śnie implikacji. Myśli o hrabim Thunie doprowadziły go do czasu, gdy miał lat piętnaście i wraz ze swoimi kolegami gimnazjalnymi zawiązał spisek przeciw nielubianemu nauczycielowi języka niemieckiego. Jedynym młodym arystokratą w szkole był chłopiec przezywany przez kolegów „Żyrafą". Chociaż wykładowca go prześladował, on zawsze starał się mieć w butonierce ulubiony kwiat. Kwiat oznaczał rozpoczęcie wojny między Białą a Czerwoną Różą. To z kolei zasocjowało się z białymi i czerwonymi goździkami, które w Wiedniu noszono w butonierce. Czerwone nosili socjaldemokraci, białe zwolennicy partii antysemickiej. Rozważania polityczne doprowadziły go do Wiktora Adlera, który kiedyś mieszkał u Freudów. Myśli o Adlerze przypomniały Berggasse, a to z kolei dom matki. We śnie był w auli i wyszedł stamtąd przez szereg pięknie umeblowanych pokoi. Od dawna już podejrzewał, że pokoje oznaczają kobiety – *Frauenzimmer*, często kobiety lekkiego prowadzenia. Wiedział również, że sposób wchodzenia i wychodzenia z tych pokojów można interpretować w sposób niebudzący już niczyich wątpliwości. Cóż więc robił symbolicznie we śnie: przesypiał się z wieloma kobietami!

Kogo przedstawiała owa tęga niewiasta? Twierdziła, że on ma prawo przejść; on zaś uważał, że „okazał wiele sprytu, unikając kontroli przy wyjściu".

Dlaczego zdecydował się ostatecznie wyjechać do Grazu? Przechwalał się. Powiedzenie: „A ile kosztuje cały ten Graz?", uważano w Wiedniu za typowe dla człowieka próżnego, który sądzi, że stać go na kupienie wszystkiego, czego zapragnie.

Skupił uwagę na ostatnim incydencie, związanym ze starszym jednookim panem, któremu podał nocnik. Władca jest ojcem swego kraju, myśli Zygmunta skierowały się więc od hrabiego Thuna do cesarza Franciszka Józefa, po czym już bezpośrednio do jego własnego ojca, Jakuba. Raz jeszcze zatrzymał się na dwóch epizodach związanych z oddawaniem moczu, na pierwszym, kiedy został skarcony przez Jakuba za moczenie się w łóżku, i na drugim, kiedy wszedł do sypialni rodziców i zobaczył ojca podczas aktu erotycznego.

Szydzenie z hrabiego Thuna, a potem ministerialnego urzędnika sprawiło mu we śnie przyjemność. Obaj byli reprezentantami władzy; występowali jako surogaty ojca. Zanotował: „Sen staje się absurdalny... jeśli którykolwiek z podświadomych wątków myślowych śniącego jest umotywowany drwiną lub krytyką".

Zdumiony był agresywnością swych uczuć w stosunku do ojca. Ta agresywność przetrwała w jego podświadomości. Jakub miał jaskrę, omal nie stracił wzroku w jednym oku. Syn mścił się teraz na ojcu; miał nad nim władzę, gdy starzec oddawał mocz do nocnika. Nie potrzebował dla ojca wycinać dziury w podłodze, ponieważ był medykiem i wiedział, że można kupić szklany nocnik. Przypomniało mu to dykteryjkę o niepiśmiennym chłopie, który poszedł do optyka, przymierzał różne okulary i przez żadne nie mógł nic przeczytać.

Agresja ta pobudziła w nim poczucie winy. Teraz przypomniał sobie pewną sztukę Oscara Panizzy; Bóg został w niej przedstawiony jako stary sparaliżowany człowiek karzący ludzi za ich praktyki erotyczne. Ponadto, jeśli idzie o *Wesele Figara*, dochodził jeszcze i ten element, że hrabia Almaviva był postacią ojcowską. Pada on ofiarą podstępu, zostaje zdemaskowany i musi się tłumaczyć. Zygmunt notował: „Całe buntownicze zabarwienie snu, wraz z *lèse majesté* i wyśmiewaniem wysokich urzędników, wywodzi się z mego buntu przeciw ojcu... ojciec to najstarszy, pierwszy i dla dzieci jedyny autorytet, z jego autokratycznej władzy rozwinęły się w miarę rozwoju cywilizacji ludzkiej inne społeczne władze".

Uświadomił sobie, że ważny element snu stanowiło to, iż nawet po pozornym rozwiązaniu sytuacji edypalnej jego infantylne uczucie zazdrości, współzawodnictwo i agresywność wobec ojca mogły się nadal pojawiać przy sprzyjających bodźcach. Wyleczył się w warstwie świadomości, ale nie w warstwie snów! Potem przypomniał sobie sen najdawniejszy, powtarzający się od siódmego czy ósmego roku życia, w którym ludzie o ptasich dziobach wynosili z pokoju jego matkę leżącą tam z pogodnym wyrazem twarzy. Analizując dawniej ten sen, nie mógł pojąć, dlaczego budzi on w nim tak wielki niepokój. Teraz już wiedział. W tym śnie myślał pożądliwie o własnej matce, co zawsze budzi nieświadomy niepokój w chłopcu, nie mówiąc już o strachu odczuwanym na myśl, że mógłby się o tym dowiedzieć ojciec. Od swych ostatnich pacjentów dowiedział się, jak powszechny jest lęk przed kastracją, pojawiający się u młodych chłopców we wczesnym okresie dojrzewania, kiedy prawie cała energia i zainteresowania koncentrują się na genitaliach. Kazirodztwo to grzech śmiertelny i grozi zań tylko jedna kara; obcięcie członka, którym grzech popełniono. Egzekucję zawsze przeprowadza ojciec, będący transcendentną postacią władzy.

4

Chociaż przepaść między przyjaciółmi rosła, Wilhelm Fliess był nadal jedynym słuchaczem Zygmunta i jego krytykiem. Zygmunt wysłał mu już dawniej jeden z pierwszych rozdziałów książki poświęconej snom z analizą snu o Emmie Benn. Teraz posłał następny rozdział zatytułowany *Sny jako spełnienie pragnień*. Nie czekając na uwagi Fliessa, rozpoczął pracę nad pierwszą wersją rozdziałów o „zniekształceniach w snach" i „psychicznych procesach snu". Marta i Minna jako jedyne w Wiedniu osoby wiedziały, o czym pisze.

W ciągu lata Zygmunt zabierał czasem na krótkie wycieczki poszczególnych członków rodziny, z trudem jednak wytrzymywali narzucane przez niego piekielne tempo zwiedzania. Minna twierdziła, że „ideałem Zygmunta jest spać co noc w innym miejscu". Z każdej takiej wyprawy powracał z jakąś małą statuetką lub innym starożytnym dziełem sztuki. Właściwie nie stać go było na te podróże, ale trzymał się starego wiedeńskiego porzekadła: „Najlepszy sposób na wzbogacenie się to sprzedać ostatnią koszulę". We wrześniu Minna i jej matka zajęły się dziećmi, mógł więc zabrać Martę do Raguzy (Dubrownika) na wybrzeżu dalmatyńskim. Marcie tak się spodobało otoczone murami miasto, że nie chciała stamtąd wyjeżdżać na planowane przez Zygmunta wycieczki w okolice. Pewnego ranka wynajął powóz do spółki z jakimś nieznanym mu sympatycznym panem, który również wybierał się na zwiedzanie jakiegoś miasteczka w pobliskiej Hercegowinie. W czasie drogi gawędzili o Turkach w Bośni. Zygmunt opowiadał towarzyszowi podróży dykteryjki zasłyszane od kolegi, który miał w Bośni praktykę lekarską.

Bośniacy bardzo szanują lekarzy i są fatalistami w znacznie większym stopniu niż Austriacy. Kiedy lekarz mówi ojcu rodziny, że któryś z leczonych przez niego członków rodziny jest w beznadziejnym stanie, słyszy odpowiedzi: „Panie, i cóż ja na to mogę poradzić? Wiem, że gdyby można go było uratować, pan by go na pewno uratował".

Przypomniał sobie również, że ów kolega opowiadał mu o tym, jak wielką wagę przywiązują Turcy bośniaccy do doznań seksualnych. Jeden z takich pacjentów powiedział: „Panie doktorze, kiedy te rzeczy się kończą, nie warto już dłużej żyć". Nie znał jednak na tyle swego towarzysza podróży, by mu tę historyjkę opowiedzieć. Zmienił więc temat rozmowy i skierował ją na Włochy i malarstwo. Wychwalał Orvieto i fresk w katedrze przedstawiający Sąd Ostateczny. Fresk namalował wielki malarz, nazwiskiem... zawiodła go pamięć. Widział wyraźnie postacie na fresku. Ale tylko dwa nazwiska przychodziły mu na myśl: Botticelli i Boltraffio. Potem przez kilka dni męczyła go ta luka w pamięci. Wreszcie spotkał jakiegoś Włocha, który mu natychmiast podpowiedział nazwisko: Signorelli.

– Oczywiście, Luca Signorelli! – zawołał Zygmunt. – Ale dlaczego zapomniałem? Niczego nie zapomina się bez powodu. Zawsze musi być jakaś przyczyna, którą można wytropić za pomocą logicznej rekonstrukcji.

Zaczął notować. Nazwisko Signorelli było mu znane, ale zostało stłumione, ponieważ przed chwilą stłumił dykteryjkę o bośniackim kulcie rozkoszy erotycznych. Jaki tu mógł istnieć związek? Obie dykteryjki zaczynały się od słowa „Panie" – po włosku „Signor", dlatego uległa stłumieniu połowa nazwiska zawierająca słowo „Signor". Ponieważ rozmawiali o Bośni, naturalną koleją rzeczy przyszły mu na myśl nazwiska Bo-tticelli i Bo-ltraffio. Ale dlaczego Boltraffio, nazwisko przecież bez porównania mniej znane niż

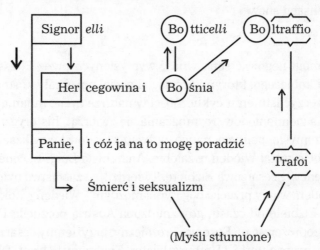

(Myśli stłumione)

Botticelli i Signorelli? Ponieważ przed kilkoma tygodniami dowiedział się, że jeden z jego pacjentów, homoseksualista, popełnił samobójstwo. Wiadomość dotarła do niego w tyrolskiej wiosce Trafoi, co podsunęło drugą połówkę nazwiska Boltraffio. Narysował sobie schemat, który nazwał *parapraxis*, schematem czynności pomyłkowych.

Wykorzystując informacje zebrane w związku z tym incydentem, napisał artykuł *Psychiczne mechanizmy zapominania.*

Po powrocie do Wiednia znalazł w poczcie referat Fliessa o jakimś odkryciu z dziedziny fizjologii. Uważał, że ton pracy jest zbyt emocjonalny i że Fliess przecenia wagę odkrycia. Tej nocy przyśniło mu się zdanie: „Ta praca jest napisana w czysto norekdalskim stylu". Nieistniejące słowo nie dawało mu spokoju. Rozbił je na części składowe. Ostatnio czytał napastliwy artykuł o Henryku Ibsenie. Nora to bohaterka *Domu lalki,* a Ekdal – postać z *Dzikiej kaczki.*

„Interpretacja snów to coś na podobieństwo okna, przez które możemy zajrzeć do wnętrza aparatu umysłowego... Sny, jak się zdaje, miewają często więcej niż jedno znaczenie. Mogą nie tylko zawierać równoczesne spełnienie kilku pragnień, lecz również kolejność znaczeń lub spełnione życzenia mogą się nakładać jedno na drugie. Na samym dnie znajdzie się wówczas spełnienie pragnienia pochodzącego z najwcześniejszego dzieciństwa".

Wspólnym mianownikiem obu sztuk Ibsena, niezależnie od innych elementów akcji, był konflikt między ojcem a synem. Słowo „norekdal" ukształtowało się w jego śnie, ponieważ artykuł o Ibsenie zawierał krytyczne uwagi sugerujące, że autor przedstawił ten problem w sposób zbyt emocjonalny, że przeceniał wagę stosunku, który opisywał. Ależ takie właśnie zastrzeżenia on miał do pracy Fliessa. Zanotował ten przypadek jako ilustrację „kondensacji snów".

Zygmunt mógł negować sensowność wymyślonych przez Fliessa cyklów, męskiego i kobiecego, którymi przyjaciel chciał objąć cały kosmos, ale nie mógł zaprzeczyć istnieniu cykliczności w naturze życia, mijania pór roku, dojrzewania ziemiopłodów, rozmnażania się zwierząt, historycznych przemian w przemyśle, polityce, nauce, w życiu narodów i cywilizacji.

Po powrocie zastał Wiedeń w żałobie. Anarchista Luigi Luccheni zamordował w Genewie cesarzową Elżbietę. Twierdził, że zabójstwo było „jednym tylko epizodem wojny przeciw bogatym i możnym". Wiedeń rzadko widywał cesarzową Elżbietę od czasu, gdy znudzona Austrią porzuciła Franciszka Józefa, by podróżować po Europie. Prozaiczny, przyziemny cesarz pocieszał się towarzystwem aktorki z Hofburgtheater, Katarzyny Schratt. Dla wiedeńczyków zabójstwo to było jednak kolejnym świadectwem przekleństwa ciążącego na Habsburgach. Po samobójstwie następcy tronu Rudolfa w Meyerlingu, po zamordowaniu cesarzowej, tron po starzejącym się cesarzu mógł objąć tylko arcyksiążę Ferdynand, niedoświadczony i niezbyt popularny członek dynastii.

Samotnemu Zygmuntowi – rodzina miała wrócić dopiero pod koniec września – udzielił się nastrój stolicy. Był zdeprymowany. Życie w Wiedniu wydawało mu się beznadziejne. Czuł, że w tej atmosferze niczego nie dokona. Wkrótce jednak miasto powróciło do beztroskiego nastroju. Zapełniły się lokale rozrywkowe, opera i teatry; w restauracjach i kawiarniach znowu było gwarno, przy stolikach stałych bywalców toczyły się zażarte dyskusje.

W pierwszych dniach października runęła „lawina pacjentów". Znowu pracował po dwanaście godzin dziennie, z trudem znajdując czas na posiłki. W nocy robił przypisy do swojej książki o snach. Przeżywał podniecenie okresu twórczego. Po pewnym jednak czasie źródło wyschło: koncepcje, do których przywiązywał wielką wagę, okazały się błędne. Zachorował na grypę.

Wiele nadziei wiązał z nominacją uniwersytecką, którą cesarz miał zatwierdzić z okazji złotego jubileuszu. Kiedy jednak opublikowano listę rządową, nie było na niej nazwiska doktora Zygmunta Freuda. Nominację otrzymał doktor Frankl-Hochwart. Zygmunt w ponurym nastroju ślubował sobie, że już nigdy nie będzie miał nic do czynienia z wydziałem medycznym. Odwołał zapowiedziane wykłady o psychologii snów. Potem jednak zaczęły go nękać wyrzuty sumienia. Sam był sobie winien, ponieważ, jak żalił się Marcie, „pozwolił, by domena psychologiczna pływała w powietrzu, pozbawiona wszelkich fizjologicznych podstaw". Dlaczego nie umiał wytłumaczyć w kategoriach nagromadzonej energii i jej wyładowania tej nagromadzonej siły nerwowej, która poprzez instynkty, emocje, uczucia, idee, wspomnienia, fobie, histerie i inne nerwice fizjologiczne wysyła swą zawartość? Starał się jednak ukrywać przed żoną rozczarowania i zawody.

Chwilami z niezwykłym optymizmem patrzał na swe pogłębione studia nad podświadomością, ale potem następowały okresy zwątpienia i niepewności. Do Fliessa pisał:

„Los... zapomniał z kretesem o Twym przyjacielu w jego samotni... W tych mrocznych kwestiach współpracuję z ludźmi, których wyprzedzam o dziesięć lub piętnaście lat i którzy nigdy mnie nie dogonią".

Bywały okresy, kiedy rozkoszował się tą „wspaniałą izolacją", ponieważ mógł się zajmować bez przeszkód swoją pracą. Po kilku jednak tygodniach takiego osamotnienia czuł, że jego dusza ugina się pod tym ciężarem. Z goryczą rozważał fakt, że chociaż już pięć lat minęło od czasu, gdy Breuer i on opublikowali swe koncepcje, żadna z nich nie została dotąd zaakceptowana przez świat medyczny Wiednia. Koledzy stronili od niego jak od trędowatego.

Spragniony słuchaczy, wygłosił odczyt o tłumaczeniu snów dla grupy członków „B'nai B'rith". Wciąż jednak zmagał się z trudnościami, jakie nastręczały próby wyjaśnienia procesu kondensacji, zniekształceń, ujęcia stosunku snów do chorób umysłowych, szczegółowego opisu setek snów, jego własnych i pacjentów, w taki sposób, by przekonać neurologów o tym, jak wielkie znaczenie lecznicze ma interpretacja snów. Nie miał zamiaru podawać do wiadomości materiałów, nad którymi jeszcze pracował, obawiał się bowiem, że znowu usłyszy to, co mu kiedyś powiedział Wagner-Jauregg: „Za bardzo się pan śpieszy i zbyt wiele ryzykuje".

Miał teraz kilkunastu pacjentów, z czego połowę stanowili mężczyźni. Musiał dawać sobie radę z różnorodnymi nerwicami, wśród których trafiały się klasyczne, jak już zdążył stwierdzić, symptomy: manie prześladowcze, słyszenie głosów, obsesyjne lęki, porażenie ruchowe umożliwiające pacjentom ucieczkę od czynnego życia... Odczuwał głęboką satysfakcję, kiedy udawało mu się zmniejszyć dokuczliwość symptomów, a niekiedy doprowadzić do pełnego wyleczenia. Poczytywał sobie za osobistą klęskę to, że pacjent stanowczo odmawiał penetrowania głębokich pokładów swej podświadomości lub kiedy uciekał przerażony przed konfrontacją z psychologicznym tłem swej choroby. Lekarzy uczono, by nie angażowali się uczuciowo, gdy choroba nie poddawała się wyleczeniu.

„Ale w moim przypadku – rozmyślał – chodzi o samą metodę. Moje zasady i odkrycia wystawione są na próbę za każdym razem, gdy podejmuję się leczenia chorego". Dlatego właśnie musiał na prośbę Breuera ponownie zająć się panną Cessie, chociaż cały rok analizy nie przyniósł najmniejszej poprawy. Nic nie mógł pomóc tym nieszczęsnym, u których choroba posunęła się tak daleko, że nie potrafili nawiązać z nim kontaktu. Kiedy jednak terapia zawodziła w tych przypadkach, w których jego zdaniem powinna była przynieść ulgę, miał pretensję do nowej dyscypliny medycznej, że okazała się zawodna. Musi się jeszcze uczyć, musi odkryć prawdę o funkcjonowaniu ludzkiego umysłu. Musi wierzyć, że w psychoanalizie każda porażka jest winą lekarza, a nie pacjenta.

5

W styczniu 1899 roku Zygmunt dowiedział się, że angielski psycholog i lekarz Havelock Ellis ocenił bardzo wysoko w „Alienist and Neurologist" jego pracę o związkach między histerią a życiem seksualnym. Bardzo go to podniosło na duchu i znowu zaczął się zastanawiać, czy nie powinien się przenieść z rodziną do gościnniejszej Anglii. Nie wiedział, z jak brutalnym przyjęciem spotkały się w Anglii próby Havelocka Ellisa upowszechnienia wiedzy o erotycznej naturze człowieka.

Czytanie niemieckich, francuskich, angielskich, hiszpańskich i włoskich prac o snach, które zebrał na półkach swej biblioteki domowej, okazało się niezmiernie uciążliwym zajęciem. Nie zdawał sobie sprawy, że aż tyle ich się ukazało. Czasem były to zwyczajne bzdury, jak na przykład owe senniki egipskie przepowiadające przyszłość, nawet pozagrobową. Ale trafiały się też inne, Gruppego, Hildebrandta, Strumplla, Delboeufa, psychologów, którzy skrupulatnie opisywali wpływ potrzeb fizjologicznych na sen: gorąca, pragnienia, potrzeby wypróżnienia, a także stosunek wydarzeń dnia minionego do obrazów sennych, rolę lęku w snach. Jego poprzednicy mieli rzetelne intencje, ale gubili się w ciemnych pieczarach, potykając się i obijając o stalaktyty, ponieważ żaden z nich nie podejrzewał istnienia podświadomości kontrolującej zarówno znaczenie, jak i mechanizmy snów. Żaden z nich nie zdawał sobie sprawy z ukrytych treści, nawiązujących do dzieciństwa, które nadawały głębsze znaczenie treściom ujawnionym na powierzchni snów.

Sporządzanie notatek z tych lektur było prawdziwym utrapieniem. Półka z dziełami o snach zdawała się wydłużać w nieskończoność, a ślęczenie nad tymi książkami wyjaławiało go zupełnie, odbierając wszelką zdolność do samodzielnego myślenia. Marta wiedziała, jak Zygmunta to zajęcie irytuje. Zdołał już opracować bibliografię liczącą osiemdziesiąt pozycji. Zapytała go pewnego razu, czy musi wszystkie te prace przeczytać. Wyjaśnił, że nie może zaryzykować pominięcia najbardziej chociażby fragmentarycznego materiału.

– Nie obawiasz się, że ten materiał znuży czytelnika tak, jak znużył ciebie?

– Niestety, to jest bardzo prawdopodobne.

– Miejmy nadzieję, że żaden poważny czytelnik nie zniechęci się po dziesięciu czy piętnastu stronicach historycznego wstępu.

– Dziesięciu, piętnastu? – Zygmunt zapalił świeże cygaro. – Martusiu, jeśli mam naprawdę rzetelnie zreferować istniejącą literaturę przedmiotu, to nie zmieszczę się na stu stronach!

– Ależ to będzie osobna książka! – Marta patrzyła na niego z niedowierzaniem. – Po co budujesz przed czytelnikiem taki chiński mur?

– Wiesz przecież – wtrąciła Minna. – Zygmunt ma naprawdę tylko jedną ambicję, zostać męczennikiem. – Po czym zwróciła się do Zygmunta: – Ale czy to nie jest zupełnie zbyteczne? Czy warto cytować pół setki autorów tylko po to, by dowieść, że nie mają racji?

– Takie metody obowiązują w nauce: należy podsumować wszystko, co zostało już na dany temat powiedziane, i ocenić wartość tego materiału.

– A jeśli czytelnik zgubi się w tym gąszczu?

– Wówczas nie znajdzie ukrytego skarbu. Takie rytualne oczyszczanie terenu jest niezbędne. Jak wypalanie ścierniska przed wiosenną orką.

Interpretacja marzeń sennych była gościńcem wiodącym do poznania podświadomego funkcjonowania umysłu. Każdy poszczególny rozdział książki zawierał wyniki procesów sennych, które najlepiej oświetlały badaną metodę. Jednego był całkowicie pewny, a mianowicie, że cenzor jest samotnym strażnikiem atakowanym przez armię leków i wszechobecnych pragnień, które z diabelskim sprytem zawsze umiały się spełnić. Pewnej nocy śniło mu się, że jakiś znajomy pracownik uniwersytetu powiedział do niego: „Mój synu, Myops". Potem następował dialog złożony z krótkich uwag i replik. Trzecia część była właściwym snem. „W związku z pewnymi wydarzeniami w Rzymie stało się konieczne wywiezienie dzieci w bezpieczne miejsce, co też uczyniono". Następna scena rozgrywała się przed bramą o podwójnych odrzwiach w stylu klasycznym (Porta Romana w Sienie, z czego we śnie zdawał sobie sprawę). Siedział koło fontanny, bardzo przygnębiony, bliski płaczu. Jakaś postać kobieca, służąca czy mniszka, przyprowadziła dwóch chłopców i oddała ich ojcu, ale nie jemu. Starszy z chłopców był jego najstarszym synem. Twarzy drugiego nie widział. Kobieta, która przyprowadziła chłopca, powiedziała, żeby ją pocałował na pożegnanie. Chłopiec odmówił, ale podał jej rękę i powiedział: „Auf Geseres"...

Pierwszym skojarzeniem, jakie przyszło na myśl Zygmuntowi, gdy zaczął notować sen, było to, że pracownik uniwersytetu i jego syn stanowili jakby parawan dla niego samego i Marcina. Sen wywołały widocznie pewne jego myśli i uczucia po obejrzeniu dramatu Teodora Herzla Nowe getto, poświęconego kwestii żydowskiej. Komplikowała się ona coraz bardziej, w miarę jak narastały antysemickie nastroje w Wiedniu. Zygmunt, podobnie jak autor sztuki, martwił się o swoje sześcioro dzieci, które, jeśli wierzyć autorowi dramatu, nigdy nie będą miały własnej ojczyzny i wiele trudu będzie ich kosztowało zdobycie wiedzy umożliwiającej pokonywanie barier geograficznych i intelektualnych.

Rzym nadal pojawiał się w snach Zygmunta. Wyjazd do Wiecznego Miasta wciąż jeszcze stanowił jego wielkie marzenie. Ponieważ nigdy tam nie był, zastąpił widoki rzymskie widokami znanych sobie miast. W tym przypadku Sieny, również słynącej ze swych fontann. Siena stała się szczególnie dogodnym substytutem. W pobliżu Porta Romana zobaczył kiedyś jakiś oświetlony budynek, jak się okazało, zakład dla umysłowo chorych. Powiedziano mu, że dyrektor szpitala, Żyd, który całe życie poświęcił pracy i osiągnął wreszcie to stanowisko, został zmuszony do ustąpienia ze względu na swe wyznanie. Kiedy Zygmunt przypomniał sobie, że w tym śnie siedział przygnębiony na krawędzi basenu koło fontanny, przyszedł mu na myśl wiersz

462

Swinburne'a *Nad rzekami Babilonu siedzieliśmy, płacząc*, w którym poeta pisał o zburzeniu Jerozolimy i starożytnej Italii.

Podobne uczucia budził w nim teraz Wiedeń i jego mieszkańcy. Miasto, na pozór wesołe, rozbrzmiewające czarującymi piosenkami opiewającymi Dunaj, w istocie podszyte było antagonizmami. Stolica Austrii dusiła się coraz bardziej w pętach stagnacji. Ale co oznaczała ta potrzeba zabrania dzieci z Rzymu w bezpieczne miejsce? Przed wielu laty jego bracia przyrodni zabrali swe dzieci i wyjechali do Anglii. W tym samym czasie Jakub i Amelia przenieśli się z Zygmuntem i Anną z Freibergu do spokojnego Lipska, a potem do Wiednia. Amelia wiozła ich pociągiem przez Wrocław.

Kim była owa postać kobieca, służąca czy zakonnica, która chciała, by chłopiec pocałował ją na pożegnanie, ta kobieta z brzydkim czerwonym nosem? Musiała to być Monika Zajíc, która chciała pocałować Zygmunta i Annę, gdy rodzina Freudów wyjeżdżała z Freibergu. Dlaczego ów chłopiec, a Zygmunt wiedział, że to on nim jest, powiedział *„Auf Geseres"* zamiast *„Auf Wiedersehen?* Hebrajskie słowo *„Geseres"* oznaczało cierpienia lub płacz.

W kilka dni później przyśniło mu się miejsce będące połączeniem prywatnej kliniki i kilku innych instytucji. W swych notatkach zapisał: „Zjawił się służący, by wezwać mnie na przesłuchanie. We śnie wiedziałem, że coś ukradziono i że będę przesłuchiwany pod zarzutem, że przywłaszczyłem sobie ów przedmiot. Byłem przekonany o mojej niewinności, a także zdawałem sobie sprawę, że piastuję stanowisko konsultanta w tej instytucji, poszedłem więc spokojnie za służącym. W drzwiach spotkał nas inny służący i wskazując na mnie, powiedział: «Dlaczego go przyprowadziłeś? To przecież poważny człowiek». Wszedłem potem, już sam, do dużej sali, w której stały jakieś maszyny. Sala przypominała piekło z piekielnymi narzędziami tortur. Na jednym z aparatów leżał rozciągnięty mój kolega. Powinien był mnie zauważyć, ale nie zwracał na mnie wcale uwagi. Potem powiedziano, żebym sobie poszedł. Ale nie mogłem znaleźć kapelusza, więc długo nie wychodziłem".

Wyczuwał, że tego rodzaju sen jest przykładem stłumionego ruchu, i zapisał: „Spełnienie pragnienia w tym śnie polegało najwidoczniej na tym, że zostałem rozpoznany jako człowiek uczciwy i że pozwolono mi wyjść. A więc we śnie musiały być także najróżniejsze wątki sprzeczne z tym pozwoleniem. To, że mogłem się oddalić, oznaczało, że otrzymałem rozgrzeszenie. Skoro więc pod koniec snu stało się coś, co uniemożliwiło mi wyjście, prawdopodobny jest domysł, że wątek stłumiony, zawierający ową sprzeczność, w tej właśnie chwili dał znać o sobie. To, że nie mogłem znaleźć kapelusza, oznaczało więc: «A jednak nie jesteś uczciwym człowiekiem». Niemożność zrobienia czegoś była w tym śnie sposobem wyrażenia zaprzeczenia, jakiegoś «nie»...".

Zaskoczył go zupełnie pewien absurdalny sen. Zanotował:

„Od rady miejskiej w moim miejscu urodzenia otrzymałem upomnienie w związku z nieuregulowaniem zapłaty za czyjś pobyt w szpitalu w roku 1851, po ataku, którego osoba ta dostała w moim domu. Zdziwiłem się, ponieważ, po pierwsze, w 1851 roku nie było mnie jeszcze na świecie, po drugie, mój ojciec, do którego upomnienie mogło być ewentualnie adresowane, już nie żył. Wszedłem do drugiego pokoju, gdzie ojciec leżał na łóżku, i powiedziałem mu o tym. Ku mojemu zdumieniu przypomniał sobie, że w 1851 roku upił się i został zatrzymany. Pracował wtedy w firmie T. «A więc piłeś w tym czasie? – zapytałem go – i wkrótce potem się ożeniłeś?» Obliczyłem, że ja urodziłem się w roku 1856, czyli pięć lat potem".

Jakub nigdy nie pił. Czy w owym śnie chodziło o to, że popełnił jakieś głupstwo, takie jakie mógłby popełnić człowiek pijany? Ale co on takiego zrobił? Za czyj pobyt w szpitalu w roku 1851 przysłano mu rachunek?

Wtem pojawiło się coś na kształt wspomnienia. Jakaś aluzja, jakaś dyskretna uwaga jego braci przyrodnich Filipa i Emanuela, że „jego ojciec rzeczywiście potem się ożenił" z kobietą, która miała na imię Rebeka. Czy rachunek był za Rebekę? Jeśli ojciec zawarł jeszcze jedno małżeństwo i jeśli istniała jakaś Rebeka Freud, to co się z nią stało? Czy zmarła w szpitalu? To drugie małżeństwo nie mogło trwać długo. Jakub był przecież przez dwa lub trzy lata wdowcem, zanim poślubił Amelię w roku 1855. Tylko Emanuel i Filip mogli tę sprawę wyjaśnić. Zaskoczony był pomysłowością, z jaką podświadomość zdołała to wspomnienie stłumić, i tym, w jak subtelny sposób sen wydobył na jaw fragment przez tyle lat głęboko ukryty.

6

Pewnego popołudnia przyszła do niego zapłakana pacjentka.

– Nigdy więcej nie pokażę się na oczy mojej rodzinie. Muszą mnie uważać za straszną osobę.

Nie czekając na pytania, opowiedziała Zygmuntowi sen, który sobie przypomniała, ale którego nie mogła zrozumieć. Kiedy miała cztery lata, „jakiś lis czy kot chodził po dachu; później coś spadło, a potem jej matkę wyniesiono umarłą z domu". Pacjentka płakała.

– Teraz przypominam sobie coś jeszcze. Kiedy byłam mała, jakiś ulicznik wołał za mną „kociooka". To była największa obelga, jaką potrafił wymyśleć... A kiedy miałam trzy lata, dachówka spadła mojej matce na głowę, raniąc ją; strasznie krwawiła...

– A więc teraz widzi pani, jak poszczególne elementy snu łączą się i układają – uspokajał ją Zygmunt. – Kot to wspomnienie wyzwiska „kociooka". Chodzi po dachu, z którego spadła dachówka; a potem widziała pani swoją matkę martwą, wynoszoną z domu. Sen miał na celu spełnienie pragnienia. Teraz już pani rozumie, w jaki sposób sen wydobył z podświadomości wątki z dzieciństwa. Nie powinna się pani tym przejmować. To, że dziewczynki kochają się w swoich ojcach, jest zjawiskiem powszechnym; chcą zastąpić swoje matki, i stąd bierze się pragnienie, by matka umarła. Ale to wszystko przecież wydarzyło się bardzo dawno. Nikt w rodzinie nie będzie uważał tego za rzecz straszną, wszyscy bowiem przechodzili w dzieciństwie przez taki sam kompleks Edypa.

Wytłumaczenie snu przyniosło pacjentce ulgę.

W kilka tygodni później doktor Freud miał okazję zebrać dodatkowy materiał potwierdzający jego teorię. Do jego gabinetu przyszła kobieta w stanie silnego wzburzenia; zaczęła nagle odczuwać gwałtowną niechęć do własnej matki. Wystarczyło, by matka się do niej zbliżyła, a już miała ochotę jej ubliżać, a nawet ją uderzyć. Lekarze nic nie umieli na to poradzić i skierowali ją do doktora Freuda. Zygmunt oparł swą analizę na snach pacjentki. Śniło się jej, że jest na pogrzebie swojej matki; siedzi ze starszą siostrą przy stole. Obie są w żałobie. Snom towarzyszyły obsesyjne fobie. Wystarczyło, by na godzinę wyszła z domu, a już zaczynały ją trapić lęki, że matce przydarzyło się coś strasznego. Pędziła z powrotem do domu po to tylko, by się przekonać, że staruszce nic się nie stało. Fobię udało mu się zdefiniować jako „histeryczne przeciwdziałanie i zjawisko obronne" przed podświadomie odczuwaną wrogością do matki. W swych notatkach zapisał:

„Teraz rozumiemy wreszcie, dlaczego rozhisteryzowane dziewczęta tak często bywają przesadnie przywiązane do swych matek".

Z podobnym przypadkiem spotkał się przed kilkoma laty. Leczył podówczas młodego mężczyznę, wychowanego w surowych zasadach moralnych. W siódmym roku życia chciał on strącić swego surowego ojca ze skały w przepaść. „Potem przez cały dzień zajmowałem się wymyślaniem alibi, na wypadek gdybym został oskarżony o morderstwo. Skoro w siódmym roku życia miałem chęć strącić własnego ojca ze skały, czyż można mi teraz zaufać jako ojcu rodziny?"

Zygmunt dowiedział się, że ojciec pacjenta, liczącego wówczas lat trzydzieści jeden, niedawno zmarł po ciężkiej chorobie. Pacjent właśnie teraz, po raz pierwszy po tylu latach, przypomniał sobie ówczesne pragnienie zabicia ojca. Zygmunt skłonił go do cofnięcia się w jeszcze wcześniejsze dzieciństwo, do okresu kiedy po raz pierwszy impuls ten w nim się obudził. Dopiero po kilku miesiącach analizy wspomaganej lekturą opisów podobnych przypadków z własnego archiwum Zygmunt stwierdził u chorego poprawę; obsesyjna nerwica zanikła. Pacjent dziękował mu za „uwolnienie go z celi więziennej, jaką stał się dla niego własny pokój, w którym sam się zamknął, by nie ulec pokusie popełnienia morderstwa na jakimś przygodnym obcym człowieku lub członku własnej rodziny".

Z polecenia profesora Nothnagela zgłosił się do Zygmunta pacjent cierpiący na zwyrodnienie rdzenia kręgowego. Tak przynajmniej można było wywnioskować z objawów. Zygmunt nie mógł zrozumieć, dlaczego Nothnagel skierował pacjenta właśnie do niego. Przecież wiedział, że zajmuje się wyłącznie leczeniem nerwic.

Pacjent nie poddawał się leczeniu psychoanalitycznemu. Gwałtownie przeczył, jakoby jego zaburzenia mogły mieć etiologię erotyczną. Utrzymywał uparcie, że w młodości nie miał żadnych kłopotów seksualnych, żadnych nieporozumień czy powikłań w tej dziedzinie. Nie godził się na proces swobodnego kojarzenia, w którym pierwsza myśl, jaka mu przychodziła do głowy, wiodłaby do następnej, a potem do setek innych idei i obrazów, ułatwiających wydobycie na powierzchnię ukrytych wątków. Utrzymywał, że w zakamarkach jego umysłu nie kryją się żadne sprawy mogące mieć jakikolwiek związek z chorobą. Zygmunta speszyło to niepowodzenie. Odwiedził profesora Nothnagela, opowiedział o nieudanych zabiegach i wyraził przypuszczenie, że być może pacjent rzeczywiście choruje na zwyrodnienie rdzenia kręgowego.

– Ja bym jednak prosił, żeby pan nadal obserwował tego pacjenta – nalegał Nothnagel. – Moim zdaniem mamy tu do czynienia z nerwicą.

– Muszę przyznać, że jestem zdziwiony, słysząc taką diagnozę od pana profesora. Wiem przecież, że nie podziela pan moich poglądów na etiologię nerwic.

Nothnagel zmienił temat.

– Pańska rodzina się powiększyła? – zapytał.

– Mam już sześcioro potomstwa.

– Chłopcy? Dziewczęta? – Nothnagel z aprobatą pokiwał głową.

– Trzech synów i trzy córki. To moja duma i mój skarb.

– Niech pan uważa. Z dziewczętami nie będzie pan miał kłopotów, ale z chłopakami mogą być trudności.

– Skądże, panie profesorze. Moi chłopcy są bardzo dobrze wychowani. Jeden mnie tylko trochę niepokoi, bo wyobraża sobie, że będzie poetą. Proszę się nie śmiać, przecież pan profesor wie, ilu poetów cierpiało biedę i nie zaznało sławy.

Zygmunt jeszcze przez kilka dni obserwował pacjenta, po czym doszedł do wniosku, że marnuje tylko własny czas i pieniądze chorego. Oświadczył mu:

– Przykro mi, panie Mannsfeld, ale nie mogę panu w niczym pomóc. Radziłbym zwrócić się do innego lekarza.

Mannsfeld zbladł i chwycił się kurczowo za poręcz fotela.

– Nie! – powtórzył kilkakrotnie, potrząsając głową, jakby się chciał uwolnić od jakichś natrętnych myśli. – Panie doktorze, muszę pana przeprosić. Kłamałem. Wstydziłem się mówić o pewnych sprawach erotycznych. Teraz gotów jestem powiedzieć prawdę. Chcę się wyleczyć.

Kiedy Zygmunt spotkał następnym razem Nothnagela, powiedział profesorowi, że Mannsfeld faktycznie ma nerwicę.

– Jest już pewna poprawa i objawy zwyrodnienia rdzenia kręgowego zaczęły zanikać – dodał.

– Wiem, Mannsfeld był u mnie. Niech pan kontynuuje leczenie. – Nothnagel się uśmiechnął. Po czym dodał z przekorną miną: – Tylko, panie doktorze, proszę nie wyciągać z tego fałszywych wniosków, ja się nie nawróciłem. Nadal nie wierzę w pańską seksualną etiologię nerwic. Ani też w pana nowomodną psychoanalizę.

Zygmunt był zdumiony. Czyżby Nothnagel drwił z niego?

– Wielce szanowny panie profesorze, naprawdę nie powinien pan mnie tak zbijać z pantałyku swoimi paradoksami. Przyznaje pan, że pacjent ma nerwicę i że nie chorował na zwyrodnienie rdzenia kręgowego. Skierował go pan do mnie, wiedząc, że moim zdaniem wszystkie nerwice powstają na tle erotycznym. Kiedy chciałem zrezygnować z leczenia, ponieważ doszedłem do wniosku, że pacjent nie ma nerwicy, pan kazał mi wytrwać. Teraz, kiedy chory został już na wpół wyleczony, pochwala pan moją metodę, po czym oznajmia, że jest to, jak się wyraża Krafft-Ebing, „naukowa bajeczka".

Nothnagel z wyraźnym zadowoleniem przyglądał się Zygmuntowi.

– Drogi panie doktorze, błądzenie jest normalnym stanem u lekarzy. Przecież pan sam mi opowiadał, że profesor Charcot wyznał, że przez trzydzieści lat obserwował pewne choroby nerwowe i nie umiał ich rozpoznać? Niech mi pan pozwoli jeszcze przez trzydzieści lat obserwować pana metody; być może i ja przejrzę. Pańskie osiągnięcia przypominają mi najsprytniejsze sztuczki kuglarzy, jakie niegdyś oglądałem na odpustach. No, a co słychać u pańskiego syna poety?

W 1899 roku Freudowie postanowili po raz pierwszy spędzić lato za granicą. Wynajęli śliczną willę „Riemerlehen" w Bawarii. Dotrzeć do niej można było tylko wiejską drogą z Berchtesgaden: kilka kilometrów pod górę, a potem wąską skalistą dróżką przez sosnowy las. Dom był duży, dwupiętrowy, z kopulastym dachem, cały z drewna. Balkony, pomalowane na żywe kolory, podparto gładko heblowanymi pniami. Liczne okna wychodziły na zabudowania gospodarcze, dolinę, rzekę i widoczne na horyzoncie miasteczko Berchtesgaden.

Zygmunt urządził sobie gabinet w cichym pokoju na parterze, z którego okien roztaczał się wspaniały widok na góry. Przed południem miał słońce z jednej, po południu z drugiej strony. Biurko ustawił w taki sposób, by przez cały dzień móc się wygrzewać na słońcu jak jaszczurka. W Berchtesgaden i podczas kilku wypadów do Salzburga znalazł posążek Janusa i kilka egipskich figurynek, które służyły mu jako przyciski do papierów. Miał je zawsze na podorędziu i tłumaczył dzieciom:

– Te przedmioty wprawiają mnie w dobry humor, przypominają mi dawne czasy i dalekie kraje.

Codziennie wczesnym rankiem i późnym popołudniem urządzał godzinne przechadzki. Bawaria tonęła w przepysznej zieleni. „Nic w tym dziwnego – stwierdzał – tu przecież deszcz pada przynajmniej raz na godzinę". Niekiedy był to drobny kapuśniaczek, czasem gwałtowna ulewa. A gdy już Zygmunt doszedł do wniosku, że dzień będzie deszczowy, czarne chmury rozstępowały się i słońce grzało do samego wieczora. Wystarczyło jednak, by Freudowie przewidzieli dzień pogodny, a już słońce skrywało się za chmurami, z których natychmiast lały się strugi deszczu.

W ciągu pierwszego tygodnia pogodzili się z tą bawarską pogodą i przestali zwracać uwagę na deszcz.

Gdy Zygmunt chciał przemyśleć jakiś skomplikowany problem, odszukać znaczenie symboli w snach, słowach czy procesach zachodzących w umyśle podczas snu, wybierał się na spacer samotnie. Fascynował go bawarski krajobraz: nieskończona różnorodność zieleni, pierwotna roślinność datująca się, jego zdaniem, od czasów, gdy kula ziemska wystygła na tyle, by rośliny mogły zakiełkować, wysmukłe pnie drzew rosnących tak gęsto, że z trudem przedzierał się przez gąszcze, niebosiężne góry, pionowe zwaliska skał pokryte śniegiem w lipcu i sierpniu, zielone krzaki z uporem wspinające się po kamiennych glebach, czepiające się najmniejszej szczeliny, by dotrzeć jeszcze wyżej.

Szczególnie lubił chodzić wąską wiejską drogą prowadzącą do gospodarstw utrzymywanych równie schludnie jak wnętrza domów. Stogi siana stały w równych szeregach jak zdyscyplinowani pruscy żołnierze. Nieustanne deszcze zmuszały chłopów do suszenia siana, które rozwieszali na sznurach jak bieliznę. Każde gospodarstwo budowało stogi we własnym stylu; najbardziej podobały mu się stogi przypominające baby wiejskie, przybrane snopem jak kapeluszem. Wracał z tych spacerów wypoczęty i odświeżony.

Pod koniec czerwca, jeszcze przed wyjazdem z Wiednia, posłał Deutickemu pierwszy rozdział *Interpretacji marzeń sennych*, zatytułowany *Metoda interpretacji snów*. W Riemerlehen, pracując z zapałem, kończył i wysyłał co kilka tygodni kolejne rozdziały. Deuticke szybko odsyłał gotowe już szpalty do korekty. Znowu był w roli, która mu najbardziej odpowiadała: naukowca, psychologa, pisarza tworzącego naukę o umyśle ludzkim, opartą na logicznym związku dowodów. Ostatnie dni lata poświęcone przemyśleniu i napisaniu końcowych rozdziałów i stustronicowego wstępu *Piśmiennictwo naukowe z zakresu snów* przyniosły mu wielką satysfakcję. Mijały cztery lata od czasu, gdy przeprowadził analizę snu Emmy Benn i opracował metodę wydobywania stłumionych przeżyć ukrytych we śnie. W ciągu tych lat zebrał setki przykładów interpretacji, które stały się materiałem dowodowym, tak jak dawniej były nim umieszczone na szklanych płytkach mikrotomiczne wycinki ludzkiego mózgu, studiowane pod mikroskopem.

W lasach pełno było grzybów; dzieci prześcigały się z ojcem w wynajdywaniu ukrytych miejsc, gdzie rosły najobficiej, bawiły się z chłopskimi dziećmi. Przed urodzinami Marty Zygmunt zabrał całą szóstkę do Berchtesgaden, żeby każde z osobna kupiło prezent dla matki. Pod koniec wyprawy zatrzymali się przed sklepem, którego wystawy wypełniały damskie kapelusze z wąskimi rondami. Fason od stuleci pozostawał niezmieniony. Były w najróżniejszych odcieniach zieleni i wszystkie przybrane piórkiem. Przed wystawami stała zawsze gromada mieszczek rozprawiających z ożywieniem o kapeluszach, głównej ozdobie stroju bawarskiej kobiety. Matylda, która miała już prawie dwanaście lat, skonstatowała stanowczo, że matka nigdy nie zdobędzie się na to, by nosić w Wiedniu tego rodzaju kapelusz.

– Ale włoży go jutro na piknik – odpowiedział Zygmunt – i na pewno nie zdejmie przez cały dzień. Ślicznie będzie wyglądała w takim kapeluszu.

Wyprawa do Berchtesgaden zakończyła się kolacją na werandzie restauracji, skąd roztaczał się widok na całą okolicę.

– Jak tu pięknie! – zawołał Zygmunt. – Teraz cieszę się, że na spacery nie zabierałem ze sobą parasola. Deszcz rozjaśnia umysł.

Dzieciom bardzo się to spodobało, a ośmioletni Oliver dodał natychmiast:

– Dla nas też to lato było najprzyjemniejsze, bo ty byłeś szczęśliwy.

Marcin, który sporządził sobie kryjówkę na drzewie w lesie, żeby spokojnie pisać tam swoje wiersze, dorzucił:

– W tym roku rzadziej cię widywaliśmy niż dawniej, ale wiemy, że między porannym a wieczornym spacerem pracowałeś i że dobrze ci szło.

– Dziękuję ci, Marcinie. A jak twoje wiersze? Masz przecież teraz swój własny gabinet.

– Prawdę mówiąc – odpowiedział Marcin po chwili namysłu – nie sądzę, by moje tak zwane wiersze były coś warte.

Tego wieczora, kiedy ułożyli dzieci do snu, usiedli z Martą na werandzie sypialni. Opatulili się w płaszcze, bo wrześniowe noce były już chłodne. Zapytał ją, czy chce przeczytać skończoną *Interpretację marzeń sennych*.

– Co prawda wolałbym, żebyś poczekała, aż poprawię rękopis, kiedy już wszystko będzie zupełnie jasne. Oczywiście nie żądam, żebyś czytała wszystko, co piszę. Wcale się nie obrażę, jeśli nie zechcesz. Opuść wstęp! Gdyby niektóre fragmenty cię raziły, omiń je.

– Możesz być pewny, że nic mnie nie będzie raziło. Przecież ja tego nie będę oceniała, postaram się jedynie zrozumieć. Skoro zerwałeś z przyjaciółmi i kolegami, nie możesz spodziewać się poparcia od nich, byłoby więc głupotą z mojej strony, gdybym nie starała się dowiedzieć, o co chodzi. Niewiedza nie jest cnotą. A zresztą na cóż zdałoby ci się moje współczucie, gdybym nie wiedziała, dlaczego go potrzebujesz? Skoro grozi nam, że znajdziemy się w oku cyklonu, to lepiej będzie, jeśli się dowiem, czemu tę przygodę zawdzięczam. Przypuszczam, że niektóre miejsca będą żenujące, ale nie jestem delikatnym kwiatkiem, który więdnie przy pierwszym podmuchu wiatru.

Po odesłaniu ostatniego rozdziału do drukarni mógł teraz spojrzeć z pewnej perspektywy na owoce całorocznej pracy. Był z niej zadowolony. Czuł się wyjałowiony i całkowicie wyczerpany, a jednak kiedy składał książki i pomagał rodzinie się spakować przed powrotem do Wiednia, świadomość wykonanej pracy podnosiła go na duchu. Był pewny pionierskich walorów swej książki. Marcie oświadczył z dumą:

– Tego rodzaju natchnienie zdarza się człowiekowi tylko raz w życiu.

Gdy wracali pociągiem do domu, niespodziewanie przyszło mu do głowy, że umrze między sześćdziesiątym pierwszym a sześćdziesiątym drugim rokiem życia. Zdziwiło go, że tak ściśle określił ów termin w myślach, ale nie przejął się tym. Miał teraz lat czterdzieści trzy, pozostawało mu więc jeszcze sporo czasu.

Z książką wiązał wielkie nadzieje; wiedział, że jest to najlepsza z jego dotychczasowych prac. Poza tym było to pierwsze dzieło o psychoanalizie, które napisał sam. W ciągu czterech lat od wydania *Studiów nad histerią* ogłosił wiele prac w czasopismach neurologicznych i psychiatrycznych, co powinno przygotować grunt pod jego nowe propozycje.

– Naprawdę wydaje mi się, że już dość długo byłem kozłem ofiarnym Wiednia. Może wreszcie moi koledzy się znudzą. Myślę, że ta książka zostanie dobrze przyjęta i przyniesie nam uznanie i niezależną pozycję, o którą od tak dawna walczę.

Marta złożyła dłonie jak do modlitwy:

– Oby się spełniły twoje słowa!

Deuticke miał zamiar wydać *Interpretację marzeń sennych* w styczniu 1900 roku. Na karcie tytułowej umieścił tę właśnie datę, ale ponieważ druk został ukończony wcześniej, wysłał egzemplarze już czwartego listopada 1899 roku do czasopism i księgarni w Austrii, Niemczech i Zurychu. Wydrukował sześćset egzemplarzy. Zygmuntowi powiedział w zaufaniu, że ma nadzieję, iż wszystko rozejdzie się przed Bożym Narodzeniem i na Nowy Rok będzie mógł wydrukować drugi nakład.

Do Nowego Roku sprzedano zaledwie sto dwadzieścia trzy egzemplarze, z czego kilkanaście kupił Fliess, by rozesłać je przyjaciołom. Deuticke nie ukrywał rozczarowania. Zaszedł do Zygmunta i wyjaśnił, że jak dotąd nie udało się nawet pokryć kosztów i nie spodziewa się, by mu się kiedykolwiek zwróciły.

– Nie mogę tego pojąć, panie doktorze. Przecież istnieje stałe zapotrzebowanie na książki o snach. Od lat wydaję je z wielkim powodzeniem. Ludzie stale je kupują. Szukają w nich przepowiedni, wskazówek, jak grać na loterii, a mimo to nawet najzagorzalsi amatorzy takiej lektury nie chcą pańskiej książki. Przeglądają ją, odkładają z powrotem i wychodzą.

Zygmunt z przerażeniem skonstatował, że Deuticke nie zajrzał nawet do rękopisu.

Jakby na potwierdzenie najgorszych przeczuć wydawcy pierwsza recenzja, która ukazała się w wiedeńskiej „Die Zeit", pióra byłego dyrektora Burgtheater roiła się od drwin, autor wyrażał się o książce z pogardą. W marcu pojawiły się krótkie negatywne notatki w „Umschau" i „Wiener Fremdenblatt". Jakiś asystent uniwersyteckiej kliniki psychiatrycznej nazwiskiem Raimann napisał całą rozprawę, atakując książkę, chociaż przyznawał, że nie zadał sobie trudu, by ją przeczytać. Wkrótce potem Raimann wygłosił odczyt o histerii dla ponad czterystu studentów, oświadczając między innymi:

„Jak panowie widzą, chorzy ludzie mają skłonność do mówienia o sobie. Jeden z naszych kolegów w tym mieście, wykorzystując tę okoliczność, stworzył całą teorię, by nabić sobie kabzę".

Ten wykład zadał śmiertelny cios książce. Odtąd nie sprzedawano więcej niż dwa egzemplarze tygodniowo na całym obszarze krajów języka niemieckiego. Przez następnych sześć miesięcy, do chwili ukazania się kilku przychylnych zdań w „Berliner Tageblatt", gazety milczały. Zygmunt był w rozpaczy.

8

Pod koniec 1899 roku zjawiła się u niego radczyni Gomperzowa. Nie zapowiedziała swej wizyty. Była to siwowłosa dama prowadząca przytulny, elegancki salon, w którym spotykali się koledzy radcy dworu Gomperza i jego dawni studenci. Gomperz dostał katedrę filologii na Uniwersytecie Wiedeńskim. To on właśnie zamówił u dwudziestotrzyletniego Zygmunta Freuda przekład jednego tomu dzieł Johna Stuarta Milla. Przed laty Zygmunt był kilka razy w dużym, pełnym książek mieszkaniu Gomperzów, nie tylko w sprawach tłumaczenia, ale także na przyjęciach u pani radczyni.

– Witam panią radczynię. Cieszę się, że panią widzę. Jak się miewa ekscelencja? Mam nadzieję, że czuje się dobrze?

– Oczywiście, panie doktorze. Dziękuję. To ja czuję się nie najlepiej; w domu nic o tym nie wiedzą.

– Jestem do usług.

Ulubionym zajęciem pani radczyni było szydełkowanie. Niestety, musiała sobie odmawiać tej przyjemności. Palec wskazujący prawej ręki drętwiał, odczuwała bóle w nadgarstku, szczególnie przy dotknięciu. Gdy poruszała dłonią, doznawała jakby elektrycznego wstrząsu. Po zbadaniu Zygmunt stwierdził, że dłoń drętwieje po stronie kciuka. Przypisując to podrażnieniu nerwu środkowego, unieruchomił prawą rękę za pomocą szyny i polecił, by pacjentka przez kilka tygodni się nią nie posługiwała.

– Nic poważnego. Zwyczajny ucisk nerwu. W ciągu miesiąca wyleczymy panią.

Pani Gomperzowa odetchnęła z ulgą.

– Bałam się, że tracę władzę w dłoni i palcach... myślałam, że to może początki paraliżu.

– Nic podobnego; to właściwie to samo co poważne zwichnięcie. Proszę przyjść za tydzień na zmianę opatrunku.

Zdjął szynę po trzech tygodniach. Kiedy radczyni chciała uregulować honorarium, odmówił.

– Jestem dozgonnym dłużnikiem państwa. Uważam za przywilej to, że mogłem pani pomóc.

Radca Gomperz był zadowolony z kuracji. W liście dziękował Zygmuntowi i zaprosił go wraz z żoną na kolację w niedzielę wieczór. Kiedy Martę i Zygmunta wprowadzono do biblioteki, w której znajdowała się kolekcja dzieł sztuki, rzadkich książek i rękopisów, dorobek całego życia profesora, na honorowym miejscu na stoliku obok kanapy ujrzeli *Interpretację marzeń sennych*. Pan radca sam udał się do księgarni Deutickego, żeby kupić najnowszą pracę pana doktora Freuda. Był to prawdziwy komplement ze strony słynnego uczonego, od trzydziestu pięciu lat piszącego głośne dzieła o starożytności.

Najwięcej kłopotu sprawiała Zygmuntowi krewna Breuera, panna Cessie, którą leczył już od kilku lat. Nie udawało mu się w żaden sposób usunąć trapiących ją lęków przed miejscami zamkniętymi, a równocześnie przed otwartą przestrzenią. Nie umiał zlikwidować pocenia się rąk, nieustannych obaw przed jakimś kataklizmem, przed omdleniem, przed koniecznością wołania o pomoc; nic nie mógł poradzić na to, że nie była w stanie powiedzieć słowa właśnie wtedy, gdy chciała mówić. Wszystkie próby Zygmunta, żeby nakłonić ją do przypomnienia sobie jakiegoś przeżycia o cechach kompleksu Edypa lub innych doświadczeń z genitalnego i analnego okresu rozwojowego, zawodziły. Nie umiała swobodnie kojarzyć. Kilka razy przerywał leczenie. Cessie stale jednak wracała z listem od Breuera, który prosił, by Zygmunt nadal prowadził chorą. Musiał się więc nią zajmować, tym bardziej że panna Cessie od roku nie miała już pieniędzy, by płacić za wizyty.

W marcu posiedzenia psychoanalityczne wypełniały mu całkowicie dwunastogodzinny dzień pracy, nie licząc wieczornych wizyt panny Cessie.

Zarabiał teraz do dwóch tysięcy guldenów miesięcznie. Podreperował nadwątlone konto bankowe i nie musiał już myśleć o wzięciu w okresie letnim pracy w sanatorium, jak to zamierzał początkowo uczynić po sromotnym niepowodzeniu książki i zmniejszeniu się w zimie liczby pacjentów. Chodził teraz regularnie na sobotnie partyjki taroka, wznowił wykłady w „B'nai B'rith" i na uniwersytecie. Po wielomiesięcznej przerwie zaczął znów przygotowywać materiały do zamierzonej pracy o psychopatologii życia codziennego. Rany się zaleczyły, chociaż Marcie mówił, że pochwały, z jakimi spotkała się *Interpretacja marzeń sennych*, są tak skąpe jak jałmużna. Pocieszał się, że jest źle traktowany, ponieważ wyprzedza swoją epokę, ale świadom był, że takie pocieszenia kryją w sobie niebezpieczeństwo megalomanii.

Jedna tylko drzazga pozostała: zjadliwość personalnych napaści. Na głowę Zygmunta spadła lawina oszczerstw. Człowieka, który pisał o seksualnej etiologii nerwic, o erotyzmie dziecięcym, a teraz z kolei o kompleksie

Edypa, obrzucano takimi wyzwiskami jak „zbrodniarz", „obleśnik", „złośliwy oszczerca macierzyństwa", „deprawator niewinnych dzieci", „zboczeniec o zwyrodniałych instynktach". W kręgach lekarskich krążyło powiedzenie, które do niego dotarło za pośrednictwem Oskara Rie: „Nic w tym złego, gdy ktoś trzyma kubeł przy drzwiach kuchennych. Ale Freud ustawił go z całą śmierdzącą zawartością na środku salonu. Co gorsza, wepchnął go wszystkim pod kołdrę. Doprowadził do tego, że smród przedostał się nawet do pokoju dziecinnego".

Rozumiał, że bardzo często te gwałtowne reakcje na jego odkrycie wynikały z różnych zahamowań i lęku, z niemożności spojrzenia w oczy prawdzie o kompleksie Edypa, ze wzbraniania się przed otwarciem drzwi do podświadomości, do uświadomienia sobie wpływu na osobowość przeżyć z okresu dzieciństwa, wreszcie z napięć i urazów. Wiedział, w jak znacznym stopniu podświadomość kierowała racjonalnym na pozór życiem. Dla większości ludzi diabeł był zbyt straszny, by mogli się pogodzić z jego istnieniem. Przyjęcie do wiadomości tej nowej nauki o ludzkim umyśle i ludzkiej naturze wymagało odwagi. Postanowił, że nie będzie się bronił publicznie, nie uważał bowiem nauki za walkę zapaśniczą. Do Marty powiedział:

– Oni myślą, że ja ich atakuję! Wszyscy i każdy z osobna. Zupełnie jakbym ich oskarżał o jakieś straszne zbrodnie. Tymczasem ja mówię o powszechnych właściwościach ludzkiej natury. Nie tylko nie chcą przyznać, że cechy te istnieją u nich samych; nie chcą uznać nawet tego, że są to cechy całego gatunku ludzkiego. Wolą całą tę wiedzę trzymać pod korcem, ukryć ją pod warstwą gnoju, zakuć w żelazo. Większość sił nieustannie działających w ludzkim społeczeństwie ma na celu przedstawienie naszych instynktów w sposób romantyczny albo ukrywanie ich przed poznaniem. Czynią to religia, system oświaty, obyczaje i mity, światopogląd klas rządzących, agendy rządowe, jak na przykład te, które w Metternichowskiej Austrii cenzurowały każdą książkę, czasopismo czy dziennik, wszystko, co wystawiano na scenie, o czym mówiono na spotkaniach, w których brało udział więcej niż trzech ludzi. Tylko kompletni ignoranci nie wiedzą, że coś się dzieje w podświadomości; każdy inny człowiek ma przynajmniej jakieś przeczucie czy wspomnienie, które mu podpowiada, że istnieje jeszcze druga świadomość, jakaś druga stłumiona natura. Oni wiedzą, że mam rację, a im bardziej dokucza im ta podświadomość, tym gwałtowniej na mnie napadają. Nie chodzi im bowiem o to, że kłamię, ale właśnie o to, że mówię prawdę. Dlatego jestem niebezpieczny. To samo było z profesorem Meynertem, który powiedział: „Ja sam jestem największym histerykiem". W żadnym czasopiśmie naukowym nie ukazała się ani jedna wzmianka

474

o jego dziele. Czuł wewnętrzną pustkę, ale nie dawał tego poznać po sobie. Codziennie golił się u fryzjera, zamówił dwa nowe ubrania u swego krawca, zabrał Martę na *Don Juana,* na prelekcję Jerzego Brandesa, duńskiego krytyka, o Szekspirze. Marcie tak się Brandes spodobał, że namówiła Zygmunta, by posłał mu do hotelu *Interpretację marzeń sennych.* Zygmunt sam zaniósł książkę, ale Brandes nigdy się nie odezwał. Znowu wybierał się w niedzielne popołudnia z całą szóstką dzieci, Martą i siostrą Dolfi do Prateru. Autoanaliza przeprowadzana przez cztery lata nie umożliwiła mu co prawda całkowitego zlekceważenia cięgów, które dostał za *Interpretację marzeń sennych,* ale dzięki niej udało mu się zachować zdrowie psychiczne. Był dobrym synem dla matki, dobrym mężem dla żony, dobrym ojcem dla dzieci i dobrym lekarzem swych pacjentów.

Odniósł poważny, choć nieco problematyczny sukces w leczeniu pewnego homoseksualisty, który przybył do niego w tak ciężkim stanie histerii, że co chwila z jego ust padały słowa o samobójstwie. Młody mężczyzna stracił odpowiedzialne stanowisko, zerwał ze światem, przestał chodzić na koncerty i do teatru, rezygnując z tego, co było dla niego największą przyjemnością. Cierpiał na kołatanie serca, napadowe porażenie dolnych kończyn. Zamiast kochać matkę, a potem jej namiastkę w osobie żony, młodzieniec ów sam chciał być swoją matką. Była to osobowość analna, stale przywiązana do dziecinnych fantazji o miejscu, z którego na świat przychodzą dzieci. Pragnął analnej penetracji i zapłodnienia, tak jak jego własna matka. W stosunkach homoseksualnych odgrywał rolę kobiety. Uprawiał *fellatio,* od dawna bowiem uznawał usta za organ płciowy: w jego mniemaniu matka zaszła w ciążę, połykając coś. Podczas aktu *fellatio* przechodził w fantazjach od wyobrażenia sobie siebie jako matki do wyobrażenia, że jest dzieckiem wysysającym z jej pełnych piersi i naprężonych brodawek życiodajne mleko.

W ciągu kilku miesięcy udało się Zygmuntowi wyciszyć histerię, doprowadzając pacjenta do odtworzenia sytuacji edypalnej. Młody człowiek nie chciał zastąpić swego ojca, chciał go natomiast ukarać za to, że okazał się słaby i pozwolił się zdominować silnej, agresywnej matce. Pacjent cofnął się we wspomnieniach do genitalnego okresu rozwojowego, w którym reakcje jego nie przebiegały jeszcze w sposób prawidłowy, gdyż był pochłonięty nieustannym porównywaniem męskich narządów płciowych z kobiecymi, wreszcie do okresu analnego, przypadającego na wiek między trzecim a czwartym rokiem życia, kiedy to zamknął się w sobie.

Ustąpiły objawy fizyczne. Pacjent otrzymał nowe stanowisko. Opuszczając po raz ostatni gabinet Zygmunta, powiedział:

– Dziękuję panu za okazaną mi pomoc. Odtąd będę mógł żyć spokojnie. Znajdę sobie stałego męża. Bo, widzi pan, zrozumiałem, dlaczego i w jaki sposób stałem się homoseksualistą, i teraz mi to nie przeszkadza. Nigdy nie będę w stanie kochać kobiety, bo sam czuję się kobietą i zamieniłbym tylko stosunki homoseksualne na lesbijskie. Ale teraz dzięki panu mogę być normalnym obywatelem, pracować na siebie, cieszyć się życiem. Pan mnie wyleczył, choć nie jestem pewny, czy o takie właśnie wyleczenie panu chodziło.

Zygmunt też nie był tego pewien. Dzięki zastosowanej terapii udało mu się wyleczyć chorobę wynikającą z homoseksualizmu. Dlaczego jednak nie mógł usunąć samego zboczenia? Czuł w głębi duszy, że osiągnął sukces połowiczny. Innego jednak zdania był stryj młodzieńca, który zjawił się następnego dnia, purpurowy z wściekłości.

– Co pan zrobił z moim bratankiem? Podsunął mu pan usprawiedliwienie dla jego haniebnych uczynków. Stał na progu samobójstwa, kiedy do pana przyszedł; byłoby lepiej, gdyby nie żył, niż żeby przynosił wstyd rodzinie.

Zygmunt odpowiedział sucho:

– Jestem innego zdania. Przed dwoma laty miałem pacjenta homoseksualistę, który odebrał sobie życie. Dla jego rodziny i przyjaciół było to gorzkie przeżycie. Pana bratanek jest nadal zboczony, ale nie jest już chory ani fizycznie, ani psychicznie. Wierzę, że będzie się zachowywał dyskretnie. Nie po to przyszedł na świat, by sobie odbierać życie. Śmierć wystarczająco szybko przychodzi sama po nas wszystkich. Proszę spróbować pogodzić się z tą sytuacją i pozwolić mu żyć bez goryczy. To będzie dobry uczynek.

Jego rozmówca wstał, żeby się pożegnać. Był blady i zmartwiony.

– Przepraszam, panie doktorze. Nie wyobraża pan sobie, jak trudno nam się z tym pogodzić. Nasza rodzina jest jedną z najstarszych w cesarstwie austro-węgierskim. Ale ma pan rację, samobójstwo to też hańba. Spróbuję uspokoić mego brata. Jest na granicy obłędu, to przecież jego jedyny syn i okazuje się, że...

9

Przed Wielkanocą zmniejszyła się liczba pacjentów, ale z powodów, które sprawiały mu przyjemność: wielu z nich czuło się już na tyle dobrze, że mogli zaprzestać kuracji. U jednego z nich, który cierpiał na niemoc płciową wyzwoloną czynnikami natury psychologicznej, stwierdził skłonności kazirodcze do siostry. Drugi był ofiarą głębokiego lęku przed kastracją; obawiał się, że własny ojciec pozbawi go genitaliów, kiedy dowie się o jego edypalnym przywiązaniu do matki. Lęk ten narzucił mu pasywną rolę seksualną i nie mógł nawet osiągnąć erekcji.

Po latach daremnego zmagania się z chorobą panny Cessie udało mu się w końcu skłonić ją do współpracy. Okazało się, że klucz, którym posługiwał się w innych przypadkach, i tym razem otworzył mu dostęp do jej nerwicy. Właściwy ślad odnalazł, zwracając uwagę na to, że panna Cessie stale powraca w swych opowieściach do tematu własnej matki.

– To, co mi pani mówi – przerwał jej wreszcie zniecierpliwiony – nie ma nic wspólnego z sytuacją, o której już od lat rozmawiamy. Zajmowaliśmy się faktami; tym, że pani chce być kochana, że chce się pani wyleczyć po to, by móc wyjść za mąż, rozpocząć normalne pożycie małżeńskie, mieć dom i dzieci. Otóż to wszystko wydaje mi się zupełnie nieważne. W rzeczywistości chce pani być dzieckiem, półtorarocznym dzieckiem przy piersi matki, wrócić do tego okresu oralnego, w którym się pani zatrzymała i w którym pani tkwi od dwudziestu dwóch lat.

Na twarzy Cessie nastąpiła widoczna zmiana. Poczuła niezwykłą ulgę. Nie potrzebowała już nic więcej ukrywać. Wspólnie odkryli prawdę. I od tej chwili pacjentka zaczęła dojrzewać. Zygmuntowi udało się ją przekonać, że może spokojnie przejść od fazy oralnej do fazy normalnej, genitalnej, zaspokajając swe oralne potrzeby drogą wrażeń z okolicy pochwy. Tłumaczył jej to zjawisko jako proces przemieszczenia się stref erotycznych w dolne rejony ciała. Zachowując dziewictwo, hamowała dojrzewanie płciowe – teraz pragnęła zaspokojenia potrzeb płciowych dla osiągnięcia pełni życia.

W kwietniu wiedział już, iż udało mu się w sposób istotny zmienić jej stan. Przekonał się wreszcie, że cztery lata pracy nie poszły na marne. Przez ten cały czas była przez niego wspomagana, on wypełniał dręczącą ją pustkę, umożliwiał jej wytrwanie w pracy i opiekowanie się umierającą matką. A jednocześnie przez ten cały czas czekał na chwilę, kiedy będzie mogła wznieść się na wyższy poziom analizy. Pomógł jej uzyskać aktywność psychiczną. Bez śladu znikły klaustrofobia, agorafobia, aforia, lęk przed ludźmi, miejscami czy sytuacjami, to wszystko, co wytwarzało stany lękowe w jej podświadomości. Objawy ustępowały stopniowo, by wreszcie zniknąć całkowicie. W połowie maja powiedziała mu:

– Dokonał pan cudu.

Następnego dnia oświadczyła Zygmuntowi, że bezpośrednio od niego udała się do doktora Breuera, którego zawiadomiła, że jest wyleczona, a powrót do zdrowia zawdzięcza doktorowi Freudowi: przekonał on ją, iż stłumiła w sobie świadomość tego, że ma organy płciowe, że mogą one służyć osiąganiu fizycznej przyjemności i pełni psychicznej. Kiedy skończyła swą relację, Breuer klasnął w dłonie i powtórzył kilka razy: „A więc on ma rację".

W tym samym czasie zwrócił się do doktora Freuda pewien wydawca niemiecki nazwiskiem Löwenfeld. Zamierzał opublikować duży tom pod tytułem *Problemy z pogranicza bytu neurologicznego i duchowego* i prosił o skrót *Interpretacji marzeń sennych* na nie więcej niż trzydzieści pięć stron. Zygmunta uradowała ta propozycja. Po raz pierwszy świat medyczny przyjmował do wiadomości, że doktor Freud jest autorem książki o snach.

Ostatni rok praktyki był tak pomyślny, że Zygmunt mógł wynająć willę w Bellevue, w której przed pięciu laty po raz pierwszy analizował sny Emmy Ben, wkraczając tym samym na drogę tłumaczenia snów. Czynsz nie był wygórowany, oszczędzi zresztą na kosztach podróży, Bellevue bowiem znajdowało się w Lasku Wiedeńskim, tuż u stóp Kahlenbergu, o godzinę drogi od Berggasse. Miejscowość otaczały piękne lasy, po których można było godzinami spacerować. Czuł się tak, jakby wracał do domu. Do Fliessa pisał:

„Czy nie sądzisz, że pewnego dnia na tym domu zostanie wmurowana marmurowa tablica z napisem:

W tym domu 24 lipca 1895 roku
doktorowi Zygmuntowi Freudowi
została objawiona tajemnica snów?".

W świecie uniwersyteckim z dawien dawna obowiązywało niepisane prawo: *Tres faciunt collegium* – trzech stanowi komplet. Kiedy przed rokiem, na wiosnę 1899, doktor Freud zapowiedział cykl wykładów na temat psychologii snu, zgłosił się tylko jeden student, drugiego miał na widoku. Zygmunta czekało jeszcze dużo pracy nad materiałami do *Interpretacji marzeń sennych,* zadawał więc sobie pytanie, czy stać go na czteromiesięczny cykl wykładów dla jednego słuchacza.

Ale teraz, latem 1890 roku, w sześć miesięcy po ukazaniu się *Interpretacji marzeń sennych,* zgłosiło się czterech słuchaczy, w tym dwóch praktykujących lekarzy. Doktorzy Maks Kahane i Rudolf Reitler razem rozpoczynali studia na wydziale medycyny Uniwersytetu Wiedeńskiego w roku 1883 i razem je ukończyli w roku 1889. Stanowili parę nierozłącznych przyjaciół. Żaden z nich nie zamierzał poświęcić się pracy naukowej ani też starać się o docenturę. Obaj zajęli się praktyką prywatną. Kahane, jako specjalista od elektroterapii w sanatorium, w przyszłości zamierzał otworzyć wspólnie z pewnym ekscentrycznym radiologiem instytut terapii fizycznej, w którym po raz pierwszy będą stosowane promienie X i wstrząsy elektryczne za pomocą prądu wysokiej częstotliwości. Reitler zajął się praktyką ogólną i od początku nieźle dawał sobie radę, ponieważ jego ojciec, wicedyrektor C.K. Północno-Zachodnich Kolei, miał wielu wpływowych przyjaciół. On z kolei zamierzał z czasem otworzyć instytut leczniczy na Dorotheergasse, gdzie pacjentów leczyć będzie gorącym i suchym powietrzem. Kahane był Żydem i ukończył to samo gimnazjum co Zygmunt, w Leopoldstadt. Reitler jako katolik był abiturientem słynnego C.K. Gimnazjum Akademickiego.

Obaj lekarze postanowili razem słuchać wykładów Zygmunta. Sprawiło mu to szczególną radość, po raz pierwszy bowiem, od czasu gdy został uznany za pariasa, dwóch praktykujących lekarzy wyraziło chęć uczestniczenia w prowadzonych przez niego zajęciach. Reitler i Kahane wiedzieli o tym, że Zygmunt jest bojkotowany, ale to ich nie odstraszało. Reitler nawet nie zadał sobie trudu, żeby się zapisać do Stowarzyszenia Lekarzy. Interesowały go prace Zygmunta; prezentowały nowe podejście, nowy punkt wyjścia, być może ciekawy i cenny. O Reitlerze dowiedział się Zygmunt od Kahanego, który pracował w Instytucie Kassowitza jako wolontariusz, specjalizując się w chorobach dziecięcych, i opublikował już kilka prac o zapaleniu płuc.

Dwaj pozostali słuchacze, studenci, nie zdradzali początkowo większego zainteresowania. Zareagowali żywiej dopiero wtedy, kiedy dał im lekcję poglądową na temat tego, co nazywał „chemią zgłoskową". Opowiedział im o młodym pacjencie, któremu śniło się, że jakiś człowiek do późnego wieczora naprawiał mu domowy telefon. Kiedy już sobie poszedł, telefon nadal dzwonił z przerwami. Służący wybiegł więc za nim i kazał mu wrócić. Mężczyzna powiedział wtedy: „Zabawne, nawet ludzie, którzy są *tutelrein*, z reguły nie umieją sobie z czymś takim poradzić".

Sen wydawał się bez sensu, póki pacjent nie skojarzył go z wcześniejszym przeżyciem. W dzieciństwie, kiedy mieszkał jeszcze z ojcem, zdarzyło się, że zasypiając, rozlał szklankę mleka. Mleko przemoczyło sznur od telefonu, który zaczął dzwonić bez przerwy, nie dając ojcu zasnąć. Słowo *tutelrein* świadczyło o trzech różnych kierunkach myśli we śnie. *Tutel* – to przecież rdzeń łacińskiego *tutel* – opieka (ojciec był obecny); *Tütte* jest również wulgarnym określeniem piersi kobiecej (matki wtedy nie było); *rein* znaczy czysty; połączenie z pierwszą sylabą „*Zimmertelegraph*" – „telefon domowy", dawało „*Zimmerrein*" – „nauczony porządku", a i na tym właśnie polega wykroczenie syna, który rozlał mleko i zakłócił sen ojca.

Po wykładzie jeden ze studentów zapytał:

– Panie docencie, czy mogę zadać pytanie?

– Ależ oczywiście.

– Dlaczego we śnie ludzie bywają tak pomysłowi i dowcipni?

– Przypomina to trochę żarty słowne. Na przykład: Jaki jest najtańszy sposób zdobycia srebra? Idzie pan aleją srebrnych topoli (*Pappeln* to po niemiecku zarówno topole, jak paplanina) i mówi pan: Proszę nie paplać! Paplanina ustaje, a srebro jest pana. Sny są pomysłowe i zabawne – kontynuował Zygmunt – ponieważ najprostsza i najłatwiejsza droga do wyrażenia zawartych w nich myśli została zamknięta. Muszą być właśnie takie. Na jawie nie jestem bynajmniej człowiekiem dowcipnym, ale jeśli pan przeczyta moją *Interpretację marzeń sennych,* stwierdzi pan, że niektóre moje sny są śmieszne. Nie dlatego, by sen wyzwalał we mnie jakieś stłumione talenty, ale dlatego, że sny powstają w szczególnych warunkach psychologicznych. O tym właśnie będę mówił w moich wykładach. Spróbuję wykazać, że żarty i pointy często umożliwiają podświadomości omijanie cenzora. Jest on istotą potężną, ale zarazem tępą, którą można oszukać, posługując się dowcipem.

Maks Kahane był chyba inteligentniejszy od swego przyjaciela, ale psychologię podświadomości przyjmował bardziej opornie niż Reitler, który kupił u Deutickego *Studia nad histerią* i *Interpretację marzeń sennych* i pochłaniał je żarliwie. Pewnego popołudnia Zygmunt zaprosił Kahanego na herbatę; Marta poznała go już dawniej, kiedy pracował w Instytucie Kassowitza. Szli razem pod parasolem Maksa, chroniąc się przed ciepłym wiosennym deszczem, i zaczęli rozmawiać o postępach, jakie ostatnio poczyniono w neurologii. Były one bardzo skromne, gdy szło o fizyczną stronę tej dyscypliny. Zygmunt nie mógł oprzeć się pokusie nakłonienia młodszego o dziesięć lat kolegi do przyjęcia jego poglądów.

– Mnie się zdaje, że ty wciąż jeszcze masz pewne zastrzeżenia do psychologii podświadomości.

– Nie powiem, żebym był jej przeciwnikiem. W tym, co mówisz, jest dużo prawdy. Pewne podejścia uważam za bardzo interesujące.

– Ale nie odwiodłem cię od elektryczności jako środka terapeutycznego?

– Nie.

– Twoja maszyna nie przynosi żadnego pożytku, to tylko sugestia. Przecież prąd elektryczny nie może dotrzeć do podświadomości, a tylko w ten sposób można doprowadzić do wyleczenia pacjenta.

– Mnie się zdaje, że nasze podejścia nie wykluczają się wzajemnie. Wiem, że mogę przynosić ulgę pacjentom za pomocą terapii fizycznej. Widzę, jak ich stan się poprawia w moim sanatorium. Pomagamy im przezwyciężać depresję i lżejsze stany lękowe. Poprawia się ich apetyt, nabierają wagi. Przywracamy im zainteresowanie życiem. Przecież nie mogę lekceważyć takich wyników.

Zygmunt studiował twarz Kahanego porysowaną głębokimi zmarszczkami na czole i policzkach.

– I nie powinieneś. Ale co robisz, kiedy przychodzą do ciebie pacjenci w wyjątkowo złym stanie psychicznym?

– Nawet w takich przypadkach moja terapia przynosi im niekiedy ulgę.

– Wiesz jednak, że to efekt chwilowy. Gdy mija, pacjent jest w tym samym miejscu, od którego zaczynałeś. Psychoanaliza stawia sobie za zadanie wyleczenie. – Byli już na Berggasse. Zygmunt poczuł wyrzuty sumienia. – Bardzo cię przepraszam, najpierw przez godzinę wykładu huczę ci do jednego ucha, a teraz podczas miłego spaceru ogłuszam drugie.

Po dwóch miesiącach wykładów Rudolf Reitler, szczupły, bardzo opanowany blondyn, opowiedział się całkowicie po stronie Zygmunta. Po wykładzie, na którym Zygmunt mówił o symbolice w psychoanalizie, Reitler poczekał, aż inni wyszli z sali, po czym powiedział:

– Panie doktorze, problem symbolizmu niezwykle mnie interesuje. Myślę o tych pacjentach, którym nie byłem w stanie pomóc, teraz już wiem, że niektóre z ich kłopotów powstawały w związku z tego rodzaju symbolami, o jakich pan wspominał, relacjonując przypadek Cecylii. Wczoraj wieczorem czytałem o tym w *Studiach nad histerią*. Dzisiejszy wykład wyjaśnił mi wszystko do końca. Jeśli pan pozwoli, chciałbym pogłębić studia w tej dziedzinie.

– Ależ oczywiście, panie kolego. Ma pan teraz czas, by odprowadzić mnie do domu? Pani doktorowa da nam coś do picia, a potem możemy się zająć analizą materiału.

10

Lato było upalne; miasto wyludnione. Wiedeńczycy objuczeni bagażami wynieśli się w góry i nad jeziora, rozjechali po wszystkich miejscowościach wypoczynkowych Austrii. W sierpniu nie było już czym oddychać. Zygmunt umówił się z Wilhelmem Fliessem na trzydniową konferencję nad tyrolskim jeziorem Achensee.

Już pierwszego ranka po przybyciu panowie wyruszyli na pieszą wędrówkę ścieżkami wspinającymi się wokół jeziora. Stanowili niezbyt dopasowaną parę: Zygmunt w wysokich sznurowanych butach, wełnianych skarpetach pod kolana, krótkich skórzanych spodenkach, kamizelce i kurtce na pasiastej koszuli, w alpejskim kapeluszu z szarą wstążką i z sękatym kijem w ręce. Wilhelm, dbający o nienaganny strój w Berlinie, podczas wakacji wpadał w zupełną skrajność. W podkutych butach górskich, starych skórzanych spodenkach na zielonych szerokich szelkach, w grubej spłowiałej zielonej koszuli i w zielonych szorstkich skarpetach pod kolana. Junacki strój alpinistyczny niewiele mu pomagał. Wyglądał nie najlepiej. Przez ostatnie dwa lata chorował, a niedawno przeszedł poważną operację.

Szli przez pachnące lasy szpilkowe, rozgrzane południowym wiatrem. U podnóża gór ciągnęły się pola kukurydzy stojącej jeszcze na polu, chociaż brązowe kaczany leżały już w kopcach pod okapami chat chłopskich. Nad nimi wznosiły się potężne łańcuchy górskie Karwendel i Sonnwend, wyrastające niemal z ciemnozielonej tafli siedmiokilometrowego jeziora o głębokości w niektórych miejscach prawie czterystu stóp.

Wilhelm nagle zatrzymał się, zmrużył oczy tak, że pozostały tylko wąskie szparki, i powiedział ostro do Zygmunta:

– Sam siebie oszukujesz tak zwanymi wyleczeniami.

Zygmunt stanął jak wryty. To, co przed chwilą wydawało mu się ciszą leśną, rozbrzmiewało obecnie dziesiątkami odgłosów: w dali stukał dzięcioł, w gałęziach nawoływały się ptaki, bydło ryczało w dolinach, mały parostatek na jeziorze pogwizdywał przeciągle. Nigdy jeszcze nie widział tak zaciętej miny na żywej zazwyczaj twarzy Wilhelma; pierwszy raz słyszał, by użył takiego tonu. Całym wysiłkiem woli starał się zachować spokój.

– Czy mógłbyś powiedzieć jaśniej, o co ci właściwie chodzi?

– Odgadywacz myśli nie odnajduje niczego u innych; on tylko przekazuje im swoje myśli.

– A więc uważasz, że moja metoda jest nic niewarta! – Zygmunt był wstrząśnięty. – Chociaż wiesz dobrze, w jaki sposób psychoanaliza osiąga swe cele. W setkach listów opisywałem, jak odkrywa się zaburzenia i jak krok po kroku wyciąga się pacjenta z choroby...

– Uważam, że twoja metoda nie była czynnikiem leczniczym.

– A co nim było? – Nie ukrywał już gniewu w głosie.

– Przywiązuję nieskończenie wielką wagę do cyklicznej natury psyche. Twoi pacjenci podlegają cyklom dwudziestotrzydniowym i dwudziestoośmiodniowym, tak samo jak wszyscy inni ludzie. Twoje metody nie różnią się od zwyczajnych domowych leków. Psychoanaliza nie powoduje cofania się choroby ani jej nie leczy. Poprawa następuje tylko w wyniku periodyczności wielkich zmian energii, umiejętności podejmowania zadań albo pragnienia uciekania od nich. Widziałeś moje tabele...

Zygmunt był wściekły. Zacisnął pięści, starając się opanować.

– Najpierw zgadzasz się z wszystkimi moimi wnioskami, zachęcasz mnie do kontynuowania badań, gratulujesz mi sukcesów, a teraz zaczynasz obalać wszystko, w co kazałeś mi wierzyć przez ostatnie dziesięć lat?

Fliess uniósł brwi, jakby w zdumieniu, i zapytał:

– Czyżbym dostrzegał w tobie pojawienie się jakiejś osobistej niechęci?

– Możesz to nazwać, jak chcesz. Czy ty nie zdajesz sobie sprawy z tego, coś przed chwilą zrobił? Wyrzuciłeś za burtę całą moją etiologię nerwic i psychoanalizę jako metodę leczenia zaburzeń umysłowych i emocjonalnych. Jednym słowem strąciłeś na dno jeziora dzieło całego mego życia. I jak twoim zdaniem mam na to zareagować?

– Jak naukowiec, który staje w obliczu nieprzyjemnej, lecz nieuchronnej prawdy. Radziłbym ci przeanalizować motywy tak wielkiego zdenerwowania. Pamiętasz, powiedziałeś mi kiedyś w Wiedniu: „To dobrze, że jesteśmy przyjaciółmi. Umarłbym z zawiści, gdybym się dowiedział, że kto inny w Berlinie dokonuje takich odkryć".

– Tak, pamiętam. I zaiste dokonałeś wielu ważnych odkryć. Ale co, na Boga, ma wspólnego zawiść z naszą dyskusją?

– Ponieważ ja jestem, jak to określiłeś, Keplerem biologii. – Sięgnął do kieszeni koszuli i wyjął plik kartek zapisanych kolumnami cyfr. – Zdobyłem dowody. Gdybyś się lepiej zachował, pokazałbym ci je. Wszystkie choroby umysłowe i emocjonalne ujęte są w tych formułach. Właśnie skończyłem zestawiać tabele. To, co ty określasz jako lęk, depresję, konflikt Edypa, walkę między świadomością a podświadomością, to wszystko nie ma przyczyny seksualnej, lecz jest uwarunkowane matematycznie. Zaburzenia w psyche człowieka następują wtedy, gdy zakłócony zostaje jego cykl. Poszczególne organy płciowe po obu stronach ciała ludzkiego walczą ze sobą wzajemnie...

Zygmuntowi robiło się na przemian gorąco i zimno. Nie mógł wydobyć z siebie słowa. Wilhelm nie dostrzegał jego stanu. Zapamiętale wykładał swój system. Oczy płonęły mu gorączkowo.

– Dlaczego pewien mężczyzna lub pewna kobieta są bardziej zmysłowi od innych? Periodyczność! Dlaczego jedni pędzą na spotkanie erotyki, przez całe życie za nią tęsknią, podczas gdy inni się przed nią wzdragają? Periodyczność! Zygmuncie, jako praktykujący lekarz będziesz musiał zacząć posługiwać się moimi tabelami. Idź w tym kierunku, który wskazuje matematyka. Kiedy ona cię pouczy, że możesz stosować kurację, wówczas uda ci się wyprowadzić człowieka z depresji, ale gdy tabele będą przeciw tobie...

– Sądzę – przerwał mu Zygmunt – że powinniśmy wrócić do hotelu. W tej chwili nie mam ci nic do powiedzenia; obawiam się, że tylko pogorszyłbym sytuację. Nie jestem w stanie pojąć, co ci się stało...

– Nie mamy o czym mówić – przerwał mu Fliess brutalnie.

Wracali w milczeniu. Fliess spakował walizkę i wyjechał. Konferencja została zakończona.

Ze studiów farmakologicznych pamiętał, że na każdą truciznę jest antidotum. Odrzucenie jego dzieła przez Fliessa było trucizną; oczekujący go po powrocie do Wiednia przypadek Dory Giesl okazał się antidotum. Zygmunt leczył przed sześciu laty ojca Dory. Teraz świetnie prosperujący przemysłowiec przyprowadził na Berggasse oporną córkę.

Dora Giesl była inteligentną osiemnastoletnią panną. Jej ojciec nabawił się przed ślubem choroby wenerycznej, po której pozostały trwałe ślady: odklejenie siatkówki i miejscowe porażenie. Zygmunt zastosował serię intensywnych zabiegów antyleutycznych i doprowadził do niemal zupełnego wyleczenia. W dziesiątym roku życia Dora podsłuchała rozmowę rodziców w sypialni i dowiedziała się, że ojciec przeszedł chorobę weneryczną. To odkrycie było dla niej wstrząsem i wywołało nieustanną obawę o własne zdrowie. Kiedy miała dwanaście lat, zaczęły się migreny, potem nerwowy kaszel, który z czasem doprowadził do utraty głosu. W takim stanie zjawiła się w gabinecie Freuda.

Panna była wysoka i postawna. W jej brązowych oczach połyskiwały cyniczne ogniki. Leczyła się już u kilkunastu lekarzy, którzy nic jej nie pomogli. Drwiła teraz z wszelkich prób leczenia, a ten sceptyczny stosunek do życia wcale nie wpływał korzystnie na jej stan psychiczny. Zaczęły się konflikty z rodzicami. Niedawno napisała list pożegnalny, podcięła sobie lekko żyły, a kiedy ojciec robił jej wyrzuty, zemdlała u jego stóp.

W zewnętrznej warstwie świadomości problemem, z którym borykała się Dora, były jej stosunki z państwem Krauss. Dora nie cierpiała swojej matki, uważała ją za „fanatyczkę porządków", ubóstwiała natomiast panią Krauss, osobę podobno czarującą. Widocznie tę opinię podzielał ojciec Dory, bo od wielu lat miał romans z panią Krauss. Często wyjeżdżał w interesach z Wiednia i spotykał się w różnych miastach z panią Krauss. Dora wiedziała o tym romansie, wiedział o nim również pan Krauss, któremu ta sytuacja bynajmniej nie przeszkadzała.

Dora lubiła pana Kraussa i jak się zdaje, jej sympatia była odwzajemniona. W każdym razie kiedy miała lat czternaście, pan Krauss zaprosił ją, by przyszła do niego do biura, gdzie w towarzystwie jego żony będzie mogła z okien obejrzeć jakąś wielką procesję. Kiedy Dora przyszła do biura, zorientowała się, że pani Krauss została w domu. W biurze nie zastała nikogo poza panem Kraussem, który w pewnej chwili objął ją i namiętnie pocałował w usta. Opowiadając o tym Zygmuntowi, Dora zaklinała się, że pocałunek wzbudził w niej jedynie obrzydzenie, że wyrwała się Kraussowi i uciekła do domu.

Niedawno Dora przebywała z ojcem w wiejskiej posiadłości Kraussów. Po powrocie opowiedziała matce, że pan Krauss na spacerze robił jej niedwuznaczne propozycje. Zażądała stanowczo, by ojciec zerwał stosunki z Kraussami. Pan Krauss, kiedy ojciec Dory powtórzył mu jej pretensje, zaprzeczył wszystkiemu. Powiedział, że jego zdaniem Dora ma niezdrowe zainteresowania, że podobno podczas pobytu u Kraussów przeczytała *Fizjologię miłości* Mantegazzy i wszystkie książki na tematy erotyczne, jakie udało jej się znaleźć. Stwierdził, że jego rzekome dobieranie się do panny – to czysty wymysł. Po tym incydencie stan Dory się pogorszył.

Zygmunt wiedział, że urazy tylko wtedy działają, kiedy są związane z jakimś przeżyciem w dzieciństwie. Dora skarżyła się na nieustanne uczucie ucisku w górnej części ciała, uczucie, które pozostało po pierwszym incydencie z panem Kraussem.

– A może pani stłumiła wspomnienie czegoś, co panią zdenerwowało lub przeraziło, i przeniosła je z dolnej części ciała na górną, bo o tym może pani swobodniej mówić?

– Nie rozumiem, o co panu chodzi, panie doktorze?

– Chodzi mi o to, że w chwili, gdy pan Krauss panią tak namiętnie obejmował, czuła pani nie tylko jego wargi na swoich ustach, ale także ucisk jego członka na pani ciało.

– To oburzające!

– Słowo „oburzające" wyraża osąd moralny. My zaś próbujemy dotrzeć do prawdy o wszystkich elementach, które sumując się przez okres wielu lat, doprowadziły panią, kobietę inteligentną, urodziwą, do melancholii, do unikania towarzystwa, do kłótni z rodzicami, do myśli samobójczych. Cóż w tym dziwnego, że próbujemy teraz dociec, czy nie jest to ucieczka przed nawrotem wrażeń, które towarzyszyły objęciom pana Kraussa?

– Nie potwierdzam i nie zaprzeczam.

Przez następne dwa tygodnie Dora obsesyjnie zgłaszała różne pretensje: do ojca, że kłamał i postępował nieuczciwie, kontynuując związek z panią Krauss; do pani Krauss, która prawie nie wychodziła z łóżka, złożona rzekomo chorobą, gdy mąż był w domu, ale jeździła po całej Europie, by spotykać się z jej ojcem; do pana Kraussa, że dwukrotnie usiłował ją uwieść; do swego brata, który brał stronę matki w rodzinnych sprzeczkach; do własnej matki, bo tylko dlatego pragnęła powrotu córki do zdrowia, by ta mogła jej pomagać w robieniu porządków.

Zygmunt wiedział już z doświadczenia, że tego rodzaju pretensje do ludzi oznaczają, iż pacjent ma żal do siebie samego. Z pretensji Dory do ojca, że zlekceważył jej skargę na niemoralne zachowanie się pana Kraussa, Zygmunt wywnioskował, że pacjentka chce stłumić własne wyrzuty sumienia, ponieważ od wielu lat ułatwiała ojcu romansowanie z panią Krauss. Starała się o tym nie myśleć, bo obawiała się, że może to doprowadzić do zerwania między obiema rodzinami.

Pewnego poniedziałkowego przedpołudnia, kiedy Dora rozpoczynała nowy tygodniowy cykl analiz, Zygmunt zapytał:

– Powiedziała mi pani, że ataki kaszlu trwają od trzech do sześciu tygodni. Na jak długo pan Krauss wyjeżdża w interesach?

Dora zarumieniła się.

– Na trzy do sześciu tygodni.

– Czy nie rozumie pani, że choroba świadczy o tym, że pani kocha się w panu Kraussie? W podobny sposób choruje pani Krauss, kiedy jej mąż wraca. Unika w ten sposób pożycia ze swoim mężem. Motywy są takie same: przez chorobę chce pani coś uzyskać.

– Ale co? Czy pan mnie uważa za idiotkę?

– Skądże! Jest pani bardzo inteligentną młodą dziewczyną. Ale nawet najinteligentniejsi ludzie niełatwo potrafią zrozumieć motywy, które nimi kierują. Równocześnie stara się pani doprowadzić do zerwania między ojcem a panią Krauss. I to już od dłuższego czasu. Jeśli uda się pani przekonać ojca, że ze względu na pani zdrowie musi zerwać z panią Krauss, odniesie pani sukces. Skoro pani sama oświadczyła, że rodzice od lat nie utrzymują już bliższych stosunków, to dlaczego określiła pani stosunki między ojcem a panią Krauss jako „zwyczajną miłostkę"?

– Ona kocha mego ojca tylko dlatego, że on ma pieniądze.

– Chce pani przez to powiedzieć, że on daje jej pieniądze, prezenty?

– Tak. Ona żyje na znacznie wyższej stopie, kupuje znacznie droższe rzeczy niż te, na które pozwalają dochody jej męża.

– A może chce pani przez to powiedzieć coś wręcz przeciwnego? Że ojciec pani jest człowiekiem bez majątku, to znaczy, że jest impotentem?

Dora bynajmniej nie poczuła się zakłopotana.

– Tak, od dawna już pragnę, żeby ojciec stał się impotentem; ustałyby wówczas ich stosunki seksualne. Ale wiem przecież, że są jeszcze inne możliwości zaspokojenia takich potrzeb.

– Ma pani na myśli erotykę oralną? Niedawno powiedziała mi pani, że do czwartego czy też piątego roku życia nie mogła się pani wyzbyć nawyku ssania kciuka. Skąd zaczerpnęła pani te wiadomości? Czy nie z lektury *Fizjologii miłości* Mantegazzy, którą znalazła pani w domu Kraussów?

– Naprawdę nie wiem, panie doktorze.

– Czy myśląc o innych sposobach zaspokajania potrzeb erotycznych, brała pani pod uwagę te części pani ciała, które są tak często podrażnione, pani gardło, jamę ustną? Czy kaszel nie jest seksualną autoekspresją? Czy pani podświadomość nie koncentruje pobudliwości w tych właśnie miejscach zamiast na narządach płciowych?

Kaszel zniknął. W kilka dni później Dora powiedziała:

– Początkowo byłam oburzona słowami, których pan użył dla określenia pewnych części ciała, ale wyrażał się pan tak klinicznie...

– Chce pani powiedzieć, że bez tej lubieżności, z jaką się o nich mówi w towarzystwie?

– Tak. Jestem przekonana, że bardzo wielu ludzi oburzyłyby niektóre fragmenty naszych rozmów, a równocześnie pańskie podejście do tych spraw jest znacznie przyzwoitsze niż rozmowy przyjaciół ojca i pana Kraussa.

W tej fazie analizy najczęściej powtarzały się pretensje do ojca.

– Nie mogę wybaczyć ojcu jego romansu. Nie wybaczę też pani Krauss.

– Reaguje pani jak zazdrosna żona – odpowiedział Zygmunt. – Pragnie pani zająć miejsce swojej matki, a także miejsce pani Krauss. Z tego wynika, że stała się pani dwiema kobietami. Jedną, którą pani ojciec kochał dawniej, i drugą, którą kocha teraz. Co z kolei prowadzi do wniosku, że kocha się pani w swoim ojcu, i to właśnie jest przyczyną wewnętrznych zaburzeń.

– Wolę się nie wypowiadać na ten temat.

Po kilku tygodniach Dora opowiedziała o powracającym uporczywie śnie:

– Palił się jakiś dom. Ojciec stanął przy moim łóżku i mnie obudził. Ubrałam się szybko. Matka chciała się jeszcze zatrzymać i ratować szkatułkę z klejnotami. Ale ojciec powiedział: „Nie mam zamiaru się spalić i nie pozwolę, żeby się spaliły moje dzieci przez tę twoją szkatułkę". Pośpiesznie zbiegliśmy na dół i po chwili byłam już na ulicy. Zbudziłam się.

– Jak pani wiadomo, w *Interpretacji marzeń sennych* napisałem: „Każdy sen jest pragnieniem przedstawionym jako spełnione. To przedstawienie działa jako osłona, jeśli pragnienie zostało stłumione, ponieważ jest podświadome, a tylko pragnienie podświadome może kształtować sen". Zajmiemy się teraz biżuterią. Co oznacza pani zdaniem epizod ze szkatułką, którą matka chciała uratować?

– Odmówiłam przyjęcia kosztownej szkatułki od pana Kraussa, gdy chciał mi ją podarować.

– Czyż nie wiedziała pani, że „szkatułka" jest także pospolicie używanym określeniem kobiecych organów płciowych?

– Wiedziałam, że pan to powie.

– Chciała pani powiedzieć, że wiedziała pani, że to prawda. Sen miał wyrażać następujące treści: „Moja szkatułka jest w niebezpieczeństwie. Jeśli ją stracę, to z winy ojca". Dlatego też we śnie wszystko odbywało się odwrotnie; w rzeczywistości ojciec wolał ocalić panią niż szkatułkę matki. Pytała pani, skąd się wzięła matka we śnie, skoro nie było jej u Kraussów podczas incydentu na jeziorze...

– Moja matka nie może odgrywać żadnej roli w tym śnie.

– Ależ odgrywa, ponieważ incydent wiąże się z pani dzieciństwem. W związku z bransoletką, której matka nie chciała przyjąć, pani wyjaśniła, że chętnie przyjęłaby to, czego matka nie chciała. A teraz przestawmy to wszystko i zastąpmy słowo „dać" słowem „przyjąć". Pani pragnęła dać ojcu to, czego odmawiała mu matka. Pan Krauss zajmuje we śnie miejsce ojca. On daje pani szkatułkę, a więc pani chciałaby dać jemu swoją szkatułkę. Pani matka zostaje teraz zastąpiona przez panią Krauss, która jest w domu. We śnie gotowa jest pani dać panu Kraussowi to, czego mu odmawia jego żona. Te właśnie uczucia zostały tak dynamicznie stłumione i one to zmusiły cenzora do odwrócenia wszystkiego do góry nogami. Sen świadczy również o tym, że odwoływała się pani do edypalnej miłości do ojca, aby zabezpieczyć się przed miłością do pana Kraussa. Proszę głęboko wniknąć w swe uczucia. Pani nie obawia się pana Kraussa. Boi się pani siebie samej, tego, że może pani ulec pokusie. Żaden śmiertelnik nie potrafi zachować tajemnicy.

Dora westchnęła głęboko.

– Panie doktorze, mam dość sekretów. Cieszę się, że wszystkie zostały ujawnione. Panu jednemu spośród wszystkich lekarzy, którzy się mną zajmowali, udało się mnie zdemaskować. Gardziłam nimi, bo nie umieli odgadnąć moich tajemnic. Kto wie, może naprawdę pan mnie wyzwolił?

– Być może... – Zygmunt jednak wątpił. Trzy miesiące analizy to za mało. A jednak Dora już do niego nie wróciła.

Szczegółowo notował przebieg każdego posiedzenia z Dorą. Odbywały się one sześć razy tygodniowo i trwały do końca 1900 roku. Każdego wieczora po kolacji spisywał kolejne etapy. Teraz zreasumował cały przypadek i wszystkie jego psychoanalityczne implikacje. Miał zamiar go opublikować jako odpowiedź tym, którzy atakowali *Interpretację marzeń sennych*. Rodzina Gieslów mieszkała na wsi i była mało znana w Wiedniu. Wystarczyło zmienić kilka szczegółów, by nikt nie mógł rozpoznać Dory.

Rękopis liczył sto stron. Skończył pisać pod koniec stycznia. W czerwcu wysłał pracę do „Monatsschrift für Psychiatrie und Neurologie", kiedy jednak wydawca ją zaakceptował, Zygmunt nagle zmienił zdanie, wycofał rękopis i schował go głęboko w szufladzie. Doszedł do wniosku, że lepiej będzie poczekać kilka lat. Czytelnicy tymczasem dojrzeją.

Zaczął pisać pracę o psychopatologii życia codziennego. Po raz pierwszy zwracał się nie do świata medycznego, lecz do szerokiego kręgu czytelników. Postanowił unikać problematyki erotycznej i nie następować na moralne nagniotki opinii publicznej. Materiał zaczerpnie z codziennych doświadczeń: przejęzyczenia, zapominanie, pomyłki, przekręcanie nazwisk i dat, niewłaściwe użycie słów, mylne oczytanie... Był głęboko przekonany, że można odkryć psychiczne determinanty najdrobniejszych procesów umysłowych. Rolę kluczową odgrywał w tej pracy termin „czynności pomyłkowe", czyli akty symptomatyczne. One bowiem, podobnie jak sny, umożliwiały przeniesienie do psychologii wielu wiadomości zdobytych przy badaniu nerwic i podświadomości. Jeśli prawdą jest, że zapominanie czy pomyłki nigdy nie są przypadkowe, lecz zawsze zamierzone, wówczas nadarza się okazja wykazania skomplikowanej podwójnej natury ludzkiego umysłu w najprostszych sytuacjach u zdrowych, normalnych ludzi.

Przytoczył anegdotę o przewodniczącym izby niższej w parlamencie austriackim, który otworzył posiedzenie słowami: „Panowie, stwierdzam, że mamy pełne quorum, wobec czego zamykam posiedzenie!". Wybuch śmiechu, którym przyjęto te słowa, świadczył, iż wszyscy zdawali sobie doskonale sprawę z tego, jak bardzo nie na rękę było to posiedzenie przewodniczącemu.

Umieścił też historyjkę o pewnym młodym człowieku, który powiedział swemu ukochanemu profesorowi, że zamierza napisać biografię jakiejś sławnej osobistości, a ten w obecności postronnych odpowiedział, że książek takich jest już dosyć na świecie. Rozmawiając w kilka dni później ze swym mistrzem, młodzieniec wystąpił z pretensją:

– To dziwne, że takie słowa padły z ust pana profesora. Przecież pan napisał z tej dziedziny więcej h i s t e r y c z n y c h dzieł niż ktokolwiek inny.

– Histerycznych czy historycznych? – zapytał profesor z uśmiechem.
– Ale dziękuję za nauczkę, bo w pełni na nią zasłużyłem.

Kiedy Zygmunt zapytał jedną ze swych pacjentek, jak czuje się jej wuj, odpowiedziała: „Nie wiem, ostatnio widuję go tylko *in flagranti*". Następnego dnia tłumaczyła się: „Tak mi wstyd, że zamiast *en passant* powiedziałam *in flagranti*". Tego samego dnia okazało się w toku psychoanalizy, że pewnego jej znajomego przyłapano *in flagranti* i bardzo się tym przejęła.

Ludzie często zapominali o spotkaniach, na które nie mieli ochoty, nie załączali czeków do listów, choć zawiadamiali, że czek wysyłają. Jeden z pacjentów Zygmunta miał przed wyjazdem uregulować znaczne honorarium. Poszedł do domu po pieniądze i w jednej chwili tak sprytnie zapodział klucze od biurka, że nie mógł się dostać do pieniędzy. Zygmunt podejrzewał pewną pacjentkę, że wstydzi się swojej rodziny. „Ależ to nieprawdopodobne – oświadczyła mu. – Są to przecież ludzie niezwykli, są *geizig* (chciwi), przepraszam, chciałam powiedzieć *geistig* (inteligentni)". Inna znowu pacjentka, prowadząc rozmowę towarzyską, nie mogła sobie przypomnieć tytułu powieści Lew Wallace'a, ponieważ tytuł *Ben Hur* tak bardzo przypominał jej niemieckie słowa *bin Hure* (jestem prostytutką).

„W naszej psychice – pisał – panuje znacznie mniejsza swoboda i dowolność, niż skłonni jesteśmy przypuszczać. Być może w ogóle ich nie ma. Wiemy, że przypadki często można ująć w prawa. Podobnie to, co nazywamy dowolnością umysłu, opiera się na prawach, których istnienie zaczynamy dopiero podejrzewać".

Anegdotą o sobie posłużył się, by zilustrować teorię, iż liczby rzadko przychodzą na myśl przypadkowo, że nieuchronnie podpowiada je podświadomość. Pewnego dnia wybrał się do księgarni, żeby nabyć kilka książek medycznych, i poprosił o zwyczajowy dziesięcioprocentowy rabat. Następnego dnia zaniósł do antykwariusza kilka niepotrzebnych mu dzieł medycznych i żądał za nie przyzwoitej ceny. Księgarz chciał zapłacić o dziesięć procent mniej. Stamtąd poszedł do banku, by podjąć 380 koron (była to nowa austriacka jednostka monetarna wartości pół guldena) z konta, na którym miał 4380 koron; ale wypisując czek, zorientował się, że wystawił go na 438 koron: na dziesięć procent swych oszczędności!

Nie chcąc urazić opinii publicznej, włączył tylko kilka przypadków o podłożu erotycznym. Jedna z pacjentek próbowała odtworzyć zapomniany incydent z dzieciństwa, kiedy jakiś mężczyzna lubieżnie dotknął jej ręką. Nie mogła sobie przypomnieć, o jaką część ciała chodziło. Kilka minut później, kiedy Zygmunt zapytał ją, gdzie znajduje się jej letnia willa, odpowiedziała: „Na *Berglende* (w górnej części lędźwi)... przepraszam, chciałam powiedzieć *Berglehne* (na zboczu góry).

Podczas wakacji spotkał dawnego kolegę uniwersyteckiego, który z wielkim niepokojem mówił o niepewnej przyszłości Żydów w Austrii i próbował zakończyć swe wywody cytatem z Wergiliusza: „Niech z moich kości powstanie przyszły mściciel", ale nie mógł sobie przypomnieć kluczowego słowa i przestawił resztę: *Exoriare ex nostris ossibus ultor.* Wiedział, że coś przekręcił.

– Pomóż mi, Zygmuncie, jak to właściwie jest w tekście.

– Z przyjemnością. *Exoriare aliquis nostris ex ossibus ultor.*

– Jakże mogłem zapomnieć! À propos, twierdzisz, że nigdy nie zapomina się bez powodu. Wytłumacz mi więc, jakim cudem zapomniałem *aliquis*?

– To nie powinno być trudne. Musisz tylko powiedzieć mi szczerze i bez zastanowienia to, co ci przychodzi na myśl, gdy koncentrujesz uwagę na zapomnianym słowie; nie doszukuj się żadnego sensu!

– Dobrze. A więc przede wszystkim korci mnie, by dzielić to słowo na przykład w taki sposób: *a-liquis*.

– A dalej?

– Dalej relikwie, upłynnienie, płyn, płynność. Coś już wykryłeś?

– Nic na razie. Próbuj dalej.

– Teraz myślę – ciągnął z ironicznym uśmiechem – o Szymonie z Trydentu, jego relikwie widziałem przed dwoma laty w kościele w Trydencie. Myślę o mordach rytualnych, które teraz właśnie zarzuca się Żydom. I o książce Kleinpaula. Wszystkie rzekome ofiary mordów rytualnych autor uważa za reinkarnacje czy kolejne wcielenia Zbawcy.

– Ta myśl pozostaje w pewnym związku z tematem rozmowy, którą prowadziliśmy, zanim uciekło ci z pamięci to łacińskie słowo.

– Prawda. Z kolei myślę o artykule przeczytanym niedawno w jakiejś włoskiej gazecie. Był, zdaje się, zatytułowany: *Święty Augustyn mówi o kobietach*. Coś z tego rozumiesz?

– Czekam.

– A teraz coś całkiem niezwiązanego z tematem...

– Powstrzymaj się od wszelkich ocen...

– Oczywiście, rozumiem. Myślę o pewnym eleganckim starszym panu. Poznałem go w podróży w ubiegłym tygodniu. Prawdziwy oryginał. Wyglądał jak drapieżny ptak. Miał na imię Benedykt.

– Mamy więc cały szereg świętych i Ojców Kościoła: święty Szymon, święty Augustyn, święty Benedykt...

– A teraz przychodzi mi na myśl święty January i cud krwi. Mam wrażenie, że kojarzę zupełnie mechanicznie.

– Chwileczkę. Święty January i święty Augustyn mają coś wspólnego z kalendarzem. Przypomnij mi, na czym polega cud krwi?

– Musiałeś o tym słyszeć. W jednym z kościołów neapolitańskich przechowują w ampułce krew świętego Januarego i w określony dzień krew ta się upłynnia w cudowny sposób. Lud przywiązuje wielką wagę do tego cudu i gdy cud się opóźnia, wszyscy są bardzo zaniepokojeni...

– Dlaczego przerwałeś...

– Przyszło mi coś do głowy... ale to jest zbyt intymne, nie mogę ci o tym powiedzieć. Poza tym nie widzę żadnego związku... Pomyślałem nagle o pewnej pani, od której mogę otrzymać bardzo kłopotliwą dla nas obojga wiadomość.

– Że nie miała okresu?

– W jaki sposób zgadłeś?

– To wcale nie było tak trudne. Sam utorowałeś drogę. Pomyśl: święci kalendarzowi, krew, która staje się płynna w określony dzień; niepokój, gdy wydarzenie nie następuje... W rzeczy samej posłużyłeś się cudem świętego Januarego jako aluzją do kobiecego periodu.

– Naprawdę uważasz, że mój niepokój uniemożliwił mi przypomnienie sobie tak błahego słowa jak *aliquis*?

– Jestem nawet pewny. Przypomnij sobie tylko, jak chciałeś podzielić *a-liquis* i asocjacje: relikwie – upłynnienie – płyn.

– Więc jeszcze dodam, że ta pani jest Włoszką i że byłem z nią w Neapolu. Ale to wszystko przecież może być przypadkowe?

– Sam rozstrzygnij, czy przypadek tłumaczy to wszystko? Powiem ci tylko, że wszystkie tego rodzaju „przypadki" są równie zdumiewające.

Kiedy później opublikował tę historię, wielu czytelników przyznało mu rację.

Dwudziestego drugiego stycznia 1901 roku zmarła po sześćdziesięciu czterech latach panowania królowa angielska Wiktoria. Zygmunt dostatecznie dobrze znał historię Anglii, by wiedzieć, że oznacza to koniec epoki, dla której znamienna była postawa zmarłej monarchini, postawa wroga doktrynie doktora Zygmunta Freuda o erotycznej naturze człowieka. W tym pierwszym miesiącu pierwszego roku wieku dwudziestego pozwolił sobie żywić nadzieję, że nowe stulecie będzie bardziej światłe, mniej pruderyjne, mniej fanatyczne, mniej przestraszone normalnymi erotycznymi właściwościami człowieka. Być może uzna ono nawet, że kobiety mają nogi, a nie kończyny dolne, i że dzieci przychodzą na świat z normalnymi instynktami seksualnymi. Zastanawiał się, czy dożyje czasu, kiedy w umysłach ludzkich zajdzie wreszcie jakaś dostrzegalna zmiana. Darwin stawiał sobie to samo pytanie. Zygmunt znał obelgi, jakimi obrzucono Darwina; były równie brutalne jak wyzwiska, które posypały się na jego głowę na łamach prasy ojczystej. Pocieszał się, rozmyślając o powszechnej głupocie ludzi.

Szybko ukończył *Psychopatologię życia codziennego* i odesłał rękopis. Ziehen obiecał, że opublikuje pracę w miesiącach letnich. Marta zapytała go nieśmiało, gdy szli na niedzielny obiad do jego matki, dlaczego tę obszerną pracę, która jak mówił, przeznaczona była dla szerokiego kręgu czytelników, chce zamieścić w tak specjalistycznym piśmie, jakim jest „Monatschrift für Psychiatrie und Neurologie", a nie w jakimś zwyczajnym periodyku. Czyżby dlatego, że uprzednio wycofał relacje o przypadku Dory Giesl?

– Poniekąd. Ale także dlatego, że byłoby rzeczą niestosowną dla lekarza ogłaszać artykuł w popularnym czasopiśmie. Naukowiec powinien drukować tylko w pismach naukowych.

– W takim razie w jaki sposób dotrze treść takiej pracy do szerokiej opinii publicznej?

– Drogą osmozy. Takie rzeczy przeciekają.

W tym właśnie czasie, po raz pierwszy od pięciu lat, od nieszczęsnej prelekcji o etiologii histerii w Towarzystwie Psychiatryczno-Neurologicznym, poproszono go o wygłoszenie odczytu w wiedeńskim Towarzystwie Filozoficznym. Do jego członków zaliczali się najwybitniejsi przedstawiciele wszystkich wydziałów uniwersytetu. Członkowie stowarzyszenia spotykali się początkowo w kawiarni „Kaiserhof", ale już w 1888 roku opiekę nad nimi przejął wydział filozofii, oddając do dyspozycji szybko wzrastającej liczby członków specjalne audytorium. Zygmunt nieraz chodził na znakomite prelekcje i dyskusje nie tylko z dziedziny medycyny, lecz także filozofii. Tylko dwie kobiety należały do tego Towarzystwa, ale na odczytach bywało ich więcej. Przychodziły razem z mężami i rodzicami. Towarzystwo odgrywało poważną rolę w życiu intelektualnym Wiednia.

Jego zarząd skontaktował się z Zygmuntem za pośrednictwem Józefa Breuera, który napisał do niego, nakłaniając usilnie do przyjęcia zaproszenia. Zygmunt nie posiadał się z radości. Miał co prawda kilka prelekcji o snach w „B'nai B'rith", mówił także na ten temat nielicznym słuchaczom, uczęszczającym na jego wykłady, ale robił to z własnej inicjatywy. Izolacja zaczęła mu bardzo dolegać. Nie uważał bynajmniej tego zaproszenia za gest poparcia ze strony Towarzystwa, niemniej udostępniono mu jedną z najpoważniejszych trybun w Europie. Postanowił napisać długi przekonywający i jasny referat.

Po przeczytaniu tego, co napisał, uświadomił sobie, że w tekście znalazło się dużo materiału z zakresu spraw erotycznych, który dla publiczności mieszanej mógłby się okazać zbyt szokujący i nie do przyjęcia. Zawiadomił o tym Towarzystwo, proponując odwołanie odczytu. Dwóch członków zarządu przyszło na Berggasse, by nakłonić go do zmiany decyzji.

– Dobrze. Ale pod warunkiem, że w przyszłym tygodniu panowie poświęcą jeden wieczór i przyjdą do mnie. Przeczytam referat. Jeśli dojdziecie do wniosku, że nie zawiera on niczego gorszącego, z przyjemnością wygłoszę go w waszym Towarzystwie.

Panowie wysłuchali godzinnego referatu z wielkim zainteresowaniem. Podziękowali mu za to, że poświęcił im tyle czasu, po czym jeden z nich dodał:

– Nasi członkowie są ludźmi wykształconymi, panie doktorze. Widzieli świat i mają otwarte umysły. Pańskie tezy zapewne wywołają pewne zaskoczenie, być może nawet pewien wstrząs, ale z pewnością nie sprowokują oburzenia natury moralnej. Stanowimy jak najwłaściwsze forum dla przedstawienia tego rodzaju nowych hipotez w dziedzinie neurologii.

Zawiadomienie o prelekcji ukazało się w „Neue Freie Presse" i wzbudziło znaczne zainteresowanie. W dzień odczytu Zygmunt otrzymał list. Rzecznik Towarzystwa Filozoficznego przepraszał: sygnały o treści prelekcji pana doktora Freuda przeciekły do wiadomości publicznej. Niektórzy członkowie, panowie, a nie panie, zgłosili zastrzeżenia. Czy pan doktor nie zechciałby zacząć od przedstawienia przypadków mniej drażliwych, niedotyczących problematyki seksualnej? A gdy przejdzie do treści, które zdaniem niektórych mogłyby zostać uznane za gorszące, czy nie zechciałby zapowiedzieć, że ma zamiar poruszyć tematy drażliwe, poczekać kilka chwil, oczywiście w milczeniu, „by w tym czasie damy mogły opuścić salę"?

Zygmunt odwołał prelekcję. W liście dawał wyraz swemu oburzeniu, nie starając się wcale o dobór słów.

– Czy nie lepiej byłoby, gdybyś mówił o psychopatologii życia codziennego? – zapytała go Marta. – Sam powiedziałeś, że to jest najłatwiejsze wprowadzenie do problemu podświadomości i że książka zawiera mało przykładów z życia seksualnego.

– Mogłem tak zrobić, gdyby mnie od samego początku o taką właśnie prelekcję prosili. Ale uznanie dziewięćdziesięciu procent spraw, które wyłożyłem jako najistotniejszą część mojej pracy, za nieprzyzwoite lub budzące zastrzeżenia, równałoby się potwierdzeniu, że robię coś niewłaściwego. Jeśli ci panowie uważają, że uszy ich pań są zbyt delikatne, by wysłuchać informacji o życiu seksualnym *Homo sapiens*, wówczas najlepiej będzie, jeśli wycofam się z tej walki byków.

– Gdybyś miał wybierać, kim wolałbyś być: bykiem czy matadorem?

– Na każdą fiestę wyruszam we wspaniałym stroju matadora, ale pod koniec walki okazuje się, że jakimś cudem zamieniłem się w byka klęczącego na piasku areny.

11

Kilka razy w tygodniu Aleksander miał w Akademii Handlowej wieczorne wykłady o taryfach transportowych. Po zajęciach wpadał do Zygmuntów na herbatę. Skończył trzydzieści cztery lata, miał poważny udział w firmie okrętowej, ubierał się elegancko i prowadził światowe życie. Najchętniej chodził na ulubione operetki. Jak dotąd nie zdradzał najmniejszej ochoty do żeniaczki.

– Mam jeszcze czas, by się ustatkować. Za pięć miesięcy Maurycy Muenz wycofuje się z firmy; będę jedynym właścicielem. Wtedy zacznę się rozglądać za żoną.

Leopold Königstein dostał wreszcie nominację na profesora nadzwyczajnego. Marta wydała na jego cześć kolację, na którą zaprosiła starych przyjaciół Zygmunta. Po kolacji zorganizowano partyjkę taroka. Wkrótce potem Aleksander został profesorem nadzwyczajnym w Akademii Handlowej. Tym razem Marta wydała obiad dla rodziny. Atmosfera trochę się popsuła, kiedy Amelia głośno powiedziała przy stole:

– Nigdy nie myślałam, że mój młodszy syn wcześniej zostanie profesorem niż starszy.

Zygmunt ugryzł się w język, by nie dorzucić, że Akademia Handlowa to nie Uniwersytet Wiedeński. Zażartował:

– W rodzinie Freudów mamy samych geniuszów!

Ale nieostrożna uwaga matki nie dawała mu spokoju przez kilka następnych dni. Zastanawiał się, czy nie warto wznowić starań u ministra oświaty. Tylko jak to zrobić?

Wilhelm Fliess napisał, że usiłuje przekonać niejaką panią Doblhoff, by wybrała się do doktora Freuda w Wiedniu, ponieważ berlińscy neurolodzy nie umieli jej wyleczyć. Wilhelm zapewnił państwa Doblhoff, że pan docent Freud, który stosuje nowe metody lecznicze, z pewnością pomoże chorej. Zygmunt zdziwił się i pomyślał sobie, że Fliess postępuje dokładnie tak samo jak profesor Nothnagel, twierdzi, że nie wierzy co prawda w jego metody, ale posyła mu pacjenta, ponieważ nikt inny nie mógł mu pomóc. Może jemu się uda? Czyżby wciąż jeszcze był czymś w rodzaju ostatniej instancji odwoławczej?

Z początkiem czerwca wybrał się do Bawarii, żeby wyszukać jakieś letnisko dla rodziny. Pociągiem dojechał do Salzburga, gdzie odwiedził panią Bernays i Minnę, które odpoczywały w Reichenhallu, a stamtąd ruszył dalej powozem. Okolice pobliskiego Thumsee oczarowały go; małe zielone jezioro, alpejskie róże zstępujące z gór aż do szosy, wspaniałe lasy, poziomki, morze kwiatów, grzyby... Nie było już ani jednej willi do wynajęcia, ale zmarł właśnie lekarz mieszkający w miejscowym zajeździe. Zygmunt wynajął więc pokoje po nim.

Nad Thumsee rodzina czuła się jak w raju. Dzieci miały niespożyty apetyt, zdobywały nieliczne wolne łódki na jeziorze i przepadały na cały dzień, obficie zaopatrzone w jedzenie. Marcin miał już lat jedenaście, Oliver dziesięć, a Ernest dziewięć. Matka sprawiła im identyczne stroje: krótkie skórzane spodenki z nakładanymi kieszeniami, sznurowane buciki, grube skarpety do kolan, miękkie luźne kurtki, białe koszule, krawaty w groszki i okrągłe kapelusze z piórkiem zatkniętym za tasiemkę. Zygmunt czasami wybierał się z nimi, ale twierdził, że łowienie ryb jest ogłupiającym zajęciem. Wolał zabierać ze sobą na spacer trzy córeczki i zbierać z nimi jagody w lesie. Marta była oczarowana okolicą i zajazdem.

Zygmunta trapił jednak niepokój. Od ukończenia *Psychopatologii życia codziennego* czuł się intelektualnie wyczerpany. Denerwował go brak nowych pomysłów. Z praktyki był zadowolony; pacjentów miał mniej i dzięki temu pracował w mniejszym napięciu. Właściwie powinien dopisywać mu znakomity nastrój, ale wolny czas Zygmuntowi ciążył. Nieustannie, we śnie i na jawie, myślał o spędzeniu Wielkanocy w Rzymie. Czytał dużo o greckiej archeologii, „odbywając podróże do miejsc, gdzie nigdy się nie wybierze, i odkrywając skarby, których nigdy nie będzie posiadał", ale teraz myśli jego zwróciły się ku Rzymowi. Studiował plany miasta, by swobodnie je zwiedzać, gdy wreszcie zdobędzie się na odwagę i przełamie opory. Nie mógł zrozumieć, na czym one polegają. Przecież z autoanalizy wiedział, co było powodem stłumienia tych pragnień. Ale dlaczego teraz nie może zdecydować się na podróż? Musi wreszcie tam pojechać!

– Wiesz, czego mi potrzeba? – powiedział pewnego dnia do Marty. – Kilku tygodni w ojczyźnie wina i oliwy.

– Oczywiście, powinieneś pojechać! Zmiana miejsca dobrze ci zrobi przed nowym rokiem pracy.

Zygmunt jednak nie mógł się zdecydować. Zabrał Martę do Salzburga na operę, potem przez kilka dni nie wychodził z zajazdu, bo padał ulewny deszcz. Czytał wstęp do *Zagadki Sfinksa* doktora Ludwika Laistnera, który próbował dowieść, że w snach można odnaleźć źródła mitów, ale odłożył książkę, kiedy się zorientował, że autor nie ma pojęcia o treściach ukrytych w snach. Jedyną ciekawą wiadomością w gazetach było doniesienie o odkryciu przez sir Arthura Evansa pałacu w Knossos na Krecie, kolebce najstarszej kultury greckiej, z piętnastego wieku przed Chrystusem. Tam rzekomo znajdował się labirynt Minosa.

Te nowe wykopaliska przypomniały mu wciąż niespełnione pragnienie podróży do Rzymu. Podczas spaceru w lesie zaskoczyła go burza. Z mknących szybko ciemnych chmur uderzył piorun.

– Ależ oczywiście! – zawołał głośno. Jakże mógł tego od razu nie zrozumieć! Sądził, że zakończenie autoanalizy umożliwi mu wyjazd do Rzymu, tymczasem wręcz przeciwnie: przybycie do Rzymu będzie równoznaczne z oficjalnym zakończeniem analizy. Był to symptomatyczny akt, którego musiał dopełnić, by wyzwolić się do końca.

Nie zważając na ulewny deszcz, pobiegł do zajazdu. Zastał Martę z książką w ręku, czytającą dzieciom przy świetle lampy naftowej. Natychmiast zauważyła niezwykłe podniecenie w jego oczach.

– Co się stało? Wyglądasz tak, jakby ci się przytrafiło coś niezwykłego.

– Zgadłaś. Olśniła mnie nagła myśl. Pierwszego września wyjeżdżamy do Rzymu. Na dwa tygodnie. I co ty na to?

– Chwała Bogu! Przecież wiem, że od dawna już marzysz o tej podróży. – Przez chwilę stała zamyślona, po czym objęła męża i dodała: – Bardzo się cieszę, że chcesz ze mną dzielić to wielkie przeżycie, ale mogę sobie wyobra-

zić, jak zechcesz w dwa tygodnie zaznajomić mnie z dwoma tysiącami lat
rzymskiej historii, nie zważając na, jak to sam określiłeś, wściekły upał
i malarię rzymskiego lata. Pojadę z tobą następnym razem, kiedy już będziesz lepiej znał miasto i potrafisz je zwiedzać z filozoficznym spokojem.

W końcu postanowił, że zabierze ze sobą Aleksandra.

W drugim dniu podróży, w południe, znaleźli się na Dworcu Centralnym
i dorożką pojechali do hotelu „Milano" na Piazza Montecitorio. Przejażdżkę po mieście przeżywał Zygmunt tak silnie, że chwilami zdawało mu się,
że przestanie oddychać. Mijali znane mu z lektur ulice i place. Zobaczyli
piękną fontannę Najad na Piazza dell'Esedra, kolumnę Marka Aureliusza
na Piazza Colonna, obelisk z Heliopolis przywieziony do Rzymu przez Augusta i ustawiony na Polu Marsowym.

W hotelu „Milano" dostali duży pokój ze światłem elektrycznym, a nie
gazowym, do którego przywykł w czasie dotychczasowych podróży. Zygmunt szybko wykąpał się, przebrał i patrząc w lustro, zawołał:

– Czuję się teraz jak prawdziwy rzymianin, choć prawdę mówiąc, wolałbym się kąpać w termach Karakalli, otoczony setkami senatorów i arysto-
kratów rzymskich grających w kości na marmurowych posadzkach.

– Mówisz, jakbyś czytał z przewodnika, który masz w kieszeni – odparł
Aleksander.

– Wychodzimy. Znajdziemy dobrą restaurację, a potem będziemy się
włóczyć bez celu. Od jutra zaczynamy planowe zwiedzanie.

– W to nie wątpię – stwierdził z rezygnacją Aleksander. – Trzeba się
wcześnie położyć spać, bo na pewno zechcesz oglądać wschód słońca w Koloseum.

– Jeszcze nie teraz. To jest wielka chwila w moim życiu i chcę ją w pełni
wykorzystać. Nie wyobrażasz sobie, jaki jestem szczęśliwy i co to dla mnie
znaczy, że jestem w Rzymie.

Następnego dnia wyszli z hotelu o wpół do ósmej. Zwiedzanie zaczęli od
Bazyliki św. Piotra, której kopułę – dzieło Michała Anioła – obejrzeli poprzedniego popołudnia z Piazzale del Pincio. Weszli przez przedsionek i pośpiesznie skierowali swe kroki do nawy środkowej. Z głębokim przejęciem podziwiali niezwykłe proporcje tej najważniejszej świątyni chrześcijańskiego
świata. Krętymi schodami zeszli do grobu św. Piotra, po czym wspięli się po
setkach stopni pod kopułę, by stamtąd rzucić okiem na ogrom kościoła.
Z balkonów, ozdobionych potężnymi rzeźbami, podziwiali roztaczającą się
przed ich oczami panoramę Rzymu przeciętą przez Tybr. Tuż przed nimi
wznosił się zamek św. Anioła.

Po wyjściu z bazyliki udali się do Muzeum Watykańskiego. Choć tyle już
czytał o Kaplicy Sykstyńskiej, nie przypuszczał, że zrobi ona na nim aż

takie wrażenie. Z zadartą głową wchłaniał ten cud kunsztu malarskiego: *Proroków, Sybille, Stworzenie człowieka, Potop...* niemal przerastające jego zdolność wchłaniania wrażeń. Czuł, jak ugina się pod wielkością dzieła i jak ono rodzi w nim natchnienie. Na samym końcu stanął przed *Sądem Ostatecznym*, z potężną postacią Chrystusa strącającego grzeszników do piekła i Marią przedziwnej piękności, siedzącą obok niego w przetkanych światłem szatach.

Do hotelu wrócił oniemiały z zachwytu. Pisał do Marty: „I pomyśleć tylko, że przez lata całe bałem się jechać do Rzymu!".

Następnego przedpołudnia spędzili dwie i pół godziny w Muzeum Narodowym, podziwiając piękną kolekcję starożytnych rzeźb greckich. Potem powędrowali słonecznymi ulicami do Fontanny di Trevi, gdzie zgodnie z obyczajem wrzucili monety w pieniące się strumienie wody, co miało zapewnić im powrót do Rzymu. Obiad zjedli na tarasie pobliskiej restauracji z widokiem na potężne kamienne trytony zaprzężone do skrzydlatego rydwanu. Po znakomitych *fettuccine* i świetnych *ossibucchi*, z których długimi wąskimi nożami wydłubywali tuk, poszli do Panteonu wspartego na szesnastu monolitycznych kolumnach, zaskakującego rozległością wnętrza. Przez okrągły otwór u szczytu kopulastego stropu przezierało czyste włoskie niebo. Popołudnie spędzili w Koloseum.

Lekką kolację spożyli na Piazza Navona, na tarasie restauracji, skąd mogli podziwiać barokowe fontanny Berniniego, potem wolno spacerkiem wrócili do hotelu. Rzymianie „mieszkali" na ulicy. Na progach domów matki karmiły piersią dzieci, rodziny zaopatrywały się w żywność w kramach, na miejscu spożywały wieczorny posiłek, śpiewając, dyskutując. Młode pary siedziały oparte o mury domów, obejmując się i całując, jak w Paryżu.

– Współczesnych rzymian lubię nie mniej niż starożytnych – stwierdził Zygmunt. – Żyją *en plein air*. W Wiedniu możesz robić, co ci się podoba, za zamkniętymi drzwiami, ale na ulicy wolno ci najwyżej pić kawę.

Dni mijały wśród fantasmagorii widoków, dźwięków i objawień. Nigdy jeszcze nie czuł się tak dobrze. Wynajęli na cztery godziny dorożkę, by wyrobić sobie ogólne pojęcie o mieście. Kilka razy byli na Palatynie, który stał się ukochanym wzgórzem rzymskim Zygmunta, bardziej mu się nawet podobał niż Kapitol, tak wspaniale zaplanowany przez Michała Anioła, uwieńczony pałacem Senatorów i pomnikiem Marka Aureliusza. Obejrzał *Mojżesza* w kościele San Pietro in Vincoli, ślubując sobie, że pewnego dnia napisze książkę o tej marmurowej rzeźbie. U handlarza antykami znalazł antyczną egipską głowę, marmurowe kobiece popiersie z Azji Mniejszej, dwie stojące egipskie figurynki, małe, lecz pięknie wykończone, i wreszcie grecko-rzymski półszlachetny kamień z wyrytą głową Jowisza. Oprawił go w złoty pierścień, do którego był bardzo przywiązany i z którym rzadko się rozstawał.

Dziewiątego dnia powiał gorący południowy wiatr z Afryki – *sirocco*. Zmęczył Zygmunta potwornie, ale nadal oglądał cuda Wiecznego Miasta: Forum z łukiem Septymiusza Sewera, bazylikę Julia, dom westalek. Szli przez Via dei Fori Imperiali, mijając co chwila jakieś szlachetne w proporcjach forum, budowane kolejno przez Cezara Augusta i Trajana. Ostatniego dnia natrafił Zygmunt na miejsce, które stało się źródłem jego najgłębszego przeżycia: małą, mroczną, podziemną świątynię pogańską z zachowanym w nienaruszonym stanie ołtarzem ofiarnym. Nad nią, chociaż w znacznej swej części znajdował się również pod ziemią, stał wczesny kościół chrześcijański z II wieku, surowy, bez żadnych ozdób, nad nim zaś jeszcze trzeci kościół: wielki, bogaty, siedemnastowieczny. Zygmunt dopatrzył się w tych budowlach symbolu genezy i struktury własnej pracy: podświadomość, przedświadomość i świadomość, ułożone warstwami w takiej właśnie kolejności.

Dwunastego dnia bracia wsiedli do pociągu, który miał ich zawieźć z powrotem do Wiednia. Gdy znaleźli się w przedziale, Zygmunt odetchnął z ulgą.

12

W Wiedniu czekały na niego trzy ciekawe przypadki. Dwa z nich miały odegrać poważną rolę w jego życiu.

Pierwszym była baronowa Maria von Ferstel, z domu Thorsch, kobieta po trzydziestce, o królewskiej postawie, pięknej twarzy, wyrazistych rysach i dużych ciemnych oczach. Urodziła się w Pradze, w bogatej międzynarodowej rodzinie bankierów i hurtowników, wychowywała się w pałacu Thorsch, gmaszysku tak wielkim, że zajmowało cały kwartał. Ojciec jej, Dawid, rzucił interesy i wybrał zawód inżyniera. Maria Thorsch wyszła za mąż za barona Erwina von Ferstla, bogatego konsula w służbie cesarskiego Ministerstwa Spraw Zewnętrznych. Ślub młodej pary odbył się w Votivkirche, kościele zaprojektowanym i wybudowanym przez ojca barona Henryka von Ferstla, jednego z najwybitniejszych architektów Wiednia, jego dziełem był również gmach Uniwersytetu Wiedeńskiego. Pani baronowa miała cztery córki i prowadziła jeden z ciekawszych salonów w stolicy cesarstwa. Thorschowie byli Żydami, ale Maria przeszła na katolicyzm, zanim jeszcze poślubiła barona von Ferstla. Powszechnie uważano, że kierowała się szczerymi pobudkami.

– Panie doktorze, przychodzę z polecenia pani radczyni Gomperzowej, która powiedziała mi, że wyleczył ją pan w ciągu jednego miesiąca.

– To była nieskomplikowana sprawa, zwichnięcie ręki. Czy mogę wiedzieć, co pani dolega?

– Cierpię na bóle głowy. Budzę się rano z doskonałym samopoczuciem, wypoczęta, i z przyjemnością przystępuję do załatwiania moich spraw. Ale w miarę jak mijają godziny, kiedy otwieram pocztę i zjawiają się posłańcy z zawiadomieniami o konferencjach i dobroczynnych imprezach, mam takie uczucie, jakbym nosiła za ciasny kapelusz.

– Czy nie zechciałaby pani pokazać, w którym miejscu bóle się zaczynają?

– Tu, w tym miejscu, gdzie szyja łączy się z głową. – Potarła miejsce lewą ręką. – Ból promieniuje z wierzchołka głowy, potem w dół, do czoła. Niekiedy głowa tak mi ciąży, że wydaje mi się samodzielną częścią mego ciała poruszającą się niezależnie ode mnie.

– Pani baronowo, mamy chyba do czynienia z klasycznym bólem głowy spowodowanym przez napięcie nerwowe.

Stwierdził bolesność uciskową w miejscu wyjścia nerwu potylicznego, ale nic poza tym. Poprosił pacjentkę, by opisała szczegółowo swój dzień, od obudzenia się do zaśnięcia. Okazało się, że jest to jedna z najbardziej zapracowanych dam cesarstwa austro-węgierskiego. Nie potrafiła odmówić, gdy proszono ją o udział w jakiejkolwiek imprezie organizowanej pod patronatem cesarza czy parlamentu, burmistrza miasta czy wreszcie przez jakieś stowarzyszenia oświatowe lub religijne. Z tego, co mówiła, wynikało jasno, że nie ma żadnych kłopotów rodzinnych. Baronostwo, choć już jedenaście lat upłynęło od ich ślubu, byli nadal w sobie zakochani. Baronowa nie miała żadnej nerwicy, nie cierpiała na histerię.

Podczas jednej z wizyt zapytała go:

– Panie doktorze, cóż może być złego w tych wszystkich moich zajęciach, skoro służą one dobrym sprawom?

– Być może podejmuje się pani zbyt wielu.

– Rzeczywiście, chwilami odnoszę wrażenie, że już nie daję sobie rady.

– Czy nie jestem bliski prawdy, stwierdzając, że odczuwa pani wewnętrzną konieczność takiej aktywności?

Baronowa siedziała przez chwilę ze zwieszoną głową, po czym uniosła wzrok i odpowiedziała szczerze:

– To prawda. Czuję w sobie jakąś konieczność działania. Można powiedzieć: *noblesse oblige*. Ale z pańskich słów wnioskuję, że pana zdaniem sprawa jest bardziej złożona. Nie pragnę bynajmniej być osobą, do której się zawsze we wszystkich sprawach zwracają, ale równocześnie nie chcę być w czymkolwiek pominięta. Czy tego rodzaju sprzeczność wydaje się panu sensowna?

– Ależ tak. Bardzo niewielu ludziom udaje się przejść przez życie bez pewnego rodzaju dwudzielności.

Baronowa von Ferstel się zamyśliła.

– Mój mąż jest dyplomatą. Podejmujemy u siebie wielu interesujących i ważnych ludzi. Zarówno moja rodzina, jak i rodzina męża są zamożne od pokoleń. Nigdy nie było żadnych konfliktów, żadnych wstrząsów, zawodów. Skąd więc ten konflikt wewnętrzny?

– To właśnie postaramy się zrozumieć. Nie sądzę, by potrzebowała pani głębokiej analizy.

Przez pierwsze dwa miesiące leczenia w stanie pacjentki nie nastąpiła jakaś znaczniejsza poprawa. Powoli jednak z jej słów zaczęła się wyłaniać potrzeba współzawodniczenia z własną matką, wielką damą, prowadzącą świetny salon. Starsza pani Thorsch zdobyła bardzo wysoką pozycję towarzyską. Stale bywała na dworze cesarskim, słynęła z działalności charytatywnej nie tylko na rzecz Szpitala Żydowskiego, Zakładu dla Ociemniałych i Sierocińca, ale także wielu katolickich instytucji. Dominująca postać matki zmuszała baronową Ferstel do wysiłków przekraczających jej wytrzymałość psychiczną i rzeczywiste potrzeby.

Innym czynnikiem wpływającym szczególnie na jej zachowanie było przejście na katolicyzm. Nie będąc urodzoną katoliczką, baronowa czuła, że powinna robić więcej niż inni, by nikt nie mógł powiedzieć, że odmowa z jej strony wiąże się z jej żydowskim pochodzeniem.

Baronowa wysłuchała Zygmunta, zgodziła się z jego rozumowaniem i zastanawiając się nad swoim życiem, znajdowała dalsze potwierdzenie słuszności jego wniosków. Bóle głowy zaczęły ustępować. Zmniejszyło się uczucie napięcia. Coraz rzadziej powracało wrażenie ucisku w głowie. Zaczęła ograniczać swe zajęcia, odrzucając takie, które mogły równie dobrze wykonywać inne osoby. Wizyty u Zygmunta stały się przyjemnością; była pod wrażeniem jego metody dostarczającej ludziom oręża do walki z niewidzialnym wrogiem. Pod koniec trzeciego miesiąca czuła się już zupełnie dobrze.

Pojawienie się drugiego pacjenta sprawiło mu szczególną radość. Doktor Wilhelm Stekel jako pierwszy praktykujący lekarz zwrócił się do niego o poradę. Miał lat trzydzieści trzy, ukończył studia na wydziale medycznym Uniwersytetu Wiedeńskiego, chociaż urodził się i wychował na Bukowinie. Stekel był barwną postacią. Urodzony aktor, nosił podkręcone do góry wąsy, nieskazitelnie utrzymaną bródkę, a oczy miał tak duże, że źrenice zdawały się pływać jak po morzu. Ubierał się szykownie, nosił fantazyjne krawaty i zawadiackie kapelusze. Pisywał do tygodników, znakomicie grał na fortepianie, komponował muzykę do własnych wierszy i był autorytetem w sprawach welocypedu – ogłosił nawet książkę pod tytułem *Zdrowie i welocyped*. Miał także na swym koncie pracę naukową *Zjawisko spółkowania u dzieci*, której fragment Zygmunt zacytował w jednej ze swoich prac. Do największych jego talentów zaliczano umiejętność wygłaszania długich monologów bez chwili przerwy dla zaczerpnięcia oddechu.

– Mówił mi o panu Maks Kahane. Powiedział, że pańskie wykłady na uniwersytecie są oryginalne, zawierają dużo nowych myśli oraz to, że pan cytował moją pracę *Zjawisko spółkowania u dzieci*. Nigdy dotąd nie słyszałem pańskiego nazwiska, nie znam żadnej pańskiej książki. W kilka dni po tym, jak Kahane wspomniał o panu, przeczytałem recenzję pańskiej *Interpretacji marzeń sennych*. Recenzja była niedobra, recenzent nazwał książkę niezrozumiałą i nienaukową, natychmiast więc pomyślałem sobie, że to musi być dobra praca. Często stawałem bezradny, mając do czynienia z pacjentami cierpiącymi na zaburzenia nerwowe, u których nie stwierdziłem żadnych organicznych niedomagań. Nic nie wiem o pańskim odkryciu, o podświadomości. Czy może mi pan pożyczyć egzemplarz *Interpretacji marzeń sennych*? Chciałbym się dowiedzieć, w jaki sposób sny ujawniają ukryte wątki. Jestem pewny, że z chwilą gdy uda mi się opanować pana metodę, będę w stanie pomóc moim pacjentom.

Ale pan z pewnością chce wiedzieć, dlaczego do pana przyszedłem? Znalazłem się w bardzo groźnej sytuacji. Moje małżeństwo się rozpada. Ożeniłem się z tą dziewczyną, ponieważ lubiła piękne książki i grała ze mną w duecie. Teraz nie cierpimy się wzajemnie, chociaż byłem dla niej bardzo dobry... Miałem homoseksualne sny, ale Maks Kahane opowiadał mi o koncepcji biseksualizmu, więc chyba te sny nie znaczą, że jestem nienormalny? Miewałem również kazirodcze sny o matce. Ale Cezar i Aleksander Wielki też mieli takie sny, prawda?

Zanim jednak będzie pan mógł odpowiedzieć na moje pytania, zechce pan zapewne usłyszeć historię mego życia. Szczególnie dzieciństwa. Nic przed panem nie zataję, zapewniam pana. Opowiem nawet o swoich wczesnych doświadczeniach seksualnych: czyż nie jestem największym autorytetem na świecie w problemach spółkowania u dzieci? A więc zacznijmy od początku...

Stekel mówił dwie bite godziny bez przerwy. Zygmunt słuchał zaciekawiony. Jego gość znakomicie opowiadał i nie odczuwał najmniejszej konieczności, by trzymać się prawdy. Słowa i zdania płynęły z jego ust jak wody górskiego strumienia. Tak swobodnego kojarzenia, jakie miejscami zdarzało się w jego relacji, Zygmunt jeszcze nie słyszał. Dziesiątki fantastycznych opowieści o latach szkolnych, o terminowaniu u szewca, o działalności w uniwersyteckim Klubie Pacyfistów, o sześciu latach służby medycznej w wojsku, o studiach u Krafft-Ebinga i pracy na jego oddziale psychiatrycznym, wszystko to przeplatał aktualnymi plotkami z wiedeńskich kawiarni, gdzie spędzał wiele czasu, czytając codziennie pół tuzina gazet i pisząc artykuły.

Przychodził kilka razy tygodniowo i siedział tak długo, jak na to pozwalały zajęcia Zygmunta. Wizyty były nie mniej zabawne niż komedie w Volkstheater. Zygmunt stwierdził, że Stekel zbyt szybko mówi, zbyt szybko myśli, zbyt szybko wypowiada sądy, zbyt szybko wspomina, zbyt szybko pisze i zbyt szybko unosi się na skrzydłach fantazji. Co kilka minut musiał osiągać kolejną kulminację myśli, opowieści, wypowiadanej opinii.

– Nie chcę analizy całkowitej – oświadczył Zygmuntowi – mogłoby to doprowadzić do zmiany mego charakteru. A ja jestem bardzo z siebie zadowolony. Pragnąłbym tylko, żeby pan wyprowadził mnie z obecnego niefortunnego stanu. Ale chorobę moją musi pan sam znaleźć. Tylko wtedy będę pewny, że jest pan na właściwym tropie i że potrafi mnie pan wyleczyć.

Około trzech tygodni zajęło Zygmuntowi odkrycie, że Stekel cierpi na przedwczesny wytrysk. Cała jego osobowość była w pewnym sensie nieustanną „ejakulacją przed penetracją"; nie uświadamiał sobie jednak tego czynnika w swym życiu erotycznym do czasu, gdy nabrał tak żywej niechęci do żony. Zygmunt zakładał, że Stekel podświadomie mści się na niej za to, że robiła mu wyrzuty. W sytuacjach fizycznego zbliżenia dochodziło u niego do wytrysku nasienia, zanim osiągnęła jakąkolwiek satysfakcję.

Były to tylko przypuszczenia Zygmunta, gdyż Stekel co prawda stale obrzucał obelgami żonę, ale stanowczo nie chciał rozmawiać na temat pożycia małżeńskiego. Co więcej, Zygmunt nie sądził, by świadomość, że jego tajemnica została odkryta, mogła wpłynąć korzystnie na stan psychiczny Stekla. Działał drogą okrężną i w ciągu dwóch miesięcy zdołał zwolnić tempo wielu zbyt pośpiesznych czynności pacjenta: zbyt szybkiego mówienia, zbyt szybkiego jedzenia, zbyt szybkiego osiągania orgazmu. Po ośmiu tygodniach Stekel chciał przerwać wizyty; oświadczył, że czuje się lepiej, że niebezpieczeństwo minęło, zresztą rozchodzi się z żoną...

Ale Zygmunt, który nie przyjmował nigdy honorariów od kolegów, nakłonił go, by jeszcze przez kilka tygodni kontynuował wizyty.

– Czuję, że zostaliśmy przyjaciółmi – zgodził się Stekel. – Jestem zachwycony *Interpretacją marzeń sennych*. Rozmowy z panem są dla mnie jak promień słońca po deszczu. Piszę teraz długi artykuł w dwóch odcinkach do „Neues Wiener Tageblatt", w którym oznajmiam, że pana książka zapoczątkowuje całkowicie nową dyscyplinę naukową. Chciałbym dowiedzieć się wszystkiego o psychoanalizie. Być może pewnego dnia uzna pan, że posiadłem odpowiednie kwalifikacje, by stosować ją u moich pacjentów.

Pani Teresa Doblhoff była piękną kobietą. Do gabinetu Zygmunta przyprowadził ją mąż, ów profesor, któremu Fliess radził zwrócić się do doktora Freuda. Niski, tęgi pan podczas wizyty przypatrywał się uważnie Zygmuntowi. Po kilku dniach wrócił do Berlina, pozostawiając żonę u przyjaciół. Dopiero po wyjeździe męża pani Doblhoff przełamała w sobie opory wobec psychoanalizy. Pani Teresa – domagała się, by Zygmunt w ten sposób się do niej zwracał – miała lat trzydzieści kilka. Była wspaniale zbudowana i dbała o to, by śmiało skrojone suknie podkreślały jej figurę. Próżna, ale nie głupia, starała się przypodobać mężczyznom, śmiejąc się perliście i popisując wspaniałymi białymi zębami. Wybuchy perlistego śmiechu ustępowały nagle nastrojom głębokiego przygnębienia. Opowiadając Zygmuntowi o symptomach swej choroby, opisywała je jako znudzenie prowadzące do depresji. Mówiła, że czuje się nieszczęśliwa, że nie jest zadowolona z życia, z męża, z domu... Nie ma dzieci; nie cieszy ją osiągnięta pozycja towarzyska. Często myśli o samobójstwie.

– A fizyczne dolegliwości, pani Tereso?

– Bóle brzucha, bóle głowy tak silne, jakby mi kto wbijał drzazgi pod czaszkę; wysypka skórna między piersiami.

Zygmunt uważał, że miesięczne studia dermatologiczne nie upoważniają go do stawiania diagnozy w sprawie wysypki. Skierował więc pacjentkę do swego dawnego profesora dermatologii w Allgemeines Krankenhaus, profesora Maksymiliana von Zeissla, który potwierdził podejrzenie Zygmunta i orzekł, że wysypka jest pochodzenia nerwowego.

Pani Teresa poddała się swobodnemu kojarzeniu myśli i obrazów, ujawniając bogactwo przeżyć natury seksualnej: twierdziła, że napastował ją ukochany wuj, co, jak się udało Zygmuntowi ustalić, było zmyśleniem. Fantazjowała na temat księcia z bajki, Królewny Śnieżki, romansów z cesarzem i słynnymi gwiazdami teatralnymi. W końcu wystąpiło zjawisko przeniesienia, transferencji na doktora Freuda.

– Tak bardzo mi pan przypomina mego wujka, którego ubóstwiałam. Czuję, że niepostrzeżenie wracam do lat dzieciństwa, że jestem z nim sama w pokoju. Był taki męski, taki przystojny...

Nagle krzyknęła: „Wujku, dlaczego mnie nie kochasz?! Wiesz przecież, że cię uwielbiam, że śnię o tobie po nocach. Dlaczego wolisz te dziewuchy, które do siebie sprowadzasz?".

U pani Teresy ujawniły się wszystkie objawy klasycznej histerii. Pod koniec miesiąca Zygmunt stwierdził już niezbicie, że pacjentka cierpi na oziębłość płciową. Głębokie uczuciowe zaangażowanie się wobec lekarza, podziw, jaki dla niego odczuwała, ponieważ miał sześcioro dzieci, ona zaś ani jednego, satysfakcja, z jaką pokonywała niepamięć okresu dzieciństwa i relacjonowała materiał o podtekstach erotycznych, to wszystko nie przesłaniało mu faktu, że ma przed sobą zaawansowany przypadek narcyzmu – samouwielbienia. Teresa wcześnie odkryła masturbację doprowadzającą do szczytowania; nie kryła przed nim, jak wielką jej to sprawiało przyjemność. Teraz, jako osoba dorosła, nie miała bynajmniej zamiaru z tej przyjemności rezygnować.

– Dlaczego miałabym oddawać moje ciało komuś innemu? Komuś, kto będzie mi dyktował, kiedy mam mieć przyjemność, a kiedy nie? A zresztą nie lubię mego męża. Odstręcza mnie fizycznie.

– Czy uważa pani, że jest on po prostu niepociągający, czy też mniej pociągający niż książę z bajki, którego pani sobie wyobraża, onanizując się?

Teresa roześmiała się, nie okazując najmniejszego zakłopotania.

– Nie mogę sobie wyobrazić, by mój mąż był w stanie doprowadzić mnie do takiego uczucia szczęścia, jakie, moim zdaniem, powinno być efektem stosunku. Dlatego też od kilku lat nie pozwalam mu zbliżać się do mnie. Oczywiście, jest szalenie zazdrosny; zarzuca mi szukanie przyjemności za jego plecami...

– To przecież prawda. Czyni to pani w wyobraźni.

– Tak. Czasami próbuje brać mnie siłą; boję się go wtedy... i jeszcze bardziej mnie to do niego zraża. Nie należę do kobiet, które leżą potulnie na plecach, z zamkniętymi oczami i zaciśniętymi pięściami, podczas gdy mąż doprowadza się do orgazmu.

– O ile się orientuję, mieszkacie państwo razem, zajmujecie wspólną sypialnię. Jak więc pani sobie radzi?

– Przed zaśnięciem dostaję autentycznych bólów brzucha, prawdziwej migreny. No i oczywiście muszę smarować maścią wysypkę między piersiami. Mąż krzyczy na mnie: „Skoro jesteś stale zmęczona i chora, dlaczego nie pójdziesz do lekarza?!". Oto jak trafiłam do pana. Doktor Wilhelm Fliess uważa, że pan potrafi mi pomóc.

Po pięciu tygodniach przyjechał do Wiednia profesor Doblhoff. Zygmunt nie miał pojęcia, co mu żona opowiadała o swoich wizytach i psychoanalizie, ale małżonek zjawił się wściekły w gabinecie lekarza. Przeniósł swą zazdrość z nieznanych uwodzicieli berlińskich na doktora Freuda z Wiednia, miasta słynącego z rozpusty i wolnej miłości.

– Nie twierdzę, że pan uwiódł moją żonę, panie doktorze. To byłoby nierozsądne. Ale twierdzę, że zachęca ją pan do poruszania w pańskim gabinecie niewłaściwych tematów.

– Jakiego rodzaju, panie profesorze?

– Erotycznych.

– Ale erotyka leży właśnie u źródeł choroby pana żony i niepowodzenia pańskiego małżeństwa.

Profesor niemal posiniał na twarzy.

– Moja żona nie ma prawa panu o tym mówić.

– A czyż nie po to właśnie przywiózł ją pan do Wiednia?

Profesor miał zbyt krótką szyję, by zwiesić głowę. Pochylił się więc cały i wbił wzrok w ziemię.

– ...tak. I sądzi pan, że uda się ją wyleczyć?... zrobić z niej... normalną... żonę?

– Mam uzasadnioną nadzieję, że jest to możliwe.

Doblhoff wrócił do Berlina. W ciągu następnych pięciu tygodni Zygmunt przyjmował panią Teresę codziennie, przeprowadzając godzinne posiedzenie psychoanalityczne. Wyjaśnił jej, na czym polega regresja płciowa, a wtedy ona zaczęła przypominać sobie fakty z analnej i oralnej fazy dzieciństwa. Dzień po dniu zdobywała coraz większą wiedzę o sobie i o podstawowych zjawiskach płciowych człowieka. Odkrył źródła jej narcyzmu, wydobywając z niej właściwe dane; czuł, że osiąga znaczne postępy dzięki temu, że zdołał dotrzeć do konfliktów erotycznych z okresu dzieciństwa. Kiedy pomoże jej osiągnąć wyższy poziom dojrzałości emocjonalnej, w aspekcie psychoseksualnym, wówczas pacjentka zdobędzie się na bardziej tolerancyjny stosunek do męża, zacznie go darzyć większą sympatią i rozumniej traktować pożycie małżeńskie. Być może będzie mogła nawet urodzić dzieci. Wyzbędzie się histerii i nauczy znosić cierpliwie niedolę wspólną wszystkim ludziom.

Koncepcja doktora Freuda przemawiała do Teresy. Liczyła na to, że dodatkowa kuracja umożliwi jej powrót do domu i ułożenie pożycia małżeńskiego na podstawach, które stwarzało jej poznanie samej siebie. Zygmunt z satysfakcją przyjmował te kolejne dowody skuteczności stosowanej przez niego terapii.

I wtedy, właśnie podczas jednej z wizyt, wpadł bez zapowiedzenia profesor Doblhoff. Jego żona leżała na kanapie, doktor Freud siedział obok niej. Oboje prowadzili rozmowę w zażyłym tonie. Doblhoff podbiegł do kanapy, ściągnął z niej panią Teresę, do Zygmunta zaś wrzasnął:

– Nie stać mnie na wyrzucanie pieniędzy na takie bzdury! I nie mam czasu na pętanie się między Berlinem a Wiedniem, by upewnić się, że mojej żonie nic złego się nie dzieje. Więcej pan jej nie zobaczy.

13

Zygmunt czuł, że po rzymskiej podróży zakończył swą autoanalizę. Pozbył się oporów, które dotąd powstrzymywały go od poczynienia jakichkolwiek kroków w sprawie swojej profesury. Nie wspomniał o niej ani słowem od czasu, gdy Frankl-Hochwart otrzymał nominację. Widocznie minister oświaty zapomniał o prywatnym docencie doktorze Zygmuncie Freudzie.

– Dość tej purytańskiej etyki – oznajmił pewnego dnia Marcie. – Zasłużyłem sobie na ten tytuł i zdobędę go, nawet jeśli zostanę uznany za karierowicza. Zwrócę się do mego starego przyjaciela Exnera, który jest teraz radcą ministra oświaty powołanym do przeprowadzenia reformy systemu uniwersyteckiego, a zwłaszcza do reformy wydziału medycyny. Dam mu okazję do niezwłocznego przeprowadzenia jednej przynajmniej reformy.

Idąc do Instytutu Fizjologii, zdawał sobie jednak sprawę, że jest w zupełnie innej sytuacji niż przed czterema laty, kiedy Nothnagel i Krafft-Ebing entuzjastycznie rekomendowali jego prace, a wydział medycyny poparł kandydaturę. Wtedy zabiegał o karierę akademicką w pełnym tego słowa znaczeniu. Teraz sytuacja uległa zmianie. Wiedział, że z uwagi na niejednoznaczny charakter jego działalności naukowej i jej całkowite odrzucenie, co więcej, potępienie przez środowisko lekarskie, nie ma najmniejszej szansy na uzyskanie profesury zwyczajnej i na objęcie stanowiska na uniwersytecie. Przestał już zresztą uważać tego rodzaju karierę naukową za jedyny cel w życiu. Wyprawa do Rzymu dodała mu odwagi, stać go było na samotność, na torowanie sobie własnej drogi, nie tylko dla siebie i swojej rodziny, ale dla dwudziestowiecznej filozofii podświadomości. Kiedy rozpoczął starania o tytuł profesora nadzwyczajnego, pojęcie honorowego tytułu, niepociągającego za sobą żadnych zobowiązań ani ze strony uniwersytetu, ani otrzymującego tytuł, było niemal nieznane. Raz jeden tytuł taki nadano doktorowi Gustawowi Gärtnerowi w 1890 roku. Teraz jednak, w 1901 roku, już kilku osobom minister oświaty nadał ten tytuł: Ehrmannowi, Palowi, Redlichowi. Nie było więc żadnego powodu, by on nie mógł otrzymać profesury nadzwyczajnej. Nic by to nie kosztowało uniwersytetu, miałoby natomiast wielkie znaczenie dla pozycji nieznanej i nielubianej psychoanalizy.

Gdy wchodził do gmachu Instytutu, uderzyły go dobrze znajome wonie utleniających się baterii elektrycznych i chemikaliów używanych do preparatów anatomicznych. Przypomniał sobie ostatnią rozmowę z profesorem Brücke, który mądrze go pouczał, że czysta nauka jest tylko dla ludzi bogatych. Był teraz zadowolony, że Brücke go wtedy wyrzucił. To, czego się nauczył o umyśle ludzkim, wydawało mu się bez porównania ważniejsze od tego, czego mógłby się dowiedzieć, opisując budowę korzonków nerwowych u raków słodkowodnych.

Zygmunt Exner kierował obecnie Instytutem Fizjologii. Osiągnął stanowisko, do którego zawsze zmierzał. Został radcą ministra oświaty, ponieważ bardzo mu zależało na reformie studiów medycznych w Austrii. Koledzy poparli jego kandydaturę, chcieli bowiem, by w ministerstwie był ktoś, czyj głos liczył się przy podejmowaniu przez rząd wszelkich decyzji w dziedzinie medycyny. Exner urzędował raz w tygodniu przez pięć godzin w gmachu ministerstwa, w starym pałacu na Minoriten Platz. Otrzymywał pensję w wysokości dwóch tysięcy czterystu guldenów rocznie, ale nie pracował dla pieniędzy. Zygmunt zastał go za dawnym biurkiem profesora Brückego, zasłanym rysunkami technicznymi nowych aparatów elektrycznych do pomiarów szybkości ruchów i siły mięśni, kartkami rękopisu pracy o barwieniu tkanek i różnymi sprawozdaniami ministerialnymi. Zygmunt von Exner cieszył się sławą jednego z najwybitniejszych wiedeńskich naukowców i polityków; połączenie rzadkie zaiste i cenne.

Pan radca dworu von Exner liczył obecnie lat pięćdziesiąt pięć i był już prawie całkiem łysy. Resztki włosów starannie zaczesywał na gładkiej powierzchni czaszki. W brodzie przeważała siwizna nad czernią, ale nie zestarzały się jego myślące szare oczy pod bujnymi brwiami i ciężkimi powiekami. Jednym spojrzeniem ogarniał całość sprawy. Exner uniósł głowę, przyjrzał się Zygmuntowi i od razu wiedział, z czym Freud do niego przychodzi. Nie widzieli się od kilku lat; Exner uważał za rzecz całkowicie niepojętą, by naukowiec zajmujący się medycyną mógł porzucić fizjologię.

– Ach, to pan doktor Freud.

– Ekscelencjo, powitanie nie było zbyt uprzejme. Pamiętam, że jeszcze przed kilku laty wymienialiśmy – pan, Fleischl i ja – bardzo zabawne zdania na powitanie codziennie o ósmej rano w pracowni fizjologii.

– Teraz nie jest ósma rano, lecz czwarta po południu, a w laboratorium czekają mnie jeszcze dwa doświadczenia.

– Zawsze czekały. I większość udawała się znakomicie. Fleischl powiedział kiedyś, że po jego śmierci Exner będzie największym fizjologiem w Europie.

– Byłbym nim, gdybym nie musiał tkwić za tym biurkiem i przyjmować interesantów, dla których nie mogę nic zrobić.

Zygmunt nie przejął się oschłym tonem Exnera.

– A skąd ekscelencja wie, że nie może dla mnie nic zrobić, skoro jeszcze nie wie, po co przyszedłem? Może chciałem tylko pożyczyć dziesięć koron albo przejrzeć teczkę z podaniami młodych neurologów ubiegających się o asystenturę?

– Na to mi nie wygląda.

– Zgoda. Otóż chciałbym się dowiedzieć, dlaczego od czterech lat, od czasu gdy wydział medyczny poparł moją kandydaturę na profesora nadzwyczajnego, rok po roku jestem pomijany. Musi być jakieś wytłumaczenie.

Exner wymownie wzruszył ramionami.

– Niekoniecznie. W każdym razie nie w ministerstwie. Istnieje przyczyna i skutek, ale racjonalnego wytłumaczenia nie ma.

W głosie Zygmunta pojawił się ton sarkazmu.

– Kiedy myślę o latach naszej przyjacielskiej współpracy, nie widzę powodu, dla którego miałbyś być tak niemiły, chociaż byłeś moim przełożonym i nauczycielem. Jestem głęboko przekonany, że profesor Brücke nie pochwaliłby twojej postawy.

Exner wiercił się w fotelu i wpatrywał się tępo w okno. Po chwili zwrócił się do Zygmunta z zupełnie innym wyrazem oczu. Zygmunt się spodziewał, że ujrzy w nich gniew wywołany daremną prośbą, tymczasem Exner patrzył, jakby po raz pierwszy spojrzał wstecz na labirynt, który przemierzyli w ciągu minionych dwudziestu lat, i wspominał entuzjazm towarzyszący współpracy z Brückem i Fleischlem, i dwoma młodymi inteligentnymi pomocnikami, Józefem Panethem i Zygmuntem Freudem.

– No... cóż... Przepraszam. Te stosy urzędowych papierów wyprowadzają mnie z równowagi.

– Rozumiem. Wiem, że wcale nie odpowiada ci rola dygnitarza. Ale ja chciałem tylko powiedzieć, że nie chodzi mi już o stanowisko uniwersyteckie, lecz jedynie o honorowy tytuł profesora nadzwyczajnego...

– No, tak... rozumiem... – Exner zawiesił głos, oparł się łokciami o blat stołu i patrzył na Zygmunta. – Musisz zrozumieć, że te nominacje to sprawa nacisków; wszystko zależy od tego, kto potrafi nacisnąć najmocniej... by uzyskać dla kogoś nominację lub ją powstrzymać. My w ministerstwie siedzimy pośrodku huśtawki i staramy się, by ludzie usadowieni na obu jej końcach nie naruszali równowagi naszej oświaty...

– Czy chcesz przez to powiedzieć, że na ministra ktoś wywiera nacisk, żeby nie dał mi nominacji?

– Tego nie powiedziałem. Starałem się tylko dać ci pewne pojęcie o stanie polityki, tej właśnie, która swym ciemnym płaszczem okrywa oświatę. Moim zdaniem powinieneś przyjąć jako punkt wyjścia, że ktoś osobiście intryguje przeciw tobie u ministra. Postaraj się o skontrowanie tych intryg. Inaczej mówiąc, uważam, że powinieneś mocniej nacisnąć swój koniec huśtawki, a wtedy w niedługim czasie osiągniesz to, czego tak bardzo pragniesz.

Zygmunt zastanawiał się przez chwilę.

– Mógłbym zwrócić się do osoby od dawna ze mną zaprzyjaźnionej, mojej dawnej pacjentki, pani radczyni dworu Gomperzowej. Czy to właściwa osoba?

– Jak najbardziej. Pani radczyni i pan radca cieszą się wielkim poważaniem w ministerstwie. Ponadto Jego Ekscelencja nasz minister został profesorem filologii w tym samym czasie co Gomperz. Od wielu lat są ze sobą blisko zaprzyjaźnieni. Nie mogłeś trafić lepiej.

Zygmunt napisał do pani Elizy, pytając, czy mógłby któregoś dnia wpaść do niej po południu na kawę. Otrzymał odpowiedź natychmiast. Radczyni zapraszała go, by przyszedł tego samego dnia. Przyjęła go w salonie. Po kilku minutach grzecznościowej wymiany zdań Zygmunt powiedział:

– Łaskawa pani, muszę wyznać, że przyszedłem prosić o przysługę. Moja prośba nie będzie zwyczajna i nie zakładam bynajmniej, że pani gotowa będzie ją spełnić. Doskonale rozumiem, że pani...

– Panie doktorze, jestem do pańskiej dyspozycji.

– Dziękuję. Oto jak się przedstawia sytuacja. Przed czterema i pół rokiem profesorowie Nothnagel i Krafft-Ebing gorąco rekomendowali mnie na profesora nadzwyczajnego. Kiedy złożyłem pierwszą wizytę poprzednikowi von Härtla, ministrowi Baillet-Latour, oświadczył mi, że słyszał o mnie wiele dobrego. Ale to było ostatnie łaskawe słowo, właściwie ostatnie w ogóle słowo, jakie usłyszałem od ministra. Uważam, że wieloletnia praca w dziedzinie neurologii i paraliżu dziecięcego, jak też i nowsze badania oraz książki i artykuły w pełni upoważniają mnie do starania się o profesurę, ja zaś proszę jedynie o tytuł honorowy.

Eliza Gomperz była zaskoczona.

– Oczywiście. Nie zdawałam sobie nawet sprawy z tego, że pan nie ma tytułu profesorskiego. Co, pana zdaniem, stoi na przeszkodzie? Proszę mówić ze mną szczerze; to jest konieczne, jeśli mam być w czymś pomocna.

Wspomniał krótko o nasilającym się w Wiedniu antysemityzmie, ale przyznał, że nie w tym dopatruje się głównej przyczyny. Potem przedstawił jej istotę swej działalności psychoanalitycznej. Słuchała bardzo uważnie.

– Panie doktorze, nie chodzi panu przecież o moją opinię, lecz o pomoc. Pozwoli pan, że zapytam go, czy rekomendacje Nothnagela i Kraffta-Ebinga, jak też wydziału medycznego przesłano ponownie.

– Z chwilą gdy rekomendacje zostaną złożone w ministerstwie, pozostają już tam na zawsze.

– Tak, na zawsze na dnie szuflady. Powinien pan napisać do tych profesorów z prośbą o powtórne przesłanie rekomendacji.

– Natychmiast to zrobię.

– A potem ja wybiorę się do ministra oświaty. Bywa u mnie od trzydziestu lat. Uważam, że to upoważnia mnie do zwrócenia się do niego z prośbą o audiencję.

– Dziękuję pani.

Nothnagel i Krafft-Ebing, który właśnie miał przejść na emeryturę, napisali listy rekomendacyjne. Prosili ministra i cesarza Franciszka Józefa, by przyznano prywatnemu docentowi doktorowi Zygmuntowi Freudowi tytuł profesora nadzwyczajnego. Eliza Gomperzowa uzyskała audiencję u ministra. Von Härtel przyjął ją bardzo uprzejmie, wysłuchał uważnie i udawał, że pierwszy raz w życiu słyszy o doktorze Freudzie. Czyżby jego osiągnięcia były naprawdę tak poważne, że zasługuje na tytuł profesora nadzwyczajnego? Pani radczyni powtórzyła dosłownie to, co przed kilkoma dniami usłyszała od Zygmunta. Minister obiecał, że zajmie się tą sprawą.

Nic więc nie załatwiła. Minister von Härtel prosił, by dała mu czas na rozważenie sprawy, przekonywał, że załatwienie nominacji trwa zazwyczaj całe lata, i zapewnił, że każe sobie przedstawić akta. Tak, otrzymał nowe kandydatury, a Exner mówił o Freudzie. A więc zrobiono wszystko, co należy. Miały jednak tygodnie, w ciągu których unikał spotkania z radcą Gomperzem. Ten uważał co prawda, że Härtel celowo go unika, niemniej przez cały grudzień nie udało mu się zamienić z nim słowa.

Wysiłki Gomperzów poszłyby na marne... gdyby nie przypadek. W dzień Nowego Roku 1902 na kawie u Elizy Gomperzowej była jej dawna przyjaciółka, baronowa Maria von Ferstel. Radczyni opowiedziała baronowej o staraniach w sprawie profesury dla doktora Freuda. Tego samego popołudnia baronowa wpadła jak burza do gabinetu Zygmunta. Wyglądała jak grecka bogini, rozgniewana, gotowa razić piorunami śmiertelników.

– Panie doktorze, wdzięczni pacjenci przynoszą zazwyczaj swoim lekarzom prezenty.

– Pani baronowa jest nader łaskawa, lecz ja już zostałem sowicie wynagrodzony za moje trudy.

– A ja załatwię panu tytuł profesora nadzwyczajnego, należący się zresztą panu już dawno.

Zygmunt zmarszczył brwi, po czym wybuchnął serdecznym śmiechem.

– Ależ pani baronowo, pani lekceważy moje polecenia. Niepotrzebnie bierze pani na siebie jeszcze jeden obowiązek, i to taki, który tylko może skomplikować pani życie.

Oczy baronowej ciskały błyskawice.

– Mój mąż został przeniesiony do Berlina, ale ja nie wyjadę, póki nie będę miała przyjemności tytułowania pana ekscelencją.

Co kilka dni otrzymywał od niej wiadomości. Spotkała na balu ministra von Härtla i była dla niego miła. Po paru dniach wystarała się o zaproszenie na przyjęcie, na którym i on miał być. Potem zaprosiła ministra na obiad wraz z przedstawicielami śmietanki towarzyskiej Wiednia – członkami rodziny cesarskiej i wybitnymi osobistościami politycznymi.

Następny krok okazał się decydujący: zaprosiła ministra na kawę. Byli sami, we dwójkę. Minister nie ukrywał, że jest oczarowany panią domu. Słuchała cierpliwie, kiedy opowiadał o swej działalności, o bliskich stosunkach z cesarzem Franciszkiem Józefem i premierami mocarstw europejskich. Kiedy doszła do wniosku, że jego euforia osiągnęła szczyt, wtrąciła:

– Skoro rozmawiamy o niezwykłej wadze pańskich obowiązków, ekscelencjo, niech mi wolno będzie wspomnieć o drobnej sprawie, może ona przynieść zaszczyt panu osobiście i cesarstwu.

– Cóż to takiego, pani baronowo?

– Profesura dla lekarza, który mnie wyleczył.

– Ależ pani zawsze robiła wrażenie osoby cieszącej się znakomitym zdrowiem.

– Dziękuję, ekscelencjo. Jestem zdrowa. Zawdzięczam to przede wszystkim mojemu lekarzowi. Cierpiałam na piekielne bóle głowy, miałam uczucie, że stalowe obręcze zaciskają się na moich skroniach...

– ...znam to – przerwał minister. – Miewam okresy, kiedy trapią mnie dokładnie takie same dolegliwości. Czasem trwają przez kilka dni, czasem przez kilka tygodni, i po prostu modlę się, by przeszły...

– Znalazłam w Wiedniu lekarza, który stosuje nową metodę leczenia. Jest nim prywatny docent doktor Zygmunt Freud. Dokonał fascynujących odkryć dotyczących ludzkiego umysłu i zależności naszego stanu fizycznego od stanów emocjonalnych...

Zajmując się różnymi pracami społecznymi, baronowa nabrała wielkiej wprawy w występowaniu o interwencje. Minister słuchał z napięciem opowieści o doktorze Freudzie i jego teoriach. Kiedy skończyła, odpowiedział z namysłem:

– Pani baronowo, jak pani wiadomo, przewodniczyłem komitetowi budowy nowego muzeum, które otworzymy za miesiąc lub dwa. Mam nadzieję, że zechce pani być jednym z honorowych gości na tej uroczystości. Będzie oczywiście cesarz i cały dwór.

– Z rozkoszą...

– Gmach jest wspaniały. Wszystkie nasze muzea mają znakomite zbiory, każde jednak specjalizuje się w jakiejś dziedzinie. Bardzo nam zależy na jakimś Böcklinie. Wiem, że pani ciotka ma jednego z najwspanialszych Böcklinów, *Ruiny zamku*. Wisi u niej w domu. Czy nie udałoby się jej namówić, by ofiarowała ten obraz nowemu muzeum?

– Znam ten obraz od dziecka. To naprawdę świetne płótno. Za pana pozwoleniem spróbuję przekonać ciotkę, by ofiarowała obraz na otwarcie muzeum. Gdyby był moją własnością, ekscelencjo, zapewniam pana, że jeszcze dziś własnoręcznie zaniósłby go pan do muzeum.

W niedzielę baronowa przyszła do Freudów na kawę. Jej relacja rozbawiła wszystkich. Zygmunt jednak zadał kluczowe pytanie:

– Czy jest jakaś szansa, by pani ciotka zechciała się rozstać z tym obrazem?

– Szczerze mówiąc, nie wiem. Jestem pewna, że udałoby mi się ją nakłonić, by zapisała Böcklina muzeum, ale to krzepka baba i będzie żyła jeszcze długo.

Ciotka baronowej von Ferstel nie uległa namowom, ale baronowa dbała o to, by minister się nie wymknął. Freudom opowiadała:

– Za każdym razem, gdy składa mi wizytę, sadzam go naprzeciwko mego ulubionego obrazu. Przedstawia on kościółek wiejski na Morawach. Malował go Emil Orlik. Minister tak się do tego obrazu przyzwyczaił, że stał się on częścią jego ulubionego pejzażu.

Po kilku tygodniach, w mroźny marcowy dzień, baronowa wpadła do Freudów, wymachując listem od ministra.

– Panie profesorze, załatwione. Zależało mi na tym, żebym była pierwszą osobą, która panu złoży gratulacje.

Zygmunta zalała fala radości, a zarazem ulgi, jakby z domieszką rozczarowania.

– Czy pani ciotka ofiarowała muzeum Böcklina?

– Nie. Nie chciała się z nim rozstać. Powiedziałam to ministrowi, gdy staliśmy przed pejzażem Orlika. To bardzo cenny obraz i będzie pięknym darem na otwarcie muzeum. Powiedziałam mu po prostu: „Ekscelencjo, na Böcklina jeszcze za wcześnie. Czy mogę ofiarować panu mego wspaniałego Orlika?". Härtel patrzył na mnie zdumiony. Był, rzecz jasna, rozczarowany, ale znakomicie to ukrył. „Pani baronowo, przyjmuję ten dar dla muzeum".

Zygmunt zaprowadził baronową do mieszkania na górze. Minna otworzyła butelkę wina i wszyscy wypili zdrowie pana profesora Freuda i pani profesorowej. Tego wieczora Zygmunt pisał do Fliessa:

„«Wiener Zeitung» jeszcze tego nie opublikowała, lecz wiadomość szybko się rozeszła po całym Wiedniu. Entuzjazm olbrzymi. Bez przerwy napływają depesze z gratulacjami i kwiaty, jakby Jego Cesarska Mość nagle uznał znaczenie erotyzmu, *Interpretacja marzeń sennych* została zatwierdzona przez Radę Ministrów, a konieczność leczenia histerii psychoanalizą uchwalona dwiema trzecimi głosów w parlamencie. Znowu stałem się osobą szanowaną i nawet najtchórzliwsi moi wielbiciele nie boją mi się kłaniać z daleka".

Jeden z pierwszych przyszedł z gratulacjami niezwykle podniecony Wilhelm Stekel. Na jego twarzy malowała się taka duma, że Zygmunt był szczerze wzruszony.

– Ekscelencjo! Skoro jest pan już profesorem Zygmuntem Freudem, a nie jakimś tam docentem, czyż nie należałoby wreszcie zrealizować planu stworzenia własnej grupy? O ile pamiętam, mówił pan o seminarium, kręgu ludzi zainteresowanych psychoanalizą...

Zygmunt podziękował Steklowi za gratulacje. Ogarnęło go wzruszenie; czuł, że w jego życiu zaczyna się nowy etap.

– Od czasu zamknięcia uniwersytetu po demonstracjach moich jedenastu słuchaczy spotykało się tutaj, by słuchać wykładów o wielkich nerwicach. I od tego czasu marzyłem o własnej grupie... Dziękuję panu za pamięć. Czekałem na coś... zapewne na profesurę... teraz ją otrzymałem. Oczywiście w dyskusjach tych brać będą udział tylko lekarze, by utrzymać je na poziomie naukowym. Maks Kahane i Rudolf Reitler słuchali moich wykładów w zeszłym roku i czasami wpadają na kawę i pogawędkę. Przypuszczam, że zechcą wziąć w tym udział. A pan, Wilhelmie? Powiedzmy, środowe wieczory w sezonie leczniczym?

– Za żadne skarby nie opuściłbym takiej okazji.

– A więc jest nas już czterech. Może ma pan jeszcze jakieś propozycje?

– ...zastanówmy się... tak, mam. Doktor Alfred Adler. Jako początkujący lekarze i nieopierzeni intelektualiści chodzimy do kawiarni „Katedralnej". Teraz, kiedy obaj już wcale nieźle dajemy sobie radę, przenieśliśmy się do kawiarni „Centralnej". Tam dyskusje polityczne są żywsze. Adler uchodzi za jednego z najbystrzejszych i najinteligentniejszych ludzi w Wiedniu.

– Ale dlaczego przypuszcza pan, że mogłyby go zainteresować nasze dyskusje?

– Otóż on wiedział o pańskiej działalności jeszcze przede mną. Czytał *Interpretację marzeń sennych* wkrótce po ukazaniu się książki. Sam mi o tym nie wspominał, ale dowiedziałem się od jego bliskiego przyjaciela Furtmüllera. Przeczytawszy książkę, Adler podobno zawołał, jak Furtmüller twierdzi, z przejęciem: „Ten człowiek ma coś do powiedzenia!".

– Dobrze. To brzmi zachęcająco. Wyślę cztery kartki pocztowe, ale jeszcze nie teraz. Wkrótce Wielkanoc i doroczna wędrówka w góry. Zrobię to jesienią, gdy wszyscy już wrócą do Wiednia. Będziemy mieli przed sobą cały sezon.

Po wyjściu Stekla Zygmunt napisał na kartce:

„Drogi Kolego!

Wpadliśmy na pomysł, żeby się spotykać w gronie kilku osób i dyskutować na tematy naukowe. Czy mógłby Pan przyjść do mnie, Berggasse 19, dnia... o godzinie ósmej trzydzieści?

Z wyrazami prawdziwego szacunku

Dr Zygmunt Freud"

Księga dwunasta

Towarzysze broni

1

Do gabinetu na parterze doktor Freud wprowadził swego młodego współpracownika, Ottona Ranka. Dwudziestodwuletni Otto był niskiego wzrostu, golił starannie policzki, smoliście czarne włosy czesał gładko, grubymi szkłami okularów zakrywał melancholijne oczy. Po wejściu do pokoju na jego nieładnej twarzy pojawił się czarujący uśmiech. Znikła bez śladu melancholia i wyraz śmiertelnego strachu, z jakim przed rokiem stanął przed doktorem Freudem. Skierował go do Zygmunta doktor Alfred Adler, któremu Otto dał do przeczytania rękopis swej pracy *Artysta*. Młody autor dawał w niej upust swoim zamiłowaniom do literatury, teatru, malarstwa i rzeźby.

– Kiedy wchodzę do tego pokoju, panie profesorze, znika moja niepewność. Odzyskuję wiarę w sens świata i życia ludzkiego.

– Powiedzmy, w ciągłość. Niech pan spojrzy na tę smukłą grecką wazę, którą kupiłem u antykwariusza na mojej ulicy. Proszę dokładnie przypatrzyć się postaciom na niej, fryzurom i szatom; być może pochodzą one z epoki Knossos. Proszę ją wziąć do ręki. Tak właśnie należy studiować historię: trzeba ująć ją w dłonie.

W tym pokoju mieszkała historia. Ileż wspomnień i wrażeń budziło się w Zygmuncie, gdy tu wchodził. Dziś dawny parias miał niewielkie grono przyjaciół i uczniów. Wspominał pierwsze spotkanie z nimi przed czterema laty, kiedy przyszli wezwani jego kartkami pocztowymi. Marta przygotowała kawę i ciastka. Ostrożnie sądowali się nawzajem. Profesor wprowadzał ich w swe prace, mimo że Rudolf Reitler i Maks Kahane wysłuchali już na uniwersytecie serii jego wykładów o snach. Alfred Adler i Wilhelm Stekel znali książki Freuda. Pięciu lekarzy prowadziło dyskusję opartą na rzetelnej wiedzy.

Bardzo były mu potrzebne te nowe przyjaźnie. Tym bardziej że Wilhelm Fliess ponownie znikł. Zygmunt wyobrażał sobie, że ich stosunki się poprawią po tym, jak Fliess skierował do niego panią Doblhoff. I tak zapewne by się stało, gdyby nie awantura o „pierwszeństwo". Zygmunt zrelacjonował teorię Wilhelma o biseksualizmie jednemu ze swych pacjentów nerwicowców, nazwiskiem Svoboda. Ten z kolei powtórzył wszystko niezwykle inteligentnemu, ale niezbyt zrównoważonemu koledze, Weiningerowi, który pośpiesznie napisał na ten temat książeczkę i szybko ją wydał. Fliess był oburzony. Nastąpiła wymiana listów. Zygmunt musiał się przyznać, że czytał część rękopisu Weiningera, ale praca wydała mu się bardzo słaba i nie poczynił żadnych uwag. Fliess ogłosił wtedy książkę, w której oskarżał Svobodę i Weiningera o plagiat, pośrednio zaś potępił Zygmunta za udzielenie im pomocy w tym niecnym przedsięwzięciu. To doprowadziło do ostatecznego zerwania.

Zygmunt zdawał sobie sprawę, że jego mała grupa powiększa się bardzo powoli; nie starał się jednak o nowych wyznawców. Wszyscy przychodzili dobrowolnie, dlatego że słyszeli o dyskusjach albo też po przeczytaniu publikacji Zygmunta. Pod koniec pierwszego roku do pierwotnej zaproszonej czwórki przyłączyły się jeszcze dwie osoby: muzykolog Maks Graf, wykładający w konserwatorium, oraz Hugo Heller, księgarz i wydawca. W roku 1903 to szczupłe grono powiększyło się o dalszych dwóch członków, doktora Paula Federna, którego skierował profesor Nothnagel, i doktora Alfreda Meisla, lekarza prowadzącego praktykę ogólną na przedmieściach Wiednia. W 1904 roku nie było nowych zgłoszeń. Natomiast w następnym pojawili się kolejno późniejsi stali uczestnicy zebrań: doktor Edward Hitschmann, wielki erudyta obdarzony sarkastycznym poczuciem humoru, Otto Rank, doktor Adolf Deutsch, fizjoterapeuta, leczący według tych samych wskazań co Maks Kahane, przyprowadzony przez Paula Federna, i wreszcie Filip Frey, nauczyciel, autor książki *Walka płci*. Na pierwsze jesienne spotkanie roku 1906 miał przyjść nowy uczestnik, doktor Izydor Sadger, zdolny człowiek o skomplikowanej osobowości, Zygmunt czytał w rękopisie jego pracę *Perswazja i homoseksualizm* i uznał ją za wnikliwą.

W środowych zebraniach Towarzystwa Psychologicznego uczestniczyło więc obecnie kilkanaście osób. Towarzystwo nie miało władz, nie obowiązywał żaden regulamin, nie płacono składek. Ponad połowa członków zjawiała się na każde środowe posiedzenie: odczytywano przygotowane uprzednio prace na tematy psychoanalityczne i dyskutowano nad nimi. Zygmunt z dumą stwierdzał, że kilka spośród tych prac ukazało się już w druku, inne zaś powoli urastały do rozmiarów książek. Cieszył się, że w ciągu tych czterech lat nikt się nie wycofał, chociaż w niektórych wypadkach do wygłaszanych referatów ustosunkowywano się bardzo krytycznie.

Podnosiły go na duchu wiadomości o rozchodzeniu się jego publikacji w świecie lekarskim i pedagogicznym. Dawniej, zanim zaczęły się regularne

517

zebrania środowe, był szczęśliwy, jeśli otrzymywał od ludzi zainteresowanych jego pracą dwa listy tygodniowo. Teraz, mimo iż żadna z jego książek nie została przełożona na języki obce i tylko kilka artykułów ukazało się w tłumaczeniu, codziennie przychodziły listy z całego świata, od Rosji po Włochy i Hiszpanię, od Austrii po Indie i Amerykę Południową, domagające się bardziej szczegółowych informacji i wskazówek. Zygmunt uważał korespondentów za swoich potencjalnych uczniów i dbał o to, by na każdy list odpowiadać tego samego dnia. Powiększająca się liczba uczestników środowych spotkań i korespondencja świadczyły najlepiej o tym, że jego idee zaczynają z wolna docierać do świadomości ludzi. Dodawało mu to pewności siebie i odwagi.

Uczestnicy środowych spotkań stali się jego wiernymi przyjaciółmi. Każdemu z nich z osobna był wdzięczny za położenie kresu jego ośmioletniej izolacji. Ale i pod innymi względami wiele się zmieniło od czasu, kiedy uzyskał tytuł profesora, tak wielce szanowany w środkowej Europie. Wzrosła liczba pacjentów; to, że tytuł był tylko honorowy, nie miało większego znaczenia.

Ustały ataki na wydziale medycznym. Kontynuował je tylko pewien zastępca Wagnera-Jauregga w klinice psychiatrycznej, profesor Reimann, który pilnie tropił niepowodzenia Zygmunta, mając zamiar zebrać je i opisać, by w ten sposób położyć kres szkodliwej psychoanalizie. Po dziewięcioletniej przerwie wydział medyczny zaprosił doktora Freuda na wykłady w Towarzystwie Medycznym. Należał teraz do „rodziny", a „swoich" nie należy tępić.

Brakowało jeszcze kilku minut do godziny pół do dziewiątej. Towarzystwo Psychologiczne spotykało się na pierwszym październikowym zebraniu w nowym sezonie. Otto Rank jadł kolację u Freudów, w mieszkaniu na górze; był częstym gościem profesorostwa. Marta już przed rokiem adoptowała go jako młodszego brata Zygmunta, a tego właśnie potrzebował Rank. Miał ojca alkoholika i matkę, która się nim nie interesowała. Dotkliwie odczuwał brak domu. Ukończył w swoim czasie szkołę zawodową, potem pracował w fabryce jako mechanik. Do tej pracy nie miał siły ani zdolności. Przed kompletnym załamaniem uratowały go książki, pochłaniane bez umiaru. Z czasem zaczął też chodzić do teatru. Miał dwadzieścia jeden lat i był samoukiem, kiedy przyszedł do Zygmunta z rękopisem swej książki. Zygmunta zdumiała oryginalność tych wywodów; zaprzyjaźnił się z młodzieńcem. Do późnych godzin nocnych spacerowali ulicami Wiednia, omawiając książkę, aż wreszcie została doprowadzona do takiego stanu, że wydawca ją przyjął. Zygmunt opłacił Ottonowi rok nauki w gimnazjum; chłopak musiał przecież zrobić maturę. Potem zapisał się na uniwersytet. Zygmunt dbał o to, by nie zaciągał długów.

Zatrudnił go jako płatnego sekretarza Towarzystwa Psychologicznego, płacąc mu pensję z własnej kieszeni.

Otto Rank postawił grecką wazę na biurku, obok egipskich, asyryjskich i wschodnich figurek. Pośród tych starożytności leżał medal ofiarowany Zygmuntowi uprzedniej wiosny przez Towarzystwo Psychologiczne z okazji pięćdziesiątych urodzin. Medal był dziełem rzeźbiarza Schwerdtnera; po jednej stronie widniał portret Zygmunta, po drugiej Edyp odpowiadający Sfinksowi.

Rank wyjął jakieś papiery z podniszczonej teczki.

– A może ja pana zastąpię dziś w roli sekretarza? – zapytał Zygmunt.

– Ależ dlaczego, panie profesorze?

– Przez całą godzinę będzie pan wygłaszał swój referat. Czy nie będzie pan potem zbyt zdenerwowany, by protokołować?

– Ach, nie. Nabyłem już wprawy.

– Proszę pamiętać, że dyskutanci panu nie popuszczą!

Zygmunt rozejrzał się po pokoju. Między oknami wychodzącymi na ogród stała gablotka wypełniona cennymi antykami; niektóre z nich pochodziły z trzeciego tysiąclecia przed Chrystusem. W gablotce umieszczono starożytną łódź śródziemnomorską z wioślarzami, Pegaza, hinduskiego Buddę, chińskiego wielbłąda, egipskiego sfinksa i maskę przedkolumbijską. Na ścianie po stronie przeciwnej wisiał perski dywan, a nad nim znajdowały się półki z książkami o interpretacji snów, dziełami psychiatrycznymi i psychologicznymi. Poszczególne działy oddzielono fragmentami marmurowych sarkofagów lub płaskorzeźb. Wszystkie te archeologiczne pamiątki stanowiły integralną część jego życia. Patrząc na nie, odświeżał umysł podczas długich godzin pracy z pacjentami i w czasie pisania dwóch książek, które wydał w roku ubiegłym: *Dowcip i jego związki z podświadomością* oraz *Trzy szkice o teorii seksualizmu*. Stwierdził, że te świadectwa wielu cywilizacji korzystnie wpływały również na jego pacjentów, ułatwiały im zrozumienie koncepcji podświadomości, przypominały, że ich kłopoty nie są czymś, co się dopiero teraz pojawiło, lecz że narastały, jak tego dowiódł Karol Darwin, przez tysiąclecia, od czasów niepamiętnych.

Za drzwiami rozległy się głosy. Zygmunt wstał, by powitać kolegów. Pierwsi weszli doktorzy Kahane i Reitler. Obaj nie opuścili ani jednego zebrania w ciągu ubiegłych czterech zim. Reitler był szczupłym blondynem o młodzieńczej twarzy. Tylko coraz wyżej przesuwająca się linia włosów świadczyła o mijających latach. Twarz Kahanego poznaczyły głębokie zmarszczki dużo wcześniej, zanim osiągnął wiek męski. Zygmunt przywitał się serdecznie z przyjaciółmi, których nie widział od czerwca.

Reitler stosował psychoanalizę w leczeniu tych pacjentów, którym, jego zdaniem, metoda ta mogła pomóc, nadal jednak z konieczności kontynuował swą praktykę ogólną. Zaczynał ostrożnie i dyskretnie, w trudniejszych sprawach zwracając się o pomoc do Zygmunta. W głębi duszy Zygmunt się cieszył, że pierwszym lekarzem, który poszedł w Wiedniu w jego ślady, był katolik mający pacjentów katolików.

Maks Kahane wciąż jeszcze nie chciał stosować psychoanalizy w swej coraz bardziej rozwijającej się i świetnie prosperującej klinice.

– Ale dzięki psychoanalizie lepiej rozumiem moich pacjentów – wyznał kiedyś. – W podświadomości ludzkiej jest wiele wypalonych lub bezużytecznych pomieszczeń, które na różne subtelne sposoby można przebudować. Dzięki terapii pana profesora zdobyłem sporo cennych wskazówek.

Wokół owalnego stołu rozsiadali się uczestnicy zebrania. Był wśród nich Filip Frey, nauczyciel w szkole prywatnej. Przed rokiem napisał przychylną recenzję książki *Dowcip i jego związki z podświadomością* w „Austrian Review". Pracował teraz nad artykułem, w którym domagał się wyjaśnienia problemów seksualnych w ramach programu nauczania w szkołach, tematu tego nikt dotąd nie śmiał poruszyć. Frey rozmawiał z Hugonem Hellerem, również niebędącym medykiem, który był nie tylko wydawcą i księgarzem, lecz ponadto jeszcze pełnił funkcje impresaria aktorów i muzyków. Do jego sklepu na Bauermarkt przychodzili młodzi, nieznani artyści i pisarze wiedeńscy na kawę i pogawędki. Ubierał się niestarannie, chodził w palcie zawsze na niego za dużym, ale miał talent krasomówczy, zawodzący go tylko wtedy, gdy się zbyt unosił i wpadał w gniew. Uważał się za bezwyznaniowca, swoich synów jednak wychowywał na ewangelików.

W drzwiach stanął najbłyskotliwszy uczestnik zebrań, doktor Alfred Adler. Od dawna był pupilkiem profesora Nothnagela. O leczeniu mówił, że jest to sprawa równie prosta jak smażenie jajecznicy. Jego pacjenci twierdzili, że trafną diagnozę łączy z niezwykłą ostrożnością. Terapią psychologiczną zajął się, zanim jeszcze otrzymał zaproszenie Zygmunta do udziału w dyskusjach. Pracował nad sprawami, których nigdy nie uważano za mające jakikolwiek związek z medycyną. Pacjentom zadawał pytania „całkowicie niezwiązane z ich chorobami". Stał się wiernym uczestnikiem wieczorów środowych. „Z pewnymi jednak zastrzeżeniami" – pomyślał sobie Zygmunt, ściskając dłoń Adlera.

Wszyscy bowiem pozostali uczestnicy spotkań – zarówno lekarze, jak i laicy – uważali się za uczniów, lenników, studentów profesora Zygmunta Freuda. Tylko nie Adler. On od samego początku postawił sprawę jasno, że jest kolegą, współpracownikiem w dziedzinie psychologii nerwic, i uważał się mimo czternastu lat różnicy wieku za równego profesorowi. W pierwszych latach studiów uniwersyteckich związał się z grupą studentów, którzy czytali i omawiali *Kapitał* Marksa. Sam nigdy nie stał się marksistą: usposobienie nie pozwalało mu na przyjęcie doktryny bez zastrzeżeń, ale lektury i przemyślenia skierowały jego uwagę na kwestie sprawiedliwości społecznej i reform politycznych. Wyrósł w zamożnej rodzinie kupców zbożowych, świadomie jednak opowiadał się po stronie tych, których zaczynano nazywać „prostymi ludźmi". Swój gabinet otworzył w ubogiej dzielnicy na Praterstrasse. W pierwszym okresie znajomości z Zygmuntem nakłaniał go do studiowania prac Marksa, Engelsa, Sorela, ale usłyszał przewrotną odpowiedź:

– Panie doktorze, nie mogę się zająć walką klas; życia mi nie starczy na wygranie walki płci.

Zygmunt dowiedział się od Stekla, że Adler jest entuzjastycznym zwolennikiem jego metod i że wypróbował je na kilku swoich pacjentach...

– ...niekiedy z całkiem zadowalającymi wynikami – przyznał podczas jednej z pierwszych rozmów z Zygmuntem.

– Podobnie jak i ja – potwierdził Zygmunt. – Ale nam przecież nie chodzi o to, by statystycznie dowieść niezawodności psychoanalizy. Ważniejszą sprawą jest leczenie coraz trudniejszych przypadków, poszerzanie horyzontów naszej wiedzy. To właśnie robiłem w ubiegłym roku, próbując leczyć schizofrenię i innych izolujących się pacjentów, którzy stracili wszelki kontakt z rzeczywistością. Nie potrafię ich wyleczyć, nie potrafi tego nawet profesor Bleuler w Zurychu.

Doktor Alfred Adler przymknął ciężkie powieki za szkłami okularów. Przyznawał, że odkrycia Zygmunta otwierały nowe horyzonty, ale po dokładnym samodzielnym przemyśleniu kwestii psychoanalizy i podświadomości nie był skłonny do przyjęcia tej hipotezy bez reszty. Temu właśnie przypisywał Zygmunt dystans zachowany cały czas przez Adlera w odróżnieniu od pozostałych członków grupy, którzy często wpadali do niego na kawę, odbywali z nim długie wieczorne spacery i wybierali się na niedzielne wycieczki do Lasku Wiedeńskiego, dyskutując o metodach pracy. Podczas środowych spotkań Adler podkreślał z naciskiem, że chociaż uważa doktora Freuda za pioniera i gospodarza zebrań, sam woli iść własną drogą. Zygmunt zapewniał go, że prawo każdego do własnych poglądów będzie szanowane. W odczytanym na jednym z posiedzeń rozdziale ze swej książki *Studium organicznej niższości*, która miała się ukazać za rok, Adler w interpretacji ludzkiego umysłu przesunął punkt ciężkości z umysłu na poszczególne narządy ciała. Zygmunt był pełen podziwu dla tej pracy, chociaż położono w niej większy nacisk na fizjologię niż psychologię i w pewnej mierze rewidowano jego poglądy. Niezależnie od tych różnic Adler starał się pomagać młodszym uczestnikom spotkań, którzy mieli ambicje zostać psychoanalitykami.

2

Rozsiedli się za owalnym stołem. Zygmunt na końcu, Otto Rank po jego lewej stronie, pozostali jak popadnie, z wyjątkiem Adlera, który stale zajmował to samo miejsce pośrodku. Nie chodziło tu o podkreślenie autorytetu, nie był egocentrykiem, ale dzięki jasności rozumowania i doświadczeniu w dziedzinie leczenia nerwic stał się jakby naturalnym przywódcą tych ożywionych dyskusji. Zygmuntowi odpowiadał taki porządek; pozostawał na dalszym planie, przemawiał nie częściej niż inni i nie dominował w dyskusjach.

Rozejrzał się dokoła. Tego wieczora było ich dziewięciu. W myślach przebiegał te dziewięć lat, które minęły od owego październikowego wieczora 1902 roku, kiedy to z Adlerem, Kahanem, Steklem i Reitlerem po raz pierwszy dyskutowali, siedząc wokół tego stołu. Bardzo szybko udało mu się wytworzyć przyjacielską, inspirującą atmosferę. Unikał mentorstwa, ale wyłożył wszystko, czego się nauczył o podświadomości i rozwoju konstrukcji ludzkiej psychiki, traktując to po prostu jako punkt wyjściowy dla dalszych badań i poszukiwań. W roli gospodarza starał się chwilami jednym słowem czy gestem zasygnalizować, że dyskusja zbacza na nieistotne tematy, hamować osobiste przytyki. Ponieważ unikał profesorskiego tonu, zdając się wyłącznie na swój wiek, doświadczenie i umiejętność utrzymania ładu w grupie, całe grono czuło się coraz silniej związane węzłami przyjaźni i wzajemnego szacunku. Uważali siebie za pionierów.

Dla niego pierwsze dwa lata spotkań były okresem refleksji, uporządkowania myśli i sił przed następnym atakiem. Rękopis historii choroby Dory trzymał pod kluczem, ale w 1903 roku napisał rozdział zatytułowany *Postępowanie psychoanalityczne* do podręcznika Löwenfelda *Nerwice natręctw*. W 1904 opublikował referat *O psychoterapii,* wygłoszony przed Kolegium Doktorskim, a także rozdział *O terapii psychicznej,* przygotowany dla popularnego czasopisma medycznego wydawanego w Niemczech.

Dwa lata zmniejszonej aktywności doprowadziły do twórczej eksplozji. Zabrał się gorączkowo do pisania, z niezwykłą energią i radością rozpoczął pracę nad dwoma rękopisami, które trzymał w oddzielnych szufladach swego biurka: *Dowcip i jego związki z podświadomością* i *Trzy szkice o teorii seksualizmu.* Na przemian, w miarę jak napływały pomysły, pracował nad jednym lub drugim rękopisem. Skończył oba niemal równocześnie i natychmiast wysłał je do wydawcy. Potem, przygotowując się na burzę, która nieuchronnie musiała wybuchnąć z powodu *Trzech szkiców o teorii seksualizmu,* wyjął z zamkniętej szuflady historię choroby Dory, przeczytał ją uważnie i stwierdził, że to szczegółowe studium może wesprzeć jego teorie i że czas już na kolejną potyczkę z przedstawicielami światowej nauki.

Czy to nie dziwne, myślał, jak podobny jest świat lekarski do moich pacjentów. Na nic się nie zda pieszczenie i uspokajanie: tego rodzaju postępowanie nie wpływa w najmniejszym stopniu na ich mentalność czy zachowanie. Muszę wpierw dotrzeć do ich tłumionych przeżyć, pozwolić im się wyszumieć emocjonalnie, przenieść na mnie swoje męczarnie, nienawiści, upokorzenia i wyniesione z dzieciństwa poczucie winy. Tylko po takiej *katharsis* potrafią się zdobyć na ocenę rzetelności mojej pracy.

Zygmunt przyglądał się teraz Ottonowi Rankowi, który porządkował notatki i poprawiał okulary na nosie przed rozpoczęciem referatu: *Dramat kazirodztwa i jego komplikacje.* Wydawał się drobny i chłopięcy w tym gronie ludzi. Zaczął prosto i bezpośrednio, jak się tego nauczył, słuchając wykładów Zygmunta na uniwersytecie w zimowym semestrze 1905 i 1906 roku. Referat miał wygłaszać na trzech kolejnych zebraniach. Dla debiutanta był to wysiłek nie lada, ale Zygmunt wierzył w swego pupila. Nie szczędził czasu, by mu pomóc dopracować wszystkie aspekty tematu. Otto dużo czytał i udokumentował solidnie swą tezę o przewijaniu się tematu kazirodztwa na przestrzeni wieków.

Rank skończył punktualnie o dziesiątej. Służąca wniosła kawę i tacę z ciastem, ustawiła na środku stołu. Panowie wstali, dodawali do kawy mleko lub bitą śmietankę, krążyli po pokoju, rozmawiając i żartując po przyjacielsku, po czym sięgali po leżące w wazie numerki, które ustalały kolejność uczestniczenia w dyskusji. Kiedy zasiedli z powrotem na swych miejscach, Otto przemienił się z początkującego naukowca w sekretarza. Miał szczególną umiejętność protokołowania dyskusji tak wiernie, jakby zapisana została na jednym z fonogramów niedawno wynalezionych przez Amerykanina Thomasa A. Edisona.

Pierwszy numer przypadł nauczycielowi Filipowi Freyowi. Oczy wszystkich skupiły się na nim. Pracował teraz nad książką *Samobójstwo a przyzwyczajenia,* która zdaniem Zygmunta mogła stać się punktem wyjściowym do udokumentowania tezy o istnieniu w człowieku pragnienia śmierci.

– Nie mogę zrozumieć, na jakich podstawach budujesz swoją konstrukcję. Podajesz fragmentaryczne, oddzielne przypadki, interpretujesz je wszystkie za pomocą metody Freudowskiej i w efekcie dopatrujesz się w materiale zbyt wielu różnych rzeczy; lepiej byłoby, gdybyś się ograniczył do podania faktów.

Otto przełknął ślinę, ale nie podniósł oczu. Rudolf Reitler miał kartkę z numerem drugim. Zaczął mówić niespiesznie, starannie wymawiając słowa.

– Po pierwsze, mógłbym poprzeć twoje wywody, wskazując na kazirodcze aluzje w piosenkach studenckich; znajdziesz ich mnóstwo, tylko rozejrzyj się między studentami. I chyba warto, żebyś zainteresował się bliżej rolą pokuty w żywotach świętych.

Następnie zabrał głos znany internista doktor Edward Hitschmann. Miał trzydzieści pięć lat. Mimo przedwczesnej łysiny był mężczyzną przystojnym, o śmiejących się, ironicznie patrzących oczach. To z jego wypowiedzi Zygmunt zazwyczaj wynotowywał jakieś dowcipne aforyzmy. „Stosunek to kolacja ludzi ubogich". „Kiedy człowiek jest nieszczęśliwy, ma zazwyczaj ochotę przespać się z kobietą". Na pierwszym zebraniu, w którym uczestniczył, oznajmił:

„Panie profesorze, pańska praca interesuje mnie przede wszystkim w odniesieniu do przeszłości, a nie przyszłości. Moim zdaniem pańskie metody psychoanalityczne mogą być zastosowane nie tylko do ludzi żywych, ale też do umarłych. Chodzi mi, rzecz jasna, o wielkich zmarłych. Przyszło mi do głowy, że ludzie ci pozostawiają w swoich dziennikach, listach, przemówieniach wspaniałe świadectwa, które doświadczonemu psychoanalitykowi umożliwiają odkrycie podświadomych motywów w tej samej mierze, w jakiej na to pozwala swobodne kojarzenie pacjenta leżącego na kanapie. Gdy nabędę wystarczającej wprawy w posługiwaniu się psychoanalizą, chciałbym pisać tego rodzaju biografie".

Teraz mówił do Ranka:

– Mylisz się, zakładając, że miłość między krewnymi ma zawsze tło kazirodcze. Przecież to może być zwyczajna miłość rodzinna. Czy nie przyszło ci do głowy, że poeci dlatego piszą tak często o kazirodztwie, ponieważ pociągają ich tematy patologiczne? Obawiam się, że bardzo zacieśniasz swoje horyzonty, ograniczając się w swoich teoriach jedynie do kompleksu Edypa.

Zygmunta trochę zirytowała ta wypowiedź. Hitschmann wciąż jeszcze nie był przekonany, że sytuacja edypalna jest osią psychoanalizy. „Czy można utrzymać pierwsze piętro budynku, jeśli usuwa się parter? – pomyślał sobie. – Ale cierpliwości; ziarno dojrzewa i wschodzi we właściwym czasie".

Doktor Paul Federn był jednym z najbrzydszych mężczyzn, jakich Zygmunt widział w swoim życiu. Miał niekształtną, łysą głowę i wydatny żydowski nos; przypominał najzłośliwsze antysemickie karykatury w „Deutsches Volksblatt". Fizyczna brzydota Paula nie wpłynęła jednak na jego usposobienie. Okazał się człowiekiem wyjątkowo sympatycznym, wiernym przyjacielem i od chwili przyłączenia się do grupy w 1903 roku stał się podporą Zygmunta. Uważano go za jednego z najlepszych internistów w Wiedniu.

– Przyjacielu, mam duże zastrzeżenia do pana uwag. Referat Ottona zawiera cenne spostrzeżenia. Zaskoczony jestem stwierdzoną przez niego częstotliwością odruchów kazirodczych. Zgadzam się, że praca zyskałaby na wartości, gdyby autorowi udało się prześledzić historyczny rozwój wątku kazirodczego od czasów przedhistorycznych do pojawienia się rodziny. Chyba nie bez znaczenia jest fakt, że stosunku kazirodczego między ojcem a córką nie piętnowano tak surowo, jak stosunku między matką a synem? Być może dlatego właśnie motyw ten tak rzadko występuje w literaturze. Czy nie mógłbyś, Ottonie, poszerzyć tematu kastracji o okres pierwotny, w którym zalecano ją ludziom pogardzanym albo śmiertelnym rywalom?

Ze szczególną uwagą wysłuchał Zygmunt uwag Alfreda Adlera, zawsze wnoszących coś istotnego. Głos miał Adler tak piękny, że przyjaciele namawiali go, by uczył się śpiewu. Wyczuwało się w jego wymowie wiedeńskie modulacje, ale wypowiadał się ściśle, z literackim niemal wyszukaniem. Wychował się w bogatej podmiejskiej dzielnicy Wiednia, wśród kolegów i przyjaciół chrześcijan, nie spotykając się z żadnymi przejawami wyznaniowych antagonizmów. Jako młody chłopak przeszedł na protestantyzm. Kiedy mówił, zwracając się wprost do Ottona, oczy jego się iskrzyły.

– Pański referat wydaje mi się bardzo cenny, ponieważ potwierdza moje własne doświadczenia w leczeniu psychonerwic. Nawiązując do pańskiej interpretacji epizodu, kiedy Edyp zdejmuje pas swego ojca, wspomnę, że mam pacjentkę cierpiącą na histerię, która bez przerwy rozpina pasek; dzięki analizie doszliśmy do erotycznego znaczenia tego ruchu. Jeśli idzie o Orestesa odgryzającego sobie palec, inna z moich pacjentek stwierdziła, że we śnie gryzła palec do krwi. Palec występował tu jako penis. Jej zachowanie było obroną przed oralną perwersją seksualną. W związku z pana teorią seksualnej symboliki węża mogę dodać, że jedna z pacjentek powiedziała mi: „Łączy mnie z ojcem ogniwo podobne po części do węża, po części do ptaka". Kazałem jej narysować to ogniwo i spod jej pióra wyszedł szkic niedwuznacznie przypominający penis.

Zygmunt wiedział, że w odróżnieniu od szybko mówiącego Stekla, potrafiącego na poczekaniu wymyślać przykłady, byle tylko uczynić dyskusję ciekawszą, Adler mówił o przypadkach, które leczył faktycznie. Zygmunt wtrącił, że w średniowiecznym malarstwie diabła często przedstawiano z genitaliami w kształcie węża. Potem przeszedł do referatu Ranka. Jako mentor Ottona będzie mu pomagał w przygotowaniu do druku referatu o kazirodztwie, musiał więc delikatnie wejść w rolę profesora Freuda pouczającego młodego obiecującego studenta, tak jak kiedyś jego profesorowie wskazywali jemu drogę w czasie studiów.

– Po pierwsze, Ottonie, już sam fakt napisania referatu jest osiągnięciem. Na twarzy Ottona pojawił się dziecinny uśmiech.

– Panie profesorze, to balsam na moje rany. Już czuję się lepiej.

– I słusznie! Przejdźmy teraz po kolei do kilku spraw. Zacznę od tego, że moim zdaniem należy bardziej wyraźnie określić temat, a potem starać się nie wykraczać poza jego ramy. Po drugie, niedostatecznie przekonywająco przedstawiasz kwestie sporne, gdy sam już uważasz je za rozwiązane. Wydaje mi się, że powinieneś podać więcej sprawdzonych danych ze swoich badań. Ale zastrzegam się, to sprawa gustu i umiejętności zatrzymania się we właściwym miejscu, unikania wątpliwych odwołań do poezji i mitologii, co może jedynie zaciemnić główny problem...

Otto Rank notował szybko; na jego policzkach zakwitł ciemny rumieniec. Zygmunt wiedział, że młody człowiek nie poczuje się urażony krytycznymi uwagami. Kiedy skończył mówić, zebranie dobiegło końca. Teraz trzeba było opowiedzieć uczestnikom, zawsze skorym do słuchania, o nowych ciekawych przypadkach, z jakimi ostatnio się zetknął. Przez dziesięć dni leczył histeryczkę, która w toku analizy wyznała, że w czwartym roku życia rozebrała się na oczach zgorszonego brata. Od jedenastego jednak roku życia rozbierali się już oboje, pokazując sobie rozwijające się organy płciowe. Między jedenastym a czternastym rokiem życia utrzymywali bliskie kontakty cielesne, starając się naśladować stosunek. Pacjentka przerwała te praktyki bez namysłu, z chwilą gdy dostała pierwszą miesiączkę. Szkodliwe następstwa pojawiły się, gdy dorosła i mężczyźni zaczęli starać się o jej rękę. Stojąc w obliczu małżeństwa, dziewczyna poczuła, że opanowuje ją poczucie winy, którego powodu nie potrafiła zrozumieć. Teraz chodziło o to, by pokierować nią w taki sposób, żeby znalazła wytłumaczenie dla tego uczucia.

3

Następnego dnia o dziesiątej przed południem Zygmunt stracił jednego ze swych najbardziej interesujących pacjentów – wysoki, tęgi, pewny siebie, nieżonaty mężczyzna w wieku lat czterdziestu dwóch miał obsesję na punkcie bakterii i brudu. Mył i prasował nawet banknoty, którymi regulował honorarium. Minęło wiele miesięcy, zanim pacjent przedstawił mu swoje seksualne skłonności: nie interesowały go przelotne miłostki i stosunki z prostytutkami Wiednia. Wolał małe dziewczynki. Stał się czułym „wujkiem" w kilku rodzinach, w których były dwunasto- lub trzynastoletnie córeczki. Zaskarbiwszy sobie zaufanie rodziny, wybierał się z dziewczynką na wieś, na całodzienny piknik, po czym zazwyczaj nie udawało się im zdążyć na ostatni pociąg. Wygodny pokój hotelowy był już z góry zamówiony. Oboje zjadali kolację, a potem kładli się spać w jednym łóżku. „Wujek" powoli przysuwał się do dziewczynki, wkładał od tyłu palec do jej pochwy i poruszając nim, jednocześnie się onanizował.

– Czy nie obawia się pan wkładać brudnego palca do waginy, skoro ma pan fobię na punkcie zarazków?

Pacjent zerwał się z kozetki, purpurowy z wściekłości.

– Jak pan śmie mówić takie rzeczy. Jak pan mógł nawet pomyśleć, że wkładałbym brudny palec w dyskretne miejsca tych niewinnych dziewczynek. – Wybiegł z gabinetu, zapominając wręczyć lekarzowi umyte i wyprasowane banknoty, przechowywane w portfelu. Zygmunt zastanawiał się, jakie to szczególne okoliczności w dzieciństwie mogły doprowadzić „wujka" do tego rodzaju upodobań seksualnych; co było źródłem tego poczucia winy, które kazało pacjentowi nieustannie szukać sposobów oczyszczenia?

O jedenastej zjawiła się u niego trzydziestodwuletnia mężatka, pochodząca z bogatej, arystokratycznej rodziny; w młodości jeszcze postanowiła, że wyjdzie za mąż za ubogiego człowieka. W dwudziestym ósmym roku życia, wbrew radom i ostrzeżeniom rodziców, poślubiła przystojnego, wykształconego trzydziestoletniego mężczyznę bez grosza. Przez pierwsze pięć lat byli szczęśliwi. Przyszło na świat troje dzieci. Podczas ostatniej ciąży pojawiły się jednak zmiany charakterologiczne. Pacjentka doszła do wniosku, że mąż ją zdradza, stała się bardzo zazdrosna i wyładowywała złość na pokojówce. Swe podejrzenia uzasadniała tym, że mąż jest tak przystojny, iż nie oprze mu się żadna kobieta, a pokojówka jest tak ładna, że musi się podobać jej mężowi.

W tym stanie rzeczy lekarz domowy doradził małżonkom separację. Pod nieobecność męża pacjentka zaczęła pisać listy miłosne do znajomych młodych mężczyzn, zapraszając ich na tajne schadzki. Zaczęła również zaczepiać obcych mężczyzn na ulicy. Przyłapana przez rodziców, powtarzała z uporem, że skoro mąż ją zdradza, ona również ma prawo nie dochowywać mu wierności. Małżonkowie znowu zamieszkali razem. Wkrótce potem lekarz domowy skierował ją do Zygmunta.

Po kilku wizytach Zygmunt zaprosił męża pacjentki, który podobnie jak rodzice zapewniał, że wszystkie stawiane mu zarzuty są bezpodstawne. Ojciec chorej potwierdził, że już w dzieciństwie zachowywała się nienormalnie. Mąż ze swej strony przyznał, że w okresie narzeczeństwa miała dziwne odruchy. Zdarzało się jej często, jakby od niechcenia lub przypadkowo, potrącać na ulicy obcych mężczyzn. W trzecim miesiącu ciąży żony zauważył, że bardzo wzmogły się u niej wymagania seksualne. Przyznał, że nie potrafi już jej zadowolić. Ostatnio zaczęła, jak to nazwał, domagać się perwersyjnych praktyk. Nalegała, by ją masturbował, by oglądał intymne części jej ciała, zmuszała go do stosunku *per anus*. Nie krępowała się niczym, nawet służbą; zachowywała się bezwstydnie, masturbowała w jego obecności, o każdej porze dnia i nocy domagała się współżycia; drwiła, wymawiając mu, że nie jest prawdziwym mężczyzną, i powtarzała, że musi mieć poza nim jeszcze kochanków.

527

Zygmunt doszedł do wniosku, że ma do czynienia z przypadkiem nimfomanii, która zaczęła się w dzieciństwie i doszła do pełnego rozkwitu w wieku młodzieńczym. W pierwszych latach małżeństwa przystojny i męski mąż chwilowo zaspokajał potrzeby pacjentki. Potem nastąpił regresywny rozwój libido, energia związana z popędem płciowym odwrócona została od obiektu miłości, w danym wypadku od męża, i skierowana w stronę autoerotyzmu. Cały system przywidzeń, który sobie wytworzyła, zazdrość, oskarżenia o niewierność, głosy powtarzające plotki o mężu były wytworem podświadomości usiłującej przezwyciężyć zakazy psychiczne i wyzwolić nimfomanię.

Zygmunt postawił diagnozę: ostry obłęd, którego metodami psychoterapii wyleczyć się nie da, ponieważ psychoza obejmuje swym zasięgiem coraz większe obszary umysłu i przeszła w stan przewlekły. Chorą skierowano do niego za późno. Gdyby lekarz domowy przysłał ją, gdy tylko zaczęły się objawy patologicznej zazdrości, kiedy choroba była jeszcze w stadium nerwicy, zanim powstały warunki do wydostania się nimfomanii z nieświadomości, być może doszłoby w czasie leczenia do procesu przeniesienia i miałby okazję udowodnić, że patologiczna zazdrość jest zazwyczaj projekcją własnych pragnień chorego.

W południe zjawił się inny dziwny pacjent. Młody mężczyzna uporczywie pragnący śmierci, który opowiedział mu w końcu o historii, jaka wydarzyła się w szóstym roku jego życia.

– ...pewnego razu... leżałem z matką w łóżku... gdy zasnęła... w brzydki sposób wykorzystałem tę okazję... włożyłem palec w jej narządy płciowe...

Zygmunt nie wiedział, jak połączyć obsesję śmierci z tym oderwanym epizodem. Inne przejawy winy nie wydawały się dostatecznie silne, by mogły obudzić w tym młodym człowieku pragnienie popełnienia samobójstwa. Potem pacjent opowiedział mu swój sen:

– Byłem w domu, który już uprzednio odwiedzałem dwukrotnie. Jakie to może mieć znaczenie, panie profesorze? W jaki sposób może to być spełnieniem pragnienia?

– Pomyślmy o tym w kategoriach symboli. W jakim „domu" był pan dwukrotnie? Do jakiego chciałby pan wrócić, być może, na stałe?

Pacjent patrzył na niego przerażony.

– Oczywiście w łonie matki. Tam spędził pan dziewięć miesięcy przed przyjściem na świat. Powrócił pan tam w szóstym roku życia. Pańska obsesja nie wiąże się ze śmiercią, lecz urodzinami. Pragnieniem pańskiego życia jest powrót do łona matki... na różne sposoby. Teraz, kiedy zrozumieliśmy istotę problemu, zobaczymy, czy nie da się go rozwiązać: pragnie pan powrotu do łona ukochanej osoby. U mężczyzn dorosłych oznacza to: do łona namiastki

matki, czyli kochanki lub żony. Spełniając to pragnienie, pozbędzie się pan
obsesji śmierci i zacznie pan myśleć o życiu.

Miał już swoje upragnione zajęcia seminaryjne, lecz związki z Uniwersytetem
Wiedeńskim nadal ograniczały się do nadobowiązkowych wykładów, na które
obecnie uczęszczało dwudziestu ośmiu zapisanych słuchaczy. Było to zajęcie
czysto honorowe. Ani Wagner-Jauregg, ani radca kierujący katedrą neurologii nie proponowali profesorowi Freudowi normalnego cyklu wykładów dla
studentów. Nie wystąpiły też z tego rodzaju ofertami żadne inne kliniki
uniwersyteckie, poza jedną prowadzoną w Burghölzli, szpitalu i sanatorium,
podległym uniwersytetowi w Zurychu. Od dawna już miał tam Zygmunt
Freud zwolennika w osobie doktora Eugeniusza Bleulera; to on przed czternastu laty, w 1892 roku, napisał jedyną przychylną recenzję książki *O afazji*,
podkreślając, że autor jej po raz pierwszy wprowadził czynnik psychologiczny
do analizy afazji. A przecież z tego właśnie powodu Józef Breuer, któremu
praca była dedykowana, nie chciał jej uznać. Zygmunt wysyłał Bleulerowi
wszystkie swe książki, gdy tylko się ukazywały, i profesor stał się zwolennikiem psychoanalizy; posługiwał się nią w ograniczonym zakresie, lecząc
przypadki otępienia wczesnego. Co ważniejsze, wykładał ją swym studentom.
W Zurychu wysoko ceniono Freudowską psychoanalizę.
    Wyrazem przychylnych Freudowi nastrojów w środowisku szwajcarskim
było pojawienie się doktora Karola Junga, pierwszego asystenta Bleulera.
Jung miał lat trzydzieści jeden, był synem szwajcarskiego pastora. Po przeczytaniu *Interpretacji marzeń sennych* przekonał się do psychoanalizy. Już
wcześniej, w 1906 roku, przesłał Zygmuntowi swoją książkę *Studia nad
kojarzeniami słownymi*, która zainicjowała badania psychologiczne w Zurychu, i dedykował mu swój esej *Psychoanaliza a doświadczenia z zakresu
kojarzeń słownych*. Od tej chwili zaczęła się między nimi żywa wymiana
listów. Karol Jung stał się obrońcą doktryn Zygmunta.
    W maju poprzedniego roku, na kongresie neurologów i psychiatrów
w Baden-Baden, profesor Gustaw Aschaffenburg zaatakował w swym przemówieniu najświeższą publikację Zygmunta, *Fragmenty z analizy przypadku histerii; opowiadanie Dory*. Aschaffenburg oświadczył z trybuny
kongresu:
    „Metoda Freuda jest w większości przypadków błędna, w wielu przypad-
kach niewłaściwa, we wszystkich zaś zbyteczna". Jung natychmiast odpowiedział Aschaffenburgowi. Replika została wydrukowana w tym samym
numerze „Münchener medizinische Wochenschrifft", w którym zamiesz-
czono atak Aschaffenburga na Zygmunta. Była to pierwsza entuzjastyczna

i publiczna obrona idei Freuda, jaka dotarła do zawodowej opinii medycznej. Jung podkreślał, że krytyczne zastrzeżenia Aschaffenburga „ograniczały się wyłącznie do roli, jaką zdaniem Freuda w tworzeniu się psychonerwic odgrywa erotyka. Tak więc nie odnosi się ta krytyka do psychologii Freuda w szerszym jej zakresie, a zatem do psychologii snów, żartów i zaburzeń zwyczajnego myślenia, wywołanych uczuciowo zabarwionymi nastawieniami". Wysoko oceniał wyjątkowe osiągnięcia Zygmunta. Negować je mogą tylko ci, którzy nie zadali sobie trudu, by „sprawdzić doświadczalnie procesy myślowe Freuda".

„Twierdzę, że są to osiągnięcia – pisał Jung – co nie oznacza wcale, że bez zastrzeżeń podpisuję się pod wszystkimi, jego założeniami. Uważam jednak za osiągnięcie, i to bynajmniej nie małe, sam fakt stawiania oryginalnych problemów".

Pierwszym jednak z zuryskich entuzjastów, który osobiście przybył do Zygmunta, nie był ani Bleuler, ani Jung, lecz Maks Eitingon, wykształcony dwudziestopięcioletni młodzieniec. Ukończył niedawno studia medyczne u Bleulera i Junga, lecz jeszcze nie zrobił dyplomu. Bleuler poprosił go, by odwiózł do Zygmunta pacjenta cierpiącego na zaburzenia psychiczne, któremu w Burghölzli nie zdołano pomóc. Doktor Freud po dwóch godzinach konsultacji doszedł do wniosku, że i jego metody nic nie pomogą nieszczęsnemu choremu, który w otaczającym go świecie widział odbicie własnego chaotycznego wnętrza.

Wielką natomiast przyjemność sprawiło mu poznanie Eitingona. Pochodził on z bogatej rodziny rosyjskiej i dysponował własnym majątkiem. Do szkoły zaczął uczęszczać w Lipsku, dokąd rodzina jego się przeniosła, ale musiał przerwać naukę, gdyż straszliwie się jąkał. Odnalazł swe powołanie, kiedy odkrył medycynę i przekonał się, że nad mikroskopem lub palnikiem bunsenowskim nie trzeba wiele mówić. Studiował początkowo w Marburgu, a potem przeniósł się do Zurychu, gdzie wykładał Eugeniusz Bleuler. W ciągu ostatnich dwóch lat przeczytał wszystkie sześć książek Zygmunta oraz dwadzieścia cztery jego artykuły o psychoanalizie, ogłoszone w naukowych czasopismach. Polecił mu je Karol Jung.

Nie zważając na nieprzyjemną wadę wymowy, Maks Eitingon obrał już swoją drogę życiową i opowiadał o tym Zygmuntowi, gdy w pewien mroźny wieczór styczniowy szybkim krokiem spacerowali wokół Votivkirche. Postanowił zostać psychoanalitykiem, uczyć się u Zygmunta i pójść w jego ślady. Nie miał jednak zamiaru osiedlić się w Wiedniu.

– Mm...am przyjaaa...ciela w Zurychu – jąkał się – jest paa...ńskim go...go...rącym wie...wielbicielem. Na...zywa się Karol Abraham, stu...diuje u Junga i ma za...zamiar rozpocząć praktykę w Berlinie. Ja też.

Młodzieniec przypadł Zygmuntowi do serca. Był niezwykle oczytany, skromny i cichy. Z pokornym uśmiechem na okrągłej twarzy tłumaczył mu, że oczekuje od swoich rozmówców wyrozumiałości. Zygmunt bardzo szybko zorientował się, że Maks ma prawdziwy talent i duże możliwości. Z czasem będzie z niego dobry psychoanalityk. Wzruszała go również duma Maksa przejętego tym, że znalazł się u źródła. Kiedy Maks pokazał mu listę pytań przysłanych przez Bleulera, w nadziei, że Zygmunt Freud potrafi mu wyjaśnić pewne kłopotliwe problemy psychiatryczne, powiedział:

– Musi pan przyjść na nasze środowe zebranie i przedstawić te pytania całej grupie. Mam nadzieję, że nieśpieszno panu opuścić Wiedeń?

– Mogę tu zostać, jak długo zechcę.

– Świetnie. Dla wyjaśnienia istoty tych problemów potrzeba nam co najmniej dwóch zebrań, rozwiązanie ich zajmie nam chyba całe życie. Niemniej z przyjemnością zobaczymy pana w naszym gronie. Dotąd mieliśmy tylko wiedeńczyków. Będzie pan pierwszym zamiejscowym gościem zaszczycającym nas swoją obecnością. Dzięki panu staniemy się stowarzyszeniem międzynarodowym!

W środę dwudziestego trzeciego stycznia 1907 roku Zygmunt przedstawił Maksa Eitingona swym przyjaciołom. Wszyscy powitali z radością pierwszego zagranicznego członka. Eitingon sporządził dziesięć odpisów pytań Bleulera, by nie utrudniać dyskusji swoim jąkaniem. Pytania dotyczyły następujących problemów:

„Czy poza znanymi mechanizmami powstawania nerwicy konieczne są jakieś inne czynniki dla jej rozwinięcia się? Czy mogą to być określone warunki zewnętrzne? Co jest istotą terapii? Czy ma ona na celu zwalczanie objawów? Czy objawy zostają czymś zastąpione, czy tylko «odłupuje się je», jak to powiedział Freud, przeprowadzając analogię z rzeźbą?".

Rozpoczęła się ożywiona dyskusja. Wszyscy chcieli mówić równocześnie. Rank, protokołując, z trudem nadążał za mówcami. Zygmunt z zadowoleniem słuchał wypowiedzi tych młodych ludzi; wszyscy byli jego uczniami. Sadger oświadczył, że „histeria to *par exellence* nerwica miłości". Federn replikował, że „ostre nerwice zawsze są następstwem nieszczęśliwego małżeństwa". Kahane wtrącił: „Psychika żyje za pomocą zadań, które otrzymuje... Warunkiem zdrowia jest pełna asymilacja tych zadań". Rank odłożył pióro, by zabrać głos w dyskusji.

„Między chorobą a wyleczeniem, między objawem a jego usunięciem istnieje, że tak powiem, normalne życie pacjenta; w tym życiu na plan pierwszy wysuwają się instynkty społeczne, religijne, artystyczne, i od tego właśnie powinno się zacząć..."

Alfred Adler miną i gestem rąk wyrażał aprobatę dla wypowiedzi najmłodszego członka grupy, po czym zabrał głos:

– Terapia sprowadza się głównie do wzmocnienia pewnych dziedzin psychiki przez specjalne ćwiczenia psychiczne. W toku leczenia dostrzega się u histeryka rozwijanie się jego właściwości psychicznych. Pacjent zaskakuje nas swoimi pomysłami i niekiedy odkrywa powiązania, które zdumiewają lekarza. Podczas leczenia i potem opanowuje zjawiska całkowicie mu dotąd nieznane. W miarę jak pogłębia się jego zrozumienie, pacjent osiąga tak bardzo mu potrzebny spokój. Z bezwolnego pionka sterowanego okolicznościami staje się świadomym przeciwnikiem lub niewolnikiem własnego losu.

Pokojówka wniosła kawę i ciastka. W czasie przerwy Maks Eitingon mówił o słownych kojarzeniach, o tym, jak doktor Karol Jung posługiwał się stoperem dla pomiarów reakcji pacjenta na pewne słowa, jak lekarz może oceniać głębię i ostrość stłumienia na podstawie czasu potrzebnego pacjentowi do odpowiedzi. Po chwili milczenia oczy wszystkich zwróciły się ku Zygmuntowi. Eitingon, jąkając się, zapytał go, czy nie zechciałby powiedzieć, co o tym myśli.

– Nie miałem wcale zamiaru milczeć – odpowiedział z uśmiechem Zygmunt. – Przy tym stole na każdego przychodzi kolej. Zastanawiałem się właśnie, jak podsumować wszystko, co tu zostało dziś powiedziane. Spróbujmy: Element seksualny w życiu psychicznym ma znacznie większe znaczenie w powstawaniu nerwic niż wszystkie inne czynniki. Poprzez seksualizm ustanowiony zostaje ścisły związek psyche z somą. Nerwicowiec jest tylko w takim zakresie chory, w jakim cierpi. Kiedy nie cierpi, terapia okazuje się bezskuteczna. Być może wszyscy jesteśmy trochę znerwicowani. W istocie tylko praktyczne względy stanowią o tym, czy człowieka określa się jako chorego. Faktyczna różnica między lekką a poważną chorobą polega jedynie na umiejscowieniu, na topografii objawów. Jak długo element patologiczny znajduje wyraz w błahych reakcjach, człowiek jest „zdrowy". Gdy jednak atakuje zasadnicze dla życia czynności, wówczas uważamy, że jest on chory. Rozwój choroby jest następstwem ilościowego wzrostu zmian. O tym natomiast, dlaczego choroba przybiera postać takiej, a nie innej nerwicy, wiemy najmniej.

4

Dowcip i jego związki z podświadomością zwrócił powszechną uwagę, ponieważ książka ujawniła aspekt podświadomości niemający powiązań z życiem seksualnym. Nie był to problem oryginalny. Tacy filozofowie jak Lipss, Fischer i Vischer ogłosili już dawniej prace poświęcone klasyfikacji i naturze elementu komicznego, ich dzieła jednak, podobnie jak osiemdziesiąt książek o snach, które ukazały się przed *Interpretacją marzeń sennych,* były dla Zygmunta jedynie punktem wyjściowym. Podzielił dowcipy i całą dziedzinę humoru na poszczególne składniki i omawiał je oddzielnie w rozdziałach: *Mechanizm przyjemności, Psychogeneza dowcipów, Motywy dowcipów. Dowcipy jako proces społeczny, Związki między dowcipami a marzeniami sennymi i podświadomością.* Doszedł do wniosku, że żarty służą jakiemuś dalszemu celowi, nie tylko prowokowaniu chwilowego śmiechu. Najczęściej są wytworem podświadomości kierowanej konkretnymi motywami: zazdrością, pogardą, pragnieniem upokorzenia kogoś, odtrącenia czy po prostu zadania bólu. „Dobry" żart wszystkim pomaga, wszyscy się zeń śmieją, ale taki żart trafia się rzadko.

Zygmunt podzielił dowcipy na dwie główne kategorie: wrogie, służące agresji lub samoobronie, oraz sprośne, które zaspokajają instynkty pożądliwości, kiedy natrafią na przeszkodę w rodzaju niemożności akceptowania jawnego seksualizmu przez szanującą się kobietę, lub aluzje anatomiczne, tak często koncentrujące się na procesie defekacji. Zanotował: „Osoba śmiejąca się ze sprośnych kawałów śmieje się, jakby była świadkiem aktu agresji seksualnej... Obleśność podobna jest do obnażania się przed osobą odmiennej płci".

Szczególnie rozpowszechnione są dowcipy związane z ekskrementami. W dzieciństwie trudno rozróżnić sprawy mające związek z ekskrementami i z erotyką. Tak więc dowcipy, w których występują ekskrementy, stanowią powrót do przyjemności z lat dziecinnych.

Dla zilustrowania tezy o posługiwaniu się dowcipem jako formą spełnienia pragnień Zygmunt wykorzystał anegdotę Heinego o sprzedawcy losów na loterię, który powiedział: „Bóg mi świadkiem, że siedziałem obok Salomona Rothschilda, a on traktował mnie jak równego sobie, całkiem f a m i l i o n e r y j n i e".

Z własnych zbiorów przytaczał przykłady zastosowania dowcipów jako oręża społecznego lub jako środka zemsty. Pewien człowiek powiedział o swoim przyjacielu: „Próżność jest jedną z jego czterech pięt achillesowych". Inny wyraził się: „Jechałem z Karolem *tête-a bête.* (To kompletny osioł)". Polityk o swoim przeciwniku: „On ma wielką przyszłość za sobą". Karl Krauss pisał o brukowym dziennikarzu: „Wybiera się do jednego z krajów bałkańskich Orienterpresszugiem", łącząc słowa Orient-Express i *Erpressung* – szantaż. Młodzieniec, który za granicą prowadził wesoły tryb życia, powrócił do Wiednia z obrączką ślubną na palcu. Gdy spotkał przyjaciela, ten zawołał: „Cóż to, ożeniłeś się?", „Tak – odpowiedział zapytany. – *T r a u r i n g aber wahr*" („Smutne, lecz prawdziwe"; przy czym *traurig*, smutne – zostało połączone z *Ring* – obrączka).

W przekonaniu Zygmunta dowcipy miały coś wspólnego z marzeniami sennymi. Jedne i drugie miały jakieś jawne, pierwszoplanowe znaczenie, za którym ukrywał się lub przebywał w stanie utajonym jakiś cel. Przypomniał sobie żart powtarzany przez studentów w czasach jego studiów medycznych: „Gdy się pyta młodego pacjenta, czy kiedykolwiek się onanizował, odpowiedź z reguły brzmi: O na, nie! (O, nie, nigdy!) Zgłoski układają się w słowo „Onanie". Były też dowcipy „małżeńskie". Lekarz wezwany do chorej mówi na stronie do męża: „Ona mi się nie podoba". Na to mąż odpowiada: „Mnie się nie podoba już od dawna".

Pośrednik matrymonialny pyta: „Jakie warunki ma spełniać oblubienica?". „Ma być piękna, bogata i wykształcona". „Dobrze, ale na to potrzebne są trzy śluby".

Rzadko się zdarza, by żart nie miał jakiegoś motywu. W tak poważnych sprawach jak zależność obywatela od władzy satyra stanowi sposób wyrażania najsurowszej krytyki; jest cierniem ukrytym w ciastku z kremem. Pełni też rolę krytyki społecznej.

„Pewien przygłuchy człowiek zwrócił się do lekarza, który stwierdził, że pacjent prawdopodobnie nadużywa alkoholu, i to właśnie uznał za przyczynę jego złego słuchu. Doradził mu, by przestał pić, ten zaś obiecał, że posłucha lekarza. Po pewnym czasie spotkali się na ulicy i lekarz, głośno krzycząc, zapytał swego pacjenta, jak się czuje. Ten mu odpowiedział, by nie wytężał głosu, ponieważ zgodnie z poleceniem rzucił picie i słuch mu się poprawił. Spotkali się znowu po upływie pewnego czasu. Tym razem lekarz przemówił już normalnym głosem, ale okazało się, że pacjent nie dosłyszał jego pytania. Krzyknął mu więc do ucha: „Widzę, że pan znowu pije i ponownie pan ogłuchł!". „Powiem panu, dlaczego znowu zacząłem pić. Kiedy nie piłem, słuch mi się poprawił, ale to, co słyszałem, nie było tak dobre jak koniak".

Podobno Heine na łożu śmierci pozwolił sobie na bluźnierczy dowcip. Kiedy zaprzyjaźniony ksiądz przypomniał mu, że Bóg jest miłosierny i być może wybaczy mu jego grzechy, poeta miał odpowiedzieć: *„Bien sûr qu'il me pardonnera: c'est son métier".* („Oczywiście, że mi wybaczy: to jego zawód").

W ciągu lat osamotnienia Zygmunt szukał pociechy w żydowskich żartach ludowych. Przez całe stulecia anegdoty te pomagały narodowi żydowskiemu przetrwać, ucząc go drwić z siebie i równocześnie podkreślać delikatnie własne zalety. W rozdziale *Cel żartów* Zygmunt posłużył się nimi obficie.

„Kiedy się jest Żydem, pieniądze nic nie dają. Nie można cieszyć się własnym szczęściem, gdy inni są nieszczęśliwi".

Stary Testament głosił, że ubogimi należy się opiekować i traktować ich jak równych; a oto jak żydowski dowcip opisywał stosunek bogatego Żyda do biednego:

„Niejaki *Schnorrer,* żebrak, którego w każdą sobotę przyjmowano w pewnym domu, zjawił się kiedyś z nieznanym młodzieńcem, który bez słowa zasiadł do stołu.

– A kto to taki? – zapytał gospodarz.

– Mój zięć – padła odpowiedź. – W zeszłym tygodniu ożenił się z moją córką i ja mu obiecałem utrzymanie przez pierwszy rok małżeństwa".

„Jakiś biedak prosił barona (Rothschilda), by dał mu pieniądze na wyjazd do Ostendy, gdyż lekarz zalecił mu kąpiele morskie. Baron zauważył, że Ostenda to wyjątkowo luksusowe uzdrowisko, i zapytał, czy jakieś tańsze nie byłoby równie dobre. Nędzarz na to: «Panie baronie, nic nie jest za drogie, kiedy chodzi o moje zdrowie»".

Szczególną uwagę zwracał Zygmunt na fasadę, za którą ukrywało się znaczenie nonsensownych na pozór żartów. Dowcip, żartobliwa uwaga lub riposta mogły ujawnić stłumione uczucia, od tygodni jątrzące gdzieś w zakamarkach umysłu. Często zaskakiwały słuchacza, ale równie niespodziewanie sprawiały ulgę żartującemu, który nareszcie pozbywał się ciążącego mu brzemienia. Przypomniał sobie słowa Szekspira w *Straconych zachodach miłości:*

> Bo triumf żartu tylko w uchu leży
> Pustych słuchaczy, a nigdy w języku
> Żartującego[*].

Jakże wielką przyjemność czerpał żartujący z tego, że udało mu się wyzwolić nagromadzoną energię, że mógł śmiać się dzięki swemu chwilowemu triumfowi.

Czytelnicy *Dowcipu i jego związków z podświadomością* uznali słuszność argumentów Zygmunta Freuda. Niejednokrotnie sami bywali przedmiotem jakichś tendencyjnych dowcipów albo im samym zdarzało się dawać niespodziewanie upust czemuś, co czekało tylko na sposobną chwilę, by

---

[*] Przekład Leona Ulricha.

się ujawnić. Seksualną etiologię nerwic nadal aprobował tylko wąski krąg zwolenników psychoanalizy, ale Zygmunt zaczynał już przekonywać pewną część opinii publicznej o istnieniu podświadomości dominującej w jakiejś mierze nad ludzkim charakterem i życiem. Z listów, zwłaszcza od Karola Junga, wiedział, że kilku kolegów uważało, iż powinien się tym zadowolić, gdyż badania podświadomości są znacznie bardziej obiecujące, jeśli idzie o rozwiązanie problemów z zakresu psychologii i psychopatologii, niż jego psychoterapia.

On jednak uważał takie rady za niemądre. To tak jak gdyby kazano mu zostać maszynistą pociągu, który w drodze na Semmering ma przejechać szesnaście wiaduktów i siedemnaście tuneli, mając koła tylko po jednej stronie parowozu i wagonów. Bez kół po obu stronach pociąg po prostu nie mógłby jechać, a cóż dopiero pokonać stromą drogę na Semmering. Seksualna etiologia nerwic była nie tylko owym drugim kompletem kół, ale także drugim parowozem, który pozwoli człowiekowi dotrzeć na sam szczyt wiedzy o sobie samym. Temu właśnie człowiekowi wciąż jeszcze skazanemu na błądzenie w ciemnym lesie u stóp góry.

Trzy szkice o teorii erotyzmu, które niemal równocześnie ukazały się u Deutickego, przyszły na świat pod znacznie gorszą konstelacją. Niczego innego nie mógł się zresztą Zygmunt spodziewać, skoro opisywał w nich zboczenia seksualne, seksualizm dziecięcy i przemiany okresu dojrzewania. Szkic poświęcony ostatniemu z tych tematów rozpoczynał się od tak gwałtownego naukowego natarcia, że nieprzyjaciel musiał odpowiedzieć z najcięższych dział.

„Z nadejściem okresu pokwitania następują zmiany, które mają nadać dziecięcemu życiu erotycznemu ostateczny, normalny kształt. Dotąd instynkt seksualny miał głównie charakter autoerotyczny. Obecnie znajduje on sobie erotyczny cel. Jego działalność pobudzały dotąd różne oddzielne instynkty i sfery erotogenne, które niezależnie od siebie dążyły do szczególnego rodzaju przyjemności jako jedynego celu erotycznego. Obecnie jednak pojawia się nowy cel erotyczny. Wszystkie instynkty składowe łączą się dla jego osiągnięcia, podczas gdy strefy erotogenne zostają podporządkowane obszarowi genitalnemu".

Repertuar obelg, którymi obrzucano jego seksualne herezje, zdawał się na wyczerpaniu, niemniej psychologowie i neurolodzy uczestniczący w europejskich kongresach nie siedzieli z założonymi rękami. Oskarżano go o propagowanie znachorskiej psychiatrii, o teatralny mistycyzm będący kontynuacją działalności jego duchowego protoplasty, Antoniego Mesmera. Żaden psychiatra nie mógł czytać bez przerażenia prac Zygmunta Freuda.

– I czemu tu się dziwić! – wykrzykiwał porywczy Wilhelm Stekel, który był na kolacji u państwa Freudów, a teraz siedział w gabinecie Zygmunta, wertując egzemplarz książki zakupionej tego dnia u Deutickego. – W tej pracy nie kryjesz się z zamiarem zburzenia do gruntu obowiązujących koncepcji o zwierzęcej naturze człowieka. Proszę, oto przykład:

„Ogół ma bardzo określone wyobrażenia o naturze i cechach popędu seksualnego. Powszechnie uważa się, że nie istnieje on w dzieciństwie, pojawia się w okresie pokwitania, w związku z procesem dojrzewania, i ujawnia w postaci nieprzezwyciężalnego pociągu, jaki jedna płeć odczuwa do drugiej. Celem jego jest rzekomo związek erotyczny lub co najmniej jakieś poczynania idące w tym kierunku. Mamy jednak wszelkie powody, by podawać te poglądy w wątpliwość i uznać je za fałszywe. Jeśli przyjrzymy się im bliżej, zobaczymy, że zawierają one szereg błędów, niedokładności i pochopnych wniosków”.

Stekel chichotał. Zygmunt obciął koniec cygara nożykiem wiszącym na złotym łańcuszku od zegarka.

– Im bardziej twój lancet zbliża się do kości zwanej instynktem, tym głośniej będzie pacjent krzyczał. W tym wypadku pacjentami są twoi koledzy neurolodzy i psychiatrzy, których operujesz bez znieczulenia. Tego rodzaju postępowanie jest nieprzyzwoitością z twojej strony i dowodem braku rycerskości; obala ono ich spokojne i wygodne myślenie. Cóż z tego, że istnieje wiele nerwic i że nie mogą sobie z nimi poradzić, nie mówiąc już o wyleczeniu. Trudno, to już pech biednych pacjentów. A ty masz czelność twierdzić, że znalazłeś drogę prowadzącą do całego świata nowych odkryć, po której jednak będą musieli przejść boso, choć usiana jest żarzącymi się węglami. Przykują cię do skały, jak Zeus Prometeusza za to, że dał ludziom ogień.

Na twarzy Zygmunta pojawił się smutny uśmiech.

– Daj spokój, Wilhelmie! Czy musisz rozdrapywać ranę? – Szybko jednak odzyskał humor. – Ale lepsze to, niż gdyby mnie przemilczeli. Ludzie zawsze najostrzej atakują przeciwnika, którego najbardziej się boją.

5

Pewnego niedzielnego ranka na początku marca doktor Karol Jung zadzwonił do drzwi mieszkania państwa Freudów. Służąca wprowadziła go do gabinetu Zygmunta. Obaj mężczyźni stali, wpatrując się w siebie uważnie. Od miesięcy czekali na to spotkanie. Uścisnęli sobie dłonie; ciepło, z wzajemnym podziwem, obaj uradowani. Przez krótką chwilę Zygmunt miał okazję widzieć Karola Junga w rzadkim momencie odprężenia.

Jung był bardzo wysoki, barczysty. Miał szeroką klatkę piersiową i potężne, żylaste ręce, jak renesansowy rzeźbiarz, oraz dużą głowę. Włosy i wąsy strzygł krótko. Okulary osłaniały mądre, ruchliwe oczy. Cała jego osobowość tchnęła witalnością, która zdawała się rozpychać ściany pokoju zastawione książkami. Przywitali się, jakby od lat byli zaprzyjaźnieni. Zygmunt pomyślał: „On jest jak szczyt górski, który dodaje wzniosłości wszystkiemu dokoła".

Jung miał lat dwadzieścia trzy. Był synem pastora. W rodzinie jego matki było sześciu pastorów, w rodzinie ojca dwóch wujów także zostało pastorami. Gość usiadł w fotelu, który wskazał mu Zygmunt, zerwał się jednak po chwili i zaczął długimi krokami przemierzać pokój. W jego słowach wyczuwało się szczery entuzjazm.

– Wielce szanowny profesorze. Od paru lat czekałem na tę chwilę. Bez pańskich osiągnięć nie zdobyłbym nigdy klucza niezbędnego do mojej pracy. Stosowaliśmy w Zurychu Freudowską psychoanalizę z zadowalającymi wynikami. Przywożę panu historie tych przypadków, które wydają się cenniejszym darem niż drogie kamienie, dowodzą bowiem, że rozjaśnił pan nieboskłon nauki nowym słońcem podświadomości. Przed pańskimi badaniami nad podświadomością żyliśmy w ciemnej pieczarze, nie mogąc zrozumieć ludzkiego charakteru i dostrzec motywów ludzkiego postępowania. Pańskie odkrycia spowodowały taki sam przełom, jaki nastąpił, gdy nasi przodkowie, żyjący w lasach i zdobywający strawę jedynie za pomocą pałki, wyszli na słońce, by uprawiać ziemię. Oglądał pan te same materiały, które mieli przed sobą niezliczeni lekarze od czasów Hipokratesa, ale dopiero pan przeniknął prawdę. Dowiódł pan, że człowiek jest w y d a r z e n i e m, k t ó r e s a m o s i e b i e n i e m o ż e o s ą d z a ć, l e c z m u s i b y ć, l e p i e j l u b g o r z e j, o s ą d z a n e p r z e z i n n y c h. Patologiczne warianty tak zwanej normalności fascynowały mnie, ponieważ dawały głębszy wgląd w psyche. Trzymał się pan ściśle wskazówek Charcota; jeśli idzie o psyche, stał się pan naszym największym jasnowidzem.

Zygmunt był tak nieprzyzwyczajony do pochwał, że dosłownie zbladł jak ściana.

– Posługiwałem się pańskimi metodami terapeutycznymi przy leczeniu nerwic – ciągnął Jung – niekiedy z częściowym powodzeniem, niekiedy bez skutku. Ale psychoterapia medyczna jest jedynie częścią pańskich osiągnięć, i być może nie najważniejszą. Ślad niezatarty na obliczu świata zachodniego pozostawią te pańskie odkrycia, które wpłyną na sposób naukowej interpretacji w antropologii, w sztuce, w naukach humanistycznych. Dzięki panu ślepcy przejrzeli. Pańskie dokonania pozwolą człowiekowi zrozumieć siebie w świetle swego życia wewnętrznego, i to nie tylko własnego życia, ale i swoich przodków, aż po te pokolenia, które żyły w czasach, by użyć pańskiego określenia, niewyobrażalnych, w owej osłoniętej mrokami epoce, kiedy człowiek stał się człowiekiem.

Jung rozsunął kotary, stanął w oknie i patrzył na ulicę. Uspokoiwszy się, zwrócił się do Zygmunta z młodzieńczym uśmiechem.

– Z natury jestem heretykiem. Oto jeden z powodów, dlaczego pociągają mnie pańskie heretyckie poglądy.

– To, co jest herezją w jednym pokoleniu – odpowiedział, śmiejąc się, Zygmunt – staje się ortodoksją w następnym.

– Opowiem panu teraz o pierwszym przypadku, kiedy zastosowałem psychoanalizę. Do szpitala przyjęto kobietę cierpiącą na melancholię. Diagnoza brzmiała: otępienie wczesne; rokowania były niepomyślne. Ja odniosłem wrażenie, że chora cierpi na zwyczajną depresję. Posłużyłem się moją metodą kojarzenia słownego, potem rozmawiałem z nią o jej snach. Kochała się bez pamięci w synu bogatego przemysłowca. Była ładna i uważała, że ma szanse. Ale młodzieniec nie zwracał na nią uwagi. Wyszła za mąż za innego. Miała dwoje dzieci. Po pięciu latach dowiedziała się, że niesłusznie podejrzewała owego młodzieńca, w którym się kochała, o obojętność. Wpadła w depresję. Przez jej nieuwagę córeczka w kąpieli wzięła do ust brudną gąbkę, nabawiła się tyfusu i umarła. Wtedy właśnie skierowano ją do szpitala i znalazła się pod moją opieką. Do tej pory otrzymywała środki nasenne i była stale pilnowana, by nie popełniła samobójstwa. Posługując się pańską metodą, doszedłem do tego, co starała się stłumić, a mianowicie do pragnienia zerwania z mężem i pozbycia się dzieci. Zarzucała sobie, że spowodowała śmierć córeczki, i postanowiła umrzeć. Czy wolno mi było ujawniać stłumione przeżycia? Nie mogłem pytać o to moich kolegów, bo na pewno przestrzegliby mnie przed takim krokiem. Ale pan wynalazł metodę. Czy mogłem dopuścić do tego, by ta nieszczęsna kobieta zamartwiła się na śmierć? Już wróciła do rodziny. Czuje się nadal odpowiedzialna za śmierć dziecka, ale stara się odkupić swą winę, spełniając z poświęceniem obowiązki wobec reszty bliskich...

Patrząc na chodzącego po pokoju Junga, Zygmunt poczuł głębokie zadośćuczynienie. Oto usłyszał relację o długiej drodze, którą Jung przebył, zanim dotarł do psychoanalizy Freuda. Słowa, myśli, przypadki, sny z dzieciństwa, opowieści o latach pracy. Wysoki, pełen entuzjazmu głos mówił o „naszej nowej erze", o wszystkim, co nagromadziło się przez cały czas czekania na ich spotkanie.

– Odziedziczyłem po matce tajemniczą naturę. Mam dar, nie zawsze przyjemny, widzenia ludzi i spraw takimi, jakimi są naprawdę. Można mnie oszukać, gdy sam nie chcę czegoś przyjąć do wiadomości, ale w głębi duszy wiem, jak się rzeczy mają faktycznie.

Patrzy pan na moje ręce. Tak, lubię pracować rękami. Przez całe życie rzeźbiłem w drewnie. Teraz mam zamiar przerzucić się na kamień. Szukam przeciwnika trudniejszego, bardziej mnie godnego. W ogrodzie rodziców, pod murem, był głaz, na którym często siadywałem samotnie. Nazwałem go „moim kamieniem". Po latach zacząłem się zastanawiać, czy ten kamień mnie dźwigał, czy ja ten kamień?

Szanowny profesorze, od samego początku nie chcę niczego przed panem ukrywać, zresztą starałem się o tym pisać w moich listach. Nie mogę zgodzić się w pełni z pańską seksualną etiologią nerwic. Wiem, że pan mnie rozumie. W październiku pisał pan, że już od dawna podejrzewa na podstawie moich listów, iż nie jestem w stanie całkowicie akceptować pańskiej psychologii, w każdym razie w tej jej części, która dotyczy problemu erotyzmu. Proszę pamiętać, że jeszcze pod koniec ubiegłego roku wyznałem, iż moje wychowanie, środowisko, moje przesłanki naukowe bardzo się różnią od pańskich. Usilnie prosiłem, żeby pan się powstrzymał od podejrzenia, iż staram się mieć jak najbardziej odmienne zdanie tylko dlatego, by się wyróżnić. Pan wyrażał nadzieję, że z czasem dojdzie między nami do większego zbliżenia, niż to się wydaje w tej chwili możliwe. Jakże bardzo tego pragnę. Ale proszę sobie przypomnieć, co pisałem z Zurychu w grudniu ubiegłego roku, kiedy prosiłem o wyznaczenie mi spotkania.

Czy nie postąpilibyśmy słusznie, gdybyśmy pisząc, wykładając i wszelkimi innymi sposobami przyczyniając się do rozpowszechniania psychoanalizy, starali się nie wysuwać na pierwszy plan problemu terapii? Oczywiście uzyskał pan poważne i znaczące wyniki – nawet ja, stawiając pierwsze skromne kroki, potrafiłem ludziom pomóc – pan dał nam całkiem nową i rewolucyjną naukę o psychologii, którą będziemy mogli zastosować do wszystkich aspektów działalności człowieka. Po cóż więc narażać na ryzyko reputację i wartość psychoanalizy, której znaczenie w końcu będzie tysiąckrotnie większe niż wartość samej terapii, oddając ją w ręce niefachowych lekarzy. Jeśli będą się podejmowali leczenia w niewłaściwych przypadkach, traktując psychoanalizę jako łatwą terapię, przyniosą tylko szkodę naszemu ruchowi przez nieznajomość pana metod. Czy nie będzie lepiej, jeśli w naszych wystąpieniach publicznych nie będziemy domagali się uznania leczniczych możliwości naszej terapii, dopóki nie wyszkolimy specjalistów uprawnionych do stosowania analizy Freudowskiej?

Zygmunt sięgnął po cygaro i zamyślił się głęboko. Czyżby znowu żądano od niego, by został maszynistą pociągu, który ma koła tylko po jednej stronie? Pisał przecież w grudniu do Junga: „We wszystkich opublikowanych pracach starannie unikałem przypisywania mojej metodzie czegokolwiek poza tym, że jest skuteczniejsza od innych". Raz jeszcze w myślach powtórzył sobie to, co wiedział o Jungu: urodził się w Kesswil, małym miasteczku w Szwajcarii, w domu ubogiego jak mysz kościelna pastora. Ojciec Karola był człowiekiem rozgoryczonym; nie miał wcale zamiaru poświęcić się teologii, ale zmusiła go do tego wczesna śmierć ojca, znanego lekarza. Za wykształcenie chłopca płaciła ciotka, która nie chciała słyszeć o żadnych innych studiach poza teologią. Karol ukończył gimnazjum w Bazylei, a potem przeniósł się do Zurychu, intelektualnej stolicy Szwajcarii. Tam studiował medycynę na uniwersytecie, pragnąc pójść w ślady dziadka. Do psychiatrii dotarł okrężną drogą. Przygotowując się do końcowych egzaminów, musiał przeczytać podręcznik Kraffta-Ebinga, ale uważając psychiatrię za nudziarstwo, odłożył sobie lekturę tego podręcznika na sam koniec... po to tylko, by stwierdzić, że Krafft-Ebing otworzył przed nim świat znacznie ciekawszy od całej interny. Po dyplomie przeniósł się do sanatorium uniwersyteckiego profesora Bleulera. Przeprowadzał psychologiczne eksperymenty z „testami kojarzeniowymi", które ujawniały sprawy niedostępne świadomości chorego. Miał już w swym dorobku dwie książki przyjęte z uznaniem, lecz wciąż jeszcze był ubogim młodzieńcem, kiedy się zakochał w ślicznej córce bogatego przemysłowca Rauschenbacha. Sprawa wydawała się beznadziejna. Ale zarówno Emma Rauschenbach, jak i jej rodzice zorientowali się, że przystojny młody lekarz jest wybitnie zdolny i ma silny charakter. Karol i Emma pobrali się w 1903 roku. Zamieszkali w domku na terenie szpitala Burghölzli. Dziadek zostawił Emmie pokaźny spadek, młodzi żyli jednak ze skromnej pensji asystenta profesora Bleulera. Karol zajmował takie właśnie stanowisko, o jakie przed dwudziestu pięciu laty zabiegał Zygmunt Freud u profesora Brückego, pragnąc zrobić pierwszy krok na drodze prowadzącej do małżeństwa z Martą Bernays.

Karol Jung nie był egoistą ani egocentrykiem. Podczas swego trzygodzinnego monologu – Zygmunt ani razu mu nie przerwał – mówił o sobie tylko wtedy, gdy było to potrzebne do oświetlenia długiej, częstokroć mrocznej drogi, która go zaprowadziła do Zygmunta Freuda. Opowiadał o swych snach. One miały pomóc profesorowi Freudowi zrozumieć podświadomość Karola Junga.

Opisał jeden taki sen: szedł powoli przed siebie, zmagając się z silnym wiatrem, osłaniając dłońmi maleńkie światełko. Kiedy odwrócił głowę, zobaczył gigantyczną czarną postać kroczącą w ślad za nim. Wiedział, że musi chronić płomyk przed zgaśnięciem. Po obudzeniu uświadomił sobie, że tą postacią był jego własny cień rzucany przez małe światełko na ścianę gęstej mgły, a tym światełkiem jego świadomość, jedyne światło, którym się kierował.

541

Posiadł rzetelną wiedzę w dziedzinie zoologii, paleontologii i geologii, jak też w dyscyplinach humanistycznych łącznie z archeologią grecko-rzymską, egipską i prehistoryczną, a więc naukach, którymi od dawna interesował się Zygmunt. W jego podejściu jednak do pracy naukowej uzewnętrzniało się jakieś wszechobecne poczucie przeznaczenia, jakby życie wyznaczyło mu pewne zadanie, które musi wykonać. Zygmunt rozumiał, że jedynym pragnieniem Junga jest wytrwała, wymagająca poświęcenia praca. Obce mu były pokusy sławy czy fortuny. Miał poczucie humoru, lubił się śmiać i zabawiać innych. Celem większości jego żartów był on sam.

– Muszę panu opowiedzieć o najwspanialszej terapii, jaką zastosowałem. Przyszła do mnie pewnego razu kobieta w średnim wieku, skarżąca się na całą kolekcję objawów nerwicowych. Słyszała głosy dochodzące z sutek piersi. Zastosowałem wszystkie metody, jakie tylko udało mi się znaleźć w pańskich pracach, a nawet kilka takich, o jakich pan jeszcze nie pomyślał. I wszystko na nic! Po kilku miesiącach zawołałem: „I co ja mam z panią robić!". A ona na to odpowiada słodkim głosem: „Wiem, panie profesorze, czytajmy razem Biblię". I tak też zrobiliśmy, przez miesiąc czytaliśmy razem Pismo Święte; najpierw umilkł jeden głos, potem drugi, i wreszcie pacjentka uznała się za wyleczoną. Czyż to nie znaczy, że jestem wielkim terapeutą?

Najbardziej cieszył się Zygmunt z tego, że Jung niczego przed nim nie ukrywał. Każdy ruch potężnych ramion, każde zdanie, cały niekłamany entuzjazm świadczyły, że jest freudystą, że pragnie pozostać u boku mistrza, że chce przekonać obojętny świat o znaczeniu i wadze podświadomości. Był całkiem inny niż Adler, odznaczający się także bystrością umysłu i siłą charakteru. Jung nie uważał ani za konieczne, ani właściwe zachowanie dystansu między sobą a swym mistrzem. Nie dbał o konwenanse, nie odczuwał potrzeby stałego podkreślania, że nie uważa się ani za studenta, ani wyznawcę Freuda. Cieszył się, że Zygmunt Freud jest jego nauczycielem, przewodnikiem, źródłem natchnienia. Każdym zdaniem podkreślał: „Jestem uczniem Zygmunta Freuda".

Zygmunt wyjął z kieszonki kamizelki złoty zegarek i przez chwilę patrzał na wskazówki.

– Proponuję podzielić poruszone problemy na oddzielne grupy; w ten sposób łatwiej nam będzie dyskutować przez resztę dnia. A więc dziś przed południem omówiliśmy... – Monolog Junga został rozbity na poszczególne dziedziny. Karol Jung był oszołomiony.

– Mój Boże! – zawołał. – Z mojego trzygodzinnego perorowania zestawił pan konstrukcję pojęć!

6

O pierwszej Zygmunt i Jung poszli do hotelu „Regina" po Emmę Jung. Emma miała dwadzieścia cztery lata. Była smukłą, czarnowłosą kobietą o pięknej twarzy i myślącym spojrzeniu. Marta i Emma od razu przypadły sobie do serca. Zygmunt posadził Junga koło dzieci. Do stołu usiedli jeszcze Marta, ciotka Minna, matka Zygmunta, jego siostra Dolfi, Róża z mężem, Henrykiem Grafem, i Aleksander z narzeczoną, Zofią Sabiną Schreiber. Aleksander miał już lat czterdzieści i był właścicielem firmy transportowej. Kiedy dał ogłoszenie, że poszukuje sekretarki, zgłosiła się dwudziestoośmioletnia Zofia Schreiber. Okazała się osobą nie tylko bardzo zdolną, ale też ładną. Takiej kombinacji zalet Aleksander nie potrafił się oprzeć. Przyjął ją do pracy i zaręczył się z nią.

Energia fizyczna Junga nie ustępowała jego energii intelektualnej. Lubił wszelkie zajęcia na świeżym powietrzu, przepadał za żeglowaniem. Przeprawiał się na drugi koniec Jeziora Zuryskiego i wszystkie wolne chwile spędzał na którejś z licznych niezamieszkanych wysepek. Dzieci Freudów słuchały z zapartym tchem opowieści o jego przygodach. Pisał swe prace w wielkich notatnikach z podwójnymi marginesami; rozpoczynał każdą stronę dużym malowanym inicjałem, naśladując średniowiecznych mnichów iluminujących rękopisy. Motywy czerpał ze snów i fantazji, nadając im często formę orientalnych ornamentów. Interesował się sztuką Wschodu i wzory znajdował w licznych książkach, które miał w swej bibliotece.

Pozostał wierny swej pierwszej miłości – archeologii. Wybrał inne studia, bo w Szwajcarii nie było ani jednej katedry archeologii, a poza tym musiał myśleć o pracy zarobkowej i możliwościach ustabilizowania się. Obecnie ku swemu wielkiemu zadowoleniu stwierdzał, że obie dziedziny jego zainteresowań się łączyły. To wszystko, czego dowiadywał się o zamierzchłych cywilizacjach, odsłaniało mu dzięki psychoanalizie istotę myślenia, sens bogów, religii, mitów, lęków.

– W ten sposób docieramy głębiej w psychikę współczesnego człowieka – wyjaśniał Freudowi.

Nie lekceważył żadnej pracy. Potrafił poświęcić wiele godzin na malowanie obrazu, który miał być ilustracją jakiegoś snu. Zygmunt chciał się dowiedzieć, w jaki sposób ma to ułatwić wytłumaczenie snu.

– Nie próbuję panować ani nad formą, ani nad treścią obrazu. Pozwalam, by swobodnie wypływał z mojej podświadomości. Studiuję potem namalowany obraz i wyczytuję z niego nie mniej ukrytych treści, niż gdybym zanotował je słowami. Istnieje wiele fragmentów wyobrażeń sennych, które wyrastają z podświadomości i dla których nie ma słownych odpowiedników.

Dlatego musimy posługiwać się innymi środkami porozumiewania. Najważniejszym z nich jest rysowanie lub malowanie.

– A w jaki sposób odświeża pan swe źródła natchnienia?

– Wyszukuję nad Jeziorem Zuryskim nietknięte stopą ludzką plaże – odpowiedział Jung z uśmiechem. – Spędzam tam całe dnie, odkopując ukryte źródełka, robiąc dla nich koryta, budując całą sieć dróg wodnych... a równocześnie szukam ukrytych źródeł w moim umyśle. Z ukrytych podziemnych źródeł napływają myśli świeże i chłodne. Powracam do swego gabinetu z nowymi domysłami, nowymi spostrzeżeniami, nowymi obserwacjami, które trzeba utrwalić na papierze. Przepadam za tym niezamieszkanym brzegiem jeziora. Tam wzbiera we mnie cała ukryta energia i twórcze soki; w tej ciszy, wśród pięknych moczarów i małych wysepek, które zachowały pierwotną surowość, na tle wysokich ośnieżonych szczytów. Nie wiem, jak długo jeszcze pozostanę w Burghölzli. Może rok, może dwa, tyle, ile trzeba będzie, by nauczyć się wszystkiego, czego się mogę nauczyć w klinice. Jest to dla mnie w pewnym sensie ślepa uliczka. Profesor Bleuler, największy na świecie specjalista w dziedzinie otępienia wczesnego i znakomity administrator będzie zapewne jeszcze przez następnych trzydzieści lat kierował kliniką. Dla mnie nie ma tam miejsca...

– Pozostaje tylko drugi brzeg Jeziora Zuryskiego? – wtrącił Zygmunt z uśmiechem.

– Właśnie. Moja praktyka prywatna się rozrasta. Żona otrzymała duży spadek. Oboje chcielibyśmy wybudować dom na północnym brzegu jeziora. Tam przyjmowałbym pacjentów, pisał, malował. Tam chciałbym spędzić całe moje twórcze życie.

– Czy pacjenci podążą za panem? Ci z Zurychu, którzy teraz do pana przychodzą?

– Mam nadzieję. Można tam dojechać statkiem i koleją. Lichym byłbym lekarzem, gdyby pacjenci potrzebujący mojej pomocy nie chcieli podjąć krótkiej podróży, by do mnie dotrzeć. Jestem jedynym psychoanalitykiem praktykującym w Zurychu. Wierzę, że życie jest dość długie, by człowiek zrealizował wszystkie swoje zamierzenia. Czuję w kościach, że będę żył długo. I dlatego zachowuję spokój, mam dużo cierpliwości. Dlatego potrafię cały dzień spędzić na plaży, szukając ukrytych źródeł lub malując swoje sny.

Po obiedzie obaj panowie wybrali się na spacer. Zygmunt pokazał Jungowi Instytut Fizjologii i główny budynek Allgemeines Krankenhaus, a przy okazji i „Wieżę Szaleńców", którą przebudowano na internat dla pielęgniarek. Kiedy przechodzili przez dziedzińce szpitala, Jung, górujący wzrostem nad Zygmuntem, odezwał się:

– W przeciwieństwie do pana nie mam metody. Określiłbym analizę jako „wpływ wzajemny". Być może jestem bardziej artystą niż terapeutą. Czytam dużo i staram się wszystkiego nauczyć, ale kiedy mam przed sobą pacjenta, zapominam o tym wszystkim i myślę tylko o problemach tej jednej osoby.

– Ale bez metod psychoanalitycznych jesteśmy jak dzieci, które zabłądziły w lesie – perswadował Zygmunt. – Co by pan chciał obejrzeć w Wiedniu?

– Najstarszą budowlę miasta.

– Kościół Świętego Ruprechta. Ale katedra Świętego Stefana jest najciekawsza.

Szli ku katedrze przez Schottengasse. Jung żartobliwie opowiadał:

– Od szóstego roku życia drżę ze strachu, gdy mam przekroczyć próg katolickiego kościoła. Oczywiście nie bez powodu. Rodzice zabrali mnie kiedyś na wycieczkę do Arlesheim. Była Wielkanoc. Matka pokazała mi kościół katolicki. Bałem się, ale ciągnęło mnie do środka. Szwajcarscy protestanci nie wchodzą do katolickich świątyń. Wyrwałem się matce i wbiegłem do otwartego kościoła. W tej samej chwili, gdy spojrzałem na ołtarz przybrany kwiatami, potknąłem się i przewróciłem: rozciąłem sobie podbródek. Rana była duża, krwawiła okropnie. Rozbeczałem się, zakłóciłem spokój modlących się ludzi. Ogarnęło mnie poczucie winy; nabrałem przekonania, że zostałem ukarany za jakiś niewłaściwy postępek.

Kiedy weszli do katedry, ostatnia msza niedzielna dawno już się skończyła, ale w powietrzu wisiał jeszcze zapach kadzidła. Obaj panowie kroczyli powoli, Zygmunt prowadził Junga pod ramię. Kiedy znaleźli się z powrotem na placu zalanym chłodnym marcowym słońcem, Zygmunt spojrzał na Junga ciepło i zapytał:

– Tym razem nie było żadnych strachów, żadnej rany i krwi?

Jung się roześmiał.

– O nie, dzięki panu czułem się swobodnie. Tak pięknie opowiadał pan o witrażach, kamiennych figurach, freskach, grobowcach, porównując je z katedrami, które widział pan we Włoszech. Zacząłem patrzeć na kościoły katolickie pańskimi oczami, z historycznej perspektywy, jako na skarbnice największych dzieł sztuki. – Spojrzał kątem oka na Zygmunta. W jego oczach zamigotały przekorne ogniki. – Czy to nie dziwne, że pan, wolnomyślny Żyd, uczy mnie, prowincjonalnego kalwina, nie lękać się i nie mieć poczucia winy w obliczu kościoła? Jeśli to, co pan ze mną zrobił, było częścią analizy, to należą się panu dzięki za wyzwolenie mnie z niemądrych lęków i represji mego dzieciństwa.

– A czyż wyzwolenie się od lęków i despotycznych nakazów narzuconych nam w czasie, kiedy nie potrafiliśmy jeszcze samodzielnie myśleć, nie jest najlepszą drogą ku wolności?

- W tej sprawie chętnie panu przyznam rację. – Jung spoważniał. – Wracam znów do tamtych czasów, kiedy miałem sześć lat. Ciotka zabrała mnie kiedyś do muzeum przyrodniczego w Bazylei. Nie mogłem oczu oderwać od eksponatów. Zaskoczył nas dzwonek, muzeum już zamykano. Mogliśmy wyjść tylko bocznymi drzwiami. Musieliśmy przejść przez skrzydło gmachu. Tam właśnie zobaczyłem ekspozycję nagich posągów ludzkich, osłoniętych jedynie małym listkiem. Oczarowały mnie swym pięknem. Ale ciotka zaczęła krzyczeć: „Wstrętny chłopcze, zamknij oczy!". Tak się zdenerwowała, jakbyśmy się znaleźli na wystawie pornograficznej. Tłumaczyła mi, że ciało ludzkie, a zwłaszcza strefy erotogenne, są czymś brzydkim, niemoralnym i brudnym. Nie uwierzyłem jej, ale ten zakaz we mnie tkwił. Stale słyszałem słowa ciotki: „Wstrętny chłopcze, zamknij oczy!". Otóż pan, panie profesorze, otworzył mi oczy, pozwolił mi zrozumieć, że strefa erotogenna to nie wymysł diabła, który przeszczepił ją człowiekowi, korzystając z nieuwagi Boga. Albo całe ciało ludzkie, mózg, dusza, narządy płciowe, jest mistrzowskim dziełem Boga, albo wszystko razem jest bezsensowne, plugawe i powinno zniknąć z pięknej skądinąd ziemi.

- Brawo! Ma pan talent krasomówczy, którego mógłbym panu pozazdrościć. A teraz niech mi pan powie, w jaki sposób odgaduje pan choroby swoich pacjentów.

- Moja terapia ma charakter aktywny, a nie pasywny. – Jung zwolnił kroku na stromej Berggasse. – Interesuje mnie działanie, które może odbywać się w pacjencie; działanie, które umożliwi mu przezwyciężenie kłopotów. Nawet w klinice nie mam zwyczaju skupiać uwagi na analizie halucynacji chorych, na otępieniu wczesnym, staram się raczej umożliwić im stawianie oporu tym fantazjom, znaleźć na nie repliki. Pewien młody mężczyzna, który po ślubie miał poważne trudności z żoną, miewał takie halucynacje: Przebywali w jakimś zimnym kraju, stali nad zamarzniętym jeziorem. Żona jeździła na łyżwach, on nie potrafił i został na brzegu. Przypatrywał się jej, gdy nagle lód się załamał i żona wpadła do wody. Na tym halucynacje się kończyły. Bardzo mnie ten młody człowiek rozgniewał. Pytałem go, dlaczego nic nie zrobił? Dlaczego nie pobiegł jej ratować? Dlaczego stał na miejscu i czekał, aż żona utonie? Oto moim zdaniem sposób na odparcie takich fantazji. Nie należy zatrzymywać się i rozpamiętywać tego, co się działo we śnie; trzeba się zmusić do zrobienia następnego kroku. P r z y w i d z e n i a z n i k n ą, g d y z a c z n i e m y c o ś r o b i ć w t e j s p r a w i e. Oto terapia!

Kontynuowali dyskusję w gabinecie Zygmunta na parterze. Kiedy stawała się zbyt gorączkowa, przechodzili do pokoju przyjęć, potem do poczekalni. Potrzebowali trochę ruchu, żeby rozładować napięcie.

– Gotów jestem traktować poważnie wszystko, czym ludzie mogą się zainteresować – ciągnął Jung – zastanawiać się nad tym, sprawdzać, czy nie ma w tym jakiegoś elementu prawdy. Wiem, że pana nie interesuje spirytualizm i parapsychologia, ale ja chcę mieć styczność z całym światem, a nie tylko z jednym jego zakątkiem. Lecząc moich pacjentów, pozwalam im się wypowiadać piórem, pędzlem, ołówkiem. W ten sposób odnajdują swe symbole i odtwarzają wyraźnie swą patologię. Nauka to przecież sztuka tworzenia odpowiednich złudzeń. Pomagamy naszym pacjentom pozbywać się szkodliwych nerwic, zastępując je złudzeniami, z którymi mogą żyć. Czyż treścią życia nie jest malowanie za pomocą boskich kolorów?

Zygmuntowi przyszedł na myśl Wilhelm Fliess i jego niemal hipnotyczna umiejętność przekonywania, do Junga jednak miał inny stosunek. Fliess nie mógł ścierpieć krytyki. Jung domagał się pełnej szczerości. Zygmunt czuł, że może się z nim spierać, przedstawiać odmienne punkty widzenia.

– Musi mi pan wybaczyć, ale nie podejmę dyskusji na temat religii – odpowiedział Jungowi. – Oczywiście spełniła ona poważną rolę, formując nasze wierzenia i fantazje. Historia religii to dzieje drżących, przestraszonych ludzi, którzy próbowali zbudować sobie dach nad głową, chroniący ich przed nocą, przed mrokiem, przed strachami i lękami, i przed nieznanym. Dlatego człowiek wynalazł sobie Boga. Iluż było bogów od początku czasów? Setki? Tysiące? Każdy o innym imieniu, o innym kształcie, naturze, mocy. Religia może nam, rzecz jasna, wiele powiedzieć o obecnym stanie ludzkiej psyche, ale nie udało mi się znaleźć dla niej zastosowania terapeutycznego, prócz przykładu tej pani, która z panem czytała Biblię.

Jung słuchał spokojnie, pod koniec jednak pokręcił głową.

– Człowiek jest snem, w którym wielokrotnie ginie na szubienicy. Po każdej śmierci rozlega się głos: „Jest coraz ciszej”. Czym się bronimy? We mnie osobiście tkwi szaleniec mistyczny silniejszy od całej mojej wiedzy. Często miewam sen, z którego budzę się uszczęśliwiony: jestem ostatnim człowiekiem na ziemi, wokół mnie panuje kosmiczna cisza, a mną wstrząsa homerycki śmiech.

Zygmunt uśmiechał się pobłażliwie.

– Pamiętam takie zdanie w jednym z pańskich listów – powiedział do Junga. – „Nikt nie może uciec od cierpienia. Możemy tylko starać się unikać cierpienia ślepego". Nie będziemy jednak w stanie zrozumieć nienormalności ani leczyć jej skutecznie, póki nie pojmiemy, co jest w ludzkiej naturze normalne, w jaki sposób znalazły się w niej wszystkie nasze instynkty, jak głęboko tkwią, które z nich są konstruktywne, a które destruktywne. Musimy wiedzieć, czego potrzebuje istota ludzka dla zachowania równowagi, dla funkcjonowania w skomplikowanym świecie, w którym otacza nas chciwość, zawiść, rozgoryczenie, rozczarowanie, podłość i żądza niszczenia. W jaki sposób możemy pomóc człowiekowi osiągnąć zwyczajną ludzką dolę? Tłumacząc mu naukowo, jak umysł ludzki stał się taki, jakim jest, jakie siły go kształtowały, jak możemy panować nad tymi siłami w nas samych i w ludzkim społeczeństwie. Krótko mówiąc: powinniśmy wiedzieć o ludzkim umyśle tyle, ile wiemy o ludzkim ciele: co każe płynąć krwi, co powoduje bicie serca, co wydziela tlen do mózgu, jakie antidota zabijają zarazki, infekcje, złośliwe nowotwory.

O ósmej służąca wniosła lekką kolację. Jedli z dużym apetytem, bo na dyskusję zużyli wiele energii emocjonalnej i fizycznej. Po kolacji wstąpili po panią Jung do mieszkania na piętrze i odprowadzili ją do hotelu, ponieważ chciała wcześnie pójść spać. Potem Zygmunt zabrał Junga na swój ulubiony spacer po Ringu. Ulice pogrążone już były w nocnej ciszy. Oczy Junga zachwyciła różnorodność architektury, Parlament, Burgtheater. Kontury budynków rysowały się miękko w mrokach gwiaździstej nocy. Zygmunt zwykł chodzić szybko, narzucił więc Jungowi ostre tempo. Dla Junga był to pamiętny wieczór. Chciał opowiedzieć o swym życiu świeżo pozyskanemu przyjacielowi.

– Przez wiele lat sypiałem w pokoju mego ojca. Matka moja przeżyła załamanie nerwowe i przebywała w szpitalu. Po powrocie do domu spała w swoim pokoju i zamykała się na klucz. Przez te zamknięte drzwi dochodziły mnie niekiedy przerażające odgłosy. Wiedziałem oczywiście, że stosunki między moimi rodzicami bardzo się popsuły. Nie mogłem nie wiedzieć, że matka cierpi na zaburzenia emocjonalne i umysłowe. Być może dlatego *Psychiatria* Kraffta-Ebinga zrobiła na mnie tak olbrzymie wrażenie? Podówczas nie umiałbym tego wyrazić tak ściśle, ale czułem, że trafiłem w sedno. To był prawdziwy początek mojej pracy naukowej w dziedzinie medycyny. Jak pan sądzi, czy ta książka równie silnie by mną wstrząsnęła, gdybym nie widział tak strasznych skutków choroby psychicznej?

– Jestem pewny, że to przeżycie miało pewien wpływ. Wszyscy przechodzili w dzieciństwie nerwice, z którymi musieli sobie jakoś poradzić, podobnie jak uczestnicy środowych spotkań, zaczynający praktykować psychoanalizę.

Kiedy wrócili do mieszkania Freudów, na pobliskim kościele zegar wybił godzinę dziesiątą. Marta czekała na nich z gorącą czekoladą.

O pierwszej nad ranem Zygmunt odprowadził Junga do hotelu. Kiedy się żegnali po trzynastu godzinach rozmowy, z przerwami na posiłki, Jung powiedział cicho:

– Profesorze szanowny, jest pan pierwszym naprawdę wielkim człowiekiem, z jakim się zetknąłem. Ze wszystkich ludzi, jakich dotąd znałem, nikt panu nie może dorównać. Pańska postawa naprawdę imponuje mi. Jestem pod wrażeniem pańskiej inteligencji, pańskiego bystrego i wybitnego umysłu. A jednak te pierwsze wrażenia nie są jeszcze całkiem jasne. Wciąż jeszcze pana nie rozumiem.

Zygmunt delikatnie położył rękę na ramieniu Junga.

– Drogi doktorze, cierpliwości. Postarajmy się być sobie bliscy w naszych umysłach i sercach; potrzebujemy się wzajemnie, możemy się nawzajem dopełniać.

Kiedy Zygmunt wszedł do sypialni, Marta nieśmiało uśmiechnęła się i zapytała:

– Pierwszy raz widzę, by ktoś zrobił na tobie takie wrażenie. Czy on naprawdę jest tak wspaniałym człowiekiem, na jakiego wygląda?

Pocałował ją na dobranoc, przez chwilę trzymając swój policzek przy jej policzku.

– Tak. Być może to najwybitniejszy człowiek, jakiego dotąd spotkałem. Ale ostrożnie, ostrożnie. Ma to dla mnie za duże znaczenie. Być może okaże się on tym przywódcą naszego ruchu, którego od lat szukałem.

7

Wciąż przybywali nowi ludzie. Jakby ich przyciągała jakaś siła dośrodkowa. Bliscy znajomi Alfreda Adlera z „Cafe Central" pragnęli zorientować się, czy psychoanaliza może być pomocna w planowanej przez nich rewolucji społecznej, lekarze z dalekich miast, jak na przykład Gwido Brecher z Meranu, który listownie prosił o pozwolenie brania udziału w spotkaniach, inni po prostu pukali do drzwi i przedstawiali się Zygmuntowi. Oczywiście nie brakło przyjaciół i krewnych pierwszych uczestników spotkań środowych. Do tych ostatnich należał doktor Fritz Wittels, siostrzeniec doktora Sadgera – w dwudziestym siódmym roku życia był już autorem kilku udanych powieści, między innymi poczytnego *Jubilera z Bagdadu,* a teraz zamierzał opublikować śmiałą pracę o „potrzebach seksualnych". Studiował u Wagnera-Jauregga i chciał odczytać na spotkaniu rozdział świeżo ukończonej pracy, zatytułowany *Motywy morderczyń,* w którym dowodził, że powodem popełnianych przez kobiety morderstw jest stłumiona erotyka.

Fritz Wittels idealnie pasował do grupy. Mimo to Zygmunt się wahał. Jego wuj, Izydor Sadger, miał wyjątkowo trudne usposobienie. Przypominał afrykański kaktus; wystarczyło choćby najlżejsze zetknięcie się z nim, by pozostały przykre, a nawet bolesne zadrapania. Swoje życie osobiste osłaniał największą tajemnicą. Był niewątpliwie człowiekiem nieszczęśliwym, a jego agresywne reakcje unieszczęśliwiały bliskie mu osoby. Zygmunt podejrzewał, że źródłem kłopotów Sadgera są silnie tłumione instynkty homoseksualne, uzewnętrzniające się jedynie w jego wnikliwych pracach o zboczeńcach.

Czy można zaryzykować, dopuszczając na spotkania Wittelsa? Młodzieniec zachowywał się arogancko, uważał, że przerasta innych lekarzy, ponieważ jest również pisarzem, i w różnych środowiskach zdobył już sobie opinię *enfant terrible*. Podobnie jednak jak Wilhelm Stekel, miał pewien urok i temperament, był dowcipnym człowiekiem i zdolnym lekarzem. Dzięki swemu dociekliwemu umysłowi byłby na pewno korzystnym nabytkiem, a poza tym, podobnie jak Stekel, pisywał często do gazet wiedeńskich, docierając do publiczności z reguły niedostępnej dla profesora Freuda. Zygmunt postanowił zaryzykować, przekonany, że zapanuje nad wybuchowym młodzieńcem.

Oglądanie się za siebie jest jak chodzenie tyłem. Uzyskuje się dobry widok na przebytą drogę, ale równocześnie łatwo można się potknąć. Zygmunt spędził wiele lat życia, oglądając się wstecz na dzieciństwo istoty z gatunku *Homo sapiens*. Starał się wydedukować, jakie procesy zachodziły w jej duszy w drugim, trzecim, czwartym, piątym roku życia, studiując zachowanie i swobodne kojarzenie dorosłych, gdy leżeli u niego na kozetce. Nigdy nie miał okazji bezpośrednio obserwować niemowląt lub małych dzieci. Marta od samego początku postawiła sprawę jasno: dla swej szóstki Zygmunt ma być zwyczajnym ojcem, własne dzieci nie będą przedmiotem obserwacji, ich zabawy zaś lub paplanina nie mogą być wykorzystywane dla celów naukowych. Nie miał zresztą takich zamiarów; uważał, że nie można analizować małych dzieci. Wątpił, czy nawet specjalnie wyszkolony obserwator potrafiłby uzyskać ścisły obraz tego, co się działo w ich umysłach.

I oto niespodziewanie w dramatycznych okolicznościach musiał zmienić zdanie. Na środowe spotkania przychodził jeden z jego przyjaciół, doktor Maks Graf. Miał lat trzydzieści trzy. Ukończył studia prawnicze i muzykologiczne.

Ojciec jego był właścicielem drukarni i redaktorem, a on sam redaktorem „Neues Wiener Journal", pisywał do wielu gazet austriackich na tematy muzyczne, wykładał muzykologię w konserwatorium i zapraszał od czasu do czasu Zygmuntów do siebie na koncerty kameralne.

Był bardzo miły, wrażliwy i otwarty. Nosił ubrania, którymi chciał się wyróżniać w mieszczańskim środowisku wiedeńskim i podkreślać swą przynależność do świata artystycznego lub chociażby bliskie z nim kontakty. Interesował się również filozofią, i to właśnie sprowadziło go na środowe spotkania.

Sympatyczna i życzliwa żona Maksa Grafa bywała z nim u Freudów. Przeczytała kilka książek Zygmunta, a teraz z niecierpliwością czekała na relację męża o środowych dyskusjach. Grafowie mieli czteroipółletniego synka Hansa. Było to dziecko inteligentne, ale cierpiało na lęki i depresje. Hans miał fobię, która polegała na tym, że nie chciał wychodzić na ulicę, bo bał się, że go ugryzie koń. Strach przed końmi wzmógł się do tego stopnia, że przestał chodzić z boną do parku i nawet w niedziele nie chciał towarzyszyć ojcu do Schönbrunnu. Koń nigdy nie ugryzł ani nie przestraszył Hansa. Raz tylko, kiedy szedł z matką, widział, jak upadł koń ciągnący omnibus. Zwierzę leżało na jezdni, wierzgając nogami jak w agonii. Nie ulegało wątpliwości, że zaburzenia chłopca mają tło nerwicowe.

Obsesją Hansa stało się to, że każda żywa istota ma „siusiaka". W ogrodzie zoologicznym interesował się przede wszystkim tym, gdzie zwierzęta mają narządy płciowe. Nieustannie dopytywał się matki, czy i ona ma penisa albo „siusiaka". Wymiona krowy nazywał „siusiakiem" i nie mógł pojąć, w jaki sposób wydobywa się z nich mleko. Kiedy miał trzy i pół roku, urodziła się jego siostrzyczka, Hania. Podglądał ją w kąpieli, by zobaczyć, czy i ona też ma „siusiaka".

Zygmunt powiedział Grafowi, że Hans „usiłuje rozwiązać wielką zagadkę: skąd się biorą dzieci". Jest to bodaj pierwszy problem, z jakim boryka się umysł dziecka, a zagadka tebańskiego sfinksa to nic innego jak tylko zniekształcona jego wersja. Hans nie przyjmował do wiadomości wyjaśnień, że Hanię przyniósł bocian. Na kilka miesięcy przed przyjściem na świat siostrzyczki zauważył, że matce urósł brzuch. Potem leżała w łóżku, a kiedy wstała, była znów szczupła. Wyciągnął z tego wniosek, że Hania musiała przebywać w brzuchu mamusi i stamtąd się wydostała. Akt rodzenia wyobrażał sobie jako czynność przyjemną, ponieważ kojarzył mu się z przyjemnością, jaką odczuwał przy wypróżnianiu. Stąd też narodziło się w nim pragnienie, by samemu rodzić dzieci.

Hans często płakał, kiedy matka wychodziła. Chciał, by go nieustannie pieściła, często przybiegał wieczorami lub wczesnym rankiem do jej sypialni, powtarzając, jak bardzo się boi, że ją straci. Wzruszona matka obejmowała go i tuliła do siebie. Rodzice stale go napominali, żeby nie dotykał penisa. Kiedy miał trzy lata, matka przyłapała go, gdy bawił się ze sobą, i zagroziła, że jeśli nie przestanie dotykać „siusiaka", to mu go obetną. Zygmunt uważał, że popełniła poważny błąd. Pogróżka stała się źródłem silnego lęku przed kastracją i podstawą lęków chłopca zarówno na jawie, jak i we śnie. Punkt wyjściowy do analizy znalazł jednak ojciec Hansa. Kiedy nerwica osiągnęła największe nasilenie, Maks Graf powiedział Zygmuntowi w zaufaniu:

– Wydaje mi się, że chłopiec musiał kiedyś przestraszyć się, widząc jakiś duży penis. Jedyne, co mi przychodzi na myśl, to to, że mógł go zobaczyć u konia. Czy nie sądzi pan, że to może mieć jakieś znaczenie?

– Zapewne. Musimy jednak znaleźć metody terapii odpowiednie do jego wieku. Czy nie mógłby pan synkowi wytłumaczyć, że jego strach przed końmi jest niczym nieuzasadniony i że to właściwie tylko zachowanie zastępcze? Naprawdę chodzi mu o pretekst, żeby włazić do łóżka matki, aby ona go pieściła. Trzeba też znaleźć sposób na wytłumaczenie chłopcu, że to wchodzenie do łóżka matki wiąże się z tym, że mimo zakazów nadal bawi się swym penisem.

Maks Graf w najprostszy sposób wytłumaczył synkowi, na czym polega różnica między mężczyzną a kobietą i dlaczego kobiety nie mają penisa. Lęki chwilowo ustąpiły, po czym nasilił się strach przed wychodzeniem z domu. Graf błagał Zygmunta, by podjął się leczenia dziecka. Rodzice obawiali się, że fobia może się odbić na nerwowym i fizycznym stanie chłopca.

Zygmunt zdobył się na śmiały krok, którego następstw nie mógł przewidzieć. Nie zdecydowałby się podjąć tej próby, gdyby rodzice nie byli dobrze zorientowani w psychoanalizie. Namówił Maksa Grafa, by powoli i ostrożnie opowiedzieli Hansowi, na czym mniej więcej polega kompleks Edypa, by wytłumaczyli, że nie ma nic nienormalnego w tym, że jest spragniony pieszczot matki i że chciałby zająć miejsce ojca. Wynikało to z opowieści Hansa o tym, że widział konia, który upadł. W jego wyobraźni koń przemienił się w ojca miotającego się po ziemi i umierającego.

Hans słuchał uważnie, wydawał się pochłonięty tym, co do niego mówiono. Miał co prawda dopiero pięć lat, ale bardzo pomysłowo dokonał przeniesienia, dzięki któremu mógł w swych fantazjach posiąść matkę, nie eliminując przy tym ojca. Maks Graf notował swe rozmowy z synem i przedstawił skojarzenia chłopca Zygmuntowi.

„30 kwietnia. Hans znowu bawi się ze swymi wymyślonymi dziećmi. Powiedziałem mu: – A więc twoje dzieci wciąż jeszcze żyją? Wiesz przecież, że chłopiec nie może rodzić dzieci.

Hans: – Wiem. Przedtem byłem ich mamusią, a teraz jestem ich tatusiem.

Ja: – A kto jest mamusią dzieci?

Hans: – Wiadomo, mamusia, a ty jesteś dziadziem.

Ja: – A więc kiedy będziesz taki duży jak ja i ożenisz się z mamusią, to zechcesz, żeby ona miała dzieci.

Hans: – Oczywiście…”

Kiedy Hans zaczął w ten sposób rozumować, znikł lęk przed końmi. Przestał o nich wspominać, nie interesował się „siusiakiem" i nie pytał, skąd się biorą dzieci. Bez żadnych oporów wychodził na ulicę. Ojciec zawiadomił Zygmunta, że chłopiec jada normalnie, dobrze sypia i że ustąpiły wszystkie objawy fobii. Z uśmiechem, w którym duma splatała się ze zdumieniem, Zygmunt odpowiedział:

– Nasz mały Edyp znalazł szczęśliwsze rozwiązanie niż to, które wyznacza los. Zamiast zgładzić ojca, użyczył mu tego szczęścia, którego pragnął dla siebie. Pana przemienił w swego dziadka i był na tyle łaskawy, że pozwolił panu poślubić swoją własną matkę. W jego rozumieniu jest to rozwiązanie doskonałe.

8

Kiedy nastały letnie upały, Zygmunt poczuł, jak strasznie jest wyczerpany miesiącami ciężkiej pracy, pisania i publikowania. Postanowili z Martą, że zmienią plany, i zamiast szukać jakiejś willi, wybrali się na wędrówkę po Karyntii i Dolomitach, zatrzymując się po drodze w tych hotelach, które im przypadały do gustu. Znaleźli przyjemną miejscowość St. Christina. Można tu było pływać w jeziorze i chodzić po górach. Zygmunt zachorował na grypę i przez długi czas nie mógł się jej pozbyć. Na początku września przenieśli się nad jezioro Ossiacher. Zygmunt chciał wybrać się na Sycylię, żeby zobaczyć tamtejsze rzymskie zabytki, ale kiedy się dowiedział, że w Palermo i Syrakuzach szaleje sirocco, postanowił nie ryzykować. Nic nie pisał poza listami do Karola Junga, który wytrwale bronił Freuda i jego dzieła. Dręczące go wątpliwości starał się uśmierzyć, tłumacząc sobie, że Jung lepiej od niego samego nadaje się do roli propagatora, bo ludzie często odnajdywali coś obcego w osobowości profesora Freuda i jego ideach. Pisał do Junga:

„Panu wszyscy są przychylni... Ludzie po prostu nie chcą znać prawdy. Oto dlaczego chwilowo nie potrafią zrozumieć najprostszych spraw. Zobaczy Pan, że z czasem, gdy dojrzeją, pojmą najbardziej skomplikowane idee. Do tego czasu nie pozostaje nam nic innego, jak tylko wytrwale pracować i unikać polemik... Każdy młody, świeży umysł musi się znaleźć po naszej stronie".

W połowie września Zygmunt poczuł, że wracają mu siły. Doszedł do wniosku, że powinien na tydzień lub dwa wyjechać do Rzymu, by spokojnie i bez pośpiechu przemyśleć kilka problemów, nad którymi będzie pracował w przyszłym roku. Marta zostanie z dziećmi w Thalhofie do końca września. Ciocia Minna chorowała i od pewnego czasu przebywała w Meranie pod opieką lekarzy. Doszli do wniosku, że kilka dni we Florencji niewątpliwie dobrze jej zrobi. Wysłali do niej depeszę i ciocia Minna wsiadła we Franzensfeste do pociągu, którym jechał Zygmunt. We Florencji pokazał jej freski Benozzo Gozzollego w kaplicy Medyceuszów, a następnego dnia zabrał ją powozem na Fiesole, skąd roztaczała się wspaniała panorama Florencji. Zjedli obiad na tarasie restauracji, mając przed sobą dolinę Arno, i obejrzeli etruskie rzeźby i mury, których wojska rzymskich najeźdźców nie zdołały zburzyć. Potem przez wzgórza pojechali do Settignano, gdzie spędził dzieciństwo Michał Anioł.

Minna wróciła pociągiem do Meranu. Zygmunt kupił inkrustowaną komodę i małe toskańskie lustro. Wyekspediował te prezenty do Marty, po czym koleją udał się do Orvieto. Tam nadarzyła się okazja odświeżenia znajomości z monumentalnymi freskami Signorellego w katedrze. To właśnie te obrazy tak wyraziście zapamiętał, nie mogąc równocześnie przypomnieć sobie nazwiska artysty. Zastanawiając się nad tym problemem, znalazł diagramatyczne podejście do problemów symptomatycznych zaników pamięci lub przejęzyczeń.

W hotelu „Milano", gdzie w czasie pierwszego pobytu w Rzymie zatrzymał się ze swym bratem Aleksandrem, zarezerwowano mu ten sam pokój. Cały dzień spędził w Villa Borghese. Zwiedził pałac i muzeum. Obejrzał Tycjana *Miłość niebiańską i ziemską*. Krążące po parku gazele i bażanty przypomniały mu Schönbrunn. Nazajutrz wybrał się do Term Dioklecjana, które Michał Anioł przebudował na kościół Santa Maria degli Angeli, i do Muzeum Narodowego, w którym znajdowały się jego ukochane greckie marmury. Łaził po sklepach z antykami, kupił kilka marmurowych mis, statuetkę toskańskiego rycerza i Buddy. Wieczorami spacerował po Piazza Colonna w pobliżu hotelu. Była pełnia, grała orkiestra wojskowa, a na ścianie jednej z kamienic po drugiej stronie placu wyświetlano przezrocza, reklamy na przemian z widokami krajobrazów. Te samotne spacery w tłumie sprawiały mu przyjemność. Wszystkie rzymianki, nawet te najbrzydsze, były piękne. Co godzina na plac wpadali chłopcy z gazetami, tak jak w Paryżu, wykrzykując najświeższe wiadomości. O ósmej Zygmunt zasiadał w wyplatanym fotelu przed jakąś cukiernią i siedział do późna przy ciastkach i oranżadzie. Do Marty pisał:

„Jaka szkoda, że nie można tu zamieszkać na stałe!". Zwiedził chrześcijańskie i żydowskie katakumby. W jednych został nagle zamknięty, gdy się okazało, że przewodniczka zapomniała kluczy. Ale to była jedyna nieprzyjemna przygoda.

Przez całe rzymskie wakacje myślał bardzo intensywnie nad wieloma sprawami, dochodząc do szeregu wniosków, które od miesięcy już mu się nasuwały. Karol Jung organizował w Zurychu Stowarzyszenie Freudowskie, należało więc pomyśleć o jakiejś nowej formie spotkań środowych i ściślej określić ich cel. Spotykali się od pięciu lat, starając się propagować swą stale poszerzającą się wiedzę. Niemniej, jak dotąd, zbyt mało publikowali. Przyczyna była prosta: czasopisma naukowe środkowej Europy odnosiły się wrogo do psychoanalizy, a jeśli nawet niektóre zachowywały postawę neutralną, to i tak brakło w nich miejsca dla tak młodej i dyskusyjnej nauki. Pora przystąpić do wydawania własnego rocznika, w którym będą mogli ogłaszać swe prace. Do Junga napisał, by pomyślał nad formą takiego organu i zastanowił się nad możliwościami jak najszybszego urzeczywistnienia tego planu.

Trzeba więc przekształcić środową grupę w jakąś oficjalną organizację. Można by ją nazwać Wiedeńskim Stowarzyszeniem Psychoanalitycznym. Wybiorą władze, ustalą wysokość składek, będą finansowali „Rocznik" i książki członków. Po pewnym czasie stać ich będzie na stworzenie fachowej biblioteki i wynajmowanie sal wykładowych. Wejdą w normalne tryby typowego dla krajów niemieckojęzycznych życia naukowego. A ponieważ neurolodzy i psycholodzy na swych kongresach większość czasu poświęcali atakowaniu teorii Freuda, freudyści powinni organizować własne kongresy, na których będą mogli wygłaszać rzeczowe referaty oparte na konkretnych przypadkach i podbudowane własną dokumentacją.

Czas najwyższy, by wreszcie ich zauważono!

Księga trzynasta

Konfrontacja

1

Nowy rok lekarski Zygmunta Freuda zapoczątkowała w październiku wizyta niespełna trzydziestoletniego adwokata Lertzinga, któremu przypadkowo wpadł do ręki egzemplarz *Psychopatologii życia codziennego*. Przez sześć lat pacjent ów miał bardzo poważne zaburzenia emocjonalne i nikt nie potrafił mu pomóc. Po przeczytaniu książki Zygmunta doszedł do wniosku, że nareszcie trafił na takiego lekarza, który odkrył istotę funkcjonowania ludzkiego mózgu. Lertzing cierpiał na nerwicę natręctw. Uważano go za wybitnego specjalistę w dziedzinie prawa handlowego, ale dopiero niedawno zdał egzamin końcowy z prawa karnego, ponieważ przez lata obsesje uniemożliwiały mu normalną pracę.

Był człowiekiem bardzo inteligentnym, miał solidne wykształcenie akademickie. Czy zdyscyplinowany umysł jest w stanie poradzić sobie z fantazjami i iluzjami? Czyż ten olbrzymi wysiłek umysłowy, włożony w zdobycie wiedzy prawniczej, wystarczy, by pokonać natręctwa, które wryły się w jego podświadomość i owładnęły nim?

Lertzing, wysoki, szczupły, nerwowo gestykulujący młodzieniec o jasnej cerze i intensywnie błękitnych oczach, już na samym wstępie oświadczył Zygmuntowi, że u podłoża jego choroby leży nieustanny lęk o przyszłość dwóch najważniejszych dla niego istot, ojca i młodej kobiety, w której się kochał od dziesięciu lat. Goląc się, całym wysiłkiem woli musiał hamować chęć poderżnięcia sobie gardła. Opowiedział to wszystko, nie czekając na pytania, po czym przystąpił do szczegółowej relacji o swoim życiu erotycznym. Onanizował się w szesnastym i siedemnastym roku życia i potem już prawie nigdy do tych praktyk nie wracał. Pierwszy stosunek miał w dwudziestym szóstym roku życia; czuł się zawiedziony brakiem okazji, a prostytutki budziły w nim wstręt fizyczny. Kiedy Zygmunt spytał go, dlaczego już podczas pierwszej wizyty z takim naciskiem mówi o swym życiu erotycznym, Lertzing odpowiedział:

– Panie profesorze, słyszałem o pańskich teoriach, ale dopiero po przeczytaniu pańskiej książki dopatrzyłem się związku między pana teorią erotyzmu a moją chorobą.

Lertzing utrzymywał, że z praktykami seksualnymi zaznajomił się między czwartym a piątym rokiem życia dzięki urodziwej młodej guwernantce, pannie Peter. Rzecz charakterystyczna, że wymieniał jej nazwisko, a nie, jak to jest w zwyczaju, imię. Uwagę Zygmunta zwróciło również i to, że nazwisko guwernantki było równocześnie męskim imieniem. Pewnego popołudnia – opowiadał Lertzing – panna Peter leżała na kanapie w samej tylko bieliźnie i czytała książkę. Chłopiec zapytał, czy pozwoli mu wejść pod koszulę. Zgodziła się pod warunkiem, że nikomu nic nie powie. Lertzing szczegółowo opisywał, jak przesuwał dłońmi po dolnej części jej ciała i narządach płciowych, które wydały mu się bardzo dziwne. Zrodziło się w nim niezwalczone pragnienie zobaczenia nagiego ciała kobiecego; stał się oglądaczem, voyerystą. Przez dłuższy czas panna Peter pozwalała mu przychodzić do siebie do łóżka. Rozbierał ją i głaskał jej ciało. Rzecz jasna, zaczęły się erekcje. Po pierwszej erekcji poskarżył się matce, że go to boli.

Nie pamiętał, co mu matka odpowiedziała, ale od tego czasu opętany był ideą, że rodzice znają wszystkie jego myśli. Zaczął się też obawiać, że wypowiada je głośno, ale tylko on jeden ich nie słyszy. Obecnie najbardziej bał się tego, że ojciec może umrzeć. Dopiero po kilku tygodniach z jakiejś przypadkowej wypowiedzi Lertzinga Zygmunt zorientował się, że ojciec adwokata nie żyje już od wielu lat.

Kryzys w chorobie Lertzinga nastąpił w ubiegłym roku, latem, w czasie manewrów wojskowych. Podczas długiego całodziennego marszu zgubił okulary. Wiedział, że bez trudu może je znaleźć, ale musiałby zatrzymać oddział, więc zrezygnował z szukania. Później, na postoju, kiedy odpoczywał z dwoma kolegami oficerami, jeden z nich, kapitan, którego Lertzing się bał, ponieważ podejrzewał go o sadystyczne skłonności, opowiadał o brutalnym traktowaniu jeńców...

Pacjent zerwał się z kozetki i błagał, by Zygmunt nie zmuszał go do opowiedzenia, jak karano jeńców. Nerwowo przemierzał pokój i niespokojnie się rozglądał. Zygmunt tłumaczył mu, że pokonywanie oporów jest istotną częścią kuracji i że skoro sam poruszył ten temat, bez żadnych nacisków ze strony lekarza, powinien dalej opowiadać. Lertzing, blady i zdenerwowany, z trudem wydobywał słowa:

– Jeniec został związany... na pośladkach umieszczono garnek dnem do góry... w garnku były szczury... i one... wgryzały się...

Opadł na kozetkę. Nie mógł dalej mówić.

– W odbytnicę? – spytał Zygmunt.

– Tak – wyszeptał Lertzing.

Zygmunt zauważył, że na twarzy Lertzinga przerażenie mieszało się z przyjemnością. Po chwili Lertzing dodał:

– I w tej właśnie chwili przeszyła mnie jak błyskawica myśl, że to samo się dzieje z bardzo drogimi mi osobami.

Okazało się, że Lertzingowi chodziło o ojca, który w jego fantazjach nadal żył, i o narzeczoną. Tę stale powracającą wizję szczurów wgryzających się w odbytnicę ojca i narzeczonej mógł wymazać, tylko gwałtownie potrząsając głową i powtarzając sobie: „Co też ty sobie wyobrażasz!".

Z czasem obsesje Lertzinga zaczęły się plątać. Kapitan, który budził w nim lęk swym okrucieństwem, stał się surogatem ojca. Kiedy nowe okulary przysłano pocztą, kapitan wręczył je Lertzingowi, mówiąc, że ich przyjaciel porucznik Nachl zapłacił za przesyłkę 3,80 korony. Lertzing powtarzał sobie, że musi zwrócić te pieniądze porucznikowi Nachlowi, ale w jego umyśle stało się to poleceniem wydanym przez ojca. Był zdecydowany spłacić dług i równocześnie narastała w nim jeszcze większa determinacja, by pieniędzy nie zwrócić, bo wtedy sprawdzą się jego wyobrażenia o szczurach, ojcu i narzeczonej. Szczury i nowe okulary splotły się nierozdzielnie w jego myślowej konstrukcji.

Do natręctw Lertzinga należało również poczucie winy za to, że kiedy czuwał przy chorym ojcu, wyszedł do sąsiedniego pokoju i koło północy zasnął. Ojciec umarł o wpół do drugiej i chociaż wzywał syna, ten się z nim nie pożegnał. Obsesja winy stała się tak silna, że Lertzing musiał przerwać studia prawnicze. Po miesiącu leczenia Zygmunt doszedł do wniosku, że może już zaryzykować pierwszą sugestię:

– Gdy dojdzie do nieodpowiedniego połączenia określonego afektu z treścią myśli wyzwalającą ten afekt (w tym przypadku intensywności wyrzutów sumienia i ich powodu), laik mówi, że afekt ten jest nieproporcjonalnie silny w stosunku do sytuacji, która go zrodziła, że jest przesadzony, a zatem wniosek wypływający z wyrzutów sumienia jest fałszywy... Przeciwnie ocenia to zjawisko lekarz: Afekt jest usprawiedliwiony. Poczucia winy jako takiego nie można poddawać krytyce. Należy ono do jakiejś innej treści, nieznanej (podświadomej), i trzeba ją odnaleźć. Znana treść myślowa znalazła się w tym miejscu jedynie na skutek fałszywego powiązania. Nie przywykliśmy do odczuwania silnych afektów, jeśli takiej treści myślowej nie mają, i dlatego gdy treści brak, zastępujemy ją jakąś inną, która tak czy inaczej wydaje się odpowiednia.

Nadeszła pora, by zacząć odsłaniać młodemu człowiekowi nieznane treści jego umysłu.

– Istnieją różnice psychologiczne – mówił Zygmunt – między świadomością a podświadomością. Wszystko, co świadome, podlega procesowi zanikania, natomiast to, co jest podświadome, pozostaje właściwie niezmienne. Do tych właśnie podświadomych treści postaramy się teraz dotrzeć.

Wytłumaczył również Lertzingowi, że w teorii psychoanalizy każdy lęk odpowiada jakiemuś dawniejszemu pragnieniu, które zostało stłumione. Dodał, że wielu pacjentów odczuwa szczere zadowolenie z przeżywanych cierpień i stara się opóźnić wyleczenie. Cierpienie sprawia im satysfakcję, ponieważ wyzwala podświadome poczucie winy.

Lertzing zaczął teraz opowiadać o tym, jak często pragnął śmierci swego ojca, szczególnie w ostatnich latach, ponieważ odziedziczyłby w ten sposób pieniądze i mógłby poślubić pannę, w której się kochał. Przypomniał sobie, jak pewnego razu otrzymał straszne lanie od ojca za to, że kogoś ugryzł. Mówiąc o tym, wtrącił nagle:

– Ugryzłem go. A przecież to właśnie robią szczury. To chyba dlatego obsesyjnie narzucał mi się obraz szczurów wgryzających się w odbytnicę.

Dopiero po kilku miesiącach przypadkowa uwaga matki Lertzinga umożliwiła Zygmuntowi rozpoznanie przyczyny, która przyspieszyła przed sześciu laty rozwój choroby. Matka pacjenta powiedziała mu, że jeden z bogatych kuzynów zgodził się, by jej syn poślubił jego córkę, i proponował mu stanowisko w swojej firmie prawniczej, co zapewniłoby mu natychmiastową karierę. Lertzing nie miał najmniejszej ochoty żenić się z panną, której prawie nie znał i nie kochał, ale majątek i kariera były zbyt wielkimi pokusami. Zachorował. Fantazje i natręctwa umożliwiły mu wykręcenie się od podjęcia decyzji.

Teraz doszło do pełnego przeniesienia: doktor Zygmunt Freud stał się bogatym kuzynem, który chciał Lertzinga przyjąć do swojej rodziny. Jakaś młoda dziewczyna spotkana na schodach domu Freudów stała się córką profesora Freuda. Doktor Freud nakłaniał go uporczywie, by poślubił jego rzekomą córkę. Lertzing kłócił się z Zygmuntem, zarzucając mu, że nakłania go do rezygnacji z prawdziwej miłości, do ożenku za pieniądze i dla kariery, co przecież jest czymś nie do pomyślenia. Potem widział w lekarzu swego ojca, który go bił po pośladkach. Z kolei Zygmunt stał się surogatem ojca, kapitanem sadystą. Wszystkie te przeniesienia łącznie z tym, w którym doktor Freud stał się panną Peter, wywoływały u Lertzinga wybuchy wściekłości, łzy, wyrzuty, obrazę, głębokie załamania psychiczne, a w końcu doprowadziły do uroczystego wyznania miłości profesorowi. Ogólny skutek był jednak zbawienny. Lertzing słyszał sam wszystkie te wyznania, które mu dyktowała podświadomość, i dzięki temu mógł zrozumieć naturę swojej choroby.

Teraz chodziło o to, by rozwiązać zagadkę natręctw na punkcie szczurów i erotyki analnej. Lertzing niemal bez przerwy cierpiał na podrażnienie odbytnicy, ponieważ w dzieciństwie miał robaki. Kiedy był jeszcze dzieckiem, zanim zaczął się wkradać pod spódnicę panny Peter, w domu nazywano jego mały penis robaczkiem. Z czasem szczury zaczęły mu się kojarzyć z pieniędzmi, co też było jednym z przejawów jego analnych obsesji. Kiedy doktor Freud powiedział, ile będzie wynosiło honorarium za godzinę leczenia, Lertzing mruknął: „Tyle guldenów, tyle szczurów". Ojciec pacjenta w czasie służby wojskowej zdobył sobie przydomek „gracza-szczura", ponieważ nigdy nie płacił długów karcianych. Opowieść okrutnego kapitana, połączona z rozkazem zwrócenia pieniędzy za okulary, jeszcze bardziej nasiliła skojarzenie szczurów z pieniędzmi.

Najważniejszy jednak wniosek nasuwał się w związku ze stosunkiem analnym. Wstręt odczuwany do kapitana miał poniekąd charakter pociągu homoseksualnego, a choroba Lertzinga w znacznej mierze była podświadomym wymierzeniem sobie kary za ten występek.

Trzeba było jedenastu miesięcy codziennych wizyt, by wydobyć od Lertzinga wszystkie wątki z dzieciństwa, które uwiły sobie gniazdko w jego podświadomości, oraz konstrukcje fantazji, które łączyły się z natrętną myślą o szczurach. Pacjent początkowo bronił się przed zajmowaniem się patologicznymi wytworami swej podświadomości, teraz natomiast zaczął ze zdumieniem analizować fantazje, tłumione pragnienia i lęki. Z chwilą gdy stłumione wspomnienia i konflikty dotarły do świadomości, zrozumiał, że śmierć ojca jest faktem nieodwracalnym i że nie popełnił przeciw niemu żadnego wykroczenia. Pojął wreszcie, że obsesje są wynikiem przeżyć w dzieciństwie, nad którymi nie panował i które dawno już zapomniał.

Kiedy mecenas Lertzing wyzbył się lęku przed szczurami i wrócił do praktyki prawniczej, Zygmunt uznał, że pacjent jest wyleczony. Przed rozstaniem Zygmunt zapytał go, czy pozwoli opublikować historię swojej choroby, zapewniając, że osoba pacjenta będzie całkowicie zakamuflowana. Lertzing wyraził zgodę.

Zygmunt postanowił opisać przypadek w lecie, kiedy będzie miał trochę wolnego czasu.

2

W połowie grudnia 1907 roku przyjechał z Berlina Karol Abraham. Podobnie jak Karol Jung przed siedmiu laty, Abraham zamierzał spędzić całą niedzielę z Zygmuntem. Wizytę poprzedziło kilka listów, w których trzydziestoletni lekarz zapewniał doktora Freuda, że uważa się za jego ucznia. Karol Abraham był w zasadzie człowiekiem bardzo opanowanym i z natury małomównym, ale jego szczere jasne oczy mówiły wyraźnie o szacunku i podziwie, jakim darzył Zygmunta. Karol Jung przez pierwsze trzy godziny swej wizyty zasypał go lawiną słów; Karol Abraham natomiast pragnął słuchać, i to nie tylko przez trzy godziny, ale choćby nawet przez całe trzy doby, które miał spędzić w Wiedniu. Był krępym mężczyzną średniego wzrostu, o dużej uczciwej twarzy i oczach spoglądających z niezmąconym optymizmem na ten bardzo skomplikowany świat. Golił się starannie, zostawiając mały wąsik, strzygł krótko, chodził w wytwornym, bardzo oficjalnym czarnym ubraniu, a z rękawów surduta wysuwały się nieskazitelnie białe mankiety koszuli. Na palcu prawej ręki nosił obrączkę.

Zygmunt przedstawił go Marcie, po czym służąca podała kawę.

– A więc zdecydował się pan definitywnie zerwać ze światem instytucji?

– Tak, panie profesorze. Spędziłem cztery lata w berlińskim Komunalnym Szpitalu dla Umysłowo Chorych w Dalldorfie. Kiedy rozpoczynałem pracę, nie interesowałem się psychiatrią. Moje przygotowanie jest bardzo podobne do pańskiego: początkowo studiowałem histologię, patologię i anatomię mózgu. Pracowałem w zakładach dla umysłowo chorych i po pewnym czasie zainteresowałem się samymi pacjentami. Doszedłem do wniosku, że nie wiemy absolutnie nic o tym, co się dzieje w ich mózgu i systemie nerwowym. Nikt się tym nie interesował. Nasza praca sprowadzała się właściwie do pełnienia obowiązków pielęgniarzy. Napisałem do profesora Eugeniusza Bleulera w Burghölzli. Czytałem niektóre jego prace i stwierdziłem, że tam starają się dochodzić przyczyn chorób. Ich zakład wydał mi się najbardziej postępowym szpitalem w Europie. Zacząłem tam pracować, zaręczyłem się, a w dwa lata później, kiedy Jung polecił mnie Bleulerowi na asystenta, wróciłem do Berlina, ożeniłem się i zamieszkaliśmy w Burghölzli.

Zygmunt się uśmiechnął. Przypomniał sobie pierwsze ich, jego i Marty, mieszkanie i te ciężkie rzeźbione, mahoniowe meble, które zakupiła jego siostra Róża.

– Miejsce wybrałem właściwe – ciągnął Karol Abraham – choć przesłanki wyboru okazały się błędne. Wiele się nauczyłem o otępieniu wczesnym od Bleulera i Junga, i w ciągu trzech lat obserwowania pacjentów. Ale sprawy przybrały naprawdę szczęśliwy obrót wówczas, gdy zetknąłem się z profesorem Zygmuntem Freudem i jego pracami o podświadomości. Bleuler i Jung nakłaniali mnie do zaznajomienia się z pana książkami. Przez prawie dwa lata popołudniowe przerwy w pracy spędzaliśmy na dyskusjach o pańskich teoriach i ich zastosowaniu w leczeniu naszych pacjentów.

– A teraz otworzył pan gabinet w Berlinie i ma pan zamiar zostać pierwszym psychoanalitykiem w Niemczech?

– Tak. Wiem, że początki będą trudne. Nie mam żadnych oszczędności i będziemy musieli żyć z moich zarobków. Ale taki przecież jest los każdego młodego lekarza. Postanowiłem występować jako Freudowski psychoanalityk. Oczywiście przez pierwsze lata będę musiał zajmować się również psychiatrią. Mój powinowaty, doktor Herman Oppenheim, ma własne sanatorium. Obiecał, że pozwoli mi jeden dzień w tygodniu przyjmować dochodzących pacjentów. Oczywiście żadnej psychoanalizy! – postawił to jasno. Ale mam przyjaciół w świecie lekarskim i przypuszczam, że oni będą kierowali do mnie chorych – uśmiechnął się nieśmiało do Zygmunta – rzecz jasna, kiedy wszelkie inne metody leczenia okażą się nieskuteczne. Jeśli pan wyrazi zgodę, założę w Berlinie Towarzystwo Psychoanalityczne. Zebrania będą się odbywały u mnie w domu, podobnie jak pan je urządzał u siebie przez ostatnie pięć lat.

Zygmunt aprobował tę inicjatywę z całego serca.

– Wydaje mi się, że nie jest pan człowiekiem, który wstydziłby się, gdybym go nazywał uczniem. Sądzę, że będę mógł przyjść panu z konkretną pomocą. Często miewam pacjentów potrzebujących opieki lekarskiej w Niemczech. Dotąd nie miałem do kogo ich kierować. Teraz będę mógł ich posyłać do pana.

Karol Abraham był człowiekiem pogodnym i zrównoważonym; Zygmunt nie dostrzegał w nim żadnych ukrytych lęków, niepewności czy zahamowań. Uważał, że człowiek cierpliwy może racjonalnie pokierować swym losem. Zrozumiał to, kiedy Zygmunt starał się go przestrzec przed antagonizmami i oporami, z którymi będzie miał do czynienia. Abraham słuchał spokojnie opowieści profesora Freuda o jego burzliwych latach, po czym odpowiedział tonem pewności siebie:

– Dużo czytałem o obelgach, jakimi pana obrzucano na kongresach psychiatrycznych i w prasie. Ale mimo całej opozycji, mimo wrogów i napaści nadal jestem przekonany, że gdyby można spokojnie podyskutować z najbardziej zaciętymi przeciwnikami w Berlinie, zapewne osiągnęlibyśmy jakiś kompromis.

Przez następnych kilka godzin przeglądali historie chorób i omawiali metody stosowane przez Zygmunta. Karol Abraham nigdy dotąd nie miał praktyki prywatnej i Zygmunt uważał, że przydałoby mu się kilka miesięcy przeszkolenia w analizie, ale sprawa ta nie wypłynęła w rozmowie. Abraham mógł zostać w Wiedniu tylko do środowego spotkania, po czym musiał wracać do Berlina. Był bardzo chłonny i wiele nauczył się w czasie rozmowy, którą Zygmunt przeobraził właściwie w seminarium.

U źródła optymistycznej postawy Abrahama, jak to odkrył Zygmunt, kiedy wybierali się na spacer po skutym grudniowym mrozem Lasku Wiedeńskim, leżało to, że był jednym z tych nielicznych młodych ludzi, którzy mieli niemal niczym niezakłócone, szczęśliwe dzieciństwo. Jego ojciec był nauczycielem hebrajskiego w starej hanzeatyckiej Bremie. We wczesnej młodości zakochał się w kuzynce, której rodzice niezbyt przychylnie zapatrywali się na to małżeństwo, ponieważ wiedzieli, jak skromne są zarobki nauczycielskie. Ojciec Abrahama zajął się więc handlem hurtowym, podobnie jak niegdyś Jakub Freud. Starszy brat Karola był słabowity i nie mógł uprawiać sportów. Towarzyszem wypraw Karola na pływalnie i w góry został jego młody wujek. W gimnazjum Karol Abraham pasjonował się językami i filologią. Mając lat piętnaście, napisał niewielką pracę z filologii porównawczej, zawierającą rozdział analizujący słowo „ojciec" w trzystu dwudziestu językach. Za punkt honoru postawił sobie doskonałe opanowanie łaciny i greki. Kiedy wstępował na uniwersytet, znał już w mowie i w piśmie angielski, hiszpański i włoski. Pragnął zostać profesorem historii języków, musiał jednak z tego zrezygnować, ponieważ w Bremie nie było uniwersytetu, a na żadnym uniwersytecie niemieckim tego rodzaju katedry. Rodzina chciała, by został dentystą, ale po jednym semestrze na uniwersytecie w Würzburgu w południowych Niemczech wrócił do domu i zawiadomił rodziców, że postanowił zostać lekarzem. Przeniósł się na uniwersytet we Fryburgu i tu pokierował jego studiami młody profesor specjalizujący się w histologii i embriologii. Studia kontynuował w Berlinie, gdzie miał okazję zająć się anatomią mózgu. Oto była droga, która zaprowadziła go do profesora Freuda.

Zygmunt zaprosił Abrahama na kolację w poniedziałek wieczór i ponownie w środę przed zebraniem. Polubił go. Dzieciom i Marcie Karol też przypadł od razu do serca. Budził zaufanie.

– Jestem przekonany – mówił Zygmunt do Marty, kiedy czekali w poniedziałek na gościa – że Karol Abraham to człowiek wielkiej rzetelności. Nie tylko w stosunkach osobistych, ale i w pracy naukowej. To niezwykle głęboki umysł. Chociaż nie ma żadnej praktyki, jeśli chodzi o psychoanalizę, uchwycił istotę sprawy i rozumie funkcjonowanie podświadomości. Wierzę, że będzie stosował psychoanalizę niezwykle skrupulatnie i że publikowane przez niego materiały zyskają mu szacunek Berlina. Wątpię, czy udałoby się nam znaleźć lepszego inicjatora ruchu psychoanalitycznego w Niemczech.

Na środowym spotkaniu Zygmunt przedstawił Abrahama stałym uczestnikom spotkań i zaproponował, by tym razem zrezygnowano z referatu i przedyskutowano wykład Abrahama O *znaczeniu urazu seksualnego w dzieciństwie dla symptomatyki otępienia wczesnego*. Abraham mówił na ten temat w kwietniu na posiedzeniu Niemieckiego Towarzystwa Psychiatrycznego we Frankfurcie i opublikował tekst referatu w jednym z czasopism medycznych. Kiedy doszli do problemu uświadomienia seksualnego, wywiązała się ożywiona dyskusja o tym, w jakim właściwie wieku należy je rozpocząć, w jakim zakresie dzieciom należy przekazywać wiadomości z anatomii i seksuologii oraz jak tego rodzaju działalność pedagogiczną dostosować do kolejnych faz rozwoju. Karol Abraham słuchał bardzo uważnie, ale w obecności tylu obcych ludzi zdobywał się tylko na lakoniczne uwagi. Abraham wspomniał kiedyś w rozmowie, że w Burghölzli wspólnie z Karolem Jungiem zajmował się egiptologią i archeologią. W środę wieczór Zygmunt włożył mu do teczki, tak żeby Abraham nie zauważył, dwie egipskie statuetki, które kupił w czasie ostatniego pobytu w Rzymie. Rozstawali się jak przyjaciele. Przez chwilę tylko jakby cień niepokoju padł na ich rozmowę, kiedy Zygmunt z wielkim uznaniem mówił o Jungu. Abraham również zachwalał talenty psychiatryczne Junga i jego metody psychoanalityczne, ale dodał, zniżając głos:

– Wie pan zapewne, że Jung nie akceptuje w całości pańskiej koncepcji seksualnej etiologii nerwic.

– Tak, mówił o wielu innych źródłach nerwic. Ale jestem pewny, że w końcu zgodzi się ze mną. Na razie jest jednym z najcenniejszych nabytków naszego ruchu. Prawda?

Przez ułamek sekundy Abraham próbował unikać wzroku Zygmunta. Zdarzyło się to po raz pierwszy. Zygmunt był zdumiony. Widząc to, Karol Abraham powiedział:

– Przez dwa lata, byłem wtedy jeszcze kawalerem, łączyły mnie z Jungiem bardzo bliskie stosunki. Niemal codziennie jadaliśmy razem i dyskutowaliśmy zawzięcie. Kiedy wróciłem już z żoną, Jungowie zaprosili nas do siebie i podejmowali bardzo serdecznie. Dużo wtedy pracowałem. Wychodziłem z domu o szóstej rano i rzadko zdarzało mi się wracać przed siódmą lub ósmą wieczór. Pani Jungowa, wiedząc, że moja żona czuje się w Zurychu ogromnie osamotniona, bo nie miała tam żadnych znajomych lub krewnych, odwiedzała ją często. Nasze stosunki układały się naprawdę dobrze... A potem – Abraham zawahał się – coś się stało. Do dziś nie wiemy co. Pani Jungowa przestała bywać u mojej żony. Nigdy więcej nie zapraszali nas do siebie. Kiedy urodziła się moja córka Hilda, pani Jungowa złożyła żonie wizytę i okazała wielką życzliwość. Potem jednak przestaliśmy utrzymywać zupełnie stosunki towarzyskie. W czasie pracy w szpitalu Jung zachowywał się wobec mnie tak jak dawniej, ale nie było już mowy o tych bliskich stosunkach, jakie nas łączyły w czasie dwuletniej przyjaźni. Być może to także wpłynęło na moją decyzję wyjazdu z Zurychu.

Moja żona nie miała już do kogo ust otworzyć, a ja nie miałem przed sobą żadnych perspektyw w Burghölzli, bo przecież profesor Bleuler przez wiele jeszcze lat będzie dyrektorem szpitala. Postanowiliśmy wrócić do Berlina, gdzie mieszka rodzina mojej żony, i otworzyć prywatną praktykę.

– Dziwne. Bardzo dziwne. Jung jest człowiekiem szlachetnym, o wielkim sercu. Nie ulega wątpliwości, że nikt lepiej od niego nie nadaje się na przywódcę naszego ruchu w Szwajcarii. Przecież pamięta pan, że w pierwszych naszych dyskusjach w Zuryskim Towarzystwie Psychoanalitycznym uczestniczyło ze dwudziestu lekarzy.

Na delikatnej twarzy Abrahama pojawił się rumieniec.

– Proszę mi wierzyć, panie profesorze, że z największymi oporami mówię o moich sprawach rodzinnych. Jestem przekonany, że nie mam żadnych wrogów. Nikogo nie osądzam, ale pan pytał. Uważałem, że lepiej będzie, jeśli pana uprzedzę.

3

Nadal jednak przybywali nowi ludzie, i to coraz częściej, z różnych krajów świata. Niektórzy już od dłuższego czasu korespondowali z Zygmuntem, pisali entuzjastyczne listy, zadawali dociekliwe pytania dotyczące metod psychoanalitycznych. Zygmunt odpowiadał wyczerpująco na wszystkie listy, uważał bowiem tych korespondentów za swoich uczniów, którzy zbiegiem okoliczności mieszkają zbyt daleko, by uczestniczyć w środowych spotkaniach albo słuchać jego sobotnich wykładów na uniwersytecie.

Cennym nabytkiem okazał się doktor Maksymilian Steiner, który bardzo szybko pozyskał sobie serdeczną sympatię Zygmunta. Urodził się na Węgrzech, studia medyczne kończył na Uniwersytecie Wiedeńskim i został specjalistą chorób wenerycznych i skórnych. Choroby te tak bardzo były rozpowszechnione w Wiedniu, że Steinerowi nigdy nie brakło pacjentów. Przyłączył się do grupy Zygmunta w 1907 roku. Po kilku miesiącach zorientował się, że Freud często pomaga młodszym lub uboższym lekarzom stanąć na własnych nogach. Po jednym ze środowych spotkań Steiner poprosił profesora o kilka słów na osobności. Chociaż był od niego zaledwie o osiem lat młodszy, traktował go z najwyższym szacunkiem.

– Panie profesorze, wiem, że pan pomaga młodym lekarzom, którzy zaczynają stosować psychoanalizę. Nie byłoby rzeczą słuszną, żeby pan brał cały ciężar na swoje barki. Ja zarabiam bardzo dobrze. Tu w kopercie jest kilkaset koron. Pozwoli pan, że włożę tę kopertę do szuflady i co miesiąc będę przekazywał taką samą sumę? Zechce pan dysponować tymi pieniędzmi, gdy dojdzie pan do wniosku, że któryś z kolegów jest w potrzebie. Wierzę, że znajdą się jeszcze inni, którzy zechcą zasilić ten fundusz choćby najskromniejszymi sumami.

Zygmunt uścisnął dłoń Steinera. Głęboko wzruszył go ten szlachetny gest.

Kiedy Sändor Ferenczi stanął po raz pierwszy w drzwiach mieszkania Freudów, Zygmunt pomyślał sobie: „Oto człowiek bez żadnych kanciastości". Niski, miał niewiele więcej niż półtora metra wzrostu, okrągłą głowę, okrągłą twarz, okrągły brzuszek i krągłe pośladki; choć trochę jakby sflaczały, był nieustannie w ruchu. Samo mówienie zdawało się angażować wszystkie jego siły, fizyczne, nerwowe i umysłowe. Jakimś cudem wydawał się na przemian to brzydki, to znów przystojny.

Ferenczi miał lat trzydzieści cztery. Był piątym synem rodziny, w której było jedenaścioro dzieci. Jego ojciec miał dobrze prosperującą księgarnię i wypożyczalnię książek w Miszkolc, leżącym jakieś sto czterdzieści cztery kilometry od Budapesztu. Przez pewien czas wydawał patriotyczną gazetę węgierską, za co Austriacy wsadzili go do więzienia. Przy księgarni mieściła się agencja artystyczna, która sprowadzała muzyków i aktorów, stąd też rodzina Ferenczich miała szerokie stosunki w świecie artystycznym. Sändor, brzydkie kaczątko, dość szybko zorientował się, że niełatwo będzie mu zwrócić na siebie uwagę. Zabiegając o względy bliskich, unikał agresywnych metod. Opiekował się młodszym rodzeństwem i równocześnie starał się usilnie o względy starszego. Dzieci spędzały znaczną część dnia w księgarni. Sändor czytał wszystko. Podobnie jak Otto Rank, Alfred Adler i inni młodzi ludzie otaczający Zygmunta, zachłannie pożerał książki. Po maturze, którą zdał w gimnazjum w Miszkolcu, studiował medycynę w Wiedniu. W 1896 roku otrzymał dyplom z oceną dostateczną. Te skromne wyniki zawdzięczał przede wszystkim temu, że w czasie studiów wiele czasu poświęcał pisaniu sentymentalnych wierszy i codziennie bywał na koncertach, a tych w Wiedniu nie brakło. Odbył jednoroczną służbę wojskową i mniej więcej na przełomie wieku przeniósł się do Budapesztu, gdzie się zajął neurologią.

Pracował w budapeszteńskim szpitalu miejskim. Został przydzielony do sal kobiecych; do niego należało zajmowanie się nagłymi wypadkami, przeważnie samobójstwami, a także okresowe badanie budapeszteńskich prostytutek. Przez wiele lat mieszkał w hotelu „Royal". Wszystkie wolne chwile i wieczory spędzał w pobliskiej kawiarni, przy stoliku, gdzie zbierali się artyści, pisarze i muzycy. Zaprzyjaźniony z redaktorem czasopisma medycznego, zaczął pisać recenzje, artykuły, relacjonować przypadki z pogranicza medycyny i psychiatrii.

– Na samym wstępie, panie profesorze, muszę się przyznać do największego głupstwa, jakie popełniłem. Redaktor dał mi do zrecenzowania pańską *Interpretację marzeń sennych*. Przejrzałem dwadzieścia lub trzydzieści stron, książka wydała mi się nudna, zwróciłem ją i powiedziałem, że recenzji nie napiszę. Dopiero w siedem lat później, kiedy przeczytałem pochwalny artykuł Junga o pańskiej książce, kupiłem ją. Jak się okazało, był to przełomowy dzień w moim życiu. – Rozłożył ręce. – Ale, panie profesorze, ten pierwszy rozdział! Na stu stronach cytuje pan wypowiedzi innych psychologów o snach tylko po to, by dowieść, że nie mają racji, bo nie słyszeli nawet o podświadomości! Gdyby to nie było przestępstwem, obszedłbym wszystkie księgarnie i własnoręcznie powyrywał ten rozdział!

Zygmunt się roześmiał i postanowił powiedzieć Marcie, że miała rację, kiedy ten właśnie rozdział krytykowała.

– Taki to już mój los, Ferenczi – odpowiedział – że mam naukowe ambicje. No cóż, pierwszy nakład udało się rozprzedać. Teraz przygotowuję drugie wydanie. Otrzymałem dosłownie setki listów od laików i lekarzy; opisują sny, które potwierdzają moje tezy. Wiele z tych relacji włączę do rozszerzonego wydania.

Ferencziemu odpowiadał żywot kawalerski. Chodził z przyjaciółmi do małych budapeszteńskich restauracji, jadał smacznie, pił dobry tokaj i słuchał muzyki cygańskiej. Został głównym neurologiem „Przytułku Elżbiety", a w 1905 roku stał się już tak uznaną sławą, że powołano go na eksperta sądowego. Garnął się do ludzi i tak bardzo był spragniony ich życzliwości, że stale zajmował się cudzymi kłopotami. Kelnerzy, urzędniczki i urzędnicy, sprzedawcy w sklepach, w których robił zakupy, pracownicy sądów i szpitali, wszyscy bez wyjątku wiedzieli, że mogą liczyć na doktora Ferencziego. Lekarzy tytułowano z reguły „Herr Doktor", ale do niego zwracano się po prostu „Doktor". Miał dwa niezwykłe talenty: umiał doprowadzać ludzi do tego, że bez żadnych zahamowań opowiadali o sobie, i dzięki swej przenikliwości docierał bezbłędnie do sedna ich problemów. Był czarującym, stale roześmianym kompanem. Odznaczał się tym dziecinnym wdziękiem, który zapewne zachował jeszcze z lat chłopięcych, kiedy musiał zabiegać o względy i uczucia licznego rodzeństwa.

W 1906 roku dowiedział się, że Jung w Zurychu eksperymentuje z testami kojarzeń słownych i za pomocą stopera prowadzi pomiary czasu trwania reakcji emocjonalnych. Opowiadał Zygmuntowi ze śmiechem, że kiedy sam zaczął eksperymentować ze stoperem, napastował w Budapeszcie wszystkich, nawet szatniarzy w kawiarniach. Na kilka tygodni przed spotkaniem napisał do Zygmunta, pytając, czy mógłby go odwiedzić w Wiedniu.

„Nie tylko dlatego, Panie Profesorze, że chciałbym bardzo Pana poznać, jako że prawie od roku studiuję Pańskie dzieła, ale także dlatego, że wiele sobie obiecuję po tym spotkaniu... Mam zamiar przedstawić wszystkie Pańskie odkrycia światu lekarskiemu, którego część zupełnie ich nie zna, część zaś ma o nich zupełnie błędne wyobrażenie..."

Wystarczyła godzina rozmowy, by Zygmunt zorientował się, że Ferenczi bardzo dokładnie przeczytał jego książki. Wyciągnął z nich daleko idące wnioski, które pozwalały mu w twórczy sposób wypróbować na pacjentach teorie Freuda, poszerzyć dokumentację głównej tezy i w istotny sposób ją rozwinąć.

Była to autentyczna miłość od pierwszego spojrzenia. Ferenczi miał o siedemnaście lat mniej niż Zygmunt, co pozwalało Zygmuntowi traktować go jak syna, który uwielbia ojca, kontynuuje jego pracę zawodową i zdejmuje powoli brzemię z jego pleców. Przecież taki właśnie serdeczny stosunek łączył go przez wiele lat z Józefem Breuerem.

Z zapałem przystąpili do pracy nad referatem Ferencziego, który miał zaznajomić węgierski świat lekarski z psychoanalizą. Ferenczi przemyślał już cały wykład, poczynając od przesłanek zawartych w *Trzech szkicach o teorii seksualizmu*. Prosił Zygmunta, by wspólnie z nim przeprowadził analizę metod terapeutycznych stosowanych w kilkunastu ostatnich przypadkach. Chodziło mu o wskazanie na znakomitą intelektualną pracę leżącą u podłoża swobodnego kojarzenia, a także na rozpowszechnione i przemyślne aspekty tłumienia, znaczenie ucieczki pacjentów od podświadomych przeżyć, takich jak sytuacje edypalne, a także na znaczenie zjawiska przeniesienia, kiedy to lekarz staje się dla chorego tą osobą, w której się kochał lub z którą przed wieloma laty miał trudności, dzięki czemu pacjent może odbyć podróż powrotną przez okryte mrokiem obszary swej podświadomości.

Ferenczi poprosił Zygmunta, by pomógł mu w trzech przypadkach impotencji. Pierwszy pacjent, trzydziestodwuletni mężczyzna, oświadczył lekarzowi, że przez całe życie nie miał zadowalającego stosunku płciowego. Niedostateczna erekcja i przedwczesny wytrysk uniemożliwiały mu współżycie. Teraz spotkał młodą dziewczynę, z którą chce się ożenić.

Badania nie wykazały żadnych niedomagań organicznych, swobodne kojarzenie również nie ujawniło nic poza drobnym szczegółem, że pacjent nie mógł oddać moczu w obecności innych mężczyzn. Z kolei Ferenczi zajął się snami pacjenta i próbował za pomocą metod Freudowskich dotrzeć do źródła zaburzeń. W trzecim lub czwartym roku życia pacjentem opiekowała się jego starsza o dziesięć lat siostra. Była to tęga dziewczyna (ze snów wyłonił się obraz stukilowej osoby bez twarzy, napełniającej go takim lękiem, że się budził); często brała go na kolana i pozwalała mu „jeździć na gołej nodze". Kiedy siostra dorosła, nie chciała się już z nim bawić w ten sposób. Karciła go, gdy ją o to prosił. Poczucie winy związane z miłością kazirodczą stało się źródłem jego impotencji.

Następny pacjent miał lat czterdzieści. Chorował na serce i cierpiał na impotencję na tle nerwowym. Swobodnie kojarząc, odtworzył historię swego seksualnego pociągu do nieżyjącej już macochy. Pozwalała mu sypiać w swoim łóżku do dziesiątego roku życia i na różne sposoby starała się zainteresować go sobą erotycznie. Trzeci przypadek był najprostszy. Pacjent miał dwadzieścia osiem lat i był impotentem. U źródeł jego kłopotów leżała sytuacja edypalna i powtarzające się na jawie i we śnie wrogie fantazje o własnym ojcu. Ferenczi pomógł wszystkim trzem, co prawda w niejednakowym stopniu. Oświadczył Zygmuntowi, że doszedł do pewnych wniosków, wynikających z tych trzech przypadków, i zapytał go, czy może mu przeczytać wyniki swych doświadczeń.

Zygmunt rozsiadł się wygodnie w wielkim skórzanym fotelu, zapalił cygaro i z satysfakcją pomyślał, że ma teraz ucznia, obrońcę, wielbiciela i praktyka stosującego jego metody w Budapeszcie. Ferenczi trochę seplenił. Jego ciemnoniebieskie oczy niezwykle żywo spoglądały zza szkieł *pince-nez*. Z entuzjazmem i wielkim przekonaniem wykładał swe kombinacje myślowe i hipotezy.

– Psychoseksualna impotencja u mężczyzn to zawsze jeden z objawów psychonerwicy, co odpowiada Freudowskiej koncepcji genezy objawów psychoneurotycznych. Jest więc ona z reguły symbolicznym wyrazem stłumionych śladów reminiscencji erotycznych z okresu dzieciństwa, podświadomego pragnienia powtórzenia tych doświadczeń oraz konfliktów wewnętrznych, wywołujących takie pragnienie. Te ślady wspomnień i popędowych pragnień w przypadkach impotencji seksualnej są zawsze tego rodzaju... że nie dają się pogodzić ze świadomością dorosłego cywilizowanego człowieka. Tak więc zahamowania seksualne są zakazami pewnej części podświadomości, które objęły ogół potrzeb seksualnych.

Ferenczi został na obiedzie u Freudów. Pozyskał sobie sympatię ich dzieci. Miał szczególny dar okazywania im serdeczności, bawił je dykteryjkami, anegdotami i bajkami. Dzieci nie chciały się z nim rozstać, gdy wybierał się na spacer z Zygmuntem. O pół głowy niższy od Freuda, nieprzywykły do chodzenia, ograniczał się zazwyczaj do krótkich wieczornych spacerów do kawiarni, z trudem dotrzymywał kroku szybko chodzącemu Zygmuntowi. Wiedział już, że mistrz go akceptuje.

– Jakżebym pragnął przenieść się do Wiednia i być w pobliżu pana. Tyle jeszcze muszę się nauczyć, potrzebne mi są pańskie rady...

– O nie. Musi pan pozostać w Budapeszcie. Zainicjuje pan tam ruch psychoanalityczny. Pańska obecność w Budapeszcie jest dla nas bezcenna.

– Czy wolno mi jednak się uważać za uczestnika środowych spotkań Towarzystwa Psychoanalitycznego? Muszę panu szczerze wyznać, że potrzebne mi jest poczucie przynależności. To już leży, jak pan się mógł zorientować, w mojej naturze.

– Tak – Zygmunt kątem oka obserwował swego rozmówcę – ale to panu wychodzi na dobre. Więcej pan z siebie daje. Stworzy pan własną grupę. Niech pan pilnuje swoich współpracowników i słuchaczy. Za rok lub dwa na pewno będzie pan mógł zorganizować Budapeszteńskie Towarzystwo Psychoanalityczne.

– Chcę rzucić neurologię i stanowisko psychiatry eksperta sądowego. Ale nim stać mnie będzie na wyłączne zajęcie się psychoanalizą, muszę przeprowadzić psychoanalizę u sześciu lub siedmiu pacjentów. Czy nie sądzi pan profesor, że tak właśnie powinienem postąpić?

– Trudno mi cokolwiek poradzić, ponieważ niewiele opowiedział pan o swoim życiu prywatnym. Mam wrażenie, że odpowiada panu żywot kawalerski.

Ferenczi się zarumienił. Zwolnił kroku, tak że i Zygmunt musiał zwolnić, i bardziej niż zazwyczaj seplenąc, powiedział:

– Mam przyjaciółkę. Nazywa się Gizela Palos. Pochodzi z mojego miasteczka rodzinnego. Jest o kilka lat starsza ode mnie, ma dwie córki i żyje w separacji. Mąż nie chce dać jej rozwodu. Bardzo mi się podobała w młodości, a teraz ją kocham. Nieźle się jej powodzi. Nie mamy żadnych kłopotów finansowych. Nie rozmawialiśmy nigdy o małżeństwie. Ona nie może już mieć więcej dzieci, ja zaś z lękiem myślę o starości bezdzietnej. Sprawy ułożyły się ku naszemu obopólnemu zadowoleniu. Daje mi to bowiem swobodę kontynuowania przez kilka lat studiów i przetrwania do czasu, kiedy będę miał dostateczną liczbę pacjentów leczących się psychoanalizą, by móc się jej całkowicie poświęcić. Muszę jednak wspomnieć o jeszcze jednej sprawie. – Wyprzedził o parę kroków Zygmunta i stanął przed nim, patrząc mu prosto w oczy. – Panie profesorze, ja sam powinienem się poddać psychoanalizie. Jestem straszliwym hipochondrykiem. Czy pan podjąłby się ją przeprowadzić, gdybym mógł raz na dwa lub trzy miesiące przyjechać na kilka dni? Tylko w ten sposób wyrobię sobie obiektywny punkt widzenia, który umożliwi mi unikanie pułapek zastawianych przez pacjentów wciągających mnie w swe wykręty.

– Ależ oczywiście, niech pan przyjeżdża, kiedy pan tylko zechce. Poświęcę panu każdą wolną godzinę. Będziemy spacerowali ulicami Wiednia i spróbujemy zrozumieć, dlaczego nie potrafi pan sam przeprowadzić analizy swej hipochondrii. Nie ma pan ani jednego pacjenta hipochondryka?

– Wielu. Niekiedy udaje mi się dotrzeć do źródeł ich zaburzeń. Ale ze sobą nie mogę dać sobie rady. Pan musiał sam przeprowadzić autoanalizę, by móc kontynuować swe badania. Nie miał pan nikogo, kto by panu pomógł, bo przed panem nikogo nie było. Ale ja mam Zygmunta Freuda.

Zygmunt był wdzięczny Ferencziemu za te słowa.

– Mam pomysł! Co roku wynajmujemy dom na wsi. Czy nie mógłby pan do nas przyjechać na kilka tygodni? Wie pan, co powiedziała do mnie żona, kiedy wychodziliśmy z domu: „Musisz przyznać, że ten młody doktor Ferenczi jest uroczy". Ona ma rację. Niech pan przyjedzie do nas na wakacje, będziemy wędrowali po lesie, pływali w jeziorze, chodzili po górach...

4

Marta była zadowolona, że Róża mieszka w najbliższym sąsiedztwie, na tej samej klatce schodowej. Obie rodziny dbały o to, by nie narzucać się sobie, co też wpłynęło na pogłębienie się przyjaźni między Kraftami a Freudami. Marta nie miała czasu na zawieranie nowych znajomości. Do Zygmunta coraz częściej przyjeżdżali cudzoziemscy lekarze. Niemal codziennie któryś z przyjaciół zostawał na obiedzie lub na kolacji, a niektórzy, jak na przykład Otto Rank, stali się członkami rodziny. Marta sama robiła zakupy na targu, nawet nie zabierała ze sobą służącej, jak tego wymagał uświęcony wiedeński obyczaj. Kupowała rozważnie, wybierając najlepsze i możliwie najtańsze mięso, jarzyny i nabiał. Co prawda ciotka Minna nazywała żartobliwie dom Freudów „psychoanalityczną kantyną", ale zarobki Zygmunta wciąż jeszcze były nieregularne i skromne. Marta musiała wykazywać nie lada przemyślność, żeby tygodniowe „pieniądze na dom" wystarczyły do niedzieli. Czasem tylnymi drzwiami przekradała się do sklepów, w niedzielę zamkniętych od frontu, żeby uzupełnić zapasy, kiedy do Zygmunta przyszli niezapowiedziani goście, których po rozmowie zatrzymywał na obiad.

– Jesteś najprawdziwszą w świecie panią profesorową – powiedziała Róża pewnego dnia do Marty. – Klientela mego Henryka stale się rozrasta. W jego biurze drzwi się nie zamykają. Ale nigdy nikogo nie sprowadza do domu. Mówi, że te nieliczne godziny, kiedy jesteśmy razem, są dla niego zbyt cenne, by miał sobie ściągać na głowę obcych ludzi.

– My jesteśmy w innej sytuacji, droga Różo. Koledzy Zygmunta są jego uczniami i obrońcami. On wychowuje swoich następców.

Henryk Graf nie miał bliższej rodziny w Wiedniu. Był szczęśliwy, gdy się znalazł w klanie Freudów. Niedzielne obiady, na których się spotykali wszyscy Freudowie, odbywały się na przemian u Amelii, Marty albo u Grafów. Jednej niedzieli Henryk nie przyszedł na obiad. Wybrał się przed południem do swego biura, gdyż miał jakieś sprawy do załatwienia, i tam dostał wylewu krwi do mózgu. Miał zaledwie pięćdziesiąt sześć lat. Był niezwykle witalny i energiczny. Wyglądał o dziesięć lat młodziej.

Na pogrzebie Zygmunt zastanawiał się, czy nie powinien już zakupić miejsca na cmentarzu dla Marty i dla siebie. Niespodziewana śmierć Henryka przypomniała mu boleśnie banalną prawdę, że „wszystkie drogi prowadzą na Cmentarz Centralny".

Róża była niepocieszona, odchodziła od zmysłów. Dostawała straszliwych ataków płaczu, potem wpadała w beznadziejną rozpacz, zadręczając się pytaniami, na które nie było odpowiedzi. „Dlaczego? Dlaczego właśnie jej Henryk? Tak im się świetnie powodziło. Był taki szczęśliwy, tak im było dobrze ze sobą. Dlaczego właśnie jego to spotkało? Nigdy nikogo nie skrzywdził. Taki dobry, łagodny, czuły człowiek. Dlaczego musiał odejść w sile wieku? Dlaczego dzieci zostały sierotami? Dlaczego ona jest wdową? To wszystko jest okrutne i bez sensu. Do końca życia pozostanie już sama..."

– Nie masz racji, Różo – pocieszała ją Marta. – Masz syna i córkę, kochasz ich, musisz dzielnie znieść ten straszliwy cios. Musisz żyć dla nich. Dzieci są przestraszone, nieszczęśliwe.

Marta zajęła się dziesięcioletnim Hermanem i dziewięcioletnią Cecylią. Ciocia Minna przeniosła się do Róży, by nie zostawała sama na noc. Róża źle sypiała mimo środków uspokajających, które dostawała od Zygmunta. Nieustannie rozpamiętywała swą stratę. Minna pocieszała ją, robiła zimne kompresy, próbowała ją rozerwać. Wszystko na nic. Depresja z dnia na dzień się pogłębiała. Zygmunt obawiał się o jej zdrowie fizyczne i psychiczne, wręcz o jej życie. W pewnej chwili Róża, jakby przytomniejsza, chwyciła go za rękę i płacząc, zapytała:

– Zygmuncie, zajmiesz się moimi dziećmi? Obiecaj mi.

– Obiecuję. Będę się nimi opiekował jak własnymi dziećmi.

– I jeszcze jedna sprawa; pomóż mi znaleźć tańsze mieszkanie. Nie chcę roztrwonić spadku, który Henryk zostawił dzieciom.

Zygmunt objął ją opiekuńczo ramieniem.

– Różo kochana, nie martw się o pieniądze. Aleksander zna testament. Henryk był człowiekiem bogatym jak na nasze warunki. Już w 1904 roku, kiedy spisywał testament, miał sto tysięcy koron.

– Nie, nie... Muszę się wyprowadzić. Nie mogę tu mieszkać. Wszędzie widzę twarz Henryka. Czy możesz załatwić tę sprawę z gospodarzem? Minna powiedziała, że znajdzie mi mniejsze mieszkanie.

– Niedawno straciłaś męża. Czy musisz wyzbywać się swego domu? Proszę cię, porozmawiaj o tym z Martą.

Argumenty Marty też na nic się nie zdały. Róża się uparła. W tydzień po śmierci Henryka Zygmunt powiedział Marcie:

– Skoro Róża się upiera, musimy jej pomóc. Znalazłem proste rozwiązanie: my weźmiemy jej mieszkanie, a ona przeniesie się na parter. Od dawna już chciałem skończyć z tym bieganiem po schodach po kilkanaście razy dziennie. Dwa dodatkowe pokoje przydadzą się dla dzieci. Dwa pokoje frontowe połączymy z naszym prywatnym mieszkaniem. Trzy pokoje od podwórza będą moim gabinetem. To będzie wygodne dla wszystkich.

Pewnego wieczora jego najstarsza córka, dwudziestoletnia Matylda, przyszła po kolacji do jego gabinetu i zamknęła za sobą drzwi na klucz. Zygmunta ogarnęło zdumienie; nigdy dotąd nic takiego nie zdarzyło mu się z jego dziećmi. Dziewczyna była wyraźnie czymś zmartwiona. Matkowała młodszemu rodzeństwu i stała się ich powiernicą. Kiedy miała lat dwanaście, Zygmunt nazywał ją „dorosłą małą kobietką". W dzieciństwie przeszła trzy poważne choroby, z których Oskar Rie wyleczył ją całkowicie, niemniej pozostawiły pewien ślad. Matylda była słabiutka i nieśmiała. Przeszła również operację wyrostka, po której przez kilka miesięcy nie wstawała z łóżka. Ostatnio chorowała. Zygmunt postawił diagnozę: wędrująca nerka. Dolegliwość niegroźna. Matylda miała spędzić w tym roku wakacje w Meranie, u rodziny zaprzyjaźnionego z Zygmuntem lekarza.

Matylda nie odznaczała się urodą. Miała szeroką, płaską twarz. Bardziej była podobna do cioci Minny niż do matki. Ale miała dużo wdzięku. Cechowała ją wielka rzetelność. W szkole uczyła się dobrze, a w ciągu czterech lat, które minęły od matury, nadal dużo czytała i poszerzała swe horyzonty.

– Tatusiu, musisz mi pomóc.

– To coś nowego. Dotąd ja zawsze prosiłem ciebie o pomoc. Muszę zresztą przyznać, że mi jej nigdy nie odmawiałaś.

– Niepokoi mnie ta moja ostatnia choroba. Czy z tego mogą być komplikacje... po ślubie?

– Nie. Moim zdaniem to nic poważnego. W ciągu miesiąca lub dwóch przejdzie. Ale ciebie chyba jeszcze coś innego niepokoi?

– Tak, tatusiu.

– Coś mi się zdaje, że już od kilku lat przejmujesz się tym, że nie jesteś dość ładna, by znaleźć męża. Nie brałem tych twoich zmartwień poważnie, bo ja uważam ciebie za bardzo ładną pannę.

Matylda uśmiechnęła się niewesoło.

– Tatusiu, ty nie możesz się ze mną ożenić, bo już jesteś żonaty.

– Kochanie, pozwól, że ci coś wyjaśnię. W rodzinach zamożnych, takich jak nasza, należących do dobrego towarzystwa, panny nie wychodzą bardzo młodo za mąż. Zbyt szybko by się zestarzały. Przecież wiesz, że twoja matka wyszła za mnie, kiedy miała dwadzieścia pięć lat. Nigdy z tobą o tym nie rozmawiałem, ale zawsze wyobrażałem sobie, że nie odejdziesz z domu, póki nie będziesz miała tyle lat co ona wtedy, kiedy już będziesz całkiem zdrowa, będziesz mogła mieć dzieci i zdołasz podjąć się nie najlżejszych przecież obowiązków pani własnego domu.

– Ależ, tatusiu, to by znaczyło, że muszę czekać jeszcze cztery lata, a ja przecież nic nie robię. Nawet w domu nie ma ze mnie żadnego pożytku.

– A jednak nie tylko o to ci chyba chodzi? Gdybyś się nie bała, że możesz zostać starą panną, wcale byś się tym wszystkim nie martwiła.

– To prawda. Ja się naprawdę tym przejmuję.

Zygmunt objął córkę.

– Kochanie, pójdź do siebie do pokoju i przypatrz się sobie dobrze w lustrze. Jesteś bardzo przystojna, nie ma nic pospolitego w twoich rysach. Mogę cię zapewnić, że dzięki memu zawodowi dość dobrze znam się na mężczyznach, i wiem, że o ich wyborze nie decyduje sama tylko uroda, ale cała osobowość panny. Moi rówieśnicy marzyli o kobietach, które będą pogodne, miłe, które wniosą coś pięknego do ich życia. Jesteś emocjonalnie niezrównoważona, zbyt często wpadasz z jednego nastroju w drugi. Ale to jest dziedziczne w naszej rodzinie. Ja i twoja ciotka Róża przechodziliśmy takie same stany w młodości. Nie myśl o śmierci wuja Henryka. Nikt nie jest całkowicie bezpieczny. Życie nie trwa wiecznie i dlatego właśnie ma dla nas specjalny sens i smak. Ktoś, na kim ci będzie zależało, pokocha cię tak, jak my wszyscy ciebie kochamy. To, że jesteś Matyldą Freud, nie będzie bynajmniej przeszkodą. Mężczyźni poszukujący towarzyszki życia rozglądają się za nazwiskiem szanowanym i pragną, by ich przyszła żona pochodziła z domu, w którym panowała ciepła atmosfera. Zawsze mi wierzyłaś, więc uwierz i teraz, że nie masz powodu, by się martwić. Pojedziesz do Meranu i zostaniesz tam do czerwca.

Matylda zbladła i lekko zachrypniętym głosem powiedziała:

– Obawiam się, że mój strach przed staropanieństwem nie jest czystym przywidzeniem. Mam przecież pod nosem dwa precedensy, które mogą mnie niepokoić, ciocia Minna i ciocia Dolfi.

– Twoja ciotka Minna jest kobietą o twardych zasadach. W młodości oddała swe serce Ignacemu Schönbergowi. Mogła wyjść za mąż po śmierci Ignacego, ale ona twierdzi, że kobieta może kochać tylko jeden raz w życiu. To był z jej strony świadomy wybór.

– A ciocia Dolfi?

Zygmunt westchnął: nieczęsto sobie na to pozwalał wobec członków rodziny.

– Obawiam się, że to wina moja i wuja Aleksa. Zastanawialiśmy się nawet, ale po śmierci dziadzia Jakuba ktoś musiał zająć się babcią, a wszystkie inne ciocie były już mężatkami. Zapewniliśmy Dolfi, że nigdy niczego jej nie zabraknie. Miała wszystko prócz męża. Gdyby jednak Dolfi w ciągu tych lat znalazła człowieka, za którego chciałaby wyjść za mąż, na pewno mielibyśmy kolejne wesele w rodzinie. Każda kobieta, która naprawdę chce mieć męża, znajdzie go sobie. Ty szczerze pragniesz mieć męża, ergo... Rozumiesz ten sylogizm?

– Tak, tatusiu. Ciebie zawsze rozumiem. Ale ty mówisz o jakimś ogólnym prawie, a ja jestem pojedynczym indywidualnym przypadkiem, który musi sobie znaleźć też pojedynczego, jedynego partnera.

– Kochanie, zobaczysz, jak on się zmaterializuje. To cud stale się powtarzający. Bo to zaiste cud, jak męskie i żeńskie osobniki naszego gatunku nawiązują kontakt, niekiedy w najbardziej nieprawdopodobnych okolicznościach.

Matylda uśmiechnęła się; jej brzydka twarz była teraz czarująca.

– Obiecujesz mi, że wyjdę za mąż, zanim ukończę dwadzieścia pięć lat?

– Obiecuję. Jestem jasnowidzem, nie tylko jeśli idzie o przeszłość, ale i przyszłość.

Matylda pocałowała go w oba policzki. W jej oczach malowała się głęboka miłość.

– Dziękuję ci, tatusiu. Muszę już iść, bo przeciągnę moją godzinną wizytę u pana profesora.

5

Marta i Minna zajęły się przeprowadzką Róży. Potem Zygmunt przeniósł się do jej starego mieszkania. Utrzymywała je w nienagannym stanie i nie trzeba było malować. Kazał przebić drzwi w jednej ze ścian, żeby nie przechodzić przez klatkę schodową. W przedpokoju stanął wieszak, który on i Marta kupili przed prawie dwudziestu dwu laty, tuż po ślubie. Przedpokój miał na ścianach drewnianą boazerię, a w oknach kolorowe witraże. Dodatkowo umocowali osiemnaście wieszaków dla uczestników środowych spotkań. Dawną kuchnię Róży Zygmunt zamienił w poczekalnię, wstawiając tam okrągły stół i obite skórą krzesła. W środkowym pokoju urządził gabinet przyjęć. Czarną kozetkę przykrył zniszczonym perskim dywanem, na podgłówku położył białą poduszkę, w nogach koc. W kącie, obok kozetki, nieco za nią, pod popiersiem rzymskiego cesarza i oprawionymi w ramę fragmentami mozaiki z Pompei, ustawił swój fotel. Mógł w ten sposób siedzieć na wysokości głowy pacjenta, który go nie widział. Między pokojem konsultacyjnym a poczekalnią były podwójne drzwi, osłonięte z obu stron kotarami. Żeby zapewnić pacjentom całkowitą dyskrecję, kazał wybić jeszcze dodatkowe drzwi, by mogli wychodzić, omijając poczekalnię.

W ostatnim pokoju urządził gabinet prywatny. Jedną ścianę zabudował regałami, pozostawiając tylko miejsce w środku na oszkloną gablotę, w której trzymał swoje starożytności. Półki dochodziły do wysokiego okna, skąd roztaczał się widok na kasztany rosnące w ogrodzie. Biurko ustawił pod oknem, żeby w pełni wykorzystać światło słoneczne, tak skąpe podczas wiedeńskich zim. Na środku pokoju umieścił fotel dla tych pacjentów, z którymi chciał porozmawiać przed podjęciem się leczenia. Przed fotelem był stolik, na nim ustawił dużą terakotową chińską figurę, a po obu jej stronach dwie rzeźby egipskie. Pozwalało mu to skupić wzrok na tych bibelotach, gdy pacjent czuł się skrępowany, opowiadając o objawach swojej choroby. W gabinecie był jeszcze długi stół, przy którym Zygmunt pisał książki i artykuły. Porządnie ułożone rękopisy leżały w skórzanych teczkach, skrupulatnie zamykanych po skończonym dniu pracy. Na stole znalazł się także rząd małych figurynek hetyckich i etruskich. Obok biurka, na małym stoliku w zasięgu ręki, trzymał korespondencję. Z dnia na dzień stawała się coraz obfitsza. Przychodziły listy od Junga, Abrahama, Ferencziego i innych młodych lekarzy. Opisywali leczone przez siebie przypadki i prosili o konsultację. Podwójne drzwi między pokojem przyjęć i gabinetem pomalowane były na ciemnoszary kolor. Drzwi z poczekalni, zgodnie z obowiązującym wiedeńskich lekarzy stylem, obite czerwoną skórą. Podłogi wyłożone pięknym parkietem przykrył dywanami. Sufit, z którego zwisały lampy gazowe, pozostał biały, dzięki czemu pokoje wydawały się wyższe. Poczekalnię jak zawsze zdobiło kilka dużych obrazów zawieszonych na ścianach, dwa zaś pozostałe pokoje zapchane były antykami, które od lat skupował. Teraz przybyła kolekcja starożytnych narzędzi, miniaturowych wozów zaprzężonych w woły, glinianych i marmurowych koni, które udało mu się kupić za nieduże pieniądze. Wysoki, pięknie zdobiony piec kaflowy w rogu ogrzewał pokój w zimie. W korytarzu zainstalowano nowy wynalazek – aparat telefoniczny. Na drzwiach nowego mieszkania umieścił tabliczkę:

Prof. dr Freud

przyjmuje

3–4

Kiedy Marta i ciocia Minna obejrzały jego nowe pokoje, Minna nie mogła się powstrzymać od uśmiechu.

– Gdybyś miał kiedykolwiek porzucić praktykę lekarską, zawsze jeszcze będziesz mógł otworzyć sklep z antykami.

– Jestem jak wiewiórka – odpowiedział jej również z uśmiechem – gromadzę orzeszki na zimę. Ale im więcej mam dookoła siebie tych figurynek z przeszłości, tym lepiej potrafię się koncentrować na przyszłości.

Pierwsze spotkanie środowej grupy w nowym mieszkaniu odbyło się piętnastego kwietnia 1908 roku. Stawiło się kilkunastu uczestników. Obejrzeli pokoje i wszyscy bez wyjątku stwierdzili, że zbiory Zygmunta zupełnie inaczej tu się prezentują. Było tu widniej i więcej miejsca niż w starym mieszkaniu. Wszyscy przynieśli jakieś prezenty: fauna z Pompei, indyjską kamienną figurynkę, kawałek koptyjskiej tkaniny.

Zygmunt zaproponował, by uczcili przeniesienie się do nowego lokalu, przyjmując nazwę Wiedeńskiego Towarzystwa Psychoanalitycznego. Myślał już o tym w lecie podczas pobytu w Rzymie. Wniosek przyjęto entuzjastycznie. Wybrano Zygmunta na przewodniczącego, Otto Rank został sekretarzem. Alfred Adler wystąpił z wnioskiem, by zaczęli organizować naukową bibliotekę, która obejmie również wszystkie pokrewne dziedziny. Ustalono niewysokie składki i postanowiono zaprenumerować kilka pism medycznych dotąd dostępnych tylko w bibliotece uniwersyteckiej. Wszyscy obecni zapowiedzieli, że wezmą udział w pierwszym kongresie psychoanalitycznym w Salzburgu. Karol Jung miał zarezerwować pokoje i zająć się sprawami organizacyjnymi.

Zygmunt, jako przewodniczący, zakomunikował, że zebranie poświęcone będzie omawianiu długiego kwestionariusza nadesłanego z Berlina przez doktora Magnusa Hirschwelda. Kwestionariusz dotyczył badań nad popędem seksualnym i miał na celu ustalenie z medycznego punktu widzenia tych czynników, które wpływały na życie erotyczne zarówno ludzi chorych, jak i zdrowych. Każdy z członków Towarzystwa zobowiązał się przeanalizować kwestionariusz z punktu widzenia swojej specjalności. Jeśli wyniki okażą się godne uwagi, wówczas skonfrontują materiały i być może ogłoszą je jako publikację Wiedeńskiego Towarzystwa Psychoanalitycznego. Tego rodzaju publikacje podawałyby do wiadomości publicznej fakt istnienia towarzystwa psychoanalityków wzorowanego na towarzystwach skupiających psychiatrów, psychologów i neurologów.

Oskar Rie zadzwonił do Freudów, ale nie chciał powiedzieć, o co chodzi, póki Zygmunt, który nie cierpiał telefonu i posługiwał się nim tylko w ostateczności, nie podszedł do aparatu.

– Państwo Rie i Königsteinowie zapraszają na kolację w niedzielę wieczór. Przypominam, że to Wielkanoc.

Rie zajmował wraz z rodziną duże staroświeckie mieszkanie przy Stubenringu. Oskar usłuchał rady Freudów i „ożenił się, żeby mieć komu robić prezenty". Poślubił Melanię Bondy, która powiła mu w krótkich odstępach czasu troje dzieci. Miał teraz czterdzieści cztery lata. Niedawno odszedł z Instytutu Kassowitza, gdzie objął po Zygmuncie stanowisko szefa oddziału paraliżów dziecięcych, by poświęcić się całkowicie praktyce prywatnej. Podczas studiów dostawał zazwyczaj stopnie dostateczne i nadal pozostał „dostatecznie dobrym", spokojnym, sumiennym, cierpliwym i troskliwym lekarzem, któremu dzieci ufały. Nie interesował się nigdy pracą naukową i nie miał ambicji pisarskich. Jego praca powszednia – leczenie dzieci, dawała mu pełne zadowolenie.

Leopold Königstein miał pięćdziesiąt osiem lat, tytuł profesora nadzwyczajnego otrzymał na rok przed Zygmuntem, a ze swymi wykładami przeniósł się z Allgemeines Krankenhaus do Polikliniki, gdzie nadal osiągał znaczące sukcesy w dziedzinie chirurgii oka. Należał do tych mężczyzn, którzy z wiekiem stają się przystojniejsi, chociaż groziła mu już kompletna łysina.

– Powiedz prawdę – zawołał Zygmunt – jestem pewny, że jeden z was został dziekanem na wydziale medycyny!

Po kolacji, która upłynęła na wesołej i ożywionej rozmowie, Oskar otworzył butelkę szampana. Korek strzelił pod sufit.

– Dokładnie dziesięć lat temu wracaliśmy razem ze szpitala. Powiedziałem ci wtedy, że twój ulubiony konik, podświadomość, za bardzo cię absorbuje. Wspomniałeś zresztą o tym w swojej *Interpretacji marzeń sennych*.

– Dziwne, że to sobie zapamiętałeś. Myślałem, że nie czytasz moich książek.

– Nie czytałem, ale teraz je czytam. Bardzo uważnie. I pragnę na łonie naszych trzech rodzin wyznać, że byłem w błędzie. A na dowód publicznej pokuty proszę, byś mi pozwolił się wybrać w składzie wiedeńskiej delegacji na kongres w Salzburgu.

Zygmunt zarumienił się z przyjemności. Oskar Rie uśmiechał się skruszony:

– Marto, czy pamiętasz ten likier, który przyniosłem na twoje urodziny, kiedy spędzaliście wakacje w Bellevue? Miał zapach samogonu. O tym też jest coś w *Interpretacji marzeń sennych*. Zygmuncie, wciąż prześladuje mnie zapach fuzlu, gdy przypominam sobie, jak zareagowałem na rękopis twojej pracy o seksualnej etiologii nerwic. Przeczytałem wtedy kilka stronic, oddałem ci rękopis i powiedziałem, że to wszystko nie ma sensu. Było to trzynaście lat temu w Instytucie Kassowitza. No cóż, pomyliłem się. Sensu jest w tym bardzo dużo. Nie mogę wyjechać do Salzburga, ale chciałbym, żebyś na jesieni poparł moją kandydaturę na członka Wiedeńskiego Towarzystwa Psychoanalitycznego.

– No, no! – szepnęła Marta, podchodząc do Leopolda i Oskara i całując ich w policzki. – „Więcej radości w niebie z jednego grzesznika nawróconego..."

6

Do Salzburga Zygmunt przyjechał w niedzielę wczesnym rankiem i prosto z dworca udał się do hotelu „Bristol", który stał na dużym, otoczonym rabatami kwiatów Rynku. Wykąpał się, przebrał i zszedł do hallu. Dwóch mężczyzn stało przy recepcji. Wymienili jakieś uwagi między sobą i uśmiechnęli się do niego. Nie znał ich, ale zorientował się, że przybyli na kongres. Podszedł i wyciągnął rękę.

– Freud. Wiedeń.

– Jones. Londyn.

– Brill. Nowy Jork.

– Panowie już po śniadaniu? Czy nie wypiliby panowie ze mną kawy?

– Z przyjemnością.

Przeszli do małej sali jadalnej zarezerwowanej dla tych gości, którzy nie zamawiali śniadania do pokoju. Wszyscy trzej zaczęli mówić po angielsku. Zygmunt mówił trochę książkowo, bo język znał głównie z lektury; Jones miał akcent walijski, Brill – niemiecki. Obaj byli młodzi. Jones miał zaledwie dwadzieścia dziewięć lat, Brill dwadzieścia trzy. Przybyli z Zurychu, gdzie pracowali z Bleulerem i Jungiem, dzień wcześniej niż cała grupa szwajcarska, w której ku zadowoleniu Zygmunta byli nie tylko Bleuler i Jung, lecz również Maks Eitingon, Franz Riklin, Hans Bertchunger i Edward Claparède z Genewy, pierwszy w tym mieście lekarz interesujący się psychoanalizą. Po śniadaniu Zygmunt zapytał Jonesa i Brilla, czy nie wybraliby się z nim na spacer.

Przeszli przez Makart wśród tłumu odświętnie ubranych rodzin salzburskich udających się do kościołów. Miasto od przeszło tysiąca lat było siedzibą książąt – biskupów. Z ogrodów pałacu Mirabell roztaczał się wspaniały widok na smukłe wieże i kościoły Starego Miasta, a także na potężną kamienną twierdzę wieńczącą szczyt góry po drugiej stronie rzeki.

Zygmunt podziękował Jonesowi za to, że podsunął pomysł konferencji Karolowi Jungowi, który potem zajął się całą stroną organizacyjną i doprowadził do spotkania czterdziestu dwu ludzi z sześciu krajów.

– Jest to historyczne wydarzenie – powiedział Jones – i dlatego chciałbym, by nasze spotkanie otrzymało nazwę Międzynarodowego Kongresu Psychoanalitycznego.

– Dopiero w przyszłym roku, jeśli obecny kongres się uda. Ale niech mi pan powie, jakimi drogami dotarł pan do psychoanalizy.

Poszli na Stare Miasto, krążąc po wąskich, krętych uliczkach, między barwnymi wystawami. Jones szedł między Zygmuntem i Brillem. Był niskiego wzrostu i miał dużą głowę herosa, która pasowałaby raczej do mężczyzny znacznie wyższego i tęższego.

– Chciałbym być wyższy – powiedział Jones z nieśmiałym uśmiechem – ale pogodziłem się już z tym, czego zmienić nie można. Kompensuję to sobie kultem Napoleona.

Jak wszyscy mężczyźni niskiego wzrostu Jones dbał bardzo o elegancję. Włosy miał jedwabiste, jasnobrązowe. Oczy duże, piwne, o mądrym spojrzeniu. Ale najbardziej rzucała się w oczy jego blada cera, następstwo jakiejś niegroźnej choroby krwi, na którą cierpiał od dzieciństwa. Ciemne łuki brwi jeszcze bardziej podkreślały tę bladość. Potężny rzymski nos wyrastał nad jedwabistym wąsem. Odznaczał się ciętym dowcipem, nie bez kozery jego matka mawiała, że ma język ostry jak brzytwa.

Podobnie jak Zygmunt był pierworodnym synem uwielbiającej go matki i niezwykle tolerancyjnego ojca. Różnica między nimi polegała na tym, że ojciec Ernesta Jonesa był człowiekiem zamożnym i mógł sobie pozwolić na wykształcenie syna. Będąc Walijczykiem, Ernest również uważał się za członka krzywdzonej mniejszości. Kiedy się urodził, jego rodzice byli baptystami, ale matka, wspinając się po towarzyskiej drabinie, wstąpiła do Kościoła anglikańskiego. Mąż i syn zareagowali na to, stając się ateistami. Ernest ukończył ze świetnymi wynikami studia medyczne na Uniwersytecie Londyńskim. Miał wtedy dwadzieścia jeden lat. Praktykę położniczą odbył w szpitalu. Do jego obowiązków należało jednak asystowanie przy porodach domowych. Przydzielono mu jedną z najuboższych dzielnic żydowskich. Polubił jej mieszkańców. Podobał mu się ich emocjonalny stosunek do życia.

Wyspecjalizował się w neurologii. Trzy lata pracował w Londyńskim Szpitalu Pediatrycznym. Gorliwie wypełniał obowiązki chirurga, neurologa i patologa. W stosunku do personelu szpitalnego był bardzo wymagający. Jego kłopoty zaczęły się pod koniec trzeciego roku, kiedy stwierdził ropień w płucach jednej z ciężko chorych pacjentek. Zaproszony z miasta słynny lekarz nie zgodził się z diagnozą Jonesa i twierdził, że jest to jakieś stwardnienie w płucu. Kilka dni później ropień pękł. Chora wypluwała ropę. Jones zdecydował się na natychmiastową operację, żeby uratować jej życie. Kiedy lekarz wizytujący dowiedział się o tym po tygodniu, podczas swej kolejnej wizyty w szpitalu, wpadł we wściekłość. Wkrótce potem ówczesna narzeczona Jonesa miała mieć operowany wyrostek robaczkowy. Jones chciał być obecny podczas operacji. Jako lekarz stacjonarny nie miał prawa opuszczać szpitala, ale poprosił dyżurnego chirurga o zwolnienie na jeden wieczór. Uszłoby mu to płazem, gdyby siostra przełożona nie doniosła kierownictwu szpitala. Jones został zwolniony z pracy. Tak się zaczął proces, jak to sam określał, „zniesławiania go".

Chwilowe niepowodzenie nie wyglądało zbyt groźnie. Przez następny miesiąc uczył się do egzaminów końcowych, które zdał, zajmując pierwsze miejsce i zdobywając złoty medal. Liczył na to, że otrzyma stanowisko na neurologii w National Hospital. Miał najlepsze bodaj kwalifikacje do tej pracy. Tak się jednak złożyło, że prezesem zarządu szpitala był ów lekarz konsultant, którego błędną diagnozę Jones skorygował. Oświadczył on, że z młodym doktorem Ernestem Jonesem „współpraca jest trudna", i stanowisko otrzymał jego własny bratanek.

– Byłem zdany na łaskę londyńskiego świata lekarskiego.

Wszelkie stosunki z elitą medyczną i z uczelnią, do której pragnął wrócić, przerwane zostały tak skutecznie jak stosunki Zygmunta Freuda z wydziałem medycznym Uniwersytetu Wiedeńskiego po opublikowaniu *Etiologii histerii*. Do spółki ze starszym i bardziej znanym lekarzem otworzył gabinet na Harley Street. Za dzierżawę domu zapłacił jego ojciec. Przez prawie dwa lata próbował dostać się do jakiegoś londyńskiego szpitala. Starał się nawet o pracę w podrzędnych szpitalach pediatrycznych i neurologicznych, stale jednak spotykał się z odmową. W końcu udało mu się uzyskać zatrudnienie w małej przychodni w Faringdon i nieco później w Dreadnought Seamen's Hospital, gdzie uczył się neurologii. Dodatkowe zarobki przynosiło mu pisanie notatek do prasy medycznej. Jeden z przyjaciół wprowadził go do Towarzystwa Fabiańskiego. Słuchał tam prelekcji Bernarda Shawa, H.G. Wellsa i Sidneya Webba. Tam też poznał młodą Holenderkę, Loe, w której się zakochał. Była to niezwykle odważna niewiasta, co prawda o neurotycznej osobowości. Przez kilka lat mieszkali wspólnie i razem wyjeżdżali za granicę. Loe przedstawiała się jako żona Jonesa, chociaż nie mieli ślubu.

Teraz spadł na niego najcięższy cios. Prowadził właśnie badania nad afazją i część doświadczeń przeprowadzał w szkole dla dzieci umysłowo upośledzonych. Dwie dziewczynki oskarżyły go, że w czasie testu mowy zachował się nieprzyzwoicie. Doktor Ernest Jones został aresztowany, spędził trzy dni w więzieniu, a po zwolnieniu za kaucją przez kilka miesięcy przechodził koszmarne udręki, aż wreszcie sąd sprawę oddalił, uznając oskarżenie za niedorzeczne. Prasa medyczna występowała teraz w jego obronie. Lekarze, z którymi współpracował, zbierali pieniądze na opłacenie kosztów sądowych. Jones uważał, że dziewczęta miały jakieś grzeszki na sumieniu i przez transferencje przeniosły je na niego.

W 1906 roku leczył przypadki konwulsji, niemające źródeł somatycznych. Trafiał na porażenia, między innymi kończyn i innych narządów, dla których nie można było znaleźć żadnego wytłumaczenia. Praca w szpitalu psychiatrycznym przekonała go, że istnieje seksualizm dziecięcy.

– W sprawach seksualnych Anglicy są największymi hipokrytami na świecie. A przecież wszyscy mamy podstawowe wiadomości z tej dziedziny już w pierwszej klasie szkoły powszechnej. Zetknąłem się z dziewięcioletnim synem znanego pastora, który wijąc się na podłodze z bólu, powiedział do mnie: „O Boże, tak strasznie mnie boli, że chyba nie byłbym teraz w stanie zerżnąć dziewczyny, nawet gdyby w tej chwili leżała pode mną". A wy mi tu mówicie, że dzieci nie mają pojęcia o seksie!

Najgorsze kłopoty zaczęły się, kiedy zajął się psychoterapią. Nie znał jeszcze książek Freuda. W szpitalu neurologicznym na West Endzie znalazła się dziesięcioletnia dziewczynka z histerycznym paraliżem lewego ramienia. Leczący ją doktor Savill, autor książki o neurastenii, postawił diagnozę: „wadliwy dopływ krwi do jednej strony mózgu". Jones, badając chorą, dowiedział się, że przychodziła wcześniej do szkoły, by sobie pobaraszkować z trochę starszym chłopcem, który w końcu usiłował ją zgwałcić. Broniła się i właśnie wtedy zdrętwiała jej ręka, po czym nastąpił paraliż, chociaż nawet nie uderzyła kolegi.

Młoda pacjentka powiedziała innym dziewczętom na sali, że pan doktor prowadził z nią rozmowy na tematy seksualne. W szpitalach nie wolno było nawet wspominać o takich sprawach, nic więc dziwnego, że zaczęły się plotki. Dotarły one do rodziców dziewczynki, którzy złożyli skargę w zarządzie szpitala. Doktorowi Jonesowi doradzono, by sam się zwolnił z pracy.

W tym czasie przybył do Europy profesor psychiatrii na uniwersytecie w Toronto, doktor C.K. Clarke. Zwiedzał kliniki psychiatryczne i szukał kandydata na stanowisko dyrektora instytutu, który miał powstać w Kanadzie. Zdesperowany Jones postanowił wykorzystać okazję, by rozpocząć życie od nowa. Poprosił tylko o sześć miesięcy zwłoki, by przejść przeszkolenie u Bleulera i Junga w Burghölzli.

Pierwszą pracą Zygmunta, jaką Jones przeczytał, była analiza przypadku Dory. Nie znał na tyle dobrze niemieckiego, by wniknąć w szczegóły, ale metoda Zygmunta zrobiła na nim duże wrażenie. Postanowił biegle opanować język niemiecki i zabrał się do studiowania *Interpretacji marzeń sennych*.

– Ta książka zrobiła na mnie głębokie wrażenie. Pomyślałem sobie, że w Wiedniu jest człowiek słuchający z uwagą każdego słowa, które pacjent do niego mówi... *Rara avis*, prawdziwy psycholog. Procesami umysłowymi interesowano się dotąd z moralnego lub politycznego punktu widzenia, tu natomiast spotkałem się po raz pierwszy z podejściem naukowym. Takie podejście z reguły obowiązywało tylko w badaniach tego, co Sherrington nazywał światem energii, światem „materialnym". Nareszcie zostało zastosowane do równie ważnego świata umysłu.

Zygmunt zapytał Brilla, czy nie męczy go spacer pod górę. Z Mönchsbergu jest piękny widok na całe miasto.

– Panie profesorze – odpowiedział Brill – w rozmowie z panem nie przeszkodziłoby mi nawet, gdybym został zasypany w kopalni.

Abraham Arden Brill był mężczyzną średniego wzrostu, o sentymentalnym spojrzeniu. Życie go nie oszczędzało. Przywykł już do wiecznych kłopotów i trudności. Był raczej brzydki, ale gdy się ożywiał, stawał się w jakiś sposób sympatyczny. Przez okulary w stalowej oprawie patrzał zafascynowany na świat i ludzi. Nosił straszliwie wysokie amerykańskie sztywne kołnierzyki, na których zdawały się opierać jego szczęki. Łaknął wiedzy, doświadczenia, życia. Powierzchowny obserwator mógłby odnieść wrażenie, że jest człowiekiem miękkim, zdradzał go jednak mocny podbródek, świadczący o silnym, stanowczym charakterze.

Urodził się w Austrii. Mając lat piętnaście, nakłonił rodziców, by kupili mu szyfkartę do Ameryki. Nie miał tam żadnych krewnych ani przyjaciół, postanowił jednak, że właśnie w Nowym Świecie zdobędzie wykształcenie i się urządzi. Jacyś oszuści na statku ogołocili go z kilku dolarów, które rodzice zdołali zaoszczędzić. Wylądował w Nowym Jorku bez centa, nie znając ani jednego słowa po angielsku. Był jednak przedsiębiorczy, miał silną wolę i niezachwiany optymizm. Pewien właściciel szynku pozwolił mu spać na podłodze w zamian za sprzątanie lokalu. Potem poznał lekarza, który pozwolił mu spać na podłodze w gabinecie. Równocześnie Abraham kończył szkołę średnią.

W osiemnastym roku życia podjął decyzję, której konsekwencją było to, że znalazł się teraz na konferencji poświęconej psychologii Freudowskiej. Chociaż nie miał jeszcze grosza przy duszy, postanowił zostać lekarzem. Po ukończeniu New York City College otrzymał stypendium i zaczął studiować na Uniwersytecie Nowojorskim. Po otrzymaniu stopnia magistra filozofii przyjęty został do Kolegium Lekarzy i Chirurgów na Uniwersytecie Columbia. Kiedy kończyły mu się oszczędności, przerywał na jeden semestr studia uniwersyteckie, brał dwie lub trzy posady i zbierał pieniądze potrzebne na dalszą naukę.

Miał dwadzieścia dziewięć lat, kiedy uzyskał dyplom. Przez cztery lata pracował w Central Islip Hospital, zajmując się pacjentami cierpiącymi na zaburzenia psychiczne. Zniechęcił się jednak do neurologii, ponieważ metody terapeutyczne, którymi dysponował, nie dawały rezultatu. Równocześnie jednak czytał literaturę psychiatryczną w języku niemieckim i tłumaczył celniejsze prace, szczególnie studia Kraepelina z Monachium. W 1907 roku wybrał się do Paryża. Pracował tu w Hospice de Bicêtre u doktora Pierre Marie, tego samego, który wprowadził Zygmunta do Charcota w Salpêtrière. Rezultaty, jakie osiągał doktor Marie w leczeniu zaburzeń psychicznych, rozczarowały Brilla. Za poradą przyjaciela przeniósł się do Zurychu, gdzie pracował pod kierunkiem profesora Bleulera i doktora Junga. Po odejściu Karola Abrahama został asystentem Bleulera.

– Ostatni rok w Burghölzli był punktem zwrotnym w moim życiu! – zawołał Brill z promiennym uśmiechem, gdy wspinali się po stromej ścieżce górskiej ku zielonym lasom. – Nigdy przedtem nie słyszałem o pańskiej psychoanalizie. W ciągu pierwszych czterdziestu ośmiu godzin przeżyłem moją pierwszą sesję i byłem obecny przy analizowaniu przypadków z Freudowskiego punktu widzenia. Myślałem, że mi głowa pęknie! Pierwsza pacjentka, której przypadek omawialiśmy, rozlewała niekiedy czerwony atrament lub czerwone wino na prześcieradło. W State Hospital w Nowym Jorku lub w Hospice de Bicêtre potraktowano by to zwyczajnie, jako jeszcze jeden objaw obłędu. Ale Bleuler i Jung uważali, że jest to postępek znaczący, wypływający z podświadomości chorej kobiety. Mieli rację. Pacjentka była po menopauzie i w podświadomości odrzucała ten dowód starzenia się. Próbowała wrócić do wcześniejszego i lepszego okresu w swoim życiu, kiedy jeszcze miała menstruację. Z konferencji roboczej wyszedłem z egzemplarzem *Interpretacji marzeń sennych*. W ciągu następnych miesięcy przeczytałem wszystko, co pan napisał.

Proszę sobie wyobrazić, panie profesorze, w 1903 roku zaczynałem pracę w State Hospital w Nowym Jorku, nie znając żadnej z pańskich prac. A przecież już wtedy ukazały się *Studia nad histerią*, *Interpretacja marzeń sennych*, *Psychopatologia życia codziennego*, nie mówiąc o pańskich monografiach, *Natręctwa i lęki* i *Neuropsychozy reaktywne*. Miałem trzydzieści dwa lata, połowę życia za sobą, zanim dowiedziałem się o pańskim istnieniu. I to też tylko dzięki szczęśliwemu przypadkowi. Jeden z moich nauczycieli w Nowym Jorku, Adolf Meyer, studiował w Burghölzli. Gdyby nie to, pojechałbym prawdopodobnie do Kraepelina w Monachium, gdzie nauczyłbym się tylko dalszego klasyfikowania psychoz.

Dotarli do pierwszych drzew. Nad nimi, na skalistym szczycie Mönchsbergu, wznosiła się twierdza Hohensalzburg, niedosiężna forteca arcybiskupów Salzburga. Pod nimi lśniło w promieniach słońca miasto położone po obu stronach rzeki Salzach. Celtowie osiedlili się tutaj w piątym wieku przed Chrystusem. Rzymianie zdobyli je w roku czterdziestym. W czwartym wieku święty Maksimus wprowadził chrześcijaństwo i wybudował pierwsze katakumby pod Mönchsbergiem. W ósmym wieku święty Rupert wybudował przed katakumbami klasztor św. Piotra.

Patrząc na miasto, pokazując Brillowi i Jonesowi zabytki, Zygmunt czuł przypływ fali szczęścia. Oto psychoanaliza zyskała dwóch młodych, żarliwych i inteligentnych zwolenników.

– To był piękny spacer. Ale musimy już wracać do hotelu. Reszta delegatów na pewno już się tam zebrała.

– Panie profesorze, po kongresie wybieramy się do Wiednia – powiedział Brill. – Czy znajdzie pan dla nas czas?

– Ależ oczywiście. Co wieczór. A jeśli będziecie mogli zostać na niedzielę, to będę miał dla was wolny cały dzień.

– Cudownie! – zawołał Jones. – I obiecujemy, że następnym razem będziemy już tylko słuchali. Przyjeżdżamy, żeby się czegoś nauczyć.

7

W hotelowym hallu zastali grupę mężczyzn pogrążonych w rozmowie. Zygmunt od razu dostrzegł Karola Junga, który czekał na niego. Przywitali się serdecznie. Zapomniał już, jak potężnym mężczyzną jest Jung i jak silną ma rękę. Znowu udzielił mu się jego entuzjazm.

– Drogi kolego, pragnę panu serdecznie podziękować za zorganizowanie naszego kongresu.

– Szanowny panie profesorze, robiłem to z przyjemnością.

– Postanowiłem przedstawić historię „człowieka-szczura", którą zajmowałem się przez osiem miesięcy. Jest to niezwykły przypadek natręctwa dowodzący, że człowiek może jednocześnie odczuwać miłość i nienawiść, i wyjaśniający, jak z tego powstaje podświadomy konflikt.

– Po to właśnie tu przybyliśmy, żeby wysłuchać kompletnego opisu przypadku; dzięki temu poznamy metody pana profesora. Pozwolę sobie przedstawić lekarzy, którzy od dawna już marzą o spotkaniu z panem profesorem. Arendt, Löwenfeld i Ludwig z Monachium; Stegmann z Drezna; nasz przyjaciel Karol Abraham z Berlina; mój kuzyn Franz Riklin i nasz przyjaciel Maks Eitingon z Zurychu oraz przyjemna niespodzianka: Edward Claparède z Genewy, gdzie zamierza głosić nasze nauki. Pański zwolennik Sándor Ferenczi przyjechał z Budapesztu. Bleuler ma przybyć wieczorem. Delegacja wiedeńska liczy dwudziestu sześciu członków!

– Czy zaproponował pan profesorowi Bleulerowi, by przewodniczył naszym obradom?

– Z pewnością odmówi. Zastrzegł sobie, że musi zachować całkowitą swobodę dla siebie i swoich poglądów. Przewodniczenie obradom oznaczałoby, w każdym razie w jego mniemaniu, że nie tylko przystąpił do organizacji...

– Ależ nie ma żadnej organizacji!

– ...lecz także, że aprobuje i popiera referaty, które będą wygłoszone. Przybywa tu, podobnie jak na inne kongresy, w charakterze obserwatora. Drogi profesorze, jest pan w błędzie, jeśli uważa pan Bleulera za swego zwolennika, jak to pan pisał w liście do mnie. Niewątpliwie profesor interesuje się psychoanalizą, ale bynajmniej nie jest jej zwolennikiem.

– Bleuler – odpowiedział Zygmunt spokojnie – ma olbrzymie znaczenie dla naszej grupy. Będziemy się starali brać pod uwagę jego zastrzeżenia. Sądzę wobec tego, że powinniśmy się obejść bez przewodniczącego, sekretarza, skarbnika i roboczych posiedzeń. Spotkanie będzie miało charakter nieoficjalny. Należy jedynie ustalić kolejność referatów.

Ten dzień przyniósł Zygmuntowi olbrzymią satysfakcję. Po przyjeździe Bleulera zebrało się w sumie czterdziestu dwóch ludzi ze wszystkich stron Europy, którzy wzięli udział w tym spotkaniu. Nawet oficjalne kongresy neurologów i psychiatrów nie bywają liczniejsze. Grono było, jego zdaniem, związane nie tylko więzami wspólnych zainteresowań, ale i wspólnymi nadziejami.

Zygmunt jadł obiad z pięcioma przybyszami z Niemiec „Pod Złotym Jeleniem", w restauracji słynącej z dziczyzny i Salzburger Nockerl. Potem z Jungiem, Eitingonem i nowymi przyjaciółmi szwajcarskimi spacerował po pięknym historycznym Residenzplatz. Resztę popołudnia spędził, omawiając poszczególne przypadki z lekarzami, którzy zwracali się do niego o wskazówki. Wieczorem wiedeńczycy podejmowali pozostałych uczestników w „Sternbräu", wielkiej piwiarni przy browarze; spotkanie urozmaicały muzyka i tancerze w tyrolskich kostiumach. Piwo podawano w litrowych kuflach, a przed zajęciem miejsc przy stole zwiedzało się rzeźnie i wędliniarnie należące do piwiarni. Lokal był tani, hałaśliwy, panował w nim doskonały nastrój. Gdy Freudowie spędzali wakacje w pobliskich górach, Marta zawsze nalegała, by przynajmniej raz tam wstąpić.

Po powrocie do hotelu Karol Jung zaprowadził Zygmunta do pokoju Bleulera, który powitał go z uśmiechem na twarzy. Jung półgłosem przedstawił ich sobie, po czym się wycofał. Zygmunt był onieśmielony i skrępowany. Tyle zawdzięczał temu człowiekowi. Bleuler pierwszy uznał jego osiągnięcia, wprowadził jego teorie na uniwersytet, wykładał je lekarzom. On to skierował Junga, Riklina, Abrahama, Fitingona, Jonesa i Brilla na drogę, która ich zaprowadziła do Freuda. Jakimi słowy miał wyrazić swą wdzięczność temu człowiekowi? Niewątpliwą zasługą Bleulera było przecież przekształcenie psychoanalizy z prowincjonalnej, wiedeńskiej fanaberii w światowy ruch.

Bleuler bardzo się spodobał Zygmuntowi. Coś orlego było w jego dumnej głowie przypominającej renesansową rzeźbę; dumnej, ale bez śladu arogancji. Jego jasne oczy zdawały się widzieć wszystko. Długi nos, wysokie czoło, lekko szpakowate włosy, siwawa broda nadawały twarzy wyraz wrażliwości, odwagi i umiaru. Eugeniusz Bleuler umiał wznieść się nad małostkowość świata, równocześnie głęboko angażując się w problemy ludzkości.

Gdy Bleuler mówił, jak wielką przyjemnością jest dla niego poznanie profesora Freuda, którego osiągnięcia od lat podziwia, Zygmunt lekko skłonił głowę. Bleuler miał lat pięćdziesiąt jeden, był o kilka miesięcy młodszy od Zygmunta. Został dyrektorem Burghölzli po Forellu, tym samym Forellu, którego książki *Hipnoza* Zygmunt bronił przed wzgardliwymi atakami profesora Meynerta. Jako profesor psychiatrii na uniwersytecie w Zurychu Bleuler zasłynął z odwagi. Wieloletnie i rozległe prace nad otępieniem wczesnym skłoniły go do zajęcia stanowiska odmiennego niż to, jakie zajmował profesor Kraepelin, cieszący się światową sławą w tej dziedzinie. Ogłaszał swe wnioski powoli, formułując je ostrożnie i zawsze starannie dokumentując; nigdy nie obrażał Kraepelina i jego żarliwych wyznawców. Kraepelin interesował się formą, typem i kategorią choroby; Bleuler skupiał uwagę na treści procesów myślowych zachodzących w umyśle pacjenta.

Co prawda Karol Jung zorganizował Towarzystwo Psychoanalityczne w Zurychu i był niewątpliwym jego przywódcą, niemniej kryła się za tym decyzja jego przełożonego. Nawet tu, w Salzburgu, Bleuler starał się pozostawać na drugim planie, pozwalając Jungowi nie tylko kierować grupą szwajcarską, ale i ustalać szczegóły kongresu.

Siedzieli na wygodnej kanapie, rozmawiając o psychiatrii i psychoanalizie i zastanawiając się, w czym mogą sobie wzajemnie pomóc. Już po kilku minutach Zygmunt przekonał się, że Jung miał rację: Bleuler nigdy by się nie zgodził na przewodniczenie; uznałby wręcz, że tego rodzaju propozycja jest w złym tonie. Był człowiekiem zamkniętym; krył w sobie obszary, do których nie miał dostępu żaden śmiertelnik. Wypowiadał swe poglądy otwarcie i życzliwie, ale w jakiś sposób pozostawał człowiekiem nieprzystępnym. Zygmunt był zdumiony, gdy żegnając się, Bleuler powiedział:

– Za kilka miesięcy mamy zamiar z żoną wybrać się do Wiednia. Czy pozwoli pan, panie profesorze, że złożymy panu i pani profesorowej wizytę? To będzie dla nas wielka przyjemność.

Następnego dnia Zygmunt zerwał się wcześnie, zjadł śniadanie w pokoju, po czym wstąpił do fryzjera hotelowego. Wrócił do siebie, włożył nowe popielate ubranie, które specjalnie sobie sprawił na tę okazję, białą koszulę ze sztywnym kołnierzykiem i sztywnymi mankietami, spinki podarowane mu w zeszłym roku przez Martę na urodziny. Przed wyjściem z pokoju obejrzał się w lustrze i stwierdził, że nie wygląda zbyt staro na swoje pięćdziesiąt dwa lata. Myślał niekiedy o śmierci, o nieuchronności przemijania, ale na dobrą sprawę wstępował dopiero w życie.

Kiedy na kilka minut przed ósmą wszedł do sali konferencyjnej, zastał tam już dwudziestu mężczyzn siedzących po obu stronach długiego stołu. Na samym końcu czekało na niego puste krzesło. Jego referat miał być pierwszy. Z wybiciem godziny ósmej rozpoczął wykład. Mówił o przypadku „człowieka-szczura", nie posługując się notatkami. Przemawiał cicho, koleżeńskim tonem, jak wypadało przed szanownymi kolegami, jednak głos jego docierał nawet do najdalej siedzących. Wyraźnie wymawiał każde słowo.

Opowiadał o adwokacie Lertzingu, o jego natręctwach samobójczych i natręctwach myślowych dotyczących zdrowia narzeczonej, utrudniających mu zdawanie końcowych egzaminów adwokackich. Ojciec Lertzinga już nie żył, ale pacjent wciąż obawiał się jego śmierci. Zygmunt mówił dalej o brutalnym kapitanie, który podczas manewrów opowiadał Lertzingowi o tym, jak ukarał przestępcę, ustawiając mu na pośladkach, dnem do góry, garnek ze szczurami. Jak te szczury wgryzały się ofierze w odbytnicę. Jak potem pacjent zgubił okulary i zaczął identyfikować kapitana z postacią ojca, wreszcie mówił o analnej erotyce pacjenta i jego stłumionym homoseksualizmie.

Mówił przez trzy godziny bez przerwy. Słuchano go z niezwykłą uwagą. Przypadek Lertzinga, o czym wiedział już w czasie leczenia, obejmował cały zespół symptomów psychoanalitycznych. O jedenastej przerwał.

– Panowie, mówię za długo.

– Ależ nie, panie profesorze. Proszę mówić dalej.

Zygmunt zamówił kawę dla wszystkich, po czym przeszedł do analizy swych wniosków i metody leczenia.

Po obiedzie i spacerze zebrano się znowu w sali konferencyjnej. Posiedzenie popołudniowe zaczął Ernest Jones świetnym referatem o „racjonalizacji w życiu powszednim". Była to dziedzina, w której Jones prowadził pionierskie badania. Z kolei Alfred odczytał dobrze udokumentowaną pracę o sadyzmie i nerwicy. Ferenczi błyskotliwie mówił o psychoanalizie i pedagogice i został nagrodzony oklaskami. Izydor Sadger w agresywny sposób relacjonował etiologię homoseksualizmu, Karol Jung zaś i Karol Abraham przedstawili dwa aspekty otępienia wczesnego. Przy tej okazji zdarzył się jedyny nieprzyjemny incydent. Abraham, który w swym referacie dziękował Jungowi za jego odkrycia w tej dziedzinie, zapomniał w końcu wymienić jego nazwisko. Jung był oczywiście zirytowany, Abraham zaś zrozpaczony.

– Zdradziła mnie moja podświadomość! – użalał się, kiedy na chwilę został sam z Zygmuntem – przecież chciałem podziękować Jungowi, ale po prostu przeoczyłem jego nazwisko.

– Byłoby mi niezwykle przykro, gdyby między wami dwoma doszło do jakichś poważniejszych nieporozumień. Nasze grono jest tak nieliczne, że wszelkie nieporozumienia wynikłe, być może, na tle osobistych „kompleksów" powinny być wyeliminowane.

8

Po referatach i dyskusjach uczestnicy kongresu zebrali się w sali bankietowej. Zygmunt był w doskonałym humorze. Kongres się udał. Każdy referat otwierał nowe możliwości badań.

Dzień, który mieli za sobą, dowiódł, że psychoanaliza nie jest i już nigdy nie będzie zajęciem jednego człowieka. Grupa szwajcarska okazała się nawet bardziej entuzjastyczna od wiedeńskiej. Wiedeńczycy byli jakby trochę skrępowani.

Chociaż Bleuler nie życzył sobie, by podawano napoje alkoholowe, bankiet przebiegał w wesołym nastroju. Zygmunt usiadł między Jungiem i Bleulerem. Gwido Brecher z Meranu, nowy członek grupy austriackiej, dowcipnie drwił z neurologicznych i psychiatrycznych kongresów, po czym bezlitośnie skarykaturował wszystkich dzisiejszych prelegentów, nie wyłączając Zygmunta. Po ciężkim dniu pracy śmiech był znakomitym odprężeniem. Teraz wszyscy po kolei opowiadali jakieś anegdoty zaczerpnięte bądź to z zawodowych doświadczeń, bądź też z zasobów swego narodowego humoru.

Dochodziła jedenasta, a wciąż jeszcze nikt nie poruszył sprawy, która najbardziej leżała Zygmuntowi na sercu, a mianowicie stworzenia „Rocznika". Chciał, żeby przed zakończeniem kongresu przedyskutowano przynajmniej plany takiej publikacji. Uważał, że w tej sprawie główną rolę powinni odegrać Szwajcarzy. Tuż przed końcem bankietu Jung pochylił się do niego i powiedział półgłosem:

– Wydaje mi się, że pora omówić sprawę wydawania „Rocznika". Czy nie zechciałby pan spotkać się z nami w pokoju Bleulera?

Zygmunt poczuł, że serce bije mu żywiej.

– Z największą przyjemnością.

– Czy życzy pan sobie, by zaproszono kogoś na tę rozmowę?

– Tak, kilku uczestników z innych krajów, w których stawiamy pierwsze kroki: Jonesa, Brilla, Ferencziego, Abrahama.

– Dobrze. Poproszę ich.

Kiedy Zygmunt wszedł do pokoju Bleulera, wyczuł panującą tam atmosferę oczekiwania. Wszyscy Szwajcarzy uścisnęli mu dłoń i gratulowali pomyślnego urzeczywistnienia planów kongresu poświęconego Freudowskiej psychologii. Brill, Jones, Abraham i Ferenczi byli wyraźnie zadowoleni z zaproszenia.

Chociaż spotkanie odbywało się w pokoju profesora Bleulera, nie ulegało wątpliwości, że wszystkim kieruje Karol Jung... i że czyni to z przyjemnością. Zygmunt usiadł i w myślach rozważał cele, do których Jung zmierzał.

Wydawanie „Rocznika" przekształci psychoanalizę z lokalnego problemu w ruch międzynarodowy. Jeśli Zurych obejmie patronat nad publikacją, zwiąże to psychoanalizę z Uniwersytetem Zuryskim, cieszącym się wielkim autorytetem w Europie, i z kliniką Burghölzli, której sława dotarła nawet do Stanów Zjednoczonych. Położy to kres złośliwym głosom, powtarzającym, że ta nowa nauka, która zrodziła się w najbardziej zdeprawowanym i najrozpustniejszym mieście świata, powinna tam pozostać. Skończy się również szeptana kampania przeciw „żydowskiej nauce". Tego rodzaju rozwiązanie zapewni stały dopływ materiałów od lekarzy szwajcarskich, co z kolei zachęci niemieckich psychiatrów. I najważniejsze: uniezależnią się wreszcie od czasopism, które opublikowały jedynie skromną część prac naukowych grupy Freudowskiej.

Karol Jung oświadczył, że nadszedł czas, by przystąpić do wydawania „Rocznika". Ernest Jones zaproponował, by ukazywał się on w trzech językach. Edward Claperède domagał się wydania francuskiego, uzasadniając to tym, że bardzo niewielu francuskich lekarzy i studentów medycyny zna język niemiecki. Maks Eitingon wyjąkał, że publikację będzie można sfinansować ze skromnych składek członkowskich i że wie, do kogo się zwrócić (do niego właśnie), gdy powstanie deficyt. Sándor Ferenczi podkreślał, że publikacja musi być utrzymana na bardzo wysokim poziomie, żeby krytycy nie mieli się do czego przyczepić. Karol Abraham zaproponował, by obok zasadniczych artykułów istniał dział recenzji. Jung, pragnąc podkreślić, że już się nie gniewa na Abrahama za pominięcie jego nazwiska, zawołał:

– Ten dział jest do pańskiej dyspozycji, panie doktorze Abraham!

Ku zdumieniu Zygmunta najgoręcej poparł inicjatywę Bleuler. Wstał, oparł się o krzesło i w entuzjastycznych słowach podkreślił znaczenie takiego periodyku, jego możliwości dotarcia do świata naukowego, jak i niezbędności tego rodzaju forum dla wszystkich psychoanalityków, którzy będą wreszcie mieli pewność, że ich prace zostaną opublikowane. Powitał z uznaniem wspólną szwajcarsko-austriacką publikację.

Oczy wszystkich zwróciły się teraz ku Zygmuntowi. Poparcie Bleulera było decydujące.

– Obecne spotkanie – powiedział Zygmunt – jest punktem kulminacyjnym naszego kongresu i spełnieniem moich najgorętszych marzeń. Tego rodzaju publikacja zapewni nam należne miejsce w świecie. Sądzę, że wszyscy zgodzą się ze mną, kiedy powiem, że gwarancją wysokiego poziomu „Rocznika" będzie powierzenie panu doktorowi Karolowi Jungowi stanowiska redaktora. Stawiam ten wniosek po uprzednim listownym porozumieniu się z doktorem Jungiem.

Spontaniczne oklaski pokwitowały słowa Zygmunta. Na twarzy Junga pojawił się ciepły uśmiech.

– Z dumą i radością przyjmuję tę propozycję.

Z kolei głos zabrał Franz Riklin, człowiek z natury cichy, który zdawał się kryć w cieniu Junga, ale na kongresie wygłosił bardzo interesujący referat o problemie interpretacji mitów:

– Mamy już redaktora, ale pan profesor Freud musi zostać przewodniczącym kolegium redakcyjnego.

– Bardzo panu dziękuję. Z przyjemnością, ale pod warunkiem, że będę tylko jednym z przewodniczących. Musimy mieć kogoś w Szwajcarii, z kim będę dzielił odpowiedzialność i uzgadniał sprawy związane z orientacją „Rocznika".

Nikt nie śmiał spojrzeć na Bleulera, nawet Zygmunt. Sam pomysł, by Bleuler, który odmówił przewodniczenia na kongresie, zgodził się na objęcie stanowiska współprzewodniczącego kolegium redakcyjnego „Rocznika", wydawał się absurdalny... Wszystkim poza Eugeniuszem Bleulerem.

– Panie profesorze – odezwał się niespodziewanie. – Jeśli wszyscy obecni wyrażą zgodę, to z największą radością będę dzielił z panem te obowiązki. Jestem przekonany, że wspólnie uda nam się wydawać zupełnie przyzwoitą publikację.

Oświadczenie Bleulera zrobiło olbrzymie wrażenie. Zygmunt nie posiadał się z radości. Szwajcarzy serdecznie gratulowali Bleulerowi, a potem Zygmuntowi. Po nich z życzeniami dla nowego redaktora i przewodniczących wystąpili Jones, Brill, Abraham i Ferenczi. Zygmunt na boku szeptem zapytał Abrahama:

– Nie sądzi pan, że należałoby zamówić butelkę szampana? To przecież okazja, którą należałoby uczcić.

Abraham się wzdrygnął.

– Tylko nie alkohol! Bleuler i Jung są abstynentami.

Przyjemne chwile trwały krótko. Gdy tylko stanął w drzwiach przedziału kolejowego i zobaczył miny wiedeńczyków, zrozumiał, że czekają go kłopoty. Nagle uprzytomnił sobie, że w ciągu ostatnich dwu dni bardzo mało czasu poświęcił swoim starym przyjaciołom. Ale o czym właściwie mieli rozmawiać? Pomógł im przygotować referaty. Przybyło tyle nowych ludzi, których trzeba było poznać i z którymi należało się zaprzyjaźnić. Swych wiedeńskich kolegów widywał co środę. Słusznie chyba i roztropnie postąpił, że poświęcił te ostatnie dni na nawiązanie bliższych stosunków z kolegami z innych krajów.

Wiedeńczycy byli innego zdania. Na ich twarzach malował się gniew i oburzenie. Adler, Stekel, Sadger, Reitler, Federn i Wittels zajęli cały przedział; żaden z nich nie wstał, by ustąpić miejsca Zygmuntowi. Stał na środku przedziału, gdy pociąg mijał już okolice Salzburga. Na korytarzu stała inna grupa. Otto Rank uścisnął mu rękę, Edward Hitschmann uśmiechnął się do niego sardonicznie, jakby chciał powiedzieć: „A czego innego spodziewa się pan po ludziach?". Leopold Königstein życzliwie skinął mu głową, gdy wchodzili do przedziału... Zygmunt zauważył, że w przedziale siedzieli sami lekarze; psychoanalitycy bez studiów medycznych, tacy jak Hugo Heller i Maks Graf, zostali na korytarzu, dość daleko, by nie słyszeć dyskusji. Płonąca twarz Wilhelma Stekla świadczyła wyraźnie, że on właśnie będzie rzecznikiem grupy.

– O co chodzi, Wilhelmie?

– Jesteśmy strasznie rozczarowani.

– Czym?

– Tym, jak pan nas potraktował na kongresie. Zaniedbał pan nas, swych najstarszych przyjaciół, ludzi, którzy pomogli panu zapoczątkować ruch...

– ...i bez których kongres nie mógłby dojść do skutku – dorzucił Izydor Sadger.

Zygmunt przypomniał im, że razem podejmowali uczestników kongresu w piwiarni Sternbräu.

– Ale pan potraktował nas jak ubogich krewnych – powiedział ochrypłym głosem Fritz Wittels – widocznie znudziliśmy pana.

– Panowie, spotkałem się po raz pierwszy z kilkunastu nowymi kolegami. Wydało mi się rzeczą ważną, by im poświęcić każdą wolną chwilę.

– Czy wolno mi, jako człowiekowi z zewnątrz, się wtrącić? – zapytał nieśmiało Leopold Königstein, zaglądając do przedziału. – Moim zdaniem profesor Freud ma rację, twierdząc...

– Nie, jako człowiek z zewnątrz nie ma pan prawa zabierać głosu! – wykrzyknął Rudolf Reitler. – My byliśmy od samego początku członkami grupy i tylko my mamy prawo mówić.

– W porządku, Rudolf – odpowiedział Zygmunt. – Ale wydaje mi się, że chodzi o coś więcej niż o to, że was rzekomo zaniedbałem.

– Dlaczego otoczył się pan tymi z Zurychu i nowymi ludźmi z Anglii, i Amerykanami, a nas, wiedeńczyków, zepchnął do ostatnich rzędów? – pytał Stekel.

– Z tego samego powodu, Wilhelmie. Ale wciąż jeszcze nie doszliśmy do prawdziwych pretensji panów. Pan, panie doktorze Adler, podziela przecież uczucia kolegów. Czy nie zechciałby mi pan uczciwie powiedzieć, o co wam właściwie chodzi?

– Owszem, skoro pan nalega. Jesteśmy niezadowoleni z narady w sprawie „Rocznika".

Adler zamilkł. Nie miał ochoty brać udziału w sporze. Do przedziału wszedł Maks Kahane.

– Nie podzielam tej wrogości i zawiści, być może potrafię więc przedstawić sprawę obiektywnie. Pańscy wiedeńscy koledzy uważają, że celowo nie dopuszczono ich do udziału w zebraniu. Wydaje się im, że chodziło panu o to, by Szwajcarzy zdominowali dyskusję, nadali „Rocznikowi" dogodną dla nich formę, i wobec tego pomogli go wydawać.

– To prawda. Ale sprawa nie wygląda tak, jak pan ją przedstawia. Jung zapytał mnie, czy nie wstąpiłbym do pokoju Bleulera, by porozmawiać o ewentualnej publikacji „Rocznika". Powiedziałem, że od dawna o tym marzę. Na jego pytanie, kogo w szczególności chciałbym zaprosić na tę rozmowę, odpowiedziałem, że po jednym przedstawicielu z każdego reprezentowanego na konferencji kraju: a więc Brilla z Ameryki, Jonesa z Anglii, Abrahama z Niemiec, Ferencziego z Węgier...

– ...ale nikogo z Wiednia – wtrącił Reitler.

– Uważałem, że sam mogę panów reprezentować.

– A kto pokieruje „Rocznikiem"?

– Jung będzie redaktorem...

– Tak przypuszczaliśmy!

– ...Bleuler i ja będziemy przewodniczącymi kolegium redakcyjnego.

– Dlaczego tak mało wiedeńczyków? – zapytał niezbyt grzecznie Wittels. – Dlaczego Szwajcarzy mają przewagę dwóch do jednego?

– Mój drogi, to nie jest mecz piłki nożnej, a Szwajcarzy nie są naszymi przeciwnikami. To nasi przyjaciele i towarzysze broni. Chociaż przypadły im dwa spośród trzech kierowniczych stanowisk, przyznaję, że jest to po mojej myśli; my, wiedeńczycy, zapełnimy dwie trzecie każdego numeru, ponieważ mamy więcej członków niż pozostałe towarzystwa razem wzięte. A czyż nie o to właśnie chodzi?

Przez chwilę panowało milczenie. Twarz Alfreda Adlera się rozjaśniła. Był najzdolniejszym ze wszystkich wiedeńczyków. Jego badania i świetne prace predestynowały go najbardziej na członka kolegium redakcyjnego „Rocznika". Gdy tylko stało się jasne, że Adler uznał argumenty Zygmunta, napięcie w przedziale się zmniejszyło. Na korytarzu odetchnięto z ulgą. Zygmunt usłyszał słowa Ranka:

– Chwała Bogu, skończyło się!

Wcale się nie skończyło. Wilhelm Stekel nadal był zdenerwowany.

– I jeszcze jedna sprawa! – zawołał. – Cała nasza grupa jest zdania, że popełnia pan jeden fatalny błąd.

– Jaki?

– W swej ocenie Karola Junga. Wszyscy zauważyliśmy, jak pan o niego zabiega. Uważa pan, że na arenie międzynarodowej może on zostać najważniejszym po panu człowiekiem. Wyobraża pan sobie, że Jung przyniesie dużo pożytku psychoanalizie. Wierzy pan w jego lojalność, w to, że zasługuje na zaufanie, jak my, którzy towarzyszymy panu od sześciu lat. Ale pan się myli. Jung nigdy nie będzie pracował z nikim ani dla nikogo przez dłuższy czas. Odejdzie. Będzie samodzielny. A odchodząc, wyrządzi nam niepowetowane szkody.

– Ja nie odnoszę takiego wrażenia. – Zygmunt próbował załagodzić spór. – Jung jest szczerze oddany psychoanalizie i problemom podświadomości. Zaplanował sobie pracę w naszej dziedzinie na wiele lat i pozyska nam nowych zwolenników. Jestem tego pewny. A skąd u pana taki dar jasnowidzenia, który pozwala panu dostrzec jego przyszłą dezercję i apostazję?

Stekel odpowiedział lodowatym głosem:

– Nienawiść ma dobre oko!

Księga czternasta

Droga do raju nie jest brukowana...

1

Marty nie było w Wiedniu, kiedy pod koniec kwietnia Zygmunt podejmował obiadem Jonesa i Brilla. Wyjechała do Hamburga do chorej matki. Pod nieobecność pani profesorowej kucharka przeszła samą siebie: do tradycyjnej sztuki mięsa podała specjalny sos chrzanowy oraz młode ziemniaki z pietruszką.

Zygmunt sam podejmował nowych przyjaciół. Jones był wymuskany, popisywał się wytwornym krawatem. W jego oczach malowało się szczególne podniecenie. Brill wystąpił jak zwykle w wysokim sztywnym kołnierzyku. Jego zazwyczaj półprzymknięte, ciężkie powieki tym razem się uniosły. Po obiedzie, podczas którego toczyła się niezwykle ożywiona rozmowa po angielsku, przeszli do gabinetu Zygmunta, by obejrzeć jego zbiory antyków. Brill odchrząknął. Miał coś ważnego do powiedzenia.

– Panie profesorze, dwanaście lat minęło od chwili, kiedy zaczął pan publikować swoje książki o psychoanalizie, a żadna nie została dotąd przetłumaczona na angielski.

– To prawda. Nikt jeszcze nie wyraził chęci ani nie prosił o prawa.

– Rozmawialiśmy o tym z Jonesem w pociągu – Brill poprawił kołnierzyk – i doszliśmy do zgodnego wniosku, że dawno już należało to uczynić. Jeśli uważa pan, że jestem tego godny, to chętnie podejmę się tłumaczenia. Zacząłbym od *Psychopatologii życia codziennego*, książki najprostszej. A kiedy nabiorę wprawy, przystąpię do *Interpretacji marzeń sennych* i *Trzech szkiców o teorii seksualizmu*. Skoro mam zapoczątkować ruch psychoanalityczny w Stanach Zjednoczonych, to muszę przecież udostępnić Amerykanom pańskie książki. – Po czym dodał z figlarnym uśmiechem: – Powiedziałem Jonesowi: „Jakże mam wprowadzić nową religię w Nowym Jorku bez jej Pisma Świętego? Żydzi mieli swój Stary Testament, chrześcijanie mają swoją Ewangelię, islam swój Koran...”.

Zygmunt był uradowany. Poza dawnym artykułem w „Brain" żadna z jego prac nie ukazała się dotąd po angielsku. Przedsięwzięcie Brilla otworzy przed nim nowe światy. Spojrzał na Jonesa. Czy nie poczuje się pominięty?

– A może potrzeba będzie dwóch przekładów: jednego dla Stanów Zjednoczonych i drugiego dla Anglii?

– W żadnym wypadku. Jeden dobry przekład wystarczy na oba kraje.

– W takim razie zgoda!

Obaj panowie zostali na środowe wieczorne spotkanie. Brill miał zamiar stworzyć Towarzystwo Psychoanalityczne w Nowym Jorku, gdy tylko uda mu się zebrać wokół siebie kilku ludzi. Jones uważał, że szanse na założenie takiego towarzystwa w Toronto są niewielkie. Zresztą miał zamiar za kilka lat stamtąd wyjechać.

– Znając moich kolegów angielskich – powiedział cierpko – wiem, że zastanę tam psychoanalizę dokładnie na tym samym etapie, na jakim była, kiedy wyjeżdżałem. Ale zapamiętajcie sobie, panowie, moje prorocze słowa: ja będę założycielem Londyńskiego Towarzystwa Psychoanalitycznego.

Było to pierwsze spotkanie grupy wiedeńskiej po Salzburgu. Zygmunt powitał zebranych, raz jeszcze przedstawił Jonesa i Brilla i patrzył, jak każdy zajmuje swe ulubione miejsce przy długim owalnym stole. Z ulgą stwierdził, że nieporozumienia minęły bez śladu; starcie w pociągu rozładowało nastroje. Zdawał sobie jednak sprawę, że wiedeńczycy nigdy nie będą podzielali jego entuzjazmu dla kolegów z Zurychu. Żywy i zmienny Wilhelm Stekel, który miał właśnie odczytać swój referat *Psychoanaliza niemocy płciowej*, zapomniał już całkowicie o incydencie. Tylko Alfred Adler jakby trochę bardziej zamknął się w skorupie swej oficjalnej postawy, jaką przybierał wobec pana profesora Freuda.

Przez pierwszych kilka dni po powrocie z Salzburga Zygmunt często powracał w myślach do cudownej atmosfery kongresu. Przyznawał, że błędem było pominięcie Adlera i Stekla na konferencji w pokoju Bleulera w sprawie „Rocznika", tym bardziej że Stekel znał się na sprawach wydawniczych. Nie stało się tak przez przypadek, nie chciał, żeby wiedeńczycy wzięli w niej udział. Pragnął kształtować „Rocznik" wspólnie z grupą szwajcarską, o której względy zabiegał, i z nowymi żarliwymi konwertytami, Jonesem, Brillem, Ferenczim i Abrahamem. Przeczuwał, że oni właśnie będą decydowali o przyszłości psychoanalizy. Podświadomie obawiał się, że wiedeńczycy nie pozwolą mu przekazać dwóch trzecich władzy przedstawicielom Zurychu. Jego przyjaciele natychmiast zauważyli, że był bardzo ożywiony w towarzystwie tych ludzi z zewnątrz; to się im nie podobało.

Gdyby ich zaprosił, zajęliby zapewne wrogą postawę i występowali przeciw propozycjom kolegów z Zurychu.

Doszedł do wniosku, że jest to pierwszy błąd, jaki popełnił w ciągu sześciu lat ich współpracy. Był głową „rodziny", wspierał ich i zachęcał do podejmowania oryginalnych badań. Poprawiał ich rękopisy. Pomagał zdobywać wydawców, kierował pacjentów do lekarzy należących do grupy, podejmował ich obiadami, zapraszał do swego gabinetu na rozmowy, poświęcał im wiele godzin, służył pożyczkami. Gdy tylko mógł, pisał wstępy do ich książek, jak na przykład do *Nerwowych stanów lękowych i ich leczenia* Wilhelma Stekla. Jego uwagi były zawsze ostre, ale utrzymane w przyjacielskim tonie. Nigdy nie pozwalał sobie na to, by brzmiały jak *obiter dicta*. Dochodziło czasem do nieporozumień, ale miały one taki charakter, jak normalnie w każdej grupie zawodowej na tle konfliktów osobowości, urażonych uczuć, zazdrości, zabiegania o stanowiska. Nigdy dotąd jego osoba nie stała się ich obiektem. To on zawsze leczył rany. Do konfliktu z nim doszło po raz pierwszy. Trzeba będzie zachować maksymalną ostrożność, by nie dopuścić do powtórzenia się tego rodzaju sytuacji.

Stekel w swym referacie przedstawił szybko główne tezy: niemoc płciowa pojawiająca się w późniejszym wieku wywodzi się z podświadomości; jeśli człowiek mówi sobie, że jest impotentem, wówczas myśl ta uniemożliwia erekcje, poza rannymi, po przebudzeniu. Pojawieniu się trudności w pożyciu seksualnym towarzyszą lęki, które wzmacniają przekonanie o niemocy, większość pacjentów dotkniętych impotencją miewa erekcje, lecz nie w obecności kobiet; stąd wniosek o istnieniu tendencji homoseksualnych, wynikających z kazirodczych myśli w młodości. Impotencja pojawia się również, gdy pierwsze wczesne przeżycie seksualne kojarzy się trwale z uczuciem nieprzyjemności.

W dyskusji po referacie Stekel jak zwykle dostał cięgi. Jones i Brill byli uprzedzeni, że polemiki są ostre. Reitler oskarżał Stekla, że swoje teorie niedostatecznie podbudował faktami. Steiner zgodził się z tym, stwierdził jednak, że proponowana klasyfikacja impotencji jest nie do utrzymania. Ponadto uważał, że poranne erekcje są następstwem kłopotów z prostatą. Sadger chciał rozszerzyć koncepcję psychicznej niemocy płciowej również na kompleks „matki prostytutki". Niemoc płciowa uwarunkowana psychicznie występuje bowiem także u pacjentów mających częste kontakty z prostytutkami. Alfred Adler, z którym Stekel był najbardziej zaprzyjaźniony, znęcał się nad referatem. „Jeśli mężczyzna w czasie stosunku musi jęczeć i wyrażać ból […], wówczas dowodzi to kumulacji w instynkcie agresji różnego rodzaju pobudzeń". Czyżby więc przyczyną impotencji nie był lęk i stłumienie zawartej w erotyce agresji?

Zygmunt łagodnie wypominał Steklowi nadmierne zaufanie do „powierzchownej psychologii". Stekel zbyt wąsko ujmował etiologię psychopochodnej niemocy płciowej. Człowiek nie staje się impotentem dlatego, że okazał się nim już kiedyś; pierwszy, drugi i dziesiąty raz mają wspólną przyczynę. Każdy człowiek rodzi się z innym współczynnikiem popędu płciowego, od bardzo słabego do bardzo silnego. Należy to brać pod uwagę jako element potencji. Omawiana niemoc płciowa jest zaburzeniem psychicznym. Istnieje również czynnik „wyboru nerwicy". Podświadomość dysponuje wielką różnorodnością nerwic i może w nich swobodnie wybierać. Zygmunt przyznawał jednak, że Stekel słusznie zwraca uwagę na wczesne nieprzyjemne doznania erotyczne: dwóch jego pacjentów miało pierwszy stosunek z brzydkimi i starszymi kobietami, które ich uwiodły. Odnosiło się to również do pacjentek uskarżających się na znieczulicę płciową, brak wszelkiej wrażliwości seksualnej.

Jones i Brill mówili krótko, jak przystało ludziom uczestniczącym pierwszy raz w zebraniu. Ożywiona dyskusja zrobiła na nich olbrzymie wrażenie, podobnie jak przestroga Zygmunta Freuda przed pochopnym publikowaniem zbyt dogmatycznie ujętych wniosków: „Jako przedstawiciele nauk ścisłych – powiedział – powinniśmy czekać, póki nie uzyskamy całkowitej pewności, że w grę nie wchodzą czynniki organiczne, a to ocenić mogą nasi koledzy z innych specjalności medycznych. Dopiero wtedy możemy stanowczo stwierdzić, że mamy do czynienia z impotencją psychopochodną".

Po zebraniu Zygmunt odprowadził Jonesa i Brilla do hotelu „Regina". Następnego dnia wyjeżdżali do Budapesztu. Chcieli spędzić kilka dni z Sändorem Ferenczim, którego obaj podziwiali. Brill wracał potem do Nowego Jorku, do swojej narzeczonej, również lekarki. Jones przed powrotem do Kanady chciał zatrzymać się jeszcze przez pewien czas w Monachium i w Paryżu.

Marta wróciła z Hamburga z wiadomością, że lekarze podejrzewają raka u jej siedemdziesięciooośmioletniej matki. Ciocia Minna natychmiast wyjechała, by zaopiekować się panią Bernays.

Z Zurychu przyjechali Maks Eitingon i Ludwik Binswanger. Obaj odwiedzili już przed rokiem, zimą, Zygmunta. Eitingon, wciąż jeszcze nieufny, nie wypowiadał się. Obserwował, ale nie zajmował stanowiska. Z usposobienia był człowiekiem unikającym kontrowersji, zachowywał się skromnie, nie starał się dowodzić swoich racji i obcowanie z nim przynosiło Zygmuntowi ulgę po nieustannym przebywaniu wśród kłótliwych osobowości. Jedno nie ulegało żadnej wątpliwości. Całą duszą oddany był psychoanalizie Freudowskiej i nic go od niej nie mogło odwieść. Serdeczność, którą promieniował, przezwyciężała nawet jąkanie.

Przystojny, młody doktor Ludwik Binswanger zdawał się oświadczać całą swą postawą: „Proszę mówić, słucham, lecz proszę nie zbywać mnie banałami. Tego nie lubię. Szukam prawdy, choć się nie śpieszę. Każdy krok, który robię, ma wzbogacić moją wiedzę. Puste słowa do mnie nie przemawiają, podobnie jak niesprawdzone twierdzenia oparte na wątpliwej dokumentacji. Można mnie przekonać, ale nie dam się oszukać".

Zygmunt doszedł do wniosku, że lepiej będzie nie zapraszać na obiad gości z Zurychu; wiedeńczycy byli jeszcze zbyt uczuleni, a poza tym Marta nie lubiła oficjalnych przyjęć. Zdawała sobie oczywiście sprawę z tego, że ich mieszkanie jest dla Zygmunta uczelnią, szpitalem i Towarzystwem Lekarskim. Już się z tym pogodziła.

– Nasz stół jadalny odgrywa w twojej pracy równie ważną rolę jak stół konferencyjny – powiedziała kiedyś Zygmuntowi.

– Masz rację. Już nieraz przecież widziałem, jak czwartkowe kolacje łagodziły temperamenty wzburzone środowymi dyskusjami.

– Przepadam za twoimi kolegami. – Marta śmiała się dobrodusznie.

– Wiem, że goście z Zurychu uważają wiedeńczyków raczej za cyganerię.

Zygmunt zaprosił Ottona Ranka, który korzystał z jego biblioteki, na kolację z Eitingonem i Binswangerem. Otto przypadł im do gustu. Po kolacji czterej panowie przeszli do gabinetu Zygmunta. Rozmowa trwała do pierwszej w nocy. Binswanger wydał się Zygmuntowi człowiekiem uczciwym i dobrze ułożonym, wciąż jednak z nim się spierał. Był prawdomówny i nigdy nie owijał słów w bawełnę.

– Zauważył pan, że mam jeszcze pewne wątpliwości. Spróbuję wyjaśnić, o co chodzi. Uważam pana za mistrza i za wspaniały wzór do naśladowania. Jednak przede wszystkim muszę zachować wierność Jungowi, mojemu nauczycielowi. Jest pewien konflikt lojalności w moim stosunku do psychiatrii, polegający na tym, że muszę wybierać między metodami Junga i Burghölzli a psychoanalizą Freudowską.

– Między tymi dwiema gałęziami nie ma konfliktu – oznajmił Zygmunt. – Psychoanaliza nie może pomóc choremu cierpiącemu na otępienie wczesne, który uciekł od wszelkiej rzeczywistości, jest ofiarą autyzmu i żyje w stworzonym przez siebie świecie fantazji. Możemy jednak, i to znacznie skuteczniej niż psychiatria, pomóc ludziom, którzy mają nerwicę, ale zachowali jeszcze zdolność porozumiewania się z otoczeniem i mają szansę powrotu do rzeczywistości.

– To prawda. Kiedy zacząłem pracować z Karolem Jungiem, wierzyłem, że każdy niemal pacjent musi być poddany analizie. Nieraz jednak się zawiodłem. Zaczynam teraz rozróżniać pełną analizę od „leczenia psycho-terapeutycznego prowadzonego z psychoanalitycznego punktu widzenia".

– Niech pan podąża za mną, jak daleko to panu będzie odpowiadało – odpowiedział łagodnie Zygmunt. – A poza tym pozostańmy dobrymi przyjaciółmi.

2

Na lato wynajęli willę nad Berchtesgaden, daleko od ludzi. Matylda wciąż była w Meranie i nie chciała spędzać wakacji z rodziną. Marcin, który miał już osiemnaście lat, zdał maturę. Okazał się, ku zdumieniu wszystkich, najlepszy w swojej klasie, od lat bowiem wlókł się zawsze w ogonie. Zygmunt przypisywał ten cud Marcie. Ona jedna spośród wszystkich rodziców wzywanych do szkoły poszła, by porozmawiać z nauczycielem gimnastyki. Marcin był jego najgorszym uczniem. Mały, niezgrabny, nie mógł dorównać roślejszym chłopcom. Nauczyciel, któremu pochlebiła wizyta Marty, zajął się nim osobno i podsunął mu podręcznik gimnastyki. Marcin poprosił ojca o własny pokój i co wieczór ćwiczył zgodnie ze wskazaniami. Stopniowo stawał się coraz sprawniejszy i zaczynał dawać sobie radę z kolegami dotąd go zadręczającymi. Coraz częściej wychodził zwycięsko z bójek. Był coraz bardziej pewny siebie i zdobywał coraz lepsze stopnie. Został przyjęty na Uniwersytet Wiedeński i w nagrodę Zygmunt ofiarował mu wycieczkę po Europie, na którą wybrał się z kolegą szkolnym.

– Powinnaś się zająć psychoanalizą – powiedział Zygmunt Marcie. – Wystarczyła jedna rozmowa z nauczycielem gimnastyki, by chłopiec zapowiadający się na patentowanego durnia stał się celującym uczniem.

– Nic podobnego, Marcin po prostu późno się rozwinął. – Marta miała minę pełną wyższości. – Już twoja matka kiedyś powiedziała, że w rodzinie Freudów rodzą się tylko geniusze.

Zygmunt spełnił obietnicę daną Sándorowi Ferencziemu i zaprosił go na dwa tygodnie. Wynajął dla niego pokój w pobliskim hotelu „Belle-Vue".

– On ma niezwykły temperament – tłumaczył Zygmunt Marcie. – Jest to przede wszystkim kwestia pobudliwej wyobraźni. Czasem zdumiewa mnie swymi pomysłami.

Ferenczi od razu zaprzyjaźnił się z dziećmi Freudów. Siedemnastoletniego Olivera i szesnastoletniego Ernesta traktował jak braci, piętnastoletnią Zofię i dwunastoletnią Annę jak młodsze siostry. Codziennie bywał u Freudów na obiedzie i zawsze przychodził z jakimś prezentem – kwiaty, słodycze, butelka wina lub książka dla młodzieży. Po obiedzie wszyscy wybierali się na spacer w góry lub kąpali w pobliskim jeziorze Aschauer. Ferenczi nie cierpiał wysiłku fizycznego, ruszył jednak z Oliverem i Ernestem na szczyt Hochkönig, kiedy Zygmunt musiał zostać w domu, by zrobić korektę czternastu arkuszy pierwszego tomu „Rocznika". Trudno było nie lubić tego sympatycznego Węgra.

Ferenczi uważał, że rozmowa z ludźmi jest znakomitym lekarstwem. W szpitalu św. Rocha w Budapeszcie podlegała mu sala samobójczyń. Tłumaczył Zygmuntowi:

– Te kobiety usiłowały się zabić i chociaż robiły to niezbyt umiejętnie, bynajmniej nie wynika z tego, że nie były do końca pewne, czy chcą umrzeć. Nie miały z kim porozmawiać o swych lękach. A cóż warte jest życie, kiedy nie można się z nikim porozumieć? Mowa to najcenniejsza ze wszystkich sztuk i niewątpliwie najtrudniej jest uprawiać ją twórczo. Kiedy wyjeżdżałem z Budapesztu, wstąpiłem do kwiaciarni, by posłać jakieś kwiaty mojej przyjaciółce Gizeli. Właścicielka sklepu wydawała się wyraźnie zmartwiona. Doprowadziłem do tego, że opowiedziała mi o swoich kłopotach. Zrobiłem to umiejętnie, proszę mi wybaczyć zarozumiałość, opowiedziała mi więc o sprawach, o których nigdy dotąd nie śmiała głośno mówić. Rozmowa trwała godzinę, ale wynik był niezwykły: *katharsis*. Kiedy się z nią żegnałem, rozumiała już jasno swój bolesny dylemat i powiedziała mi: „Panie doktorze, teraz już wiem, co muszę zrobić, i dzięki panu mam odwagę podjąć decyzję". Nie chciała nawet przyjąć pieniędzy za kwiaty; to najwyższe honorarium, jakie dotąd otrzymałem za sesję psychoanalityczną.

Zygmunt polubił Ferencziego; bawił go ten trzydziestopięcioletni mężczyzna, wciąż jeszcze spragniony miłości i pochwał od otoczenia, które zastępowało mu obecnie jego liczne rodzeństwo, wśród którego dorastał, gdyż sam był jak dziecko. Być może dlatego właśnie, że jeszcze nie stracił świeżości uczuć, głębiej wnikał w problemy i jaśniej je widział. Teraz głowił się nad tarapatami pacjentki cierpiącej na oziębłość płciową.

– Ona wolałaby być mężczyzną, który wkłada członka, niż kobietą, która go przyjmuje. Oczywiście nie osiąga orgazmu, ponieważ jest cała spięta wewnętrznie, a do męża ma stosunek niechętny i agresywny. Ich małżeństwo było już bliskie rozpadu, kiedy rodzice namówili ją, żeby przyszła do mnie. Posługując się pańskimi metodami, panie profesorze, udało mi się doprowadzić ją z powrotem do okresu dzieciństwa, kiedy identyfikowała się ze swoją matką i uważała, że ojciec ją stale „wypełnia". Miłość do ojca (do okresu pokwitania spała w sypialni rodziców), erotyczne fantazje związane z jego osobą, normalny u młodych dziewcząt kompleks kastracji, czują się bowiem oszukane, ponieważ nie mają zewnętrznych genitaliów, przekształcił się w zazdrość o penisa ojca, którego chciała mieć w sobie.

– A czy była w stanie pogodzić się z pańskimi odkryciami?

– Po części. Teraz przynajmniej zdaje sobie sprawę, skąd się bierze jej nieokreślone poczucie winy. W miarę jak zmniejsza się jej niechętny stosunek do własnej kobiecości, zaczyna już coś odczuwać podczas stosunku. Czeka ją jeszcze długa droga...

Pod koniec pierwszego tygodnia pobytu Sändora Zygmunt powiedział do Marty:

– Szkoda, że nie ma tu Matyldy. Jak myślisz, czy ona by polubiła Sändora tak jak my wszyscy?

– Zygmusiu – Marta spojrzała na niego z uśmiechem. – Czyżbyś się chciał zabawić w swata? Chwała Bogu, jeszcze potrafisz się rumienić! Przecież on jest znacznie starszy od Matyldy.

– Piętnaście lat. Jest wybitnie zdolny...

– A ty chciałbyś, żeby wybitnie zdolny człowiek został członkiem naszej rodziny?

– Ot, taka sobie przelotna myśl. Ale wiesz, kochanie, nie przyszłoby mi to do głowy, gdyby nie rozmowa, którą miałem z Matyldą na wiosnę, zanim wyjechała do Meranu.

Ferenczi kontynuował swą praktykę analityczną u Zygmunta i równocześnie próbował przezwyciężyć własne nerwice.

– Jak to się dzieje, Sändor, że nie możesz sobie dać rady z własną hipochondrią?

– Kiedy czuję się dobrze, panuję nad nią. Kiedy źle się czuję, ona bierze górę... Zresztą, być może wpierw pojawia się hipochondria, a wtedy zaczynam czuć się kiepsko i zażywać lekarstwa.

Raz w tygodniu Zygmunt zabierał Martę dorożką do Berchtesgaden. Mieli wtedy kilka godzin tylko dla siebie. Marta przepadała za robieniem zakupów w sklepach miasteczka nęcących przebogatymi wystawami. W cukierniach stały góry ciast pokrytych czekoladą i bitą śmietaną. Ściany domów ozdobione były freskami przedstawiającymi najczęściej żniwa. Po wąskich stromych uliczkach chodziły kobiety w uroczych bawełnianych sukienkach z krótkimi, bufiastymi rękawami i małymi fartuszkami. Mężczyźni nosili krótkie skórzane spodenki, skarpety pod kolana i tyrolskie kapelusze. Marta i Zygmunt kończyli dzień na tarasie Domu Zdrojowego. Zamawiali piwo, czytali lokalną gazetę, ale głównie przyglądali się paradującym po ulicy mieszkańcom odbywającym swój popołudniowy spacer: rumiani, ożywieni, robili wrażenie ludzi zdrowych i szczęśliwych.

– Zdaje mi się – zauważyła Marta – że psychoanalityk nie miałby tu nic do roboty. Wyglądają na ludzi, którzy nie mają żadnych problemów. Jak myślisz, czy w takiej miłej i pięknej miejscowości mogą się zdarzać nerwice?

– Mogą. Kiedy pracowałem w klinice Meynerta, co najmniej połowa moich pacjentów pochodziła ze wsi.

3

Wczesna jesień przyniosła Zygmuntowi kilka wstrząsów. Dwudziestu zuryskich lekarzy, którzy od września minionego roku uczestniczyli w zebraniach tzw. Towarzystwa Freudowskiego, nie wznowiło swych spotkań. Nie powiadomiono go, z jakiego powodu, i choć się dopytywał w listach, nie mógł się dowiedzieć, co właściwie zaszło. Postanowił wybrać się do Zurychu i na miejscu zorientować się w sytuacji.

Karol Jung oczekiwał go na dworcu. Powitał go serdecznym uśmiechem. Czekał już na nich powóz, którym przejechali przez centrum miasta stłoczone nad lśniącym niebieskim jeziorem. Potem, stale jadąc pod górę, minęli dzielnice handlowe i mieszkalne, aż dotarli do kliniki Burghölzli na przedmieściu. Jungowie prosili Zygmunta, by zatrzymał się u nich.

Pani Emma Jung powitała go na progu ich mieszkania służbowego. Zajmowali je od pięciu lat i tu urodziły się im dwie córki. Emma była w siódmym miesiącu ciąży, ale zachowała wręcz królewską postawę. Cieszyła się, że może zrewanżować się za gościnność Zygmuntów. Chociaż Emma i Marta pochodziły z bardzo różnych środowisk, były bardzo do siebie podobne. Emma mówiła czystą niemczyzną i bardzo nie lubiła podróżować, Karol Jung natomiast lubił przygody; interesował go każdy obcy kraj, każda nowa potrawa, wszelkie nowe obyczaje. W tych sprawach Emma miała poglądy konserwatywne. I podobnie jak Marta była bardzo skrupulatna, lubiła wzorowy porządek i domagała się ścisłego przestrzegania etykiety. W bibliotece Karola Zygmunt zobaczył zdjęcie Jungów robione wkrótce po ślubie. Stwierdził, że Emma wygląda na silniejszego partnera w tym małżeństwie, co go rozbawiło, bo z trudem mógł sobie wyobrazić osobowość silniejszą niż doktor Jung.

Kiedy Zygmunt rozpakował walizki, Jung zabrał go na zwiedzanie kliniki Burghölzli, w której uczył i pracował od ośmiu lat, od 1900 roku. Klinika kantonalna była olbrzymia, miała sto łóżek. Szkolono tu studentów medycyny uniwersytetu w Zurychu. W niczym jednak nie przypominała kliniki psychiatrycznej profesora Meynerta w Allgemaines Krankenhaus. Pacjentów, których leczył Zygmunt, trzymano w klinice tylko do czasu, gdy rozpoznano i opisano ich zaburzenia, po czym ich wypisywano lub zamykano w domach wariatów. Burghölzli był to szpital stacjonarny; wielu spośród pacjentów przebywało tu od lat. Były to beznadziejne przypadki obłędu lub otępienia wczesnego. Doświadczone oko Zygmunta natychmiast dostrzegło, że klinika jest świetnie prowadzona. Żałował, że nie spotka się z Bleulerem, który gdzieś wyjechał.

– Zdaje mi się, że Bleuler to dobry administrator – zauważył Zygmunt.
– Rzadki dar, ja go nigdy nie posiadałem.

– To prawda – odpowiedział Jung jakby nieco strapiony. – Nie darzymy się wzajemną sympatią, ale muszę przyznać, że ma on swoje zalety. Dzisiejsze zwiedzanie kliniki jest dla mnie prawie pożegnalną wizytą. Gdy tylko dziecko się urodzi i Emma wróci do sił, przeniesiemy się do Küsnacht. Właśnie kończymy tam budować dom nad jeziorem. Muszę się rozstać z Burghölzli i asystenturą u Bleulera, co oznacza z konieczności przerwanie wykładów na Uniwersytecie Zuryskim. Będę tam prowadził pewne samodzielne prace laboratoryjne, ale tylko po to, by nie mówiono, że całkowicie zerwałem z pracą naukową. Albo człowiek stosuje się do reguł i kroczy wytyczoną drogą, albo jest heretykiem. W Szwajcarii wszelka herezja jest niepopularna. Przez pewien czas będę bardzo osamotniony, podobnie jak pan był w swoim czasie w Wiedniu, ale pójdę swoją drogą. Będę studiował i pisał. W niedzielę wybierzemy się do Küsnacht nad Jeziorem Zuryskim; chciałbym panu pokazać nasz dom.

W głosie Junga wyczuwało się radość, choć z lekką domieszką goryczy. Już z jego listów Zygmunt wyczuł, że Jung nie lubi swego przełożonego. Mogło się wydawać, że denerwował go autorytet Bleulera, że przytłaczała go ta wielka postać, blokująca mu drogę do stanowiska dyrektora. Zygmunt jednak podejrzewał, że faktyczne powody zerwania zostały stłumione. Bez analizy nie będzie można ich wydobyć na wierzch. Tak czy inaczej nie należało o nic pytać. Szwajcarzy mogli się kłócić ze sobą, podobnie jak to robili jego wiedeńczycy, nie byli jednak skłonni dopuszczać cudzoziemca do swych tajemnic.

Na kolację przyszli Ludwik Binswanger i Franciszek Riklin, krewny Junga. Czterej lekarze dyskutowali o przydatności psychoanalizy w pewnych poważnych przypadkach zaburzeń psychicznych. W toku rozmowy Zygmunt próbował dyskretnie dowiedzieć się, co stało się powodem rozpadnięcia Zuryskiego Towarzystwa Freudowskiego. Nie otrzymał żadnych wyjaśnień.

Jung był bardzo zajęty w szpitalu, codziennie jednak udawało mu się wykroić osiem godzin na poważne rozmowy z Zygmuntem. Przeglądali materiały odnoszące się do najświeższych przypadków. Zastanawiali się nad implikacjami koncepcji psychoanalitycznej dla szerszych dziedzin: religii, antropologii, ekonomii politycznej i literatury. Dociekali powikłań skomplikowanej natury instynktów ludzkich, próbowali zakreślić granice tego, z czego człowiek musi zrezygnować, co musi zmodyfikować lub stłumić, by móc żyć spokojnie w społeczeństwie. Realistycznie oceniali rozpoczynające się ataki na psychoanalizę Freudowską z ambony i w prasie szwajcarskiej, a także zastanawiali się nad rezygnacją z koncepcji szwajcarskiego Towarzystwa Freudowskiego. Czy nie było błędem nazwanie ich grupy Towarzystwem Freudowskim? Czy nie ułatwili w ten sposób zadania przeciwnikom, stwarzając wyraźny cel, do którego mogli mierzyć? Liczba członków grupy po prostu zmniejszała się radykalnie. Jung sądził, że w niedalekiej przyszłości uda się na nowo zorganizować Zuryskie Towarzystwo Psychoanalityczne.

Zygmunt doszedł do wniosku, że jest to chyba najwłaściwsza chwila, by zmusić Junga do sprecyzowania stanowiska w sprawie seksualnej etiologii nerwic. Chciał się zorientować, jak dalece odszedł on od fundamentalnych dogmatów Freudowskich. Jung zapewnił go, że nie ma już żadnych wątpliwości...

Zygmunt uniósł głowę i spojrzał ostro.

– ...ale Bleuler nadal je ma! – oświadczył Jung.

Karol Jung nie chciał się znaleźć w sytuacji przymusowej, w której będzie musiał wybierać między zuryską psychiatrią a wiedeńską psychoanalizą. Poczynił już pewne kroki w kierunku izolowania swej osoby, odchodząc z Burghölzli, z uniwersytetu i z samego miasta. Zygmunt zastanawiał się, czy Jung, wyrażając tym razem aprobatę dla koncepcji seksualnej etiologii nerwic, nie kierował się przede wszystkim obawą przed całkowitym osamotnieniem. Może nie był zbyt pewny swej przyszłości? Czy jego nieliczni pacjenci rzeczywiście odnajdą go w Küsnacht? Czy nie będzie mu brak Burghölzli?

Jakby czytając myśli Zygmunta, Jung powiedział:

– Chcę się usamodzielnić. Mam wielu pacjentów i nie wiem jeszcze, czy po wyjeździe z miasta zajmę się wyłącznie pracą naukową, czytaniem i domem, czy też będę kontynuował moją praktykę. – W jego jasnobrązowych oczach można było dostrzec lekką autoironię. – Właściwie nie bardzo wiem, co z sobą począć.

W pierwszych dniach października do Wiednia przyjechał Bleuler z żoną Jadwigą. Przyszli do Freudów na kolację. Podobnie jak wtedy, gdy poznał

Bleulera w Salzburgu, i tym razem jego męska uroda, urok i jakaś aura nieprzystępności uderzyły Zygmunta. Czuł się w pewnej mierze onieśmielony w jego obecności, niewątpliwie wpływała na to również wysoka pozycja akademicka tego człowieka. Z podobnym szacunkiem odnosił się do profesorów Brückego i Meynerta. Bleuler był zdumiony, gdy mu o tym wspomniał:

– Ja jestem dla pana autorytetem? Ależ, na litość boską, dlaczego? Przecież to pan jest odkrywcą. Ja takich osiągnięć nie mam.

Zygmunt wymruczał jakieś niezbyt szczere banały, lecz Bleuler nie dał się tym zbyć. Nie ulegało wątpliwości, że chodzi mu o coś znacznie poważniejszego niż konwencjonalne komplementowanie kolegów.

– Pańskie osiągnięcia można porównać z dokonaniami Darwina, Kopernika i Semmelweisa. Jestem przekonany, że pańskie odkrycia mają fundamentalne znaczenie dla psychologii. Niezależnie od tego, czy postęp w psychologii ocenia się tak wysoko jak w innych naukach.

Zygmunt oniemiał z wrażenia, gdy usłyszał te pochwały. Marta, która słyszała, że profesorostwo Bleulerowie są ludźmi nieco sztywnymi, dała dzieciom kolację w kuchni, zanim goście przyszli. Ciocia Minna poprosiła, by pozwolono jej jeść z młodzieżą, tłumacząc, że nie ma zbyt wielkiej ochoty poznać pani profesorowej cieszącej się opinią osoby nieco afektowanej.

Kiedy po pieczeni cielęcej służąca wniosła leguminę, Bleuler z wesołym, żartobliwym błyskiem w oku powiedział do Zygmunta:

– Panie profesorze, bardzo się cieszyłem na to spotkanie, bo jest to okazja, by nasze rodziny bliżej się poznały. Ale muszę wyznać, że przyszedłem z pewnym poważniejszym problemem. Byłbym bardzo zadowolony, gdyby udało mi się pana przekonać, żeby pan nie kładł tak wielkiego nacisku na seksualizm i próbował znaleźć inne określenie na to wszystko, co nie pokrywa się z seksualizmem w powszechnym rozumieniu. Jestem głęboko przekonany, że jeśli pan tak postąpi, znikną wszelkie opory i nieporozumienia.

– Nie wierzę – odpowiedział Zygmunt z całą stanowczością, na jaką go było stać – w domowe lekarstwa.

Pani profesorowa Bleulerowa była kobietą poważną, która rozumiała i doceniała znaczenie pracy męża. Spojrzała na Zygmunta i po chwili namysłu powiedziała:

– Panie profesorze, niech pan nas źle nie zrozumie. Nie proponujemy panu bynajmniej, by zmienił pan swe poglądy czy też zrezygnował z jednej chociażby zasady psychoanalizy. To jest tylko kwestia doboru słów. Czy wie pan, że w Szwajcarii nie wolno używać słowa „seks"? W wiekach średnich palono ludzi na stosie za jedno słowo „heretyk". Jeśli pan nie zastąpi w swojej psychoanalizie terminu „seks" jakimś terminem mniej drastycznym, pańska nauka znajdzie się na stosie.

Marta zauważyła, że na policzkach Zygmunta pojawia się rumieniec. Próbowała złagodzić napięcie.

– Wiesz – odezwała się – i ja już nieraz zastanawiałam się nad tym, czy nie można by znaleźć jakiegoś mniej drastycznego określenia. Czy nie warto zastosować testów wolnych kojarzeń z Burghölzli?

Przez następną godzinę wymyślali najdziwniejsze nazwy: „pantealność", „nimfizm", „cielesność", „juncturalis"...

...Nic z tego wszystkiego nie wychodziło. Bleulerowie musieli w końcu przyznać, że seksualizm jest seksualizmem i od zapłodnienia pierwszego jaja inaczej tego określić nie można.

– Wszelkie próby omówienia seksualizmu za pomocą innych terminów – powiedział Zygmunt ochrypłym głosem – są równoznaczne z kapitulacją przed tą formą choroby, w którą zapędza naszych pacjentów erotyka sprowadzona na manowce. Nie wystarczy, by społeczeństwo miało zdrową i rzetelną postawę w stosunku do seksualizmu, by umiało się nim cieszyć; ludzie muszą nauczyć się swobodnie mówić o tych sprawach, tak jak mówią o innych zjawiskach życiowych.

– Zgoda – przyznał Bleuler. – Nie udało nam się znaleźć zastępczego słowa. Chwilowo nie będziemy się tym zajmowali. Ale właśnie dlatego powinien pan teraz przesunąć akcent z jedno- na wieloczynnikową etiologię nerwic.

– Tak też postąpię, panie profesorze! Gdy tylko pojawią się u moich pacjentów inne źródła nerwic. Ja nie wymyśliłem człowieka, jest on dziełem ewolucji, która trwała miliony lat. Ograniczam się jedynie do opisania go. Ja chcę się tylko dowiedzieć, dlaczego ta najbardziej zdumiewająca istota zachowuje się w taki, a nie inny sposób.

4

Dobrze się stało, że nie potraktował zbyt poważnie swego pomysłu, by Ferenczi został jego zięciem. Matylda zawiadomiła go, że zaręczyła się z Robertem Hollitscherem. Narzeczony miał lat trzydzieści trzy, był przedstawicielem firmy handlującej jedwabiem. Matylda poznała go w Meranie, zakochała się i postanowiła wyjść za niego za mąż. Zygmunt zirytował się, kiedy przeczytał list córki.

– Nawet nas nie uprzedziła! Już jest zaręczona. Chce wyjść za mąż! Ma dwadzieścia jeden lat, a my go nie znamy, pojęcia nie mamy, co to za człowiek...

– Zygmuncie, uspokój się. Austriacka konstytucja nie wymaga, by panna skończyła dwadzieścia pięć lat, zanim wyjdzie za mąż. Zakochała się, więc niech go sobie weźmie za męża. Przecież o tym właśnie rozmawiałeś z nią przed jej wyjazdem do Meranu. Na pewno będzie szczęśliwsza, niż gdyby miała zostać starą panną. Ale ja i tak go zaproszę.

Jak zwykle Marta opanowała sytuację i Zygmunt dał się ułagodzić.

– Oczywiście, masz rację. Obiecuję ci, że nie będę egzaminował tego Roberta Hollitschera, jakby był studentem wstępującym na medycynę. W pięćdziesiątym drugim roku życia jest już za późno, by zacząć odgrywać rolę zagniewanego ojca.

Zyskał nie tylko zięcia, ale i za jednym zamachem bratową. Matylda i jej stryj Aleksander postanowili, że oba śluby odbędą się równocześnie. Freudowie nie należeli do gminy wyznaniowej, co trochę komplikowało sprawę. Aleksandrowi jednak udało się znaleźć synagogę na Müllnergasse.

Matylda Freud i Zofia Schreiber pięknie wyglądały w białych ślubnych. W synagodze panowała niezwykle radosna atmosfera, być może dlatego, że taka podwójna ceremonia należała do rzadkości. Wnętrze świątyni tchnęło powagą. Pachnące świece podkreślały uroczystą atmosferę. Zygmunt stwierdził, że z przyjemnością występuje w roli ojca panny młodej i jednocześnie drużby swego brata.

– Nic w tym dziwnego – powiedziała Marta. – Wszyscy polubiliśmy Roberta, a Zofię od dawna już uważamy za członka rodziny. Skoro już wszedłeś w tę rolę, łatwiej ci będzie się teraz pogodzić z małżeństwem pozostałych pięciorga dzieci.

Zygmunt jęknął, ale właściwie był uradowany. Po ceremonii wszyscy wrócili do mieszkania Freudów, gdzie Marta urządziła ucztę weselną na pięćdziesiąt osób. Zebrała się nie tylko cała rodzina Freudów, na czele z Amelią, którą usadowiono na honorowym miejscu, ale i Róża z dwojgiem dzieci, Pauli, która owdowiała w Nowym Jorku i wróciła do Wiednia z córką, cały klan Hollitscherów i niewielka rodzina Zofii. Był to szczęśliwy dzień. Nawet teściowie się polubili.

W dniu, w którym Zygmunt otrzymał od Deutickego pierwszy egzemplarz „Rocznika", przyjechali do Wiednia Jungowie, którzy często teraz bywali w tym mieście. Zygmunt ze wzruszeniem i radością oglądał publikację. Odtąd psychoanaliza będzie miała swój oficjalny organ i dotrze do kręgów medycznych. „Rocznik" był solidnie wydrukowany i oprawiony. Z ojcowską dumą pokazywał go Marcie. Z przyjemnością przerzucał swą studziewięciostronicową rozprawę o przypadku małego Hansa. Jung czytał i robił korekty, ale Zygmunt teraz dopiero zobaczył oprawny egzemplarz. Był zadowolony.

Stosunki między Freudami i Jungami układały się znakomicie. Kiedy Karol Abraham, który wciąż jeszcze utrzymywał kontakt z Burghölzli, doniósł, że Jung „powraca do swych dawnych spirytualistycznych skłonności", Zygmunt przypisał to nieufności Abrahama.

Po kolacji Marta i Emma zostały w salonie, Zygmunt zaś zabrał Junga do gabinetu. Rozsiedli się wygodnie w fotelach i zaczęli wieczorną rozmowę.

Omawiali drugi tom „Rocznika" i sprawę drugiego Międzynarodowego Kongresu Psychoanalitycznego, który zamierzali zwołać na przyszłą wiosnę. Zygmunt podkreślał, że ma pełne zaufanie do Junga, i jasno stawiał sprawę, że on właśnie musi wejść w rolę „następcy tronu", przywódcy międzynarodowego ruchu. Jung jednak był w jednym ze swych mistycznych nastrojów. Chciał porozmawiać o tym, co nazywał „rzeczywistością zjawisk nadprzyrodzonych". Zaczął od wyjaśnienia, jak to się stało, że się nimi zainteresował.

– Było to jeszcze w czasach studenckich. Dzieci moich krewnych zaprosiły mnie do zabawy z wirującym stolikiem. Jedna z uczestniczek, piętnastoletnia dziewczynka, wpadła w trans i zaczęła się zachowywać i mówić jak dorosła kobieta. Chciałem zrozumieć to zdumiewające zjawisko, z niczym podobnym nigdy dotąd się nie zetknąłem. Zdziwiło mnie, że moi rodzice i inni zadowalali się wyjaśnieniem, że dziewczynka była zawsze bardzo nerwowa. Zabrałem się do systematycznego badania tego trudnego problemu. Sporządzałem szczegółowe notatki z każdego takiego seansu i skrupulatnie zbierałem dane o osobowości i zachowaniu się dziewczynki na jawie. Z dokumentacji tej wyłaniało się mnóstwo problemów psychologicznych, których przy ówczesnym stanie mojej wiedzy nie mogłem zrozumieć. Na próżno przeglądałem obszerną literaturę poświęconą spirytualizmowi. Moi uniwersyteccy nauczyciele nie interesowali się tym osobliwym przypadkiem i uważali, że marnuję czas. Potem przeczytałem Kraffta-Ebinga. Nigdy dotąd nie słyszałem o „chorobach osobowości". Otworzył się przede mną cały nowy świat idei i rzecz jasna wróciłem w myślach do przypadku dziewczynki, która wpadła w trans.

Zygmunt kręcił się nerwowo na krześle. Zdusił w popielniczce zaledwie do połowy wypalone cygaro. Podziwiał niezwykle szerokie zainteresowania Karola Junga, jego niewyczerpaną energię, która pozwoliła mu zdobyć wiedzę o tak odległych dziedzinach jak chińska kaligrafia i kulty totemistyczne u pierwotnych ludów australijskich. Ale to zainteresowanie zaświatami kryło w sobie niebezpieczeństwo dla każdego, kto pracował w nowej dziedzinie medycyny, starając się stworzyć dla niej obiektywną, naukową bazę.

– Drogi kolego, będziemy musieli kupić panu zabawkę, która pokazała się w Wiedniu w zeszłym tygodniu. Końcami palców naciska się lekko drewniany trójkąt na tabliczce, zamyka się oczy, a siły nadprzyrodzone wodzą trójkątem od litery do litery, układając słowa i całe zdania, można w ten sposób wróżyć przyszłość.

Na twarzy Junga odmalował się ból. Obiema rękami naciskał przeponę brzuszną i półgłosem mówił do siebie: „...z żelaza... rozpalone do czerwoności... płonące sklepienie".

W tej samej chwili na półce nad ich głowami rozległ się donośny trzask, jak wystrzał z pistoletu. Zerwali się obaj. Myśleli, że półka spadnie. Ale nic się nie stało.

– No proszę – zawołał Jung triumfująco – oto przykład tak zwanego zjawiska katalitycznej eksterioryzacji!

– No wie pan, przecież to bzdura!

– O, nie, panie profesorze, jest pan w błędzie. Skoro pan tak bardzo lubi Szekspira, pozwoli pan, że zacytuję: „Więcej jest rzeczy na ziemi i w niebie, niż się ich śniło waszym filozofom". A teraz, żeby to panu udowodnić, powiadam, że za chwilę rozlegnie się drugi taki wystrzał.

Natychmiast rozległ się nowy trzask na półkach. Zygmunt z przerażeniem patrzył na Junga. Co to takiego? Rok już minął od czasu, kiedy z Ottonem Rankiem ustawiali książki na regałach w tym gabinecie. Nigdy dotąd nic takiego się nie przydarzyło.

Jung spoglądał na niego triumfująco.

„Licho wie – pomyślał Zygmunt. – On jest przekonany, że zademonstrował mi naukowo działanie ducha. Robi to w tak przekonujący sposób, że jestem prawie gotów uwierzyć w siły nadprzyrodzone i w to, że można je badać na seansach za pośrednictwem mediów... Przynajmniej w tej chwili".

– Jednego tylko nie mogę zrozumieć. Czy to coś „rozpalone do czerwoności", płonące w pańskiej przeponie, wywołało hałas, czy też zbliżający się hałas dał panu znać o sobie i spowodował, że pańska przepona stała się „płonącym sklepieniem"?

– A teraz pan sobie drwi ze mnie. Fakty niewytłumaczalne mogą być jedynie obserwowane, ale nie można ich racjonalizować. My jednak jako naukowcy nie możemy utrzymywać, że to, czego nie można wytłumaczyć, nie istnieje. W ten sposób bowiem blokowaliśmy jedno z najważniejszych źródeł umysłu badawczego człowieka. Wiem jednak, że pan nie chce, abyśmy o tym dalej rozmawiali. Wróćmy więc do tematu, który poruszyliśmy przed kolacją, do tego, co określiłem jako dwie domeny podświadomości: osobistą i zbiorową. Dziedzina osobista obejmuje to wszystko, co człowiek zdobył dzięki osobistemu doświadczeniu, a więc to, co jest zapomniane, stłumione, postrzegane podświadomie, przemyślane i przeżyte emocjonalnie. Ponadto jednak istnieją inne treści, które nie są nabytkiem osobistym, lecz odziedziczoną możliwością ogólnego funkcjonowania psychicznego, czyli że wynikają z odziedziczonej budowy mózgu. Do tej dziedziny należą związki mitologiczne: wątki i obrazy, które mogą być wskrzeszone w każdej epoce i pod każdą szerokością geograficzną, niezależnie od tradycji historycznej. Treści te nazywam kolektywną podświadomością.

Zygmunt odprowadził Jungów do hotelu. W „Reginie" zatrzymywali się teraz stale wszyscy, którzy przyjeżdżali do Wiednia, aby zobaczyć się z panem profesorem Zygmuntem Freudem. Freudowie i Jungowie rozmawiali o sprawach osobistych. Dom w Küsnacht był już prawie gotowy. Zastanawiano się, kiedy Zygmunt i Marta będą mogli przyjechać na tydzień, by odpocząć nad brzegami Jeziora Zuryskiego.

Po powrocie do domu Zygmunt długo siedział zamyślony w fotelu. Czuł się nieswojo po tym incydencie w gabinecie, głównie dlatego, że ulegając dominującej osobowości Junga, przez chwilę wierzył w realność podobnych zjawisk nadprzyrodzonych.

Trwało to niedługo. W dwa dni potem, kiedy siedział przy biurku, rozległ się suchy, ostry trzask. Odetchnął z ulgą, kiedy uświadomił sobie, że hałas spowodowały schnące deski regału. Postanowił zapomnieć o całym incydencie.

Pod koniec kwietnia przybył z pielgrzymką na Berggasse pastor Oskar Pfister. Od czterech miesięcy korespondował z Zygmuntem. Miał lat trzydzieści sześć, żonę i kilkoro dzieci.

Pfister był szczupłym, lekko zgarbionym mężczyzną słusznego wzrostu. Nie nosił stroju duchownego. Ciemnowłosy, gładko wygolony, z niewielkim wąsem, który mógł w końcu ujść w jego zawodzie, miał pociągłą twarz, mocno zarysowany podbródek i baczne spojrzenie; łagodne, a zarazem niezwykle stanowcze. Na podstawie listów Zygmunt wyrobił sobie zupełnie inny obraz pastora, niepodobny do tego, który teraz miał przed sobą. Marta czytała niektóre z listów Pfistera, była więc już trochę przygotowana na tę wizytę, ale dzieci Freudów Pfister całkowicie zaskoczył. Wyobrażały sobie kogoś straszliwie poważnego, wręcz ponurego. A Pfister okazał się człowiekiem o niezwykle żywym temperamencie, przepadającym za dziećmi, które też pozyskał natychmiast bez reszty. W czasie obiadu nie dawały mu spokoju, mówiły wszystkie równocześnie, przekonane, że on zwraca się do każdego z nich osobiście. Po raz pierwszy zdarzyło się w domu Freudów, że dzieci nie chciały puścić gościa od siebie i błagały ojca, by mogły zostać ze starszymi.

– Niech pan nie myśli – powiedział Zygmunt z uśmiechem do Pfistera – że nasze dzieci przyjmują tak każdego, kto u nas bywa. Powiem panu szczerze, że poza Sändorem Ferenczim nikogo jeszcze tak nie przyjmowały. Podbił pan je całkowicie. No, już dobrze, dzieci, możecie zabrać pana pastora na chwilę do salonu, ale potem musicie dać mu spokój, bo mamy ważne sprawy do omówienia.

Pastor Oskar Pfister kupował wszystkie książki Zygmunta, które ukazywały się w zuryskich księgarniach. Z doświadczeń ze swoimi parafianami, a szczególnie z dziećmi uczęszczającymi na lekcje religii, wyniósł przekonanie, że psychoanaliza opiera się na solidnych podstawach i powinna być wykorzystana w oświacie publicznej, szczególnie w tych przypadkach, kiedy potrzebna jest terapia.

– Być może chciałby pan wiedzieć, dlaczego postanowiłem zostać nauczycielem. Zaczęło się to jeszcze w przedszkolu, kiedy jeden z moich kolegów zasnął w czasie zajęć. Przedszkolanka zbiła go straszliwie. Nie mogłem nigdy zapomnieć zbolałej twarzy dziecka, kiedy zwymiotowało na suknię tej kobiety. W kilka dni później chłopiec umarł. Byliśmy na pogrzebie i śpiewaliśmy nad otwartym grobem... Potem, kiedy przenieśliśmy się do Zurychu, znalazłem się w szkole, której kierownikiem był alkoholik. Wbijał nam wiedzę za pomocą długiej linijki. Szczególną przyjemność sprawiało mu zadręczanie dwóch niedorozwiniętych dziewczynek. Twierdził, że biciem nauczy je czytać. Biedactwa nigdy oczywiście nie nauczyły się czytać, ale nauczyciel przeżywał codziennie orgazm emocjonalny, sprawiając im lanie. Strasznie było mi żal tych dziewczynek!

– Pastorze, czy wybierając teologię, myślał pan o połączeniu jej z pracą nauczycielską?

– Nie zastanawiałem się nad tym zbytnio. Podczas studiów na Uniwersytecie Bazylejskim częściej chodziłem na wykłady z psychologii niż teologii. Omal nie pokpiłem doktoratu z filozofii. Chociaż nigdy nie wątpiłem w łaskę, zacząłem kwestionować wiarę w cuda. Byłem przekonany, że prawdziwy chrześcijanin musi mieć wątpliwości. Dogmaty przerażały mnie; w ortodoksji niewiele pozostawało miejsca na miłość, a jeszcze mniej na zrozumienie tego, co pan nazwał „powszechnym ludzkim nieszczęściem".

Zygmunt pomyślał sobie, że Pfister ma jedną cechę wspólną z Adlerem, Jungiem i Ferenczim: promieniuje współczuciem dla bliźnich.

W tym człowieku wyczuwało się wielki spokój wewnętrzny, wyrozumiałość i zrozumienie ludzkich losów. Przekonali się jednak profesorowie Pfistera, a później jego przełożeni duchowni, że w jednej sprawie jest nieustępliwy: gdy chodzi o obronę jego niezależności. To był kamień węgielny jego wiary. Niestrudzenie walczył o to, co określał jako istotę etyki chrześcijańskiej: miłość bliźniego. Odrzucił ofertę objęcia katedry na uniwersytecie w Zurychu, ponieważ wolał pracę w swej parafii.

– Nie zdaje pan sobie sprawy – powiedział Zygmunt cicho – jak wielką radością napawa mnie, niepoprawnego heretyka, przyjaźń z protestanckim duchownym.

– Panie profesorze, zgodnie z judeochrześcijańską tradycją podkreślam z naciskiem, że uważam pana za dobrego chrześcijanina.

– Jeden z moich przyjaciół – zachichotał Zygmunt – Christian von Ehrenfels, który niedawno wydał ciekawy tom o etyce seksualnej, nazwał nas „seksualnymi protestantami". Ale proszę mi opowiedzieć, jak się uczy religii czterysta dzieci pochodzących z różnych stron świata?

– Jedyna skuteczna metoda w tej nauce to żywy wykład. Jeśli uczeń zasypia, to moja wina. Po drugie: religię przedstawiam jako zbawienie, źródło radości i oparcia w chwilach trudnych.

– W dawnych czasach – odpowiedział Zygmunt poważnie – religia tłumiła nerwice... Psychoanaliza jako taka nie jest ani religijna, ani nierełigijna, to obiektywne narzędzie, którym może posługiwać się równie dobrze kapłan, jak i człowiek świecki, śpiesząc z pomocą cierpiącemu.

– Jeśli chodzi o dorosłych, tak. – Pfister był stropiony. – Muszę zdobyć wiedzę; umożliwi mi ona przyjście z pomocą tym, którzy przychodzą do mnie, cierpiąc z powodu niewiedzy. Ale co począć z dziećmi?

– Z dziećmi?

– Bardzo niewielu spośród naszych nauczycieli rozumie, co się dzieje w umysłach dzieci, nie mówiąc już o ich podświadomości. Trzeba ich zaznajomić z zasadami freudyzmu. Jeśli potrafimy przyprowadzić dzieci do Boga, kochającego i oświeconego nauczyciela, wówczas połowa ich problemów będzie rozwiązana. To jest moja ambicja życiowa. Zobaczy pan, panie profesorze, że zdołam w ciągu swego życia pozostawić jakiś ślad na mrocznym Kościele i ponurej szkole szwajcarskiej.

5

Z roku na rok Freudowie stawali się coraz bardziej zżytą rodziną. Był to szczęśliwy dom, mimo że w miesiącach zimowych dni pracy Zygmunta wypełniały po brzegi ściśle rozplanowane zajęcia. O siódmej rano brał prysznic, potem przychodził fryzjer. Do śniadania siadał z Martą i dziećmi. Przeglądał „Neue Freie Presse" i o ósmej siedział już w gabinecie, czekając na pierwszego pacjenta. Dzieci szły do szkoły, a Marta na zakupy. Nie miał już czasu na drugie śniadanie o jedenastej i na kawę o piątej. Jedyną przyjemnością były cygara i nie potrafił ograniczyć ich liczby. Codziennie po obiedzie szedł do trafiki w pobliżu kościoła św. Michała, gdzie kupował codzienną porcję znakomitych cygar. Kiedy pewnego razu poczęstował cygarem przyjaciela, a ten odmówił, tłumacząc, że dopiero co skończył palić, Zygmunt roześmiał się: „Jest to najbardziej bezsensowne tłumaczenie, jakie można wymyślić".

Po latach lepszych i gorszych jego praktyka się ustabilizowała. Analizował dziennie od dziesięciu do dwunastu pacjentów i jeszcze odsyłał wielu do młodych lekarzy należących do jego grupy psychoanalitycznej. Miał teraz stałe dochody, za godzinę dostawał czternaście koron, mógł więc pozwolić sobie na wykupienie polisy ubezpieczeniowej dla Marty i ulokowanie części oszczędności w państwowych obligacjach. Przeznaczał je na pokrycie kosztów nauki i przyszłych podróży dzieci.

A one tymczasem rosły. Spory będące utrapieniem dużych rodzin zdarzały się rzadko. Dziewczęta wybierały się razem na sobotnie potańcówki, a kiedy szły do teatru, Zygmunt tak planował swe wieczorne spacery, by mógł na nie czekać przed wejściem i zabierać do domu. Dbał o to, by dzieci miały kieszonkowe, były dobrze ubrane i nie zaznały żadnych niedostatków, które on sam tak boleśnie odczuwał w młodości. Teraz, kiedy zaczęły dorastać i potrzebowały więcej pieniędzy na swoje wydatki, przeznaczył na ten cel skromne honoraria za książki. Zawsze starał się znaleźć czas na partyjkę taroka, do której często przyłączała się Matylda z mężem. Marta nigdy nie nauczyła się grać w karty, ale lubiła patrzeć, jak cała rodzina zbiera się przy jednym stole i znakomicie się bawi w swoim gronie.

W każde sobotnie przedpołudnie odwiedzał Amelię i Dolfi. Matka miała już siedemdziesiąt trzy lata, ale cieszyła się doskonałym zdrowiem. Marta często zapraszała rodzinę na skromną niedzielną kolację. Przychodziła Róża z dziećmi, Aleksander z żoną, Pauli z córką, Amelia i Dolfi.

Co pewien czas Zygmunt poświęcał wtorkowy wieczór na wygłoszenie odczytu w „B'nai B'rith". Pamiętał z wdzięcznością, że tu właśnie znalazł słuchaczy, kiedy nie miał żadnych innych. Po środowych zebraniach Wiedeńskiego Towarzystwa Psychoanalitycznego szedł z kolegami i gośćmi do jednej z pobliskich kawiarni. Po sobotnich wieczornych wykładach na uniwersytecie wyruszał natychmiast do Leopolda Königsteina, gdzie już czekała na niego kolacja. Po kolacji grali z Oskarem Rie i doktorem Ludwikiem Rozensteinem w taroka.

Marta miała własny rozkład dnia, w którym zawsze znalazł się czas na ploteczki przy kawie. O piątej po południu wpadały zazwyczaj pani profesorowa Königsteinowa, pani doktorowa Melania Rie oraz inne znajome.

W niedzielne popołudnia, jeśli nie nazbierało się zbyt wiele rękopisów, Zygmunt zabierał dzieci do dwóch znakomitych wiedeńskich galerii obrazów. Znały już każdy obraz, szczególnie wszystkich Rembrandtów, Breughlów, i *Ruiny zamku* baronowej von Ferstel. Zygmunt opowiadał im o dziełach sztuki, które oglądał we Włoszech, i porównywał je z pięknymi Tycjanami, Tintorettami, Rubensami i Veronesami znajdującymi się w kolekcjach Habsburgów.

Był kochającym ojcem, starał się nie krępować swych dzieci. W wielu surowszych domach wiedeńskich uważano, że jest zbyt liberalny. On jednak pozwalał im samodzielnie podejmować decyzje, żądając tylko, by wypełniały swe obowiązki i skrupulatnie odrabiały lekcje. Kiedy dorosły, wysyłał je na wycieczki do Niemiec, Holandii i Włoch. Pupilkiem rodziny była średnia córka, szesnastoletnia Zofia, obdarzona pogodną naturą, urodą i serdecznością odziedziczoną po matce.

Najbardziej jednak kochał i najlepiej rozumiał trzynastoletnią Annę, obdarzoną wrodzonym talentem do nauki. Anna niechętnie okazywała przywiązanie do ojca, w przeciwieństwie do Zofii, która nieustannie tuliła się do niego, ale znakomicie się z nim rozumiała. Siedemnastoletni Ernest, inteligentny i przystojny, nazywany był w rodzinie „dzieckiem szczęścia". Wszystko przychodziło mu łatwo i osiągał to, co chciał. Marta nie urządzała specjalnych przyjęć, ale w mieszkaniu na Berggasse często przebywało mnóstwo młodzieży. Zygmunt nie zawsze miał czas dla przyjaciół dzieci, ale znał wszystkich doskonale. Dzieci wiedziały, że stale o nich pamięta. Wystarczyło, by któreś spóźniło się lub nie przyszło na posiłek, a on już z nieszczęśliwą miną dopytywał się, co się stało.

Dzieci zdawały sobie sprawę, że ojciec staje się coraz sławniejszy, ale nawet cień zarozumiałości nie pojawił się w ich zachowaniu. Od najwcześniejszych lat przywykły do jego nieco ironicznego humoru i do śmiałych dowcipów cioci Minny. Miała niezwykle cięty język, ale pastwiła się tylko nad słabostkami ludzi nienależących do rodzinnego kręgu.

Marta bardzo poważnie traktowała swe obowiązki. W ciągu dnia nie pozwalała sobie nawet na pół godziny odpoczynku. Matka ją nauczyła, że pani domu nigdy tego nie robi. Chętnie jednak wychodziła z domu, by odwiedzić przyjaciółki lub spotkać się z innymi paniami na kawie. Kiedy Zygmunt prosił, by wybrała się z nim na spacer po obiedzie lub po kolacji, zgadzała się tylko wtedy, gdy przechadzka miała jakiś określony cel, odniesienie korekt do wydawcy czy pójście do trafiki po cygara. Jeśli natomiast wybierał się po prostu na godzinny szybki spacer, odpowiadała:

– O nie, dziękuję, dość się już dziś nabiegałam.

Najbardziej lubiła wieczory, kiedy Zygmunt miał pacjentów do dziewiątej. Ciocia Minna jadła wtedy kolację z dziećmi, a Marta i Zygmunt mieli potem spokojną godzinkę dla siebie. Niekiedy on zabierał korespondencję albo jakiś rękopis do gabinetu, ona zaś siadała obok w fotelu, czytając Tomasza Manna lub Romain Rollanda. Jeśli nie chciała być sama, a Zygmunt zostawał dłużej w gabinecie, brała ze sobą książkę i siedziała z nim tam do północy.

Od dawna nie ulegało wątpliwości, że Minna jest „ciocią" z powołania. Sześcioro dzieci Freudów traktowała jak swoje własne. Nigdy nie nadużyła ich zaufania. Nie wtrącała się do prowadzenia domu. Jeśli któraś ze służących zwracała się do niej w jakiejś sprawie, ciocia Minna odpowiadała: „Proszę zapytać panią profesorową".

Haftowała ślicznie; często ofiarowywała swe robótki jako prezenty na urodziny, rodzinne rocznice i święta. W miarę jak przybywało jej lat, wydawała się coraz wyższa; wielka, koścista kobieta o szerokiej, płaskiej twarzy, włosach gładko uczesanych z przedziałkiem pośrodku, szerokich ramionach i niemal zupełnie bez biustu.

Była to pracowita, coraz liczniejsza rodzina żyjąca zgodnie i w coraz większym dostatku. Zygmunt zawsze marzył o takiej żonie jak Marta, osobie promieniującej ciepłem wewnętrznym. Tę właśnie cechę dzieci odziedziczyły w pewnej mierze po matce.

Pod koniec 1908 roku Zygmunt otrzymał list od G. Stanleya Halla, rektora Uniwersytetu Clarka w Worcester w stanie Massachusetts; zapraszano go do Ameryki na cykl wykładów z okazji obchodów dwudziestolecia uczelni. Profesor Hall, znany i cieszący się powszechnym szacunkiem uczony, wykładał psychoanalizę. Pisał do Zygmunta dwukrotnie.

„Nie mam zaszczytu znać Pana osobiście, ale od wielu lat pilnie śledzę pracę Pana Doktora i Pańskich zwolenników".

Zygmunt wiedział, że nie są to słowa zdawkowe, ponieważ w wydanej przed rokiem pracy Halla *Dorastanie* autor pięciokrotnie powoływał się na *Studia nad histerią*. Przepowiadał również, że prace doktora Zygmunta Freuda będą miały wielkie znaczenie dla rozwoju psychologii, sztuki i religii.

Profesor Hall chciał, by Zygmunt przyjechał do Ameryki w pierwszym tygodniu lipca. Proponował honorarium w wysokości czterystu dolarów. Uważał, że Stany Zjednoczone dojrzały już do wysłuchania stanowczej deklaracji twórcy psychoanalizy i odkrywcy podświadomości. „Wykłady Freuda – pisał – mogą stać się kamieniem milowym w historii tych studiów w naszym kraju".

W przerwie między wizytami pacjentów Zygmunt zaniósł list Marcie.

– Rozpiera mnie duma. Jest to pierwszy uniwersytet, który mnie zaprosił, bym wygłosił swe wyznanie wiary.

– Oczywiście pojedziesz.

– Niestety, to strasznie daleko. Co najmniej tydzień podróży statkiem. Czterysta dolarów pokryje koszta, ale stracę miesiąc praktyki. A o tej porze roku bywam zawsze najbardziej zajęty. Staram się doprowadzić pacjentów do względnie przyzwoitego stanu, by mogli przyjemnie spędzić lato.

– Jaka szkoda. Nie tylko miałbyś okazję zwiedzić Stany Zjednoczone, ale mógłbyś pomóc Brillowi i Jonesowi. Czy to słuszne, że oszczędzamy pieniądze tylko na czarną godzinę; może należałoby otworzyć konto w banku na pomyślną okazję.

Profesor Hall nie należał do ludzi, którzy się łatwo zniechęcają. W odpowiedzi na list Zygmunta wystąpił z nową propozycją: honorarium podwyższył do siedmiuset pięćdziesięciu dolarów. Wykłady mogłyby zostać wygłoszone we wrześniu, a poza tym Uniwersytet Clarka chciałby przyznać Zygmuntowi tytuł doktora praw *honoris causa*.

– Teraz już nie masz wyjścia! – zawołała Marta. – Profesor Hall odciął ci wszelkie drogi odwrotu.

Zygmunt uśmiechnął się niepewnie.

– Takiego doktoratu się nie odmawia. Jest to najstarszy i najbardziej szanowany honorowy tytuł na świecie. Prawdopodobnie jedyny honorowy tytuł, jaki kiedykolwiek otrzymam. Wobec tego trzeba wykorzystać okazję. Wykłady napiszę na statku. Warto by właściwie zapytać Sándora Ferencziego, czy nie pojechałby ze mną.

Członkowie Wiedeńskiego Towarzystwa Psychoanalitycznego byli podekscytowani, kiedy Zygmunt pokazał im list. Alfred Adler wyraził opinię wszystkich, kiedy z dumą powiedział: „Jest to kolejny krok na drodze do oficjalnego uznania; musimy wedrzeć się na uniwersytety, one bowiem są głównymi cytadelami idei. Panie profesorze, to rzadka okazja i mam nadzieję, że postara się pan, by wykłady zostały potem opublikowane".

Ferenczi z miejsca się zgodził. Niedługo potem Zygmunt dowiedział się, że Uniwersytet Clarka zaprosił również Junga, by wygłosił odczyt o testach kojarzeń, które zaczął przeprowadzać w Zurychu. Jung również miał otrzymać doktorat honorowy. Zygmunt bardzo się ucieszył.

– Tym ważniejsza to będzie okazja! – powiedział przy kolacji. – Muszę natychmiast napisać do Junga i zaproponować mu, żeby wybrał się razem z nami.

6

Rok 1908 okazał się bardzo owocny. W czasopismach naukowych profesor Freud ogłosił pięć artykułów: *O pisarzach i marzeniu, Fantazje histeryczne i ich stosunek do biseksualizmu, „Cywilizowana" moralność seksualna a współczesne choroby nerwowe i O teorii seksualizmu u dzieci*. Kiedy wyszła jego nowa praca *Charakter a erotyka analna*, rozpętała się znowu straszliwa burza. Co sprytniejsi z jego przeciwników nazywali go teraz, oczywiście za plecami, „gówniarzem" i „anus mundi".

W pracy tej podkreślał, że u każdego dziecka podniecenie seksualne koncentruje się w takich częściach ciała jak narządy płciowe, usta i odbytnica. Nazwał je strefami erotogennymi. Doświadczenia ze starszymi pacjentami nauczyły go, że u niektórych dzieci występuje szczególne podniecenie w obszarze analnym. Pierwszym objawem było powstrzymywanie się od wypróżnienia, dające im szansę wykazania własnej woli przez panowanie nad wypróżnieniami. Równocześnie sprawiało im przyjemność niewykonywanie woli matki. Jednostki te w późniejszym życiu były zafascynowane swymi odchodami, poświęcały wiele czasu badaniu ich i w jakimś sensie miały wręcz kult fekaliów, które utożsamiały z bogactwem. Skoro rodzice tak uporczywie nalegają na wypróżnienie, czyż nie oznacza to, że jest ono najcenniejszym darem, na jaki stać dziecko?

Te przewrażliwienia znikały, z chwilą gdy dziecko dojrzewało i koncentracja przenosiła się ze sfery analnej na genitalną. Pozostawiały jednak ślad w sylwetce charakterologicznej: ludzie ci niemal bez wyjątku okazywali się skrupulatni, punktualni, oszczędni i uparci. Te cechy charakteru były wynikiem sublimacji erotyki analnej. Zygmunt miał do czynienia z wieloma przypadkami chronicznej obstrukcji, której interniści nie potrafili wyleczyć. Okazywało się potem, że były to nerwice na podłożu bardzo dawnej identyfikacji kału ze złotem.

Leczył pacjentów, uświadamiając im źródło zaburzeń. Czasami musiał cytować niedowierzającym przykłady historyczne, cofając się aż do Babilonii. Nie każdy pacjent potrafił się przełamać. Znaczny procent homoseksualistów zwracających się o pomoc do Zygmunta stanowili ludzie, którzy po prostu nigdy nie wyrośli z erotyki analnej.

Zygmunt przypomniał sobie wybuch wściekłości, jaki wywołała pierwsza publikacja jego odkryć w dziedzinie seksualizmu dziecięcego. Kiedy Otto Rank katalogował świeżo otrzymane pisma medyczne, Zygmunt powiedział mu, że nawet lekarze tłumią swe wspomnienia o seksualizmie w dzieciństwie.

– A przecież wystarczy, by dobrze poszperali we własnej pamięci – mruczał Rank.

– Oczywiście. Trzeba niezwykłej pomysłowości, by dorosły człowiek mógł nie dostrzec oznak tych wczesnych seksualnych poczynań albo by wytłumaczył je sobie opacznie. Ale ludzie są niezwykle pomysłowi. Potrafią oczywistą prawdę przekręcić i fałszerstwo sprzedać uciśnionym społeczeństwom.

– Nie uda im się to tak łatwo, panie profesorze. Dzięki panu ludzie rozumieją, że żadna prawda nie jest brzydka, a żadne kłamstwo nie jest piękne.

Zygmunt poklepał młodego Ranka po ramieniu.

– Studiuj, Ottonie, pilnie i zrób szybko dyplom. Będziesz pierwszym „laickim" psychoanalitykiem bez medycznych studiów. Pomożesz nam w robocie.

Zygmunt dlatego pracował tak wydajnie, że tej zimy i na wiosnę szczególnie obficie obrodził materiał źródłowy. Jeden z jego pacjentów, dwudziestopięcioletni elegancki i kulturalny mężczyzna, był fetyszystą. Dbał o własne ubranie i domagał się, by każda młoda kobieta, z którą się pokazuje, wytwornie się ubierała. Fiksacja na punkcie matki doprowadziła u niego do psychologicznej niemocy płciowej. Matka nie widziała poza nim świata i wciąż jeszcze żądała, by był obecny, gdy się ubierała i rozbierała. W dzieciństwie chorobliwie interesował się swym wypróżnieniem. Miał też fetyszystyczne zainteresowanie butami i nadmiernie wyczulony zmysł węchu. Zygmunt już dawniej doszedł do wniosku, że fetyszystyczne zainteresowanie obuwiem wywodzi się z pierwotnej (węchowej) przyjemności, jakiej dostarcza zapach brudnych, cuchnących stóp, szczątkowe wspomnienie czasów, kiedy przodek człowieka chodził na czworakach z nosem przy ziemi i kiedy zmysł powonienia dostarczał mu obu wrażeń powstrzymujących – nieprzyjemnych i przyzwalających – przyjemnych. Teraz dopiero udało się Freudowi powiązać „koprofiliczną węchową przyjemność" odczuwaną w dzieciństwie przez pacjenta z jego obecnym fetyszystycznym zainteresowaniem obuwiem.

Psychoanaliza przywróciła młodemu człowiekowi fizyczną sprawność płciową, nadal jednak nie był zdolny do odczuwania przyjemności w kontaktach płciowych.

Podobny przypadek stanowiła młoda kobieta, która zachwycała się własnymi stopami, masowała je codziennie, całymi godzinami smarowała kremem, robiła sobie wymyślny pedicure i bez przerwy kupowała pantofle we wszystkich kolorach, fasonach, niekiedy do tuzina dziennie, choć w domu miała już setki par. O pomoc do Zygmunta zwrócił się jej mąż. Nie tylko bowiem zaniedbywała dom i dzieci i mówiono o niej, że jest trochę obłąkana, lecz także, co gorsza, rujnowała go finansowo.

Po kilku wizytach Zygmunt doszedł do tego, że pacjentka kupuje pantofle jako ozdobę dla swych stóp. W odróżnieniu od poprzedniego przypadku jej fetyszyzm nie był związany z wrażeniami węchowymi. Początkowo zwiodło go to, ale po pewnym czasie stwierdził, że chora coraz częściej wraca w myślach do najwcześniejszych wspomnień, kiedy sądziła, że podobnie jak jej brat, niemowlak, i ona ma penisa. Sporo upłynęło czasu, zanim dowiedziała się, że z jej łechtaczki nie wyrośnie penis. Nigdy się z tym nie chciała pogodzić. Nastąpił więc proces przeniesienia i pacjentka zakochała się w swoich stopach. Zygmunt stopniowo jej to uświadomił. Raz jeszcze kuracja odniosła tylko częściowy skutek: młoda kobieta przestała kupować buciki, nadal jednak pielęgnowała i codziennie masowała stopy.

Leczył również inteligentnego, lecz dziwnego mężczyznę, który cierpiał na erytrofobię, lęk przed czerwonym kolorem, pospolicie wiążącym się z krwią. Był to trzeci tego rodzaju przypadek w jego praktyce. Pierwszy leczył, z przerwami, przez pięć lat. W drugim przypadku pacjent przerwał leczenie po dwóch tygodniach. Teraz z kolei miał do czynienia z pacjentem, który bez powodu straszliwie się pocił i rumienił, wpadając przy tym w złość. Bał się golić, żeby się nie zaciąć i nie zobaczyć krwi, a ponadto czuł się dobrze tylko wtedy, gdy było bardzo zimno. Diagnoza Zygmunta brzmiała: nerwica lękowa. Nie potrafił jednak umiejscowić jej wśród nerwic seksualnych. U źródła lęku zdawał się tkwić wstyd. Ale wstyd przed czym? Pacjent cieszący się w Wiedniu reputacją kobieciarza i rozpustnika zaczął w końcu opowiadać wspomnienia z dzieciństwa: przedwczesne uświadomienie seksualne nabyte przez podsłuchiwanie rodziców, którzy rozmawiali o stosunku. Sześcioletni chłopak nie rozumiał, o czym mówią. Zygmunt zanotował:

„Erytrofobia polega na wstydzeniu się z podświadomych powodów".

Pierwszego pacjenta nie udało się Zygmuntowi wyleczyć, chociaż kuracja trwała pięć lat, tyle tylko mu pomógł, że chory dawał sobie jakoś radę w życiu. Drugi pacjent przerwał leczenie. Teraz, kiedy Zygmunt już wiedział więcej, nie tylko umożliwił trzeciemu pacjentowi powrót do pracy zawodowej, lecz, co więcej, wyzwolił go całkowicie z kompleksu Don Juana: „Muszę bez przerwy zdobywać coraz to nowe kobiety, by dowieść sobie samemu, że jestem mężczyzną". Pacjent ustatkował się i ożenił.

Przyszedł kiedyś do niego młody człowiek, którego trapiły „obłędne sny". Słyszał, że profesor Freud ma rozsądną metodę tłumaczenia snów. Może potrafi mu wytłumaczyć taki oto bzdurny sen z ubiegłej nocy?

– Badało mnie dwóch znajomych profesorów uniwersyteckich. Jeden z nich manipulował przy moim penisie. Bałem się operacji. Drugi wpychał mi do ust żelazny pręt, tak że straciłem jeden czy dwa zęby. Byłem związany czterema jedwabnymi szalami.

Z analizy wynikło niedwuznacznie, że pacjent nigdy dotąd nie miał stosunku. Jedwabne szale kojarzyły mu się z postacią znajomego homoseksualisty, ale jego samego nigdy nie interesowały stosunki z mężczyznami. Co więcej, okazało się, że ma bardzo niejasne wyobrażenia o stosunku płciowym. Sądził, że polega on na wspólnym onanizowaniu się mężczyzn i kobiet. Zygmunt wytłumaczył sen: lęk przed operacją to zachowany z dzieciństwa lęk przed kastracją. Żelazny pręt wpychany mu do ust oznaczał akt *fellatio*, również zachowany w jego podświadomości po wcześnie stłumionym pragnieniu. Utrata zębów była karą, którą sobie sam wymierzył za perwersyjny akt seksualny.

Z niezrozumiałym przypadkiem zetknął się w klinice. Zrozpaczeni rodzice ukrywali chorobę psychiczną syna. Kiedy Zygmunt przybył do lecznicy, chłopiec miał właśnie kolejny atak symulowanego aktu spółkowania lub wściekłego buntu przeciw spółkowaniu. W czasie gwałtownie odgrywanej pantomimy chory nieustannie pluł w sposób dowodzący, że plucie traktuje jako wytrysk spermy. Potem nastąpiły ostre halucynacje słuchowe: połączenie histerii z nerwicą natręctw nienadającą się do leczenia, i objawy otępienia wczesnego, na które nie było rady. Zygmunt długo obserwował pacjenta i doszedł do wniosku, że ataki są wynikiem tego, że chłopiec widział rodziców podczas stosunku. Tym objawom mógł Zygmunt przeciwdziałać, za co rodzice byli mu bardzo wdzięczni. Potem jednak wpadło mu do głowy, że warto by zbadać chłopca fizycznie: ze zdumieniem stwierdził, że ma on niedorozwinięte narządy płciowe.

– Ogromnie mi przykro – powiedział rodzicom – ale szczerze państwu powiem, że nie ma żadnej nadziei na wyleczenie.

Miał w tym okresie wielu pacjentów mężczyzn. Jednym z najciekawszych przypadków był mężczyzna, którego określał jako „psychicznego masochistę"; człowiek z natury agresywny i sadysta, pragnący innym zadawać ból, odwrócił te elementy i przekształcił je w pragnienie doznawania bólu, nie fizycznego, lecz upokorzenia i cierpień duchowych. W tej sytuacji nie tylko niweczył wszelkie stosunki z ludźmi, ale i siebie samego. Kłopoty zaczęły się przed laty, kiedy wpadł w nawyk zadręczania swego starszego brata, do którego czuł pociąg oparty na stłumionych instynktach homoseksualnych. Ponieważ pacjent nie umiał swobodnie kojarzyć, Zygmunt musiał szukać klucza w snach relacjonowanych przez chorego bez najmniejszego skrępowania.

– Sen składał się z trzech fragmentów. W pierwszym starszy brat kpił sobie ze mnie. W drugim dwóch dorosłych mężczyzn pozwalało sobie na homoseksualne pieszczoty. W trzecim brat sprzedał przedsiębiorstwo, a ja spodziewałem się, że będę dyrektorem tej firmy. Obudziłem się bardzo zdenerwowany.

- Był to sen masochistyczny – wyjaśnił Zygmunt – spełniający pragnienie. Można go wytłumaczyć w następujący sposób: „Zasłużyłem sobie na to, by brat, sprzedając interes, ukarał mnie za wszystkie katusze, które musiał wycierpieć ode mnie".

Pacjent zgodził się z tym tłumaczeniem.

- W erotycznej naturze wielu ludzi – dodał Zygmunt – znajduje się składnik masochistyczny, którego źródłem jest odwrócony instynkt agresywny, sadystyczny.

Od tej chwili analiza postępowała prawidłowo. Dla Zygmunta była okazją studiowania elementów sadyzmu i masochizmu tkwiących w podświadomości jako dwie strony tego samego medalu. Mógł również zbadać, w jaki sposób te składniki, zachowane z dzieciństwa, wpływają później na charakter i postępowanie dorosłego człowieka.

7

Nadszedł czas wyjazdu do Stanów Zjednoczonych. Dziewiętnastego sierpnia Zygmunt pożegnał się z rodziną, pozostawiając ją w willi w północnym Tyrolu. Był w radosnym usposobieniu. Pojechał przez Oberammergau. W Monachium zjadł coś, co mu zaszkodziło, i już do samej Bremy prawie nie zmrużył powiek. Poczuł się trochę lepiej po kąpieli w hotelu. Wybrał się na spacer po mieście i ruchliwym porcie. Do Marty napisał aż trzy listy, szczegółowo opisując swoje wrażenia.

Z Zurychu przyjechał Jung, z Budapesztu zaś Ferenczi. Zygmunt podjął ich obiadem. Zamówił butelkę wina, by uczcić spotkanie. Jung nie chciał złamać swych zasad całkowitej abstynencji, w końcu jednak Zygmunt i Ferenczi przekonali go, że mała szklaneczka wina nie może mu zaszkodzić. Skapitulował, ale wino dziwnie wpłynęło na jego zachowanie; zaczął z ożywieniem rozprawiać o tak zwanych zwłokach bagiennych wykopywanych w północnej Europie. Były to zwłoki prehistorycznych ludzi, którzy bądź to utopili się, bądź to zostali pochowani w trzęsawiskach przed setkami tysięcy lat. Woda bagienna zawierała kwas humusowy rozkładający kości, ale konserwujący znakomicie skórę i włosy. Był to proces naturalnej mumifikacji, w toku której pod ciężarem torfu zwłoki się spłaszczały. Jung, trochę podchmielony, twierdził, że te zwłoki bagienne można znaleźć nie w Skandynawii, lecz w głębokich piwnicach Bremy.

- Dlaczego pana tak interesują te zwłoki? – zapytał Zygmunt.

– Zawsze mnie fascynowały. W ten sposób można się dowiedzieć, jak naprawdę wyglądali ludzie przed tyloma tysiącami lat. Przypomniałem sobie o tym, kiedy znaleźliśmy się w tym mieście. Chętnie bym je obejrzał.

– Nie bardzo pasują mi te bagienne zwłoki do mego sznycla – powiedział Zygmunt. – A poza tym znajdują się one nie w Bremie, lecz dalej na północy, w Danii i w Szwecji. Odnaleźli je ludzie kopiący torf.

Jung odłożył widelec, wyprostował się i pokręcił głową. Był zdumiony.

– Oczywiście, ma pan świętą rację. Dlaczego ja przeniosłem te zwłoki do Bremy? Czy mógłby mi pan to wytłumaczyć? Przecież pan twierdzi, że żadna pomyłka nie jest przypadkowa. Czym mogłem się kierować?

Zygmunt poczuł zawrót głowy, zrobiło mu się słabo. Chciał się napić wina, ale nie mógł unieść szklanki. Czuł, że traci przytomność. Ocknął się na kozetce w kancelarii szefa restauracji. Jung wziął go na ręce, gdy spadł z krzesła, i wyniósł tak dyskretnie, że niemal nikt w restauracji tego nie zauważył. Ferenczi przykładał mu lód do głowy. Kiedy Zygmunt otworzył oczy, zobaczył pochylonego nad sobą Junga.

– Ładne rzeczy – mówił. – Ja po raz pierwszy od piętnastu lat skosztowałem wina, a pan się upił. Ale żarty na bok, co się właściwie panu stało?

Zygmunt usiadł. Wciąż jeszcze czuł zawrót głowy.

– Nie wiem. Być może zaszkodziło mi coś, co zjadłem w Monachium, a może całonocna podróż pociągiem do Bremy. Może wreszcie jestem za bardzo podekscytowany myślą o jutrzejszej podróży. Pierwszy raz w życiu zemdlałem. Musi być jakaś głębsza przyczyna. Zdenerwowała mnie cała ta gadanina o trupach. To przecież ja byłem w Bremie, a nie zwłoki bagienne. Czyżby w tym krył się jakiś związek? Czy to możliwe, by pan pragnął mojej śmierci? To była ostatnia nieprzyjemna myśl, którą miałem tuż przed utratą przytomności.

Do portu nowojorskiego zawinęli późno po południu w piątek dwudziestego siódmego sierpnia. Był jasny, słoneczny dzień. Zygmunt stał na dziobie statku między Jungiem a Ferenczim. Sylwetka Manhattanu pojawiła się wpierw jako plama na horyzoncie, a potem zaczęły się zarysowywać kontury poszczególnych budynków. Wysokie, majestatyczne, jakby wyrastające prosto z lśniących wód zatoki. Zygmunta fascynował ten widok. Zastanawiał się, czy w ten sam sposób po raz pierwszy zobaczył Stany Zjednoczone Eli Bernays. Eli wyruszył na poszukiwanie nowego domu, nowego życia. Zapewne zadawał sobie pytanie: „Czy to jest moje miejsce? Czy zostanę Amerykaninem?". To samo pytanie stawiały sobie miliony Europejczyków, gdy z nadzieją kierowały wzrok ku temu wspaniałemu widokowi. „Ale ja będę tu tylko kilka tygodni – myślał Zygmunt. – Po wykładach spakuję manatki i wrócę do Wiednia".

Kiedy mijali Statuę Wolności, zawołał:

– Będą mieli nie lada niespodziankę, kiedy usłyszą, co im mam do powiedzenia!

Na przystani oczekiwał ich A.A. Brill. Triumfował. Miał taką minę, jakby chciał gości uściskać. Oto za ich pośrednictwem psychoanaliza dotarła do Stanów Zjednoczonych. Na jednym reporterze gazetowym, który się nimi zainteresował, grupka Europejczyków nie zrobiła większego wrażenia. Przekręcił nazwisko Zygmunta i następnego dnia dziennik doniósł o przybyciu profesora „Freunda" z Wiednia. Zygmunt nie przejął się tym. Był już przygotowany na różne niespodzianki. Na statku zauważył, że steward czyta *Psychopatologię życia codziennego*. Młodzieniec oświadczył Zygmuntowi: „Panie doktorze, mogę potwierdzić każde pańskie słowo. Sam przeszedłem to wszystko, co pan opisał w swej książce".

Odprawa celna zakończyła się o zmierzchu. Brill odwiózł ich do hotelu „Manhattan" przy Czterdziestej Drugiej Ulicy. Na Zygmunta czekał już list od rektora Halla, który zapraszał go, by zatrzymał się w jego rezydencji podczas swego tygodniowego pobytu w Worcester. Zygmunt próbował dodzwonić się do swojej siostry Anny i do Eli Bernaysa, ale okazało się, że wyjechali właśnie na wakacje.

Brill pomagał Jungowi i Ferencziemu rozgościć się w pokojach, które dla nich wynajął, a Zygmunt tymczasem wyszedł na miasto, pragnąc jak najszybciej poznać Nowy Jork, tak jak w swoim czasie zaznajamiał się bezpośrednio z Paryżem, kiedy przyjechał tam, by pracować w Salpêtrière. Najlepszym sposobem poznania nowego miasta był, jego zdaniem, spacer po ulicach, oglądanie wystaw sklepowych i twarzy przechodniów śpieszących po pracy do domu. Brill dał mu plan miasta. Na rogu Piątej Alei kładziono fundamenty pod wielką bibliotekę publiczną. Szybko przeszedł obok wytwornych domów, kościołów i luksusowych sklepów. Na Pięćdziesiątej Dziewiątej Ulicy zobaczył nowy piękny hotel „Plaza". W ogrodzie hotelowym grała orkiestra, a kilku nowojorczyków zasiedziało się przy późnym podwieczorku.

Wrócił do „Manhattanu" zmęczony, lecz triumfujący. Widział zaledwie kilka ulic, ale Nowy Jork przestał być obcym miastem. Niepodobny do Wiednia, Berlina, Paryża czy Rzymu, promieniował energią tłumów przewijających się przez ulice. Zygmunt patrzył na to miasto z jego wysokimi budynkami, słyszał je, czuł niemal na języku jego smak; jakże odmienne było od tych wszystkich miast, które dotąd poznał.

Brill podjął ich lekką kolacją i szybko się pożegnał; byli przecież od piątej rano na nogach. Obiecał, że nazajutrz, po śniadaniu, oprowadzi ich po mieście.

Zaczęli od Battery, skąd roztaczał się widok na zatokę. Potem poprowadził ich wąskim kanionem Wall Street, wypełnionym aromatem kawy i korzeni. Zygmunt rozpoznał gmachy szeregu słynnych budynków, których nazwy złotymi literami wypisane były na tabliczkach. Chciał zobaczyć dzielnice cudzoziemskie, więc Brill zaprowadził ich na East Side. Zygmuntowi przypomniało wiedeński Naschmarkt, targowisko, gdzie gospodynie zaopatrywały się w najświeższe produkty. Poszli potem do dzielnicy chińskiej. Zygmunt po raz pierwszy widział Chińczyków z długimi warkoczami, w długich czarnych jedwabnych szatach. Na przesiąkniętych zapachem kadzidła ulicach nie spotkali ani jednej Chinki. Potem obejrzeli włoską dzielnicę wokół Houston Street i na chwilę wpadli na Bowery, by przypatrzyć się „artystom" robiącym tatuaże marynarzom. Byli już zmęczeni. Brill wziął dorożkę i zawiózł ich do słynnego lunaparku na Coney Island.

Po powrocie na Manhattan pokazał im wielkie domy towarowe Wanamakera na Broadwayu i Ósmej Ulicy, Flatiron Building, najwyższy budynek świata, liczący dwadzieścia dziewięć pięter, dzielnice krawców męskich, modystek, warsztaty znajdujące się w dawnych kamieniczkach mieszkalnych. Największe jednak wrażenie zrobiła na nich różnorodność ulic, pojazdów i ludzi.

Po powrocie do hotelu Zygmunt moczył nogi w gorącej wodzie. Do Brilla powiedział:

– Po raz pierwszy w życiu moje stopy dały za wygraną. Ale teraz już wiem, co miał na myśli Eli Bernays, kiedy nazwał Nowy Jork tyglem. Ciekaw jestem jednak, czy w końcu wszystkie te elementy w tyglu się przetopią i jaka będzie Ameryka, kiedy pod tyglem zgaśnie ogień.

Następnego ranka poprosił Brilla, żeby zabrał go do muzeum „Metropolitan"; chciał obejrzeć greckie starożytności. Przez godzinę studiował marmurowe rzeźby.

– Wiem, że jestem w kraju przyszłości – powiedział do Brilla. – Widzę to w pośpiechu, z jakim ludzie chodzą, mówią i jedzą. Ale znacznie lepiej czuję się tu, w otoczeniu starych cywilizacji.

– Dziwne, że pan to mówi, panie profesorze. Pańskie dzieło w większym stopniu wpłynie na kształt przyszłości niż to wszystko, co panu pokazałem w Nowym Jorku. Ale chodźmy teraz do Uniwersytetu Columbia. Pragnę, by pan zobaczył jego piękne położenie, bo mam nadzieję, że kiedyś będę tam wykładał psychoanalizę.

Po południu przyjechał Ernest Jones z Toronto. Wieczorem pięciu kolegów jadło kolację w jednej z najmodniejszych restauracji nowojorskich „Hammerstein Roof Garden". Zygmunt znalazł się pod wrażeniem eleganckiego, choć hałaśliwego lokalu, wystrojonych dam z głębokimi dekoltami i mężczyzn, którzy, jak twierdził Brill, byli potentatami biznesu przekształcającymi Amerykę w bogate przemysłowe państwo.

– Jada się u was zbyt obficie – narzekał Zygmunt po kolacji. – Obawiam się, że kuchnia amerykańska mi nie odpowiada. Boli mnie brzuch. Jutro będę cały dzień pościł.

– Panie profesorze, zdaje się, że pan krzywdzi kuchnię amerykańską – wtrącił, śmiejąc się, Jung. – W Bremie powiedział pan, że zaszkodziło panu jedzenie w Monachium.

Przed snem wybrali się jeszcze do kina na jedną z pierwszych komedii filmowych, która bardzo ubawiła Zygmunta. Następnego dnia pogoda się zepsuła, a i nastroje się pogorszyły. Wszyscy mieli kłopoty z żołądkiem. Wczesnym popołudniem wyruszyli do Worcester. Kolejką napowietrzną dotarli do przystani na rzece Hudson i tam wsiedli na statek. Każdy miał własną kabinę. Statek okrążył Manhattan, popłynął w górę po East River, przepłynął pod mostem Brooklyńskim i Manhattańskim, wymijając barki, holowniki i promy.

Z Fall River pojechali pociągiem do Bostonu. Ernest Jones pokazywał im zabytki miasta, a potem przystań, przy której bostończycy „wypili" brytyjską herbatę. W pewnej chwili Zygmunt zapytał go, czy nie ma w pobliżu publicznego szaletu.

– Panie profesorze, w Ameryce w ogóle ich nie ma.

– Co takiego? A co ma człowiek zrobić w takiej sytuacji?

– Musimy wrócić do dzielnicy handlowej i znaleźć jakiś urząd lub biuro.

Jones zaprowadził w końcu Zygmunta do jakiegoś dużego budynku; trzeba było zejść do suteren i dopiero na końcu potwornie długiego korytarza Zygmunt znalazł męską toaletę. Ledwie zdążył. Po wyjściu zapytał Jonesa:

– Dlaczego wy tu macie takie dziwne obyczaje? Budujecie nową cywilizację, ale pomijacie jedno z największych odkryć Starego Świata.

– Panie profesorze – śmiał się Jones – to jest kraj purytański. Z większymi kompleksami niż wiktoriańska Anglia. Procesy wydalania są skrzętnie ukrywane i nigdy się o nich nie wspomina. Przekona się pan, że to się odnosi również i do innych funkcji strefy erotogennej. Ale to inna sprawa. A teraz chcę panu powiedzieć, że spotka się pan z bardzo dobrym przyjęciem w Nowej Anglii. Pańskie teorie są tu już znane. W ubiegłym roku, kiedy byłem gościem doktora Prince'a w Bostonie, mieliśmy dwie lub trzy konferencje, w których wzięło udział kilkunastu lekarzy i profesorów uniwersyteckich. Między innymi doktor James Putnam, profesor neurologii na Uniwersytecie Harvarda oraz kilku wybitnych miejscowych psychiatrów. W maju profesor Putnam i ja wygłosiliśmy w New Haven referaty o psychoanalizie i podświadomości. Wzbudziły one duże zainteresowanie: rzecz jasna, wysunięto pewne obiekcje, ale znacznie ważniejsze jest to, że dyskusja była bardzo ożywiona. Słyszałem także, że słynny filozof William James wybiera się do Harvardu, by posłuchać pańskich wykładów. Czy mógłby zaznajomić się z tekstami?

– Nie napisałem jeszcze ani słowa. Sześć dni na statku z Ferenczim i Jungiem potraktowałem jako wakacje. Tłumaczyliśmy nasze sny, graliśmy w jakieś idiotyczne gry towarzyskie i opowiadaliśmy sobie dowcipy. À propos, Jung uważa, że powinienem ograniczyć się w swych wykładach do *Interpretacji marzeń sennych,* bo to będzie najlepszym wprowadzeniem dla amerykańskich słuchaczy. Co pan o tym myśli?

– Absolutnie się z tym nie zgadzam. Nie powinien pan sobie narzucać żadnych ograniczeń. Oczywiście musi pan poświęcić wiele czasu *Interpretacji marzeń sennych,* ale powinien pan przedstawić swe odkrycie od początku, żeby słuchacze mogli się zorientować w przebytej przez pana drodze i zrozumieć, w jakim kierunku zmierza pańska nauka.

Okolice Worcester były piękne: pagórki, lasy, skalisty teren z licznymi małymi jeziorami. Zygmunt zamieszkał w rezydencji rektora Halla, a reszta zatrzymała się w hotelu „Standish". Rezydencja okazała się duża, wygodna, pełna książek. Profesor Hall zbliżał się do siedemdziesiątki. Wyglądał dystyngowanie. Jego żona była kobietą pulchną, wesołą, dobroduszną, bardzo brzydką. Gotowała fantastycznie. Zygmunt dostał duży pokój z oknami wychodzącymi na kępę majestatycznych drzew. Dwóch uroczystych Murzynów w białych kurtkach podawało do stołu. W każdym pokoju stało pudło z cygarami.

Budynek, w którym Zygmunt miał wygłaszać wykłady, Jonas Clark Hall, zbudowany z granitu i cegieł, stanowił ośrodek życia uniwersyteckiego. Kiedy Zygmunt wszedł na podium, zobaczył przed sobą pełną salę. Uprzedzono go, że wśród czterystu słuchaczy są najwybitniejsi przedstawiciele harwardzkiej profesury, między innymi słynny antropolog Franz Boas, filozof William James i doktor James Putnam. Wykładu nie napisał. Nie miał żadnych notatek. Wczesnym przedpołudniem wybrał się na półgodzinny spacer z Ferenczim i przedyskutował z nim formę i treść wykładu. Mówił po niemiecku, spokojnie i swobodnie. Znaczna część audytorium znała ten język.

– Panie i panowie. Z uczuciem onieśmielenia staję tu, w Nowym Świecie, przed słuchaczami wymagającymi i pełnymi oczekiwań. Zaszczyt ten niewątpliwie zawdzięczam jedynie temu, że nazwisko moje związane jest z psychoanalizą, toteż o psychoanalizie zamierzam mówić. Spróbuję możliwie zwięźle przedstawić początki i rozwój tej nowej metody badań i leczenia.

Jeśli w ogóle stworzenie psychoanalizy można przypisać jednemu człowiekowi, to ja nim nie jestem. Byłem studentem, przygotowywałem się do egzaminów końcowych, kiedy pewien lekarz wiedeński, doktor Józef Breuer, w latach 1880–1882 po raz pierwszy zastosował tę metodę, lecząc pacjentkę cierpiącą na histerię. Przejdźmy więc od razu do historii tego przypadku i przebiegu terapii. Szczegółowo możecie się państwo z nią zaznajomić w *Studiach nad histerią*, które doktor Breuer i ja później ogłosiliśmy...

Przerwał na chwilę, spojrzał na słuchaczy i pomyślał sobie: „To zupełnie przypomina spełnienie jakiegoś niewiarygodnego marzenia; psychoanaliza przestała być złudą, stała się cennym elementem rzeczywistości".

Prawie godzinną prelekcję słuchacze pokwitowali owacją. Wielu ludzi gratulowało mu i ściskało dłoń. Jung powiedział:

– Przygotowany byłem na opory. Odnoszę wrażenie, że jest pan w siódmym niebie. Cieszę się z całego serca.

– Dziękuję panu. W Europie czuję się wzgardzony. I oto dziś kilku spośród najwybitniejszych ludzi Ameryki potraktowało mnie jak równego między równymi.

– I słusznie. Zdobywamy grunt pod nogami. Rosną szeregi naszych zwolenników.

Ojcowskim gestem Zygmunt poklepał Junga po ramieniu.

– Cieszę się, że mówi pan o naszych zwolennikach. To są rzeczywiście nasi zwolennicy, bo gdy mnie już nie będzie, pan przecież stanie na czele ruchu.

Tydzień wykładów przeszedł znakomicie. Każda prelekcja przyjmowana była oklaskami. Zygmunt opisywał szczegółowo procesy usuwające ze świadomości, a więc i z pamięci, idee przykre, domagające się stłumienia, i wyjaśniał, że stłumione impulsy nadal utrzymują się w podświadomości. Następnie przedstawił proces przenoszenia do świadomości substytutów stłumionych idei, łączenia się ich z pierwotnymi przykrościami, co doprowadza do powstawania lęków i natręctw.

Ostrożnie wprowadzał słuchaczy w problem męskiej histerii, swobodnego kojarzenia, interpretacji snów, zjawiska tłumienia wrażeń, agresji i erotyzmu dziecięcego. Kiedy w czwartym wykładzie dotarł do seksualnej etiologii nerwic, przyznał szczerze, że w 1895 roku, gdy wspólnie z Breuerem opublikował *Studia nad histerią*, nie potrafił jeszcze sformułować swych wniosków w sposób naukowy. Mówił, jak trudno jest nakłonić pacjentów, by opowiadali o swym życiu seksualnym, dodając z uśmiechem, że „z reguły ludzie nie mówią szczerze o sprawach seksualnych". Po czym oświadczył kategorycznie:

– Badania psychoanalityczne z zaiste zdumiewającą regularnością potwierdzają, że źródła chorób tkwią w przeżyciach związanych z życiem erotycznym pacjentów. Dowodzi to, że chorobotwórcze pragnienia mają charakter popędów erotycznych. To właśnie skłania do hipotezy, że zaburzenia erotyczne należą do głównych czynników wywołujących tego rodzaju schorzenia, niezależnie od płci chorego.

Zdaję sobie sprawę z tego, że niełatwo przyjdzie państwu uwierzyć moim twierdzeniom. Nawet ci pracownicy naukowi, którzy interesują się moimi studiami psychologicznymi, uważają, że przeceniam rolę czynników seksualnych. Stawiają mi pytanie, dlaczego inne podniety psychiczne nie wywołują opisanych przeze mnie zjawisk tłumienia i tworzenia form zastępczych. Mogę na to jedynie odpowiedzieć, że nie wiem, dlaczego miałyby nie wywoływać takich zjawisk i że nie miałbym nic przeciwko temu, gdyby je wywoływały. Doświadczenie jednak wykazuje, że nie mają one takiego znaczenia, i w najlepszym wypadku wspierają działanie czynników seksualnych, natomiast nie mogą ich zastąpić... Na sali jest kilku moich najbliższych przyjaciół i zwolenników, którzy przybyli ze mną do Worcester. Zapytajcie ich, a odpowiedzą, że początkowo nikt z nich nie wierzył w słuszność mojej teorii o seksualnej etiologii nerwic i że przyjęli ją dopiero po samodzielnym przeprowadzeniu doświadczeń analitycznych.

Zygmunta zaskoczyła przychylna postawa prasy. Worcesterski „Telegram" nie próbował co prawda podejść krytycznie do koncepcji Zygmunta, starał się jednak w miarę możliwości przedstawić ich istotę. Konserwatywny bostoński „Transcript" zamieścił rzeczowe sprawozdanie z wykładów i wysłał reportera, by przeprowadził wywiad z Zygmuntem. Dziennikarz okazał się człowiekiem inteligentnym i spragnionym wiedzy. Wywiad opublikowany w gazecie zawierał więc ścisły i życzliwy opis Freudowskiej psychoanalizy i metod leczenia. Ernest Jones powiedział do Zygmunta:

– Czy to nie ironia losu? Tu, w Bostonie, narodził się amerykański purytanizm i tu właśnie miejscowy konserwatywny dziennik wita Freudowską psychoanalizę bardziej życzliwie niż wszystkie inne pisma na świecie. Zaiste, Ameryka jest Nowym Światem.

Patriotyzm A.A. Brilla był oczywiście żarliwszy od patriotyzmu większości Amerykanów z dziada pradziada. Deklarował więc z entuzjazmem:

– Idee Freuda i fakt, że został on zaproszony przez Uniwersytet Clarka, nie spotkały się z ani jedną nieprzychylną uwagą. Przepowiadam wam *hic et nunc*, w chwili kiedy stawiamy pierwsze kroki w Ameryce, że właśnie w tym kraju psychoanaliza natrafi na najbardziej podatny grunt.

Mijały dni, jak w kalejdoskopie zmieniały się twarze, widoki, sale wykładowe, wydawano uroczyste kolacje i obiady na cześć Zygmunta. Był obecny tylko na trzech wykładach Junga poświęconych psychologicznym wynikom testów opartych na słownym kojarzeniu i znaczeniu tych testów dla potwierdzenia założeń psychoanalizy Freudowskiej. Referaty Junga zostały życzliwie przyjęte.

Pod koniec tygodnia odbyła się uroczystość. Zygmunt w todze i birecie kroczył z Karolem Jungiem w takim samym stroju w procesji zmierzającej do auli uniwersyteckiej. Miał przyjemne uczucie dobrze spełnionego obowiązku. Profesor Clark odczytał uchwałę senatu akademickiego.

– Zygmunt Freud z Uniwersytetu Wiedeńskiego, twórca szkoły pedagogicznej, która ma już na swym koncie nowe metody i osiągnięcia, największy współczesny badacz psychologii seksualnej, psychoterapii oraz analizy, niniejszym otrzymuje tytuł doktora praw.

Licznie zebrana publiczność powitała te słowa oklaskami. Zygmunt pomyślał sobie: „Oto pierwsze oficjalne uznanie mojej działalności. A zarazem wyjście psychoanalizy z okresu dzieciństwa".

8

Sukcesy amerykańskie nie zrobiły żadnego wrażenia w Europie. Prasa nie pisała o wykładach ani o wybitnych Amerykanach, którzy ich wysłuchali. Zygmunt był trochę rozczarowany. To uczucie zawodu i namowy Halla, Putnama, Jonesa i Brilla w Ameryce oraz Ranka, Abrahama i Ferencziego w Europie skłoniły go do spisania pięciu wygłoszonych wykładów. Zajęło mu to półtora miesiąca. Zostały one ogłoszone w tłumaczeniu angielskim w „American Journal of Psychology", którego redaktorem był Stanley Hall. Dla Brilla i Jonesa było to szczególnie ważne, bo otrzymali pierwszy podręcznik psychoanalizy po angielsku.

Czekał teraz na drugi kongres, który miał się odbyć pod koniec marca w Norymberdze. Spodziewał się, że przybędzie około stu delegatów z kilkunastu krajów i że uda się stworzyć Międzynarodowe Towarzystwo Psychoanalityczne z oddziałami w Zurychu, Londynie, Nowym Jorku i Budapeszcie. Psychoanaliza zostałaby oficjalnie uznana, zyskałaby solidny fundament organizacyjny i, podobnie jak towarzystwa neurologiczne i psychiatryczne, towarzystwo psychoanalityczne miałoby swe władze, statut oraz budżet umożliwiający działalność wydawniczą i zwoływanie dorocznych kongresów.

Tymczasem zabrał się energicznie do książki o Leonardzie da Vinci, *Wspomnień z dzieciństwa* i referatu na kongres norymberski, mającego nosić tytuł *Perspektywy terapii psychoanalitycznej*. Od Deutickego przyszła dobra wiadomość, że wreszcie zamierza wydrukować drugie rozszerzone wydanie

Interpretacji marzeń sennych, chociaż trzeba było dziesięciu lat, by rozprzedać sześćset egzemplarzy pierwszego wydania. Karger w Berlinie drukował trzecie rozszerzone wydanie *Psychopatologii życia codziennego*. Wydawcy wiedzieli, że nie można już ignorować Zygmunta Freuda; czytano go choćby tylko po to, by móc go atakować. Wiedzieli też, że co kilka lat będą mogli publikować nowe wydania jego prac.

Sprawy rozwijały się pomyślnie, ale z grupą wiedeńską miał nieustanne kłopoty. Wytworzyła się sytuacja trochę jak wśród członków rodziny, którzy zbyt często się widują i za bardzo są od siebie zależni. Wszyscy walczyli o własne miejsce pod słońcem i o względy Zygmunta. Każdy chciał, by jak najwięcej czasu poświęcał właśnie jego pomysłom lub rękopisom. Jeden do drugiego miał pretensje o to, ilu pacjentów skierował do niego Zygmunt. Walczyli o miejsce w „Roczniku". Tak jak we wszystkich środowiskach naukowych, sprawa pierwszeństwa była kością niezgody. Wszyscy pracowali w podobnych warunkach, toteż nieraz dwóch równocześnie przychodziło z tą samą koncepcją, z takim samym referatem. Komu miał przypaść zaszczyt wystąpienia z nową koncepcją na arenie międzynarodowej? Komu przyznać palmę pierwszeństwa: autorowi koncepcji czy skrupulatnemu badaczowi, który ją opracowywał i nadawał formę umożliwiającą przedstawienie na forum naukowym?

Zygmunt zdawał sobie sprawę, że kłopotliwy problem pierwszeństwa rozbił już niejedno środowisko zawodowe. Łagodzenie napięć wymagało nieustannych wysiłków. Trzeba było wciąż od nowa przypominać, że właściwie wszyscy razem kładą podwaliny pod psychoanalizę, będącą dotychczas szczupłym zbiorem tez sformułowanych przez Zygmunta.

Od samego początku podchodzili do siebie nawzajem bardzo krytycznie. W każdą środę odbywała się ogólna dyskusja nad pracą jednego z kolegów. Pochwały należały raczej do rzadkości i najczęściej padały głosy krytyczne; starano się pomniejszyć walory referatu, przy czym krytykujący z reguły uważał swój materiał źródłowy, swoje wnioski i swoje metody za słuszniejsze i dokładniejsze. Zygmunt coraz częściej musiał interweniować, wzywać do unikania argumentów *ad personam*, ograniczania się do krytyki omawianych teorii.

Skłóconych zapraszał na kolację. Starał się stworzyć przyjemną atmosferę, omawiał szczegółowo materiały obu polemistów, wciągał ich do rozmowy; słuchał uważnie argumentów, wychwalał ujęcie tematu. Podtrzymani na duchu, opuszczali zazwyczaj jego mieszkanie całkowicie pogodzeni. Nie miał wyboru; podjął się roli ojca rodziny, którego ideologiczne domostwo zamieszkiwało wspólnie potomstwo tak bardzo różniące się usposobieniem. Niekiedy jednak te familijne awantury, szczególnie między starszymi członkami grupy, sprawiały mu wielką przykrość. Jedną z najtrudniejszych osobowości był doktor Izydor Sadger. Nawet po czterech latach pozostał kimś całkiem obcym. Nikt nie wiedział, gdzie mieszka, czy ma jakąś rodzinę poza trzydziestoletnim siostrzeńcem, doktorem Fritzem Wittelsem, którego wprowadził na środowe spotkania. Unikał wszelkich kontaktów towarzyskich. Znakomicie napisane i udokumentowane prace Sadgera pozwoliły Zygmuntowi zorientować się, że źródłem jego kłopotów jest stłumiony homoseksualizm, ale nie widział żadnych możliwości, by mu pomóc w tych niewątpliwie bolesnych konfliktach wewnętrznych. Sadger rozładowywał je, zachowując się agresywnie w stosunku do wszystkich pozostałych członków grupy. Szanowano go, litowano się nad nim, ale nie wiedziano, co z nim począć.

Kłopotów przysparzał również zjadliwy język doktora Edwarda Hitschmanna. Potrafił on boleśnie dotknąć kolegów mniej błyskotliwych lub dowcipnych. Powodziło mu się dobrze. Miał wielkie powodzenie jako lekarz internista. Wzrastała także liczba pacjentów leczonych psychoanalizą. Był człowiekiem z natury życzliwym, bez żółci, ale gdy nadarzała się okazja, nie umiał się powstrzymać od kąśliwości. Zraził do siebie wszystkich. Żaden z kolegów nie dorównywał mu dowcipem, więc nie zostawiano na nim suchej nitki, krytykując jego referaty, choćby nie wiem jak starannie zostały przygotowane.

Zygmunt zauważył, że Hitschmann nie zapomniał nawet najbardziej błahych uwag krytycznych; czekał tylko na okazję, by odpłacić pięknym za nadobne. Pod tym względem najbardziej niepoprawny był Wilhelm Stekel. Nie znał miary w atakowaniu każdej nowej koncepcji. Nic dziwnego, że gdy przyszła kolej na jego referat, adwersarze krytykowali go, ile się dało, co im zresztą przychodziło bez trudu, bo Stekel nie liczył się zbytnio z faktami i gdy mu ich brakowało, zastępował je na poczekaniu domysłami. Zygmunt był mu wdzięczny za artykuły popularyzujące psychoanalizę, często jednak złościło go niechlujstwo i uproszczenia graniczące z wypaczaniem myśli. Kiedy karcił Stekla za brak gruntownego przygotowania, ten odpowiadał:

– Ja mam oryginalne pomysły, a inni niech prowadzą badania, które je potwierdzą.

Bez względu na to, na jaki temat wygłaszano referat, Stekel wykrzykiwał podniecony:

– Miałem dziś rano pacjenta, identyczny przypadek!

Od dawna już śmiano się z jego „środowych pacjentów porannych".

Stekel był nie tylko obrażony, lecz także zdziwiony.

Niektórzy z młodych członków grupy przybywali z wieloma własnymi problemami. Wiktor Tausk, niebieskooki udręczony Chorwat, wmówił sobie, że ma nieuleczalnie chorą duszę. Kompletne zdezorganizowanie życia emocjonalnego Tauska datowało się jeszcze z okresu dzieciństwa. Gardził straszliwie ojcem i podburzał przeciw niemu rodzeństwo. Dostawał za to lanie od matki. Miał duży talent do języków i dobrze się uczył, póki nie pokłócił się ze swoim nauczycielem na tematy religijne. Przed maturą został wydalony ze szkoły za zorganizowanie buntu w klasie. Chociaż był bez grosza i chorował na płuca, ukończył na Uniwersytecie Wiedeńskim prawo, przedmiot, którego nienawidził, ponieważ zawsze chciał zostać lekarzem.

Mając lat dwadzieścia jeden, ożenił się z córką bogatego drukarza wiedeńskiego. Wyjechał jednak z Wiednia, głównie z powodu nieprzepartej nienawiści, jaką żywił do teścia. W Chorwacji pracował jako prawnik. Miał dwóch synów. Po separacji z żoną wyjechał do Berlina, gdzie z największym trudem utrzymywał się jako poeta, muzyk, artysta i dziennikarz. Był przystojnym mężczyzną, łatwo więc zdobywał względy kobiet. W trzydziestym roku życia przypadkowo natrafił w jakimś piśmie medycznym na rozprawę Zygmunta Freuda. Napisał do autora i zapytał, czy może go odwiedzić w Wiedniu. Z listu Zygmunt odniósł wrażenie, że Wiktor Tausk jest lekarzem, zgodził się więc na jego przyjazd. Uratował mu życie. Tausk był bowiem o krok od samobójstwa.

Na wiosnę 1909 roku Tausk przyjechał do Wiednia. Zygmunt spędził z nim całe niedzielne przedpołudnie, po czym wyjął sto pięćdziesiąt koron i wsunął je Tauskowi do kieszeni. Młodzieniec był otwartą raną psychiczną, ale nie ulegało wątpliwości, że ma nieprzeciętną inteligencję. Zygmunt wprowadził go na środowe spotkania. Wszyscy zdawali sobie sprawę z głębokiego kryzysu emocjonalnego, jaki przeżywa Tausk, wierzyli jednak, że jego stanowcza wola powrotu na uniwersytet i ukończenia studiów medycznych pomoże mu się wydobyć z depresji. Hitschmann, Federn i Steiner złożyli się i zebrali cztery tysiące koron; Zygmunt dołożył resztę potrzebną na pokrycie kosztów dwóch pierwszych lat nauki. Tausk, wzruszony do łez, ślubował im dozgonną przyjaźń.

Zdarzało się też czasem Zygmuntowi, że musiał jakiemuś entuzjaście wyperswadować kiepskie pomysły. Tak właśnie było z Rudolfem von Urbantschitschem, synem słynnego specjalisty od chorób usznych. Przed sześciu laty ukończył on studia medyczne na Uniwersytecie Wiedeńskim i miał teraz własne modne sanatorium. Jeszcze w czasie studiów czytał niektóre prace Zygmunta. Należał do tych nielicznych śmiałków, którzy chwalili psychoanalizę Freudowską na uniwersytecie. Kilkakrotnie ostrzegano go, by powstrzymywał się od tego rodzaju niewczesnych uwag. Rudolf liczył lat trzydzieści, był katolikiem i miał wyłącznie katolicką klientelę. W grupie wiedeńskiej powitano go z otwartymi ramionami. Szybko jednak wiadomość o tym rozeszła się w świecie lekarskim. Sanatorium było zagrożone. Rudolf odwiedził wtedy Zygmunta.

– Panie profesorze, uważam, że nie wolno mi skapitulować. W grę wchodzi mój honor i niezależność. Muszę stawić czoło tym pogróżkom, nawet jeśli to przypłacę zamknięciem sanatorium.

– Stoi pan na progu kariery. – Zygmunt położył rękę na ramieniu Rudolfa. – Jest pan jeszcze za młody, by stanąć do takiego turnieju. Musi pan najpierw zdobyć mocną pozycję w swoim zawodzie, a my tymczasem będziemy walczyć o naszą reputację.

– Panie profesorze, ale środowe zebrania są dla mnie jedyną okazją szkolenia się w psychoanalizie.

– Ani panu, ani nam nic nie da, jeśli ludzie się dowiedzą, że stosunki z nami można przypłacić utratą praktyki lekarskiej. Radzę panu serdecznie, niech się pan wycofa. Nie wpłynie to na naszą przyjaźń.

Jak to zwykle bywa w rodzinnym gronie, przed obcymi nie ujawniano familijnych kłótni. Na zewnątrz występowali zawsze zgodnie we wspólnym froncie. Umieli zachować wzajemną życzliwość i gdy zdarzało się, że ktoś został skrzywdzony, wyłazili ze skóry, by mu to wynagrodzić, czy to kierując do niego pacjentów, czy starając się o wydrukowanie mu jakiejś pracy. W finansowych kłopotach zawsze okazywali hojność. Przypominali Zygmuntowi jego kolegów z czasów pracy w Allgemaines Krankenhaus, kiedy czterystu młodych ludzi dzieliło się w potrzebie kilkoma guldenami. Zygmunt orientował się w ich sytuacji i często śpieszył z drobną zapomogą, a czasem nawet z poważniejszą, z reguły bezzwrotną, pożyczką.

Kierował pacjentów do młodszych lekarzy, kiedy ich poczekalnia świeciła pustkami lub gdy brakowało im materiału do badań, dbał jednak o to, by nie były to przypadki zbyt skomplikowane, biorąc pod uwagę stan ich wiedzy teoretycznej i praktycznej. Chętnie odsyłał do nich chorych cierpiących na takie nerwice, jakie leczył od dwudziestu z górą lat i które wobec tego nie interesowały go już z naukowego punktu widzenia.

Nie przedstawiało to szczególnych trudności, dopóki miał ośmiu lub dziesięciu własnych pacjentów i zarabiał w ten sposób na stale rosnące potrzeby domu, w którym niemal codziennie podejmowano gości obiadem lub kolacją, i na kształcenie dorastających dzieci. W pięćdziesiątym roku życia jego praktyka była już stosunkowo ustabilizowana, ale rzadko się zdarzało, by oszczędności przekraczały kilka tysięcy koron. Nie miał zmysłu do interesów i nie próbował nawet obracać tymi skromnymi oszczędnościami. Dwuipółmiesięczne letnie wakacje, podróże i pisanie książek z reguły pochłaniały całoroczne oszczędności.

Groźniejszą od sporów personalnych była klikowość, coraz silniej zarysowująca się w ostatnich czasach. Szczególnie ostro występowała w dwóch kręgach; jeden skupiał zwolenników Zygmunta Freuda, drugi zaś zbierał się przy stoliku kawiarnianym Alfreda Adlera. Do tego ostatniego należeli D.J. Bach, Stefan Maday, baron Franciszek von Hye, Karol Furtmüller, Franciszek i Gustaw Grunerowie, Małgorzata Hilferding, pierwsza kobieta w grupie, Paweł Klemperer i Dawid Oppenheim. Tylko nieliczni z nich byli lekarzami. Zygmunt jednak zgodził się, by przyjęto ich na członków, uważał bowiem, że psychoanaliza wiedeńska potrzebuje przede wszystkim przyjaciół. Krystalizowanie się podstaw psychologii Adlera, jego teorie, że głównym czynnikiem kształtującym charakter jest kompleks niższości, a nie etiologia seksualna, przypisywanie „męskiemu protestowi" dominującej roli w powstawaniu nerwic rozbijały grupę. Wierni Freudowi członkowie nigdy nie chwalili referatów Adlera, chociaż były świetnie napisane i ciekawe. I nic nie pomagało, że Zygmunt uznał teorię kompleksu niższości za ważny przyczynek do koncepcji ludzkiej psychiki.

Przyjaciele Adlera demonstrowali lojalność, powstrzymując się od chwalenia prac zwolenników Zygmunta. Kolejne prace Adlera dowodziły niedwuznacznie, że nie chce on być uważany za Freudowskiego psychoanalityka. Podkreślał, że jego psychologia bardzo się różni od teorii Freuda i niewiele im zawdzięcza a właściwie nic.

Zaczął również napomykać, że środowe spotkania nie powinny odbywać się w gabinecie Zygmunta, ponieważ przekształcały się właściwie w seminarium profesora Freuda i wywierały niepożądany wpływ na uczestników. Czy nie lepiej będzie, jeśli znajdą jakąś przyzwoitą salę wykładową, gdzie można będzie zapraszać od czasu do czasu szerszą publiczność na ciekawsze referaty? W ten sposób staną się uznaną instytucją, a nie grupą rodzinną spotykającą się w ojcowskim domu.

Wilhelm Stekel, który tak energicznie pomagał zorganizować pierwszą grupę w 1902 roku, zafascynowany osobowością Alfreda Adlera, przeniósł się do jego stolika w „Cafe Central". Zygmunta zabolała ta dezercja. Marta świetnie orientowała się w jego nastrojach, toteż zapytała pewnego razu, dlaczego środowe spotkania, które niegdyś sprawiały mu tak wielką radość, stały się teraz dla niego przykrością.

– Nie warto mówić o tych sprawach. – Pokręcił głową. – Muszę znaleźć jakieś wyjście.

Karol Jung został zaproszony do Ameryki. Miał wygłosić serię odczytów w Chicago. Zygmunt obawiał się, że uniemożliwi to odbycie Kongresu w Norymberdze, planowanego na koniec marca. Niespożyty Jung poczynił jednak przed wyjazdem wszystkie niezbędne przygotowania i dał słowo, że wróci na czas, by przewodniczyć obradom. Niemcy mieli być reprezentowani przez Abrahama, Eitingona, Hirschfelda, Henryka Körbera i Löwenfelda; ze Szwajcarii mieli przyjechać J. Honneger, Alfons Maeder oraz Amerykanin Trigant Burrow, student Junga. Ze względu na porę roku nikt z Ameryki nie mógł jednak przybyć. Brill, Jones i Putnam mieli zajęcia na uniwersytetach.

W toku przygotowań zdarzył się niespodziewany incydent. Monachijski psychiatra doktor Maks Isserlin poprosił o pozwolenie wygłoszenia referatu. Zygmunt się zgodził. Jakimś cudem grupa wiedeńska dowiedziała się, że treścią referatu Isserlina nie jest opis ciekawego przypadku psychoanalitycznego, lecz gwałtowny atak na samą koncepcję podświadomości. Spotkali się w kawiarni, by omówić sprawę, po czym poszli do Zygmunta i zażądali, by odwołał referat Isserlina. Zygmunt chciał dowodów. Po kilku dniach je otrzymał. Obrady przewidziane były na dwa dni, liczbę referatów musiano wobec tego ograniczyć. Czy miało sens, by Isserlin zabierał cenny czas obrad i by potem jego atak został ogłoszony pod szyldem oficjalnego kongresu psychoanalitycznego? Ponieważ Jung wyjechał do Ameryki, Zygmunt sam powiadomił Isserlina o zmianie decyzji. Sądził, że udało mu się w ten sposób uniknąć nieprzyjemnego i szkodliwego incydentu. Reperkusje okazały się jednak bardzo przykre.

Z doktorem Hansem Maierem z Burghölzli, członkiem Towarzystwa Psychoanalitycznego, sprawa wyglądała inaczej, wrzawę jednak wywołała nie mniejszą. Maier był zdolnym lekarzem i pisywał w czasopismach psychiatrycznych. Próbował dokonać syntezy psychiatrii i psychoanalizy, przyznając psychoanalizie drugoplanowe miejsce. Zygmuntowi to się nie podobało, ale nie reagował, póki Maier nie zaczął arogancko atakować wszystkich założeń psychoanalizy Freudowskiej, często je dyskredytując. Domagał się również, jako członek Towarzystwa, by prace jego ukazały się w „Roczniku". Doszło do tego, że artykuły, które nadsyłał, były wykładem psychiatrii Kraepelina i Bleulera, pokrytym Freudowskim lukrem dla osłodzenia gorzkiej pigułki. Zygmunt doszedł do wniosku, że coś w tej sprawie trzeba zrobić. Cały problem ujął właściwie Otto Rank po przeczytaniu najświeższego artykułu Maiera w piśmie znanym z nieprzychylnej postawy wobec psychoanalizy.

– Czy musimy mieć zdrajcę w swym gronie? A właściwie dlaczego doktor Maier chce być nadal członkiem naszego Towarzystwa? Nie dość, że się z nami nie zgadza, to jeszcze zajmuje wręcz wrogie stanowisko. To przecież tylko wywołuje drwiny ludzi, którzy mogą powołać się na to, że nawet członkowie Towarzystwa nie wierzą w te „magiczne sztuczki". Czy nie dałoby się w jakiś delikatny sposób podsunąć Maierowi myśli, by przestał płacić składki?

– Jest Szwajcarem – odrzekł Zygmunt – więc może lepiej będzie, jeśli mu to zasugeruje ktoś z Zurychu, a nie my.

– Panie profesorze – upierał się Rank – wie pan przecież, że żaden Szwajcar nie będzie namawiał swego rodaka do ustąpienia z jakiejkolwiek organizacji. Uważaliby to za nielojalność.

– No cóż, trzeba będzie poruszyć tę sprawę na środowym spotkaniu grupy wiedeńskiej.

Na zebraniu wszyscy byli tego samego zdania. Znali artykuły Maiera atakujące podstawowe elementy ich doktryny; zresztą w ogóle nie lubili kolegów z Zurychu. Jednomyślnie uchwalono usunięcie doktora Maiera. Zygmunt przekazał decyzję, która wywołała nieprzychylne nastroje w Zurychu.

Tam ich zresztą nie brakło. Kiedy stosunki z Bleulerem stawały się coraz gorsze, Jung zerwał całkowicie z Burghölzli i rozpoczął praktykę w swoim domu w Künsnacht. Postanowił też przenieść się na inną uczelnię zuryską, niemającą żadnych związków z uniwersytetem. Zygmunt wciąż jeszcze nie mógł się zorientować, o co właściwie poszło, obu bowiem szanowano w wielu krajach europejskich i obaj mieli swych uczniów. Zaczął dopatrywać się w tych nieporozumieniach buntu Junga przeciw „ojcowskiej postaci" Bleulera. Nieraz był świadkiem tego, jak Jung niegrzecznie zwracał uwagę Bleulerowi, ale nie zdarzyło się, by Bleuler powiedział coś złego o Jungu. Trochę to przypominało konflikty Abrahama z Jungiem.

Sytuacja stawała się coraz poważniejsza. Jung podobnie jak Zygmunt uważał, że trzeba stworzyć szeroką bazę ruchu psychoanalitycznego i równocześnie wystrzegać się głosów wrogich i niekonstruktywnych. Bleuler wyrażał odmienne zdanie. Twierdził, że każda nauka zyskuje na dopuszczaniu do głosu najbardziej elokwentnych i jasno stawiających sprawę oponentów. Uważał, że to mobilizuje zwolenników do większego wysiłku i zmusza ich do energiczniejszego odpierania ataków. Z Zurychu docierały pogłoski, że Jung chce zmusić Bleulera do wystąpienia ze Szwajcarskiego Towarzystwa Psychoanalitycznego, co byłoby, w przekonaniu Zygmunta, straszliwą tragedią.

Wyjechał do Norymbergi dzień wcześniej niż delegacja wiedeńska, licząca dwadzieścia jeden osób. Chciał porozmawiać z Karolem Abrahamem i omówić z Ferenczim wniosek, który ewentualnie przedstawiłby na kongresie. Przed przeszło dwoma laty Karol Abraham przyjechał do Wiednia. Zaprzyjaźnił się wtedy z Zygmuntem i został jego wiernym uczniem. Jako pierwszy psychoanalityk rozpoczął praktykę w Berlinie. Nie szło mu najlepiej, jak to zwykle bywa, gdy w dużym mieście jest tylko jeden specjalista. Miał trzydzieści trzy lat. Był człowiekiem stanowczym i nieuleczalnym optymistą. Robił sympatyczne wrażenie: gładko wygolony – pozostawiał tylko mały wąsik – patrzył na rozmówcę szeroko rozstawionymi, uczciwymi oczami, których spojrzenie zdradzało wrodzoną dobroć. Głównym źródłem jego zarobków było nadal stanowisko sądowego rzeczoznawcy psychiatrycznego. Dotrzymał danej Zygmuntowi obietnicy i nie forsował swych poglądów, toteż choć nie pozyskał wśród lekarzy berlińskich ani jednego zwolennika, nie narobił sobie także wrogów. Na różnych kongresach berlińskich nadal atakowano Zygmunta, oszczędzano jednak Karola Abrahama.

– A to graniczy z cudem – mówił Zygmunt do Abrahama podczas spaceru po ulicach Norymbergi. – Niech pan tylko nadal stosuje moje metody wobec oponentów. Należy traktować ich jak pacjentów poddawanych analizie; spokojnie ignorować ich zaprzeczenia i nadal podawać im swoje wyjaśnienia, pomijając jednak sprawy, z którymi nie mogą się pogodzić, ponieważ opór wewnętrzny jest zbyt silny.

Abraham prosił o radę w kilku trudniejszych przypadkach. Kuzyn jego żony, doktor Herman Oppenheim, założyciel szanowanej kliniki psychiatrycznej w Berlinie, kierował do niego pacjentów, z którymi inni lekarze nie umieli sobie poradzić.

– Co mam począć z paranoidalnym pieniaczem – pytał – który po dwóch latach leczenia nadal skarży do sądu każdego, z kim się zetknie? W jaki sposób unikać impasu w leczeniu neurotyków?

– Widzę, że będę musiał ogłosić drukiem moje metody terapii.

– To będzie bardzo pożyteczne, panie profesorze. – Po czym Abraham dodał nieśmiało. – Niewiele mam spektakularnych sukcesów w leczeniu, ale niemal w każdym przypadku udało mi się zmniejszyć nasilenie objawów.

Opowiadał o homoseksualistach, którzy zwracali się o pomoc, ale obawiali się zdemaskowania; o pacjencie liczącym czterdzieści dwa lata, żonatym od dziesięciu lat, impotentem od dnia ślubu; wreszcie o dwóch przypadkach uporczywych nerwic natręctw. Pierwszy pacjent wpadał w głęboką depresję. Podczas ataków odczuwał przymus modlenia się. W toku swobodnego kojarzenia udało się odnaleźć źródło zaburzenia. Mężczyzna ów jako siedmioletni chłopiec był przypadkowo świadkiem kłótni, podczas której rozgniewana kobieta uniosła spódnicę i zademonstrowała pogardę dla sąsiadów, pokazując im goły tyłek. Po powrocie do domu chłopiec opowiedział służącej o incydencie, ta zaś oburzona zawołała, że za opowiadanie takich nieprzyzwoitych rzeczy może zostać aresztowany. Przestraszył się, zaczął się modlić i pokrywać modlitwami każdy czysty skrawek papieru. Głębsza analiza wykazała, że ten incydent jest tylko kurtyną pamięci zasłaniającą wcześniejsze obnażenia: podnosił nocną koszulę swej niani, a wcześniej czynił to samo, kiedy sypiał z matką. Każdy przedmiot, który brał do ręki, obracał, aby zobaczyć odwrotną stronę. Ataki przygnębienia minęły, gdy dorósł, po czym wróciły w średnim wieku. Objawy zaostrzyły się i zagrażały jego zdrowiu psychicznemu.

Drugi pacjent we wczesnym dzieciństwie zaborczo kochał matkę i zazdrosny był o ojca i brata. Kiedy posłano go do internatu, zaczęło go prześladować silne uczucie seksualnego odtrącenia. Zaczął bardzo chłodno traktować matkę, niszczył prezenty, które mu przysyłała, nigdy nie wspominał o niej słowem i krzyczał przez sen. Gdy ojciec mu to wypominał, tłumaczył, że to jest od niego niezależne, że coś w nim samo krzyczy.

Odczuwał teraz silny przymus wypowiadania w obecności rodziny sprośnych słów, szczególnie odnoszących się do kobiecych narządów płciowych. Abraham stopniowo wyjaśnił mu kompleks Edypa. Udało mu się doprowadzić do tego, że pacjent przestał krzyczeć i nie nękało go poczucie winy wywołane pożądaniem własnej matki. Co ma jednak począć dalej?

– Drogi kolego – tłumaczył Zygmunt – zmiany umysłowe nigdy nie następują szybko. Nie należy w ogóle stawiać pytań w rodzaju, co począć dalej. Sam pacjent wskazuje kierunek, wypowiadając wszystko, co mu przychodzi do głowy. Coraz bardziej odsłania swą powłokę umysłową. Natręctwa należy leczyć wcześniej, u osób jeszcze młodych, a wtedy terapia przynosi sukces i przyjemność. Niech pana jednak nie zniechęca ten przypadek, chociaż ma pan do czynienia z mężczyzną w średnim wieku, proszę kontynuować leczenie, o ile to tylko będzie możliwe. Pacjenci często bywają zadowoleni nawet z takich wyników, które nie zadowalają lekarzy. Wspomniał pan o tym, że pacjent przeszedł od żarliwej modlitwy do niewiary i z powrotem do modlitwy. Jest to zjawisko charakterystyczne u neurotyków z zespołem natręctw; odczuwają potrzebę reagowania na dwa sprzeczne głosy, przechodząc zazwyczaj z jednej skrajności w drugą.

Abraham opowiedział z kolei o rozmowie z żoną pacjenta cierpiącego na niemoc płciową.

– Ledwie wspomniałem o tym, że istnieje możliwość przywrócenia jej mężowi fizycznej sprawności płciowej, a już zaczęła nerwowo otwierać i zatrzaskiwać torebkę trzymaną w ręku.

Zegary wybiły południe. Zygmunt i Abraham ruszyli w drogę powrotną do hotelu.

– Pisałem panu o dwóch moich pacjentkach, które skarżą się na identyczne objawy: uczucie napięcia mięśni twarzy wokół ust, jak gdyby były zaciśnięte. Czy nie zachodzi tu zjawisko przeniesienia w górę? Wiem, że obie pacjentki odczuwają awersję do swoich mężów. U jednej ten wstręt jest stłumiony. Druga z trudnością znosi stosunek seksualny i niekiedy reaguje wręcz fizycznymi objawami obrzydzenia. Czy nie sądzi pan, że to uczucie napięcia wokół ust może oznaczać przemieszczenie pochwicy?

Sándor Ferenczi czekał już na nich w Grand Hotelu. Abraham pożegnał się, a Zygmunt zabrał Ferencziego do swego pokoju, gdzie mogli porozmawiać na osobności. Ferenczi miał bardzo dobrą sytuację w Budapeszcie. Cieszył się popularnością nie tylko w świecie lekarskim i urzędniczym, ale także wśród zwykłych mieszkańców miasta. Uchodził za jedną z najbarwniejszych postaci stolicy Węgier. Miał przyzwoitą praktykę internistyczną, która pozwalała mu przetrwać do czasu, kiedy wreszcie wytłumaczy Węgrom, na czym polega psychoanaliza. Idee Freuda budziły w Budapeszcie gwałtowniejszy opór niż gdziekolwiek indziej. Kiedy Ferenczi wygłaszał pierwszy wykład w Budapeszteńskim Towarzystwie Psychiatrycznym, starał się zachować dyplomatyczny ton, omawiając jedynie „fakty całkowicie oczywiste, łatwe do zrozumienia i przekonywające". Do Zygmunta pisał, że nagły i gwałtowny atak wyrządziłby tylko szkodę. Stopniowo udało mu się przekonać grupę lekarzy, że coś jednak jest w psychologii Freudowskiej. Zaczęli kierować do niego pacjentów.

Gdy tylko znaleźli się w pokoju, Zygmunt natychmiast przystąpił do sprawy, którą chciał omówić z Sándorem.

– Po referatach i po dyskusji musimy się zająć sprawami organizacyjnymi. Trzeba stworzyć stałą instytucję. Chcę, żeby pan przedstawił memorandum w tej sprawie.

– Z przyjemnością, panie profesorze. – Rumieniec dumy wystąpił na policzki Ferencziego. – Ale czy nie powinien tego uczynić któryś z pańskich starszych uczniów z grupy wiedeńskiej?

– Nie – odpowiedział Zygmunt lakonicznie. – Przestałem lubić wiedeńczyków. Starsze pokolenie, Stekel, Adler, Sadger, to ciężki krzyż do dźwigania. Mam takie przeczucie, że już wkrótce będą mnie uważali za zawalidrogę i nie będą się z tym kryli.

– Nie wierzę, panie profesorze. – Ferenczi był szczerze oburzony. – Ale wróćmy do sprawy. Czy mógłby mi pan powiedzieć, jak wyobraża pan sobie szczegółowo strukturę organizacji... – Wyjął z kieszeni notes.

– Po pierwsze, chciałbym zaproponować powołanie Międzynarodowego Towarzystwa Psychoanalitycznego z oddziałami w różnych krajach, tworzonymi w miarę jak będzie dojrzewała tam sytuacja. Po drugie, chciałbym, by Karol Jung został wybrany na prezesa Towarzystwa... dożywotnio.

Ferenczi gwizdnął cichutko, ale nie odrywał oczu od notesu.

– Z tego też powodu życzyłbym sobie, by centralny ośrodek psychoanalizy przeniósł się z Wiednia, miasta dla psychoanalizy niegościnnego, do Zurychu, który od samego początku okazywał ruchowi życzliwość. Riklin zgodził się na objęcie stanowiska sekretarza, zajmowanie się składkami, publikacjami, krótko mówiąc, sprawami organizacyjnymi. Ważną sprawą będzie uniemożliwienie dostępu oszustom i nieudolnym amatorom, a także niedopuszczanie do „Rocznika" niewłaściwych materiałów. Karol Jung otrzyma prawo zaznajamiania się z wszystkimi nadsyłanymi materiałami i podejmowania ostatecznej decyzji, które z nich nadają się do opublikowania w „Roczniku".

– Skoro pan też jest w zarządzie, niczym to nie grozi... w każdym razie jak długo pan i Jung będziecie przyjaciółmi...

Teraz z kolei zdziwił się Zygmunt.

– Ależ my zawsze będziemy przyjaciółmi! Ja uważam go za swego następcę.

– Świetnie, panie profesorze. Chyba zanotowałem wszystko. Jutro rano przygotuję tekst.

– I jeszcze jedna sprawa, Ferenczi. Wiedeńczycy nie będą zachwyceni tymi wnioskami, ale mam nadzieję, że pan sobie sprytnie poradzi z ich obiekcjami.

Część naukowa konferencji minęła gładko. Entuzjastycznie zostały przyjęte referaty Abrahama o fetyszyzmie i Adlera o psychogennym hermafrodytyzmie. Cenne referaty wygłosili Jung, Maeder i Löwenfeld. Referat Zygmunta o przyszłości metod psychoanalitycznych zrobił znacznie mniejsze wrażenie niż jego wykład przed dwoma laty w Salzburgu.

Kiedy Ferenczi wystąpił z wnioskiem stworzenia Międzynarodowego Towarzystwa Psychoanalitycznego, sala zareagowała oklaskami. Niechętne jednak poruszenie wywołał następny jego wniosek, by Jung został dożywotnim prezesem Towarzystwa. Ferenczi uniósł rękę, by uspokoić salę, i ciągnął stanowczym tonem:

– Siedzibą władz Towarzystwa będzie Zurych. Doktor Riklin zgodził się objąć stanowisko sekretarza. Jego obowiązkiem będzie oficjalne zatwierdzanie nowych oddziałów, w miarę jak będą powstawały w Berlinie, Budapeszcie, Londynie, Nowym Jorku. Na jego ręce będą wpływały roczne składki, on będzie się zajmował wydawnictwami Towarzystwa i będzie przygotowywał dwumiesięczny biuletyn informujący o bieżących sprawach Towarzystwa.

Tę koncentrację władzy w rękach Szwajcarów powitali wiedeńczycy lodowatym milczeniem. Ale wybuch nastąpił dopiero po ostatnim zdaniu Ferencziego.

– Wszystkie materiały przeznaczone dla „Rocznika" muszą uzyskać aprobatę prezesa Karola Junga. Tylko w ten sposób możemy zapewnić czysto naukowy charakter publikacji na temat psychoanalizy.

Kilku delegatów zerwało się z miejsc. Stekel, Adler, Federn, Sadger, Wittels, Hitschmann krzyczeli: „Nie będziemy tolerowali dyktatury!", „To jest zwyczajna cenzura w najgorszej postaci!", „Domagamy się wolnych wyborów!". Potem w nagłej ciszy rozległ się okrzyk: „Dlaczego Wiedeń ma być podporządkowany Zurychowi?!".

Łagodny Ferenczi niespodziewanie pokazał pazury:

– Ponieważ Zurych ma bardziej naukowe podejście. Oni wszyscy są psychiatrami z wykształceniem uniwersyteckim, a wy nie. Cieszą się szacunkiem świata lekarskiego. Wy jesteście marginesem. Nie macie uniwersytetu, szpitala ani nawet przyzwoitej kliniki.

Wiedeńczycy zerwali się z miejsc, krzyczeli, wygrażali pięściami Ferencziemu. Przewodniczący nawoływał do spokoju, po czym przekrzykując wszystkich, ogłosił przerwę.

Zygmunt wymknął się tylnymi drzwiami. Był straszliwie przygnębiony. Nie zamieniwszy z nikim słowa, zamknął się w swoim pokoju. Wypił szklankę zimnej wody i opadł na fotel. Źle się stało, że Ferenczi znalazł się w takiej sytuacji, że musiał upokorzyć wiedeńczyków. Wojna domowa jest nieunikniona...

Wstał i zaczął przemierzać pokój. To jego wina. To on skarżył się Ferencziemu na wiedeńczyków. To on powiedział mu, że są kłótliwi, że Stekel zmyśla historyjki o pacjentach, że tworzą klikę, a ich walka o pierwszeństwo bardzo mu się nie podoba. I oto skutek. Popełnił niedyskrecję.

– To przecież ja odsuwam wiedeńczyków – powiedział głośno do siebie.

Rozległo się pukanie do drzwi. Otworzył. W drzwiach stał Otto Rank. Cała krew odpłynęła mu z twarzy.

– Panie profesorze, wydaje mi się, że powinien pan natychmiast zejść do pokoju Stekla. Są tam prawie wszyscy wiedeńczycy. Obrażeni i wściekli. Grożą, że opuszczą kongres.

Rank nie przesadzał. W pokoju Stekla Zygmunt zastał kilkunastu mężczyzn. Ujrzał między nimi nawet swych wiernych zwolenników. Gdy wszedł, zapanowała cisza; ale było to wrogie milczenie ludzi zdradzonych. Pierwszy przemówił Adler. W chwili kryzysu grupa najwyraźniej uczyniła go swym rzecznikiem.

– Panie profesorze, chcielibyśmy wiedzieć, co skłoniło Ferencziego do zaatakowania nas?

– Panie doktorze, te krytyczne słowa nie powinny były paść. Biorę winę na siebie, ponieważ Ferenczi występował w moim imieniu. Przepraszam i proszę, żebyście wszyscy zechcieli zapomnieć o całym incydencie.

– Czy mamy również zapomnieć o tym – wołał Stekel – że my, najstarsi pańscy zwolennicy, znowu jesteśmy odsuwani na bok, by ustąpić miejsca Szwajcarom? Przez przeszło siedem ciężkich lat dzieliliśmy z panem wszystkie kłopoty, trudności, byliśmy lojalni wobec pana, wierni pańskiej doktrynie. A ci Szwajcarzy? Przez kilka miesięcy organizowali cotygodniowe spotkania; dyskutowali o psychoanalizie Freudowskiej, potem przestali. Bleuler nie chce wstąpić do naszej organizacji. Jung, który pańskim zdaniem powinien być stałym prezesem Towarzystwa, nie jest stuprocentowym freudystą; atakuje często seksualną etiologię nerwic...

Zygmunt uniósł rękę, przerywając Steklowi.

– Panowie! Zwróciłem się do Szwajcarów, ponieważ bez nich nie damy sobie rady. Nowa gałąź medycyny nie zyska uznania, jeśli nie będzie związana z jakimś uniwersytetem i szpitalem. Burghölzli jest naszą jedyną nadzieją. – Wciągnął głęboko powietrze. – Powiem panom więcej, tylko dzięki pojawieniu się Junga psychoanaliza uniknęła oszczerczego zarzutu, że jest czysto żydowską aferą. Tylko wtedy gdy Jung będzie prezesem, a siedzibą Towarzystwa stanie się Zurych, obronimy się przed jadowitym antysemityzmem, bronią naszych przeciwników.

Mówił cicho, ale z wielkim żarem. Słowa jego jednak nie zrobiły żadnego wrażenia na zebranych. Zygmunt czuł, że wszystko, co w ciągu tych lat stworzył, znalazło się na krawędzi przepaści. Ochrypłym głosem wołał:

– Moi wrogowie będą zadowoleni, jeśli zobaczą, że umieramy z głodu! Chętnie odjęliby mi ostatnią kromkę od ust.

Gniew i wrogość ustąpiły, kiedy wiedeńczycy zorientowali się, że ich profesor jest bardzo przygnębiony i że wygląda tak staro. Przemówił Paul Federn, jeden z najbliższych przyjaciół Zygmunta.

– A więc dobrze, panie profesorze. Zgadzamy się, by Zurych stał się siedzibą Towarzystwa. Ale kadencja Junga nie może trwać dłużej niż dwa lata. Potem muszą się odbyć wolne i jawne wybory.

Zygmunt przystał na ten warunek. Następnym mówcą był Edward Hitschmann. I on dotąd zachowywał niezmienną lojalność wobec Zygmunta.

– Nie zgodzimy się, by Jung cenzurował nasze publikacje. Jeśli tylko od niego będzie zależało, co ma się ukazywać w „Roczniku", umożliwimy mu zepchnięcie psychoanalizy na manowce mistycyzmu.

– To nigdy nie było moim zamiarem, Edwardzie. Żądałem od niego zapewnienia każdemu wolności naukowej. Chodziło mi tylko o to, by nie dopuścić do „Rocznika" kiepskich materiałów, tego rodzaju referatów, jakie i wyście ganili. Zaproponuję utworzenie zespołu redakcyjnego złożonego z przedstawicieli obu stron.

Napięcie w pokoju opadło. Większość obecnych zasmuciła ta scena. Zygmunt, całkowicie już opanowany, nie miał bynajmniej zamiaru zostawiać ich z tak mieszanymi uczuciami. Z uśmiechem na ustach powiedział:

– Skoro opatrzyliśmy rany i załatwiliśmy słuszne pretensje, przejdźmy do bardziej konstruktywnych pomysłów. Od dawna noszę się z myślą ustąpienia ze stanowiska prezesa Wiedeńskiego Towarzystwa Psychoanalitycznego. Zawsze uważałem za swego następcę doktora Alfreda Adlera. Na najbliższym posiedzeniu w Wiedniu ustąpię i mianuję go na moje miejsce.

Rozległy się oklaski. Adler był wyraźnie zaskoczony słowami Zygmunta.

– Po drugie, uważam, że bardzo potrzebujemy drugiego czasopisma, które będzie redagowane i publikowane w Wiedniu. Stworzy to dodatkowe możliwości dla naszych autorów. Wymyśliłem już nawet nazwę „Zentralblatt für Psychoanalyse”. Rzecz jasna, redaktorami będą Stekel i Adler.

Znowu rozległy się oklaski. Ktoś powiedział:

– Tak więc, panie profesorze, siły się wyrównały. Z doktorem Adlerem jako przewodniczącym naszej grupy i własnym miesięcznikiem zadbamy o to, by Wiedeń pozostał stolicą psychoanalizy.

Zygmunt wrócił do swego pokoju, rozebrał się i – co dotąd zdarzyło mu się w życiu tylko kilka razy – nie zmrużył oka aż do świtu. Jako człowiek, który przeprowadził autoanalizę, zdawał sobie sprawę, że przeżył małe załamanie i zachował się histerycznie. Uważał, że wyleczył się z wszelkich nerwic. Widocznie jednak napięcia, ataki, klęski pozostawiły ślad głębszy w jego psychice, niż przypuszczał. Postąpił niemądrze, że nie uzgodnił wszystkiego zawczasu ze swoją grupą. Memorandum powinien przedstawić Adler. Nigdy nie powinien był zdradzić się przed Ferenczim z kłopotami, jakie nastręczali mu wiedeńczycy. Udało się jednak wszystko naprawić. Jutro narodzi się Międzynarodowe Towarzystwo Psychoanalityczne. Jung zostanie wybrany na dwa lata. Riklin będzie zastępcą Junga. Po to przyjechał do Norymbergi. Popełnił kilka błędów w rozumowaniu, ale wszystko udało się naprawić. Kongres w Norymberdze zostanie uwieńczony powodzeniem.

Zasnął, gdy w oknie ukazały się pierwsze promienie wschodzącego słońca.

Księga piętnasta

Decydująca batalia

1

Międzynarodowy Kongres Psychoanalityczny w marcu 1910 roku zakończył się przyjemnym wydźwiękiem. Potwierdził to list od Karola Abrahama, który pisał, że grupa wiedeńska w drodze do Berlina przez dziewięć godzin omawiała interesujące referaty i teorie przedstawione na Kongresie. Abraham zawiadamiał równocześnie, że Berlińskie Towarzystwo Psychoanalityczne, liczące dziesięciu członków założycieli, przystępuje do Międzynarodowego Towarzystwa.

W Wiedniu czekała Zygmunta miła niespodzianka; grupa powiększyła się o nowego, sympatycznego członka. Doktor Ludwik Jekels pochodził ze Lwowa. Medycynę studiował w Wiedniu. Przez siedemnaście lat prowadził praktykę ogólną i zaoszczędził dostatecznie dużo pieniędzy, by w czterdziestym drugim roku życia zrezygnować z niej i zająć się wyłącznie psychoanalizą. Miał szczupłą twarz, zapadnięte policzki i ostry, wystający nos. Kompletnie łysy, zachował tylko cienkie pasmo włosów, które sczesywał znad prawego ucha w poprzek całej czaszki.

Jekels cieszył się ogólną sympatią; był człowiekiem skromnym, wolał pisać, niż przemawiać i już wkrótce mówiono o nim, że jest „dżentelmenem starej daty, dla którego pojęcia godności i honoru jeszcze coś znaczą". Niesłychanie żądny wiedzy, starał się każdy problem psychologiczny przemyśleć konsekwentnie do końca. Przygotowanie artykułu zajmowało mu wiele czasu, ale po ukończeniu nie można mu było nic zarzucić. Zaczął również tłumaczyć książki Zygmunta na język polski.

Zygmunt przysłał mu pierwszego pacjenta do psychoanalizy. Znakomicie sobie poradził, a na słowa uznania odpowiedział skromnie:

– Rad jestem, że mogę się na coś przydać.

Kłopoty ze Steklem trwały. Tym razem jednak nie on je sprowokował. Kiedy Zygmunt zapytał Hugona Hellera, czy nie podjąłby się publikowania czasopisma psychoanalitycznego, otrzymał stanowczą odpowiedź:

– Panie profesorze, gdyby pan był redaktorem „Zentralblatt", z przyjemnością bym się tym zajął, ale nie podejmuję się, jeśli redaktorem jest Stekel. Nie podoba mi się jego niechlujne pismo i brak naukowej skrupulatności.

Zygmunt przemilczał uwagę i zmienił temat. Kazał Steklowi poszukać jakiegoś porządnego wydawcy. Czterech kolejnych odmówiło, aż wreszcie podjęła się wydawania pisma jakaś firma w Wiesbaden. Alfredowi Adlerowi, jako współredaktorowi czasopisma, Zygmunt zaproponował, by czytał i redagował wszystkie materiały przeznaczone do publikacji, dbając o zachowanie wysokiego poziomu pisma.

Dopiero na którymś z rzędu środowym zebraniu grupy wiedeńskiej Alfred Adler został jej prezesem; Zygmunta Freuda wybrano na kierownika naukowego. Pod koniec kwietnia stało się zadość życzeniu Adlera: po siedmiu latach spotkań w gabinecie Freuda Wiedeńskie Towarzystwo Psychoanalityczne przeniosło się do sali Kolegium Doktorskiego. Na posiedzenia dopuszczono publiczność. Trzeba było jednak zrezygnować ze starej zasady, że każdy członek Towarzystwa musi zabrać głos w dyskusji. Teraz porządek dzienny obejmował jeden wykład oraz dwie lub trzy wypowiedzi. Po każdym wykładzie gromadziła się wokół Zygmunta mała grupa, z którą szedł do kawiarni. Siedzieli tam przez kilka godzin, rozmawiając nie tylko o psychoanalizie i wysłuchanym wykładzie, ale też o nowych sztukach, książkach i wydarzeniach politycznych.

Adler nie ukrywał niechęci do Sändora Ferencziego i często wracał do „niezręcznego memorandum, przed którym trzeba było bronić szkołę wiedeńską". W bardziej łaskawym tonie dodawał: „Jeśli idzie o pracę naukową, to niewątpliwie nasza współpraca ułoży się lepiej z chwilą, gdy wzrośnie wzajemne zaufanie. W przyszłości przyczyni się to zapewne do utwierdzenia przodującej pozycji szkoły wiedeńskiej".

Zygmunta ucieszyły te słowa, ale Fritz Wittels, którego jadowite uwagi zawsze trafiały w sedno, dodał:

– Szwajcarzy doszli do freudyzmu przez studia kliniczne; z takim samym poczuciem słuszności i w takim samym łzawym tonie potrafią bronić zupełnie różnych doktryn. Natomiast Towarzystwo Wiedeńskie wyrosło w procesie historycznym; każdy z nas miał jakąś nerwicę, co jest niezbędnym wprowadzeniem do teorii Freuda. Wątpię, by Szwajcarzy cierpieli kiedykolwiek na jakieś nerwice.

Stolik pokwitował śmiechem słowa Wittelsa; zaiste, nikt jeszcze nie słyszał o znerwicowanym Szwajcarze. Ale Zygmunt wiedział, że w Burghölzli pełno jest typowych przypadków nerwic; w Zurychu leczono te same klasyczne przypadki.

Niepokojące wiadomości nadchodziły z Niemiec, gdzie na konferencji neurologów w Hamburgu, po omówieniu sprawozdania z prac Kongresu Psychoanalitycznego w Norymberdze, uchwalono „bojkot sanatoriów, w których stosuje się terapię Freudowską". Mogło to sprawić kłopoty Maksowi Kahane, miał on bowiem wielu pacjentów z Niemiec. W swoim sanatorium Maks w niewielkim stopniu stosował psychoanalizę. Starał się jej wręcz unikać. Stale jednak zapewniał Zygmunta, że środowe spotkania otwierają przed nim nowe perspektywy psychologiczne, które wykorzystuje w leczeniu pacjentów.

Jeden z paragrafów statutu Wiedeńskiego Towarzystwa Psychologicznego głosił: „Towarzystwo stawia sobie za cel rozwijanie psychoanalizy stworzonej w Wiedniu przez profesora Zygmunta Freuda". Ale już wkrótce Alfred Adler wygłosił referat świadczący o tym, że zerwał niemal kompletnie z seksualną teorią Freuda. Seksualizm należało, jego zdaniem, rozumieć jedynie w znaczeniu symbolicznym. Wnioski Adlera sprowadzały się w zasadzie do następujących twierdzeń:

„W naszej cywilizacji kobiety mają skłonność do nerwic, nie dlatego że pragną mieć męskie organy, lecz dlatego, że są zazdrosne o dominację mężczyzn w kulturze współczesnej. Tak więc dla kobiet penis jest symbolem przesadnie wysokiej pozycji mężczyzny w społeczeństwie. W przypadkach gdy pragną zostać mężczyznami, wyrzekają się swej kobiecości, cierpią na takie objawy nerwicowe jak bolesna menstruacja, bolesny stosunek lub wręcz homoseksualizm, co jest swego rodzaju protestem przeciw męskości. Mężczyźni, którzy usiłują przesadnie podkreślać swą męskość, kompensują w ten sposób swe poczucie niedostatku męskości, a nie lęki wywołane obawą przed kastracją".

Zygmunt żalił się Marcie, że środowe spotkania stały się dla niego męczarnią. Adler jednak często miewał odkrywcze pomysły. Do nich należała koncepcja „zbiegu popędów", wyjaśniająca pewne aspekty złożoności *libido*, energii, w którą wyposażone są instynkty, oraz jej istoty, pochodzącej, zdaniem Adlera, nie z jednego źródła lub bodźca, lecz z wielu. Zygmunt natomiast uznał słuszność sformułowania Adlera i wprowadził je do swoich prac. Inną koncepcją Adlera był „kompleks niższej wartości". Wyprowadzał on tę hipotezę ze swej pierwotnej koncepcji defektów organicznych jako podłoża zasadniczo kształtującego charakter. Niższą wartością organiczną określał stan, w którym defekt somatyczny jakiegoś narządu, kończyny lub części ciała prowadzi do zaburzeń emocjonalnych. Defekt ten może zostać usunięty na drodze terapeutycznej, może ulec kompensacji albo zostać zaadaptowany. Zygmunt nie mógł się pogodzić z koncepcją Adlera, chociaż wiedział, że pewne stany lękowe powstają w wyniku poczucia mniejszej wartości.

Tłumaczył kolegom, że nie zawsze potrafi przyjąć nową ideę po pierwszym zetknięciu się z nią. Niekiedy musi tygodniami zmagać się z jakimś nowym ujęciem, zanim je zaakceptuje.

Tym razem powiodło się i już wkrótce termin „kompleks niższej wartości" wszedł na stałe do języka psychoanalizy.

Adler był twórczym myślicielem, silną osobowością przywódczą i oryginalnym autorem, i dlatego nie mógł się pogodzić z drugoplanową rolą przy Karolu Jungu. Przez całe życie buntował się przeciw swemu starszemu bratu, który, jako dziecko chorowite, stał się ulubieńcem matki. Nie umiał grać drugich skrzypiec. I to właśnie było motorem wszystkich jego poczynań w ciągu ostatnich dwóch lat, które doprowadziły go w końcu do odcięcia się od analizy Freudowskiej i od jej podstawowych koncepcji: kompleksu Edypa i seksualnej etiologii nerwic. Zastąpił je koncepcjami defektu organicznego i męskiego. Zygmunt wiedział, że nie ma w tym jakiejś nierzetelności czy zakłamania, bo Alfred Adler to człowiek uczciwy. Jego stosunki z pacjentami, z rodziną i z przyjaciółmi są nienaganne. Kiedy jednak na każdym środowym spotkaniu, czy to wygłaszając referat, czy też rozwodząc się krytycznie nad czyimś wykładem, podcinał gałęzie Freudowskiej psychoanalizy, Zygmunta ogarniało głębokie przygnębienie.

2

Pracował bez wytchnienia. W minionym roku, w lutym, przed wyjazdem na kongres do Norymbergi podjął się leczenia młodego, bogatego Rosjanina. Sergiusz Pietrow radził się już Kraepelina w Monachium i najlepszych psychiatrów berlińskich. Nikt nie chciał się podjąć leczenia, wszyscy go odsyłali, uważając, że jest to przypadek nieuleczalnej psychozy maniakalno--depresyjnej. Pietrow miewał poważne stany depresji, w których był zupełnie bezwolny, nie potrafił się sam ubierać ani jeść. Cierpiał na tak ostrą obstrukcję, że dwa razy w tygodniu musiano mu robić lewatywę.

Do Zygmunta przychodził sześć razy w tygodniu. Chętnie poddawał się psychoanalizie. Okazywał nawet pewną gorliwość, nie zdradził jednak niczego, co by się odnosiło do okresu dzieciństwa, ani w procesie swobodnego kojarzenia, ani w kontrolowanych wypowiedziach. Po kilku miesiącach Zygmunt czuł się już zniechęcony, ale nie mógł zrezygnować z leczenia. Zbyt wiele czasu poświęcił na wprowadzenie Sergiusza w proces psychoanalizy i odczytywania podświadomości. Był przekonany, że u podłoża choroby leżała nerwica z okresu dziecięcego, niepozostająca w żadnym związku z rzeżączką, którą pacjent zaraził się w osiemnastym roku życia i którą uważał za źródło wszystkich swych kłopotów.

Zygmunt postanowił, że w określonym terminie przerwie leczenie, jeśli do tego czasu nie uda mu się pomóc Sergiuszowi. Pacjent początkowo nie wierzył, w miarę jednak jak termin się zbliżał, coraz bardziej uświadamiał sobie, że decyzja lekarza jest nieodwracalna. W ciągu tych miesięcy przekonał się, że profesor Freud to człowiek uczciwy. Bardzo się do niego przywiązał. Obawa, że Freud go teraz odtrąci, pomagała mu przełamać opory.

Sergiusz urodził się w dużym majątku ziemskim, w Rosji. Jego młodzi rodzice bardzo się kochali. Niespodziewanie cała seria nieszczęść zburzyła tak szczęśliwie zapowiadające się dzieciństwo. Matka zachorowała na jakąś chorobę brzucha i nie mogła zajmować się synem. W pierwszych latach życia był ulubieńcem ojca, który jednak zaczął z czasem faworyzować starszą siostrę Sergiusza. Potem ojciec zapadł na melancholię i w końcu został odesłany do zakładu. Siostra Sergiusza, starsza od niego o dwa lata, zabawiała się, strasząc chłopca obrazkiem przedstawiającym wilka stojącego na tylnych łapach. Obrazek wycięła z jakiejś książki. Zmuszała brata do oglądania wilka, a Sergiusz krzyczał przerażony, że wilk go pożre.

Początkowo Sergiusz był chłopcem spokojnym, grzecznym, niesprawiającym żadnych kłopotów. Pewnego lata, kiedy ukończył czwarty rok życia, rodzice, wróciwszy z wakacji, zastali go całkiem odmienionego. Wychowywany uprzednio przez nianię, starą chłopkę z majątku, w ostatnim czasie został oddany pod opiekę angielskiej guwernantki, która nieustannie kłóciła się z dziećmi i starą nianią. Przez następne osiem lat Sergiusz chorował i stał się nieznośnym, trudnym do kierowania dzieckiem.

Na drodze swobodnego kojarzenia pacjent przypomniał sobie scenę, której był świadkiem jako półtoraroczne dziecko. Chorował wówczas na malarię. Kołyskę ustawiono w sypialni rodziców. Pewnego popołudnia obudził się; rodzice odpoczywali po obiedzie. Zobaczył, że mają stosunek *a tergo* (od tyłu). Powtórzyło się to trzykrotnie. Ta osobliwa pozycja umożliwiła dziecku zobaczenie narządów płciowych ojca i matki.

Zygmunt nazywał to „zasadniczą sceną". Sergiusz jej nie rozumiał i nie miała ona żadnego wpływu na jego stan nerwowy do czwartego roku życia, kiedy przyśniła mu się w konwencji symbolicznej. Śnił, że leży w swoim łóżku, nogami w kierunku okna, za którym rósł rząd włoskich orzechów.

– Jestem pewny, że miałem ten sen zimą, w nocy. Nagle okno samo się otworzyło i z przerażeniem zobaczyłem, że na olbrzymim białym orzechu przed oknem siedzi sześć lub siedem wilków. Były całkiem białe i raczej podobne do lisów albo owczarków, miały bowiem duże ogony jak lisy i stawiały uszy jak psy. Straszliwie przerażony, prawdopodobnie obawiając się, że wilki mnie pożrą, obudziłem się z krzykiem.

Sergiusz narysował drzewo z siedzącymi na nim wilkami; ciekawym szczegółem było to, że stary wilk miał obcięty ogon. Potem szczegółowo analizował z Zygmuntem bajki, w których występują wilki, na przykład o Czerwonym Kapturku i wilku, którymi straszyła go starsza siostra. Zastanawiali się wspólnie, dlaczego wilki były białe. Sergiusz powiedział, że uderzyły go dwa elementy snu: to, że wilki nie ruszały się i że wpatrywały się w niego z wielkim napięciem. Miał również silne poczucie realności tej sceny, co jak Zygmunt wiedział z doświadczenia, oznaczało, że sen jest związany z jakimś prawdziwym wydarzeniem.

Nie miał jeszcze pięciu lat, kiedy siostra nauczyła go pewnych dziecinnych praktyk seksualnych. Zabierała go do łazienki i proponowała, by się rozbierali i pokazywali sobie wzajemnie pośladki. Brała do ręki jego członek, bawiła się nim i mówiła, że niania to samo robi z ogrodnikiem. Chcąc się zemścić na ukochanej niani, zaczął w jej obecności bawić się penisem. Niania była oburzona.

– Brzydko się bawisz. Chłopcy, którzy to robią, tracą siusiaki i robi im się w tym miejscu rana.

W pełni ukształtowana podświadomość Sergiusza nastawiała go przeciwko sobie samemu i całemu otoczeniu. Z czasem, przełamując opory, coraz niechętniej odgrywał bierną rolę wobec siostry i buntował się przeciwko przejmowaniu przez nią roli męskiej albo agresywnej. W piątym roku życia, czyli w okresie, kiedy jego psychika winna była skoncentrować się na obszarze narządów płciowych, nastąpiła u niego regresja do fazy analnej, co wyrażało się w sadystycznych postępkach, takich jak obrywanie skrzydeł muchom, deptanie mrówek i fantazjowanie, że chłoszcze konie. Wyjawił również, że fantazjował na temat młodych chłopców, których bito po penisie; zazwyczaj byli to młodzi następcy tronu, co oczywiście stanowiło projekcję jego własnej osoby. Wyłaniająca się stopniowo konfiguracja świadczyła o istnieniu innego motywu jego ataków wściekłości i krzyku. Chciał być bity i rzeczywiście zmusił chorego już ojca, by go wychłostał za złe zachowanie.

W drugim roku leczenia każdy element nerwicy Sergiusza prowadził do starego wilka z obciętym ogonem, a to z kolei kojarzyło się z aktem *a tergo*, którego stał się świadkiem. Ojciec był zawsze jego ideałem; identyfikował się z nim i marzył o tym, by być takim jak on, gdy dorośnie. Scena, którą widział, spowodowała, że przedmiotem jego marzeń erotycznych stał się ojciec, a nie matka. To z kolei popychało go do odgrywania pasywnej roli w jego zaczynającym się życiu seksualnym, wywołując kolejny uraz: obawę, że straci swe męskie narządy, a na ich miejsce pojawi się „rana", czyli narządy kobiece.

Sergiusz stopniowo przedzierał się przez zewnętrzną warstwę snu o wilku i wreszcie doszedł do elementu ukrytego: we śnie nagle otworzył oczy i zobaczył za oknem nieruchomo siedzące wilki. Po miesiącach bolesnych dociekań odkrył, dlaczego wilki były białe: podczas stosunku jego rodzice mieli na sobie białe koszule. To go doprowadziło do sceny pierwotnej, kiedy nagle rozbudzony, otworzył oczy i zobaczył rodziców na łóżku w tak nienaturalnej pozycji. Dlaczego jednak białe wilki siedziały absolutnie nieruchomo na drzewie? Przecież jego rodzice zachowywali się wręcz przeciwnie. Zygmunt wytłumaczył, że działa tu mechanizm obronny. W snach Sergiusz przekształcił gwałtowne ruchy, tak dla chłopca odrażające i nie do przyjęcia, na nieruchomość wilków-rodziców siedzących na drzewie. Przez całe lata cierpiał na depresję, która wzmagała się późnym popołudniem. Sergiuszowi udało się wytropić jej związek z popołudniową drzemką obowiązującą w majątku w upalne letnie dni; kończyła się ona zazwyczaj około godziny piątej. Punkt kulminacyjny depresji następował, kiedy podświadomość gasiła emocje, które zrodziły się u półtorarocznego dziecka.

Dla Zygmunta cały ten przypadek był znakomitym, uzyskanym od pacjenta, świadectwem, że źródłem choroby stał się widziany we wczesnym dzieciństwie akt płciowy.

Pod koniec drugiego roku leczenia udało się naświetlić jeszcze jedną obsesję Sergiusza. Od chwili gdy osiągnął dojrzałość, nie był w stanie zakochać się w kobiecie, jeśli przedtem nie widział jej na czworakach. Widok taki, a mogła to być służąca szorująca podłogę czy to w posiadłości rodziców, czy później w jego własnym domu, budził w nim niepohamowane podniecenie płciowe. W kilku dziewczynach zakochał się tylko dlatego, że zobaczył je w tej pozycji. Uznawał tylko stosunek *a tergo*. Normalna pozycja nie sprawiała mu żadnej przyjemności. Spółkując w tej właśnie pozycji z jedną ze służących, zaraził się rzeżączką. Nie wiedział, skąd się wzięła ta obsesja, ale teraz sam podsunął lekarzowi motywację, wskazując kierunek dalszej analizy.

Scena pierwotna rozszczepiła życie seksualne Sergiusza. Sen lękowy o wilkach, który mu się przyśnił przed ukończeniem piątego roku życia i nawiązywał do sceny pierwotnej, był jedynie procesem opóźnionego działania. Po trzech latach lub nawet później emocjonalny wstrząs wywołany tą sceną przekształcił się u dorastającego chłopca w uraz i zranił jego psyche. Dopiero po dwudziestu latach zrozumiał procesy zachodzące w jego umyśle i źródło lęków związanych z tematem wilków.

W licznych notatkach sporządzanych w ciągu wielu lat systematycznego leczenia Pietrowa Zygmunt nazywał go „człowiekiem-wilkiem". Miał zamiar opisać i opublikować cały przypadek potwierdzający jego tezę, że źródła nerwicy natręctw sięgają okresu dzieciństwa. To właśnie chciał udowodnić psychologom utrzymującym, że nerwice powstają na tle konfliktów u osób dorosłych i nie mają nic wspólnego z okresem dzieciństwa, a także tym członkom grupy wiedeńskiej, którzy się z nim nie zgadzali. Przypadek „człowieka-wilka" był szczególnie cenny, ponieważ poddawany przez rok analizie, Sergiusz potrafił samodzielnie dochodzić do wniosków, które Zygmunt już wcześniej wyciągał, wnioski zaś kluczowe wyzwalały go z obsesji i umożliwiły mu niemal całkowity powrót do zdrowia. Kiedy Zygmunt podzielił się z Martą satysfakcją, jaką sprawiło mu wyleczenie tego przypadku, zapytała go: czy nie można by nakłonić Sergiusza Pietrowa, by pojechał do Monachium i przekonał Kraepelina, że depresje i lęki, które on uznał za nieuleczalne, zostały jednak przezwyciężone. W ten sposób Kraepelin musiałby przyznać, że idee Freudowskie są jednak słuszne.

Zygmunt roześmiał się.

– Senne marzenia. Niechże już będzie tak, że to ja wymyślam fantastyczne rzeczy i narzucam je potem bezbronnym pacjentom.

3

Kopalnią materiałów o podświadomości okazały się *Pamiętniki nerwowo chorego pacjenta* Daniela Pawła Schrebera, byłego sędziego jednego z niemieckich sądów apelacyjnych. W październiku 1884 roku, przewodnicząc w rozprawie w jakiejś niższej instancji, Schreber przeżył załamanie nerwowe. Wśród objawów chorobowych na plan pierwszy wysuwał się zespół hipochondryczny. Po sześciomiesięcznej kuracji w lipskiej klinice psychiatrycznej pod opieką niejakiego doktora Flechsiga Schreber został na pozór całkowicie wyleczony. W rodzinie sędziego powstał kult doktora Flechsiga, a pani Schreberowa nawet zawiesiła w swojej sypialni jego fotografię.

Drugi atak choroby nastąpił, kiedy Schreber awansował i został sędzią wyższej instancji. Tak się złożyło, że w tym właśnie czasie pani Schreberowa musiała wyjechać na cztery dni z domu. U sędziego nastąpił okres intensywnych fantazji, które w nocy doprowadziły kilkakrotnie do polucji. Trapiły go sny, że powraca dawne załamanie. Nad ranem, w półśnie, przyszła mu do głowy myśl, że byłoby bardzo przyjemnie, gdyby stał się kobietą i mógł się oddać mężczyźnie.

Znowu trafił do lipskiej kliniki psychiatrycznej, gdzie stan jego tak się pogorszył, że trzeba go było przenieść do zakładu dla obłąkanych. Opętała go idea, że ma dżumę i że nad jego ciałem ktoś się znęca w obrzydliwy sposób, że już nie żyje i jego zwłoki się rozkładają. Usiłował utopić się w wannie i błagał pielęgniarzy o „cyjanek, który mu się należy".

Pragnienie śmierci zostało wyparte przez reakcję urojeniową, w której był Zbawicielem, a Bóg jego oczywistym sojusznikiem. Jego nowa religia przyniesie całemu społeczeństwu stan szczęścia, w którym każdego, kto okaże się godny, przeszyją boskie promienie umożliwiające przeżywanie duchowej namiętności. Po to jednak, by zbawić świat, musiał wpierw przemienić się z mężczyzny w kobietę. Nie chciał tej przemiany, ale stała się ona nieuchronnym elementem tego, co nazywał boskim ładem świata. Przemiana ta była jego poświęceniem się dla zbawienia świata. Wróciły objawy hipochondrii występujące równocześnie z zespołem urojeniowo-omamowym; żył bez płuc, jelit, brzucha i pęcherza; za każdym razem, gdy spożywał jakieś potrawy, połykał równocześnie część swej krtani. Bóg jednak zesłał cuda w postaci promieni; miały go one nie tylko wyleczyć, ale i przyśpieszyć przemianę w kobietę. Ponieważ otrzymał teraz „nerwy" kobiece, z łona jego miało wyjść nowe i wspaniałe plemię ludzkie. O tym wszystkim Schreber dowiedział się z głosów, które nazywał „cudami mówiących ptaków".

Po przeszło ośmiu latach pobytu w zakładzie sędzia Schreber zwrócił się do władz z prośbą o wypuszczenie go na wolność. Po wyjściu z zakładu opublikował książkę. Znaczną jej część poświęcił zaciekłym napaściom na doktora Flechsiga, któremu zarzucał, że wyczyniał z nim straszne rzeczy.

Książka ta wpadła Zygmuntowi w ręce w sierpniu 1910 roku w czasie wakacji nad morzem w Holandii. Przeczytał ją dwukrotnie z olbrzymim zainteresowaniem. Po powrocie do Wiednia Otto Rank znalazł w bibliografii publikacji psychiatrycznych i neurologicznych szereg recenzji i omówień tej książki. Uważano, że zawiera opis klasycznego przypadku obłędu, opartego na natręctwach religijnych. Schreber bowiem przeszedł fazę, w której był Jezusem, po czym ostatecznie uznał się za Matkę Stworzenia.

Europejscy psychiatrzy uważali, że główne źródło obłędu Schrebera stanowiła jego mania religijna. Wzmiankę o tym, że po to, by zrealizować swą misję, musiał przekształcić się w kobietę, traktowali jako nieistotny element choroby, wierzyli bowiem twierdzeniu pacjenta, iż pragnął pozostać mężczyzną i przemienił się w kobietę wbrew swej woli i tylko po to, by spłodzić nowe plemię ludzkie.

– Wyciągają ryby przed niewodem – stwierdził Zygmunt. – Przecież wymyślony przez niego system religijny wynika ze stłumionego homoseksualizmu. Jego pragnienie przemienienia się w kobietę ma związek z intymnym stosunkiem do Boga Ojca. Jeśli nie przyjmiemy za punkt wyjściowy stłumionego homoseksualizmu Schrebera, znajdziemy się w sytuacji człowieka, o którym Kant powiedział w *Krytyce czystego rozumu,* że „trzyma sito pod kozłem, gdy kto inny go doi".

W swym szaleństwie Schreber odsłonił niemal całą swą podświadomość. Zygmunt doszedł do wniosku, że oto nadarza się okazja wyjaśnienia szerokim kręgom opinii publicznej, w jaki sposób psychoanaliza wnika w istotę problemu. Zdaniem Schrebera pierwszym „mordercą duszy", przywódcą rytualnego spisku, który miał go zlikwidować, był doktor Flechsig. Przez osiem lat po pierwszym pobycie w lipskiej klinice Schreber kochał i szanował doktora. Co noc, kładąc się spać, patrzył na jego fotografię. W swej książce Schreber nie opisywał fantazji powodujących polucje nocne w czasie nieobecności żony, ale sny wiązały się z dawną chorobą i z zabiegami Flechsiga. Dla podświadomego homoseksualizmu Schrebera naturalnym celem stał się człowiek, którego kochał i szanował. Ponieważ pragnienia te były głęboko ukryte w ciągu tych ośmiu lat, które upłynęły między dwoma nawrotami choroby, mógł zgodnie żyć ze swą żoną. Potem poczucie miłości, szukając ujścia, przekształciło się w nienawiść. Teraz już mógł myśleć o Flechsigu, rozmawiać o nim, słyszeć głosy nie tylko ptaków, ale i ludzi będących wcieleniami Flechsiga i przekazujących jego polecenia. Mógł wreszcie napisać książkę, w której Flechsig był głównym „czarnym charakterem". W tej książce Schreber zdradzał nieustanny strach przed seksualną zaborczością Flechsiga; nawet po wyleczeniu z pierwszej choroby obawiał się niekiedy, że „zostanie wydany na żer seksualnych apetytów służby szpitalnej". Podświadome fantazje seksualne Schrebera okazały się tak silne, że umożliwiły mu wymyślenie nowej religii z własną nową terminologią. Zygmunt nie miał możliwości dowiedzieć się, jak udało się Schreberowi przeżyć spokojnie te osiem lat, zanim zachorował. Stało się to właśnie wtedy, gdy jego żona wyjechała. Jedno było jasne: nawrót choroby wiązał się z napięciem psychicznym po awansie i z nieobecnością żony, do czego nie był przyzwyczajony. Duże znaczenie mógł tu mieć wiek Schrebera: miał pięćdziesiąt trzy lata; przechodził męskie klimakterium. Nagromadzona energia erotyczna szukała ujścia. Wyładowanie nastąpiło po raz pierwszy w postaci tego, co Schreber nazywał nocnymi wytryskami, potem w obronie przed homoseksualizmem i wreszcie w energicznym akcie stłumienia rzeczywistości, której nie mógł znieść.

W ten sposób doszło do kryzysu: Schreber odtrącił żonę, powróciły objawy hipochondrii, halucynacje i natręctwa. Szybko wylądował w domu wariatów. Pojawiła się mania prześladowcza, eudemiczna dla tej postaci obłędu. Oskarżające głosy zamieniły się w głosy ptaków. I jak to często Zygmunt stwierdzał u swoich pacjentów, prześladowca, stanowiący centralną postać wrogiej intrygi, okazał się głównym przedmiotem miłości.

Zygmunt nie stawiał pytania, które mogłoby wprawić w zakłopotanie zawodowego psychiatrę: jak to się stało, że dostępna od siedmiu lat książka nie naprowadziła dotąd żadnego specjalisty na trop, że tłem paranoi Schrebera był jego stłumiony homoseksualizm, że „nerwice spowodowane są głównie przez konflikt między *ego* a popędem płciowym"? Psychiatria nie chciała przyjąć do wiadomości istnienia elementarnych popędów płciowych człowieka; nie chciała pogodzić się z koncepcją podświadomości. Cóż powie teraz, postawiona w obliczu dokumentacji niepozostawiającej żadnych wątpliwości?

Z wielką satysfakcją zabrał się do pisania. Praca miała sześćdziesiąt stron.

Zygmunt obiecał wprawdzie Rankowi, że po studiach będzie mógł rozpocząć pracę jako pierwszy analityk nieposiadający wykształcenia medycznego, nie był jednak w zasadzie przychylny upowszechnieniu tego zwyczaju. Nadal jeszcze wierzył, że psychoanaliza stanie się gałęzią medycyny; dopuszczenie laików do praktyki zaszkodziłoby jej reputacji.

Dzięki Hansowi Sachsowi zmienił zdanie. Sachs pochodził z zamożnej rodziny prawniczej. Ukończył prawo i prowadził kancelarię wspólnie z bratem. Bardziej jednak interesował się poezją. Pisał wiersze i przetłumaczył *Ballady koszarowe* Kiplinga. Kiedy w 1904 roku przeczytał *Interpretację marzeń sennych*, przeżył prawdziwy wstrząs. Przez dwa lata studiował książki Freuda, a potem pewnego razu wybrał się na sobotni wykład Zygmunta na uniwersytecie. Był tak nieśmiały, że nie pozwolił, by go przedstawiono Zygmuntowi; cztery lata minęły, zanim zdobył się na odwagę, by poprosić o przyjęcie do Wiedeńskiego Towarzystwa Psychoanalitycznego.

Zygmunt od razu go polubił. Sachs pozyskał też przychylność pozostałych członków Towarzystwa. Zaprzyjaźnił się z Ottonem Rankiem i Ernestem Jonesem, który często przyjeżdżał do Wiednia. Sachs był typowym wiedeńskim światowcem: miał wytworne maniery, rozległe zainteresowania literackie i artystyczne, niespożyte poczucie humoru, zasilane anegdotami w kilku językach. Był średniego wzrostu, nieco otyły, z pełną twarzą i podwójnym podbródkiem. Nie podobał się kobietom, lubili go natomiast uczestnicy środowych spotkań za układność, dowcip i skromność. Kiedy

Zygmunt go zapytał, jak mu się powodziło jako prawnikowi, Sachs odpowiedział:

– Jakiż ze mnie był adwokat? Zwyczajne popychadło.

Ale ten modniś, amator łatwych miłostek, którego wczesne małżeństwo trwało tylko kilka lat, epikurejczyk, rozmiłowany w teatrze, operze i podróżach, okazał się bardzo pojętnym psychoanalitykiem. W kilka zaledwie miesięcy po wstąpieniu do Towarzystwa powierzono mu wygłoszenie referatu na następnym kongresie, który miał się odbyć we wrześniu 1911 roku w Weimarze.

4

Karol Jung nie usunął Eugeniusza Bleulera ze Szwajcarskiego Towarzystwa Psychoanalitycznego. Bleuler sam ustąpił. Był to bolesny cios dla Zygmunta, który spodziewał się, że Bleuler zostanie prezesem Szwajcarskiego Towarzystwa. Jednym z najdrastyczniejszych punktów sporu stało się odwołanie referatu doktora Maksa Isserlina. Zygmunt i grupa wiedeńska uważali, że chodziło tu wyłącznie o rozbrojenie przeciwnika. Bleuler jednak potraktował tę sprawę bardzo poważnie. Zygmunt pisał długie wyjaśniające listy. Bleuler odpowiadał w przyjaznym tonie, kiedy jednak Zygmunt zorientował się, że wymiana korespondencji nie powstrzyma Bleulera od wycofania się z grupy szwajcarskiej, poprosił go o osobiste spotkanie w nadziei, że uda się nieporozumienie zlikwidować. Umówili się w Monachium, podczas świąt Bożego Narodzenia, kiedy obaj będą dysponowali wolnym czasem.

Spotkali się w hotelu „Bayerischer Hof" i z przyjemnością uścisnęli sobie dłonie. Po pierwszych konwencjonalnych pytaniach o zdrowie rodziny przystąpili do sprawy.

– Panie kolego – zaczął Zygmunt – pozwoli pan, że wyjaśnię bardziej szczegółowo to, co chciałem przedstawić w listach. Nasze Towarzystwo nie ogranicza swobody słowa. Stawia ono sobie dwa ważne cele: po pierwsze, chce reprezentować autentyczną psychoanalizę, po drugie, pragnie się bronić przed oszczerstwami. W pańskiej obecności pański kolega Hoche nazwał mnie zwariowanym sekciarzem i słyszał pan to, co Ziehen wszem wobec oświadczył: że ja piszę bzdury. Musimy odpowiadać naszym przeciwnikom i nie możemy tej sprawy zostawiać dobrej woli jednostek. W naszym interesie leży skoncentrowanie tych polemik w jednym ośrodku.

– Czy nie obawia się pan – zapytał Bleuler – że to grozi dogmatyzmem?

– Skąd takie podejrzenia? Nie jesteśmy dogmatykami. Zawsze gotowi jesteśmy przyjąć wszelkie hipotezy.

– Zasady „kto nie jest z nami, jest przeciw nam" i „wszystko albo nic" potrzebne są sektom religijnym i partiom politycznym. Mogę zrozumieć racje takiej polityki, ale w nauce uważam ją za szkodliwą. Nie istnieje prawda absolutna. Z każdego zespołu idei jeden człowiek przyjmie taki szczegół, drugi inny. W nauce nie uznaję zamkniętych lub otwartych drzwi... W nauce nie powinno być żadnych drzwi i żadnych barier.

– Oczywiście, panie kolego. Ale trudno mieć za złe Międzynarodowemu Towarzystwu Psychoanalitycznemu, że przyznaje członkostwo tylko ludziom aprobującym psychoanalizę. Towarzystwo jednak nigdy nie posuwa się do tego, by wszystkich, którzy nie są jego członkami, uznawać za gangsterów lub idiotów. Nie zabraniamy swym członkom należeć do innych towarzystw, nawet jeśli to jest Towarzystwo Niemieckich Neurologów, które tak „pięknie" nas traktuje w Berlinie. Przecież Jung i ja należymy do tego towarzystwa.

Bleuler zaproponował, by wybrali się na spacer. Ulice zapełniał tłum monachijczyków wracających z kościołów. Wystawy sklepowe jarzyły się świątecznymi dekoracjami. Bleuler spokojnie odpierał argumenty Zygmunta.

– Im wyżej człowiek ocenia własną sprawę, tym łatwiej godzi się z trudnościami. Wiem z doświadczenia, nie tylko własnego, że gdybym pozostał w Towarzystwie wbrew moim przekonaniom, w niczym nie pomógłbym sprawie, a wyrządziłbym jej tylko szkodę. Różnica między nami polega na tym, że dla pana celem w życiu stało się zdobycie uznania dla swoich teorii, nadanie im rangi nauki, ja zaś nie mogę uznać psychoanalizy za jedyne prawdziwe wyznanie wiary. Bronię jej, ponieważ uważam, że jest to teoria słuszna, pracując zaś w pokrewnej dziedzinie, mogę to ocenić. Nie ma dla mnie jednak większego znaczenia, czy słuszność tych poglądów będzie uznana kilka lat wcześniej czy później. W mniejszym więc stopniu niż pan ulegam pokusie poświęcenia całej mej osobowości propagowaniu tej idei.

Zygmunt milczał przez dłuższą chwilę, po czym powiedział spokojnie:

– Mianowaliśmy Adlera przewodniczącym grupy wiedeńskiej, mimo że w domenie psychologii zajmuje stanowisko tak sprzeczne z moim, iż nieustannie mnie irytuje. Nie domagałem się jego ustąpienia; uważam tylko, że mam prawo pozostać przy moich o piętnaście lat starszych poglądach. Nie należy mylić stanowczości z nietolerancją.

Zarzuca nam pan izolacjonizm. A przecież niczego bardziej się nie obawiamy niż izolacji. Chcemy, by psychoanaliza stała się ruchem światowym w pełnym znaczeniu tego słowa. Psychiatrzy i neurolodzy brutalnie nas odtrącili. Dlatego właśnie musimy dbać o to, by pozostać grupą jednorodną, posiadającą swą własną siłę wewnętrzną. Najgorętszym moim pragnieniem jest, by pan stał się ogniwem łączącym teoretyczną psychoanalizę z akademicką psychiatrią.

– Rozumiem to pańskie pragnienie – odrzekł Bleuler – ale powiem panu szczerze, że moim zdaniem przypisuje mi pan zbyt wielkie wpływy. Wracając jednak do naszego tematu, proszę mi powiedzieć, w jaki sposób możemy obronić się przed tym duchem nietolerancji, który, jak mi się zdaje, zaczyna się pojawiać.

– Pozwoli pan, że wystąpię z konkretną propozycją. Proszę mi powiedzieć, jakie zmiany w Towarzystwie umożliwiłyby panu pozostanie w naszych szeregach i jak należałoby zmienić naszą taktykę w stosunku do przeciwników? Osobiście rozważę pańskie życzenia i propozycje i zrobię wszystko, by mógł je pan zrealizować.

Bleuler uśmiechnął się.

– Psychoanaliza jest nauką, która dowiedzie swego znaczenia bez względu na to, czy ja będę członkiem Towarzystwa, ponieważ ruchem kierują tacy ludzie jak pan i Jung. Wprowadzenie polityki „zamkniętych drzwi" odstraszyło wielu przyjaciół; niektórych uczyniło nawet emocjonalnymi przeciwnikami. – Spojrzał z troską na Zygmunta. – Bardzo wysoko cenię pańskie naukowe osiągnięcia, ale z punktu widzenia psychologa wydaje mi się pan artystą. Jest więc rzeczą zrozumiałą, że nie chce pan, by stworzone przez pana dzieło zostało zniszczone. W sztuce mamy do czynienia z jednością, której nie można rozerwać. W nauce dokonał pan wielkiego odkrycia, i odkrycie to przetrwa. Zapewne jakaś większa lub mniejsza liczba szczegółów, luźno z tym odkryciem związanych, nie wytrzyma próby czasu, ale to nie ma znaczenia. Mogę panu tylko jedno przepowiedzieć: w końcu przekona się pan, że będę wierniejszy pańskim poglądom niż Karol Jung.

Początek nowego roku ma jakąś szczególną właściwość, która skłania ludzi do dokonywania zmian od dawna zamierzonych. Sprawdziło się to w przypadku Alfreda Adlera, gdy nastał nowy 1911 rok. Dotychczas Adler powoli, stopniowo wycofywał się z postulowanej przez Zygmunta seksualnej etiologii nerwic; teraz w radykalny sposób ją odrzucił, w poczuciu, że ich teorie wzajemnie się wykluczają. Zygmunt i grupa środowa postanowili umożliwić Adlerowi przedstawienie swego stanowiska, żeby mogli ocenić sytuację. Zaproponowano mu więc, by począwszy od połowy stycznia na trzech kolejnych spotkaniach środowych wyłożył swoje poglądy. Dyskusja miała się odbyć dopiero po trzecim wykładzie. Na zebrania te nie zaproszono gości z zewnątrz.

Adler przyjął propozycję z zadowoleniem i po raz pierwszy bodaj od sporu w Norymberdze serdecznie uścisnął dłoń Zygmunta. Kiedy zaczął wygłaszać swoim pięknym, melodyjnym głosem pierwszy wykład, słuchano go z wielką uwagą. Za punkt wyjścia wziął sformułowaną przez Zygmunta definicję *libido* jako energii związanej z problemami seksualnymi. Zdaniem Adlera *libido* było raczej czysto psychiczną energią, niekoniecznie łączącą się z tymi instynktami.

– Zadajemy sobie pytanie, czy należy przyjmować bez zastrzeżeń to, co nerwicowiec demonstruje jako *libido*. Odpowiadamy: nie. Jego przedwczesna dojrzałość seksualna jest wymuszona. Przymus onanizowania się wyraża bunt i zabezpieczenie się przed demoniczną kobietą. Wszystkie perwersyjne fantazje, a nawet rzeczywiste zboczenia mają jedynie na celu obronę przed rzeczywistą miłością. Cóż więc wspólnego ma seksualizm z nerwicą i jaką w niej odgrywa rolę? Budzi się on i jest pobudzany wcześnie, kiedy pojawia się poczucie niższej wartości i silny męski protest...

Słowa „kompleks niższej wartości" i „męski protest" były osią, wokół której Adler budował swoją nową psychologię. W drugim wykładzie rozwijał wstępną tezę:

– Tak więc stłumienia organiczne okazują się niczym innym jak wyjściem zapasowym i dowodzą, że zmiany w sposobie funkcjonowania są możliwe. Nie ma to żadnego związku z teorią nerwic. Stłumione popędy i elementy popędów, stłumione kompleksy, stłumione fantazje oraz stłumione wspomnienia i pragnienia powstają ze względu na stłumienia organiczne... Freud powiada, że człowiek nie może się powstrzymać od powtórzenia przyjemności, której już raz doświadczył. Chociaż metoda jego stanowi ważny krok naprzód, zawiera w sobie tendencję do konkretyzacji i zamrażania psychiki, która w rzeczywistości nieustannie zajmuje się rozpamiętywaniem przyszłości.

Po wykładzie Zygmunt i jego przyjaciele, którzy przez cały czas robili notatki, opuścili salę, nawet nie żegnając się ze sobą. Kiedy Adler zaczynał trzeci wykład, na jego twarzy wyraźnie malowało się zadowolenie. Żwawo wstąpił na mównicę. Postanowił raz jeszcze jasno postawić sprawę, że jego zdaniem *libido* nie ma źródeł seksualnych. Odrzucał również koncepcję seksualizmu dziecięcego, istnienie tego rodzaju dziedzin podświadomości, w których mogłoby się przechowywać tłumienie, i wreszcie koncepcję kompleksu Edypa.

– Naszym zdaniem czynnikami stałymi są: kultura oraz społeczeństwo i jego instytucje. Ludzkie popędy, których zaspokojenie ma być podobno celem ostatecznym, funkcjonują jedynie jako kierunkowskazy dla przyszłościowych satysfakcji. Powstałe tu napięcia są równie uporczywe jak stłumienia. Z tych związków rodzą się systemy środków zabezpieczających, których drobnym wyrazem są nerwice. Zaspokojenie popędu, a zatem jego jakość i siła ulegają nieustannym zmianom i wobec tego są niewymierne. W moim referacie o seksualizmie i nerwicach doszedłem do podobnego wniosku, a mianowicie, że dążenia pozornie seksualne i wynikające z *libido* nie pozwalają na wyciąganie wniosków o sile i jakości popędu płciowego w odniesieniu zarówno do neurotyka, jak i jednostki normalnej. Z chwilą gdy uwzględni się czynnik męskiego protestu w kompleksie Edypa, nie ma się już prawa mówić o kompleksie fantazji i pragnień. Zrozumiemy wówczas, że pozorny kompleks Edypa jest jedynie znikomą częścią dynamiki neurotycznej, fazą protestu męskiego, która chociaż sama przez się nie ma wielkiego znaczenia, w kontekście jest pouczająca.

Zygmunta ogarnęło przerażenie. Adler skończył. Był przekonany, że przedstawił argumenty nieodparte. Z wyrazu jego twarzy Zygmunt wywnioskował, że spodziewa się gratulacji i oklasków. Sytuacja przedstawiała się właściwie tak, jakby Zygmunt przed ośmiu laty podarował Alfredowi Adlerowi scyzoryk o ośmiu ostrzach, w oprawie z kości słoniowej, Adler zaś gubił jedno ostrze po drugim, zastępując je nowymi, i wreszcie wymienił oprawę. Teraz pokazywał Zygmuntowi scyzoryk, chwaląc się, jak troskliwie przechował prezent.

– O, nie – powiedział Zygmunt. – To nie mój scyzoryk. Tego scyzoryka ja mu nie dawałem. Sam go sobie sprezentował. Niech go więc zachowa!

Nigdy jeszcze się nie zdarzyło, by uniósł się gniewem na takim zebraniu, choćby nie wiadomo jak nierozsądnie czy nieprzyjemnie zachowywali się uczestnicy. Teraz jednak doszedł do wniosku, że tylko namiętny, logiczny gniew może oczyścić augiaszową stajnię powierzchownej Adlerowskiej psychologii. Pierwszy zabrał głos i po stwierdzeniu, że głównym mankamentem referatu Adlera był po prostu brak jasności, ciągnął dalej:

– Bardzo mi się nie podoba, że prelegent, mówiąc o sprawach powszechnie znanych, nie nazywa rzeczy po imieniu i nie stara się swej nowej terminologii uzgodnić ze starą. Można więc odnieść wrażenie, że stłumienie istnieje w męskim proteście albo że ten proces zbieżny jest ze stłumieniem, albo jest to jedno i to samo zjawisko, rozpatrywane z różnych punktów widzenia. Nawet nasze stare pojęcie biseksualizmu określa jako psychiczny hermafrodytyzm, tak jakby chodziło o coś zupełnie innego. Prelegent odrzuca podświadomość, broni aseksualności dzieci, lekceważy znaczenie poszczególnych elementów nerwic. Uważam, że jest to tendencja szkodliwa i że nadaje całej jego pracy piętno jałowości.

Adler wtrącił:

– Protest męski świadczy o tym, że mężczyzna nie wyzwolił się z dręczących go w dzieciństwie wątpliwości, czy rzeczywiście jest mężczyzną. Dąży on do idealnej męskości niezmiennie rozumianej jako zdobycie dla siebie wolności, miłości i władzy... do podboju kobiet lub przyjaciół, prześcignięcia innych lub ich obalenia.

Zygmunt odpowiedział mu od razu:

– Cała ta teoria zajmuje się głównie biologią, a nie psychologią. Nie dotyczy psychologii podświadomości, lecz zjawisk zewnętrznych.

Zwolennicy Freuda kolejno występowali przeciw koncepcjom Adlera. Atak był tak skoncentrowany, że Wilhelm Stekel zerwał się i zawołał:

– To jest zorganizowana napaść na psychologię doktora Adlera!

Zygmunt zaprzeczył. Adler siedział blady.

– Proszę mi wierzyć, panie doktorze – zwrócił się do niego Zygmunt – że nikt niczego nie organizował. Nie omawiałem pańskich wykładów z żadnym z przyjaciół. Każdy oddzielnie sporządzał notatki; widzi pan, że leżą one przed każdym z nas. Chodziło nam tylko o to, by móc dokładnie cytować pańskie opinie, z którymi się nie zgadzamy.

– Nie ja postawiłem ten zarzut – odpowiedział Adler ochrypłym głosem. – Nigdy nie śmiałbym panu imputować jakichś osobistych ataków. Ale pan źle zrozumiał moje motywy. Jest pan przekonany, że chcę zastąpić psychoanalizę Freudowską psychoanalizą Adlerowską. Nie to było moim zamiarem. Dążyłem do syntezy, wybierając najcenniejsze elementy naszych nauk. Widocznie nie udało mi się to.

– Jest pan biologiem, panie doktorze, i pańskie rozumowanie opiera się częściowo na koncepcji defektu organicznego. Jest pan też socjologiem, a więc pańska psychologia uwzględnia jednocześnie wpływ społeczeństwa, świata, w którym człowiek dorasta, na kształtowanie się jego indywidualnego charakteru. W obu tych dziedzinach są elementy prawdy. Nie pozwalają one jednak na stawianie hipotez roboczych, budowanie naukowej psychoanalizy.

Adler zerwał się i powiedział chłodno:

– Wybaczy pan, ale jestem innego zdania. – Po czym obejrzawszy się wokoło, dodał: – Panowie zapewne rozumieją, że nie ma tu dla mnie miejsca. Ustępuję ze stanowiska prezesa Wiedeńskiego Towarzystwa Psychoanalitycznego. Wycofuję się również z redakcji „Przeglądu Psychoanalitycznego". Żegnam panów.

Ruszył ku drzwiom. W ślad za nim zerwało się grono jego przyjaciół i kolegów, których wprowadził do Towarzystwa. Wstał również Wilhelm Stekel, z wyraźnie oburzoną miną, i przyłączył się do grupy Adlera. Zygmunt szybko podszedł do Adlera i poprosił go o chwilę rozmowy na osobności.

Adler stał nieruchomo, jakby zmrożony, a jego ruchliwa zazwyczaj twarz nie zdradzała żadnych uczuć. Wszyscy wyszli z sali, pozostawiając ich samych. Chociaż Adler od lat sprawiał mu kłopoty, Zygmunt powiedział z żalem:

– To smutna chwila w moim życiu. Po raz pierwszy od dziesięciu lat, od kiedy nasza grupa zaczęła się spotykać, straciłem ucznia.

– Nie jestem pańskim uczniem – odpowiedział Adler zimno – i nigdy nim nie byłem.

– Przepraszam, przyjmuję poprawkę: straciłem kolegę. To przykre. Ale prawdę mówiąc, już od pewnego czasu był pan dla nas stracony.

Adler zdjął *pince-nez*. Opuścił powieki. Nie patrząc na Zygmunta, powiedział:

– To pan doprowadził do zerwania.

– W jaki sposób, doktorze?

– Popełnił pan tę samą zbrodnię naukową, którą w swoim czasie, jak słyszałem, zarzucał pan Charcotowi i Bernheimowi: z a h a m o w a ł p a n w ł a s n ą r e w o l u c j ę.

Zygmunt był wstrząśnięty. To oskarżenie zabolało go bardziej niż wszystkie wymysły, jakimi obrzucali go wrogowie. Przemówił głosem ochrypłym, jakby wróciło z całą siłą zapalenie krtani:

– Wręcz przeciwnie, doktorze. Kiedy popełniałem błędy, przyznawałem się do nich i dalej prowadziłem badania. Dumny byłem z tego, że włączyłem do psychoanalizy pańskie idee. Proszę mi powiedzieć, jaki jest naprawdę powód pańskiego wystąpienia z Wiedeńskiego Towarzystwa Psychoanalitycznego.

Ból odmalował się na dumnej, wrażliwej twarzy Alfreda Adlera.

– Czy mam zawsze pozostawać w cieniu pana?

5

Psychoanaliza przeżywała swoje wzloty i upadki. Pewien australijski neurolog został zwolniony z posady za uprawianie psychoanalizy Freudowskiej. Dla odmiany doktor Paul Bjerre, szwedzki psychiatra, wygłosił referat o psychoanalitycznej metodzie Freuda w Stowarzyszeniu Szwedzkich Lekarzy i przyjechał do Wiednia, by powiedzieć Zygmuntowi, że w Szwecji sprawy rozwijają się pomyślnie. Działało co prawda Berlińskie Towarzystwo Psychoanalityczne, lecz Abraham miał trudności; nie udało mu się nakłonić żadnego lekarza do praktykowania psychoanalizy w tym mieście. Sándor

Ferenczi napotykał opory w Budapeszcie. Węgrzy początkowo nie przywiązywali większej wagi do psychoanalizy, teraz jednak w świecie medycznym zaczęto sobie zdawać sprawę z jej implikacji i powstała poważna opozycja. A.A. Brill założył Towarzystwo Psychoanalityczne w Nowym Jorku, a wkrótce potem Ernest Jones stworzył w Baltimore Amerykańskie Stowarzyszenie Psychoanalityczne. Odwiedził Zygmunta Sutherland z Indii, pracujący nad przekładem *Interpretacji marzeń sennych,* oraz dwóch Holendrów, Jan van Enden, który chciał studiować u profesora Freuda, i August Starcke. Ten ostatni przywiózł zdumiewającą wiadomość, że już od 1905 roku uprawia psychoanalizę w Holandii. Lekarz M.D. Eder przedstawił po raz pierwszy informację o psychoanalizie w sekcji neurologicznej British Medical Association. Ernest Jones postanowił wrócić do Londynu i nie tylko otworzyć praktykę, ale i założyć tam Towarzystwo Psychoanalityczne.

Psychoanaliza dotarła do Rosji. Doktor L. Drosnés przybył z Odessy, by powiadomić Zygmunta o powstaniu Rosyjskiego Towarzystwa Psychoanalitycznego. Doktor M.E. Ossipow z kilkoma kolegami tłumaczył książki Freuda na język rosyjski. Akademia Moskiewska ustanowiła nagrodę za najlepszą pracę o psychoanalizie. W Petersburgu pewien lekarz ogłaszał się, że przyjmuje pacjentów pragnących poddać się psychoterapii. Doktor M. Wulff, zwolniony z pracy w Berlinie za głoszenie poglądów Freuda, przeniósł się do Odessy i korespondencyjnie kontynuował studia u Zygmunta i Ferencziego.

Doktor G. Modena z Ankony przetłumaczył na język włoski *Trzy szkice o teorii seksualizmu.* We Francji postępy były jednak znikome. Być może dlatego, że doktor Pierre Janet, największy po Charcocie neurolog francuski, który twierdził, że jest wynalazcą psychoanalizy, ponieważ jeszcze przed Freudem używał terminu „podświadomość" (co prawda w innym kontekście), niespodziewanie oznajmił, że wyrzeka się tego odkrycia. Zygmunt otrzymał jednak list od neurologa R. Morichau-Beauchant z Poitiers, który tłumaczył się za Francuzów lekceważących psychoanalizę i zapowiadał zmianę na lepsze.

W Australii, w Sydney, grupa lekarzy studiowała psychologię Freudowską pod kierownictwem doktora Donalda Frasera, lekarza i prezbiteriańskiego duchownego. Frasera zmuszono do zrezygnowania z pracy kapłańskiej, ponieważ zalecał studiowanie książek Freuda. Równocześnie jednak sekretarz sekcji medycyny psychologicznej, doktor Andrew Davidson, poprosił Zygmunta o wygłoszenie referatu na Australijsko-Azjatyckim Kongresie Medycznym. Pastora Oskara Pfistera z Zurychu przełożeni postawili przed alternatywą, że albo przestanie bronić nauki Freuda, albo zostanie zawieszony w swych czynnościach. Najgroźniejszy był atak na doktora Mortona

Prince'a; policja w Bostonie zagroziła mu postawieniem w stan oskarżenia za opublikowanie „nieprzyzwoitości" w „Journal of Abnormal Psychology". Po ukazaniu się artykułów Ernesta Jonesa w kanadyjskim „Asylum Bulletin" czasopismo zostało zamknięte za propagowanie psychoanalizy.

Zygmunt czuł się tak, jakby jego umysł i serce były polami bitew, na których co prawda odnosi stale zwycięstwa, ale pozostawia za sobą poległych i okaleczonych. Z każdą zimą pogarszało się zdrowie cioci Minny. Zygmunt nie mógł dojść, co jej właściwie dolega. Starał się co roku zabierać ją gdzieś na wakacje, albo z Martą i dziećmi do Holandii, albo na krótkie wycieczki do Włoch. Żona Ernesta Jonesa miała jakieś dolegliwości psychiczne i stała się nałogową morfinistką. Jones przywiózł ją do Wiednia, gdzie Zygmunt za pomocą analizy doprowadził do radykalnego zmniejszenia zażywanych dawek.

W kręgu Freudowskim rosło nowe pokolenie: Aleksander miał syna, Karol Abraham – córkę, Karol Jung – syna. Binswangerom również urodziło się dziecko. Jeden z najlepiej zapowiadających się szwajcarskich psychoanalityków, doktor J. Honegger, popełnił samobójstwo i nikt w Zurychu nie wiedział, z jakiego powodu. Osiemdziesięcioletnia matka Marty, pani Emmelina Bernays, zmarła na raka. Marta i ciocia Minna pojechały na pogrzeb.

Ze zdrowiem Zygmunta było różnie. Wrócił raz ze spaceru w słotny wieczór zimowy i zachorował na grypę. Marta nie pozwalała mu przez kilka dni wstawać z łóżka, lecząc go domowymi środkami. Ledwie jednak się wykurował, gdy pojawiły się powtarzające się co wieczór ostre bóle głowy. Podejrzewał coś poważnego, póki nie wykrył, że z lampy ulatnia się gaz.

– Mam szczęście – powiedział do Marty. – Starego zegarmistrza na parterze o mało nie zabił wybuch uchodzącego gazu. A ja straciłem tylko miesiąc pracy. Już myślałem, że wyczerpały się moje siły twórcze.

Dawniej uważał, że umrze w czterdziestym pierwszym lub drugim roku życia. W listach do swych zwolenników często wspominał, że się starzeje i że wkrótce trzeba będzie pomyśleć o jego następcy. Kiedy jednak doktor James Putnam, chwaląc wykłady Zygmunta na Uniwersytecie Clarka, dodał, że doktor Freud nie jest już człowiekiem młodym, uwaga ta zepsuła Zygmuntowi całą przyjemność.

Z czasem przesunął datę śmierci na pięćdziesiąty pierwszy rok życia, a kiedy i ten termin minął, doszedł do wniosku, że sześćdziesiąt jeden lat brzmi logiczniej. Sam później śmiał się z tych dziesięcioletnich prolongat.

Grupa Zygmunta składała się teraz z dwudziestu osób. Wśród nich cztery nie były lekarzami i żadna, jak dotąd, nie uprawiała psychoanalizy. Z zadowoleniem stwierdził, że wszyscy są ludźmi bardzo młodymi. Otto Rank miał lat dwadzieścia osiem, Fritz Wittels trzydzieści dwa, Wiktor Tausk trzydzieści trzy, Gwido Brecher trzydzieści pięć. Reszta była przeważnie tuż po czterdziestce. Edward Hischmann i Józef Friedjung mieli już po czterdzieści jeden lat, Federn czterdzieści dwa, Sadger i Jekels czterdzieści cztery, Reitler i Steiner czterdzieści siedem. Zygmunt miał lat pięćdziesiąt pięć i czuł się stary, ale równocześnie radował się, że jest już młodsze pokolenie, które będzie kontynuowało pracę.

Po zlikwidowaniu ognisk niezadowolenia wszyscy ze zdwojoną energią zabrali się do roboty. Wielu przygotowywało referaty na międzynarodowy kongres w Weimarze. Tylko część tych referatów miała charakter medyczny. Postanowiono stworzyć czasopismo psychoanalityczne, niezwiązane z medycyną. Nazwano je „Imago", a redaktorami zostali Otto Rank i jego przyjaciel Hans Sachs. Publikowano w nim artykuły dotyczące prac grupy w dziedzinie antropologii, ekonomii politycznej, sztuki, literatury i nauk humanistycznych. Niełatwo było znaleźć wydawcę, ponieważ wszyscy, do których się zwracali, obawiali się, że pismo nie znajdzie dostatecznej liczby czytelników, by pokryć koszty druku. Podjął się tego w końcu Hugo Heller, bardziej z poczucia lojalności wobec Towarzystwa niż z przekonania, że przedsięwzięcie będzie zyskowne. Zygmuntowi powiedział:

– Ja mam przynajmniej księgarnię, więc tak wyeksponuję pismo na wystawie i na ladach, że może uda się sprzedać kilka egzemplarzy.

Freudowie spędzili lato w Tyrolu, gdzie Zygmunt zaczął pisać cztery duże prace, które zamierzał najpierw ogłosić w nowym czasopiśmie, a potem zebrać w książce. W sierpniu pisał do Ferencziego, że tkwi po uszy w fascynujących materiałach o totemie i tabu.

Czternastego września 1911 roku Marta i Zygmunt obchodzili srebrne wesele. Rocznica wypadła w czwartek, Zygmunt zaprosił więc krewnych i przyjaciół, by przyjechali na sobotę i niedzielę. Dla gości wynajęto pokoje w sąsiednich willach. Pierwsi przyjechali państwo Rie i Königsteinowie. Robili wycieczki w góry, zbierali jagody, organizowali całodzienne pikniki, pływali i łowili ryby, a wieczorami gawędzili przy kominku, piekąc jabłka na długich patykach. Matylda, która rozkwitła w szczęśliwym małżeństwie, przyjechała z mężem i dziećmi. Najmłodszy syn Freudów, Ernest, zachorował w okresie egzaminów na wrzód żołądka. Ich osiemnastoletnia córka, dziewczyna o wesołym usposobieniu, oznajmiła wszem wobec, że nie będzie, jak Matylda, czekała z wyjściem za mąż do dwudziestego czwartego roku życia.

Podczas uroczystego obiadu Zygmunt siedział wpatrzony w Martę, która z prostotą i z godnością rezydowała na końcu długiego stołu. Minęło dwadzieścia dziewięć lat od owej soboty, kiedy wybrali się na szczyt góry nad Mödlingiem, a potem, po powrocie, siedzieli w ogrodzie u przyjaciół pod lipą. Dwadzieścia dziewięć lat od chwili, gdy ich usta spotkały się po raz pierwszy, kiedy po raz pierwszy pojął, że Marta Bernays może zostać jego żoną. Potem przeżyli ciężkie cztery lata, ponieważ prawie przez cały czas byli rozdzieleni, ale jakże inaczej ułożyły się sprawy w ciągu dwudziestu pięciu lat ich małżeńskiego pożycia. Po urodzeniu sześciorga dzieci Marta wciąż promieniowała dobrocią.

Skończyła niedawno pięćdziesiąt lat, ale się nie postarzała, bo nie miała na to czasu. Z czułością a zarazem stanowczo dbała o porządek w domu i ład w rodzinie. Jeden z kolegów Zygmunta powiedział mu, że ich dom jest jak wyspa na wiedeńskim morzu.

Upływający czas pozostawił pewien ślad: we włosach Marty pojawiły się pierwsze siwe pasma; skóra pod oczami lekko ściemniała i rysy twarzy trochę się zaostrzyły. Ale te zmiany następowały tak powoli, że Zygmunt ich nie dostrzegał, tak jak nie dostrzegał siwizny na swoich skroniach. Miał nerwice i nauczył się dawać sobie z nimi radę; ale to, co najcenniejsze w jego życiu, małżeństwo, było normalne jak słońce i deszcz.

„Ileż ja jej zawdzięczam – pomyślał. – Ile dobroci i radości wniosła w moje życie. Ile wykazała cierpliwości i pogody ducha w ciężkich chwilach".

Rocznicowy obiad przebiegał w wesołej atmosferze. Marta poprosiła kilka młodych kobiet z sąsiedztwa, żeby jej pomogły w kuchni i przy podawaniu do stołu. Po toastach i obejrzeniu licznych prezentów orkiestra tyrolska zaczęła przygrywać do tańca.

Gdy zapadł zmrok, Zygmunt zaproponował, że opowie o swych rozważaniach nad totemem i tabu. Był to temat jego ostatniej pracy. Marta cieszyła się z poprawy, jaka nastąpiła w stanie zdrowia i nastroju męża dzięki przypływowi sił twórczych. Na werandę wyniesiono krzesła i ustawiono je w półkole. Nie zapalono lampy ani świec; pod jaśniejącym gwiazdami niebem zaczął Zygmunt ciepłym, serdecznym głosem mówić o tym, że celem, który sobie postawił, było przerzucenie mostu nad przepaścią dzielącą uczonych zajmujących się takimi dziedzinami jak socjologia, filologia i folklor z jednej strony, a psychoanaliza z drugiej. U źródeł wszystkich kultur leży stłumienie popędów. We współczesnych społeczeństwach tabu nadal jeszcze często obowiązuje, totemizm natomiast dawno już został wyrzucony do lamusa i zastąpiony nowymi formami. Najlepszym sposobem dotarcia do pierwotnego znaczenia totemizmu jest studiowanie jego przeżytków zachowanych w okresie dzieciństwa.

Jakie elementy prehistorii, wydarzeń i warunków datujących się z czasów poprzedzających historię pisaną, przetrwały w umyśle współczesnego człowieka? Zastanawiając się nad australijskimi autochtonami, uchodzącymi za „najbardziej zacofanych i nieszczęśliwych dzikusów", którzy nie znali kultu wyższej istoty, pisał: „A jednak stwierdzamy, że z niezwykłą skrupulatnością i największą surowością unikają stosunków kazirodczych. Co więcej, cała struktura społeczna zdaje się służyć temu zakazowi, jak gdyby została stworzona po to, by zakaz ten był przestrzegany".

Każdy klan ma swój własny totem i nosi jego nazwę, zazwyczaj nazwę zwierzęcia. Totem ten, sugerował Zygmunt, stał się wspólnym przodkiem klanu, a także jego duchem opiekuńczym, wspierał go i żaden inny klan nie mógł go sobie przywłaszczyć. Każdy członek klanu winien mu był całkowitą wierność i posłuszeństwo.

Jak jednak doszło do tego, że totem stał się tak wszechmocny i wszechobecny, że ani jeden klan autochtonów australijskich nie mógł się bez niego obejść? I jaki właściwie związek istnieje między systemem totemicznym a psychoanalizą?

Kazał przynieść lampę i rękopis swej pracy, po czym zaczął czytać:

– „Niemal wszędzie, gdzie spotykamy się z totemami, obowiązuje również prawo, które zakazuje osobom należącym do tego samego totemu utrzymywać ze sobą stosunki seksualne, a zatem zawierać małżeństwa. Mamy więc tu do czynienia z egzogamią. Struktura klanu totemicznego miała na celu regulowanie wyboru partnera do tego stopnia, że zapobiegała kazirodztwu grupowemu i zakazywała zawierania małżeństwa nawet między dalekimi krewnymi w klanie.

U nerwicowców spotykamy niezmiennie pewien stopień infantylizmu psychicznego. Niemałe więc znaczenie ma fakt, że możemy wykazać, iż te właśnie pragnienia kazirodcze, które potem staną się pragnieniami podświadomymi, dotąd jeszcze są uważane przez ludy pierwotne za bezpośrednie zagrożenie wymagające podejmowania najsurowszych środków obronnych".

Przeszedł z kolei do następnego problemu – związków między tabu a ambiwalencją emocjonalną. Przeprowadził rozróżnienie między restrykcjami tabu a zakazami religijnymi i moralnymi, wykazując, że chociaż źródła tabu często były nieuchwytne i niezrozumiałe, niemniej człowiek pierwotny przestrzegał go, ponieważ zlekceważenie tych zakazów sprowadzało natychmiastową i surową karę. W podobny sposób zachowywali się jego pacjenci z nerwicą natręctw; cierpieli oni na swego rodzaju „choroby tabu". Zarówno u neurotyków, jak i ludzi pierwotnych tabu wydawało się nieuzasadnione i nie miało jasnego źródła. Z chwilą gdy jakieś natręctwo opanowało człowieka, utrzymywało się ono wskutek lęku przed karą. Uważał za rzecz oczywistą, że zakazy wynikające z tabu muszą być związane z „czynnościami, do których istnieje silna inklinacja". Tak więc pierwotni Australijczycy „muszą mieć ambiwalentny stosunek do swego tabu. W ich podświadomości tkwi silne pragnienie pogwałcenia tabu, ale powstrzymuje ich strach. Boją się właśnie dlatego, że chcieliby to zrobić, ale obawa silniejsza jest od pragnienia. Niemniej pragnienie to tkwi w podświadomości każdego członka klanu, podobnie jak tkwi w podświadomości neurotyka...

– „Mamy tu więc dokładny odpowiednik obsesyjnego aktu występującego w nerwicy, w której dążenie stłumione i dążenie tłumiące zostają równocześnie i jednakowo zaspokojone. Akt obsesyjny jest pozornie ochroną przed aktem zakazanym, naszym jednak zdaniem jest on faktycznie jego powtórzeniem".

Trzeci szkic, któremu zamierzał dać tytuł *Animizm, magia i wszechpotęga myśli,* miał ukazać źródła instytucjonalnej religii wraz z jej magicznymi i czarodziejskimi metodami. Stosunek między myśleniem animistycznym a myśleniem neurotyka polegał jego zdaniem na tym, że w jednym i w drugim wypadku występowała wiara we „wszechwładzę myśli". Podobnie jak ludzie uprawiający magię i czary żyją we własnym świecie, neurotycy żyją w świecie, w którym obowiązują jedynie „neurotyczne prawa".

– „Pierwotne działania natrętne takich neurotyków mają charakter wyłącznie magiczny. Jeśli nie stanowią one swego rodzaju zaklęć, to są przynajmniej antyzaklęciami służącymi jako obrona przed mającą nastąpić katastrofą; od takiego lęku zazwyczaj nerwica się zaczyna. W każdym wypadku, w którym udało mi się zgłębić tajemnicę, stwierdzałem, że tą spodziewaną katastrofą jest śmierć".

Usłyszał, jak siedzący wokół przyjaciele głęboko odetchnęli.

Z uczuciem uniesienia przeszedł do treści czwartego i ostatniego szkicu, który miał nosić tytuł *Nawrót totemizmu w dzieciństwie.* Człowiek pierwotny koncentruje swe lęki na zwierzęciu totemistycznym. Obecnie u wszystkich młodych osobników płci męskiej ojciec występuje w roli zwierzęcia totemistycznego.

– „Jeśli zwierzęciem totemistycznym jest ojciec, wówczas dwa podstawowe nakazy totemizmu, dwa zakazy tabu stanowiące jego rdzeń, a mianowicie zakaz zabijania zwierzęcia symbolizującego totem oraz zakaz stosunku z kobietą należącą do tego samego totemu, są pod względem treści zbieżne z dwiema zbrodniami Edypa, który zabił ojca i poślubił matkę, jak też z dwoma podstawowymi pragnieniami dzieci, niedostatecznego stłumienia lub rozbudzenia, które stanowią zalążek każdej bodaj psychonerwicy. Jeśli to równanie nie jest tylko wprowadzającym w błąd przypadkiem, wówczas musi nam ono umożliwić dostrzeżenie źródeł totemizmu w niewyobrażalnie odległej przeszłości. Innymi słowy umożliwia nam ono udowodnienie, że system totemistyczny, podobnie jak fobia zwierzęca małego Hansa, był wytworem sytuacji istniejącej w kompleksie Edypa...

Seksualne pragnienia nie łączą ludzi, lecz ich dzielą, doprowadzają do poróżnienia syna z ojcem. Religia totemistyczna wynika z tego synowskiego poczucia winy, z próby złagodzenia tego uczucia i przebłagania ojca przez okazywanie mu szacunku i posłuszeństwa. Jak widzimy, wszystkie późniejsze religie są próbami rozwiązania tego samego problemu.

To właśnie prowadzi do jednej z najstarszych totemistycznych praktyk, dorocznej ofiary ze zwierzęcia totemistycznego, które zjadali następnie wszyscy członkowie klanu. Ofiara wszędzie wiąże się z ucztą, uczta zaś nie może się odbywać bez ofiary. Tak więc klanowa ofiara klanowego zwierzęcia to w ostatecznym wyniku triumf nad ojcem. Odnosi się to również do współczesnej religii. Religia totemistyczna nie tylko wyrażała żal i była próbą przebłagania, lecz również służyła jako wspomnienie triumfu nad ojcem. Ponieważ pragnienie zabicia ojca tkwi w podświadomości każdego dziecka płci męskiej, stało się ono u człowieka prymitywnego częścią obyczaju popełniania ojcobójstwa w określonym czasie przez złożenie w ofierze totemu i zjedzenie go. Jeśli idzie o religię współczesną, psychoanaliza ujawnia, że każdy mężczyzna tworzy boga na podobieństwo swego ojca".

Przez dłuższą chwilę panowało milczenie. Nikt się nie ruszył z miejsca. Potem usłyszał ciche szepty. Zachwytu? Oburzenia? Zygmunt nie wiedział. Wstał. Obok niego stała Marta. Otoczyli ich goście, dziękując za cudowny dzień i składając najlepsze życzenia.

6

Zygmunt wybrał się do Karola Junga do Küsnacht; cztery dni później mieli razem pojechać na kongres w Weimarze. Jung oczekiwał go na dworcu w Zurychu. Obaj byli zbyt powściągliwi, by obejmować się na oczach ludzi, ale ich radosne miny świadczyły, że są do siebie przywiązani i darzą się wzajemnym szacunkiem.

Dom Jungów w Küsnacht wybudował ich krewny. W odróżnieniu od innych domów nad jeziorem był utrzymany w osiemnastowiecznym stylu. Najbardziej uderzyła Zygmunta jego przestronność. Do domu prowadziła długa ścieżka, wysadzana młodymi drzewami. Drzwi frontowe były pięknie rzeźbione, a nad nimi, na kamiennym nadprożu, został wyryty napis: „Dom Uśmiechu". Schody z bogato rzeźbioną balustradą prowadziły z hallu na pierwsze piętro. Architekt dołożył starań, by urzeczywistnić marzenie Jungów o pięknym domostwie.

Po jednej stronie hallu znajdował się salon z fortepianem, urządzony w stylu francuskiego baroku; ściany obito jedwabiem i brokatem. Z hallu wchodziło się do głównego pomieszczenia, dużego salonu z kominkiem i mnóstwem mebli. Z okien widać było jezioro. Na środku pokoju leżał duży dywan i stał rozsuwany stół. Tu jadano i podejmowano gości.

Na parterze znajdowała się również nieduża poczekalnia, prowadząca do dwóch uroczych pokoi. Większy miał kilka dużych okien wychodzących na jezioro i łąkę łagodnie opadającą ku przystani, w której Jung trzymał żaglówkę. W tym pokoju, o witrażowych oknach, przyjmował pacjentów, w mniejszym zaś pisał. Na dużym biurku leżała olbrzymia teka z jego rysunkami i obrazami. Zygmunt zauważył, że w gabinecie nie ma kozetki. Stał tylko wielki, wygodny fotel, w którym pacjent siadał przed biurkiem Junga. I tu był kominek, ale cała rodzina skarżyła się, że ponieważ ojcu nigdy nie jest zimno, wszyscy inni muszą marznąć. Jung początkowo zamierzał zostać archeologiem, ale w domu było niewiele pamiątek z jego wypraw. Kolekcjonował idee i wyobrażenia, które później rzeźbił w drewnie, a niekiedy w kamieniu. W odróżnieniu od Zygmunta nie lubował się w antycznych figurkach. Zygmunt myślał o nim z serdecznością: „Oto człowiek w pełni tego słowa doskonały; samowystarczalny artysta".

Emma umieściła Zygmunta na piętrze w pokoju gościnnym, którego okna wychodziły na jezioro. Jung oprowadził go po całym domu. Opowiadał, że początkowo miał niewielu pacjentów, poświęcał więc głównie czas pisaniu i badaniom. Wkrótce jednak zaczęli przybywać ludzie pociągami i statkami. Rozeszła się wieść, że jest genialnym znachorem. Zygmunt wstawał o pół do siódmej rano i pomagał Jungowi w ogródku. Zjadali potem lekkie śniadanie i wybierali się na jezioro, by trochę powiosłować. Niekiedy cała rodzina wypływała żaglówką daleko między wyspy. Jedną z nich Jung chciał kupić i wybudować tam dom na lato. Kiedy zostawali sami, rozprawiali o psychoanalizie. Dzieliły ich jedynie drobne rozbieżności dotyczące metod wydobywania z pacjenta jak największej ilości materiału. Jung nie miał pretensji o to, że Zygmunt uważa go za swego następcę. Zajmował się obecnie pilnie „Rocznikiem", pragnął, by publikacja miała poważny charakter i żeby była zarazem ciekawa.

Kiedy Zygmunt przypatrywał się Jungowi rzeźbiącemu w kawałku drewna albo znoszącemu kamienie na kolejny odcinek muru, nie mógł się oprzeć refleksji nad tym, jak bardzo różniło się jego życie w Wiedniu od życia Junga w Küsnacht. On i Marta nie mieli nic poza meblami i wyposażeniem mieszkania, a i to w lwiej części zakupili, kiedy się pobierali. Wynajęte mieszkanie, choć w Wiedniu pozostawało się w nim przez całe życie, nie dawało poczucia własności. Natomiast ten piękny dom, otaczający go teren, ogród warzywny i kwiatowy, lasy i dróżki prowadzące nad jezioro, wszystko to było własnością Junga. Pomyślał sobie: „Należy do nich kawał świata. Jest ich na zawsze. Cóż to musi być za przyjemne uczucie! Mieszkają w domu wybudowanym według własnych planów, stojącym nad jeziorem, dokładnie w tym miejscu, które sami wybrali. Z wysokich okien oglądają piękne góry, wschody i zachody słońca nad taflą jeziora. To wszystko musi rodzić szczególną filozofię życiową; może nie daje ona całkowitego odprężenia, choć powinna zawierać i ten element, ale wycisnęły na niej swe piętno długowieczność, ciągłość. Küsnacht niewątpliwie było budowane tak, by przetrwało cały wiek i być może dane będzie jego właścicielowi przeżyć pełne stulecie. Cieszę się za Karola i Emmę, i za ich dzieci. Znaleźli szczęśliwe miejsce. Karol powoli i ostrożnie dokona tu wielkiego dzieła i zdobędzie sławę". Zygmunt nie czuł cienia zazdrości, świadom, że to wszystko jest dla niego niedostępne. Obce to zresztą było wiedeńskiej tradycji. Niemniej zdumiewał go kontrast między tymi dwoma stylami życia.

W dwa dni później przyjechał doktor James Putnam z Bostonu, człowiek układny, sympatyczny, znający się na psychologii i filozofii. Rozmawiano po angielsku, chociaż Putnam wcale nieźle władał niemieckim. Mówił z optymizmem o rozwoju psychoanalizy w Ameryce. Ernest Jones, który często wpadał z Kanady do Nowej Anglii, zorganizował już tam komórkę wiernych jej wyznawców. A.A. Brill skupił około dwudziestu członków w Nowojorskim Towarzystwie Psychoanalitycznym. Jung żartował sobie z Zygmunta:

– I jak mógł pan podejrzewać, że ten kraj, który tak gościnnie przyjął psychoanalizę, mógłby wywołać atak kolki?

Zygmunt, Jung, Putnam, Riklin i Binswanger jechali razem pociągiem do Weimaru. Miasteczko miało charakter średniowieczny, wąskie, kręte uliczki i ruchliwy barwny rynek, otoczony domami z wysokimi, stromymi dachami. Cała piątka zostawiła walizy w hotelu i nie rozpakowując się, wyruszyła na spacer do dawnego pałacu, którym w swoim czasie zarządzał sam Goethe.

W przeciwieństwie do zeszłorocznego kongresu w Norymberdze w Weimarze panowała pogodna i przyjacielska atmosfera. Przybyło ponad pięćdziesiąt osób, w tym kilka kobiet lekarzy, które zaczynały specjalizować się w psychoanalizie. Obecnych było także czterech Amerykanów. Pierwszy referat wygłosił doktor James Putnam; mówił o znaczeniu filozofii dla dalszego rozwoju psychoanalizy. Jego skromność i szlachetne cele przyjęte zostały z entuzjazmem. Wszyscy wiedzieli o wspaniałej walce Putnama w obronie psychoanalizy Freudowskiej w Ameryce. Karol Jung był w znakomitej formie. Przewodniczył obradom ze swadą. Wygłosił referat zatytułowany *Symbolizm, psychoza i nerwice*. Zygmunt ucieszył się, że z Zurychu przybył także Eugeniusz Bleuler ze swoją grupą. Witał się z wszystkimi serdecznie i wygłosił wnikliwy wykład o autyzmie. Z pastorem Pfisterem przyjechał jego szwajcarski kolega, pastor Adolf Keller. Z Lejdy przybył doktor Jan van Emden, z Amsterdamu doktor A.W. van Renterghem, a z Niemiec wybitny specjalista zajmujący się problemami homoseksualizmu, Magnus Hirschfeld. Kongres przyjął z uznaniem prelekcję Karola Abrahama *O obłędzie maniakalno-depresyjnym*. Hans Sachs wygłosił referat o powiązaniach między psychoanalizą a psychopatologią; uwagi Ferencziego o homoseksualizmie pochwalił doktor Hirschfeld. Na wysokim poziomie utrzymany był referat Ottona Ranka *Motyw nagości w poezji i legendzie*. Podczas śniadania wielką wesołość wzbudziła zamieszczona w lokalnej gazecie notatka, że na kongresie wygłoszone zostały „ciekawe referaty o nagości i innych aktualnych sprawach".

Chociaż wszyscy wiedzieli o wystąpieniu Adlera i jego zwolenników z Wiedeńskiego Towarzystwa Psychoanalitycznego i o tym, że założył on własne Towarzystwo Wolnej Psychoanalizy, nikt o tym nie wspomniał, i wyglądało na to, że nikt się tym nie interesuje.

Jednym z najciekawszych gości była kobieta, o której Zygmunt już od dawna słyszał. Pani Lou Andreas-Salomé przyjechała na kongres ze swym kochankiem, szwedzkim psychoterapeutą doktorem Poulem Bjerre; to on właśnie wprowadził ją w psychoanalizę. Pochodziła z zamożnej, kulturalnej rodziny rosyjskiej. Wyszła za mąż za Andreasa, ponieważ groził, że w razie odmowy popełni samobójstwo. Postawiła jednak warunek, że nie będą ze sobą żyli, na co się Andreas zgodził. Jego potrzebami w tej dziedzinie zajęła się młoda służąca i urodziła mu dwóch synów. Lou Andreas-Salomé mogła więc swobodnie podróżować po świecie. Pisała powieści, wiersze, eseje i zaprzyjaźniła się z intelektualistami z całego świata. Była kochanką Rainera Marii Rilkego w jego najbardziej twórczym okresie, a także ostatnią i najrozpaczliwszą miłością Fryderyka Nietzschego. Powiedział on o niej: „Przygotowana jest jak nikt inny na świecie do zrozumienia tej części mojej filozofii, która nie została jeszcze sformułowana".

Doktor Bjerre zapewniał Zygmunta, że pani Lou niezwykle szybko i wnikliwie pojęła istotę psychoanalizy.

Miała teraz lat pięćdziesiąt. Nigdy nie była pięknością, ale zachowała urok, inteligencję i wrażliwość, podbijała wszystkich mężczyzn i prawie wszystkie kobiety, z wyjątkiem siostry Nietzschego – ta nazywała ją diabłem wcielonym, mimo że Lou dała kosza zabiegającemu o jej rękę Nietzschemu. Drwiła z tych, którzy nazywali ją *femme fatale;* uważała się po prostu za wolnego ducha, „niezależną istotę ludzką", mającą własne pieniądze i poruszającą się swobodnie po całym świecie. Kochała się wyłącznie w ludziach utalentowanych, zazwyczaj wybitnie utalentowanych, ale nigdy nie poświęcała się bez reszty swym miłościom. Nikt właściwie nie wiedział, ile takich romansów miała w ciągu ostatnich trzydziestu lat, nie uważano jej jednak za kobietę rozpustną. W głębi duszy pozostawała sobą; mężczyźni stanowili tylko kolejne szczeble jej intelektualnego i artystycznego rozwoju. Zygmunt był pod olbrzymim wrażeniem jej inteligencji i jasności myślenia. W jej sposobie bycia nie było cienia zalotności. Zapytała, czy może napisać do niego i odwiedzić go w Wiedniu. Zgodził się.

Dwudniowy kongres zakończył się w atmosferze zadowolenia z dotychczasowych osiągnięć i wielkich nadziei na przyszłość. Zygmunt pozostał jeszcze kilka dni w Weimarze, żeby porozmawiać z Abrahamem, Brillem i Jonesem o przypadkach, którymi się w tym czasie zajmowali, i opracowywanych przez nich metodach terapeutycznych. Wracał do Wiednia w znakomitym nastroju i zdrowiu. Od lat nie czuł się tak dobrze.

7

W naturze wahadła leży zmiana pozycji.

Wzmogły się napaści w prasie szwajcarskiej. Atakowano psychoanalizę nie z rzeczowego, lecz z moralnego punktu widzenia. Nazywano ją czarną magią, czymś z gruntu złowrogim, szatańską próbą deprawowania ludzi. Nie były to izolowane wyskoki. Zygmunt wyczuwał, że są zorganizowane i źródło ich nie znajduje się bynajmniej w redakcjach gazet. Stale powtarzający się teologiczny akcent polemik wskazywał, że za całą akcją stoją sfery klerykalne. Równolegle narastały sprzeciwy w kołach rządowych; psychoanalizę uznano za sprzeczną z narodowymi interesami Szwajcarii. Od psychiatrów domagano się, by stronili od tego bagna. Ostrzegano Szwajcarów, by nie korzystali z porad lekarzy, którzy uznają Freudowską psychoanalizę. Skutki tej kampanii odczuli przyjaciele Zygmunta w Zurychu, a przede wszystkim ci, którzy wstąpili do założonego przed rokiem Szwajcarskiego Towarzystwa Psychoanalitycznego. Stracili wielu pacjentów. Nie pojawiali się nowi.

Riklin prosił Zygmunta, by kierował do niego pacjentów z Austrii lub Niemiec. Chodziło mu nie tylko o stronę finansową, ale i o możliwość kontynuowania badań psychoanalitycznych. Pisał, że jeśli sytuacja się nie zmieni, będzie musiał wrócić do tradycyjnej neurologii.

Mniej więcej w tym samym czasie w „New York Timesie" ukazała się wiadomość, że niejaki doktor Allen Starr, utrzymujący, że pracował z Zygmuntem Freudem u Meynerta w Wiedniu, oświadczył na posiedzeniu sekcji neurologicznej Nowojorskiej Akademii Medycznej, że Zygmunt był wiedeńskim libertynem, „człowiekiem o niezbyt szczytnych zasadach życiowych".

W pracowni Meynerta Zygmunt zetknął się tylko z jednym Amerykaninem, Bernardem Sachsem. Można by wyśmiać notatkę „Timesa", gdyby nie to, że wyrządzała dużą szkodę zapoczątkowanemu przez A.A. Brilla ruchowi. Zygmunt sprawdził dokumenty w klinice Meynerta i w Allgemeines Krankenhaus; nazwiska Starra nie znalazł. Może był przez krótki czas hospitantem na wydziale medycyny. Sens komentarza „Timesa" sprowadzał się mniej więcej do tego, że Zygmunt oparł swe teorie na własnym niemoralnym życiu. W domu nie potraktowano poważnie tych zarzutów.

– I pomyśleć, że przez tyle lat mieszkaliśmy pod jednym dachem z wiedeńskim libertynem i w ogóle nie zdawaliśmy sobie z tego sprawy – żartowała ciocia Minna.

W kwietniu otrzymał list od Ludwika Binswangera, który donosił, że podczas operacji wyrostka robaczkowego stwierdzono u niego złośliwy nowotwór. Dawano mu od roku do trzech lat życia. Wiadomość była bardzo bolesna. Binswanger sprawdził się jako wierny i odważny towarzysz walki.

Niemal równocześnie zachorowała Amelia. Mimo siedemdziesięciu sześciu lat była jeszcze kobietą pełną energii. Wezwany internista, który ją zbadał, wbrew protestom chorej twierdzącej, że nie potrzebuje lekarza, zalecił odpoczynek i kurację. Dolfi obiecała, że dopilnuje, by matka zażywała lekarstwa. Kiedy stan Amelii się poprawił, Zygmunt napisał do Karola Junga, że wybiera się w odwiedziny do Ludwika Binswangera w Kreuzlingen nad Jeziorem Bodeńskim. Będzie tylko przez dwa dni, ale czy nie mogliby się tam spotkać i porozmawiać?

Po usunięciu guza Binswanger wracał szybko do zdrowia. Spacerowali nad jeziorem, omawiając metody przeciwdziałania szwajcarskim atakom. W niedzielę Binswanger zabrał Zygmunta do rodzinnej posiadłości, gdzie zebrała się grupa przyjaciół i krewnych pragnących poznać nauczyciela Ludwika. Dzień upływał w przyjemnej atmosferze, ale już wczesnym popołudniem Zygmunt zaczął się niepokoić. Dlaczego Jung nie przyjechał? Z Küsnacht jest przecież niedaleko. Połączenia kolejowe są dobre. Zygmunt musiał wieczorem wracać do Wiednia. To dziwne, że Karol i Emma nie mieli ochoty zobaczyć się ze swoim starym przyjacielem Ludwikiem Binswangerem, no i z nim samym.

Jung nie przyjechał i nie odezwał się. Zygmunt czuł się rozczarowany. Nie mógł pojąć, co się stało.

Odpowiedź zawierał list, który nadszedł w kilka dni później.

Jung był obrażony. Gniewał się na Zygmunta za to, że tak późno go zawiadomił. Cóż ma sądzić o ich przyjaźni, skoro Zygmunt, decydując się na tak daleką podróż, nie znalazł kilku godzin, by odwiedzić go w Küsnacht, gdzie przecież przed rokiem tak serdecznie go podejmowano?

Zygmunt natychmiast odpisał, że wysłał list dostatecznie wcześnie, by Jung go dostał na czas. Wybrał się tylko na dwa dni, bo chciał podtrzymać na duchu Binswangera. List utrzymany był w spokojnym tonie i ograniczał się do podania faktów.

Niedługo potem Jung zawiadomił Zygmunta, że został zaproszony na wrzesień na cykl wykładów na Uniwersytecie Fordhama w Nowym Jorku, nie może więc zająć się przygotowaniami do następnego kongresu i nie weźmie w nim udziału. Zygmunt wyczytał między wierszami, że skoro prezes Jung nie może być we wrześniu w Europie, należy kongres w tym roku odwołać.

Stanowiło to poważny problem. Zygmunt uważał, że byłoby rzeczą niewłaściwą, gdyby sam przewodniczył. Jeśli zwoła kongres bez Junga, będzie wyglądało na to, że Jung specjalnie przyjął zaproszenie do Ameryki, żeby nie być na kongresie, jeśli zaś powierzy przewodniczenie komuś innemu, Jung może się obrazić i odsunąć od ruchu. Przez kilka dni zadręczał się tym problemem, wreszcie z ciężkim sercem postanowił przełożyć kongres na rok następny.

Hugo Heller zdążył już wydać dwa numery „Imago", w których ogłosił dwa pierwsze rozdziały pracy Zygmunta *Totem i tabu*. Czasopismo kupowała i czytała nieliczna grupa zainteresowanych. I oto Heller wpadł jak burza gradowa do gabinetu Zygmunta. Heller łatwo się unosił, tym razem jednak był rzeczywiście zdenerwowany.

– Hugo, wyglądasz, jakby za chwilę ziemia miała się zapaść pod tobą! – zawołał Zygmunt.

– Już się zapadła! Zwiastunami trzęsienia ziemi okazali się moi klienci. Kilkanaście osób, które od chwili gdy otworzyłem księgarnię, tylko u mnie kupowały książki. Oświadczyli mi, że jeśli nie usunę egzemplarzy „Imago" z wystawy i półek, przestaną u mnie kupować. Toż to szantaż! Ale nie mam wyjścia. To są moi najlepsi klienci. Jeśli ich stracę, będę musiał zwinąć interes.

– A jak się przedstawia subskrypcja i sprzedaż w innych miastach? – zapytał spokojnie Zygmunt.

– O dziwo, lista subskrybentów jest bardzo długa; mamy ich już prawie dwustu. Ja się nie obawiam deficytu, ale nie lubię, kiedy mi dyktują, jak mam prowadzić moją własną księgarnię. To mnie poniża.

Od tej chwili „Imago" znikła z wystaw i półek. Czasopisma nie sprzedawano w Wiedniu.

Kolejny list od Junga pogłębił niepokój Zygmunta. Od lat Jung pisał do niego „Drogi Przyjacielu", a teraz list zaczynał się od słów: „Drogi Panie Doktorze". Ton listu był także znacznie chłodniejszy od poprzednich. Jung zwracał uwagę na dzielące ich różnice i spory ideologiczne, ze szczególnym naciskiem podkreślając te elementy w poglądach Zygmunta, z którymi absolutnie nie mógł się zgodzić. Nieuchronnie rodziło się w umyśle Zygmunta podejrzenie, że awantura o wyjazd nad Jezioro Bodeńskie, przeoczenie daty stempla pocztowego i nagły wyjazd do Nowego Jorku nie są bynajmniej serią przypadków, lecz sygnałami, że tłumione dotąd w podświadomości Junga idee zaczynają wypływać na powierzchnię.

To już była sprawa poważna, o której Zygmunt myślał w każdej wolnej chwili. Bardzo lubił Junga i darzył go wielkim szacunkiem. Wierzył, że z jego osobą wiąże się przyszłość ruchu psychoanalitycznego. Przecież na jego ofiarności, wytrwałości, lojalności i entuzjazmie, na jego sprawności organizacyjnej, dzięki której tak pomyślnie przebiegały kongresy, ukazywały się publikacje, opierał się cały ruch.

Napisał do Junga, że wszelkie różnice ideologiczne, jakie między nimi istnieją, w żadnym wypadku nie powinny doprowadzić do zerwania.

Od córki Zofii spędzającej wakacje w Hamburgu otrzymali zawiadomienie, że się zaręczyła. Narzeczonym był niejaki Maks Halberstadt, z zawodu fotograf.

Zygmunt był oburzony.

– Przecież ona ma zaledwie dziewiętnaście lat! Po co ten pośpiech? I dlaczego zawiadamia nas listownie o zaręczynach? Nie mogła przyjechać i powiedzieć nam o tym? Kim jest ten Maks Halberstadt?

– Nie wiem, kochanie – odpowiedziała Marta, wzruszając ramionami. – Matylda napisała nam o swych zaręczynach z Meranu i Roberta Hollitschera też nie znaliśmy. A przecież bardzo go polubiłeś i teraz cieszysz się, że Matylda jest w odmiennym stanie i że wkrótce będziesz dziadkiem. Powiedziałeś wtedy, że czas najwyższy, żebyśmy mieli zięciów, a teraz czas najwyższy, żebyśmy mieli wnuków.

Matyldę spotkała wielka przykrość. Dostała gorączki i jak Zygmunt pisał do Ernesta Jonesa, „musiała przerwać ciążę". Lekarz nie mógł powiedzieć, czy Matylda może rodzić, a nawet czy powinna jeszcze próbować mieć dzieci. Dla rodziny był to dotkliwy cios.

Rozstanie z Alfredem Adlerem i jego przyjaciółmi nie pozostawiło brzydkich blizn. Minęło już kilka miesięcy. Nie doszło do żadnej nieprzyjemnej wymiany zdań. W 1911 roku Adler ogłosił w „Zentralblatt" trzy artykuły o oporze i nerwicach u kobiet, obecnie zaś pracował nad książką, która miała się ukazać pod tytułem *Osobowość neurotyczna* za rok w Wiesbaden. Adler postanowił zdemaskować w swej pracy istotę psychoanalizy Freudowskiej. Zwolennicy Adlera, mniej skłonni do przestrzegania dobrych manier, wykorzystali to jako okazję do osobistych ataków na Freuda; oskarżali go o tworzenie „zniewolonej" psychologii w przeciwieństwie do „wolnej" psychologii Adlera.

Otto Rank, który w ciągu sześciu lat zgromadził sto pięćdziesiąt protokołów zebrań, przedstawił Zygmuntowi ciekawe dane.

– Niech pan spojrzy, panie profesorze, co wynika z tych protokołów. Adler wygłosił dokładnie tyle samo referatów co pan, a jego wystąpienia pochłonęły znacznie więcej czasu. Jego referaty, poza trzema ostatnimi, nie spotkały się z ostrymi replikami. Jeśli pan pozwoli, roześlę te materiały.

– Nie, Ottonie – odpowiedział Zygmunt z westchnieniem. – To na nic się nie zda. Nie trzeba przejmować się plotkami, nie mają one długiego żywota.

8

Zwiastuny burzy pojawiają się wcześnie. Nie dostrzegają ich jedynie ludzie, których uwaga skupiona jest na innych sprawach, lub ci, którzy żywią się złudzeniami, że „wszystko rozejdzie się po kościach". Ale Zygmunt liczył na palcach ostrzeżenia: Przed dwoma laty Jung przysłał mu pierwszą połowę rękopisu, prowizorycznie zatytułowanego *Zmiany i symbole libido*. Zygmunt znalazł tam wiele rozbieżności ze swymi tezami, niemniej napisał długi list do Junga, radząc mu, jak ma podbudować główną myśl. Kiedy w lecie był u Jungów, Karol chciał dokładnie przedyskutować rękopis, ale Zygmunt zmienił temat rozmowy. Emma, która była świadkiem tej sceny, powiedziała potem do Zygmunta:

– Odnoszę wrażenie, że ma pan zastrzeżenia do nowej książki Karola.

– Przekazałem mu już wszystkie uwagi krytyczne, na jakie mnie stać. Po cóż miałbym go zanudzać? Karol i tak się ze mną nie zgodzi, a zresztą powinien postępować zgodnie z tym, co mu dyktuje własne sumienie.

– Jest pan bardzo wyrozumiały, panie profesorze. – Emma położyła dłoń na ręce Zygmunta. – Jest pan najważniejszym człowiekiem w życiu Karola i nie chciałabym, by kiedykolwiek doszło między wami do jakichś nieporozumień.

W maju następnego roku Jung napisał do Zygmunta, że praca nad książką postępuje i że poszerza w niej swoją koncepcję *libido*, które, jego zdaniem, jest tylko następstwem ogólnego napięcia, a nie wyłącznie czy koniecznie czynnikiem związanym z seksualizmem.

Zygmunt doszedł do wniosku, że lepiej będzie, jeśli na list ten nie odpowie. W listopadzie jednak otrzymał serdeczny, lecz uderzający na alarm list od Emmy Jung.

„Obawiam się, Panie Profesorze, że to, co pisze mój mąż w drugiej części swej książki o symbolach *libido,* nie spodoba się Panu i nie uzyska Pańskiej aprobaty. Piszę, by Pana przestrzec i by przypomnieć Panu naszą rozmowę w Küsnacht: «Karol musi pójść swoją własną drogą, ale nie może tego przypłacić utratą Pańskiej przyjaźni»".

Zygmunt pokazał Marcie list Emmy.

– Bardzo to ładnie ze strony Emmy, że do mnie napisała, ale ja już dawniej wiedziałem, w jakim kierunku zmierza Karol. Niedługo będzie twierdził, że kompleks Edypa i pragnienia kazirodcze nie są aktywnymi, osobniczymi elementami podświadomości, lecz symbolami reprezentującymi wyższe ideały.

– Czy przez „wyższe ideały" rozumie on ideały religijne?

– Tak. Ale nie w powszechnie przyjętym znaczeniu. Idee mistyczne Karola mają inne źródła.

Marta uważnie wpatrywała się w głęboką zmarszczkę, która pojawiła się na czole Zygmunta.

– Czy będziesz mógł się pogodzić z tymi opiniami?

– Niełatwo mi to przyjdzie. Karol od lat występuje publicznie w mojej obronie, i to w sytuacjach dla niego niebezpiecznych i niekorzystnych. Nikt bardziej od niego nie zasługuje na moją miłość i wdzięczność.

Zgodnie z przewidywaniami Zygmunta horyzont coraz bardziej się zaciemniał. Jung był dobrym administratorem, gdy miał na to ochotę, teraz jednak zaczął zaniedbywać obowiązki prezesa Towarzystwa. Czas potrzebny na prace organizacyjne wolał poświęcać na własne badania i pisanie.

– Nie mogę go winić – tłumaczył Zygmunt Marcie. – To jeden z powodów, dla których sam nie chciałem objąć prezesury. Ale Karol ma więcej energii i lepiej umie kierować ludźmi.

– A nie myślisz, że przestały go bawić zaszczyty związane z prezesurą?

– Być może. Ugina się jednak pod brzemieniem silnego tłumienia: chce pozostać u mego boku, a równocześnie pragnie odsunąć się ode mnie jak najdalej. To także jest zrozumiałe: wszelkiego rodzaju oficjalne czynniki szwajcarskie nieustannie naciskają na niego, by odrzucił moją filozofię. W ostatnich kilku wykładach nie wymienił mego nazwiska.

Franciszek Riklin poszedł w ślady Junga i również zaczął zaniedbywać swe obowiązki sekretarza i skarbnika Towarzystwa. Listy pozostawały bez odpowiedzi, składek nie ściągano, rachunków za publikacje nie uregulowano. Zygmunt postanowił, że na następnym kongresie, który miał się odbyć za rok w Monachium, trzeba będzie wybrać kogoś na jego miejsce. Ale kogo? Czy Jung pozwoli na usunięcie swego krewniaka?

Jeszcze mniej pocieszające były relacje o wykładach Junga w Nowym Jorku. Doktor James Putnam przyjechał specjalnie z Bostonu, by zobaczyć się z Jungiem i wysłuchać kilku jego wystąpień. Za pośrednictwem Ernesta Jonesa przysłał do Wiednia swe relacje. Jung dawał do zrozumienia słuchaczom na Uniwersytecie Fordhama, że chociaż nadal docenia znaczenie metod psychoanalitycznych, nie wierzy jednak, by etiologia nerwic miała coś wspólnego z fiksacjami z okresu dzieciństwa; co więcej, do tych fiksacji nie przywiązuje większego znaczenia. Psychiatra powinien się zajmować problemami i warunkami środowiskowymi, które istniały przed pojawieniem się nerwicy.

– Echa teorii Alfreda Adlera! – Zygmunt z oburzeniem tłumaczył Rankowi. – Poczekajmy, a niedługo Jung będzie mówił, że jest psychologiem społecznym.

Po powrocie z Ameryki Jung napisał do Zygmunta: „Udało mi się uczynić psychoanalizę znacznie strawniejszą dla Amerykanów, posługując się bardzo prostym wybiegiem: unikałem tematów seksualnych”.

Zygmunt odpisał cierpko:

„Nie dostrzegam w tym żadnej specjalnej przemyślności. Wystarczy unikać jakiejkolwiek wzmianki o erotycznej naturze człowieka, a psychoanaliza stanie się jeszcze bardziej strawna”.

Freudów odwiedził niestrudzony wędrowiec, Ernest Jones. Zygmunt otrzymał właśnie numer jakiegoś czasopisma neurologicznego, w którym Jung odrzucał istnienie zjawiska zazdrości o penisa i stwierdzał, że nie wierzy w istnienie seksualizmu dziecięcego. Jones po przeczytaniu artykułu zawołał zdumiony:

– Jakże to możliwe?! Przecież nie tak dawno ogłosił analityczną pracę o własnej córce i wyraźnie nakreślił kolejne fazy jej rozwoju erotycznego.

– Nie tylko naszym pacjentom przytrafia się chwiejność poglądów – odpowiedział z gorzkim uśmiechem Zygmunt. Jesteśmy analitykami i nasza wiedza powinna nas chronić przed cofaniem się.

– Analitycy są równie omylni jak wszyscy śmiertelnicy.

– Oczywiście. I życie jeszcze nieraz to potwierdzi.

Skomplikowane stosunki z Jungiem wycisnęły silne piętno na emocjonalnym, intelektualnym i zawodowym życiu Zygmunta. Młodość była okresem bliskich przyjaźni, szczególnie między studentami i kolegami. Zygmunt bardzo się przywiązał do Ignacego Schönberga, Ernesta Fleischla i Józefa Panetha. Wszyscy oni umarli wcześnie.

Przez wiele lat łączyły go więzy serdecznej i owocnej przyjaźni z Józefem Breuerem i Wilhelmem Fliessem. Dzięki nim nie czuł się osamotniony w tym okresie swego życia. Przyjaźnie te przeminęły i choć bardzo wnikliwie analizował swoją duszę, nie mógł dopatrzyć się w tym swojej winy. Alfred Adler nigdy nie należał do jego bliskich przyjaciół i nigdy nie pragnął zbliżenia. Ale odejście Adlera było po części przynajmniej jego własną winą. Gdyby nawet postąpił rozważniej, związał się z grupą szwajcarską i pozwolił mu odegrać kluczową rolę w organizowaniu Międzynarodowego Towarzystwa Psychoanalitycznego, a potem w kierowaniu Towarzystwem, odsunąłby tylko na pewien czas chwilę rozstania. Adler musiał pójść własną drogą, musiał być niezależny, musiał stworzyć swoją grupę, by stanąć na jej czele.

Natomiast rosnąca przepaść między nim a o dziewiętnaście lat młodszym od niego Karolem Jungiem to coś zupełnie innego. Zygmunt był z całego serca przywiązany do Junga. Dzięki szczęśliwemu zbiegowi okoliczności mógł współpracować z kilkoma najbardziej twórczymi umysłami epoki: Brentano uczył go filozofii, Brücke – fizjologii, Meynert – psychiatrii, Nothnagel – interny, Billroth – chirurgii, Charcot – neurologii, Bernheim – hipnozy. Miał tak zdolnych przyjaciół jak Breuer, Exner, Fleischl, Weiss i Fliess, który podtrzymywał go na duchu w latach „banicji". Karol Jung dorównywał najświetniejszym z nich.

Zygmunt był z natury monogamistą. Martę poślubił na całe życie. Junga uznał za następcę i do końca życia nie zamierzał decyzji swej zmienić. Nie mógł pojąć, jak doszło do tego, że ich sześcioletnia przyjaźń, tak bliska, tak piękna, tak im obu potrzebna, mogła się rozpłynąć w ciężkiej mgle sporów. Przecież od samego początku wiedzieli o dzielących ich różnicach poglądów i pogodzili się z tym faktem. Ale czy naprawdę? Z bólem serca myślał o tym, że może stracić Junga, musiał jednak przyznać, że coś już podkopało ich stosunki.

Koledzy wyczuwali jego nastrój. Każdy z nich na własną rękę próbował coś zrobić. Oskar Pfister, Ludwik Binswanger, Ferenczi, Abraham, Jones usiłowali nakłonić Junga, by zapobiegł zerwaniu. Zygmunt nie oponował; wręcz przeciwnie, każdego z osobna zapewniał, że gdy tylko uda się przywrócić dawne dobre stosunki osobiste, nie dojdzie do rozłamu.

Z całkiem nieoczekiwanej strony wyszła nowa inicjatywa. Ernest Jones nie miał w sobie nic z konspiratora. Do niego napisał Zygmunt przed wyjazdem do Karlsbadu.

Wybrał się do wód z Martą. Mówił, że chce leczyć swe „amerykańskie zapalenie okrężnicy". Minna, słysząc to, powiedziała:

– Mój drogi, przymiotnik jest niewłaściwy. Nie masz wcale amerykańskiego zapalenia okrężnicy, lecz szwajcarskie. Zmuś Karola Junga, by przestał podważać gmach twojej wiedzy, a okrężnica przestanie ci dolegać.

Ernest Jones otrzymał list Zygmunta w Budapeszcie, gdzie pracował podówczas z Sándorem Ferenczim. Zygmunt pisał, że psychoanaliza przestała już być wyłącznie jego sprawą. Jest również sprawą Jonesa i innych. Jones pokazał list Ferencziemu, który po przeczytaniu go zauważył:

– Jeśli po dezercji Adlera i Stekla opuści nas Jung, to należy przypuszczać, że w miarę rozrastania się naszego Towarzystwa dojdzie do dalszych rozłamów. Wydaje mi się, że najskuteczniejszym sposobem zapobieżenia schizmom i powstawaniu sekciarskich psychologii będzie zorganizowanie małej grupy lekarzy, którzy przeszli szczegółową analizę u Freuda. W każdym kraju powinien się znaleźć jeden taki lekarz i on będzie mógł odpierać zarzuty stawiane Freudowskiej psychoanalizie.

– Ale to jest niemożliwe. Jedynymi, którzy mogą rzeczywiście utrzymywać, że byli analizowani przez profesora Freuda, jesteś ty i Maks Eitingon. Mam jednak inny pomysł. Dlaczego nie stworzyć małej zakonspirowanej grupy godnych zaufania analityków, czegoś w rodzaju „starej gwardii"? Profesor będzie wiedział, że ma przy sobie grono wypróbowanych przyjaciół. Ta świadomość będzie go podtrzymywać na duchu, kiedy dojdzie do dalszych sporów, a także, jak powiadasz, będziemy mogli konkretnie pomóc mu w odpieraniu napaści.

– Znakomicie! Napisz do profesora.

Jones napisał jeszcze tego samego wieczora, przedstawiając wstępny plan działania. Zygmunt przeczytał list przy śniadaniu, które jadł w „Goldener Schlüssel" z Martą, Minną, Zofią i Anną. Jego twarz rozjaśnił promienny uśmiech.

– Podziel się z nami dobrymi wiadomościami – zażądała Marta. – Ostatnio byłeś stale w kwaśnym humorze.

Podał im list. Wszyscy byli zachwyceni pomysłem. Okazało się, że Minna miała rację. Dolegliwości ustąpiły, jakby ręką odjął. Po południu odpisał Jonesowi:

„Moją wyobraźnię porwał natychmiast Pański pomysł tajnej rady, złożonej z naszych najlepszych i najbardziej zaufanych ludzi, która zajmie się dalszym rozwojem psychoanalizy i obroną naszej sprawy, gdy mnie już nie będzie... Wiem, że koncepcja ta ma w sobie coś szczeniackiego czy może romantycznego, ale wydaje mi się, że można ją dostosować do wymogów rzeczywistości... Przyznam szczerze, że łatwiej będzie mi żyć i umierać, wiedząc, że nad moim dziełem czuwać będzie tego rodzaju stowarzyszenie...".

Po powrocie do Wiednia nie wspomniał ani słowem o organizacji nowej grupy Ottonowi Rankowi, który spędzał z nim codziennie kilka godzin. Wiedeńskie Towarzystwo Psychoanalityczne zamierzało zakupić maszynę do pisania, by Otto mógł odpisywać na listy nieadresowane osobiście do profesora Freuda i rozsyłać zawiadomienia o wykładach, odczytach i publikacjach. Zygmunt doszedł do wniosku, że sam nie powinien nikomu proponować przystąpienia do tej specjalnej grupy; w ten sposób nie będzie wiedział o ewentualnych wypadkach odmowy.

W kilka miesięcy po owej wymianie listów Jones porozmawiał z Rankiem. Otto był zachwycony. Ukończył już studia (Zygmunt zrobił mu prezent w postaci wycieczki do Grecji, o której marzył przez całe życie), ale wciąż jeszcze nie pracował zarobkowo. Zygmunt obiecał mu, że będzie pierwszym analitykiem bez dyplomu lekarskiego, i nadal obietnicę podtrzymywał. Uważał jednak, że Otto powinien jeszcze uzupełnić wiedzę, zanim będzie można posyłać mu pacjentów. Rank pobierał skromne uposażenie jako sekretarz Wiedeńskiego Towarzystwa Psychoanalitycznego, a jego szczupły budżet Zygmunt uzupełniał z własnej kieszeni.

Ernest Jones lubił dobre restauracje, hotele i wina, zaprzyjaźnił się więc szybko z wiedeńskim „bywalcem" Hansem Sachsem. Po wciągnięciu Ranka do nowej grupy zwrócił się do Sachsa i wtajemniczył go w swój plan. Sachs natychmiast zgłosił swój udział w komitecie. Jones i Ferenczi zamierzali zwrócić się jeszcze tylko do jednej osoby, do Karola Abrahama, ale ten od miesięcy nie wyjeżdżał z Berlina, oni zaś nie chcieli zawiadamiać go o swych planach listownie. Kiedy Abraham przyjechał na tydzień do Wiednia, na konsultację do profesora Freuda, poruczyli zadanie zapoznania go z nową inicjatywą Rankowi. Otto odczekał trzy dni, a kiedy Abraham omówił już najpilniejsze przypadki z profesorem, zabrał go na spacer i wyłuszczył sprawę. Abraham przystał bez zastrzeżeń.

9

Wilhelm Stekel, odchodząc, „zabrał" ze sobą „Zentralblatt". Zygmunt i jego zwolennicy ustąpili z redakcji pisma. Teraz czekał ich problem stworzenia własnego organu. Zygmunt uważał, że jest rzeczą bardzo ważną, by nowe pismo było oficjalnym organem Międzynarodowego Towarzystwa Psychoanalitycznego. Heller zgodził się je wydawać. Na listopad 1912 roku wyznaczono zebranie w Monachium; mieli w nim wziąć udział Zygmunt Freud, Karol Jung, Ernest Jones, Sändor Ferenczi, Karol Abraham, Franciszek Riklin i Alfons Maeder z Zurychu. Jung pozostał redaktorem „Rocznika". Zygmunt miał szczerą nadzieję, że spotkanie w Monachium doprowadzi do pogodzenia. Zawsze przecież odnajdowali wspólny język. Był przekonany, że gdy się zobaczą, uczucia przyjaźni wezmą górę i umożliwią rozwiązanie wszystkich spornych problemów.

Zygmunt przyjechał do Monachium nocnym pociągiem i zatrzymał się w „Park Hotel". Zdążył się wykąpać i przebrać, nim zjawił się Ernest Jones, z którym miał zjeść śniadanie. Jones spędził miesiąc wakacji we Florencji. W jego oczach iskrzyły się przekorne ogniki.

– Panie profesorze, Karol Jung wzbogacił pana *Psychopatologię życia codziennego*. Zamiast wysłać mi zaproszenie na konferencję do Anglii, jakimś cudem przesłał je na adres mego ojca w Walii. Ponadto przesunął datę konferencji na jutro, dwudziestego piątego listopada, i niewiele brakowało, a nie zastałbym już nikogo po przyjeździe. Przypadkowo dowiedziałem się z listu jednego z naszych wiedeńskich kolegów, że zebranie odbędzie się dziś. Typowe podświadome pomyłki.

– Dżentelmen nie popełnia tego rodzaju podświadomych pomyłek – odpowiedział Zygmunt sucho.

Zebranie zaczęło się o dziewiątej rano w pustym hallu hotelowym. Wszyscy zdawali się w znakomitych humorach. Jung przywitał się z Zygmuntem i pozostałymi uczestnikami równie serdecznie i swobodnie jak w dawnych latach. Zamiast Maedera przyjechał holenderski psychoanalityk doktor Johan van Ophuijsen. Kiedy Zygmunt powiedział, że chciałby zrelacjonować swoje kłopoty ze Steklem i kwestię „Zentralblatt", Jung wtrącił:

– Drogi profesorze, wszyscy wiemy, jakie pan miał przykrości. Przyjmujemy bez żadnych kwestii pański punkt widzenia, ja zaś ze swej strony proponuję, żebyśmy przeszli do sprawy utworzenia nowego pisma. Bardzo mi się podoba proponowany przez pana tytuł: „Internationale Zeitschrift für Psychoanalyse".

– Dziękuję panu, to bardzo szlachetnie z pańskiej strony, ale chciałbym, żeby sprawa znalazła się w protokole. Pozwólcie, panowie, że pokrótce opiszę komplikacje, z jakimi mieliśmy do czynienia.

Zebranie trwało dwie godziny. Panowała zupełna zgoda. Trzej przedstawiciele Zurychu uważali, że pismo powinno być publikowane w Wiedniu. Szybko omówiono jego format i charakter materiałów, postanowiono też, że będzie to kwartalnik; redaktorami zostali mianowani Ferenczi i Hans Sachs. O jedenastej zakończono obrady.

Zygmunt z uśmiechem podszedł do Junga.

– Czy nie wybrałby się pan ze mną na spacer? Poszlibyśmy Maximilianstrasse do Izary i obejrzelibyśmy sobie posągi przed Muzeum Narodowym. Potem wrócimy przez Max Joseph-Platz, dojdziemy do Pałacu Rezydencjalnego, rzucimy okiem na bizantyjski kościół...

Szli szybko. Jung zaczął od razu:

– Muszę pana profesora przeprosić. Teraz już wiem, co się stało w Zielone Świątki. Nie byłem w domu pod koniec tygodnia, ale zapomniałem o tym, kiedy się dowiedziałem, że pan odwiedził Binswangera w Kreuzlingen. Myślałem, że list dotarł dopiero w poniedziałek rano, czyli że został zbyt późno wysłany z Wiednia. Tak się zdenerwowałem, że nawet nie zapytałem Emmy, kiedy list nadszedł. I nie zadałem sobie trudu, by sprawdzić datę stempla pocztowego.

– Tak też sobie pomyślałem.

– Widzi pan, jeszcze się nie wyzbyłem nerwic. Niekiedy sam sobie tego nie potrafię wybaczyć, ale chciałbym, żeby pan mi to wybaczył. Te nerwice tkwią korzeniami w moim dzieciństwie, w poczuciu samotności, obcości...

– Drogi przyjacielu, widzę, że należy się panu reprymenda. Nie wolno panu tracić zaufania do mnie. Nie powinien pan dać się ponosić humorom. Być może za tym wszystkim kryją się jakieś głębsze sprawy...

– Nie, panie profesorze. Tak nie jest. Mam wątpliwości i czasami wydaje mi się, że pan nie ma racji. Na przykład jeśli idzie o problem kazirodztwa. W moim przekonaniu kazirodztwo tylko w bardzo rzadkich przypadkach stanowi następstwo osobistych powikłań; ma ono w znacznej mierze aspekt religijny. Dlatego właśnie motyw kazirodztwa odgrywa tak decydującą rolę w niemal wszystkich kosmogoniach i wielu mitach. Obawiam się, że pan interpretuje je dosłownie i nie dostrzega znaczenia spirytualnego kazirodztwa jako symbolu. Przypominam jednak, że od samego początku naszej znajomości powtarzał pan wielokrotnie, że wszelkie różnice zdań wynikające z rozbieżności naszych poglądów nie powinny w żadnym wypadku zaszkodzić przyjaźni, którą wzajemnie dla siebie żywimy.

– Dziękuję panu. Cieszę się, że mi to pan powiedział. Nawet gdyby nie udało nam się załatwić sprawy czasopisma, warto było przyjechać do Monachium po to tylko, by usłyszeć, że stosunki między nami znowu układają się jak najlepiej.

Wrócili do hotelu na wspólny obiad w sali restauracyjnej. Zygmunt był w świetnym nastroju. Czuł, że wszystkie kłopoty ma za sobą. Jung wyraźnie obiecał, że poświęci tyle czasu, ile tylko będzie potrzeba, swej prezesurze, i optymistycznie zapatrywał się na rozwój „Rocznika". Riklin zapewnił go, że natychmiast po powrocie do Zurychu podejmie obowiązki sekretarza.

W miarę jednak jak obiad zbliżał się do końca, Zygmunt czuł, że opanowuje go niepokój. Przy deserze przyszło mu na myśl pytanie, którego nie miał wcale zamiaru zadawać i które zresztą było już nieaktualne teraz, kiedy wyjaśnił wszystkie swe nieporozumienia z Jungiem. Spojrzał jednak na Junga i spokojnie zapytał:

– Drogi kolego, czemu właściwie mam przypisać to, że w ostatnich swych wykładach i publikacjach nie wymienia pan nigdy mego nazwiska?

Zapanowało kłopotliwe milczenie, a po chwili Jung, uśmiechając się, odpowiedział bezceremonialnie:

– Drogi panie profesorze, wszyscy wiedzą, że Zygmunt Freud jest twórcą psychoanalizy. Nie ma już więc potrzeby wymieniać pańskiego nazwiska w naszych historycznych podsumowaniach.

Zygmunta przeszył ostry ból. A więc jednak się łudził. Lekceważąca odpowiedź Junga odsłoniła prawdę. W głębi podświadomości Junga wzbierały potężne siły mające rozerwać łączące ich więzy. W świadomej warstwie swego myślenia Jung pragnął pogodzenia, nadal szanował Zygmunta Freuda i darzył go serdecznym uczuciem. Nie kłamał bynajmniej, zapewniając go podczas długiego spaceru, że wszystko zostało naprawione i czekają ich teraz długie lata owocnej współpracy. A jednak cień uśmiechu na twarzy Junga i jego bezceremonialna odpowiedź były dla Zygmunta sygnałem, że tego stłumienia nie da się długo utrzymać w karbach. Jung odczuwał potrzebę wyzwolenia się, usamodzielnienia; chciał stanąć na własnych nogach.

Zygmunt poczuł, że robi mu się słabo. Ściany jadalni zaczęły wirować. Daremnie próbował uchwycić rękami skraj stołu. Zamrugał powiekami, chciał coś powiedzieć, zatrzymać wzrok na jednym ze swoich sąsiadów przy stole, ale zsunął się z krzesła i czując, że traci świadomość, zwalił się na podłogę.

Podobnie jak przed trzema laty Karol Jung wziął go jak dziecko na ręce i zaniósł na kanapkę w hallu. Ernest Jones masował mu nadgarstki i czoło.

Po chwili Zygmunt otworzył oczy i zobaczył nad sobą pochyloną twarz Junga. Wyszeptał:

– Jakże słodka musi być śmierć.

10

Wszyscy starsi lekarze mieli już dobrze prosperujące praktyki. Zygmunt ograniczył się do jedenastu pacjentów. Przyjmował jedenaście godzin dziennie, przez sześć dni w tygodniu. Godziny wieczorne poświęcał na pisanie pracy o totemie i tabu, o występowaniu w snach wątków z bajek i o „dwóch kłamstwach dzieci". Materiały do dwóch ostatnich prac czerpał z wypowiedzi pacjentek, u których komplikacje nerwicowe wynikły z przerostu miłości do ojca. W jednym z przypadków miał do czynienia z kobietą, która z „beztroskiego, szczęśliwego i ufnego dziecka przemieniła się w lękliwą i nieśmiałą dziewczynkę", ponieważ kiedyś bez pozwolenia wydała na prezent dla ojca jakąś drobną część pieniędzy przeznaczonych na inny cel. „Punkt zwrotny w jej życiu" nastąpił, gdy została za to surowo ukarana, co, jak tłumaczyła doktorowi Freudowi, uznała za dowód, że ojciec ją odtrąca. Inna pacjentka, pragnąc przypodobać się ojcu, zabiegała o to, by zostać najlepszą uczennicą w klasie, ale kiedyś skłamała w szkole i nauczyciel ją na tym kłamstwie przyłapał.

Karol Abraham mógł nareszcie zrezygnować z posady rzeczoznawcy sądowego. Miewał teraz przeciętnie do dziesięciu pacjentów dziennie. Prosił Zygmunta, by przysłał mu do pomocy wyszkolonego analityka.

Jednym z najświeższych nabytków i najbardziej utalentowanych młodych analityków był Teodor Reik. Robił w tym czasie doktorat z filozofii na Uniwersytecie Wiedeńskim. Reik był wiedeńczykiem o przeszło trzydzieści lat młodszym od Zygmunta, synem urzędnika państwowego. Zainteresował się działalnością profesora Freuda, gdy usłyszał o napaściach na niego. Przeczytał *Interpretację marzeń sennych* i wpadł w zachwyt. Chociaż głównym przedmiotem jego studiów stała się psychologia, interesował się żywo literaturą niemiecką i francuską. W dwudziestym drugim roku życia napisał książkę o austriackim poecie i dramaturgu Beer-Hofmannie, w której znalazła się wzmianka o Zygmuncie Freudzie. Reik był szczupłym, przystojnym młodzieńcem o gładko wygolonej twarzy, wąskim orlim nosie, kształtnych ustach i roześmianych oczach za szkłami okularów. Jedynym mankamentem jego urody była krótka szyja. Przystąpił do Wiedeńskiego Towarzystwa Psychoanalitycznego w 1910 roku i odważnie polemizował ze swoimi profesorami na uniwersytecie, występując w obronie psychoanalizy. Uparł się i wybrał psychoanalizę na temat swej pracy doktorskiej. Był to pierwszy tego rodzaju wypadek na uniwersytecie. Podczas pierwszej wizyty u Zygmunta oświadczył, że chce ukończyć studia medyczne i zostać psychoanalitykiem. Zygmunt odradzał mu, uważał bowiem, że Reik nie ma pociągu do medycyny. Utwierdził się w swym zdaniu, gdy Reik wyznał, że „od wczesnej młodości interesował się namiętnie tajemnicami duszy ludzkiej”. Twierdził, że ma szczególny dar wykrywania ukrytych śladów zapomnianej przeszłości w zjawiskach teraźniejszości, odsłaniania dawnych zjawisk przykrytych nowymi.

Teodor Reik wiedział, że o godzinie dziewiątej Zygmunt odbywa regularnie swój spacer po Ringu. Czekał więc na profesora pod operą. Ponieważ Otto Rank zaczął przyjmować pacjentów i zarabiać na życie, Zygmunt polecił wybrać Reika na sekretarza Towarzystwa, zapewniając mu w ten sposób skromną pensję. Reik odprowadził profesora do domu i po drodze radził się, czy ma się ożenić z dziewczyną, z którą przyjaźnił się od dzieciństwa, i jaką ma obrać drogę życiową. Zygmunt odpowiedział:

– Podejmując mniej ważne decyzje, proszę się słuchać swego umysłu świadomego. W sprawach ważnych kierować się należy wskazaniami podświadomości. Postępując w ten sposób, uniknie pan pomyłek.

Reik kończył właśnie referat pod tytułem *Rytuały okresu dojrzewania u ludów pierwotnych*. Zygmunt nakłonił go, by pojechał z narzeczoną do Berlina. Przejdzie tam analizę u Abrahama i będzie mu pomagał w pracach wydawniczych. Wyprawę finansował doktor Freud.

W dwa lata po zerwaniu z Zygmuntem Wilhelm Stekel doszedł do wniosku, że nic go już nie łączy z grupą Alfreda Adlera. Zrezygnował ze współpracy z „Zentralblatt”, ponieważ nie ukazywały się tam żadne poważniejsze prace, i pismo straciło większość subskrybentów. Zygmunt słyszał, że Stekel próbuje założyć stowarzyszenie, które zajęłoby się seksuologią, i że usiłował pozyskać dla swego projektu Abrahama. Przebywający również w Berlinie doktor Wilhelm Fliess okazał się inspiratorem grupy, która założyła Towarzystwo Seksuologiczne. Próby Stekla i Fliessa stworzenia własnych szkół psychoanalitycznych spełzły na niczym.

Rodzina Freudów polubiła narzeczonego Zofii, Maksa Halberstadta. W połowie stycznia Marta urządziła im wspaniałe wesele. Hugo Heller nie przestraszył się pogróżek swoich klientów oburzonych na wydawanie czasopisma „Imago” i wydał książkę zawierającą cztery szkice o totemie i tabu. Kilku młodszych uczestników spotkań środowych napisało własne prace, które Zygmunt poprzedził wstępami, ułatwiając w ten sposób ich wydanie. Były to między innymi *Metoda psychoanalityczna* pastora Oskara Pfistera i *Psychiczne zaburzenia potencji męskiej* Maksa Steinera. W Stanach Zjednoczonych A.A. Brill dokonał olbrzymiego dzieła, przekładając *Psychopatologię życia codziennego* i *Interpretację marzeń sennych*. Obie te książki, pierwsze dzieła Zygmunta, ukazały się już wielokrotnie w Europie. W Ameryce spotkały się one z przychylniejszym przyjęciem niż w Austrii i w Niemczech.

Nawrócenie Karola Junga było krótkotrwałe. Po powrocie do Szwajcarii podał on do wiadomości, że odrzuca kolejne tezy Freudowskie: seksualną symbolikę snów, oporów i tłumień. Listy Junga, kwaśne, często wręcz niezrozumiałe, świadczyły, że i on sam nie jest zadowolony ze swych decyzji. Zygmunt stracił już nadzieję, by udało się sprowadzić Szwajcarów na właściwą drogę. Marcie powiedział, że postanowił zerwać kontakty osobiste z Jungiem. Ujawnione rozbieżności uniemożliwiały przyjaźń.

Natomiast młodzi uczniowie Zygmunta robili znakomite postępy. Książka Ottona Ranka *Wątek kazirodztwa w poezji i sagach* spotkała się z dobrym przyjęciem. Sándor Ferenczi ogłaszał w „Roczniku" świetne prace o procesie przeniesienia. Ernest Jones opublikował w „Zentralblatt" siedem artykułów, dzięki którym zaczęto go uznawać za wybitnego znawcę problemu sublimacji. Przysyłał także swe nowe prace do założonego przez Zygmunta kwartalnika „Zeitschrift" i do „Journal of Abnormal Psychology". Artykuły Karola Abrahama ukazywały się regularnie w „Imago", „Zeitschrift" i w berlińskim „Psychoanalitische Verlag". Pisał też pracę habilitacyjną. Oskar Pfister drukował swe prace pedagogiczne w „Berner Seminarblätter".

Wielką przyjemność sprawił Zygmuntowi referat Edwarda Weissa z Triestu wygłoszony w Towarzystwie. Młody Włoch zgłosił się do Zygmunta, kiedy miał lat dziewiętnaście, żeby się dowiedzieć, jak zostać psychoanalitykiem. Niedawno ukończył studia medyczne na Uniwersytecie Wiedeńskim i wstąpił do Towarzystwa. Przed czterema laty Zygmunt doradził mu, by przeszedł analizę u Pawła Federna. Obaj byli teraz serdecznymi przyjaciółmi.

Przyjechała również do Wiednia pani Lou Andreas-Salomé, by przejść szkolenie u doktora Freuda. Zygmunt polubił tę uroczą i myślącą kobietę. Był pod wrażeniem jej spontaniczności. Wygłaszając swe sobotnie wykłady uniwersyteckie, zwracał się głównie do niej. Gdy opuszczała jakiś wykład, natychmiast jej to wypominał. Pozwolono jej uczestniczyć w środowych spotkaniach, na których wykazała intuicyjne zrozumienie problemów psychoanalizy. Czasami przychodziła do Zygmunta do domu w niedzielne wieczory, gdy chciała z nim porozmawiać na tematy osobiste lub jakieś inne, niezwiązane z problemami medycznymi. Rozmawiali zazwyczaj do pierwszej w nocy, po czym Zygmunt odprowadzał ją do hotelu. Marcie również spodobała się Lou Andreas-Salomé. Raz w tygodniu zapraszała ją na zimną kolację.

Nie zraziła się tym, że pani Lou bardzo szybko nawiązała romans z Wiktorem Tauskiem, który był młodszy od niej o osiemnaście lat. Zygmunt wyjaśnił swoim niewiastom, że ten romans bardzo dobrze wpływa na Tauska i pozwala mu zachować emocjonalny spokój.

Podczas kolacji u Freudów Rosjanka opowiadała niezwykłe historie. Minna nie omieszkała zauważyć, że pani Lou jest zawsze bohaterką tych opowieści.

Z Tauskiem było coraz więcej kłopotów. Uchodził on za człowieka niewolniczo przywiązanego do Zygmunta, ale co pewien czas musiał publicznie demonstrować swą męską niezależność, atakując którąś z teorii profesora. Miał tak bystry umysł i tak wielki talent improwizacji, że kilkakrotnie niemal udało mu się przekonać słuchaczy o słuszności swoich racji. Łatwo wpadał w złość i stawał się zaczepny, gdy ktoś z grupy wiedeńskiej niebacznie dotykał drażliwych stron jego psychiki. W takich wypadkach Zygmunt szukał pomocy u pani Lou, prosząc, by ułatwiła mu zrozumienie tego najtrudniejszego ucznia, tak wnikliwie piszącego o masochizmie i teorii nauki.

Zygmunt początkowo nie doceniał dobrych stron tego, że Alfred Adler przeniósł zebrania z jego gabinetu do sal publicznych, ale teraz był zadowolony z tej zmiany. Po zebraniach udawał się z kilkoma najbliższymi współpracownikami: Rankiem, Federnem, Sachsem, Tauskiem i panią Lou Andreas-Salomé, jeśli akurat była w Wiedniu, do jakiejś restauracji lub kawiarni, gdzie mogli spokojnie omawiać problemy, których Zygmunt wolał nie poruszać na forum publicznym, takie na przykład jak przekazywanie myśli i parapsychologia. Jego uczniowie odkrywali własne ścieżki, zbliżali się do dziedzin jemu obcych albo takich, które go nie interesowały. Obserwował ten proces z zainteresowaniem.

Karol Jung wybrał się do Ameryki. Przez pięć tygodni miał tam wygłaszać odczyty.

– Zajmując się bardziej propagowaniem Karola Junga niż psychoanalizą – zauważył Zygmunt.

Na Wielkanoc zabrał najmłodszą córkę Annę na wycieczkę do Wenecji. Po drodze zatrzymali się w Weronie, mieście Romea i Julii, jednym z najpiękniejszych średniowiecznych miast w północnych Włoszech. Po przybyciu koleją do Wenecji udali się gondolą do hotelu. Siedemnastoletnia Anna była szczupła i wysoka, wzrostem niemal dorównywała ojcu. Po wyjściu za mąż Matyldy i Zofii ona stała się ukochaną córeczką swoich rodziców, a w ciągu ostatnich lat ulubienicą ojca. Była niewątpliwie najinteligentniejszą z jego córek i miała wrodzony pęd do wiedzy. Po przeprowadzeniu się do większego mieszkania rodzice dali jej własny pokój, by mogła spokojnie czytać i studiować. Ona jedna interesowała się żywo pracą naukową ojca; obie starsze siostry uważały, że są to sprawy, którymi nie powinny się zajmować młode panny. Anna nie podzielała ich poglądów. Czytała wszystkie prace Zygmunta, a gdy natrafiała na jakiś zbyt trudny dla niej szczegół, zwracała się do niego o wyjaśnienie. Orientowała się już nieźle, jak na swój wiek i doświadczenie, w problemach kompleksu Edypa, popędach kazirodczych, tłumieniu i subtelnym funkcjonowaniu podświadomości. Nie brała udziału w środowych spotkaniach, ale niekiedy pozwalano jej przysłuchiwać się rozmowom, gdy w odwiedziny do Zygmunta przychodzili Jones, Ferenczi lub Abraham. Z czasem zaczęła uczestniczyć w rozmowach z wszystkimi odwiedzającymi ojca naukowcami. Zaprzyjaźniła się z Ottonem Rankiem, Hansem Sachsem, najbardziej zaś polubiła Maksa Eitingona. O tym, jak wysoko cenili jej racjonalny sposób rozumowania i wręcz zawodowe podejście do problemów, świadczyło między innymi to, że bez skrępowania omawiali szczegółowo w jej obecności swe przypadki i prace. Traktowali Annę jak młodszą koleżankę. Nie spieszyło się jej do wyjścia za mąż. Była zadowolona, że może w domu kontynuować studia, i korzystała z każdej wolnej chwili, jaką Zygmunt mógł jej poświęcić.

Okazała się znakomitym towarzyszem podróży. Mieli tak podobny sposób myślenia, że nawet nie musieli ze sobą rozmawiać. Wystarczyło jedno spojrzenie, jakiś wyraz twarzy, mina, by oboje wiedzieli, o co im chodzi. Zygmunt zastanawiał się, jaki to dziwny przypadek zrządził, że właśnie najmłodsze jego dziecko, i to córka, bliższe mu jest pod względem usposobienia niż trzej synowie, z którymi spędził tyle pięknych letnich dni w górach, nad jeziorami, na leśnych wyprawach. Gdyby Anna była chłopcem, mogłaby w przyszłym roku zapisać się na medycynę w Wiedniu. Najmłodszy syn Ernest studiował architekturę; zdradzał w tym kierunku duże zdolności. Oliver, liczący dwadzieścia dwa lata, kończył właśnie studia politechniczne, a dwudziestotrzyletni Marcin wciąż jeszcze studiował na Akademii Handlowej, tej samej uczelni, na której jego stryj Aleksander otrzymał tytuł profesora. Zygmunt nie był tym zachwycony, ale nie sprzeciwiał się woli swego najstarszego syna. Żaden z nich nie poszedł na medycynę. Nie nakłaniał ich do tego, ponieważ nie dostrzegał w nich zainteresowania i talentów w tym kierunku, ale także i dlatego, że po latach ostracyzmu, jakiemu poddało go środowisko lekarskie, jego entuzjazm dla medycyny znacznie ochłódł.

Zdarzało się co prawda, że kobiety studiowały medycynę, ale były to wypadki rzadkie, do jego grupy należała tylko jedna kobieta, pani doktor Małgorzata Hilferding. Annie wystarczało całkowicie, że mogła się uczyć u ojca, on zaś z największym oddaniem poświęcał czas zdolnej i inteligentnej córce.

Po powrocie do Wiednia powitały go dwie dobre nowiny. Sändorowi Ferencziemu udało się wreszcie założyć Budapeszteńskie Towarzystwo Psychoanalityczne, do którego wstąpiło kilku lekarzy. Zygmunt otrzymał również wiadomość, że Komitet w pełnym składzie zbierze się pod koniec maja na Berggasse, by oficjalnie się ukonstytuować i zaplanować strategię na przyszłe miesiące, łącznie ze sprawą kongresu, który miał się odbyć w Monachium we wrześniu 1913 roku.

Zygmunt spojrzał na złoty sygnet, który stale nosił na palcu. Umieścił w nim ulubioną grecko-rzymską kameę z głową Jowisza. Kupił kilkanaście takich kamei, małych rzeźbionych kamieni szlachetnych i pieczęci w jakimś włoskim antykwariacie. Wybrał teraz ze swej kolekcji pięć najpiękniejszych sztuk i poszedł z nimi do Marty.

– Przyszło mi na myśl, żeby każdemu z członków komitetu ofiarować taką kameę. Mogliby nosić je w kieszonce kamizelki jako talizman...

– Albo wprawić je w sygnety, jak ty to zrobiłeś – dodała Marta. – To znakomity pomysł. – Lekko drwiący uśmiech pojawił się na jej twarzy. – Założycie tajne bractwo.

– Przyznaję, że pomysł jest sentymentalny – Zygmunt odpowiedział z uśmiechem – i romantyczny.

Cała piątka przyszła na obiad z bukietami kwiatów dla Marty. Było to prawdziwie rodzinne przyjęcie, ponieważ do stołu zasiedli także trzej synowie Freudów, którzy właśnie wybierali się na letnie wędrówki. Marta tak wszystkich rozmieściła, że każdy z gości miał po obu stronach jednego z członków rodziny Freudów. Zygmunt ze wzruszeniem wodził wzrokiem dookoła stołu. Obok Anny siedział Otto Rank, smagły i ciemnowłosy, z trudem ukrywający za ciemnymi okularami wyraz pełnej szczęśliwości, przy cioci Minnie Ernest Jones o bladej twarzy i wspaniałej głowie, koło Marty z ożywieniem rozprawiający Hans Sachs, Sändor Ferenczi, mówiący po niemiecku jak węgierski aktor, między Ernestem i Oliverem, obok Zygmunta Karol Abraham, ostrzyżony na jeża, śledził obecnych uważnym spojrzeniem. W szybie stojącej naprzeciwko serwantki dostrzegł Zygmunt swe odbicie. Pomyślał sobie, że jak na mężczyznę, który niedawno ukończył pięćdziesiąty siódmy rok życia, wygląda wcale nieźle.

Włosy wciąż jeszcze miał czarne, siwiejące tylko po prawej stronie głowy. Za to wąs i bródka były już całkiem białe. Wiedział, że gdy się zamyśla, na jego czole pojawiają się głębokie bruzdy, ale teraz, w otoczeniu rodziny, przyjaciół i uczniów, czuł się szczęśliwy i ani jedna zmarszczka nie pojawiła się na jego twarzy.

Po obiedzie Komitet zebrał się w gabinecie Zygmunta, by zapalić cygara. Zygmunt wyjął pięć kamei.

- Panowie, mam dla was urzędową pieczęć naszego „zakonu". Proszę, by każdy wziął sobie jedną z mojej dłoni, ale z zamkniętymi oczami. W ten sposób dostanie tę, którą mu przeznaczył los.

Po kolei brali kamee; obejrzeli je równocześnie z okrzykiem radości i wdzięczności. Ernest Jones, którego wybrali na prezesa, przemówił:

- Drogi panie profesorze, jesteśmy głęboko wzruszeni. Nie mógł pan wybrać dla nas prezentu bardziej odpowiedniego, bardziej podkreślającego nasze przywiązanie do pana. Proszę pozwolić nam na oprawienie tych kamei w sygnety wzorowane na pańskim. Nikt nie będzie wiedział, co one oznaczają, ale my je będziemy mieli na palcu w dzień i w nocy.

Zygmunt, uśmiechając się, wyraził zgodę.

Przystąpili teraz do omawiania spraw, które ich tu zgromadziły. Jakie mają być zadania i obowiązki grupy? Będą do siebie często pisywali, szczegółowo donosząc o tym, co się u nich dzieje, o nowych publikacjach z dziedziny psychoanalizy, o ciekawszych przypadkach, o nowych pomysłach terapeutycznych. Co najmniej dwa razy do roku będą się spotykali, nie tylko w Wiedniu, lecz również w Budapeszcie, Berlinie i Londynie. Ponieważ wszyscy mieli wakacje w tych samych miesiącach, co roku spędzą razem kilka tygodni w górach lub nad morzem, wspólnie odpoczywając i radując się wzajemną bliskością.

11

Koledzy Zygmunta starali się załagodzić pogłębiające się rozbieżności między Zurychem a Wiedniem. Korespondencja Zygmunta Freuda z Karolem Jungiem rwała się; długie okresy milczenia były jednak lepsze niż nieczęste listy Junga, utrzymane w coraz bardziej kłótliwym tonie. Za każdym razem, gdy nadchodził agresywny list z Küsnacht, Zygmunt dostawał zapalenia krtani. Punktem szczytowym nieporozumień stała się uwaga doktora Alfonsa Maedera, najpoważniejszego praktykującego psychoanalityka szwajcarskiego. W liście do Sándora Ferencziego Maeder napisał, że rozbieżności naukowe między tymi dwiema grupami to rzecz naturalna i normalna, bo przecież Szwajcarzy są aryjczykami, a wiedeńczycy Żydami. Kilka tygodni potem Ferenczi przyjechał z Jonesem do Wiednia i pokazał list Zygmuntowi, który po przeczytaniu powiedział:

- Nie ma i nie może być osobnej nauki aryjskiej i osobnej żydowskiej. Wyniki naukowe muszą być zgodne, chociaż mogą zostać różnie sformułowane.

Ernest Jones nie przebierał w słowach.

– Nie ma o czym mówić! – zawołał. – Przenoszę się do Wiednia. Tylko w ten sposób położę kres paskudnym uwagom Maedera. W waszych klinikach położniczych tysiące kobiet umierało na gorączkę połogową, póki Semmelweis nie zmusił lekarzy, by myli ręce mydłem i gorącą wodą. Czy aseptyka jest nauką żydowską?

Karol Jung nie popierał takich bzdur. Dotrzymał obietnicy danej Zygmuntowi i dbał o sprawy organizacyjne. Zajęty był przygotowywaniem kongresu, który miał się odbyć we wrześniu 1913 roku w Monachium. Kiedy dowiedział się, że Zygmunt nie zamierza wygłosić referatu, napisał do niego bardzo ostry list i z naciskiem stwierdził, że brak referatu profesora Freuda wpłynie bardzo ujemnie na poziom obrad. Abraham, Ferenczi i Jones również nalegali. W końcu Zygmunt ustąpił. Spędzał wakacje z Martą i Anną w Marienbadzie. Tam też zaczął pisać pracę *Predyspozycje do nerwicy natręctw*. Pogoda nie dopisywała. Było zimno i deszczowo. Dostał tak ostrej newralgii, że z trudem zasiadał do pisania. Ernestowi Jonesowi donosił w liście:

„Nie przypominam sobie w moim życiu okresu tak przykrego, w którym spotkałoby mnie tyle drobnych nieprzyjemności i kłopotów. Wygląda na to, że pogody nie będzie przez dłuższy czas; zobaczymy, kto przetrzyma, ja pogodę czy pogoda mnie".

Z Marienbadu wyjechali do San Martino di Castrozza w Dolomitach. Zamieszkali na wysokości tysiąca pięciuset metrów. Tu było słonecznie. Przyjechali Abraham i Ferenczi, bóle newralgiczne ustąpiły, znikła depresja. Spędzili kilka przyjemnych tygodni przed monachijskim kongresem. Zygmunt miał nadzieję, że atmosfera spotkania będzie równie przyjazna jak w Weimarze. Dzielące ich różnice zejdą na dalszy plan, bo przecież najważniejszą sprawą jest wspólna obrona atakowanej doktryny. Poprawił i złagodził ton referatu Jonesa, w którym znalazły się krytyczne uwagi o podejściu Junga do terapii.

Zygmunt zaproponował Marcie, by pojechała wraz z nim na kongres, a potem wybiorą się na dwa tygodnie do Rzymu. W Monachium mogłaby poznać żony kolegów i kilka lekarek, które zapowiedziały swój przyjazd. Marta jednak wolała pozostać w górach. Poradziła mu, by zabrał ze sobą do Rzymu ciocię Minnę, bo prawie od roku nie ruszała się z domu. Czuła się nie najlepiej, lubiła podróżować i przepadała za Rzymem. Marta uważała, że wycieczka dobrze zrobi jej siostrze.

Zygmunt i Ferenczi prosto z dworca pojechali do hotelu „Bayerischer Hof", w którym zatrzymała się delegacja z Zurychu. Zygmunt nalegał, by kontynuować tradycję mieszkania w tym samym hotelu co Szwajcarzy. Podczas śniadania komisja złożona z Abrahama, Sachsa, Ranka, Ferencziego i Jonesa ustaliła, kto będzie replikował na krytyczne uwagi. Postanowiono, że profesor Freud nie będzie brał udziału w utarczkach.

W ubiegłym roku w Monachium uchwalono, że dyskusja odbywa się tylko po głównym referacie. Teraz Jung domagał się skrócenia czasu przeznaczonego na referaty, by umożliwić dyskusję po każdym wystąpieniu. Groziło to skreśleniem z porządku dziennego kilku referatów, a także przekształceniem kongresu w jedną wielką batalię słowną, z której obie strony wyjdą rozgoryczone.

Pierwsze posiedzenie przedpołudniowe było bardzo udane. Na sali znalazło się osiemdziesięciu siedmiu uczestników i gości: brakło tylko – co Zygmunt zauważył z przykrością – Bleulera. Jones wygłosił referat o sublimacji; jego prace w tej dziedzinie miały charakter pionierski. Doktor Jan van Emden przedstawił analizę pseudoepilepsji. Wiktor Tausk mówił rzeczowo o narcyzmie. Jeden ze Szwajcarów przywiózł odważny referat o homoseksualizmie. Tylko referat Tauska był krytykowany, głównie z metodologicznego punktu widzenia.

Podczas obiadu doszło do poważnego rozłamu. Nikt właściwie nie umiał powiedzieć, jak to się stało, że Jung i jego grupa znaleźli się przy oddzielnym stole, Freud zaś ze swoją przy innym. Znikła bez śladu towarzyska i przyjacielska atmosfera panująca na poprzednich kongresach. Ale batalia zaczęła się po południu, gdy Ferenczi i Abraham wygłaszali swe referaty. Każdemu z nich obiecano, że będzie dysponował pełną godziną na wyłożenie swego tematu. Jung jednak nieustannie wyjmował zegarek z kieszeni i wreszcie skrócił czas ich wystąpień, oświadczając, że inaczej nie będzie można przeprowadzać dyskusji. Obaj protestowali, popierała ich grupa wiedeńska, ale Jung jako przewodniczący miał ostatnie słowo. On też rozpoczął atak, stwierdzając, że odrzuca koncepcje sytuacji edypalnej, dziecięcej erotyki, pragnienia kazirodczego i etiologii seksualnej. Pozostali członkowie grupy szwajcarskiej podtrzymali jego wywody. Wiedeńczycy zerwali się z miejsc, próbowali replikować, lecz Jung nie dopuścił ich do głosu, oświadczając, że czas przeznaczony na dyskusję został wyczerpany.

Po sesji popołudniowej wiedeńczycy spotkali się, by omówić sprawę wyborów, które miały się odbyć następnego dnia. Karol Abraham twierdził, że nie powinni głosować na Junga i podczas głosowania na nowego prezesa oddać puste kartki.

– Bardzo proszę, żebyście się powstrzymali od tego bezcelowego, dla Junga zaś upokarzającego, gestu. – Zygmunt był bardzo wzburzony. – On i tak zostanie wybrany, bo ma za sobą większość. Nie zważajmy więc na nasze rozczarowania...

– Pretensje! – zawołał Ferenczi.

– Zgoda, pretensje, i nie dolewajmy oliwy do ognia. Jung także przeżywa boleśnie ten rozłam. Jego zachowanie podczas posiedzenia było po części wyrazem konfliktu, który powstał w jego umyśle. Wierzcie mi, on jest wewnętrznie skłócony ze sobą. Działa pod presją swej natury i wychowania, szwajcarskich i niemieckich towarzystw medycznych, szwajcarskiego kleru, rządu i prasy. Występował w naszej obronie, kiedy nikt nie śmiał nas bronić. Do następnych wyborów przygotujemy się i wystąpimy z własną kandydaturą.

Zygmunt mówił dobitnie i przekonywająco, choć czuł już początki zapalenia krtani. Nikt z obecnych nie wątpił w szczerość jego słów, ale nie ulegli perswazjom. Kiedy policzono głosy, okazało się, że na Junga głosowało pięćdziesięciu dwóch uczestników. Dwadzieścia dwie kartki oddano puste. Jung był wściekły; uznał to za policzek. Nie odezwał się do Zygmunta, ale wychodząc z sali, zwrócił się do Jonesa:

– Oddałeś czystą kartkę?

– Musiałem.

– A ja myślałem, że ty jesteś chrześcijaninem.

Walijczyk Jones był uczulony na najdelikatniejszy odcień narodowych czy rasowych przesądów. Udał się natychmiast do pokoju Zygmunta.

– Panie profesorze, czy mylę się, wyczuwając lekki smrodek antysemityzmu w jego słowach?

– Naprawdę uważam, że pan się myli. Jung jest uniwersalistą, szanuje wszystkie religie i kultury.

– O cóż mu więc chodziło, u diabła?

– Być może spodziewał się po panu prawdziwie chrześcijańskiej miłości bliźniego. Przypuszczał, że mimo nacisku pańskich wiedeńskich przyjaciół będzie pan na niego głosował.

W Rzymie było ciepło, ale nie upalnie. Już pierwszego ranka Zygmunt wybrał się z Minną na zwiedzanie miasta. Szli ruchliwą, mimo wczesnej pory, Via dei Fori Imperiali, mijając ruiny starożytnego Forum. Tuż przed Koloseum skręcili w lewo, by obejrzeć *Mojżesza* Michała Anioła w kościele San Pietro in Vincoli. Zygmunt odczuwał jeszcze boleśnie głębokie rany, które mu zadano na monachijskim kongresie. Nie tylko jego osobiście, ale cały ruch psychoanalityczny czekały ciężkie czasy. Kiedy jednak znalazł się przed rzeźbą Michała Anioła i zaczął studiować palce Mojżesza rozczesujące brodę, rękę opartą na tablicach z Dziesięcioma Przykazaniami, wyraz twarzy, „połączenie gniewu, bólu i pogardy", czuł, jak umysł jego się oczyszcza. Zabrał ze sobą notes. Zapisywał w nim teraz swe wrażenia.

Każdego ranka wychodzili na miasto z jakimś konkretnym celem. Zwiedzili Palatyn, Piazza di Camipidoglio z pomnikiem Marka Aureliusza, Teatr Marcellusa, loggie Rafaela w Watykanie, pojechali pociągiem do Ostii, by obejrzeć wykopaliska archeologiczne. Po południu i wieczorem Zygmunt pisał wstęp do *Totemu i tabu* i pracę o narcyzmie. Rozszerzył swój monachijski referat o nerwicach natręctw i odrywając się od tych wszystkich zajęć, szkicował artykuł o Mojżeszu.

12

Po powrocie do Wiednia zastał poczekalnię wypełnioną pacjentami. Pierwszym był chłopiec, który usiłował popełnić samobójstwo i nie umiał wytłumaczyć, dlaczego to zrobił. Rodzice gubili się w domysłach; do wypadku chłopiec był całkiem zdrowy i normalny. Zygmunt bardzo szybko odkrył przyczynę próby samobójczej. Starsza siostra pacjenta przed rokiem wyszła za mąż i przeniosła się z mężem do innego miasta. Kiedy przyjechała odwiedzić rodzinę, była w siódmym miesiącu ciąży. Na jej widok chłopiec poszedł do siebie do pokoju i strzelił sobie w głowę. Na szczęście mierzył kiepsko, a pragnienie śmierci było słabe. Rodzice jednak obawiali się, że może ponowić próbę samobójstwa.

Był jeszcze za młody, by zrozumieć *Totem i tabu*. Zygmunt cierpliwie tłumaczył mu, na czym polega kazirodztwo i dlaczego od najdawniejszych czasów obowiązywał zakaz małżeństwa wśród najbliższych krewnych. Ostrożnie wyjaśniał, że motyw kazirodczy nie jest czymś nienormalnym, lecz musi być uświadomiony i opanowany. Za kilka lat, gdy dorośnie, znajdzie sobie inny przedmiot miłości, nienależący do jego klanu. Chłopiec okazał się pojętny. Po dwóch miesiącach kuracji Zygmunt mógł już zapewnić rodziców, że nie ma żadnych powodów do obaw o zdrowie syna.

Następnemu pacjentowi nie mógł nic pomóc. Był to przypadek nerwicy natręctw, którą wywoływały u młodego chłopca powtarzające się każdej nocy sny lub przywidzenia. Jacyś ludzie wdzierali się przez dach do jego pokoju i chcieli go wykastrować.

Jones donosił z Londynu, że ma kłopoty w związku z niedawno założonym Towarzystwem Psychoanalitycznym. Do Anglii dotarły już pogłoski o Jungowskiej rewolcie, którą „British Medical Journal" skomentował słowami: „Szwajcarzy odzyskują zdrowy rozum". Niektórzy członkowie Towarzystwa założonego przez Jonesa ulegli wpływom Junga i skłonni byli przyjąć jego koncepcje społecznej podświadomości. Z Ameryki Zygmunt otrzymał wiadomość, że doktor Stanley Hall, który w swoim czasie zaprosił Zygmunta na

Uniwersytet Clarka i deklarował się jako zwolennik Freudowskich teorii, coraz bardziej skłania się ku Adlerowskiej psychologii indywidualnej.

Zygmunt i Jung z rzadka wymieniali urzędowe listy w sprawach „Rocznika" i Międzynarodowego Towarzystwa Psychoanalitycznego. Zygmunt zdawał sobie sprawę, że sam był winien powstałym kłopotom. „Rocznik" i Towarzystwo stworzono, by propagować psychoanalizę Freudowską. Karol Jung nie chciał już z nią mieć nic wspólnego. Może dojść do tego, że łamy „Rocznika" zostaną zamknięte dla wiedeńczyków i w ogóle wszelkich zwolenników Zygmunta Freuda. Jung miał w swym ręku doroczne kongresy; mógł je zwoływać, kiedy chciał, ustalać listę referentów i decydować o tym, jakie będzie oficjalne stanowisko Towarzystwa w problemach psychiatrii.

– Sam się wkopałem – powtarzał sobie Zygmunt – i nie mogę powiedzieć, że mnie nie ostrzegano. Karol Abraham... Bleuler... moi wiedeńczycy...

Między członkami Komitetu trwała ożywiona korespondencja. Ferenczi uważał, że wszyscy zwolennicy Freuda powinni wystąpić z Towarzystwa, Abraham i Jones nie zgadzali się z nim. Podkreślali, że jeśli wszyscy wystąpią, Towarzystwo znajdzie się wyłącznie w rękach Junga. Sami w ten sposób pozbawią się wszelkich wpływów. Należy poczekać na rozwój wydarzeń. Jung nie pozostanie z nimi długo. Wycofa się do Küsnacht i stworzy własną szkołę.

Zygmunt zgadzał się z rozumowaniem Abrahama i Jonesa i wkrótce okazało się, że mieli rację. Miesiąc później, w październiku 1913 roku, Karol Jung ustąpił ze stanowiska redaktora „Rocznika". Czyżby to oznaczało, że wkrótce wystąpi także z Towarzystwa?

Wiadomość o ustąpieniu Junga przyjął Zygmunt z mieszanymi uczuciami. Niewątpliwie poczuł ulgę, ale równocześnie zmartwił się utratą przyjaciela. Szczerze przywiązał się do Junga. Wiedział, że w głębi serca na zawsze zachowa dla niego wdzięczność i miłość. Analizował te mieszane uczucia miłości i nienawiści. Nienawiść była odwrotną stroną tarczy. Nie dopuści do tego, by zrodziło się w nim uczucie nienawiści do Junga. Jeśli miał rację, utrzymując przez wszystkie te lata, że w działaniu umysłu nie ma przypadków, to prawdą również jest, że nic nie da się ukryć. Uśmiechnął się, przypominając sobie list, w którym Jung z oburzeniem odpierał zarzut, że zaczyna się upodabniać do Alfreda Adlera. Pisał: „Nikt nie może mi zarzucić, że jestem zwolennikiem Adlera ani też że przyłączyłem się do Pana grupy". Oczywiście chciał napisać „do jego grupy". Podświadomie powiedział prawdę.

Karol Jung nie miał nic wspólnego z Adlerem. Przez jego usta nie przeszłyby słowa: „Dlaczego mam zawsze pozostawać w cieniu pana?". Taka myśl nie zrodziłaby się w jego głowie. Był tylko przekonany, że dzięki swym osiągnięciom stanie się równym partnerem. Nigdy też nie założyłby konkurencyjnej, antagonistycznej grupy w Küsnacht, jak to Adler uczynił w swoim mieszkaniu przy Dominikanerbastei. Nigdy nie przyszłoby mu do głowy szkodzić Zygmuntowi czy stworzonej przez niego psychoanalizie. Zygmunt przeglądał korespondencję sprzed roku. Listy świadczyły o tym, że Jung przeżywa głęboką rozterkę. Zerwanie będzie dla niego traumatycznym wstrząsem. Od 1900 roku wykładał i wychwalał psychoanalizę Freudowską. Dokonał olbrzymiej pracy. Sześć i pół roku minęło od chwili, gdy przyjechał do Wiednia, od kiedy się zaprzyjaźnili. Musiał zdawać sobie sprawę, że porzucając Zygmunta Freuda, zrywał z najserdeczniejszym przyjacielem, mistrzem, któremu zawdzięczał więcej nawet niż swemu pierwszemu nauczycielowi, Eugeniuszowi Bleulerowi. Musiał uświadamiać sobie, że rezygnuje z dwóch ważnych stanowisk, redaktora „Rocznika" i prezesa Międzynarodowego Towarzystwa Psychoanalitycznego. Zygmunt wiedział również, że człowiek o tak silnej osobowości jak Jung nie wyrzeknie się swych przekonań, nie będzie udawał, że postępuje zgodnie z naukami Freuda, skoro, jego zdaniem, udało mu się je zastąpić szerszą, bardziej uniwersalną doktryną.

Analiza nie zmniejszyła goryczy faktu, że stracił Karola Junga; Zygmunt lepiej od innych znał intelekt i osobowość tego człowieka. W miarę jak Jung będzie kontynuował swe dzieło i proklamował swą psychologię, świat coraz radykalniej będzie się dzielił na dwa różne i często zwalczające się obozy. Nie sposób było zmniejszyć dotkliwości tego ciosu.

Zygmunt wiedział, że gdy zakończy się okres żałoby, pozostanie mu tylko jeden sposób na zmniejszenie siły wstrząsu, jakim była dezercja Junga. Będzie musiał napisać historię psychoanalizy, przedstawić jej metody i wykazać, po czyjej stronie jest prawda. Będzie musiał zaatakować Junga, ale na płaszczyźnie jego mistycyzmu, jego błądzenia po bezdrożach sagi i mitu.

Dwudziestego szóstego października 1913 roku, rozpoczynając kolejny cykl wykładów uniwersyteckich, przedstawił dwunastu słuchaczom historię swej przyjaźni z Józefem Breuerem. I wtedy właśnie doznał objawienia: „Między pierwszą ucieczką, ucieczką Breuera od odkrycia seksualizmu jako podłoża nerwic, a ostatnią – Junga, jest ścisła analogia! Oto dalsze przekonywające potwierdzenia, gdzie tkwi sedno psychoanalizy".

A więc dobrze. Zaangażował się w walkę o umysły ludzkie. Prawda zwycięży. Nie lekceważył przeciwnika: wiele argumentów Karola Junga okaże się prawdziwymi, ponieważ miał on głęboką wiedzę w dziedzinie archeologii, antropologii, sztuki i literatury światowej. Ale wiele też będzie w jego twierdzeniach mistycyzmu, który nie wytrzyma próby rozumu lub logiki. Ta warstwa zagadkowości w jakiś sposób będzie godziła człowieka z jego losem.

Tego jednak Zygmunt nie pragnął i do tego nie zmierzał. Jego głównym celem było umożliwienie człowiekowi zrozumienia podświadomości, instynktów, sił, które nim igrają. Krótko mówiąc: poznanie siebie i bliźnich. Oto ostatnia wielka szansa człowieka.

<h1 style="text-align:center">13</h1>

Boże Narodzenie postanowił spędzić z córką Zofią, która była w szóstym miesiącu ciąży. Wybrał się koleją do Hamburga. Jego stosunki z Maksem Halberstadtem układały się dobrze; nie należał do ojców wtrącających się do małżeństwa swych dzieci. Zofię zastał w doskonałym humorze. Dobrze znosiła ciążę. Z niecierpliwością oczekiwał przyjścia na świat wnuka. Przypomniał sobie, co powiedziała mu Marta, która niedawno też odwiedziła Zofię:

– Ciąża córki to dla matki szczególne przeżycie. Dla kobiety bowiem jest to jedyna możliwość przetrwania; łono z mego łona...

W drodze powrotnej Zygmunt zatrzymał się w Berlinie, by naradzić się z Karolem Abrahamem. Chciał, żeby to on właśnie przejął prezesurę Międzynarodowego Towarzystwa Psychoanalitycznego po oficjalnym ustąpieniu Karola Junga. Abraham się zgodził. Przy okazji Zygmunt odwiedził swoją siostrę Marię, jej męża Maurycego oraz ich czworo dzieci.

W minionym roku pracował bardzo dużo. Bywały dni, kiedy przyjmował pacjentów przez trzynaście godzin. Teraz, po Nowym Roku 1914, stwierdził, że z jakichś niezrozumiałych powodów liczba pacjentów bardzo się zmniejszyła. Zdarzały się dni, kiedy zgłaszały się tylko trzy lub cztery osoby.

Kiedyś przyszła pacjentka, która żyła w jakimś zupełnie nierealnym świecie i zmyślała niestworzone historie o hojności swego męża. We wczesnej młodości, jako córka biednego kupca, zwykła była przechwalać się w szkole przed koleżankami, że codziennie jada na obiad lody, choć w rzeczywistości nigdy ich jeszcze nie skosztowała. Teraz fantazjowała, broniąc męża, który zastąpił ojca.

Inna z jego pacjentek miała kłopoty w pożyciu małżeńskim. Nie można było powierzyć jej pieniędzy, ponieważ natychmiast wyrzucała je jako coś „brudnego". Po dłuższej analizie przemogła się i zaczęła snuć wspomnienia z dzieciństwa. Była wielokrotnie świadkiem intymnych spotkań swej niani z lekarzem. Za każdym razem dostawała kilka groszy na cukierki, pod warunkiem że nie powie w domu o tym, co widziała. Teraz pieniądze i przyjemności erotyczne stały się dla niej synonimem. Wyrzucała „złe" pieniądze i nie pozwalała mężowi na zbliżenie. Profesor Freud złagodził symptomy. Nie odczuwała już przymusu wyrzucania pieniędzy i tolerowała seksualne awanse męża. Zygmunt jednak wątpił, by kiedykolwiek mogła odczuwać pełną satysfakcję w pożyciu płciowym.

Kolejna pacjentka domagała się od swego męża masochistycznych praktyk, uważając, że w ten sposób zapewnia sobie jego wierność. Mąż musiał ją bić, wyzywać od najgorszych, siłą rozwierać jej nogi, zanim w sposób brutalny ją posiadł. Podczas stosunku fantazjowała, że przygląda im się wielu świadków, którym to widowisko sprawia przyjemność. Miewała częste zawroty głowy. Złożenie pełnego obrazu wymagało czasu. Z ułamkowych wypowiedzi pacjentki Zygmunt dowiedział się, że ojciec jej również cierpiał na zawroty głowy i że często w czasie stosunku wyobrażała sobie, iż i on jest między przyglądającymi się widzami. W dzieciństwie identyfikowała się ze swym ojcem. Spała w jednym pokoju z rodzicami i niejednokrotnie słyszała, jak ojciec brutalnie obchodził się z matką. Freud zlikwidował zawroty głowy, po czym stopniowo uświadomił chorej, na czym polega owa potrzeba masochistycznych doznań w akcie seksualnym. Pacjentka uznała się za wyleczoną, podziękowała mu, ale żegnając się, powiedziała:

– Panie profesorze, skoro jestem teraz normalną kobietą, czy potrafię dochować wierności mężowi?

Zmniejszenie się liczby pacjentów cieszyło go, ponieważ bardzo chciał skończył pisanie *Historii ruchu psychoanalitycznego* w pierwszych miesiącach nowego roku, by mogła się ukazać w „Roczniku" w tym samym czasie, kiedy wiadomości o ustąpieniu Junga dotrą do wiadomości opinii publicznej w Europie, Anglii i Ameryce. Z zasady nigdy nie był w defensywie, tym razem jednak zajął stanowisko apologetyczne. Musiał napisać prawdę o narodzinach i rozwoju psychoanalizy, o swych odkryciach, swej działalności, o swym wkładzie. Musiał ocenić to, co później dla psychoanalizy zrobili Alfred Adler i Karol Jung. Postanowił pisać z całą szczerością i rzetelnością, na jakie było go stać:

„Nikogo nie powinien zdziwić subiektywny charakter tego, co piszę o historii ruchu psychoanalitycznego i o mojej w nim roli. Psychoanaliza jest moim dziełem; przez dziesięć lat byłem jedynym człowiekiem, który się nią zajmował, i na moją głowę spadały wszystkie zarzuty i słowa krytyki wypowiadane przez oburzonych na mnie współczesnych. Chociaż od dawna już nie jestem jedynym psychoanalitykiem na świecie, nadal utrzymuję, że mam pełne prawo uważać się za najlepszego znawcę psychoanalizy. Nikt lepiej ode mnie nie wie, czym jest psychoanaliza, co ją różni od innych metod badania funkcjonowania mózgu, dlaczego właśnie psychoanalizą powinna się nazywać i dlaczego inne metody powinny być określane innymi nazwami".

Pisał o tym, jak odkrył psychoanalizę, poczynając od przypadku Berty Pappenheim, pacjentki Józefa Breuera, przez męską histerię Charcota, odtrącenie go przez profesora Meynerta i wydział medyczny uniwersytetu; o swych studiach w Nancy u Bernheima i Liebeaulta, pierwszych próbach stosowania sugestii za pomocą hipnozy, uciskaniu skroni pacjenta, opracowaniu techniki swobodnego kojarzenia, ujawnieniu istnienia umysłu podświadomego, sytuacji Edypa, dziecięcego seksualizmu, stłumienia, przeniesienia.

Nie unikał spraw osobistych; relacjonował rozstanie z Adlerem i Jungiem, pisał o poczuciu winy, które go prześladowało, gdy uświadomił sobie, że mówiąc słowami Hebbla, „zakłócił sen świata".

„Moja wrażliwość w ciągu tych lat stępiła się, nie bez korzyści dla mnie. Od rozgoryczenia uratowała mnie jednak okoliczność nie zawsze dostępna samotnym odkrywcom. Ludzi takich z reguły zadręcza potrzeba tłumaczenia sobie braku sympatii czy wręcz awersji, jaką budzą w swych współczesnych. Taka postawa niepokoi ich, ponieważ jest sprzeczna z głębokim przekonaniem, że słuszność jest po ich stronie. Ja takich niepokojów nie zaznałem, dzięki bowiem teorii psychoanalitycznej mogłem zrozumieć zarówno postawę moich współczesnych, jak i nieuchronną konsekwencję podstawowych przesłanek analitycznych. Jeśli słusznie uważałem, że fakty, które odkryłem, nie mogły dotrzeć do świadomości pacjentów ze względu na ich wewnętrzne opory emocjonalne, wówczas jest rzeczą logiczną, że tego rodzaju opory muszą pojawiać się również u ludzi zdrowych, z chwilą gdy jakieś zewnętrzne źródło stawia ich w obliczu faktów stłumionych. Wcale mnie nie zaskoczyło, że tłumaczyli sobie odrzucanie mych koncepcji względami intelektualnymi, chociaż faktycznie czynili to ze względów natury afektywnej. To samo spotykałem nader często u pacjentów. Wysuwali podobne argumenty, których bynajmniej nie można nazwać błyskotliwymi. Mówiąc słowami Falstaffa, powodów jest «tyle co poziomek». Różnica polegała na tym jedynie, że mając do czynienia z pacjentami, mogłem wywierać nacisk, by nakłonić ich do uświadomienia sobie i przezwyciężenia oporów, podczas gdy w stosunkach z ludźmi na pozór zdrowymi nie miałem tej przewagi".

W jaki sposób nakłonić zdrowych ludzi do analizy problemu w duchu obiektywizmu naukowego? Tego Zygmunt nie potrafił. Może lepiej zostawić to czasowi?

„W historii nauki często spotykamy się z tym, że hipotezy, które początkowo natrafiały wyłącznie na sprzeciw, z czasem zyskiwały powszechną akceptację, chociaż nie pojawiły się żadne nowe dowody na ich poparcie".

Pod koniec lutego 1914 roku skończył *Historię ruchu psychoanalitycznego* i odesłał ją do druku. Karol Abraham, który po Jungu przejął redakcję „Rocznika", przypuszczał, że uda mu się ją ogłosić w pierwszym tomie. Tom ten miał się ukazać w czerwcu. Zygmunt odetchnął z ulgą. Kilka dni później Zofia urodziła tęgiego chłopaka.

Z początkiem maja Zygmunt poczuł się kiepsko. Powiedział do Marty:

– Właściwie nie mam żadnych zmartwień poza tym, że Jones choruje w Londynie. Jung oficjalnie ustąpił ze stanowiska prezesa. Karol Abraham będzie go tymczasem zastępował i zorganizuje następny kongres w Dreźnie. Mam zamiar opisać przypadek „człowieka-wilka". Dzięki olbrzymiej dokumentacji, którą zebrałem, będzie to chyba najbardziej przekonywająca moja wypowiedź. Zostałem zaproszony na uniwersytet w Lejdzie; to pierwszy tego rodzaju wyraz uznania w Europie. Doktor A.W. van Renterghem, najpoważniejszy psychiatra holenderski, publicznie uznał słuszność naszego tłumaczenia snów i teorii nerwic...

Ale Marta bardzo się zaniepokoiła; po raz pierwszy od kłopotów, jakie mąż miał z sercem przed dwudziestu laty. Specjalista od chorób wewnętrznych i gastrycznych doktor Walter Zweig zamierzał zrobić rektoskopię, by sprawdzić, czy Zygmunt nie ma raka jelit. Zygmunt nie chciał się przyznać, że większość jego przelotnych zaburzeń była wynikiem napięć, lęków, wyczerpania.

Badania były bolesne, ale doktor Zweig nie stwierdził śladu złośliwego nowotworu. Zygmunt zakomunikował to Marcie:

– Bogowie odroczyli wyrok. Prawdę mówiąc, Zweig nie stwierdził żadnej w ogóle choroby, mimo że ciągle uskarżam się na dolegliwości, które tak czule nazywam „amerykańską kolką". Wkrótce ukaże się „Rocznik" z moją *Historią ruchu psychoanalitycznego*. To mi pozwoli uzyskać właściwy dystans do spraw. A tymczasem powinniśmy pomyśleć o planach na lato.

– Anna chce zobaczyć Zofię i dziecko.

– Świetnie. Zatrzyma się u nich w drodze do Anglii. Obiecałem jej wakacje u rodziny Emanuela. Kiedy byłem w jej wieku, ojciec zafundował mi taką samą wycieczkę w nagrodę za maturę.

– Czy doktor Zweig uważa, że powinniśmy znowu pojechać do Karlsbadu?

– Zaleca. Moglibyśmy spędzić czerwiec w willi „Fasolt", a potem sierpień w Seis, w południowych Dolomitach. We wrześniu pojedziesz ze mną na kongres do Drezna. To śliczne miasto, jedno z najładniejszych w Niemczech.

Nie interesował się zbytnio polityką. Czytał codziennie gazetę, ale nie przywiązywał tak wielkiej wagi do wiadomości międzynarodowych jak Alfred Adler i jego „stolik" w kawiarni. Jedynym kryzysem politycznym, który zdawał się zagrażać Zygmuntowi i jego rodzinie, było objęcie stanowiska burmistrza Wiednia przez Karola Luegera. Franciszek Józef nie zatwierdził wyniku wyborów, ponieważ Lueger występował z programem antysemickim.

Wybory zostały powtórzone. Lueger znowu je wygrał. Po zaprzysiężeniu oświadczył:

– O tym, kto jest Żydem, ja decyduję.

Potem uznał wielu swych przyjaciół za nieoficjalnych aryjczyków i obsadził nimi szereg stanowisk. Okazał się postępowym burmistrzem i w czasie swego urzędowania – do śmierci w roku 1910 – doprowadził do stłumienia nastrojów antysemickich.

Gazety wiedeńskie od wielu lat straszyły wojną. Zygmunt czytał co prawda depesze, nie wiedział jednak, które ma uważać za prawdziwe, a które za zwykłe straszenie ludzi. Karol Abraham donosił z Berlina, że nie ma mowy o wojnie. W tym samym tonie pisał Ferenczi z Budapesztu. Ernest Jones w Londynie był spokojny. Zygmunt wiedział, że Serbowie próbowali oderwać Chorwatów od Austro-Węgier i stworzyć własne państwo federacyjne, że arcyksiążę Franciszek Ferdynand obiecał Chorwatom autonomię, gdy tylko wstąpi na tron, i że to może oznaczać wojnę z Rosją, której wojska stały nad granicą austriacką. Zbyt długo jednak powtarzały się te alarmistyczne wieści, by przywiązywał do nich większą wagę, szczególnie że w tym czasie zajęty był swoją prywatną wojną.

Wiadomość o zabójstwie arcyksięcia Franciszka Ferdynanda w Sarajewie, dokonanym przez serbskiego zamachowca, zaskoczyła Zygmunta. Do Ferencziego napisał: „Jestem wstrząśnięty zamachem na arcyksięcia; trudno przewidzieć konsekwencje tego wydarzenia".

Kiedy trumnę ze zwłokami Franciszka Ferdynanda chyłkiem przewieziono do Wiednia, podobnie jak przed laty zwłoki arcyksięcia Rudolfa, powiedział do Marty:

– Niczego dobrego to nie wróży. Ale nikt właściwie nie wie, o co chodzi...

– Boję się. – Marta miała łzy w oczach. – Może wybuchnąć wojna. Mamy trzech dorosłych synów...

Objął ją czule.

– Pamiętasz grudzień 1912 roku, kiedy groziła nam wojna z Rosją o Serbię? Sytuacja była napięta i nic się nie stało.

Na zamach w Sarajewie zareagowano spokojniej, niż się tego wszyscy spodziewali, przynajmniej na łamach gazet. Tylko w kawiarniach rozprawiano z podnieceniem o gorączkowej wymianie not między ministerstwami spraw zagranicznych i o toczących się bez przerwy pertraktacjach. Kiedy minął tydzień i nic nie zapowiadało wybuchu wojny, Zygmunt wysłał Annę do Hamburga, a potem do Anglii.

Przygotowywali się z Martą do wyjazdu na kongres w Dreźnie. Tym razem miał on być poświęcony czystej psychoanalizie. W atmosferze powszechnej zgody i przyjaźni wysłuchają referatów. Nie będzie Alfreda Adlera i wiedeńskich dysydentów, Karola Junga i dysydentów zuryskich. Spotka się z najbliższymi współpracownikami na kilka dni przed kongresem, by przedyskutować bieżące przypadki i przyszłą strukturę Towarzystwa. Z Nowego Jorku miał przyjechać Brill, z Bostonu – James Putnam, z Berlina – Teodor Reik i Abraham, z Zurychu – Pfister, z Moskwy – Ossipow, z Triestu – Edward Weiss...

Księga szesnasta

Niebezpieczna podróż

1

Wojna jednak wybuchła.

Cesarz Wilhelm II zapewnił cesarza Franciszka Józefa, że jeśli w następstwie akcji represyjnej przeciw Serbii dojdzie do konfliktu między Austrią a Rosją, Niemcy „wypełnią swe sojusznicze obowiązki".

Austria wypowiedziała wojnę Serbii. Rosja przeprowadziła mobilizację. Niemcy wypowiedziały wojnę Rosji. Francja przeprowadziła mobilizację. Niemcy wypowiedziały wojnę Francji i tego samego dnia wojska niemieckie wkroczyły do Belgii. Anglia, wierna sojuszowi z Belgią, wypowiedziała wojnę Niemcom.

Marcin Freud zgłosił się do wojska na ochotnika. Ernest Freud został powołany. Oliver pracował przy budowie tunelu w Karpatach.

Wojna zaczęła się również dla Komitetu i Wiedeńskiego Towarzystwa Psychoanalitycznego. Wiktor Tausk, Hans Sachs i Otto Rank otrzymali powołania. Paul Federn został lekarzem wojskowym. Sándora Ferencziego powołano w Budapeszcie. Karol Abraham służył w niemieckim szpitalu wojennym.

Profesor Zygmunt Freud miał pięćdziesiąt osiem lat, był już więc za stary, by służyć w wojsku, uległ jednak patriotycznej gorączce. Po raz pierwszy od wielu lat uświadomił sobie, że jest Austriakiem. Dumny był, że Austria dowiodła światu swej dzielności. Armie austriackie wkrótce pobiją Serbów, zajmą Belgrad i położą wreszcie kres niepokojom na Bałkanach. Austro--Węgry odzyskają utracone terytoria i znowu będą mocarstwem światowym.

Wierzył niezachwianie w słuszność tej wojny i nie miał żadnych wątpliwości co do tego, jak się ona skończy. Rozpoczynając ją, Austria postąpiła słusznie. I Niemcy postąpiły właściwie, dotrzymując obietnic danych Austrii.

Martwił się o Annę, która przebywała w Anglii. Wkrótce jednak wróciła bezpiecznie do Wiednia; przywiózł ją austriacki ambasador w Londynie.

Zachwycał się błyskawicznymi operacjami wojsk niemieckich, które rozbijały doszczętnie przeciwników. Obawiał się tylko, że sukcesy niemieckie doprowadzą do zakończenia wojny przed Bożym Narodzeniem i przewrócą temu narodowi w głowie.

Gorączka wojenna wyleczyła prawie wszystkie nerwice. Zygmunt nie miał pacjentów. Zgłaszali się do niego tylko różni przypadkowi ludzie, którzy chcieli się wykręcić od służby wojskowej. Wolny czas wykorzystywał więc na pisanie relacji o „człowieku-wilku".

Zaskoczony był treścią listów, które docierały do niego przez kraje neutralne. Ernest Jones pisał z Londynu, że Anglicy i Francuzi wygrają wojnę. Zygmunt zastanawiał się, czy Jones nie postradał zmysłów. Doktor Trigant Burrow z Baltimore proponował mu azyl w Ameryce. Jego krótkowzroczność mógł Zygmunt zrozumieć, przecież Burrow znajdował się w tak olbrzymiej odległości od terenu działań wojennych.

Euforia trwała jednak krótko. Zaczęła mijać, gdy armia cesarska poniosła pierwsze klęski na froncie serbskim. Potem Niemcom nie udało się zdobyć Paryża. W kawiarniach żartowano: „Nasze odwroty w Galicji miały na celu zmęczenie przeciwnika". Nie lubił tych żartów.

Nadal wierzył, że wojnę wygrają, ale teraz już zdawał sobie sprawę, że to jeszcze potrwa. Być może do przyszłego Bożego Narodzenia. Oprzytomniał, kiedy przyszły pierwsze zawiadomienia o śmierci na froncie synów jego przyjaciół i kolegów. Marcin pisał, że kule przeszyły mu rękaw munduru i czapkę. Zygmunt odwiedził szpitale i zobaczył młodych ludzi bez rąk, bez nóg, z ciężkimi ranami głowy.

Wtedy dopiero zrozumiał, że uległ powszechnemu obłędowi. Był ślepym, niebezpiecznym szaleńcem! Jakże mógł zachwycać się wojną! W przypływie młodzieńczego entuzjazmu uległ patriotycznej gorączce; wierzył, że jego kraj podbije świat! W tej wojnie jedynym zwycięzcą będzie śmierć. Nikt nikogo nie zwycięży. Ilu ludzi zginie? Dziesięć tysięcy, sto tysięcy? Ilu pozostanie kalekami do końca życia?

Jakie to upokarzające, że właśnie on, profesor Zygmunt Freud, prawie całe życie poświęciwszy objaśnianiu ludziom ich instynktownych i podświadomych motywów działania, padł ofiarą najprymitywniejszych bodźców: do wojowania, zabijania, podbijania! Nie mógł, rzecz jasna, zapobiec wojnie; ale wiedza, jaką posiadł, mogła mu ułatwić rozpoznanie tych wszystkich kłamstw, którymi oszukiwano większość ludzi. Zachował się jak chłop analfabeta, pyszniący się swą wojenną przygodą, aż wreszcie kończyła się ona dla niego, kiedy padał zabity na polu innego chłopa lub gdy trafiał do szpitala na oddziały obserwacyjne, tworzone przez Karola Abrahama dla psychicznie chorych żołnierzy.

W głębi duszy Zygmunt wiedział, że musi zapłacić za to szaleństwo. W miarę upływu miesięcy Wiedeń był coraz bardziej zmęczony wojną. Teraz można już było przewidzieć nadchodzące lata okrutnych doświadczeń i rozgoryczenia.

Wciąż nie miał pacjentów. Dochody pokrywały zaledwie połowę wydatków. Marta oszczędzała. Konto bankowe kurczyło się bezlitośnie. Rząd nie reflektował na jego usługi jako neurologa. Z każdą kolejną klęską Zygmunt wpadał w coraz głębszą depresję i coraz bardziej uświadamiał sobie koszmar wojny. „Nastała długa polarna noc – rozmyślał. – Trzeba ją przeczekać, aż znowu wyjdzie słońce". Coraz trudniej było o żywność. Ze sklepów znikały towary. Nawet sklep rzeźnika na parterze świecił pustkami. Brak mięsa, który uważał za najważniejszy składnik swej diety, odczuwał szczególnie dotkliwie. Potem przyszła kolej na węgiel i drewno, brakło opału. Ceny rosły. Wieczorami siedział w nieopalanym gabinecie, usiłując coś pisać skostniałymi z zimna rękami. Oliver zakończył pracę przy budowie tunelu i poszedł do wojska. Maks Halberstadt został ranny. Współczuli Zofii.

„Rocznik" przestał się ukazywać. „Zeitschrift" wychodziło sporadycznie. Międzynarodowe Towarzystwo Psychoanalityczne istniało tylko na papierze. O kongresach nie było mowy.

W 1917 roku rewolucja rosyjska obaliła cara, Stany Zjednoczone przystąpiły do wojny po stronie Anglii i Francji, resztki zasobów finansowych straciły wartość wskutek inflacji. Wzmagały się trudności. Na froncie włoskim zginął syn Róży, siostrzeniec Zygmunta, Herman Graf.

Marta drżała o swoich synów, którzy nieustannie byli w ogniu walk. Rano bała się wstać z łóżka, bo poczta mogła przynieść fatalne zawiadomienie. Kiedy do Wiednia docierały wieści o austriackich stratach, traciła panowanie nad sobą.

Eli Bernays, domyślając się, że Freudowie są w trudnej sytuacji, przekazał do Wiednia znaczne fundusze jeszcze przed przystąpieniem Stanów Zjednoczonych do wojny. Przyjaciele z Holandii przysyłali Zygmuntowi cygara, wiedząc, że w Austrii ich nie dostanie. Ferenczi wykorzystywał swe stanowisko w wojsku, by przemycać z Węgier paczki żywnościowe. Doktor Robert Baranyi z Uppsali przedstawił kandydaturę Zygmunta Freuda do Nagrody Nobla. Zmarł jeden z pacjentów, którego Zygmunt przed laty leczył; zapisał mu w testamencie pięć tysięcy guldenów. Profesor Freud wznowił swe wykłady na uniwersytecie. Miał dziewięciu słuchaczy. Postanowił przygotować wykłady na piśmie, tak żeby później złożyły się na planowany *Wstęp do psychoanalizy*. Mimo trudności z papierem ukazało się piąte wydanie

Psychopatologii życia codziennego. Brill nadal tłumaczył jego prace i publikował je w Ameryce. Ernest Jones w listach przemycanych przez Szwajcarię lub Holandię skarżył się, że tłumaczenia Brilla są kiepskie i tylko szkodzą psychoanalizie.

Na samym początku wojny Zygmunt i Marta wybrali się na kilka tygodni do Berchtesgaden. Przy okazji odwiedzili Amelię przebywającą w pobliskim Ischlu i tam obchodzili jej osiemdziesiąte urodziny. W rok potem udało im się urządzić latem rodzinne spotkanie w Salzburgu. Przybyli na nie Zofia z dzieckiem, Matylda i Robert Hollitscherowie, Aleksander z żoną, Anna i, co najważniejsze, obaj synowie, Marcin i Ernest, którzy otrzymali dwutygodniowy urlop z wojska. Po powrocie do służby Ernest zachorował na gruźlicę.

Pod koniec 1917 roku ożywiła się praktyka Zygmunta. Wiedział dlaczego. Wprawdzie w Niemczech tlił się jeszcze optymizm, ale Austriacy pogodzili się już z faktem, że wojnę przegrali. Pacjenci Zygmunta, a miewał ich do dziewięciu dziennie, postanowili leczyć swe nerwice, bo nie stać ich już było na wojenny entuzjazm, który je tłumił.

Ostatnie lata wojny Freudowie spędzili dzięki Ferencziemu w Tatrach. Ernest znajdował się w pobliskim sanatorium. Ferenczi postanowił zwołać na wrzesień Międzynarodowy Kongres Psychoanalityczny w Budapeszcie. Zygmunt zabrał ze sobą na kongres Martę i Ernesta. Przybyło czterdziestu dwóch analityków i entuzjastów psychoanalizy. Kilku z Holandii i Niemiec, reszta z Austrii. Gości ulokowano w niedawno otwartym Hotelu Gellérta. Mogli korzystać z gorących kąpieli leczniczych i wspaniałych ogrodów hotelowych. Burmistrz miasta oficjalnie powitał delegatów i oddał do ich dyspozycji statek, by mogli urządzać przejażdżki po Dunaju. Były przyjęcia i uroczyste obiady.

W obradach kongresu uczestniczyli przedstawiciele władz niemieckich, austriackich i węgierskich, zainteresowani w leczeniu nerwic, na które zapadali żołnierze. W Budapeszcie powstał ośrodek leczenia psychoz spowodowanych kontuzjami. Ferenczi miał obiecaną katedrę uniwersytecką i cały cykl wykładów o psychoanalizie. Podobnie jak Abraham w Olsztynie i Eitingon w Berlinie leczył z powodzeniem nerwice.

– Jesteśmy potrzebni – stwierdził Zygmunt na posiedzeniu Komitetu. – Po raz pierwszy uznano nas za oficjalne naukowe ciało...

– ...które mogłoby wnieść cenny wkład – wtrącił Ferenczi entuzjastycznie. – Panie profesorze, jesteśmy nie tylko p o t r z e b n i, a l e n i e z b ę d n i. Lata całe o tym marzyłem!

Wojna skończyła się jedenastego listopada 1918 roku. Następca Franciszka Józefa, cesarz Karol, został zdetronizowany po krótkotrwałej rewolucji. Węgry ogłosiły niepodległość. Skończyło się cesarstwo. W ostatnich tygodniach wojny zaginął Marcin; Zygmunt i Marta przeżywali bardzo ciężkie chwile. Nie wiedzieli, czy syn zginął, czy został ciężko ranny. Dopiero po kilku tygodniach napisał do nich z włoskiego szpitala. Był w niewoli, gorączkował.

Wiedeń podupadał. Po bezmięsnych tygodniach przyszły całe miesiące bez mięsa. Dewaluacja postępowała tak szybko, że za bochenek chleba trzeba było płacić walizkę koron. Freudowie stracili wszystko, włącznie z polisą Marty i z oszczędnościami, które Zygmunt ulokował w austriackiej pożyczce wojennej.

Pacjenci przestali przychodzić, bo nie mieli pieniędzy.

Ernest Jones nakłaniał Zygmunta, by przyjechał do Londynu, gdzie gwarantował mu praktykę. Jones miał dziewięciu pacjentów przechodzących analizę; szesnastu czekało na swą kolej. Marta była skłonna wyjechać z Wiednia, ale Zygmunt odpowiadał stanowczo:

– Wiedeń jest moim polem bitwy. Muszę pozostać na stanowisku.

Zabrał się do pisania. Chodziło mu nie tylko o opracowanie pomysłów z dawnych lat, ale także o odpokutowanie za swój szowinistyczny obłęd. W czasie wojny Deuticke opublikował jego pracę *Pamięć, powtarzanie, przetwarzanie,* w której analizował przymus powtarzania, trapiący neurotyków. Problematykę tę kontynuował teraz w pracach *O procesie tłumienia, Popędy i ich przemiany* oraz *Spostrzeżenia na temat transferencji miłości.* W 1917 roku ukazała się praca *Żałoba i smutek,* w 1918 Heller wydał relację „o człowieku-wilku" pod tytułem *Przyczynki do historii nerwicy dziecięcej.* Książka liczyła ponad sto stron. W żadnej z dotychczasowych prac nie udało mu się jeszcze przedstawić w tak jasny i przekonujący sposób źródeł nerwic tkwiących w dzieciństwie i psychoanalitycznych metod ich leczenia. Następnie zaczął serię dwunastu esejów o metapsychologii, próbując sformułować teorię funkcjonowania umysłu ludzkiego. Heller wydawał *Wstęp do psychoanalizy* w trzech tomach.

Skończyła się noc polarna, ale świt był szary, niewesoły; niebo zaciągnęły groźne chmury.

2

Nowo narodzona Republika Austrii nie bardzo miała od czego zaczynać. Ludzie czuli się zmęczeni wojną, Wiedeń opustoszał, pieniądz stracił wartość, sklepy były puste, szpitale pełne. Brakowało żywności, węgla, pracy.

Znaczna część ludności głodowała. Żaden z trzech synów Freuda nie mógł znaleźć zajęcia. Zygmunt musiał utrzymywać ze swych skromnych zarobków matkę i Dolfi, owdowiałe siostry, Różę i Pauli, oraz ich dzieci; w sumie szesnaście osób. Starał się również pomagać Aleksandrowi, którego firma znalazła się w tarapatach, ponieważ koleje nie kursowały. Sytuacja stała się zaiste rozpaczliwa.

Do Jonesa pisał: „Przeżywamy bardzo ciężkie czasy, ale nauka pomaga wytrwać". Podczas ostatnich wakacji wojennych, które spędził z Martą i Anną w Tatrach, Zygmunt zaprzyjaźnił się z bogatym piwowarem Antonim von Freundem. Miał on trzydzieści siedem lat i ukończył studia filozoficzne. Ferenczi leczył kilku krewnych von Freunda.

Antoni von Freund miał poważne kłopoty. Przed kilkoma miesiącami był operowany na raka jąder; usunięto mu wtedy jedno jądro. Lekarz zapewniał pacjenta, że nowotwór został całkowicie zlikwidowany i że może teraz wrócić do normalnego pożycia seksualnego, ale pogodny zazwyczaj von Freund wpadł w depresję i stał się impotentem.

Ferenczi się z nim przyjaźnił, ale oświadczył mu, że zbyt długo się znają, by mógł go leczyć. Poradził mu, by zwrócił się do doktora Freuda, który niedługo ma przyjechać na Węgry. Zygmunt podjął się leczenia i zaproponował pacjentowi, by popołudniowe spacery po górach traktowali jako sesje terapeutyczne.

– Nie ma czasu na to, co my, psychoanalitycy, nazywamy analizą dogłębną – tłumaczył Freundowi – czyli na długi proces prowadzący do przetworzenia osobowości. Ferenczi wyjaśnił już panu elementy psychoanalizy, możemy więc teraz razem pracować nad doprowadzeniem do złagodzenia objawów. Przejdziemy bezpośrednio do *katharsis* i w ten sposób, mam nadzieję, uda się nam całkowicie nieoczekiwanie odkryć źródła pańskich lęków.

– Jak pan to zrobi, panie profesorze?

– Ja tego nie zrobię, lecz pan. Posłużymy się metodą pedagogiczną, umożliwi ona panu rozbicie lęku na zrozumiałe elementy. Pan uważa, że chwilowa niemoc płciowa jest następstwem operacji. Ale to był tylko bezpośredni bodziec. Trzeba go będzie powiązać z lękami z okresu dzieciństwa, które wytworzyły tak poważną energię psychiczną. Następnie przystąpimy do szybkiego wypowiadania myśli, kładąc nacisk na seksualne aspekty pańskiego dzieciństwa, z całkowitym niemal pominięciem wszelkich innych.

Antoni przypomniał sobie, że mniej więcej między czwartym a szóstym rokiem życia widział, jak kucharka krajała drób i wędliny. Przestraszył się, bał się, że ostry nóż może mu wyrządzić jakąś krzywdę. Fascynował go i równocześnie przerażał widok domokrążców ostrzących noże. W tym samym chyba okresie życia słyszał dowcip, że różnica między chłopczykami a dziewczynkami polega na tym, że dziewczynkom „obcięto siusiaka". Widok ostrego noża lub nożyczek budził w nim odtąd strach.

Zrelacjonował następnie szybko i uczciwie wspomnienia pierwszych prób onanizmu, na których przyłapał go ojciec. Ojciec żartował wtedy, że jeśli nie przestanie bawić się w ten sposób, straci członek. Antoni nie umiał się powstrzymać od onanizmu, za każdym jednak razem pogłębiało się w nim poczucie winy i lęku. Fantazjował, że stracił już członek albo że mu on obumarł. Usunięcie jądra wydobyło te lęki z powrotem z jego podświadomości.

Po ujawnieniu tych wątków Zygmunt przystąpił do wytwarzania u pacjenta postawy afirmatywnej.

– Wszystkim ludziom właściwy jest lęk przed kastracją. Ja też odczuwałem takie lęki. Wszyscy mężczyźni obawiają się odkrycia kobiecej strony ich biseksualnej natury. Ja też się tego obawiałem. Wszyscy mężczyźni napotykają w swym życiu codziennym problemy utrudniające czynności płciowe. Ja też miałem takie problemy.

Antoni uśmiechnął się po raz pierwszy od wielu dni.

– Rozumiem, o co panu chodzi: zaburzona czynność narządów płciowych nie oznacza bynajmniej, że stało się z nimi coś złego! Jest tylko wyrazem trudności w innej dziedzinie.

– Słusznie. Teraz będziemy mogli przenieść dawne lęki płciowe na inne aspekty pańskiego życia.

Odbudowując systematycznie sprawność całej swej osobowości, Antoni odzyskiwał pewność siebie, niezbędną dla usunięcia impotencji w dziedzinie najbardziej dokuczliwej. Symptomy uległy złagodzeniu.

Obaj panowie spędzali dzień nad pięknym jeziorem położonym wśród lasów na wysokości tysiąca dwustu metrów. Było pogodnie i ciepło; przyjemna odmiana po nieustannych deszczach i chłodach.

– Panie profesorze, ułożyłem sobie pewien plan – powiedział w pewnej chwili Antoni. – Rozmawiałem już o tym z moją rodziną, szczególnie z matką i siostrą. Otrzymałem ich zgodę. Postanowiłem stworzyć fundusz w wysokości jednego miliona koron, przeznaczony na rozwój psychoanalizy.

Zygmunt z trudem łapał powietrze. Stali na polance nad jeziorem. Oparł się o drzewo.

– Milion koron! To nie do wiary. Nasz ruch nigdy nie miał pieniędzy. Prawie żadna z naszych publikacji nie pokryła kosztów druku. Będziemy mogli wznowić „Rocznik" i przekształcić „Zeitschrift" w kwartalnik. Dar niebios!

Antoni siedział obok niego i uśmiechał się z zadowoleniem.

– Panie profesorze, z funduszem nie łączą się żadne warunki. Pieniądze zostaną umieszczone na rachunku bankowym natychmiast po moim powrocie do Budapesztu. W miarę postępu prac, gdy tylko będą potrzebne, proszę mnie zawiadomić i natychmiast panu przekażą odpowiednie sumy.

– Antoni – Zygmunta ogarnęło wzruszenie – gdyby pan nie istniał, trzeba by było pana wymyślić.

Tego wieczora Zygmunt rozsnuwał przed Martą swoje plany.

– Oczywiście, najważniejszą dla nas rzeczą jest posiadanie własnego wydawnictwa. Nie tylko wydającego wskrzeszony „Rocznik”, „Zeitschrift” i „Imago”, lecz również publikującego książki. Nie będziemy już musieli dopraszać się wydawców, by drukowali nasze prace. W miarę potrzeby zaczniemy zakładać nowe pisma naukowe, zamawiać książki u autorów; takie książki, które nie powstałyby bez zamówienia albo spoczywałyby latami w szufladach.

Marta leżała w łóżku. Przeżycia wojenne wycisnęły piętno na jej twarzy; wokół ust pojawiły się zmarszczki, włosy nie były już tak gęste jak dawniej, ale jej spojrzenie odzyskało filozoficzny spokój. Słuchała z przejęciem słów męża.

– Cóż za wspaniałe perspektywy. Teraz już nie będzie ci groziło to, że jakiś nowy Stekel zechce zagarnąć „Zentralblatt”, ponieważ założył wydawnictwo, które to czasopismo publikuje. Ale do tego potrzeba wyszkolonych ludzi...

– Kiedy będziemy mieli pieniądze, ludzie się znajdą...

Przywiózł do Wiednia pięćdziesiąt tysięcy koron z funduszu Antoniego von Freunda. Wynajął lokal dla przyszłego wydawnictwa. Obmyślił jego nazwę: „Internationaler Psychoanalytischer Verlag”. Otto Rank stacjonował w czasie wojny w Krakowie i przeżywał silne napady depresji, ponieważ brakowało mu profesora Freuda i psychoanalizy, niemniej ożenił się z piękną Beatą Tolą Mincer, a natychmiast po powrocie do Wiednia zajął się wydawnictwem z energią i entuzjazmem, które nagromadziły się w nim w ciągu czterech lat wojny. Zapowiedział, że wyda dzieła zebrane Zygmunta Freuda w pięknej skórzanej oprawie, by nabywcy zdawali sobie sprawę z cenności publikacji.

Pięćdziesiąt tysięcy koron rozeszło się szybko na urządzenie biura i magazynów, zakup zapasów papieru, znikającego szybko z wiedeńskiego rynku, zdobycie wyposażenia. Podpisano umowy wstępne z drukarniami. Zygmunt się nie przejmował. Pozostawało jeszcze dziewięćset pięćdziesiąt tysięcy.

Stopniowo powracali do Wiednia członkowie Towarzystwa Psychoanalitycznego. Otwierali z powrotem praktyki. Komitet znowu zaczął się spotykać. Wspaniałe były powojenne początki kariery Sändora Ferencziego w Budapeszcie. Tysiąc studentów uniwersytetu podpisało petycję o stworzenie dla niego specjalnej katedry. Komunistyczny rząd popierał Ferencziego i planował otwarcie instytutu psychoanalitycznego. Zygmunt rozważał nawet pomysł wysłania do Budapesztu Ranka i przeniesienia tam wydawnictwa. Przecież Budapeszt stał się ośrodkiem europejskiej psychoanalizy.

Na początku 1919 roku zostały wznowione środowe wieczory. Wojna nie oszczędziła ciosów żadnemu z uczestników, a teraz doznali nowej porażki.

Wiktora Tauska natychmiast po dyplomie powołano do wojska. Lata wojny spędził w Lublinie i Belgradzie. Okres ten bynajmniej nie sprzyjał wyleczeniu jego wieloletnich nerwic. Lou Andreas-Salomé wróciła do Getyngi i tam praktykowała psychoanalizę. Tauskowi bardziej niż kiedykolwiek był teraz Zygmunt potrzebny jako surogat ojca, ale równocześnie chciał się uniezależnić od profesora Freuda, i dlatego na środowych wieczorach atakował jego koncepcje i teorie. Zygmunt cenił bystrość umysłu Tauska, często jednak niepokoił się jego schizofrenią. W czterdziestym roku życia Tausk zaczął pracować samodzielnie jako psychoanalityk. W tym samym czasie zakochał się w młodej muzyczce, Hildzie Loewi. Zygmunt spodziewał się, że po jedenastu trudnych latach Tausk się ustabilizuje. Stało się jednak inaczej.

W przeddzień ślubu napisał listy pożegnalne do profesora Freuda i narzeczonej, po czym popełnił samobójstwo. Zygmunt przeżył głęboki wstrząs. Dlaczego Tausk zrobił to właśnie teraz, kiedy stał u progu spełnienia osobistych i zawodowych ambicji? List niewiele tłumaczył:

„Drogi Profesorze... Dziękuję Panu za wszystko, co Pan dla mnie zrobił. Dużo Panu zawdzięczam i dzięki Panu ostatnie dziesięć lat mego życia miało jakiś sens. Pańskie dzieło jest naprawdę wielkie. Rozstaję się z życiem przekonany, że danym mi było być świadkiem triumfu jednej z największych idei ludzkości...".

Pogrzeb na Cmentarzu Centralnym sprawiał koszmarne wrażenie. Przybyli co prawda krewni Tauska i rodzina pierwszej żony, ale nie pomyśleli o tym, by zamówić pogrzeb kościelny. Zygmunt stawił się z wszystkimi członkami grupy wiedeńskiej w komplecie, nikt jednak nie przygotował przemówienia. Trumna została opuszczona do grobu w głębokiej ciszy. Słychać było tylko głuchy łoskot spadającej na nią ziemi...

Zygmunt wracał do domu straszliwie przygnębiony. Na domiar złego wyrzucał sobie, że stać go tylko na współczucie dla Tauska. I na uczucie zawodu. Tak bardzo teraz potrzebował Tauska!

Przypomniał sobie uwagę Stekla: „Człowiek zabija siebie tylko wtedy, jeśli chce zabić kogoś innego lub przynajmniej życzy komuś śmierci". Czy samobójstwo jest aktem agresji? Zemsty? Ucieczki przed gorszym losem, morderstwem lub obłędem? Psychoanaliza jeszcze bardzo mało wiedziała o samobójstwie. W „Zeitschrift" Zygmunt zamieścił wspomnienie o Tausku. Potem pisał w innym kontekście:

„Prawdopodobnie nikomu nie starczyłoby energii umysłowej na popełnienie samobójstwa, gdyby, zdobywając się na ten postępek, po pierwsze, nie zabijał równocześnie kogoś, z kim siebie identyfikuje, i po drugie, gdyby nie kierował przeciw sobie pragnienia śmierci, które skierowane było przeciw komu innemu".

W listopadzie 1919 roku kontrrewolucja i armia węgierska obaliły rząd. Bela Kun musiał wyjechać z kraju. Szefem nowego rządu został prawdziwy dyktator, zaciekły antysemita admirał Horthy, który niedługo potem otrzymał tytuł regenta. Jednym z pierwszych pociągnięć nowego rządu było usunięcie Ferencziego z uniwersytetu, zamknięcie kliniki nerwic i zmuszenie Sándora do ustąpienia z Węgierskiego Towarzystwa Medycznego. Wszystkie konta bankowe zamrożono; bez specjalnego zezwolenia nikt nie mógł przekazywać pieniędzy za granicę.

Budapeszt przestał być ośrodkiem psychoanalizy. Fundusz Antoniego von Freunda już nie istniał, Zygmunt musiał teraz z własnej kieszeni regulować zobowiązania wydawnictwa.

Zła passa trwała. Antoni miał przerzuty raka do płuc i wątroby. Przyjechał do Wiednia w nadziei, że miejscowi lekarze mu pomogą, ale było już za późno na operację. Zygmunt umieścił go w sanatorium Furtha, czuwał przy nim, pocieszał. Pisał potem do żony Antoniego:

„Toni zdawał sobie sprawę ze swego stanu i zachowywał się bohatersko. Jak przystało na prawdziwego Homerowego herosa, dawał niekiedy upust swojemu żalowi i smutkowi".

Zygmunt był przy nim w chwili zgonu. Zamknął mu oczy i przykrył twarz kocem. Wracając potem do domu w zimne styczniowe popołudnie, wspominał rozmowę z Antonim; Toni mówił mu, że bardzo się interesuje psychoanalizą i zamierza pogłębić swe studia. Zygmunt przypomniał sobie, jaką radość sprawiło mu poznanie Antoniego von Freunda, jakie nadzieje wiązał z wydawnictwem. Przyszło mu na myśl stare porzekadło: „Kto wieczór pije wino, ten rano spragniony jest wody".

3

W powojennej Europie rozszalała się epidemia grypy. Zachorowała Marta. Zygmunt i Minna przez kilka miesięcy pielęgnowali ją w domu, a potem wysłali na rekonwalescencję do sanatorium w Salzburgu. Tego samego dnia, kiedy Zygmunt pochował Antoniego von Freunda, nadszedł telegram od Maksa Halberstadta z Hamburga. Zachorowała ich córka Zofia.

Zygmunt zwrócił się o pomoc do Aleksandra, ale ten rozkładał ręce. Pociągi do Berlina nie kursowały. Za kilka dni miał odjechać pociąg wojskowy Ententy. W Berlinie przebywali jednak Oliver i Ernest, którzy szukali tam pracy. Z Maksem Eitingonem pojechali do Hamburga. Zdążyli na kremację zwłok.

Zofia miała trzydzieści dwa lata. Była najukochańszym dzieckiem Freudów. Pozostawiła dwóch synów, sześcioletniego Ernesta i jednorocznego Heinza, którego dziadkowie jeszcze nie widzieli. Zygmunt wysłał Matyldę i jej męża Roberta pociągiem Ententy do Hamburga. Marta pogrążyła się w rozpaczy. Nie płakała. Nie mogła wstać z łóżka. Zygmunt wiedział, że musi się trzymać. Marta go potrzebowała. Przez cztery lata wojny zamartwiali się o synów, a teraz okazało się, że śmierć zabrała im córkę.

W czasie wojny Eli Bernays pomagał wydatnie Freudom, zwracając dziesięciokrotnie pożyczkę, którą zaciągnął u Zygmunta, kiedy wyjeżdżał do Stanów Zjednoczonych. Teraz liczący dwadzieścia osiem lat syn Eliego, Edward, całym sercem oddany Zygmuntowi i jego dziełu, przejął rolę ojca. Natychmiast po przyjeździe do Paryża w 1919 roku wysłał do Wiednia pudło dobrych cygar. Po otrzymaniu niemieckiego egzemplarza *Wstępu do psychoanalizy* poprosił stryja, by pozwolił mu zająć się sprawą przekładu tej książki. Zygmunt się zgodził i Edward załatwił sprawę błyskawicznie. Podpisał korzystną umowę z awangardową firmą wydawniczą Boni i Liveright i pragnąc przyśpieszyć pracę, rozdał do tłumaczenia poszczególne rozdziały absolwentom Uniwersytetu Columbia. Namówił ponadto wydawców, by zaprosili Zygmunta do Nowego Jorku, gdzie za honorarium w wysokości dziesięciu tysięcy dolarów wygłosiłby serię odczytów reklamujących książkę. Zygmunt bardzo potrzebował pieniędzy, odrzucił jednak propozycję.

– Edward jest niewątpliwie jednym z największych impresariów na świecie. Niestety, mnie brak tych talentów – powiedział do Marty.

Edward dotrzymał obietnicy. Honorarium za książkę okazało się wysokie. Niestety, tłumaczenie, pośpiesznie zrobione przez różnych tłumaczy, było bardzo nierówne i zawierało wiele błędów.

Jeszcze przed kilkoma miesiącami Zygmunt musiał pożyczyć od Maksa Eitingona dwa tysiące marek; potrzebował zagranicznej waluty na podróż do Berlina i Hamburga. Teraz koło fortuny znowu się obróciło. Otrzymał nominację na profesora zwyczajnego. Chociaż nadal nie proponowano mu wykładów na wydziale medycznym, niemniej awans ten miał wielkie znaczenie w Austrii i doprowadził do znacznego ożywienia jego praktyki prywatnej. Z Anglii przyjechał doktor David Forsyth na siedmiotygodniowe przeszkolenie. Ernest Jones przysłał z Ameryki pewnego dentystę pracującego w Anglii. Zjawił się pacjent ze Stanów Zjednoczonych, ponieważ słyszał o „wiedeńskim psychiatrze, który osiąga dobre wyniki". Zewsząd kierowano do profesora Freuda trudniejsze przypadki. Pobierał ustaloną stawkę, pięć dolarów za godzinę, znacznie mniej niż przed wojną, ale o gotówkę było w tym czasie trudno, szczególnie zaś zależało mu na zagranicznej walucie, która umożliwiała utrzymanie rodziny. Sergiusz Pietrow, „człowiek-wilk", straciwszy fortunę podczas rewolucji, znowu zjawił się w Wiedniu, prosząc o kontynuowanie analizy. Przez wiele lat hojnie płacił za leczenie; teraz Zygmunt mógł się zrewanżować, nie biorąc od niego pieniędzy.

Do marca 1920 roku Zygmunt zaoszczędził dość pieniędzy, by spłacić dług zaciągnięty u Eitingona. Oliver i Ernest znaleźli pracę w Berlinie. Marcin pracował w wiedeńskim banku. Aleksander znowu prowadził interesy: linie kolejowe zostały naprawione – tabor kolejowy uzupełniony. Sytuacja z wolna się normalizowała.

Powstało nowe Szwajcarskie Towarzystwo Psychoanalityczne, założone przez niezmiennie lojalnego pastora Pfistera, Ludwika Binswangera i Hermana Rorschacha. Ten ostatni pracował nad testami mającymi określić treść podświadomości na podstawie analizy reakcji pacjenta na plamy z atramentu. Hans Sachs, który w czasie wojny zachorował i wyjechał do Szwajcarii w beznadziejnym, jak sądzono, stanie, wrócił do zdrowia i otworzył gabinet psychoanalityczny w Zurychu. Ernest Jones i Sändor Ferenczi przyjechali do Wiednia i zamieszkali w hotelu „Regina", przy Berggasse.

Sändor ożenił się wreszcie z Gizelą; jej mąż po długiej separacji popełnił w 1919 roku samobójstwo. Przedtem jednak dotarła do Wiednia plotka, że Ferenczi miał romans z jedną z córek Gizeli i przeżywał rozterkę, nie wiedząc, czy ma się ożenić z matką, czy z córką. Sändor stracił wprawdzie katedrę, ale nie brakło mu pacjentów.

Ernest Jones przyjechał wkrótce po ślubie, by przedstawić Freudom swoją młodą żonę. Katarzyna Jolk była wiedenką. Do Zurychu wyjechała na studia ekonomiczne. Utrzymywała siebie i matkę, pracując jako sekretarka właściciela hotelu „Baur-au-Lac", i wtedy właśnie poznała Hansa Sachsa, który dawniej flirtował ze starszą siostrą Katarzyny. Kiedyś Hans zaprosił ją z matką na herbatę. Gdy zjawiły się w kawiarni, nie zastały Sachsa, ale na spotkanie wyskoczył młody człowiek w białym ubraniu, przedstawił się jako doktor Ernest Jones, przyjaciel Hansa, i zapytał, czy pozwolą, że je zaprosi na podwieczorek.

Następnego dnia, w sobotę, Katarzyna dostała od Ernesta duży kosz kwiatów, w niedzielę zaś zabrał ją na spacer. Przed upływem godziny Ernest zapytał:

– A co by pani powiedziała, gdybym ją zaprosił na wycieczkę do Włoch... jako moją żonę?

Zygmunt bacznie przypatrzył się Katarzynie i powiedział Ernestowi:

– Bardzo dobrze pan wybrał. I to w trzy dni!

Ferenczi i Sachs żartowali, że Jones wybrał Katarzynę przede wszystkim po to, by wżenić się w „naród wybrany".

Odbyło się pierwsze od początku wojny posiedzenie Komitetu. Maks Eitingon przyjął zaproszenie i wszedł do Komitetu. Otrzymał od Zygmunta złoty pierścień z kameą. Postanowiono, że Ernest Jones otworzy w Londynie filię ich wydawnictwa, która będzie wydawała przekłady dzieł psychoanalitycznych i czasopisma naukowe dla krajów anglosaskich. Jones przywiózł egzemplarz sygnalny amerykańskiego wydania *Wstępu do psychoanalizy*. Robił wyrzuty Zygmuntowi, że zbyt lekkomyślnie gospodaruje swoimi prawami autorskimi, i wyjaśnił mu, że bez zagwarantowania odpowiednich klauzul w umowach trudno jest wydawać w Anglii książki, które już się ukazały w Ameryce. Wreszcie ociągając się, powiedział to, co mu leżało na sercu:

– Drogi panie profesorze, musimy zrezygnować z przekładów Brilla. Są bardzo niedobre.

– Nie – odpowiedział stanowczo Zygmunt. – Wolę mieć dobrego przyjaciela niż dobrego tłumacza.

– Nie możemy sobie na to pozwolić – upierał się Jones.

W ciężkich latach powojennych najbardziej ucierpiały w Austrii sieroty wojenne. Było ich bardzo dużo i nikt się nimi nie zajmował. Grupa lekarzy amerykańskich stworzyła fundusz w wysokości trzech milionów koron przeznaczony na budowę sierocińca. Do rady, która miała dysponować funduszem, zaproszono dziekana wydziału medycyny Uniwersytetu Wiedeńskiego, burmistrza Wiednia i profesora Freuda. Kilka tygodni potem Eli Bernays dołożył milion koron, tworząc fundusz imienia swej zmarłej żony Anny. Sieroty otrzymały dach nad głową, wyżywienie i opiekę. Na wydziale medycznym zachodzono w głowę, dlaczego Amerykanie wybrali do rady właśnie doktora Freuda.

Maks Eitingon, którego amerykańska fortuna nie poniosła uszczerbku w czasie wojny, postanowił wybudować pierwszy ośrodek szkolenia psychoanalitycznego w Berlinie. Zamówił projekt u Ernesta Freuda, a ten przedstawił mu świetny plan gmachu wyposażonego w sale wykładowe, bibliotekę, dużą aulę i gabinety do szkolenia analityków. Eitingon sfinansował budowę oraz wyposażenie ośrodka i podarował go Berlińskiemu Towarzystwu Psychoanalitycznemu. Dyrektorem ośrodka został Karol Abraham. Hans Sachs przeniósł się z Zurychu do Berlina, by szkolić młodych lekarzy. Po otwarciu ośrodka berlińskiego wiedeńczycy doszli do wniosku, że powinni stworzyć swój własny ośrodek. Zygmunt nie popierał tego, ponieważ Wiedeń zawsze był niechętny psychoanalizie. Przegłosowano go jednak i przystąpiono do opracowania planów.

Realizację przedsięwzięcia musiano odłożyć, kiedy profesor Freud ponownie naraził się wiedeńskiemu światu lekarskiemu, składając zeznania w śledztwie przeciw ordynariuszowi profesorowi Wagnerowi-Jaureggowi w związku ze stosowaniem elektroterapii w leczeniu nerwic wojennych.

Profesorowi Freudowi nie zaproponowano leczenia żołnierzy, którzy cierpieli na nerwice wojenne. Wagner-Jauregg stosował wstrząsy elektryczne. Teraz dawni pacjenci oskarżali go o brutalne traktowanie, o stosowanie albo o zezwalanie na stosowanie zbyt silnych, a co za tym idzie, bardzo bolesnych wstrząsów. Sąd zażądał od Zygmunta ekspertyzy o skuteczności leczenia wstrząsami oraz stwierdzenia, czy jest możliwe, by w leczeniu „maruderów" – jak ich określał Wagner-Jauregg – stosowano świadomie zbyt silne wstrząsy. Zygmunt przyznał, że zdarzają się wypadki symulacji, lecz mogą one być podświadome; że stosowanie wstrząsów elektrycznych gorszych od tego, co mogło żołnierza spotkać na froncie, by w ten sposób zmusić go do powrotu do czynnej służby, byłoby wątpliwym sposobem leczenia. Potwierdził, że słyszał o przypadkach stosowania w podobnych stanach zbyt silnych wstrząsów, lecz „że osobiście jest przekonany, iż nigdy nie graniczyły one z aktami okrucieństwa z inicjatywy profesora Wagnera--Jauregga. Nie może jednak gwarantować, że nie robili tego inni lekarze, których on nie zna. Psychologiczne wyszkolenie lekarzy jest z reguły niedostateczne...".

Zygmunt sądził, że w ten sposób oczyścił z zarzutów Wagnera-Jauregga, ale ten miał do niego pretensje; uważał, że obrona nie była dość stanowcza. Pretensje Wagnera-Jauregga były jednak niczym w porównaniu z oburzeniem lekarzy, którzy leczyli nerwowo chorych żołnierzy. Otwarcie zaatakowali psychoanalizę Freudowską jako zwyczajne oszustwo. Zygmunt odpowiedział na tę kampanię, rozsyłając broszurę opublikowaną w 1918 roku przez doktora Ernesta Simmla, psychoanalityka z Berlina kierującego poznańskim szpitalem dla chorych na nerwice wojenne. Stwierdzał on, że „metody psychoterapeutyczne w wielu bardzo ciężkich przypadkach nerwic wojennych dawały niezwykle dobre wyniki".

Zygmunt miał teraz dość pacjentów, by zorganizować rodzinie wakacje. Marta pojechała do Ischlu odwiedzić chorą Matyldę. Minna towarzyszyła Zygmuntowi do Bad Gastein. Potem Zygmunt z Anną wybrali się do Hamburga odwiedzić Maksa Halberstadta i dwóch wnuków. We wrześniu 1920 roku doktor Freud wyjechał do Hagi na pierwszy powojenny międzynarodowy kongres psychoanalityczny.

Holenderscy psychoanalitycy, wiedząc, że ich koledzy z Europy Środkowej stracili wszystkie oszczędności i niełatwo im będzie pokryć koszty podróży, zebrali pięćdziesiąt tysięcy koron i zaprosili uczestników kongresu do swych domów na czas trwania obrad. Patrząc na stu dziewiętnastu członków Stowarzyszenia i gości, którzy przybyli na pierwsze posiedzenie, Zygmunt konstatował z satysfakcją, że Międzynarodowe Stowarzyszenie Psychoanalityczne przeżyło korzystną ewolucję, że żadne przyjaźnie nie zostały zerwane, a wojna nie pozostawiła żadnych przykrych śladów. „To ponowne spotkanie jest prawdziwym świadectwem naszego braterstwa – pomyślał. – Wielu z nas bowiem znajdowało się podczas wojny, zaledwie przed dwoma laty, po przeciwnych stronach frontu. Dobrze jest być lekarzem: leczymy ofiary wojny".

Ernest Jones i grupa brytyjska wydali śniadanie na cześć profesora Freuda i jego córki. Anna, świetnie mówiąca po angielsku, odpowiadała na toasty, co szczególnie spodobało się członkom Brytyjskiego Towarzystwa Psychoanalitycznego i zachwyciło jej ojca.

4

Szóstego maja 1921 roku Zygmunt Freud obchodził sześćdziesiąte piąte urodziny. Urzeczywistnił swe ambitne plany, które snuł w młodości w pracowni profesora Brückego. Zajmował się przede wszystkim badaniami naukowymi i dydaktyką, a nie leczeniem. Miał więcej uczniów niż pacjentów. Nie starczało mu czasu na przyjmowanie wszystkich, którzy prosili o szkolenie w analizie. Na jesieni będzie kierował dziesięcioma analitykami, co było już dostatecznie wielkim obciążeniem, tym bardziej że wieczory i niedziele poświęcał na pisanie.

Z radością patrzył, jak rośnie drugie pokolenie utalentowanych analityków. Większość z nich miała doktoraty z medycyny lub filozofii: Helena

Deutsch, Feliks Deutsch, Georg Groddeck, Henryk Meng, Hans Zulliger, August Aichhorn, Zygfryd Bernfeld, Heinz Hartmann, Ernest Kris, Géza Róheim. Ze szczególną satysfakcją myślał o dwojgu uczniach, którzy niezależnie od siebie doszli do wniosku, że psychologia jest najbardziej fascynującą nauką przyszłości. James Strachey odkrył *Interpretację marzeń sennych,* nauczył się niemieckiego, by przeczytać to dzieło w oryginale, po czym zwrócił się do Ernesta Jonesa, żeby mu poradził, co ma zrobić, by zostać psychoanalitykiem. Jones oświadczył mu, że musi zacząć od studiów medycznych.

Strachey przez sześć tygodni pracował w szpitalu, i doszedł do wniosku, że medycyna mu nie odpowiada. Napisał do Zygmunta i ten zgodził się szkolić go w analizie. Okazał się jednym z najpojętniejszych uczniów. Wkrótce potem pani Alix Strachey pod wrażeniem tego, co słyszała od męża o metodach profesora Freuda, poprosiła o analizę. Zygmunt zgodził się – pierwszy raz miał okazję przeprowadzać równocześnie psychoanalizę męża i żony.

Stracheyowie przyjechali do Wiednia w październiku 1920 roku. Zygmunt pisał do Jonesa: „Przyjąłem pana Stracheya. Biorę tylko jedną gwineę za godzinę, ale nie żałuję. Jedyny kłopot, że mówi tak niewyraźnie, iż słuchanie go jest męczarnią". Po kilku tygodniach określał już Jamesa Stracheya jako „dobry nabytek". Najbardziej mu imponowały jego świetne tłumaczenia. Prawie wszystkie wolne godziny James Strachey spędzał na nauce języka niemieckiego i na tłumaczeniu krótszych prac Zygmunta na angielski. Dopiero teraz Freud mógł zorientować się, jak niejasne i wręcz nieczytelne były dawniejsze przekłady. Entuzjazm Stracheya udzielił się Zygmuntowi; jego argumenty przeciw dotychczasowym przekładom okazały się bardziej skuteczne od skarg Jonesa.

– Strachey – powiedział Zygmunt – chcę panu coś zaproponować. Czy nie podjąłby się pan przetłumaczenia historii pięciu przypadków klinicznych: Dory, „człowieka-szczura", małego Hansa, Schrebera i „człowieka-wilka"? Jeśli Jonesowi pomysł się spodoba, nasza biblioteka wzbogaci się o niezły tom.

– Z przyjemnością, panie profesorze.

– A więc dobrze. To będzie cenny podręcznik. Ale taki tom zajmie panu dużo czasu. Tymczasem niech się pan zastanowi nad przekładem dwóch mniejszych prac, *Przekroczenia zasady przyjemności,* która ukazała się ubiegłej jesieni, i *Psychologii grupy,* którą właśnie kończę i która zostanie wydana tego roku latem. Poświęcona jest badaniu zmian, jakie pojawiają się w „świadomości zbiorowej, gdy ludzie spotykają się przypadkowo lub w jakimś określonym celu, i różnicom, jakie zachodzą wtedy, kiedy świadomość jednostki działa, kierując się własnymi instynktami i własną postawą charakterologiczną. Proszę wpaść z żoną do nas w niedzielę na kolację; porozmawiamy na ten temat.

Strachey ucieszył się i zapewnił profesora, że Alix tłumaczy nie gorzej od niego.

Niedzielne spotkanie było udane. Marta polubiła Stracheyów. Po kolacji Zygmunt zabrał gości do swego gabinetu, by szczegółowo porozmawiać o pracy *Przekroczenie zasady przyjemności*, którą Stracheyowie już przestudiowali. Zygmunt uważał ją za najważniejsze dzieło ostatniego okresu. Przeczytał teraz głośno fragment:

„W teorii psychoanalitycznej bez wahania zakładamy, że bieg myśli regulowany jest automatycznie zasadą rozkoszy. Jesteśmy przekonani, że kierunek tych myśli niezmiennie wytycza nieprzyjemne napięcie i że zmierzają one ku temu, by wynik końcowy łączył się ze zmniejszeniem się takiego napięcia – to znaczy, z unikaniem nieprzyjemności albo z wytwarzaniem przyjemności...".

Zdaniem Zygmunta nowym i ważnych zwrotem w psychoanalizie było stwierdzenie, że przyjemność i nieprzyjemność są związane ze stanem umysłowego pobudzenia. Nieprzyjemność wiązała się ze wzrostem pobudzenia, przyjemność ze zmniejszeniem. Umysł starał się utrzymać pobudzenie na poziomie możliwie najniższym lub co najmniej na stałej wysokości. Tego rodzaju sformułowanie to najlepsza definicja zasady rozkoszy: „albowiem gdy czynności umysłowe zmierzają do utrzymania pobudzenia na niskim poziomie, wówczas wszystko, co może doprowadzić do podniesienia tego poziomu, jest sprzeczne z tą dążnością, czyli odczuwane jako nieprzyjemność". Ze szczególnym naciskiem podkreślił, że „zasada rozkoszy wynika z zasady niezmienności".

Wrócił myślami do czasów, kiedy starał się przekonać Józefa Breuera, że psychoanaliza może się stać nauką ścisłą, i kiedy próbował powiązać swe koncepcje z Helmholtzowską teorią niezmienności, którą studiował w pracowni Brückego. Zrobił nawet wykresy, chcąc przekonać Breuera.

Ponieważ instynkty naszego *ego* skierowane są na samozachowanie, zasada rozkoszy musi być zastąpiona zasadą rzeczywistości, która domaga się „opóźnienia zaspokojenia, dążenie do rozkoszy prowadzi do rezygnowania z wielu możliwości osiągnięcia zadowolenia i chwilowego znoszenia nieprzyjemności po to, by długą i pośrednią drogą doprowadzić do przyjemności". Jego zdaniem wszystkie neurotyczne nieprzyjemności są przyjemnościami, które nie mogą być odczuwane jako takie.

Przeprowadził ostry podział popędów; jedne z nich, dążąc do bezwładu, popychają ku śmierci, drugie zaś, popędy seksualne, zmierzają ku przedłużeniu życia. Eros i Tanatos, miłość i śmierć. Oto dwie biegunowe siły ludzkiej natury.

Po to, by pacjenta wyprowadzić poza zasadę rozkoszy, do zasady rzeczywistości, to, co było podświadome, musi się stać świadome. Pacjent, który nie zapamiętał w całości tego, co zostało stłumione w jego umyśle, a często nie pamięta nawet najistotniejszej tego części, musi powtarzać stłumione wątki jako przeżycia aktualne. Lekarz powinien mu pomóc przypomnieć to sobie jak coś, co należy do przeszłości.

„Tak więc wydaje się, że instynkt jest popędem wbudowanym w organiczne życie po to, by odtwarzać wcześniejszy stan rzeczy, który istota żyjąca musiała stłumić pod naciskiem zewnętrznych, zakłócających sił". Absolutną prawdą jest, że „wszystko, co żyje, umiera z przyczyn wewnętrznych, i ponownie staje się nieorganiczne". Dlatego, stwierdzał, że celem wszelkiego życia jest śmierć. „Jeśli stanowczo utrzymujemy, że popędy mają naturę wyłącznie konserwatywną, to nie możemy dojść do żadnych innych wyobrażeń o źródłach i celach życia... Hipoteza popędów samozachowawczych, które przypisujemy wszystkim żywym istotom, jest wyraźnie sprzeczna z ideą, że życie instynktowne w całości służy sprowadzeniu śmierci". Popęd samozachowawczy służy jedynie „zapewnieniu, że organizm będzie zmierzał właściwą sobie drogą ku śmierci".

Prawdziwymi instynktami życia są popędy seksualne. One „przeciwnie służą celom, jakie stawiają sobie wszelkie inne instynkty z racji swych funkcji prowadzące do śmierci. Ten właśnie fakt dowodzi, że istnieje między nimi opozycja. Znaczenie to dawno już doceniła teoria nerwic". Poza popędami płciowymi nie ma żadnych innych, które by nie dążyły do przywrócenia wcześniejszego stanu rzeczy... nieistnienia.

Jedną z najbardziej fascynujących kandydatek na analityczkę była wysoka, piękna Angielka, pani Joan Riviere. Już trzy lata uczyła się analizy i przeszła szkolenia u Ernesta Jonesa. Niedawno skończyła znakomity przekład *Wstępu do psychoanalizy*. James Strachey poznał ją jeszcze w Cambridge. Zygmuntowi powiedział:

– Pochodzimy z tego samego środowiska. Wolne zawody, późnowiktoriańska kultura. Początkowo trochę się jej bałem, ale ma trzy bezcenne walory: doskonałą znajomość języka niemieckiego, świetny styl i niezwykle dociekliwy umysł.

Zygmunt powiedział o niej przy jakiejś okazji, że „jest stężonym kwasem, którego nie należy używać przed rozcieńczeniem". Nie znosiła pochwał, sukcesów i triumfów, ale w tej samej mierze nie cierpiała porażek, zarzutów i zawodów. Diagnoza Zygmunta brzmiała: komplikacje na tle narcyzmu. Bardzo szybko ją polubił, do czego w niemałej mierze przyczyniła się jej zaradność, praktyczne podejście do spraw wymagających załatwienia, które szczególnie uwidoczniło się w przygotowanym przez nią konspekcie jego *Dzieł zebranych*. Był to najlepszy projekt, jaki mu dotąd zaproponowano. W tym okresie Joan Riviere nie walczyła, jak się zdaje, o wyzbycie się swych nerwic, lecz o umieszczenie swego nazwiska jako redaktora na karcie tytułowej wszystkich prac Freuda w angielskim przekładzie.

5

Na początku swej książki *O historii ruchu psychoanalitycznego,* która ukazała się w 1914 roku, Zygmunt użył słów zapożyczonych z herbu Paryża; przedstawia on statek, a pod nim wypisano dewizę: *Fluctuat nec mergitus* (kołysze się na falach, a jednak nie tonie). Lata 1921–1922 przekonały go, że dewiza ta stosuje się do niego w nie mniejszym stopniu niż do Paryża.

Staraniem dwóch niezmordowanych ludzi, Paula Federna i Edwarda Hitschmanna, powstało wreszcie w Wiedniu tzw. Ambulatorium. Po sześciu jednak miesiącach zarząd miasta, któremu wiedeńscy psychiatrzy nie dawali spokoju, nakazał zamknięcie kliniki, nie podając żadnych motywów swej decyzji.

Wiedeńskie wydawnictwo, choć rozpoczęło działalność pod tak szczęśliwą gwiazdą, stało się źródłem niekończących się kłopotów i zmartwień. Zygmunt wciąż reperował jego budżet z własnej kieszeni, a mimo to bez przerwy tkwili w długach. Otto Rank bohaterskimi zaiste wysiłkami utrzymywał je przy życiu. Kiedy brakowało papieru na czasopisma, zdobywał arkusz po arkuszu. Kiedy były trudności z drukiem, żebrał, błagał i prosił, aż dopiął swego. Kiedy stwierdził, że taniej jest drukować w Czechosłowacji – tam drukował książki i czasopisma. Zecerzy jednak robili potworne błędy, nie znali bowiem niemieckiego.

Nie lepiej wiodło się londyńskiej filii wydawnictwa. Ernest Jones nie miał pieniędzy na finansowanie nowo założonego „International Journal of Psychoanalysis". Korekty wędrowały do Wiednia i z powrotem; niekiedy minął rok albo więcej, zanim maszynopis wydrukowano.

Otto Rank był przepracowany, szukał więc kozła ofiarnego. Idąc po linii najmniejszego oporu, wybrał sobie Jonesa, który przysyłał kiepskie korekty i upierał się, by germanizmy, takie jak „Frau" zamiast „Mrs.", skrupulatnie usuwano. Rank poskarżył się Freudowi. Zygmunt początkowo zmartwił się tymi nieporozumieniami między dwoma członkami Komitetu, w końcu jednak uległ nieustannym narzekaniom Ranka i napisał do Jonesa krytyczny, wręcz surowy list. Ernest Jones odpowiedział spokojnie, zbijając wszystkie zarzuty Ranka i wykazując, że niedopatrzeń należy szukać raczej w Wiedniu. Zygmunt, mądry po szkodzie, teraz dopiero zbadał sprawę i ze wstydem przepraszał Jonesa, dziękując mu przy tym, że się nie obraził. Nie na żarty niepokoił go stan nerwowy Ranka, który na domiar złego nosił przy sobie stale pistolet. Zygmunt starał się ulżyć Rankowi i umożliwić mu zajęcie się praktyką psychoanalityczną, ale Otto bynajmniej nie marzył o pacjentach. Potrzebny mu był wolny czas na pisanie własnej pracy.

Siostrzenica Zygmunta, Cecylia, licząca dwadzieścia trzy lata, zaszła w ciążę i popełniła samobójstwo. Jego siostra Maria owdowiała i wróciła z Berlina do Wiednia. Herman Rorschach niespodziewanie zmarł w Szwajcarii na zapalenie otrzewnej.

Ale okręt nie tonął. „Ambulatorium" zostało wskrzeszone. Anna Freud objęła stanowisko sekretarki i po wygłoszeniu referatu *Przezwyciężanie fantazji i marzeń na jawie* stała się członkiem Wiedeńskiego Towarzystwa Psychoanalitycznego. Na całym świecie tłumaczono prace Zygmunta. Wychodziły w dużych nakładach i sprowadziły do mieszkania na Berggasse nowych i znakomitych przyjaciół, między innymi H.G. Wellsa, Williama C. Bullitta, członka amerykańskiej delegacji na konferencję pokojową w 1919 roku, Arthura Schnitzlera, jednego z nielicznych pisarzy, którzy znali prawdę o seksualnej naturze człowieka i o niej pisali; niemieckiego filozofa Hermana Keyserlinga.

Uniwersytet Londyński zapowiedział cykl wykładów o pięciu wielkich filozofach żydowskich: Filonie, Majmonidesie, Spinozie, Freudzie i Einsteinie. Ale szczytowym sukcesem lat powojennych był berliński kongres w 1922 roku. Zygmunt wypoczywał przed kongresem w Obersalzbergu, pracując trochę nad przygotowywaną książką o *ego* i *id*, popołudniami zaś spacerując po lasach z Martą i Anną. Międzynarodowe Towarzystwo Psychoanalityczne rozrosło się po zawieszeniu broni. Liczyło już dwustu trzydziestu dziewięciu członków. Na kongres przybyło stu dwunastu członków oraz pięćdziesięciu gości. Jedenastu delegatów przyjechało aż z Ameryki, trzydziestu jeden z Anglii, dziewięćdziesięciu jeden z Berlina, dając świadectwo pracy dokonanej przez Karola Abrahama i Maksa Eitingona, a potem przez Hansa Sachsa i Teodora Reika. W Szwajcarii nadal sytuacja była trudna i ataki nie ustawały, mimo to przybyło z tego kraju dwunastu delegatów. Patrząc na dużą salę i wspominając niefortunny kongres monachijski przed dziesięciu laty, Zygmunt rozmyślał:

„Stoimy mocno na nogach. Okrzepliśmy liczebnie i organizacyjnie. Nikt już nie może kwestionować naszego istnienia. W przyszłości może się zdarzyć, że z istotnych lub nieistotnych przyczyn opuszczą nas jednostki, ale nasz ruch przetrwa. Psychoanaliza stała się faktem".

Na kongresie powszechne zainteresowanie wywołały referaty: Ferencziego o teorii genitalnej i Abrahama o depresji. Zygmuntowi jednak największą radość sprawiły prelekcje nowych młodych członków Towarzystwa: Franza Alexandra, Karen Horney o problemach psychologii kobiecej, Gézy Róheima o zastosowaniu psychoanalizy w antropologii, Zygmunt wygłosił wykład pod tytułem *Kilka uwag o podświadomości*, oparty na przygotowanej do druku książce *Ego i id*. Przyznawał wyraźnie, że w przeszłości miał tylko częściowo rację, kładąc nacisk jedynie na umysł świadomy i podświadomy, co było zbytnim uproszczeniem. W miarę jak poszerzała się jego wiedza, dochodził do nowej koncepcji.

Podświadomość hamowana była przez coś, co nazwał *ego*, a co stanowiło pośrednik między jednostką a rzeczywistością. Pisał już przed trzema laty: „Być może *ego* jest w znacznej mierze podświadome". Ustalając nową terminologię, rozbijał strukturę psychiczną człowieka na *id*, *ego* i *superego*. Pojęcie *id* pojawiło się po raz pierwszy w pismach lekarza powieściopisarza Georga Groddecka, który swoją koncepcję *it* zaczerpnął od Nietzschego. Zygmunt zmienił to później na *id* i tak wyjaśniał znaczenie tego terminu:

„Jest to mroczna, niedostępna część naszej osobowości; wiemy o niej niewiele: tylko to, czego dowiedzieliśmy się, studiując marzenia senne i konstrukcję objawów neurotycznych. Większa część naszej wiedzy ma charakter negatywny i może być opisana jedynie jako przeciwieństwo *ego*. Do *id* podchodzimy za pomocą analogii: nazywamy je chaosem, kotłem wypełnionym kipiącymi podnietami. Wyobrażamy sobie, że jest otwarte na wpływy somatyczne, że wchłania instynktowne potrzeby, które w nim znajdują swój psychiczny wyraz, ale nie potrafimy określić, w formie jakiego tworzywa. Wypełnione jest energią czerpaną z popędów, lecz nie ma ono organizacji i nie wytwarza społecznej woli. Dąży jedynie do zaspokojenia instynktownych potrzeb podlegających zasadzie rozkoszy".

Terminem *ego* posługiwał się, opisując najbardziej racjonalne elementy osobowości człowieka.

„*Ego* stara się, żeby wpływy świata zewnętrznego oddziaływały na *id* i jego dążności, i próbuje zastąpić zasadę przyjemności, panującą nieograniczenie w *id*, zasadą rzeczywistości. W stosunku do *ego* postrzeganie spełnia tę rolę, która w stosunku do *id* przypada popędom. *Ego* reprezentuje to, co można by nazwać rozumem i rozsądkiem. W przeciwieństwie do *id*, które obejmuje namiętności".

Zaobserwował, że *id* nie może okazywać w stosunku do *ego* ani miłości, ani nienawiści. Nie może wyrazić, czego pragnie; nie osiągnęło jednolitej woli. W jego łonie walczą Eros z instynktem śmierci... Można by przedstawić *id* jako będące pod dominacją niemych, lecz potężnych instynktów śmierci, które pragną spokoju i (pobudzone zasadą przyjemności) chciałyby obezwładnić niespokojnego Erosa.

Nową tożsamością było *superego*, które wywodził z wczesnodziecięcych związków z obiektywną rzeczywistością i które zamierzał dawniej nazwać *ego* idealnym, psychicznym reprezentantem społeczności obejmującym świadomość, moralność, aspiracje. *Superego* czuwa nad *ego*, rozróżnia między dobrem a złem, usiłuje powstrzymywać *ego* od złych postępków, które pociągają za sobą zrodzenie poczucia winy i wynikających z niego lęków.

Sedno referatu ujął w następujących słowach:

„Psychoanaliza jest narzędziem umożliwiającym *ego* stopniowy podbój *id*".

Był to również punkt widzenia, postawa, system odniesienia, podejście do zrozumienia umysłu ludzkiego w kategoriach działających w nim tłumień, ciągłego konfliktu między Erosem a Tanatosem, między miłością a śmiercią.

6

Zaczęło się od tego, że zauważył plamkę krwi na kromce chleba, którą jadł. Rozciągając policzek jednym palcem, drugim zaś odchylając górną wargę, zobaczył w lustrze rankę. Nie przywiązywał do niej większej wagi. Za kilka dni przyschnie. Tak się też stało. Ale potem krwawienie zaczęło się od nowa. Przypomniał sobie maksymę, którą słyszał podczas studiów: „Należy się wystrzegać bezbolesnego krwawienia". Ranka znajdowała się tuż za ostatnim zębem; może to krwawi dziąsło przy zepsutym zębie? Po kilku tygodniach wyczuł językiem jakąś szorstką narośl. Kiedy zaczęła się przesuwać ku podniebieniu, postanowił zwrócić się do lekarza.

Wybrał Markusa Hajka, którego znał od dawna. Profesor Hajek był kierownikiem uniwersyteckiej kliniki laryngologicznej i autorem wielu znaczących dzieł o chorobach jamy ustnej. Przełamując niechęć do posługiwania się telefonem, Zygmunt wykorzystał chwilę, kiedy nikogo nie było w pobliżu, i umówił się z Hajkiem.

Badanie nie trwało długo.

– Nic poważnego – powiedział Hajek. – Zwyczajne zrogowacenie na błonie śluzowej podniebienia twardego.

– Czy to samo zniknie?

– Wątpię. Lepiej usunąć; zrobimy drobny zabieg chirurgiczny. Przyjdzie pan do mnie któregoś dnia rano do kliniki i w południe wróci pan do domu.

W kilka dni później zaszedł do Freudów młody internista, Feliks Deutsch. Zaprzyjaźnił się z nimi jeszcze podczas studiów Marcina; był wtedy asystentem na uniwersytecie, potem został lekarzem domowym Freudów. Deutsch był zwolennikiem psychoanalizy i ogłosił pracę *Rola psychoanalizy w internie*. Jego żona, Helena, również ukończyła studia medyczne na Uniwersytecie Wiedeńskim, a potem studiowała psychiatrię u Wagnera-Jauregga i u Kraepelina w Monachium. Podczas wojny wpadła jej do ręki jedna z prac Zygmunta. Przeczytała wszystko, co ogłosił drukiem, i zaczęła chodzić na jego wykłady. Poprosiła go o analizę. Zygmunt po roku oznajmił jej, że nie wymaga dalszego badania i jest osobą bez żadnych nerwic. Sama zaczęła uprawiać psychoanalizę, a doktor Freud kierował do niej pacjentów. Obecnie Helena i Feliks Deutschowie stali się podporami Towarzystwa Psychoanalitycznego.

Zygmunt pokazał Deutschowi krwawiące miejsce. Z miny Deutscha nie mógł nic wyczytać. Feliks powiedział tylko, że diagnoza Hajka wydaje mu się słuszna. Też uważał, że narośl należy usunąć jak najszybciej, zanim się powiększy. Coś jednak w wyrazie twarzy Deutscha zaniepokoiło Zygmunta.

– W takich wypadkach – powiedział Deutschowi – oszukiwanie pacjentów po to tylko, by ich uspokoić, daje niewiele. Wkrótce i tak dowiadują się prawdy. Chodzi mi o moją matkę, ma osiemdziesiąt siedem lat i dla niej moja śmierć byłaby ciosem, którego by nie zniosła...

Wstał z fotela i przez chwilę przemierzał gabinet.

– A poza tym chcę umrzeć godnie. Oto dlaczego muszę znać prawdę.

Feliks Deutsch wzruszył ramionami.

– Drogi profesorze, skąd takie myśli? Moje powierzchowne badanie potwierdza diagnozę profesora Hajka. Po usunięciu narośli zapomni pan o wszystkim.

Przez dwa miesiące Zygmunt nie wspominał nikomu z rodziny o narośli. O czym tu zresztą mówić? I nie powiedział im nic tego dnia, kiedy wybrał się o ósmej rano do kliniki Hajka. Po cóż ich niepokoić, skoro wróci na obiad.

Doktor Hajek posadził go w fotelu pod jednym z okien i kazał mu rozpiąć kołnierzyk, a potem przepłukać usta silnym środkiem bakteriobójczym. Raz jeszcze obejrzał narośl przez szkło powiększające, zawiązał Zygmuntowi serwetkę pod brodą, spryskał miejsce zabiegu kokainą, by zmniejszyć ból, i dał mu miejscowe znieczulenie. Trójkątna deseczka umieszczona w ustach Zygmunta pozwalała Hajkowi operować swobodnie. Pielęgniarka podała profesorowi wygotowany skalpel.

Po pierwszym nacięciu nastąpiło normalne krwawienie. Hajek spodziewał się, że zabieg potrwa piętnaście do dwudziestu minut. Zygmunt zaczął kaszleć i wypluwać krew do spluwaczki umieszczonej obok. Im głębiej Hajek ciął, tym bardziej nasilało się krwawienie. Zygmunt, usiłując wypluć krew, która wypełniała mu usta, wypluł deseczkę, co przeszkodziło Hajkowi w krótkim czasie usunąć narośl i zatamować krew. Musiał teraz pracować szybko. Ciągle powtarzał Zygmuntowi, by starał się trzymać usta otwarte.

Ruchy skalpela stały się mniej pewne. Kiedy Hajek wyciął już niemal całkowicie narośl i chciał przeciąć trzymającą ją jeszcze tkankę, natrafił na duże naczynie krwionośne. Krew trysnęła strumieniem prosto w twarz Hajkowi. Potrzebował jeszcze chwili na usunięcie narośli. Wołał do Zygmunta, by za wszelką cenę trzymał usta otwarte. Krew ciekła teraz na koszulę i spodnie Zygmunta. Kaszlał, dławił się, wykręcał w fotelu, pielęgniarka z trudem usiłowała go przycisnąć do oparcia. Teraz właśnie, kiedy Hajek potrzebował możliwie pełnego dostępu do operowanego miejsca, nic prawie nie widział. Był jednak doświadczonym i sprawnym chirurgiem. Jednym ruchem skalpela usunął wreszcie niebieskawo-czerwonawą narośl wielkości monety.

Teraz zaczął szybko tamponować ranę; opatrunek trzeba było włożyć głęboko i mocno przytrzymać. Pacjent i lekarz wpadli w panikę, kiedy trysnęła krew. Zygmunt wciąż jeszcze nie miał odwagi wypowiedzieć słowa, ale zdenerwowany Hajek wyczytał w jego oczach niepokój.

– Jak panu powiedziałem, panie kolego, wyglądało mi to na zmianę powierzchowną. Im głębiej jednak sięgałem, tym bardziej stwardnienie było podobne do guza. Zanim dotarłem do samej podstawy, natrafiłem na naczynie krwionośne. Żaden chirurg nie kontynuowałby operacji przy takim krwawieniu. Ale mnie się zdaje, że usunąłem wszystko. Potrzymamy pana jeszcze przez godzinkę w fotelu. Na zmianę z pielęgniarką będziemy przytrzymywać opatrunek. Gdy krwawienie ustąpi, przeniesiemy pana w jakieś wygodniejsze miejsce.

Zygmunt wiedział, że Hajek nie zaniedbał niczego. Skoro musiał ciąć głębiej niż na pół centymetra, by usunąć narośl, z pewnością nie było to zwyczajne stwardnienie. Czy Hajek usunął wszystko ostatnim cięciem skalpela? A może strumień krwi przysłonił ranę i Hajek nadal nie wie, jaki w istocie charakter miał guz?

Usłyszał, jak lekarz mówi: „Zatelefonuję do pańskiej rodziny".

Krwawienie zostało wstrzymane. Asystent chirurga wyprowadził Zygmunta z sali zabiegowej. Posadzono go na twardym krześle w poczekalni. Pielęgniarka przytrzymywała sama przez dłuższy czas opatrunek, a potem kazała Zygmuntowi przytrzymać go kciukiem. Coraz nowe pytania rodziły się w jego głowie. Szybciej, niż to mu się wydawało możliwe, zobaczył przed sobą Martę i Annę. Miały ze sobą walizkę z bielizną. W ich oczach wyczytał pytanie: „Dlaczego nam nie powiedziałeś? Dlaczego wybrałeś się na tę operację, nie uprzedziwszy nas?".

Nikt nie próbował wyjaśnić, co się właściwie stało, bo nikt po prostu nie wiedział. Marta i Anna z bohaterskim wysiłkiem starały się ukryć niepokój. Milczenie zostało przerwane, kiedy zjawił się jeden z asystentów Hajka.

– Co za głupia sytuacja. W klinice nie ma ani jednego wolnego łóżka. Jeszcze raz spróbuję, może uda mi się coś znaleźć.

Znowu byli sami. Cała trójka milczała. Zygmunt, Marta i Anna, tak sobie bliscy, nie mogli znaleźć słów na wyrażenie kłębiących się w nich uczuć. Wrócił asystent.

– Panie profesorze, proszę nam wybaczyć, znalazłem łóżko, ale jedyne miejsce, gdzie możemy je postawić, to mały pokoik, w którym leży skretyniały karzeł. Pan profesor chyba się nie pogniewa?

– Będzie z nas dobrana para – wymamrotał Zygmunt.

Marta i Anna z pomocą asystenta odprowadziły go do pokoiku, rozebrały i położyły do łóżka. Krwotok się nie powtórzył. Skretyniały karzeł obserwował to wszystko, wsparty na łokciu w swoim łóżku. Zygmunt wiedział, że żonie i córce należy się wyjaśnienie, ale każda próba mówienia groziła obsunięciem się opatrunku i nawrotem krwawienia. Marta i Anna go rozumiały.

Tuż przed wybiciem południa przyszedł profesor Hajek, by skontrolować opatrunek. Był spokojny i twarz jego nie zdradzała niepokoju. Zapewnił ich, że wszystko jest w porządku, że krwawienie ustało i że następnego dnia Zygmunt będzie mógł wrócić do domu. Punktualnie w południe weszła starsza pielęgniarka.

– Bardzo mi przykro, ale pani profesorowa i panna Freud muszą opuścić pokój. Zbliża się godzina posiłku, a o tej porze odwiedzającym nie wolno przebywać na terenie szpitala.

Anna chciała się sprzeciwić, ale Zygmunt uniósł dłoń. Marta podeszła do wezgłowia i głaszcząc go po głowie, odezwała się po raz pierwszy:

– Postaraj się zasnąć, kochany. Wrócimy o drugiej.

Zygmunt czuł się osłabiony. Mimo środków nasennych, które dał mu profesor Hajek, pulsujący ból w ustach nie pozwalał mu zasnąć. A potem krwawienie znów się zaczęło. Początkowo strużka krwi spłynęła do gardła. Usiadł i pochylił się, by splunąć do spluwaczki obok łóżka. Opatrunek się rozluźnił, krew popłynęła na koszulę i pościel. Sięgnął ręką za siebie i kilka razy zadzwonił, ale nikt się nie zjawił. Dopiero po chwili zorientował się, że dzwonek nie działa. Krwotok był tak silny, że nie mógł nawet zawołać o pomoc.

Karzeł, który śledził to wszystko z szeroko rozwartymi oczami, wyskoczył na korytarz. Przybiegł asystent Hajka i pielęgniarka. Po dłuższej chwili opatrunek ponownie założono i krwotok ustał. Pielęgniarka zmieniła pościel.

Marta i Anna wróciły o drugiej. Ogarnęło je przerażenie. Co by się stało, gdyby karzeł nie wezwał pomocy? Przecież pacjent mógł się wykrwawić na śmierć. Anna powiedziała, że chciałaby zostać przy ojcu do następnego dnia, kiedy przeniosą go do domu. Przepisy nie zezwalały nikomu nocować w pokoju chorego, ale Anna nie ustąpiła i uzyskała zezwolenie profesora Hajka. Marta, ociągając się, musiała wyjść, gdyż pielęgniarki stanowczo się tego domagały.

Dla Zygmunta była to długa noc wypełniona półświadomym cierpieniem. Hajek dał mu bardzo silny środek nasenny, lecz bolesne pulsowanie w ustach uniemożliwiało zaśnięcie.

Przed świtem Anna przestraszyła się, że ojciec straci siły i nie wytrzyma bólu. Odszukała nocną pielęgniarkę, która zresztą często zaglądała do pokoju i zdawała się niespokojna o profesora Freuda, i razem próbowały wezwać do łoża chorego dyżurnego chirurga. Ten jednak stanowczo oświadczył, że nie wstanie z łóżka.

Hajek przyszedł do szpitala wcześnie. Obejrzał ranę, nic nie powiedział o upływie krwi, oświadczył, że krwotoki się nie powtórzą i że chory może wrócić do domu jeszcze tego samego popołudnia.

– Chciałbym jednak pokazać jeszcze dziś przed południem ten przypadek studentom, oczywiście jeśli pan kolega się zgodzi.

Anna chciała zaprotestować, ale Zygmunt odpowiedział:

– Klinika należy do uczelni. Studenci mają prawo do wiedzy; obowiązkiem profesora Hajka jest pokazywanie im wszystkich ciekawszych przypadków, jakie do niego trafiają.

Wizyta studentów nie spowodowała żadnych przykrych następstw. Hajek ostrożnie demonstrował ranę, by nie naruszyć opatrunku. Kiedy studenci wyszli i obaj profesorowie zostali sami w pokoju, Zygmunt zapytał cicho:

– Jedno pytanie, panie kolego. Czy ma pan już wyniki biopsji?

– Tak.

– I co mówi laboratorium?

– Dokładnie to samo, co ja powiedziałem, stawiając diagnozę: niezłośliwy.

– Nie ma komórek nowotworowych?

– Ani śladu. Może pan spokojnie wracać do domu. Proszę przez kilka dni odpoczywać; siły wrócą.

7

Najmłodszy syn Zofii miał teraz cztery i pół roku. W Hamburgu nieustannie nękały go przeziębienia i infekcje. Lekarz poradził usunąć migdałki, ale operacja nie pomogła. Chłopiec był słabowity i chudy, skóra i kości. Zygmunt przyznawał, że ojciec, Maks Halberstadt, stara się, jak może, ale uważał, że dziecko będzie miało lepszą opiekę w Wiedniu. Najstarsza córka Freudów, Matylda, nie miała dzieci i marzyła o tym, by zabrać Heinza do siebie. Pod koniec maja, kiedy się ocipliło, chłopiec przyjechał do Wiednia.

Miał jasną cerę matki i jej śmiejące się oczy. Był żywy i zawsze w pogodnym nastroju. Patrząc na niego, Zygmunt za każdym razem przeżywał wstrząs: dziecko zupełnie przypominało Zofię z lat dziecinnych. Chętnie bawił się z wnuczkiem, nazywał go pieszczotliwie Heinele, siadał przy nim na podłodze i pomagał mu budować domki z klocków. W domu żartowano, że mały szybciej ustawia domek lub most niż dziadek, któremu trudność sprawiało założenie czterech kół do wozu.

Heinz przybył do Wiednia miesiąc po operacji Zygmunta, który wrócił już co prawda do pracy, ale wciąż był przygnębiony, podejrzewając, że zabieg Hajka nie usunął całej narośli i że kolega nie mówi mu prawdy. Pojawienie się wnuka rozjaśniło nieco życie Zygmunta. Matylda i Robert Hollitscherowie często przyprowadzali małego na Berggasse na szklankę mleka i ciasteczka. Heinz z trudem jeszcze przełykał po usunięciu migdałków.

– Dziadku, ja już mogę jeść ciasteczka, a ty? – pytał Zygmunta popijającego kawę.

– Jeszcze nie, kochanie. – Zygmunt, śmiejąc się, tulił wnuka. – Znowu mnie prześcignąłeś, jak przy budowie domków z klocków.

Heinz zaczął gorączkować. Zygmunt wezwał doktora Oskara Rie, który przyszedł z najlepszym pediatrą Wiednia. Nie było żadnych wątpliwości – Heinz miał gruźlicę prosowatą. Zygmunt rozpaczliwie szukał sposobu, żeby ocalić dziecko. Postanowiono, że Matylda i Robert zabiorą malca do Egiptu, sądzili, że może suchy klimat... Ale małego Heinza nie dało się uratować. Zmarł dziewiętnastego czerwca. Zygmunt czuł, że w nim samym także coś obumarło; już nigdy nikogo tak nie pokocha. Nie krył łez na pogrzebie. Po raz pierwszy rodzina widziała, jak płakał.

Pod koniec czerwca Zygmunt z ciocią Minną pojechał do Bad Gastein. Był to ich doroczny wyjazd do wód. Marta żartowała:

– Przypominacie mi oboje te Włoszki, które zawsze w lecie jeżdżą do wód leczyć wątrobę. Potrzebują tematu do rozmowy; przez całą zimę o tym mówią. Im nie dolega wątroba, a wy nie macie żadnych dolegliwości żołądkowych. Jestem przekonana, że są to kuracje psychologiczne.

Pierwszego sierpnia spotkał się z Martą i Anną w „Hotel du Lac" w Lavarone, gdzie rodzina już wielokrotnie spędzała wakacje. W San Cristoforo, u podnóża gór, obradował Komitet. Zygmunt zdawał sobie sprawę z trudności, z jakimi jego członkowie się borykają. Spory między Ottonem Rankiem i Ernestem Jonesem stawały się coraz bardziej zażarte. Po stronie Ranka opowiedział się Ferenczi; Abraham i Sachs nie zajęli stanowiska. Do Zygmunta dotarły wiadomości, że Rank postanowił zmusić Jonesa do ustąpienia z Komitetu, wierzył jednak, że pozostali członkowie do tego nie dopuszczą. Komitet powinien był pozostać w niezmienionym składzie; nie chciał jednak ingerować. Jeśli mają nadal ze sobą współpracować, to muszą sami rozwiązać swe problemy.

Komitet załagodził jakoś nieporozumienia, po czym wszyscy przyjechali na jeden dzień do Lavarone odwiedzić Freudów. Zygmunt cierpiał prawdziwe katusze, ponieważ rana na podniebieniu nie goiła się jak należy. Spodziewał się, że to potrwa dwa do trzech miesięcy, ale oto mijał już czwarty miesiąc i nowa narośl zdawała się rozszerzać od miejsca operowanego ku dolnej szczęce. Zaprosił do Lavarone doktora Feliksa Deutscha, który zbadał jamę ustną, ale nadal nie chciał rozmawiać o narośli. Zygmunt od dawna już planował na wrzesień wycieczkę z Anną do Rzymu.

– Świetny pomysł! – powiedział Deutsch. – Proszę pokazać Annie wszystko, co pan kocha w tym mieście, ale pod koniec miesiąca musi pan być z powrotem, a wtedy zobaczymy, co dalej.

W dzień po powrocie Zygmunta i Anny Deutsch przyszedł na Berggasse. Wysłuchał opowieści o Rzymie, po czym obaj panowie zamknęli się w gabinecie Zygmunta. Deutsch nie chciał obejrzeć jamy ustnej, lecz poważnym tonem powiedział:

– Panie profesorze, umówiłem pana z profesorem Hansem Pichlerem. To jest najwybitniejszy chirurg jamy ustnej w Europie.

– Nie słyszałem o nim.

– On o panu też nie słyszał – odpowiedział Deutsch z uśmiechem. – Oto są skutki coraz większej specjalizacji w medycynie.

– Niech mi pan o nim opowie.

– Hans Pichler ma czterdzieści sześć lat. Jest wiedeńczykiem, ukończył studia w 1900 roku i specjalizował się w chirurgii uszu, nosa i gardła u profesora Antoniego von Eiselberga, pioniera w tej dziedzinie. Kariera jego została przerwana bardzo wcześnie, gdyż zachorował na jakąś ostrą egzemę.

Musiał zrezygnować z chirurgii. Wyjechał do Chicago, gdzie specjalizował się w stomatologii, pozbył się egzemy, wrócił do Wiednia i otworzył gabinet dentystyczny. Wiodło mu się znakomicie, nie przestała go jednak pociągać chirurgia jamy ustnej. Powrócił więc do kliniki Eiselberga. Podczas wojny miał aż nadto okazji do wyspecjalizowania się w tej dziedzinie, nie brakło przecież rannych. Mówiono o nim, że potrafił przywrócić rannemu twarz. Może pan mieć do niego pełne zaufanie. Przyjmie pana w sanatorium Auersperg. Wie pan, gdzie to jest; blisko Josefstädter Theater.

Tym razem Zygmunt zawiadomił spokojnym tonem Martę i Annę, że wybiera się do doktora Pichlera. Zapewnił je, że nie będzie żadnej operacji. Obie przyjęły wiadomość w milczeniu.

Sanatorium Auersperg mieściło się w ślicznym budynku. Parter i pierwsze piętro, zbudowane z brązowego kamienia, od trzech dalszych pięter dzielił rząd skrzynek z kwiatami. Hans Pichler ku zdumieniu Zygmunta bardziej przypominał Amerykanina niż Austriaka. Był niskim, gładko ogolonym, ruchliwym mężczyzną. Nie nosił tak pospolitych w Wiedniu baczków i strzygł włosy na jeża. Chodził we flanelowym garniturze, przypominającym Zygmuntowi ubrania mężczyzn, jakie widywał w Nowym Jorku i Bostonie. Widocznie Chicago nie tylko wyleczyło go z egzemy, ale i nadało mu amerykański wygląd. Obecny był również doktor Hajek. Na biurku Pichlera zauważył Zygmunt swoją kartę choroby, którą Hajek założył. Pichler zbadał bardzo starannie jamę ustną Zygmunta, trwało to jednak nie dłużej niż dziesięć minut. Poprosił następnie, by Zygmunt zapiął kołnierzyk koszuli, po czym podszedł do umywalki i umył ręce gorącą wodą. Zygmunt nic nie mógł wyczytać z jego spojrzenia. Po dłuższej chwili milczenia Pichler powiedział:

– Panie profesorze, jako lekarz i naukowiec chce pan zapewne znać całą prawdę?

– Oczywiście, panie kolego.

– To bardzo ciężki przypadek raka ust. Nie pozostaje nam nic innego jak operacja. Pozostanie po niej trwałe uszkodzenie, dziura w podniebieniu, którą na szczęście będziemy mogli przesłonić za pomocą protezy. Ponieważ tego rodzaju zabiegowi towarzyszy silne krwawienie, będę musiał go przeprowadzić w dwóch etapach.

Zygmunt poczuł silny ucisk w dołku. Podejrzewał prawdę od początku, ale diagnoza mogła być przecież mniej groźna i połączona z mniej trudnym zabiegiem. Rak oznaczał wyrok śmierci. To choroba, o której się nie mówiło, tak samo jak, z innych powodów, nie mówi się o syfilisie. Człowiek chory na raka musiał w każdej chwili liczyć się z możliwością fatalnego zwrotu w chorobie. Słyszał słowa Pichlera:

– Będę musiał wpierw usunąć kilka zębów po prawej stronie. Parę dni później wykonam zabieg na górnej części szyi. Po nacięciu podwiążę zewnętrzną tętnicę szyjną, potem usunę węzły chłonne, żeby zapobiec rozprzestrzenianiu się raka do innych narządów.

Zygmunt wiedział, dlaczego doktor Pichler chciał podwiązać zewnętrzną tętnicę szyjną, zasilającą w krew jedynie zewnętrzną część głowy i obszar zmian nowotworowych. Chociaż nie będzie już nigdy miał pożytku z tej tętnicy, strata nie będzie wielka, ponieważ inne tętnice z czasem przejmą jej funkcję.

– A drugi etap?

– To będzie sprawa poważniejsza. Musimy pozbyć się wszystkich przerzutów. Rozrost tkanki nowotworowej ograniczał się początkowo do podniebienia twardego, ale teraz proces ten rozprzestrzenił się w dół, do tkanki pokrywającej kość szczękową i przyległe części języka oraz na wewnętrzną powierzchnię prawego policzka. Będę musiał usunąć część miękkiego podniebienia, przyległe części języka i wewnętrzną powierzchnię prawego policzka oraz część kości szczękowej tuż za zębami.

Zygmunt zastanowił się chwilę, po czym spytał:

– Konsekwencje takiej operacji są poważne?

– Tak, ale usuwam panu tylko to, co i tak już jest spisane na straty. Wolę wyciąć to wszystko, niż pozwolić, by rak niszczył dalszą tkankę. Jednakże nie usunę więcej, niż to będzie konieczne. Zanim dokonam ekstrakcji zębów, wezmę odcisk na protezę, żeby mógł jej pan używać zaraz po zagojeniu się rany. Proteza uzupełni ubytek podniebienia i będzie łącznikiem pomiędzy jamą ustną a kanałami nosowymi.

Pichler odprowadził Zygmunta do drzwi.

– Panie kolego – powiedział Zygmunt. – Chciałbym z góry zaznaczyć, że reguluję honorarium za operację i leczenie po operacji, tak jak każdy inny pacjent. Nie chciałbym być ciężarem.

Doktor Pichler po raz pierwszy się uśmiechnął.

– Słyszałem o pańskich badaniach nad podświadomością. Uważa pan, że stawia mi pan tak wielkie wymagania, że ja, nawet nie zdając sobie z tego sprawy, mógłbym nie zająć się panem tak jak pacjentami płacącymi?

8

Musiał zawiadomić rodzinę. Czekała go chwila równie ciężka jak wtedy, gdy usłyszał wyrok z ust Pichlera. Nie mógł ich oszukiwać, to byłoby nierozsądne. Powie całą prawdę, tonem rzeczowym. Wiedział, że Marta, Minna i Anna nie zareagują histerycznie. Obie starsze panie nauczyły się już godzić z nieodwracalnymi faktami, a Anna tak go kocha i tak bezgranicznie mu wierzy, że posłusznie podporządkuje się temu, co on powie.

W salonie trzy pary oczu wpatrywały się w niego; tak jak się spodziewał, najdroższe mu osoby zachowały stoicki spokój. Tego wieczora nikt jednak nie jadł kolacji, a w nocy nikt nie zmrużył oka.

Po usunięciu zębów Zygmunt udał się trzeciego października 1923 roku do sanatorium. Dostał pięknie urządzony pokój z oknami wychodzącymi na ogród. Nic tu nie przypominało szpitala.

Następnego dnia rano zawieziono go do sali operacyjnej.

Twarz posmarowano mu roztworem jodyny, oczy i czoło zakryto, pozostawiając nieosłonięte policzki, nos, usta i brodę. Doktor Pichler był w fartuchu, na dłoniach miał rękawiczki, na twarzy maskę. Z drugiej strony stał jeden z jego asystentów. Po prawej stronie operatora – instrumentariuszka, dwie inne pielęgniarki obsługiwały aparaturę pomocniczą.

Pierwsza operacja była prosta. Doktor Pichler zastosował mieszankę pantopanu i skopolaminy dla znieczulenia miejscowego wzdłuż linii, gdzie miało nastąpić cięcie. Teraz dokonał łukowatego cięcia z prawej strony szyi Zygmunta, zaczynając od tyłu ponad wyrostkiem sutkowatym i posuwając się na dwa palce poniżej kąta żuchwy, ku przedniej części szyi, do górnej części krtani. Przez to nacięcie doktor Pichler szybko dotarł do zewnętrznej tętnicy szyjnej. Zygmunt miał uczucie rozciągania wewnątrz szyi. Pichler ostrzegł go:

– Poczuje pan przez moment gwałtowny ból, gdy będę wiązał tętnicę, ale to szybko minie.

Wewnątrz tego samego nacięcia Pichler kontynuował operację na węzłach limfatycznych; były twarde i chropowate, mógł je już zaatakować nowotwór. Dał Zygmuntowi nowy zastrzyk w okolicę węzłów chłonnych, po czym je sprawnie usunął. Zygmunt zacisnął zęby, ale nie poczuł bólu. Krwawienie było niewielkie, dzięki czemu Pichler mógł operować powoli i dokładnie. Zabrano go na noszach do jego pokoju. Był nieco osłabiony i lekko zamroczony, ale czuł się całkiem nieźle. Usiadł i zjadł lekką kolację... sanatorium słynęło z dobrej kuchni.

Następnego dnia mógł już sam przejść do łazienki, chociaż nogi mu trochę drżały. Na trzeci dzień czuł się zupełnie jak dawniej, bolała go tylko rana na szyi. Mógł zejść na dół do pokoju gościnnego i czytać, siedząc w wygodnym fotelu. Na obiad zaprosił Martę, Minnę i Annę. Marta przyniosła mu powieści, które od dawna już chciał przeczytać, niektóre z nich na nowo: Mereżkowskiego *Leonarda da Vinci*, Zoli *Fécondité*, Marka Twaina *Szkice nowe i stare*, Kiplinga *Księgę dżungli* i K.F. Meyera *Ostatnie dni Huttensa*.

Pozwolono mu przyjmować odwiedziny. Przyjaciele przychodzili o każdej porze dnia. Dla Zygmunta była to okazja zobaczenia się z niektórymi kolegami, których dawno nie widział.

Druga operacja odbyła się w tydzień później. Chirurg ze strzykawką uprzedził go, że zrobi miejscowe znieczulenie i przez chwilę będzie to bolesne. Otrzymał około trzydziestu zastrzyków. Pichler odczekał pięć minut, by nowokaina zaczęła działać, i zapewniał Zygmunta, że wszystko idzie jak najlepiej.

– Proszę mi powiedzieć, panie kolego, jeśli pan będzie czego potrzebował.

Zygmunt nie był w stanie odpowiedzieć. Z zasłoniętymi oczyma nic nie widział, ale jako doświadczony lekarz, który spędził wiele miesięcy w sali operacyjnej Billrotha, śledził w myślach ruchy chirurga. Pichler przeciął górną wargę skalpelem, potem przedłużył szybko cięcie wzdłuż prawej krawędzi nosa do poziomu oka. Zygmunt nie czuł silnego bólu, ale wyobrażał sobie, jak jego cały policzek odstaje od kości. Asystent Pichlera kontrolował krwawienie, które i teraz było niewielkie. Trochę krwi dostało się z rozciętej wargi do ust i Zygmunt zaczął kaszleć, ale Pichler ostro krzyknął: „Siostro, ssanie". Siostra włożyła rurkę aparatu ssącego do ust Zygmunta, żeby ściągnąć krew i ślinę.

Manipulując precyzyjnie skalpelem, doktor Pichler wyciął z głębi jamy ustnej rakowatą narośl łącznie z zaatakowaną częścią języka i policzka.

Siostra odebrała od chirurga skalpel, a podała dłuto i drewniany młotek.

– Poczuje pan teraz, profesorze, uderzenie.

Pichler wyciął fragment kości, którą usunął wraz z zaatakowaną przez nowotwór miękką częścią podniebienia. Uderzenie wewnątrz jamy ustnej Zygmunt odczuł, jakby był skałą granitową, z której robotnicy odrąbywali płyty. Następnie Pichlerowi podano narzędzie do cięcia kości i przeszedł do usuwania górnego końca prawej żuchwy. Zygmunt powtarzał sobie: „Nie wolno mi się krztusić! Mam przecież w ustach te wszystkie instrumenty i ręce chirurga. Teraz już wiem, co odczuwają moi pacjenci cierpiący na klaustrofobię". Na razie nie zastanawiał się nad tym, co usuwa Pichler; bał się, czy wytrzyma to wszystko.

Krwawił i krztusił się. Pomyślał: „Jak trudno jest pacjentowi przechodzić taką operację w miejscowym znieczuleniu", ale wiedział, że nie można było zastosować znieczulenia ogólnego, bo zadławiłby się własną krwią.

Operacja trwała już dwie godziny. Pichler usunął zaatakowane przez nowotwór miękkie części podniebienia i część kostną. Dziurę w podniebieniu wypełniono opatrunkiem, by powstrzymać krwawienie. To wywołało chwilowy kryzys. Zygmunt usiłował zawołać: „Mam za dużo tego w ustach! Nie mogę oddychać", ale mógł tylko poruszać rękami. Poprawiono mu opatrunek. Pichler znów odczekał pięć minut, aż opanowano krwawienie, po czym skontrolował pole operacyjne. Kiedy się przekonał, że usunął cały nowotwór, wyciął kawałek skóry z ramienia Zygmunta i przeszczepił ją na policzek, wypełniając ubytki. Pielęgniarka zdjęła serwetkę zasłaniającą oczy Zygmunta. Zobaczył w spojrzeniu Pichlera błysk uznania, lecz nie wiedział, czy Pichler wyrażał podziw dla swej sztuki, czy też dla wytrzymałości profesora Freuda.

Teraz przeniesiono pacjenta do jego pokoju. Tu otrzymał środek nasenny. Przy łóżku pozostała pielęgniarka z gazą w ręce, by ocierać mu usta.

Opadł na poduszki z uczuciem ulgi, że operacja dobiegła końca. Czuł się jakby trochę pijany. Teraz, kiedy już było po wszystkim, nie trapiły go żadne lęki. Pichler wszedł do pokoju ubrany do wyjścia. Pogratulował Zygmuntowi udanej operacji i dał mu środek znieczulający, zapowiadając, że wkrótce zaczną się bóle.

Doktor Freud wracał do zdrowia powoli i z trudem. Przez kilka dni musiano go karmić przez nos. Pierwsza doba była najgorsza; śluzówka musiała się przystosować do rurki. Marta i Anna odwiedzały go dwa razy dziennie. Ponieważ otrzymywał tylko płyny, stracił na wadze i czuł się osłabiony. Cierpiał bardzo przy zmianach opatrunku. Wieczorem dostawał zastrzyk morfiny, żeby mógł zasnąć. Około północy pielęgniarka powtarzała zastrzyk. Po tygodniu mógł już jeść, ale otrzymywał nadal tylko płyny. Po dziesięciu dniach Pichler usunął szwy. Prawy policzek był sparaliżowany. Zygmunt nie miał siły czytać, z trudem skupiał myśli, ale jedno wiedział na pewno: Pichler powiedział, że pod koniec października wypisze go ze szpitala. Postanowił, że z dniem pierwszego listopada zacznie przyjmować pacjentów. Tylko w ten sposób odzyska siły. Podniebienie wciąż jeszcze bardzo było obolałe i nie dawał sobie rady z żadnym stałym pokarmem, ale Pichler, który wpadał do niego czasem dwa razy dziennie, zapewniał go, że wszystko przebiega normalnie i że po pewnym czasie proces gojenia ulegnie przyspieszeniu. Oczywiście nigdy już nie będzie mógł żuć jak dawniej, ale z nie mniejszą przyjemnością będzie spożywał miękkie potrawy. Pichler nie próbował jeszcze przymierzać protezy; uważał, że błona śluzowa jest zbyt wrażliwa.

Kiedy Zygmunt powiedział mu, że ma zamiar przyjmować pacjentów od początku listopada i że ma już nawet zamówione wizyty, Pichler poklepał go po ramieniu.

– Drogi kolego, pan sobie nie wyobraża, co pana jeszcze czeka.

Postanowienie powrotu do pracy w kilka dni po wyjściu ze szpitala podtrzymywało go na duchu, ale okazało się złudzeniem. Po prostu nie miał jeszcze siły na zajmowanie się kłopotami innych ludzi, a ponadto jama ustna wciąż była zbyt wrażliwa, by można było w niej umieścić protezę. Codziennie chodził do Pichlera na kontrolę. W listopadzie Pichler zauważył przerzuty nowotworu na miękkim podniebieniu. Pobrał mały wycinek. Tkanka była rakowata. Zygmunt przeżył silny wstrząs. Zaczęła go trapić myśl, że już nigdy się z tego nie wykaraska. Pichler powiedział, że usunie wszystko, a jednak tego nie zrobił. Wyczytał teraz pytanie w oczach Zygmunta i odpowiedział stanowczo:

– Nie ciąłem dość szeroko; chciałem, by rana była możliwie jak najmniejsza. To ryzyko przemyślane. Ale teraz usunę prawie całe miękkie podniebienie po prawej stronie.

9

Doktor Freud wrócił do pracy dzień po Nowym Roku 1924. Na pozór zmienił się niewiele. Zapuścił trochę wąsy i brodę, by przesłaniały szramy po operacji. Musiał wprowadzić pewne zmiany, ponieważ po zabiegu stracił słuch w prawym uchu; siadał teraz po drugiej stronie kozetki, tak by słyszeć pacjenta lewym uchem. Siły mu stopniowo wracały. Zaczął od sześciu pacjentów dziennie. Prawie wyłącznie przyjmował chorych, których kierowali do niego Edward Weiss z Triestu, Oskar Pfister z Zurychu, Ernest Jones, Stracheyowie i Joan Riviere z Londynu, A.A. Brill i jego grupa z Nowego Jorku oraz jego zwolennicy z Bostonu. Nadal pisał wieczorami, chociaż już nie do tak późna jak dawniej. Napisał szkic do księgi zbiorowej *Burzliwe lata*, zatytułowany *Badanie ukrytych obszarów mózgu*, oraz list do francuskiego czasopisma „Le Disque Vert", które poświęciło specjalny numer Zygmuntowi Freudowi i psychoanalizie. Postanowił bronić się przed chorobą i nie dopuścić, by przeszkodziła mu w pracy twórczej. Owocem nowych badań były prace *Nerwica i psychoza, Utrata poczucia rzeczywistości w nerwicy i psychozie* oraz *Ekonomiczne problemy masochizmu.*

Proteza sprawiała mu olbrzymie kłopoty. Pewnego razu przy stole jedzenie wyszło mu przez nos. Czuł się strasznliwie zakłopotany. Po obiedzie powiedział do Marty, że będzie jadał sam, dopóki nie opanuje całkowicie umiejętności jedzenia z protezą w ustach. Marta zawołała oburzona:

– Będę jadała sama, kiedy zostanę wdową!

Trudności z protezą polegały na tym, że powinna pasować dokładnie do ubytku, jaki powstał po usunięciu połowy podniebienia, im bardziej jednak przylegała, tym bardziej drażniła zdrową tkankę otaczającą otwór. Brał ponadto naświetlania promieniami rentgena, które przepisał doktor Pichler;

uważał, że zapobiegną one nawrotowi raka, ale napromieniowana tkanka była tak uczulona, że ból stawał się chwilami nie do zniesienia. Zygmunt wyjmował wtedy protezę, ale tylko na krótko, obawiając się, że tkanka się skurczy i uniemożliwi włożenie protezy na miejsce.

Nie wyjmował jej nigdy w ciągu dnia, kiedy przyjmował pacjentów, choć ból stawał się chwilami koszmarny. Pacjenci i tak musieli pogodzić się z pewnymi niedogodnościami. Rozcięta warga nigdy już nie wróciła do normalnego stanu, profesor Freud mówił więc teraz głosem ochrypłym, przez nos, prawie tak, jakby się urodził z zajęczą wargą. Nikt na to nie zwracał uwagi, ale Zygmuntowi brakowało dźwięku własnego głosu.

Wkrótce okazało się, że zakładanie protezy staje się coraz trudniejsze. Miejsce pielęgniarek szpitalnych zajęła Anna. Zdarzyło się, że Zygmunt pewnego razu przez pół godziny starał się nadaremnie założyć protezę. Był już całkiem wyczerpany. Anna bez słowa założyła mu ją tak delikatnie, że prawie nie poczuł bólu. Szeptem powiedział do niej:

– Jeżeli nie będziesz się litowała nade mną, to ja nie będę się żalił na swój los.

Zawarli pakt, którego nigdy nie naruszyli.

Zmarł Leopold Königstein, jeden z najstarszych przyjaciół Zygmunta. Był to bolesny cios. W tym samym czasie Ernestowi, który ożenił się przed czterema laty, urodził się syn, Marcinowi zaś, żonatemu od pięciu lat, córka. Nadchodziło kolejne nowe pokolenie. Z okazji sześćdziesiątej ósmej rocznicy urodzin profesor Freud został honorowym obywatelem Wiednia.

– Obawiają się, że nie dożyję siedemdziesiątki – żartował, ale Marcie ten dowcip nie przypadł do gustu.

Czasy się zmieniały, a zmiany te miały niekiedy ironiczny odcień. Romain Rolland, najpopularniejszy podówczas pisarz francuski, złożył mu wizytę i oświadczył, że od dwudziestu lat zna i podziwia prace profesora Freuda. Dotąd ani słowem tego nie zdradził! Przed ćwierćwieczem Zygmunt za namową Marty ofiarował słynnemu duńskiemu krytykowi Georgowi Brandesowi egzemplarz *Interpretacji marzeń sennych*. Brandes nigdy nie skwitował daru. Teraz, będąc w Wiedniu, napisał do Zygmunta, zapraszając go usilnie, by przyszedł do niego do hotelu na dłuższą rozmowę.

Poza protezą jedynym poważniejszym kłopotem była sytuacja w Komitecie. Dwie opublikowane niedawno, niemal w tajemnicy przed nim, książki pogłębiły rozbieżności między członkami. O pierwszej, *Rozwój psychoanalizy*, napisanej przez Ranka i Ferencziego, wiedział już wcześniej, bo obaj autorzy omawiali z nim pewne problemy. Kiedy pozostali członkowie Komitetu ostro wystąpili przeciw książce, a Zygmunt wskazał autorom pewne błędy, Ferenczi przyjął te uwagi do wiadomości i załagodził spór. Otto Rank jednak nie ustępował. Był w coraz gorszym stanie psychicznym. Przeżył silny wstrząs, kiedy dowiedział się, że jego mistrz, człowiek uosabiający dla niego postać ojcowską, ma raka. Rank na tę wiadomość wybuchnął histerycznym śmiechem. Zygmunt, gdy mu to powtórzono, zacytował francuską maksymę: „Trzeba się śmiać, żeby nie płakać".

Rank zmagał się bohatersko z tarapatami wydawnictwa. Podobne kłopoty miał Jones w Londynie. Obaj pracowali z największym poświęceniem i całkowicie bezinteresownie. Ale nowa książka Ranka *Uraz narodzin*, którą wydał, nie pokazując nikomu przedtem rękopisu, przysporzyła nowych trudności. Rank opisywał w niej wpływ gwałtownego aktu narodzin na jednostkę. Noworodek wydostaje się z ciepłego, bezpiecznego łona na wrogi i obcy świat. Za swe trudy otrzymuje jedynie bolesnego klapsa, który zmusza go do zaczerpnięcia powietrza i do płaczu. Temu pierwszemu urazowi przypisywał Rank choroby nerwowe i umysłowe człowieka, jego kompleksy, obawy, wątpliwości i lęki.

Z punktu widzenia grupy Freudowskiej takie stanowisko przekreślało twierdzenie, że źródłem nerwic jest sytuacja edypalna. Zygmunt uważał, że książka zawiera wiele cennych spostrzeżeń, niemniej twierdził, że oparta jest na fałszywych przesłankach. Doszedł do wniosku, że najlepiej będzie, jeśli ją zignoruje.

Hans Sachs napisał do Berlina o zastrzeżeniach Zygmunta, pogłębiając tym jeszcze bardziej rozgoryczenie, jakie wywołała książka Ranka. Zygmunt starał się spór załagodzić i wysłał obiegiem list wzywający do zgody, gdyż jak twierdził, „całkowita jednomyślność w sprawie wszystkich szczegółów wszelkich nowych problemów naukowych jest w gronie ludzi obdarzonych różnymi temperamentami niemożliwa, a nawet wręcz niepożądana".

Karol Abraham, jeden z najłagodniejszych i najbardziej zgodnych ludzi, przepowiadał rozpad grupy i okazał się lepszym znawcą natury ludzkiej niż sam profesor Freud, co zresztą Zygmunt przyznawał. To właśnie Abraham, obserwując Alfreda Adlera i Karola Junga, przepowiedział ich odejście. Kiedy nie udało mu się nakłonić Freuda do analizy książki Ranka, napisał do profesora Freuda, przestrzegając go przed niebezpieczeństwami, jakie kryje w sobie ta „regresja naukowa".

Otto Rank bardzo przeżywał te wszystkie komplikacje. Zdawał sobie sprawę, że przechodzi wstrząs wywołany potrzebą oderwania się od Freuda, od którego był uzależniony od lat młodzieńczych. Podobnie jak przedtem Adler i Jung tak on teraz wiedział, że musi stanąć na własnych nogach, ruszyć własną drogą, wyjść spod skrzydeł lub cienia Freuda. Rewolucja, przebiegają-ca w jego psychice, nie stanowiła bynajmniej radosnego przeżycia. Wręcz przeciwnie, podcięła jego zdrowie. Zachorował. Kiedy już wstał z łóżka, otrzymał zaproszenie na wykłady w Stanach Zjednoczonych. Wydawało się to najrozsądniejszym rozwiązaniem sytuacji, bo sam nie umiał przeciąć pępowi-ny łączącej go z Freudem. Zaproszenie przyjął.

Doktor Pichler zrobił nową protezę, ale okazała się gorsza od dawnej. Zygmunt czuł się coraz lepiej, mimo że nieustanne naświetlanie promienia-mi rentgena wyczerpywało go i wywołało chorobę popromienną. Zakończył analityczną pracę *Opór wobec psychoanalizy* i napisał *Studium autobiogra-ficzne*, które wkrótce ukazało się w druku. Książeczka była bardziej autobio-grafią psychoanalizy niż Zygmunta Freuda, co niesłychanie bawiło ciocię Minnę.

– Zygmuncie – zapytała go – co widzisz, patrząc w lustro, swoje własne odbicie czy odbicie społecznej podświadomości Junga?

Minna jako jedna z nielicznych osób potrafiła jeszcze rozśmieszyć Zyg-munta.

– Tylko nie mów o społecznej podświadomości Junga. Gdyby to usłyszał, zarzuciłby mi, że go podglądam. Patrząc w lustro, widzę zbiorową podświa-domość wszystkich pacjentów, których leczyłem. Ten portret jest znacznie ciekawszy od moich żałosnych rysów.

W maju 1925 roku Karol Abraham wyjechał do Holandii, gdzie wygłosił serię wykładów. Po powrocie zachorował na zapalenie oskrzeli. Niedługo potem, w czerwcu, zmarł Józef Breuer. Napłynęła fala wspomnień. Lata studenckie, pierwsze spotkanie z Breuerem w pracowni fizjologicznej Brü-ckego, wizyty w domu Breuerów, gdzie go wszyscy traktowali jak młodszego brata; kochali i dodawali otuchy. Napisał ciepły list do Matyldy Breuer. W „Zeitschrift" zamieścił wspomnienie, w którym otwarcie stwierdzał, że Józef Breuer był „twórcą metody «katharsis» i jego nazwisko jest nierozerwal-nie związane z początkami psychoanalizy".

Teraz już Józef nie mógł odtrącić zaszczytu.

Śmierć Breuera przypomniała Zygmuntowi, że ostatnio w niemieckich gazetach i czasopismach często spotykał nazwisko Berty Pappenheim. Sta-ła się jedną z najwybitniejszych postaci ruchu emancypacji kobiet; wywal-czyła ustawy dotyczące bezpieczeństwa pracy w fabrykach, lepsze płace i ochronę prawną dla kobiet zamężnych. Nie wyszła za mąż, ale Breuer uratował jej życie. Dzięki niemu stała się znowu pełnowartościowym człon-kiem społeczeństwa.

Lato 1925 roku rodzina Freudów spędziła w Semmeringu. Zygmunt zabrał ze sobą tylko jednego pacjenta, amerykańskiego chłopca, który

741

cierpiał na urojenia, że w jego czaszce kryją się demony. Przypadek był trudny, ale Zygmuntowi udało się demony przepędzić. We wrześniu miał się odbyć kongres w Hamburgu. Zygmunt zdecydował, że nie pojedzie. Posłał w zastępstwie Annę, by odczytała jego referat: *Pewne psychologiczne konsekwencje anatomicznych różnic między płciami.*

Zdarzały się teraz różne śmieszne, jego zdaniem, rzeczy. Otrzymał kilka propozycji zrobienia filmu o psychoanalizie. Samuel Goldwyn zaproponował mu sto tysięcy dolarów za przyjazd do Hollywoodu i pomoc przy kręceniu filmu o wielkich historycznych romansach. William Randolph Hearst chciał posłać specjalny statek po Zygmunta i jego rodzinę, by przyjechał do Nowego Jorku i pisał sprawozdania z procesu Loeba i Leopolda, dwóch chłopców z Chicago, którzy zamordowali czternastoletniego kolegę. Była to próba dokonania morderstwa doskonałego. W kilka dni później zadepeszował pułkownik McCormick z chicagowskiej „Tribune", oferując dwadzieścia pięć tysięcy dolarów za przeprowadzenie psychoanalizy Loeba i Leopolda.

– Jaka szkoda – zawołała ciocia Minna – że te wszystkie propozycje nie nadeszły, kiedy byłeś pięknym trzydziestoletnim młodzieńcem! Pomyśl tylko, zostałbyś gwiazdą filmową i najlepiej płatnym reporterem na świecie.

Ale jesień przyniosła też przykre wiadomości. Stan Karola Abrahama się pogarszał. Podczas pobytu w Holandii połknął ość, która utkwiła w płucach i wywołała ostrą infekcję. Doktor Feliks Deutsch pojechał do Berlina, by zająć się chorym, ale Karol Abraham zmarł podczas świąt Bożego Narodzenia w 1925 roku. Miał lat czterdzieści osiem. Dla Zygmunta był to najboleśniejszy cios od śmierci jego wnuka Heinza. Abraham był niewątpliwie genialnym psychoanalitykiem, bodaj najwybitniejszym w Niemczech. Kiedy przyjechał do Berlina, nikt tam nie wierzył w psychoanalizę; dzięki niemu ta gałąź medycyny zdobyła sobie zaufanie i szacunek. Stworzył ośrodek szkoleniowy i skupił wokół siebie grono młodych zdolnych lekarzy. Jego prace były zawsze starannie przemyślane i świetnie napisane. Był najbardziej solidnym i opanowanym członkiem Komitetu. Zygmunt nigdy nie ulegał iluzjom, że ludzkie przeznaczenie ma w sobie jakąś logikę, ale na wieść o śmierci Karola Abrahama nie mógł powstrzymać się od zawołania:

– Zmarł w wieku zaledwie czterdziestu ośmiu lat. Miał przed sobą trzydzieści lat twórczej pracy! A ja żyję, licząc lat sześćdziesiąt dziewięć, z usuniętą połową jamy ustnej, tymczasem jego nie ma już wśród nas.

Przez wiele lat dbamy o to, by utrzymać się przy życiu; potem już staramy się nie umrzeć. Różnica na pozór nieduża, ale znacząca.

Po pewnym czasie Zygmunt przestał liczyć operacje, zabiegi, naświetlania. Pichler musiał usunąć jeszcze trochę tkanki, potem dokonać nowych przeszczepów. Zdawało się, że nie będzie temu końca.

Im bardziej starał się unikać obchodzenia urodzin, tym więcej osób przychodziło na te uroczystości. Nadal inspirował je Maks Eitingon i nie było sposobu odwieść go od tego. Na siedemdziesiąte urodziny profesora Freuda cały dom zastawiono kwiatami. Nadeszły setki listów i depesz z całego świata, greckie i egipskie figurki. Zygmunt nie krył zadowolenia, jakie sprawiały mu listy od ludzi, których podziwiał. Karol Jung się nie odezwał, ale Bleuler napisał z Burghölzli. Już przed laty Bleuler zapowiedział, że pozostanie mu wierny nawet po odejściu Junga. Teraz gratulował mu takich prac, jak *Przekroczenie zasady przyjemności, Ego i id*. Nadal wykładał swym studentom psychoanalizę Freudowską, chociaż na Uniwersytecie Wiedeńskim wciąż jej nie wykładano.

Ból nie ustępował ani na chwilę. Ciągle przerabiano protezę, nadal jednak drażniła tkankę, powodując straszliwie bolesne wrzody. Jakiś lekarz z Berlina zrobił mu nowy aparat, nic się jednak nie zmieniło. Ekspert z Bostonu policzył sobie za przyjazd i zrobienie nowej protezy sześć tysięcy dolarów, lecz i ta okazała się nie lepsza od innych. W ciągu jednego szczególnie ciężkiego roku Zygmunt przeszedł sześć operacji; zdawało mu się, że Pichler nie wyjmuje skalpela z jego ust. Jedyną pociechę stanowiło to, że żadna nowa narośl nie była rakowata. Naświetlanie promieniami rentgena trzymało bestię na uwięzi.

– Uczymy się żyć godnie – mawiał Zygmunt. – Powinienem teraz stworzyć moje najlepsze prace; w ten sposób mógłbym sobie wytłumaczyć, dlaczego to wszystko znoszę.

Nie brał żadnych środków przeciwbólowych, nawet aspiryny, obawiając się, że działają one otępiająco, a przecież teraz właśnie potrzebna mu była całkowita jasność umysłu, umożliwiająca znalezienie właściwego słowa czy sformułowania dla myśli, którą chciał wyłożyć w kolejnej pracy. Rzadko zapraszał przyjaciół na kolację; zdawał sobie sprawę, że siedzenie z nim przy stole nie należy do przyjemności. Ale nie był osamotniony. Cieszył go wysoki poziom prac publikowanych przez młodych ludzi, którym pomagał osiągnąć dojrzałość. Stał się prawdziwym ojcem rodziny: codziennie napływały dziesiątki listów z różnych krajów świata, od młodych ludzi studiujących, piszących i publikujących. Prawie wszyscy poszerzali horyzonty psychoanalizy daleko poza te granice, o jakich niegdyś marzył jej twórca. Pisał wstępy i przedmowy do prac Maksa Eitingona, Edwarda Weissa, Hermana Nunberga, Augusta Aichhorna.

Szczególny podziw budził w nim doktor Georg Groddeck, poeta i powieściopisarz, prowadzący własne sanatorium w Baden-Baden. Groddeck zainteresował się psychoanalizą, szukając sposobu leczenia chorób fizycznych, które nie miały jakiegoś oczywistego źródła organicznego. Zygmunt przyjął go ciepło na haskim kongresie w roku 1920. Groddeck jednak zniechęcił do siebie wszystkich, poza profesorem Freudem, oznajmiając publicznie z trybuny:

– Jestem samozwańczym psychoanalitykiem.

Groddeck ukuł termin „psychosomatyczna medycyna" na określenie Freudowskich metod leczenia zaburzeń fizycznych, których etiologia w znacznym stopniu związana była z czynnikami emocjonalnymi. Termin ten ułatwił opinii publicznej zrozumienie zastosowań i celów psychoanalizy. Inna z kolei idea Groddecka też znalazła uznanie Zygmunta: głosiła, że „to, co nazywamy naszym *ego,* z reguły zachowuje się biernie w życiu: naszym życiem kierują siły nieznane, nie mamy nad nimi władzy".

Zadaniem Zygmunta było rozpoznanie i opanowanie tych sił.

Czasami, po południu, kiedy pozwalał sobie na godzinę odpoczynku z butelką gorącej wody przytkniętą do obolałej szczęki, zastanawiał się, ile minie lat po jego śmierci, zanim na wydziale medycznym uniwersytetu powstanie katedra psychoanalizy. Ile jeszcze trzeba będzie czasu, zanim pacjenci na oddziałach psychiatrycznych, którymi dawniej zajmowali się Meynert, Krafft-Ebing i Wagner-Jauregg, ludzie cierpiący na choroby, których źródła nikt nie próbował odnaleźć za pomocą metod Freudowskich, będą mogli korzystać z dobrodziejstw jego terapii? Czy przesąd nigdy nie zginie?

Najbardziej niezwykłą kobietą, z jaką miał do czynienia po powrocie Lou Andreas-Salomé do Getyngi, była księżna Maria Bonaparte. Miała czterdzieści trzy lata, pochodziła w prostej linii od jednego z braci Napoleona I i wyszła za mąż za greckiego księcia Jerzego. Odziedziczyła olbrzymią fortunę po matce, która umarła na zator tętnicy w miesiąc po przyjściu na świat Marii. W roku 1924, czuwając przy łożu umierającego ojca w rodzinnej rezydencji w St. Cloud pod Paryżem, Maria Bonaparte zaczęła czytać *Wstęp do psychoanalizy.* W książce tej znalazła potwierdzenie własnych problemów emocjonalnych i seksualnych, a także problemów psychicznie chorych pacjentek w szpitalu św. Anny w Paryżu, którymi księżna się opiekowała. Maria Bonaparte kilkakrotnie pisała do Freuda, prosząc, by podjął się jej leczenia,

Zygmunt jednak odmawiał, obawiając się, że ma do czynienia z dyletantką z wielkiego świata.

Nie należała do kobiet łatwo się zniechęcających. Przybyła do Wiednia i zrobiła bardzo dobre wrażenie na Zygmuncie. Zobaczył przed sobą kobietę odważną, bystrą, z charakterem. Miała bardzo ciężkie dzieciństwo. Wychowywała się w ponurym domu, bez rówieśników, pod opieką babki, kobiety bardzo surowej. Z rzadka widywała którąś ze swoich kuzynek. Cierpiała na melancholię, poczucie winy za śmierć matki, szczególnie zaś dotkliwie dokuczało jej uczucie, które określała jako „obsesję dziury", jako że dziura stała się dla niej symbolem kobiecości. Od wczesnej młodości dopatrywała się czegoś wstydliwego w tym, że jest kobietą. Pragnęła więc zostać mężczyzną. Przez lata całe kultywowała w sobie neurotyczną chorobę – miała ją ona chronić przed hańbą małżeństwa i rodzenia dzieci. Chciała studiować medycynę, na co jej ojciec się nie zgadzał, uważając, że to córce przeszkodzi w zawarciu właściwego małżeństwa. Maria Bonaparte sprytnie poradziła sobie z ojcem. Studiowała medycynę na własną rękę i spędzała długie godziny w szpitalu św. Anny, gdzie pacjentki ją polubiły i opowiadały jej o swych problemach seksualnych, które były źródłem ich chorób umysłowych. Maria zdumiała się, kiedy się zorientowała, jak wiele kobiet cierpi na oziębłość płciową.

Porządkując papiery po ojcu, natrafiła na siedem małych czarnych zeszytów. Między siódmym a dziesiątym rokiem życia zapisywała w nich różne rzeczy. Całkiem zapomniała o ich istnieniu. Niepokoiła ją dziwna, symboliczna treść tych notatek, których teraz już nie mogła zrozumieć. Doszła do wniosku, że tylko Freudowska analiza umożliwi jej wyzwolenie ukrytych w podświadomości treści. Przed rokiem opublikowała anonimowo *Uwagi o anatomicznych przyczynach oziębłości płciowej kobiet;* podkreślała w nich klitoryczny charakter chorób wielu pacjentek szpitala św. Anny, zaspokajających na własną rękę swe potrzeby seksualne.

Przed Zygmuntem stała kobieta rosła, o królewskiej sylwetce; w jej ruchach i postawie było coś męskiego. Oświadczyła mu, że uważa go za proroka: tylko on może wyprowadzić z murów szpitala św. Anny chore cierpiące na zaburzenia umysłowe i pomóc tym, które zamknęły się same w psychicznych celach swych umysłów. Jej małżeństwo z księciem Jerzym, dużo od niej starszym, jest szczęśliwe; ma córkę cieszącą się znakomitym zdrowiem. Teraz, kiedy udało się jej dotrzeć do profesora Freuda, zamierza osiągnąć cel swych młodzieńczych ambicji i pracować naukowo w dziedzinie medycyny.

Ponieważ Maria Bonaparte zamierzała studiować seksualizm i oziębłość płciową kobiet i pisać na te wciąż jeszcze niedostatecznie poznane tematy,

Zygmunt połączył terapię ze szkoleniem w psychoanalizie. Po kilku miesiącach pracy nad czarnymi zeszytami udało mu się spowodować u pacjentki nawrót wspomnień, lęków i obaw z dzieciństwa, jej wczesnej obsesji „dziury" jako kary wymierzonej kobietom. Umożliwił jej przeniesienie treści notatek do świadomości, a tym samym odważną konfrontację z ukrytymi w nich znaczeniami. Wciąż jednak pozostawał w analizie pewien element, który go dziwił. Tłumacząc jej sny, doszedł do wniosku, że w dzieciństwie księżna Maria musiała być świadkiem aktu spółkowania.

Maria Bonaparte nie lękała się żadnej prawdy, ale ta myśl nią wstrząsnęła.

– Panie profesorze, to niemożliwe. W naszym domu nikt nie spółkował. Poza nianią, moim ojcem i babcią nie było tam nikogo.

– A jednak wszystkie pani podświadome wspomnienia zmierzają w tym kierunku.

– Przykro mi, że nie mogę się z panem zgodzić. Muszę odrzucić tę rekonstrukcję. Wydaje mi się ona nie tylko nieprawdopodobna, lecz wręcz niemożliwa.

– Wobec tego nie będziemy już wracali do tej sprawy.

Po powrocie do Paryża Maria Bonaparte odszukała jednego ze stajennych ojca, który zresztą był nieślubnym synem jej dziadka. Umiejętnie go wypytując, dowiedziała się, że utrzymywał stosunki z niańką, gdy ona znajdowała się w tym samym pokoju. Nie skończyła jeszcze wówczas pierwszego roku życia. Napisała do profesora Freuda, zdając szczegółową relację z tej rozmowy. Odpisał:

„Teraz rozumie Pani, że sprzeczności i diagnozy nie mają żadnego znaczenia, gdy się jest pewnym swego zdania. Tak było również w moim przypadku, i dlatego właśnie znosiłem bez goryczy pogardę i niewiarę, z jaką się spotkałem".

Wybrał się do Berlina, by odwiedzić Ernesta. Poznał Alberta Einsteina, który po ogłoszeniu swej teorii względności uznany został za największego matematyka i fizyka świata. Obaj panowie rozmawiali ze sobą bardzo ostrożnie, Einstein posługiwał się terminologią matematyczną, Zygmunt – psychoanalityczną. Oczywiście nie rozumieli się wzajemnie. Różnica polegała na tym, że profesor Freud przyjmował odkrycia naukowe Einsteina jako prawdy niepodważalne, natomiast Einstein nie ukrywał swej sceptycznej postawy wobec koncepcji podświadomości i możliwości analizowania jej w taki sposób, by leczyć ludzi lub poszerzać ich horyzonty.

Kilka razy zgłaszano kandydaturę Zygmunta do Nagrody Nobla. Gdy wreszcie przyznano ją Austriakowi, był nim Wagner-Jauregg; nagrodzono go za wykorzystanie malarii w leczeniu porażeń. Niektórzy zazdrościli

Wagnerowi-Jaureggowi nagrody, ale z całą pewnością nie należał do nich Zygmunt, który wysoko cenił odwagę i wyobraźnię swego kolegi.

<h1 style="text-align:center">11</h1>

Nieustanne operacje jamy ustnej, naświetlania i diatermie musiały w końcu doprowadzić do zaburzeń w innych częściach organizmu. Powróciły kłopoty z sercem; zaburzenia żołądkowe przestały być psychosomatyczne, a stały się schorzeniami organicznymi. Freud często się przeziębiał, chorował na grypę, miewał gorączkę. Potrzebował osobistego lekarza. Gdy Maria Bonaparte odwiedziła go w marcu 1929 roku, Zygmunt był chory i czuł się fatalnie.

– Panie profesorze – powiedziała – czy wolno mi coś zaproponować? Jest w Wiedniu pewien młody internista, ma trzydzieści dwa lata, przeszedł również szkolenie w analizie. Spotkałam go przed kilkoma miesiącami. Przysłał mi go doktor Edelman, by pobrał krew do badania. Dobrze mu patrzy z oczu. Ostatnio chorowałam, Edelmana nie było w mieście i on zajął się mną wzorowo. Doktor Edelman, który zna Maksa Schura od dawna, poradził mi, żebym się u niego leczyła, ponieważ oboje jesteśmy „maniakami psychoanalizy". Czy pozwoli pan, że przyprowadzę Schura? Mieszka zaledwie o dziesięć minut drogi od pana.

W godzinę potem zjawił się doktor Schur. Średniego wzrostu, mocno łysawy, robił wrażenie człowieka niedbającego o wygląd zewnętrzny. Maria Bonaparte ostrzegła zresztą Zygmunta, że kiedy Schur wkłada nowy garnitur, koledzy go nie poznają. Następnego dnia zaś nie poznają już garnituru. Schur spodobał się jednak Zygmuntowi. Jego gładko wygolona twarz świadczyła o dużej pewności siebie. Zygmunt uznał, że oto ma przed sobą człowieka nieprzeżywającego konfliktów wewnętrznych. Schur zbadał go starannie; Zygmunt stwierdził, że bardzo mu przypomina młodego Józefa Breuera, lekarza „odgadującego" choroby swoich pacjentów. „Odgadywanie" nie było właściwym terminem. Obaj, Schur i Breuer, byli natchnionymi psychoanalitykami, i przeniknęli skomplikowane zależności między psyche i somą.

Kiedy Schur wypisywał receptę, Zygmunt powiedział do niego:

– Uważam, że stosunki między nami powinny opierać się na zasadzie stosunku pacjenta do lekarza, na wzajemnym szacunku i zaufaniu. Miałem pewne nie najszczęśliwsze doświadczenia z pańskimi poprzednikami, wobec tego musi mi pan coś obiecać.

– Co takiego, panie profesorze?

– Zawsze będzie mi pan mówił prawdę.

– Obiecuję. I obietnicy dotrzymam.

– Uspokoił mnie pan. Dziękuję.

Pojawienie się doktora Schura było ważnym wydarzeniem w życiu Freudów. Towarzyszył codziennie Zygmuntowi podczas wizyt u Pichlera. Podobnie jak Anna intuicyjnie wyczuwał nastrój Zygmunta. Marta czuła się spokojniejsza, wiedząc, że nikt nie będzie przed nimi ukrywał prawdy. Pacjent darzył lekarza głębokim zaufaniem. Chociaż Zygmunt był starszy od Schura o czterdzieści jeden lat, zaprzyjaźnili się serdecznie. Zygmunt zajmował wiele miejsca w życiu Schura. Kierował do niego swoich pacjentów, gdy nie miał pewności, czy choroba jest natury organicznej, czy psychologicznej. Maks Schur zaczął w niedziele bywać u Freudów ze swoją narzeczoną, Heleną, która studiowała medycynę na Uniwersytecie Wiedeńskim. Rodzina przyjęła sympatyczną, ładną i bardzo inteligentną pannę równie serdecznie jak i narzeczonego.

W 1930 roku, wkrótce po wydaniu książki *Cywilizacja i jej niedobór godności*, Zygmunt otrzymał literacką nagrodę Goethego. Wysłał Annę do Frankfurtu, by odebrała ją w jego imieniu. Otrzymanie nagrody literackiej zamiast Nagrody Nobla w dziedzinie medycyny uznał za osobliwe zrządzenie losu. Wielu krytyków utrzymywało, że psychoanaliza bardziej należy do sztuki niż do nauki, a nagroda Goethego zdawała się to potwierdzać. W przemówieniu, które miała odczytać Anna, pisał:

„Całe dzieło mego życia miało jeden cel. Zaobserwowałem pewne subtelne zaburzenia w procesach umysłowych ludzi zdrowych i chorych, i próbowałem zrozumieć, czy też jak niektórzy wolą, odgadnąć na podstawie tego rodzaju oznak, jak jest zbudowany mechanizm, który tym funkcjom służy, i jakie w nim działają siły zgodne albo wzajemnie sprzeczne. To, czego ja, moi przyjaciele i współpracownicy zdołaliśmy się nauczyć, krocząc tą drogą, wydawało nam się dostatecznie ważne, by zbudować naukę umożliwiającą zrozumienie zarówno normalnych, jak i patologicznych procesów jako składników tego samego naturalnego biegu rzeczy".

W miarę jak przybywa lat, czas mija coraz szybciej. Zygmunt miał jeszcze wiele problemów do przemyślenia, wiele prac do napisania. Chciał pozostawić pewne osiągnięcia w dziedzinach, w których dotąd stawiał dopiero pierwsze kroki. Czas jednak mijał tak szybko, że chwilami zdawało mu się, że już nic nie zrobi. Pisał co wieczór i w niedziele, po powrocie z wizyt u matki. Bardzo już słaba staruszka zawsze czekała w drzwiach, kiedy słyszała na schodach kroki syna. Zmarła spokojnie we śnie we wrześniu owego roku. Miała dziewięćdziesiąt pięć lat.

Rok później miasto rodzinne Freuda, Freiberg, uczciło go wmurowaniem tablicy na domu, w którym przyszedł na świat. Zygmunt zauważył sarkastycznie:

– Powoli zaczynam się czuć jak pomnik.

12

Komitet uległ zdziesiątkowaniu. Otto Rank przeniósł się do Paryża. Przyjechał na krótko do Wiednia, próbując uzyskać przebaczenie i doprowadzić znów do zgody, ale rany nie można już było zaleczyć. W Nowym Jorku propagował krótkoterminową analizę opartą na *Urazie narodzin* i wreszcie osiągnął upragnioną samodzielność. A.A. Brill z oburzeniem pisał do Zygmunta, że Rank odrzucił seksualną etiologię nerwic i analizę snów, ograniczając się wyłącznie do interpretacji traumy narodzin.

Zygmunt martwił się odejściem Ranka. Pisał do niego kilkakrotnie w tonie pojednawczym, ale nie ukrywał, że uważa jego koncepcję urazu narodzin za błędną. Rank nie mógł już wrócić do Wiednia, ani fizycznie, ani symbolicznie. Stratę utalentowanego współpracownika, który przez piętnaście lat był jego prawą ręką, Zygmunt odczuł boleśnie, pociechę jednak znajdował w tym, że zaczęli wracać inni odszczepieńcy. Wilhelm Stekel i Fritz Wittels znowu garnęli się do dawnego grona.

Nic jednak nie mogło zrekompensować straty Sändora Ferencziego. Zygmunt przywiązał się do niego bardziej niż do kogokolwiek innego i nieraz nazywał go synem.

Po raz pierwszy ich wieloletnia przyjaźń została nadwerężona, kiedy Ferenczi w tajemnicy przed Zygmuntem napisał i wydał wspólnie z Rankiem książkę. Potem poparł książkę Ranka o urazie narodzin. Nieporozumienie jednak szybko udało się załagodzić. Sprawy układały się jako tako do roku 1931, kiedy przez długie okresy Ferenczi się nie odzywał. Potem niespodziewanie wystąpił z nową metodą terapeutyczną. Uważał, że jeśli pacjent cofa się w toku analizy do fazy wczesnego dzieciństwa i ponownie znajdzie się pod wpływem urazu wynikającego z nagłego uświadomienia okrucieństwa, obojętności czy zaniedbania ze strony rodziców, on, jako analityk, powinien odegrać rolę kochającego rodzica, zwłaszcza matki, darząc pacjenta miłością, której mu odmawiano w dzieciństwie, by w ten sposób zlikwidować uraz i jego skutki. Pozwalał pacjentom obejmować się i całować; godził się nawet na stosunki fizyczne, gdy pacjenci się tego domagali.

Zygmunt dowiedział się o tym wszystkim od pacjenta, którego obaj z Ferenczim leczyli. Przeżył głęboki wstrząs, on bowiem i wszyscy szkoleni przez niego psychoanalitycy zajmowali w tej kluczowej sprawie stanowisko jednoznaczne: żadnego kontaktu fizycznego z pacjentem. To, co robił Ferenczi, było potwornym wypaczeniem metody, niweczącym naukowy dystans między lekarzem i chorym. Gdyby podobne fakty dotarły do opinii lekarskiej, wywołałyby skandal. I niewątpliwie zadałyby śmiertelny cios psychoanalizie. Napisał do Ferencziego:

„Nie czyni Pan tajemnicy z faktu, że całuje Pan swoich pacjentów i pozwala im, by Pana całowali... Wkrótce uzna Pan za dopuszczalne... daleko idące pieszczoty...".

Ferenczi po prostu przestał pisać. W kwietniu 1932 roku Zygmunt napisał do Eitingona, że sprawa Ferencziego nie daje mu spokoju. „Obraził się, ponieważ nie jestem zachwycony tym, że odgrywa teraz rolę matki w stosunkach ze swymi p a c j e n t k a m i". Niemniej zawiadamiał, że poprze kandydaturę Ferencziego na prezesa Międzynarodowego Towarzystwa Psychiatrycznego; uważał, że w ten sposób pomoże mu się ustatkować. Ferenczi jednak odmówił. Doszło do wymiany dość ostrych listów, ale nie do jawnego zerwania. Listy Ferencziego stały się znowu przyjacielskie i serdeczne. Rok później umarł na złośliwą anemię. Zygmunt zasmucony pisał do Oskara Pfistera: „To dla mnie bolesna strata".

Wydawnictwo ich znalazło się w tak rozpaczliwej sytuacji, że Marcin rzucił dobrą posadę w banku, by zająć się sprawami edytorskimi. Firma była zadłużona, jej przyszłość stała pod znakiem zapytania. Marcin jednak wiedział, jak ważną sprawą dla losów psychoanalizy jest utrzymanie wydawnictwa. Zygmunt w pełni docenił ten akt lojalności i przywiązania ze strony syna.

Każda nowa publikacja zdawała się powiększać deficyt. Przyjaciele przychodzili z pomocą w trudnych chwilach. Zygmunt doszedł do wniosku, że jedynym ratunkiem będzie, jeśli napisze nową książkę, która, miał nadzieję, okaże się poczytna. Zatytułował ją *Nowy wstęp do psychoanalizy*. Przedsięwzięcie się powiodło. Co prawda książka nie zawierała wielu nowych rzeczy, ale Zygmunt w tak jasny i racjonalny sposób przedstawił temat, że znalazła licznych czytelników, została przetłumaczona na kilka języków i przyniosła dostateczny zysk, by uchronić firmę przed bankructwem.

Republika weimarska przestała istnieć. Władzę objął agresywny dyktator i jego partia. W Paryżu wydana została w języku francuskim, angielskim i niemieckim książka zawierająca wymianę listów między Albertem Einsteinem i Zygmuntem Freudem nosząca tytuł *Dlaczego wojna?* Hitlerowcy zakazali rozpowszechniania książki w Niemczech. Einstein schronił się przed grożącym mu niebezpieczeństwem do Belgii. Arnold Zweig wysłał żonę i dzieci do Palestyny i sam zamierzał udać się w ślad za nimi. Alfred Adler spakował manatki i wyjechał do Ameryki. Z Niemiec uciekli prawie wszyscy psychoanalitycy. Oliver, Ernest i Maks Halberstadt pisali, że i oni mają zamiar opuścić Niemcy.

Ernest Freud wysłał żonę i dzieci do Anglii.

W Wiedniu znano Adolfa Hitlera. Urodził się w Górnej Austrii, uczył się przez pewien czas malarstwa w Monachium i po powrocie do Wiednia próbował dostać się do Akademii Sztuk Pięknych. Nie miał grosza przy duszy, ale znalazł argumenty dla swych zapiekłych nienawiści w antysemickich przemówieniach burmistrza Wiednia Karola Luegera. Prasa wiedeńska pisała o puczu monachijskim w roku 1923, o procesie i aresztowaniu Hitlera, traktując wszystkie jego perypetie z lekceważącym uśmiechem.

A teraz żarty się skończyły. Adolf Hitler hipnotyzował mieszczaństwo niemieckie zrujnowane kryzysem po roku 1929, robotników uginających się pod brzemieniem bezrobocia i wreszcie przemysłowców, którzy bali się narastania wpływów komunistycznych. Po zdobyciu większości w Reichstagu Hindenburg mianował Hitlera kanclerzem Rzeszy. Po tajemniczym pożarze Reichstagu znaczna część narodu niemieckiego zjednoczyła się pod dwoma hasłami: „Tysiąc lat dla Trzeciej Rzeszy" i „Precz z Żydami". Niemcy występujący przeciw Hitlerowi znaleźli się albo na emigracji, albo w obozach koncentracyjnych. Nie żyli lub milczeli bezsilni. Po definitywnym rozprawieniu się z opozycją Hitler rozpoczął bezlitosną wojnę z Żydami. Stracili oni majątki, posady, wszelką własność. Zaczęły się akty brutalnej przemocy. Tworzono obozy odosobnienia, obozy koncentracyjne i wreszcie obozy zagłady. Ci niemieccy Żydzi, którzy na czas zorientowali się w grożącym im niebezpieczeństwie, opuszczali kraj, często z pustymi rękami, szukając azylu tam, gdzie go im udzielano. Inni nie dawali wiary pesymistycznym przewidywaniom i pozostali na miejscu.

Żydzi austriaccy nie byli szczególnie zaniepokojeni. Austria, związana sojuszem z Niemcami, pozostawała jednak krajem suwerennym. W Austrii nie mogły się zdarzyć takie rzeczy, jakie działy się w Niemczech. Armia niemiecka nigdy nie dokona inwazji; prawa mniejszości w Austrii zagwarantowane zostały w Traktacie Wersalskim...

Zygmunt uważał się za pesymistę w ocenianiu instynktów ludzkich, hitleryzm jednak zaskoczył go tak samo jak niegdyś wybuch wojny w 1914 roku. A przecież znaków nie brakowało. Jego książki zostały spalone w Berlinie. Berlińskie Towarzystwo Psychoanalityczne zlikwidowano. Analitycy uciekli z Niemiec; wielu nie-Żydów wyjechało na emigrację, nie chcąc pozostawać pod władzą hitleryzmu. Zygmuntowi wydawało się, że w Austrii nic nie zagraża jemu osobiście i jego rodzinie. On, Marta, Minna byli już po siedemdziesiątce. Ile jeszcze lat im pozostało? Martwił się o Marcina i jego rodzinę, o Annę, ale oni właśnie o tych sprawach z nim nie rozmawiali. Nadal przyjmował pacjentów, nadal pisał przy swoim dużym biurku. Skończyły się wprawdzie sobotnie pogawędki w kawiarniach i spacery po Ringu, lecz otaczały go nadal ukochane dzieła sztuki, pamiątki pradawnych cywilizacji nadal go fascynowały. Chwilami był przygnębiony; trapiła go myśl, że po *Totemie i tabu* osłabła jego wena twórcza. Zakończył jednak szkic autobiograficzny następującymi słowami:

„Moje zainteresowania, po wieloletniej okrężnej drodze przez nauki przyrodnicze, medycynę i psychoterapię, powróciły do problemów kulturalnych, które mnie fascynowały od najwcześniejszej młodości".

Na całym świecie rosła sława Zygmunta Freuda, lecz największą rekompensatą za cierpienia, jakie przyniósł podeszły wiek, za lęki przed ponawianymi operacjami jamy ustnej, stała się Anusia, jego najmłodsza córka. Podjęła życiową decyzję i pozostała wierna ojcu i psychoanalizie. Miała już czterdzieści lat. Psychoanalitycy stykający się z nią w związku z pracami Komitetu i na międzynarodowych kongresach byli pod wrażeniem jej wielkiej wiedzy. Nadal pełniła obowiązki pielęgniarki przy ojcu: spokojna, rzeczowa, niestrudzona, pomagała mu zakładać raniącą zoperowane wnętrze jamy ustnej protezę. Nigdy o protezie nie wspominano, chyba że należało ją zanieść do reperacji do Pichlera lub któregoś z jego następców. Anna stała się idealnym towarzyszem niedoli. Wiedziała, co ojciec przeżywa, nigdy jednak, zgodnie z umową, jaką zawarli, nie dawała tego po sobie poznać. A była przecież czymś więcej niż pielęgniarką. Zygmunt z zachwytem obserwował, jak córka dojrzewa intelektualnie, jak zaczyna odkrywać pewne dziedziny psychologii i oświaty dziecięcej. Do Pfistera pisał:

„Ze wszystkich zastosowań psychoanalizy jedynym naprawdę rozwijającym się jest to, które Pan zapoczątkował na polu oświaty. Z wielką radością przyglądam się pożytecznej działalności mojej córki w tej dziedzinie".

Anna miewała przyjaciół wśród pacjentów Zygmunta, z reguły jednak bliższe stosunki nawiązywała dopiero wtedy, gdy kończyli analizę. Jedną z takich przyjaciółek stała się Dorota Burlingham, Amerykanka, która specjalnie przybyła do Wiednia, by leczyć się u profesora Freuda. Była zamężna i miała kilkoro dzieci. Tak się przywiązała do Freudów, że wynajęła mieszkanie w domu przy Berggasse. Pomogła Annie założyć szkołę dla dzieci, by mogła wypróbować swe teorie. Razem wynajęły wiejski dom w Hochroterd, czterdzieści pięć minut samochodem od Wiednia. Obie spędzały tam niedziele, latem zaś przyjeżdżał do nich czasem Zygmunt.

Chciał napisać powieść historyczną pod tytułem *Człowiek Mojżesz* i wyłożyć w niej pewne swoje koncepcje. Przed laty napisał krótki szkic o *Mojżeszu* Michała Anioła. Postacią Mojżesza interesował się już od dawna. Legenda o jego pochodzeniu przypominała wiele relacji o mitycznych przywódcach religijnych i dynastycznych, na co już zresztą zwrócił uwagę Otto Rank w *Micie narodzin bohatera.* Zygmunt nie chciał bynajmniej pozbawiać Żydów człowieka, którym się szczycili. Zgadzał się z historykami utrzymującymi, że Mojżesz był postacią historyczną, wyprowadził swój lud z Egiptu w trzynastym lub czternastym wieku przed Chrystusem. Czy był on jednak naprawdę Hebrajczykiem, czy też Egipcjaninem? Imię jest przecież egipskie, a nie hebrajskie.

Jeśli jednak istniał choćby ślad prawdopodobieństwa, że był Egipcjaninem, to dlaczego porzucił swój własny naród i wyprowadził obcy naród z niewoli? Czyżby dlatego, że wyznawał religię z okresu panowania jednej z wcześniejszych dynastii, stworzoną przez Echnatona i głoszącą surowy monoteizm, zakazującą wszelkich ceremonii i magicznych zabiegów, uznającą prawdę i sprawiedliwość za cnoty najwyższe? Późniejsi faraonowie zlikwidowali tę religię. Jeśli Mojżesz chciał ją w jakiś sposób zachować, umożliwić jej przetrwanie, czyż nie postąpił najsłuszniej, stając na czele mniejszości, wyprowadzając ją z niewoli i wskrzeszając dla tego ludu religię, w przekonaniu Zygmunta „pod niektórymi ważnymi względami zbieżną z późniejszą religią żydowską"?

Zygmunt wiedział, że kroczy po grząskim terenie. Odkładał rękopis na długie okresy, problem ten jednak nie dawał mu spokoju.

Zawsze sprawiała mu wielką przyjemność rozległa korespondencja. W latach, kiedy był pariasem, listy były głównym źródłem otuchy. Teraz przyjmował niewielu gości i nie więcej niż trzech analityków przechodziło u niego szkolenie, miał więc mnóstwo czasu na pisanie listów. Do Arnolda Zweiga, którego powieść *Spór o sierżanta Griszę* podziwiał, pisał:

„Tak bardzo jeszcze potrafię cieszyć się życiem, że nie jestem zadowolony z narzuconej mi rezygnacji. Tegoroczna zima jest w Wiedniu surowa, od miesięcy nie wychodzę z domu. Z trudem również przystosowuję się do roli bohatera cierpiącego za ludzkość, którą mi Pan łaskawie wyznacza. Jestem w kiepskim humorze; niewiele rzeczy mnie cieszy, stałem się znacznie bardziej krytyczny w stosunku do własnej osoby. U każdego innego człowieka uznałbym to za starczą depresję. Widzę, jak chmura nieszczęść przeciąga nad światem, nawet nad moim małym światkiem. Zmuszam się do pamiętania o jedynym jasnym punkcie na tym mrocznym horyzoncie, a jest nim moja córka Anna, która właśnie teraz dokonuje tak znakomitych odkryć analitycznych, i jak mi wszyscy mówią, wygłasza o nich świetne prelekcje. Oto nadzieja, że świat nie skończy się z chwilą mojej śmierci".

Przyjemność sprawił mu list od Alberta Einsteina, który znalazł schronienie na Uniwersytecie Princeton:

„Czcigodny Panie Profesorze!

Jestem szczęśliwy, że naszemu pokoleniu przypadła w udziale możliwość wyrażenia swego szacunku i wdzięczności Panu jako jednemu ze swych największych nauczycieli. Nie ułatwił Pan bynajmniej sceptycznemu laikowi wyrobienia sobie niezależnego sądu. Do niedawna mogłem jedynie przeczuwać spekulatywną siłę Pańskiego myślenia oraz olbrzymiego jej wpływu na *Weltanschaung* naszej epoki, nie potrafiłem jednak wyrobić sobie definitywnego poglądu na to, ile prawdy w niej jest zawarte. Lecz oto niedawno miałem okazję słyszeć o kilku przypadkach, samych przez się zapewne niezbyt ważnych, których, moim zdaniem, nie można inaczej wytłumaczyć, jak tylko stosując teorię stłumienia. Jestem bardzo zadowolony, że na przypadki te natrafiłem, zawsze bowiem odczuwam wielką radość, kiedy się okazuje, że wielka i piękna koncepcja jest zgodna z rzeczywistością".

Zbliżała się osiemdziesiątka, starość bolesna, samotność dotkliwa; tylu bliskich ludzi już odeszło. Osiągnął ten etap w życiu, kiedy stać go było na wybaczenie dawnym i obecnym antagonistom usiłującym pomniejszyć jego osiągnięcia. Tylko jedna rana nadal krwawiła: Edward Pichon, zaprzyjaźniony z Zygmuntem zięć Pierre'a Janeta, zapytywał, czy Janet może odwiedzić Zygmunta. Janet od samego początku konsekwentnie krytykował psychoanalizę. Freud pisał do Marii Bonaparte:

„Nie, nie przyjmę Janeta. Nie potrafiłbym się powstrzymać od zarzucenia mu, że nie zachował się uczciwie w stosunku do psychoanalizy i do mnie osobiście i nigdy tego nie naprawił. Tylko głupi człowiek mógł powiedzieć, że idea seksualnej etiologii nerwic mogła się narodzić jedynie w atmosferze takiego miasta jak Wiedeń. Kiedy francuscy autorzy rozpowszechniali obelżywą plotkę, że po wysłuchaniu jego wykładów ukradłem mu pomysły, wystarczyłoby jedno jego słowo, żeby przeciąć całą tę gadaninę, bo przecież ja nigdy nie widziałem go na oczy i nie słyszałem nawet jego nazwiska za czasów Charcota; ale on nigdy tego słowa nie wypowiedział".

Zygmunt Freud osiągnął wiek rekapitulacji, kiedy człowiek ogląda się za siebie, na osiemdziesiąt lat swego pobytu na ziemi, i podsumowuje osiągnięcia i porażki. Odnowił się rak jamy ustnej; czekały go nowe, ciężkie operacje. Ale przebył ich już prawie trzydzieści; żył i pracował trzynaście lat od owej strasznej chwili, kiedy usłyszał z ust Pichlera słowa, których się tak obawiał. Niekiedy mu się zdawało, że nie wytrzyma już dłużej potwornego bólu; a przecież do dziś leczył chorych, szkolił młodych analityków, pisał trzecią część książki o Mojżeszu i monoteizmie. Niespożyte umiłowanie życia pozwoliło mu odroczyć chwilę śmierci. Zapewne uśmiechnąłby się pogardliwie, gdyby usłyszał, jak jego przyjaciele i uczniowie nazywają to bohaterstwem. Zachował poczucie humoru. Jakiejś pacjentce, która go zapytała, jak się czuje, odpowiedział:

– To, jak się czuje osiemdziesięcioletni człowiek, nie jest tematem do rozmowy.

Psychoanalizy wciąż jeszcze nie wykładano na uczelniach austriackich, ale książki Zygmunta Freuda stały się podręcznikami uniwersyteckimi i wychowało się na nich całe pokolenie. Rosyjskie wydanie *Wstępu do psychoanalizy* rozchodziło się w tysiącach egzemplarzy. Od dawna rozlegały się opinie, że psychoanaliza, jeśli w ogóle się sprawdzi, to będzie miała zastosowanie tylko w świecie zachodnim. Tymczasem na półkach jego biblioteki stały już liczne tłumaczenia tych książek na japoński. Freudowska psychologia podświadomości podbijała Azję.

Powieść lat dwudziestych znalazła się pod wpływem teorii strumienia świadomości, która wyrosła z jego metody swobodnego kojarzenia. Słynna na całym świecie sztuka Eugeniusza O'Neilla *Dziwne interludium* była całkowicie freudowska, podobnie jak *Hamlet* w interpretacji aktora Johna Barrymore'a.

Nazwisko Freud weszło do powszechnego użytku. „Freudowskie przejęzyczenie" padało w rozmowach we wszystkich językach świata.

Dzięki Zygmuntowi Freudowi człowiek zaczął inaczej myśleć o sobie. Nikt już nie musiał ignorować mocy działających w naturze ludzkiej. Wciąż jednak istniały jeszcze umysły, do których nie udało mu się dotrzeć; niektórzy ludzie uważali, że badanie seksualnej natury człowieka jest niemoralne i haniebne. Zygmunt zastanawiał się, czy jego idee kiedykolwiek zostaną przyjęte przez takich ludzi.

Nie zakończył pracy rozpoczętej w wielu dziedzinach, lecz pocieszał się biblijną maksymą, że nie jest rzeczą człowieka pracę kończyć, lecz nie wolno mu się też od niej powstrzymywać. Już pojawiali się inni, którzy po nim pracę tę przejmą i przyczynią się do dalszych postępów.

Popełniał błędy, przyznawał się do nich i szedł dalej. W jego *Dziełach zebranych* – ukażą się kiedyś w Anglii w dwudziestu trzech tomach w przekładzie na język angielski – są błędne pojęcia, półprawdy, fałszywe tropy, iluż jednak wyszkolił młodych ludzi. To oni naprawią jego błędy czy niedopatrzenia, zmienią psychologię tak gruntownie, że on nie może sobie nawet tego wyobrazić w roku 1936. Nie wszystko, co napisał, ma być traktowane jak Biblia. Przecież wielokrotnie powtarzał w swych pracach z dziedziny socjologii, antropologii i historii, że buduje jedynie konstrukcje myślowe na dostępnym mu materiale. Zmienią się też metody psychoterapii. Już powstawały szkoły broniące krótkiej analizy, analizy grupowej, indywidualnej, analizy dostosowania się do społeczeństwa.

Wierzył jednak głęboko, że główny trzon jego odkryć dotyczących podświadomości i teorii psychoanalitycznej wytrzyma próbę czasu i pozostanie niezmieniony. Po wszystkich przemianach, jakie na pewno nastąpią w nadchodzących dziesięcioleciach, co najmniej osiemdziesiąt procent jego dzieła ostanie się i wytrzyma ataki nawet tych początkujących analityków, którzy buntując się przeciw jego ojcowskiej postaci, zamierzają zapoczątkować swe własne, niezależne metody terapii.

Spoglądając na przebytą drogę, dochodził do wniosku, że osiągnął cel życia. Nikt już nie mógł teraz powtarzać zarzutów, które padały na początku, że jego wnioski odnoszą się jedynie do żydowskiego mieszczaństwa wiedeńskiego na określonym etapie rozwoju historycznego. Przecież odkrycie podświadomości zostało udokumentowane prawie we wszystkich krajach świata, u ludzi wszystkich narodów, ras, wyznań, klas, kultur na wszystkich poziomach wykształcenia.

Największą radość sprawiło mu przemówienie, które Tomasz Mann wygłosił z okazji jego osiemdziesiątych urodzin. Mann osobiście zjawił się w willi Freudów w Grinzingu, by przekazać mu list gratulacyjny podpisany przez dwustu najwybitniejszych pisarzy i artystów świata, między innymi przez H.G. Wellsa, Romain Rollanda, Jules'a Romains, Wirginię Woolf, Stefana Zweiga...

„Osiemdziesiąta rocznica urodzin Zygmunta Freuda jest znakomitą okazją przekazania pionierowi nowej, głębszej wiedzy o człowieku naszych gratulacji i słów szacunku. W każdej doniosłej dziedzinie swej działalności ten odważny lekarz, filozof, artysta i śmiały wizjoner był dla dwóch pokoleń przewodnikiem po niepojętych dotąd regionach duszy ludzkiej. Duch niezawisły, «rycerz o surowym obliczu», jak Nietzsche powiedział o Schopenhauerze, myśliciel i badacz, potrafił wytrwać samotnie, a potem powiódł za sobą i przyciągnął do siebie wielu, kroczył własną drogą, dotarł do prawd, które wydały się groźne, ponieważ ujawniały tajemnice bojaźliwie ukrywane, i oświetlił miejsca spowite mrokiem. Wysunął wiele nowych problemów i zmienił dawne skale wartości. Dzięki swym poszukiwaniom i wnikliwym spostrzeżeniom poszerzył wielokrotnie horyzonty badań intelektualnych i nawet przeciwników swych uczynił dłużnikami, pobudzając ich do twórczego wysiłku. Jeśli nawet przyszłość nada nowy kształt lub zmodyfikuje poszczególne wyniki jego badań, nigdy już nie będzie można pominąć pytań postawionych przez Zygmunta Freuda ludzkości. Zasług jego dla rozwoju nauki nie będzie można odrzucić lub przesłonić. Koncepcje, które stworzył, słowa, w które je ujął, stały się już elementami żywego języka i zostały powszechnie przyjęte. Na wszystkich dziedzinach wiedzy humanistycznej, na nauce o literaturze i sztuce, o ewolucji religii i prehistorii, o mitologii, folklorze i pedagogice, wreszcie na samej poezji jego osiągnięcia wycisnęły głębokie piętno. Jesteśmy przekonani, że jeśli jakiekolwiek poczynania ludzkości pozostaną niezapomniane, to należeć będzie do nich przede wszystkim spenetrowanie przez niego głębin ludzkiego umysłu".

Najbardziej jednak wdzięczny był zawsze wiernemu Eugeniuszowi Bleulerowi za słowa, w których podsumował jego pracę:

„Każdy, kto próbowałby zrozumieć neurologię lub psychiatrię bez zaznajomienia się z psychoanalizą, wydawałby mi się czymś na podobieństwo dinozaura. Piszę «próbowałby», a nie «próbuje», ponieważ nie ma takich ludzi, nawet wśród tych, którym przyjemność sprawia lekceważenie psychoanalizy".

Kiedyś, starając się o rękę Marty, powiedział jej, że nie odczuwa potrzeby wyrycia swego nazwiska w marmurze. Ernest Jones nazwał to później „racjonalizacją". Będąc w tym mniej więcej wieku, w którym jego ojciec Jakub rozstawał się ze światem, Zygmunt przyznawał już z uśmiechem, że ta właśnie potrzeba była jedną z dominujących cech jego natury. Wyrył swe nazwisko w marmurze. Być może marmur ten naruszą burze i kilofy napastników, ale przetrwa wieki.

13

Jeszcze w marcu 1938 roku Zygmunt czuł się bezpieczny w Wiedniu. Kanclerz Schuschnigg był gorącym patriotą austriackim. Nie działały na niego ani kuszenia, ani pogróżki Hitlera. Zarządził plebiscyt, w którym Austriacy mieli się wypowiedzieć za przyłączeniem do Trzeciej Rzeszy lub przeciw niemu. Zygmunt wiedział, że znaczna część młodzieży jest pod urokiem mundurów, defilad, hitlerowskich haseł, ale podobnie jak całe wiedeńskie mieszczaństwo wierzył, że Austriacy odrzucą *Anschluss* i zachowają niezawisłość.

Do plebiscytu nie doszło.

Jedenastego marca 1938 roku armia niemiecka wkroczyła do Austrii. Zaczęła się okupacja. Samoloty niemieckie wylądowały na austriackich lotniskach. Po Wiedniu krążyły niemieckie czołgi. Na ulice wylegli ukrywający się dotąd austriaccy hitlerowcy w brązowych koszulach, ze swastykami na ramieniu.

Zarząd Wiedeńskiego Towarzystwa Psychoanalitycznego został rozwiązany. Było rzeczą oczywistą, że każdy, kto ma ku temu sposobność, powinien uciekać. Od kilku już lat nakłaniano Zygmunta, by szukał azylu u przyjaciół we Francji, w Holandii, Szwecji, Anglii czy Stanach Zjednoczonych. Stale odmawiał. Do jednego z przyjaciół pisał, że nie wyobraża sobie, by hitlerowcy mogli nie uszanować postanowień Traktatu Wersalskiego odnośnie do spraw mniejszości. Czyżby Żydzi nie stanowili mniejszości, choć może nie są nią w sensie politycznym, co podkreśla traktat.

Już w pierwszą niedzielę po wkroczeniu Niemców przekonał się, że był w błędzie. Rozległo się uporczywe dzwonienie do drzwi mieszkania Freudów. Na progu stała grupa SA-manów. Wpadli do mieszkania, zostawiając w drzwiach straż, by uniemożliwić komukolwiek ucieczkę. Marta zobaczyła, jak jeden z nich nerwowo stuka karabinem o parkiet.

– Może pan zechce uprzejmie postawić karabin na stojaku do parasoli – powiedziała stanowczo.

Hitlerowiec był tak zaskoczony, że zrobił, co mu kazano.

Kiedy reszta wpadła do jadalni, Marta poszła za nimi, całkowicie opanowana.

– Może panowie usiądą?

Mieli zakłopotane miny, ale nie usiedli. Przestępowali z nogi na nogę.

– Czy mogę wiedzieć, w jakiej sprawie panowie tu przyszli?

– Mamy rozkaz skonfiskowania cudzoziemskich zasobów finansowych – wymruczał wreszcie jeden z SA-manów.

Marta poszła do kuchni, wyjęła pieniądze odłożone na gospodarstwo, a wróciwszy, położyła banknoty na środku stołu. Tym samym tonem, jakim od lat zwracała się do gości swego męża, powiedziała:

– Panowie zechcą się sami obsłużyć.

Szturmowcy byli wściekli; suma okazała się zbyt mała, by mogli się nią podzielić. Anna wyczuła napięcie. Poprosiła, by poszli za nią do sąsiedniego pokoju, gdzie stał sejf. Otworzyła go. Hitlerowcy zaczęli pośpiesznie badać zawartość. Zabrali sześć tysięcy szylingów. Zygmunt, który usłyszał w gabinecie ich głosy, wszedł do pokoju. Młodzi hitlerowcy zbledli pod jego spojrzeniem. Bez słowa wyszli z mieszkania.

– Czego chcieli? – zapytał Martę.

– Pieniędzy.

– Ile wzięli?

– Sześć tysięcy szylingów.

– Nigdy nie dostałem tyle za jedną wizytę.

Przyjechał Marcin Freud w towarzystwie Ernesta Jonesa. Freudowie nie wiedzieli, że jest w Wiedniu. Marcin wyglądał tak, jakby go przepuszczono przez wyżymaczkę. Był w biurach wydawnictwa, gdy wdarła się tam banda uzbrojonych wyrostków podających się za hitlerowców. Aresztowali go, zabrali pieniądze i zagrozili, że spalą wszystkie książki. W tej właśnie chwili wszedł Ernest Jones, którego pośpiesznie wezwały przez telefon Dorota Burlingham z Wiednia i Maria Bonaparte z Paryża, domagając się, by ratował Freudów, póki nie jest za późno. Jones również został aresztowany. W końcu zjawił się jakiś hitlerowski oficer w mundurze i odprawił młodych bandytów.

Na Berggasse nie mówiono o wizycie hitlerowców. Marcin i Jones zjedli coś, a potem Jones półgłosem poprosił Zygmunta o rozmowę na osobności.

– Panie profesorze, były takie chwile podczas mojej szalonej eskapady z Londynu do Pragi, a potem podróży samolotem do Wiednia, kiedy wątpiłem, czy uda mi się do pana dotrzeć. Po tym, co dziś się stało, rozumie pan, że musicie wszyscy jak najszybciej opuścić Wiedeń. Tysiące wiedeńczyków stoi na chodnikach, wykrzykując: „Heil Hitler!".

– Słyszę ich.

– A więc zdaje pan sobie sprawę, że musi pan wyjechać.

– Nie, moje miejsce jest tu.

– Ależ, panie profesorze, pan nie jest sam na świecie. Dla wielu ludzi pańskie życie ma wartość bezcenną.

– Ba, gdybym był sam! Nie mam sił do podróży. Nie zdołam nawet wspiąć się po schodkach do wagonu kolejowego.

– Zaniesiemy pana.

– Żaden kraj nie udzieli mi wizy wjazdowej. A już z pewnością nie pozwolą mi pracować.

– Maria Bonaparte zdobędzie wizę francuską. Oczywiście nie będzie panu wolno tam mieć praktyki. Ale pan powinien wyjechać do Anglii. Od dawna już o tym marzymy. Jestem pewien, że mój rząd przyjmie pana z radością i zezwoli panu na przyjmowanie pacjentów.

– Nie mogę opuścić mego ojczystego kraju. Byłbym dezerterem.

– Panie profesorze, słyszał pan o tym oficerze z „Titanica", który po wybuchu kotła został zrzucony z pokładu. Zapytany, kiedy opuścił statek, odpowiedział dumnie: „Nigdy statku nie opuściłem, to statek mnie opuścił".

Cień uśmiechu pojawił się w oczach Zygmunta.

– Pomyślę jeszcze. I bardzo dziękuję, przyjacielu.

Z Paryża przyjechała Maria Bonaparte i podobnie jak Jones zdecydowała, że Freudowie muszą opuścić Austrię. Jones wrócił do Londynu, by starać się o niezbędne zezwolenia.

W tydzień później do mieszkania Freudów przyszła grupa SS-manów. Byli starsi i bardziej stanowczy. Przeszukali dokładnie cały dom; twierdzili, że szukają „wywrotowej literatury". Zygmunt i Marta siedzieli w milczeniu na kanapie, gdy hitlerowcy przeprowadzali szczegółową rewizję. Nie znaleźli nic, co by chcieli ze sobą zabrać, z wyjątkiem... Anny Freud.

– Co to znaczy?! – wołał Zygmunt. – Dlaczego zabieracie moją córkę? Dokąd?

– Do hotelu „Metropol". Chcemy jej zadać kilka pytań.

– Hotel „Metropol" – wyszeptała Marta. – Przecież to siedziba gestapo.

– Moja córka nie powie panom nic, co by panów mogło zainteresować. Jeśli panowie potrzebują jakichś informacji, to tylko ja mogę ich udzielić. Sam pójdę z panami.

Hitlerowski oficer skłonił się sztywno i oświadczył:

– Mamy rozkaz aresztowania pańskiej córki.

Anna usiłowała ich pocieszyć spokojnym spojrzeniem, kiedy opuszczała pokój w towarzystwie dwóch SS-manów.

Marta zbladła; nie płakała, chociaż wiedziała, jaki los spotykał Żydów aresztowanych i odprowadzanych do gestapo. Znęcano się nad nimi i wielu odsyłano do obozów pracy. Mogło to spotkać i Annę.

– Czyżbym stał się mordercą własnej córki? – pytał Zygmunt, paląc łapczywie cygaro i starając się ukryć przed Martą zdenerwowanie. – Jakże głupio, jakże samolubnie się zachowałem... Wszyscy uciekli, wszyscy, którzy mieli choćby najmniejszą szansę wydostać się stąd. Tylko nie ja! Nie chciałem opuścić posterunku. Ale dlaczego nie myślałem o Annie i Marcinie? Jesteśmy już starzy, Marto. Minna też jest stara. Moje siostry są stare. Nie ma żadnego znaczenia, co się z nami stanie. Ale, o Boże, co ja zrobiłem z moją córką? Co oni zrobią z nią w gestapo?

Mijały godziny katusz duchowych. Kiedy zadzwonił telefon, Zygmunt podbiegł do niego i z trudem utrzymywał słuchawkę w trzęsących się rękach. Mówił amerykański *chargé d'affaires,* Wiley, który po otrzymaniu wiadomości o pierwszej wizycie gestapo w domu Freudów odwiedził ich, ofiearując swe usługi.

– Panie profesorze, dowiedziałem się, że pańską córkę aresztowano. Natychmiast złożyłem oficjalny protest. Dotarłem do wysokiego urzędnika. Wydaje mi się, że mój protest został potraktowany poważnie. Może pan być pewny, że nie spocznę, póki pańska córka nie znajdzie się na wolności.

Godziny wlokły się żółwim krokiem. Zygmunt chodził niespokojnie po pokojach, paląc jedno cygaro po drugim. W domu panowała martwa cisza. Nie próbowali się nawet pocieszać. Mogli tylko modlić się w duszy i nasłuchiwać kroków Anny na schodach.

Minęło południe, godzina czwarta, piąta... ani słowa, ani znaku życia. Zapadł zmrok, a wraz z nim wzmogło się przerażenie. Nikt nie zapalił światła. Wniesiono kawę. Nikt jej nie tknął. Zygmunt czuł, że jest u kresu sił. Marta może najlepiej ze wszystkich znosiła napięcie, ale tym razem nie mogła pomóc mężowi. Przyszedł Marcin. Miotał się po mieszkaniu jak tygrys w klatce.

W końcu Anna wróciła. Otworzyła drzwi własnym kluczem. Cała rodzina nie spuszczała z niej wzroku. Weszła do pokoju i powiedziała:

– Wszystko w porządku.

Amerykański *chargé d'affaires* pomógł, ale na dobrą sprawę Annę uratowała przede wszystkim jej spostrzegawczość i rozsądek. Wiedziała, że aresztowanych, których w ciągu dnia nie przesłuchano, ładowano w nocy na ciężarówki i wywożono w nieznanym kierunku. Nie dopuściła do tego. Awanturowała się, żądała przesłuchania.

W końcu wezwano ją i po godzinie przesłuchania zwolniono.

– Chwała Bogu, jesteś już bezpieczna! – zawołał Zygmunt. – Jutro zaczynamy przygotowania do wyjazdu z Wiednia.

Ernest Jones niestrudzenie zabiegał o wizy brytyjskie i zezwolenie na pracę. Anglia niechętnie przyjmowała w tym nieszczęsnym okresie uciekinierów. Obywatele brytyjscy musieli gwarantować im utrzymanie, a o pozwoleniach na pracę w ogóle nikt nie słyszał. Jones udał się do Towarzystwa Królewskiego, które przed dwoma laty przyznało Zygmuntowi tytuł członka honorowego. Royal Society rzadko interweniowało w sprawach politycznych. Sir William Bragg, światowej sławy fizyk i prezes Towarzystwa, obiecał pomóc. Dał Jonesowi list polecający do ministra spraw wewnętrznych, sir Samuela Hoare'a. Jones bardzo przekonująco przedstawił sprawę Zygmunta. Zorientował się, że Hoare jest przychylnie nastawiony. Dał Jonesowi *carte blanche*.

Teraz nastąpił okres krytyczny. Minęły trzy miesiące obaw i rozczarowań. Hitlerowcy nie chcieli wypuścić swego znakomitego zakładnika. Zygmunt spędzał czas, odpowiadając na listy, pisząc trzecią część *Mojżesza i monoteizmu* i tłumacząc wraz z Anną książkę Marii Bonaparte o jej psie Topsy.

Profesor Freud stał się *cause célèbre*. Hitlerowcy zablokowali jego konto bankowe, skonfiskowali wszystkie książki w magazynie wydawnictwa, zmusili Marcina do sprowadzenia z powrotem książek i pieniędzy, które wysłał do

Szwajcarii. Amerykański ambasador w Paryżu, William C. Bullitt, prosił prezydenta Roosevelta o osobistą interwencję w sprawie Zygmunta Freuda. Roosevelt interweniował. Bullitt nalegał na niemieckiego ambasadora w Paryżu, by zdobył dla Zygmunta niezbędne dokumenty. Mussolini, któremu Zygmunt w swoim czasie na prośbę ojca jednego z pacjentów przesłał książkę z autografem, interweniował u Hitlera.

Ciocia Minna była w sanatorium po operacji katarakty. Dorota Burlingham, mając paszport amerykański, zdołała wywieźć ją do Londynu.

Marcin uciekł i spotkał się z żoną i dziećmi w Paryżu.

Dziesięć dni później uciekli do Anglii Matylda i Robert Hollitscherowie.

Harry Freud, syn Aleksandra, znacznie wcześniej dostrzegł oznaki nadciągającego niebezpieczeństwa. Kiedy nie udało mu się przekonać rodziców, wyjechał, rzekomo w interesach, do Szwajcarii. Jego kuzyn w Nowym Jorku, Edward Bernays, umożliwił mu przyjazd do Ameryki. Gestapo przyszło do Aleksandra z nakazem aresztowania Harry'ego. Teraz już nawet Aleksander przejrzał. Mianował wybitnego hitlerowskiego prawnika, członka SS, swym pełnomocnikiem i przepisał na niego pokaźne konto bankowe, pod warunkiem że załatwi całej jego rodzinie paszporty i zezwolenia na wyjazd. W maju dokumenty nadeszły. Aleksandrowie przyszli się pożegnać na Berggasse. Życzono sobie szybkiego spotkania w Londynie.

Zygmunt nic dla siebie nie załatwiał, starał się za to pomóc innym. Przez A.A. Brilla uzyskał wizy wjazdowe do Stanów Zjednoczonych dla owdowiałej synowej Józefa Breuera i jej córki, którym groziło aresztowanie. Dopomógł wyjechać do Ameryki Teodorowi Reikowi i jego rodzinie. W Stanach Zjednoczonych przebywali już: Feliks Deutsch z żoną, Maks Graf, Franciszek Aleksander i Karen Horney. Kiedy Teodor Reik przyszedł się pożegnać, Zygmunt go objął.

– Zawsze pana lubiłem – powiedział cicho. Reik skłonił głowę, nie mógł wydobyć z siebie głosu. – Ludzie, którzy są naprawdę ze sobą związani, nie muszą być ze sobą skuci.

W Bostonie, a potem po całych Stanach Zjednoczonych rozeszła się plotka, że hitlerowcy żądają okupu za Freuda. Zaczęto zbierać pieniądze. Zygmunt za pośrednictwem korespondenta jednej z gazet zdementował wiadomość. Ale w tej pogłosce kryła się prawda. Hitlerowcy żądali prawie pięć tysięcy dolarów podatku, którego natury nikt nie umiał wyjaśnić. Księżna Bonaparte natychmiast wpłaciła tę sumę. Wyłoniła się jeszcze ostatnia przeszkoda. W mieszkaniu Freudów zjawił się oficer z dokumentami.

– Panie profesorze, jeśli podpisze pan ten papier, to pańska rodzina oraz współpracownicy otrzymają zezwolenia na wyjazd. Chodzi o oświadczenie, że od chwili przyłączenia Austrii do Rzeszy Niemieckiej władze niemieckie, a w szczególności gestapo, traktowały pana z należnym szacunkiem jako uczonego o sławie światowej.

Zygmunt przeczytał oświadczenie i z uśmiechem odpowiedział:

– Podpiszę z przyjemnością, pod warunkiem że wolno mi będzie dodać jedno zdanie.

– Bardzo proszę, panie profesorze.

Pod swym podpisem Zygmunt dodał: „Z całego serca mogę polecić usługi gestapo każdemu".

Czwartego czerwca 1938 roku Freudowie wsiedli do Orient Expressu. O trzeciej nad ranem przekroczyli Ren w okolicy Strasburga. Mieli cały przedział dla siebie. Zygmuntowi, Marcie i Annie towarzyszyły dwie służące, które były u nich od lat. Ernest Jones zdobył również wizy dla doktora Maksa Schura i jego żony Heleny. Doktor Schur jednak zachorował na zapalenie wyrostka i Helena została, by się nim opiekować. W ostatniej chwili udało się zdobyć wizę dla przyjaciółki Anny, doktor Józefiny Stross. Opiekowała się ona Zygmuntem w drodze.

W przedziale Freudów nikt nawet nie próbował zmrużyć powieki. Niemiecka straż graniczna przeprowadziła bardzo szczegółową rewizję. Każdy papierek trzykrotnie oglądano. Wreszcie pociąg minął Ren. Francuscy celnicy byli uprzejmiejsi. Freudowie mieli tylko wizy tranzytowe. Wyczerpany fizycznie i emocjonalnie, ale już bezpieczny, Zygmunt zasnął.

Do Paryża dotarli rano. Oczekiwał ich Ernest. Przyjechał z Anglii, by towarzyszyć im na ostatnim etapie podróży. Maria Bonaparte czekała z samochodem. Ambasador Bullitt z uśmiechem witał uratowanych. Przybył także Harry Freud.

Wszyscy pojechali do domu Marii Bonaparte. Freudowie wykąpali się i odpoczęli po długiej podróży. Potem zasiedli do śniadania na tarasie pałacu. Podeszła Maria, chowając coś za plecami.

– Niech pan zobaczy, co panu ukradłam w czasie ostatniego pobytu na Berggasse. Tę piękną Atenę. Wiedziałam, że jest pana ulubienicą. Teraz może ją pan zabrać do Anglii i postawić na swym biurku.

Zygmunt delikatnie głaskał figurkę, jak to już tyle razy w życiu czynił.

– Dziękuję pani, droga przyjaciółko. Schronimy się teraz pod jej opiekę. Będzie mi przypominała moją kolekcję, którą straciłem bezpowrotnie.

– Nic podobnego! – zawołała Maria Bonaparte. – Moi ludzie w Wiedniu uratowali jej część. A także część biblioteki, nie mówiąc już o pana rękopisach. Zostaną przesłane do ambasady greckiej w Londynie. W Anglii będzie pan otoczony swymi pamiątkami.

Tej samej nocy przebyli kanał La Manche. Nad ranem wylądowali w Dover. Zygmunt zatrzymał się na chwilę i spoglądając na białe skały, wspominał swój pierwszy pobyt w Anglii. Był wtedy dziewiętnastoletnim młodzieńcem.

„Tu umrę wreszcie na wolności" – pomyślał.

Odwrócił się i podszedł na sam skraj wody. Patrzył na drugi brzeg kanału. W myślach przemierzał drogę powrotną przez Francję, Niemcy, Austrię, do rodzinnego miasta Wiednia.

Spis treści

Książkę wydrukowano na papierze
Creamy HiBulk 2.4 53 g/m^2
dostarczonym przez ZiNG Sp. z o.o.

www.zing.com.pl

Warszawskie Wydawnictwo Literackie
MUZA SA
ul. Sienna 73
00-833 Warszawa
tel. +4822 6211775
e-mail: info@muza.com.pl

Dział zamówień: 22 6286360
Księgarnia internetowa: www.muza.com.pl

Skład i łamanie: MAGRAF s.c., Bydgoszcz
Druk i oprawa: Colonel S.A., Kraków